D0544012

MÉMOIRES

RAYMOND ARON

MÉMOIRES

JULLIARD
8, rue Garancière
PARIS

ISBN 2-260-00332-X

PREMIÈRE PARTIE

L'ÉDUCATION POLITIQUE
(1905-1939)

I
LE TESTAMENT DE MON PÈRE

Je suis né rue Notre-Dame-des-Champs dans un appartement dont je ne garde aucun souvenir. En revanche, l'appartement du boulevard Montparnasse dans lequel mes parents déménagèrent peu de temps après ma naissance ne s'est pas entièrement effacé de ma mémoire : je vois ou j'imagine une vaste entrée-couloir qui servait, à mes frères et à moi, de patinoire et dont un panneau était tapissé par trois grandes bibliothèques, le haut rempli de livres, le bas destiné aux papiers et brochures, fermé par des portes. C'est là que, vers ma dixième année, je découvris la littérature sur l'affaire Dreyfus que mon père avait accumulée en vrac.

Nous étions trois — « les petits marrons » — presque du même âge, avril 1902, décembre 1903, mars 1905. Adrien fut à tous égards l'aîné, le plus vite échappé de la famille ou plutôt révolté contre elle, peut-être à l'origine le plus adoré par ma mère (une année avant son arrivée au monde, un premier fils était mort dans un accouchement difficile ; il aurait pu vivre, disait parfois ma mère, et elle accusait le docteur). Gâté, il ne le fut guère plus que les autres, mais Adrien aurait peut-être suivi un autre chemin si mes parents, ma mère en pleurant, mon père en se justifiant à lui-même sa faiblesse, ne lui avaient donné longtemps les moyens de vivre à sa guise sans travailler, dans le confort.

Avant ma naissance, ma mère avait décrété que je serais la fille qu'elle désirait passionnément. Je fus donc le petit dernier comme Adrien avait été le premier. Elle souffrait parfois de la dureté des Grands, ceux qu'elle appelait les Aron. Elle me prenait par la main et j'aimais partager sa solitude, en une complicité de tendresse. Mon père, lui, me confia une autre mission qui pesa sur ma vie tout entière, plus encore que mon intimité à peine consciente avec ma mère au cours de mes premières années.

A la première page de mes souvenirs, Adrien s'impose à ma plume que je laisse courir. Pourquoi lui, qui n'a tenu aucune place dans mon existence ni entre la fin de mes études et la guerre, ni à mon retour d'Angleterre, en 1944, jusqu'à sa mort en 1969 ? Un de mes cousins disait, vers 1950 : « Avant 1940, quand on me demandait : êtes-vous parent d'Aron ? il s'agissait du joueur de tennis ou de bridge ; maintenant, c'est de ma parenté avec toi que mes interlocuteurs se soucient. » En effet, Adrien jouit d'une certaine célébrité ou, du moins, de notoriété dans le monde du sport, à Paris surtout. Classé le neuvième joueur de tennis vers la fin des années 20, à l'époque des quatre mousquetaires, il comptait en même temps parmi les quatre ou cinq meilleurs joueurs de bridge de France, le meilleur peut-être avec P. Albarran. Il prit part au match, à l'époque retentissant, de l'équipe Culbertson contre l'équipe de France. Sans être professionnel d'aucun de ces jeux, il en vivait, surtout du bridge. Après 1945, il avait abandonné la raquette et les cartes, il achetait et vendait des timbres, en amateur aussi. Jusqu'au dernier jour, il demeura en marge de la société dont il méprisait l'hypocrisie, glissant peu à peu vers le cynisme.

Nous ne nous voyions plus guère, pendant les années 60. Après une opération (hernie étranglée), il exprima le désir d'habiter dans notre appartement, avenue du Président-Kennedy ; nos hésitations l'irritèrent et nos rencontres se firent intermittentes. Je me souviens d'une brève conversation, en mai 1968 ; il réagissait aux événements avec son ordinaire mélange de mépris des hommes et de repli sur soi-même. En novembre 1969, il m'appela au téléphone et me dit sur un ton plus goguenard qu'inquiet ou attristé : « Cette fois, ça y est, je me sens une boule dure dans le ventre, ce doit être un cancer. » Il ne se trompait pas. En une dizaine de jours, il fut emporté par un cancer généralisé. Il fumait deux ou trois paquets de cigarettes par jour ; il toussait, d'une toux de fumeur dont même le profane devinait l'origine.

Je lui rendis visite chaque jour à l'hôpital américain — sauf le dernier jour de sa vie consciente. Je faisais mes visites de candidature aux professeurs du Collège de France — visites qui me semblaient d'autant plus dérisoires que la mort d'Adrien contrastait avec la comédie sociale qu'il n'avait jamais jouée et dont il ne regrettait pas les pompes. Il ne craignit pas la fin qu'il attendait à sa manière ordinaire, sans ombre dc peur apparente, plutôt avec impatience ; en revanche, il craignait la souffrance. Il m'avait supplié de la lui épargner. Il avait demandé à son médecin un tube d'aspirine qu'il n'utilisa pas. Il ne rapprocha pas l'échéance, l'extension du mal fut foudroyante, mais il fit face au dénouement, fidèle à lui-même, sans examen de conscience, avec une sorte de bilan, détaché, objectif, de ses soixante-huit années.

Il se souvenait de la première partie de sa vie, avant 1940, avec satisfaction. Non pas la satisfaction d'un devoir ou d'une œuvre accomplis, la satisfaction ne concernait que lui-même ; les femmes, l'argent, les succès sportifs, il avait tout possédé, tout ce qu'il avait voulu avoir. A l'époque, il roulait dans une Lancia (qu'il me prêta plusieurs fois) ; élégant, il fréquentait les milieux riches des clubs de tennis et des clubs de jeu. Il incarnait parfaitement l'homme de plaisir, un type d'homme que mon moi philosophique méprisait et que peut-être une partie de moi-même, à peine consciente, humiliée par sa légèreté souveraine, admirait ou enviait.

La défaite de la France avait mis un terme à sa jeunesse. D'un coup, il se trouva, lui aussi, un Juif. Non qu'il se fût heurté, parmi ses familiers, à des antisémites, saisissant l'occasion de donner libre cours à des sentiments refoulés. Autant que ses propos, sur son lit d'hôpital, me permettent de reconstituer ses expériences, il fut surpris, heurté par l'indifférence au sort des Juifs (l'indifférence étant le cas le plus favorable) que manifestèrent ses camarades de sport ou de divertissement (les quelques amis vrais que je lui ai connus lui furent fidèles).

Il abandonna le tennis à la suite d'une hernie ; il abandonna le bridge le jour où il s'aperçut que le jeu commençait à le fatiguer. Pendant l'Occupation, il avait séjourné tout d'abord à Cannes ; il gagna ensuite la Suisse où il découvrit les timbres. Ses années d'après-guerre, me disait-il, ne reproduisirent pas la perfection d'avant-guerre. En fait, ce paresseux travailla dur, plusieurs heures par jour, à sa collection de timbres ou, faut-il dire, à son métier qu'il exerçait avec le même talent que le bridge. Sans la guerre, me disait-il, il aurait trouvé une « situation » par l'intermédiaire de l'un ou l'autre de ses « amis ». Ces amis avec lesquels il frayait et qui disparurent par la faute des événements.

A ces moments ultimes, il ne regretta rien ou presque ; il déplorait que les circonstances, indépendantes de sa volonté, l'eussent privé de certains plaisirs durant les dernières années de sa vie (au reste, il jugeait avoir déjà trop longtemps vécu). Tout compte fait, il avait choisi son « caractère intelligible ». Pour lui, tel qu'il avait voulu être, la vieillesse ne signifiait rien. Non qu'il fût éloigné de ses semblables autant qu'il l'affectait. La famille, en un certain sens, lui demeurait attachée à la peau. En 1934, quand mon père mourut, nous avons tous trois pleuré devant son cadavre (le premier, je crois, que j'aie vu) et il nous demandait à tous deux, à Robert et à moi : « Suis-je coupable ? » Mon père avait perdu toute sa fortune, en 1929, à la suite de l'effondrement des cours de la Bourse. Seul de nous trois, Adrien disposait d'assez d'argent pour aider nos parents. Je le lui avais suggéré, il avait répondu que son luxe apparent répondait aux contraintes de son mode d'existence. Au reste, je ne sais quel accueil mon père aurait réservé à une offre de cette sorte. Robert et moi nous fîmes de notre mieux pour apaiser ses remords.

J'omets un détail ou peut-être l'essentiel : il était doué d'une exceptionnelle intelligence ; il la mit au service du bridge et des timbres. Après des études normales, au lycée Hoche, il entra en hypotaupe. Au bout de quelques semaines, il rechigna devant le travail. Mon père souscrivit à un autre choix, une licence de droit et une licence de mathématiques. Il fit, en effet, sa licence de droit. En trois semaines avant l'examen, il apprenait presque par cœur les manuels et passa les examens des trois années de la même manière. Il laissa tomber la licence de mathématiques après un échec au certificat de mathématiques générales. Il préféra les leçons de tennis à celles de mathématiques. Il continua de vivre dans la famille jusque vers le début des années 30, puis s'établit dans un rez-de-chaussée, rue Marignan, qu'avait installé un de ses amis. Lorsqu'il mourut, il habitait encore dans ce même petit appartement dont le style, celui de l'exposition de 1924, se perdait dans le désordre, la saleté, l'usure des tapis et des tentures — négligence et non nécessité.

Bridge et tennis. Dans le jardin de la maison que mes parents firent construire en 1913-1915, à Versailles, se trouvait un terrain de tennis. Nous y jouions plusieurs fois par semaine. Adrien était le plus doué, Robert, intermédiaire par l'âge, l'était le moins. De même, je me mis au bridge vers la dixième année. Nous avons, pendant des années, joué au bridge, mon père et ses trois fils, tous les soirs ou presque. Nos parents avaient décidé que l'on ne devait pas « travailler » après le dîner. Les parties du soir se prolongèrent jusqu'au moment où Adrien chercha au-dehors d'autres divertissements. Quant à moi, je perdis la passion aussi bien du tennis que du bridge à partir du moment où je découvris la philosophie et le monde des idées.

Les souvenirs qui me sont revenus les premiers — Adrien et son « choix existentiel » — risquent de donner une image fausse de ma famille. Elle m'apparaît aujourd'hui banale, classique ; elle appartenait à la bourgeoisie moyenne du judaïsme français. Mon grand-père paternel, que je n'ai pas connu, avait créé un commerce de textile en gros à Rambervillers, village de Lorraine, où ses ancêtres étaient installés depuis la fin du XVIIIe siècle, me dit-on. Le commerce qu'il dirigeait avec son frère Paul (le père de Max Aron, le biologiste de Strasbourg) prospéra et se transféra à Nancy.

Je ne sais rien de lui en dehors de deux propos qui me furent rapportés, l'un par mes parents, l'autre par un Lorrain établi au Mexique qui avait servi sous ses ordres. Mon grand-père Ferdinand m'aurait annoncé une grande carrière, à moi le bébé qui porte son nom [1]. En 1961, je rencontrai à Mexico un homme de quatre-vingts et quelques années qui avait travaillé dans la maison « Aron frères ». Il me raconta la leçon qu'il avait reçue de son patron : « Un soir, Ferdinand, vers minuit, donna le signal du départ. Allons nous coucher, dit-il, il n'est pas tard, nous nous lèverons demain de meilleure heure. » Mes grands-parents, Juifs de l'Est, témoignaient d'un patriotisme intransigeant. Je ne crois pas qu'ils se soient jamais posé la question, aujourd'hui à la mode : Juifs ou Fran-

1. On m'appela Raymond Claude Ferdinand.

çais d'abord ? Même mon père, autant que je m'en souvienne, bien qu'il ait été bouleversé par l'affaire Dreyfus plus que par aucun événement historique, ne bougea pas de ses positions : franc-maçon dans sa jeunesse, sans inquiétude religieuse, sans aucune pratique juive ou presque, il ne différait pas, au moins superficiellement, de ses amis universitaires, d'origine catholique ou incroyants, vaguement de gauche.

Mes grands-parents, des deux côtés, « avaient de l'argent » comme on dit, mais non une grande fortune. Ma mère, dont le père possédait une petite usine de textile dans le nord du pays, avait apporté une dot. Ma grand-mère paternelle, avant 1914, disposait d'une grosse automobile, conduite par un chauffeur à casquette ; ces signes extérieurs ne trompent pas. Mes parents reçurent donc, de chaque côté, quelques centaines de milliers de francs. C'est après un héritage à la mort de ma grand-mère paternelle que mes parents décidèrent de quitter Paris et de s'installer à Versailles, d'abord rue de la Maye dans une maison louée, puis dans une maison construite sur les plans d'un architecte ami, une maison de pierre meulière, à l'époque la dernière sur l'avenue du Parc de Glatigny. De l'autre côté du mur qui entourait le jardin, un terrain de football.

Mon père, cas banal dans les familles juives, prit jeune la décision de ne pas entrer dans l'affaire familiale. Il fit des études brillantes, et fut le premier de sa classe à Lyon, en rivalité avec un de ses camarades qui enseigna plus tard la littérature française à la Sorbonne. Il avait conservé certaines de ses dissertations de philosophie, de ses exercices de discours ou de poésie latine que je lus beaucoup plus tard. En première année de droit, il obtint le premier prix au concours disputé par les meilleurs étudiants de Paris (ou de France). Pour des motifs que je reconstitue vaille que vaille, il rata sa carrière. Il s'orienta vers l'agrégation de droit et choisit l'agrégation de droit romain et d'histoire du droit. Un concours avait lieu tous les deux ans. Il arriva au deuxième rang à un concours qui n'offrait qu'un poste. Il avait été aidé, pour la grande leçon préparée en vingt-quatre heures, par un historien réputé, Isidor Lévy (ce qui était à la fois légal et coutumier). Il accepta d'abord une charge de cours dans les facultés de droit à Caen, puis il renonça à l'agrégation, revint à Paris et obtint, à la faculté de droit de Paris, un poste inférieur à celui des professeurs en titre — poste qui fut supprimé quelques années plus tard. Il resta dans l'enseignement, professeur de droit à l'École supérieure d'enseignement commercial et à l'École normale supérieure d'enseignement technique. Échec par rapport à ses ambitions, par rapport à ses mérites. Il aurait pu entrer dans la magistrature. Il s'accrocha à l'enseignement qu'il transfigura à ses propres yeux en vocation ; le plus beau métier du monde, disait-il.

Était-il sincère ? Jusque 1929 et la grande dépression, je me souviens de lui comme d'un homme heureux, expansif, bien dans sa peau. Ensuite, peu à peu, je m'interrogeai. Il avait publié des travaux juridiques quand il se destinait à l'agrégation. Une fois marié, père de trois enfants, il cessa de « travailler ». Il publia un petit livre *la Guerre et l'Enseignement du droit*, qui ne tirait pas à conséquence. Il quitta Paris pour échapper à la « vie mondaine », aux dîners parisiens (ainsi du moins la décision fut-elle expliquée). Il n'utilisa guère mieux ses loisirs versaillais ; de temps à autre, le sens de l'échec, refoulé par le goût de vivre et la résignation volontaire, revenait à la surface. Plus souvent, il disait à lui-même et aux autres qu'il se vouait tout entier à ses enfants. Peu à peu, à mesure que l'âge me permit de le comprendre, non plus comme un père tout-puissant mais comme un père humilié, je me sentis porteur des espoirs de sa jeunesse, chargé de lui apporter une sorte de revanche ; j'effacerais ses déceptions par mes succès. Il mourut quelques semaines après la naissance de ma fille Dominique : ce fut sa dernière joie.

Encore une fois, les souvenirs qui me reviennent se rapportent aux années noires, entre 1929 et sa mort, autrement dit après qu'il eut tout perdu, sa fortune et la dot de ma mère. A ce moment, à soixante ans, il dut, pour la première fois depuis son mariage, gagner sa vie, compter exclusivement sur ses traitements : bourgeois du tournant du siècle, il dépensait plus d'argent qu'il n'en gagnait — ce qui ne témoignait pas de légèreté. Pourquoi ne pas dépenser les revenus de son capital ? Mais je crains qu'il n'eût pris l'habitude de dépenser plus que ses traitements et ses revenus joints. Je me souviens d'une conversation entre mon père et ma mère, à Versailles, donc bien avant le malheur. « Je croyais que nous ne dépensions pas plus que nos revenus », disait ma mère. Et mon père répondait : « Non, nous dépensons plus. »

Ma mère n'était pas dépensière ; probablement un train de vie auquel mes parents s'étaient accoutumés — une cuisinière, une femme de chambre — devint-il trop lourd pendant les années 20 alors que les trois fils dépendaient encore de la bourse familiale. C'est après la guerre, durant les années d'inflation, que mon père prit l'habitude de spéculer à la Bourse. Spéculer est un grand mot ; il achetait à terme des actions, il les mettait dans son portefeuille si les cours en étaient tombés. Au début, peut-être fit-il ainsi ; peu à peu, il s'engagea bien au-delà de ses moyens. En 1929, le Krach, sur tous les marchés des valeurs mobilières, le frappa, lui comme tant d'autres. Mais il fut frappé plus que beaucoup d'autres parce qu'il se jugeait coupable et qu'il ne nourrissait plus, depuis trente ans, d'autre ambition que le bonheur familial et l'avenir de ses enfants.

Il demeurait le père et je ne lui posai guère de questions. Une fois, à une demi-question, il me répondit : « Si je vends, je suis ruiné. » Il l'était, mais il ne voulait pas l'admettre ; il reportait les valeurs achetées à terme — ce qui ajoutait à ses pertes et à ses charges. Robert, déjà entré à la Banque de Paris et des Pays-Bas, aurait dû le conseiller. Il n'en fit rien ; ni l'un ni l'autre n'avons su renverser les rôles.

Je ne puis me remémorer les dernières années de sa vie sans un sentiment de culpabilité et une immense tristesse. Il ne méritait pas le sort qu'appelèrent sur lui ses propres erreurs. Il se laissait persuader par n'importe quel « boursicoteur » (je me souviens d'un de ces agioteurs qui l'entraîna dans une opération dans laquelle il laissa les milliers de francs qu'il y avait mis). Il ne ressemblait pas à son malheur. Courageusement, il courut les leçons particulières, les séances d'examen ou de concours. Il me dit un jour, alors que je risquai une question : « Je gagne ma vie. »

Dans mon enfance déjà, je m'étais senti coupable. Ma mère, pendant la guerre, faisait une collection de soldats de plomb et, si mes souvenirs sont exacts, elle rassemblait surtout des couvre-chefs de toutes les armées alliées : je m'inquiétais de l'argent dépensé. En 1922, mes parents revinrent habiter Paris, en partie à cause de moi ; puis ils regagnèrent Versailles et finalement vendirent la maison (elle valait un demi-million de francs de l'époque) — la dernière folie. Bien sûr, mes parents décidaient et non pas moi. Mais je ne pus pas me tenir moi-même pour innocent puisque nos désirs — les miens — pesaient si lourd sur leurs décisions. Nous aussi, Robert et moi, nous acceptions d'être entretenus par nos parents lorsque nous faisions nos études. Il arriva que mon père me fît remarquer : « Ce sport coûte cher », quand je lui demandai un chèque pour la cotisation au club de tennis couvert.

Le mot bourgeois est revenu sous ma plume aussi souvent que le mot juif. Ma famille était-elle plus typiquement bourgeoise que juive ? Je n'en sais rien et peut-être la question n'a-t-elle guère de sens. Ma mère était étroitement liée avec ses deux sœurs ; avec l'une d'entre elles, la plus âgée, mon père s'entendait mal (pour de bonnes raisons) et des querelles d'argent aboutirent finalement à la rupture (à propos de la petite usine de textile qui appartenait à mon grand-père maternel). Avec la sœur de mon père, les relations étaient interrompues de temps à autre par des « brouilles » qui ne semblaient pas imputables à mon père, de nature généreuse.

Si je jouais au sociologue, je dirais que mes parents avaient encore connu une famille large (dans la génération de mes grands-parents, les six enfants par famille étaient fréquents) et les frères et sœurs ne se séparaient pas les uns des autres sans déchirement, trop unis affectivement pour s'ignorer mutuellement. Ils se « fâchaient », autre manière de vivre ensemble. Il me semble que ma génération franchit un pas de plus. Mis à part les parents, nous choisissons entre nos cousins, même entre nos frères et sœurs, ceux que nous voulons garder.

Quelques mots sur l'argent pour n'en plus parler. Pendant la plus grande partie de ma vie, après mes études, je ne possédai aucun capital, je vécus de mon traitement. Par hasard, dans une conversation avec Alain, je fis allusion au contraste entre une enfance bourgeoise d'ancien style et ma condition actuelle, celle d'un bourgeois sans réserves, comme aurait dit Siegfried ; je lui confessai que j'en tirais satisfaction ou que, pour mieux dire, je me sentais allégé ; je n'aurais pas à m'occuper d'argent, je dépenserais ce que je gagnerais, comme un salarié, mais non sans profiter du capital intellectuel accumulé au cours de mes études. Alain me répondit que j'avais eu de la chance de bénéficier d'abord de la sécurité qu'assure une famille aisée, de ne pas recevoir ensuite d'autre héritage que celui que chacun reçoit de ses père et mère. Héritage d'être et non d'avoir. Peut-être n'aurais-je jamais la « peur de manquer » qui continue de tenailler ceux qui eurent l'expérience de la vraie pauvreté ; simultanément, je ne serais pas obsédé par ce que les Américains appellent *keeping up with the Jones.*

Alain avait raison. Quand je revins d'Angleterre, en 1944, je n'avais pas mis un sou de côté et, sans beaucoup de réflexion, je refusai la chaire de sociologie à l'université de Bordeaux que le doyen m'avait offerte, m'assurant que mes collègues m'accueilleraient unanimement. J'ai regretté, depuis lors, mon refus qui retarda de dix années mon retour à l'université mais j'y vois une expression à la fois de légèreté (je suis donc le fils de mon père) et d'une certaine confiance. Après tout, en dehors de l'université, quel métier s'offrait à moi ? Le journalisme, bien sûr. Mais je n'avais pas écrit un seul article de quotidien avant la guerre et mes livres de philosophie, difficiles, obscurs, n'annonçaient pas le talent tout autre d'éditorialiste.

Peut-être dois-je à mon père mes rapports ambigus avec l'argent. Mais j'ai aussi contracté, à son égard, une dette que je ne finirai jamais d'acquitter. Candidat à l'École Normale, à l'agrégation, je portais les espoirs, la revanche de mon père. Confusément, chaque fois que j'ai eu la conscience ou la crainte de rater mon existence, de ne pas accomplir ce dont j'étais capable, je songeai à mon père comme si la vie lui infligeait une nouvelle défaite ; le fils qui devait réparer les injustices, auquel il avait confié son message, lui aussi, comme lui, et avec moins d'excuses, choisissait la facilité ou l'échec à cause des mêmes défauts de caractère. Avec moins d'excuses, je le répète, parce que lui avait été longtemps heureux en dépit de l'échec, et que, moi, je ne pouvais l'être dans l'échec.

A Jérusalem, il y a quelques années, je reçus un doctorat *honoris causa* de l'université. J'avais oublié que je devais répondre à la *laudatio* du professeur israélien. La veille, je faisais une conférence au Weizmann Institute. Le matin, avant de prendre l'auto pour Jérusalem, j'écrivis à la hâte ma réponse — une des allocutions les moins préparées et les mieux accueillies — et mes derniers mots s'adressaient à mon père qu'auraient comblé l'élection au Collège de France et le doctorat décerné par l'université de Jérusalem. Un de mes amis, que les journalistes de Paris n'ont pas oublié, Dan Avni, m'écrivit que j'avais donné une leçon de judéité : faire hommage au père de l'honneur accordé au fils. Judéité ? Peut-être le psychanalyste risquerait-il une autre interprétation. La dette qui me pesait depuis cinquante années, je l'évoquai peut-être en ce temps, en ce lieu, pour m'assurer moi-même que je l'avais enfin acquittée.

Je fus le bon élève type ; je n'entrai au lycée de Versailles qu'en classe de huitième. Une institutrice, Mlle Lalande, m'apprit à lire et à écrire ; je ne me souviens guère d'elle en dehors de la lettre qu'elle m'écrivit au moment de mon élection à l'Institut. Les leçons personnelles que j'avais reçues ne m'avaient pas amené au niveau de la huitième. Je rattrapai assez vite le retard et, surtout à partir de la sixième, j'ambitionnai toujours la première place comme si elle me revenait de droit. En bref, j'étais affligé d'un amour-propre dont je ne me souviens pas sans honte.

J'aimais apprendre et je travaillais avec plaisir. Mais, avant la classe de philosophie, je ne crois pas que les études en tant que telles m'aient passionné. Latin, grec, mathématiques, histoire, géographie, rien de tout cela ne touchait à ma vie intérieure, à mes intérêts propres, à mes plaisirs. Ma bicyclette (je me rêvais champion cycliste), ma raquette (pourquoi pas un champion de tennis ?) me tenaient plus à cœur que le latin ou l'histoire. Peut-être, parce que nous habitions Versailles, allions-nous moins souvent au théâtre, au musée, au concert que nous n'aurions dû le faire. Il y eut les inévitables leçons de piano, mais, en gros, vers la quinzième année, j'étais un premier de classe (dans un lycée inférieur à ceux de Paris), avec moins de culture extrascolaire que les futurs normaliens. Je mesurai mon retard ou mes ignorances quand j'entrai à la khâgne de Condorcet.

Ai-je beaucoup lu, en dehors des lectures obligatoires ? Probablement vers la onzième ou la douzième année. Je me souviens de *Guerre et Paix*, du prince André couché sur le sol et les yeux fixés sur le ciel. Je recherchai plusieurs fois l'émotion ressentie à la première lecture et je fus déçu. J'attendais trop de ce passage du livre qui, du coup, perdait de son charme. Au reste, je fis maintes fois l'expérience de ces attentes anxieuses, toujours insatisfaites. Les dialogues d'Horace et de Curiace, que je me récitais à moi-même, m'élevaient à un univers sublime. Plusieurs jours avant la représentation de la tragédie, au Français, je vécus à l'avance la joie dont me combleraient les voix des acteurs, je verrais, j'entendrais les héros dont je me répétais à moi-même les reparties : « Je ne vous connais plus... je vous connais encore... ». Le miracle n'eut pas lieu ; par la faute de la mise en scène, des comédiens (je crois que Paul Mounet, Escande étaient là) ? Je ne le pense pas. Plusieurs années plus tard, je lus Proust et je compris la banalité de ma déception ; on ne vit pas sur commande des moments parfaits. Proust m'en donna quelques-uns, mais j'hésite à relire tels ou tels passages de *A la Recherche du Temps perdu*, par crainte de ne pas revivre ces moments parfaits ou même d'en gâter le souvenir.

En dehors des romans, — des *Trois Mousquetaires* à *Guerre et Paix* — que je dévorai encore enfant, la bibliothèque de mon père, ou plutôt les armoires fermées au-dessous des rayons de livres, m'offrirent des livres, des tracts, des journaux sur l'affaire Dreyfus, *J'accuse*, une brochure de Jaurès. Je me plongeai dans l'Affaire sans y percevoir une mise en question des Juifs et de leur statut en France. C'était pendant la guerre et mes parents partageaient les passions patriotiques de tous. Passions ? Oui, les parents, les oncles et les tantes avaient donné à l'État leur or. Mon père, âgé de quarante-trois ans à la déclaration de guerre, mobilisé dans la territoriale, resta quelques mois dans une caserne à Toul. Démobilisé pendant l'hiver 1914-1915, il reprit son activité ordinaire. Je me souviens avec quelque honte de mon indifférence aux malheurs des autres, à l'horreur des tranchées. Indifférence ? Oui, en ce sens que mes études et mes jeux — le patinage sur le canal du parc de Versailles — me touchaient plus que les communiqués officiels ou les récits des journaux. Je m'inscrivis à la *Ligue maritime et coloniale* parce que les professeurs nous invitaient à le faire. Acte national et tout naturel. Je ne m'interrogeai pas sur les colonies et la mission civilisatrice de la France et, dans une rédaction que chaque écolier devait écrire sur le métier de son choix, je chantai la grandeur du « petit capitaine ».

L'affaire Dreyfus ne troubla pas mes sentiments de petit Français. Mon père me surprit quand il rapprocha la guerre de l'affaire Dreyfus : l'Affaire, plus encore que la guerre, avait servi d'épreuve et permis de juger les hommes et leur caractère. Bien sûr, je savais que j'étais juif et j'entendis bien souvent de la bouche des bourgeois israélites l'expression : « Ce sont ces gens-là qui créent l'antisémitisme. » Quels gens-là ? Des personnes, dites vulgaires, qui parlaient haut en public, riaient fort, se faisaient remarquer. Une tante détectait les « responsables » de l'antisémitisme de préférence parmi les amis de mes parents ou d'une autre famille apparentée. Ces propos me gênaient, m'irritaient sourdement. Ils me devinrent insupportables quand j'accédai à l'âge de raison. Les réactions de nombre de Juifs français — disons des Israélites — à l'arrivée des Juifs allemands après 1933 m'indignèrent sans me surprendre. Après tout, c'était vrai : ils étaient des « boches » ; pour la plupart, ils avaient vécu avec leur peuple — avec le peuple qu'ils tenaient pour le leur —, répété eux aussi *Gott strafe England*. Les Israélites français, pour la plupart, n'éprouvaient aucun sentiment de solidarité avec les Juifs allemands. Ils ignoraient, ils voulaient ignorer que leur temps viendrait ; ils avaient aliéné, avec l'assimilation, la liberté de se choisir eux-mêmes.

Peut-être suis-je enclin à me présenter trop naïf, avant le contact avec l'Allemagne préhitlérienne, à peine conscient d'appartenir au judaïsme, citoyen français en toute sérénité. Et pourtant... Un professeur d'histoire, d'opinion de droite, proche de l'Action française, traitait de la IIIe République en classe de première ou de philosophie. Il nous enseigna que l'on ne savait pas, même avec le recul du temps, si Dreyfus avait été coupable ou innocent, qu'au reste cette question importait peu, que l'Affaire avait créé l'occasion ou le prétexte d'un déchaînement de passions partisanes, celles des ennemis de l'armée ou de la religion. Le régime « ignoble », celui des radicaux et des « fiches », était venu après.

Je discutai de mon mieux avec le professeur, blessé de guerre au surplus, et tout y passa ; le petit bleu, le faux patriotique, le procès de Rennes, la décision finale de la Cour de Cassation. Le professeur répondit par des formules classiques : « C'est plus complexe que vous le dites. » Il usa aussi de contre-vérités. « La Cour de Cassation n'était pas habilitée à trancher sur le fond ; elle le fit pour mettre fin aux polémiques qui déchiraient la nation. » Dans le dialogue avec le professeur, ni l'un ni l'autre, autant que je m'en souvienne, n'avaient mentionné ou, en tout cas, souligné que Dreyfus était juif et que moi aussi je l'étais. En 1920 ou 1921, il subsistait encore quelque chose de l'union sacrée.

Les élèves de la classe n'ignoraient pas — comme de bien entendu — que j'étais juif. Avec quels sentiments ? Je ne le savais pas à l'époque et probablement je ne tenais pas à le savoir. Il m'est arrivé, quand j'avais onze ou douze ans, d'être poursuivi, à la sortie du lycée, par quelques cris : « sale juif » ou « youpin ». Impressionné ou effrayé, je rapportai l'incident à mes parents. Le jour suivant, un « grand », mon frère Adrien, dispersa les petits.

J'avais quatorze ans au moment du traité de Versailles, et probablement je discutais ferme en famille sur les événements du monde, la Révolution russe, l'occupation de la Rhénanie. Mes parents nous laissaient participer à toutes les conversations, même avec des professeurs réputés. Je les traite en égaux, disaient-ils volontiers ; ils croyaient naïvement qu'ils nous « libéraient » par là même. En fait, ils nous rendirent la libération plus difficile. Certains amis de mes parents m'appelaient « l'avocat », tant j'argumentais avec facilité. Ce que je plaidais dans les années 1918-1921, entre ma treizième et ma seizième année, je suis bien incapable de le dire. Je me suis dès longtemps reconstruit ma biographie intellectuelle : avant la classe de philosophie, la nuit ; à partir de la classe de philosophie, la lumière. J'entrai en classe de philosophie en octobre 1921. L'exaltation patriotique retombait ; la gauche retrouvait ses forces et ses idées. La Chambre bleu horizon supportait le contrecoup des désillusions de la victoire. Mon père revenait à ses opinions antérieures de gauche modérée. Il avait voté, je crois, pour le Front national en 1919, il vota certainement pour le cartel des gauches en 1924. Entre-temps, lecteur et abonné du *Progrès civique*, l'hebdomadaire qui avait mené la campagne du cartel des gauches pour les élections de 1924, il redevint le dreyfusard de sa jeunesse, jamais rallié à Raymond Poincaré qui avait tant tardé à « libérer sa conscience » ; peu à peu dégagé de la propagande de guerre, et, avec prudence, ouvert aux paroles de réconciliation avec l'ennemi.

L'année scolaire 1921-1922, que je regarde comme décisive pour mon existence, fut historiquement marquée par les derniers soubresauts de la grande crise, guerrière et révolutionnaire. Je n'appris rien sur la politique, l'économie, le bolchevisme et Karl Marx, mais j'entrevis, pour la première fois, l'univers enchanté de la spéculation ou tout simplement, de la pensée. J'avais choisi la section A, moins par goût des langues anciennes que par peur des mathématiques. J'avais été presque traumatisé, en 4e, par un incident que je n'ai pas oublié : je n'avais pas trouvé la solution d'un problème. Le professeur avait écrit à l'encre rouge sur la copie : comment n'avez-vous pas trouvé la solution d'un problème aussi facile ? Je reculai devant l'obstacle : en d'autres circonstances, peut-être me suis-je dérobé aussi devant l'obstacle. Ecrire des essais, signer des contrats pour des livres secondaires, ne fut-ce pas une autre forme de dérobade ?

Mes parents me laissèrent choisir sans même discuter avec moi. (Je ne me suis pas mieux conduit avec ma fille.) Les deux frères avaient suivi la filière normale, latin-science (C), qui conduisait indifféremment à la classe de philosophie ou à la classe de mathématiques élémentaires. Les bons élèves obtenaient les deux baccalauréats la même année. La section A (latin-grec) ne conduisait qu'au baccalauréat de philosophie et comportait le minimum de mathématiques. Parmi les littéraires, je l'emportais d'ordinaire. J'appris facilement la géométrie ou l'algèbre, au reste élémentaires, que comprenait le programme. Les exercices me donnaient parfois de la tablature. Je raisonnais plus aisément avec des concepts qu'avec des signes, des chiffres ou des symboles.

Pourquoi ai-je éprouvé le sentiment d'une rupture entre les classes de français — donc de littérature — et celle de philosophie ? Encore aujourd'hui, je m'interroge. Après tout, la psychologie remplissait une bonne partie du cours, étrange psychologie qui empruntait pour une part à la tradition d'une psychologie rationnelle, à demi métaphysique, pour une part aux débuts de la psychologie scientifique, empirique. La table des matières n'avait guère changé depuis le cours de mon père, une trentaine d'années plus tôt. Et pourtant cette psychologie équivoque, ces débris de la philosophie classique enseignés par un professeur sans génie, suffirent à me révéler ma vocation et les austères jouissances de la réflexion.

Le professeur Aillet prépara toute sa vie une thèse de philosophie du droit qu'il n'acheva jamais (une thèse soutenue sur un sujet voisin du sien le découragea). D'après un article paru dans la *Revue de Métaphysique et de Morale*, il s'efforçait d'interpréter la pratique des tribunaux à la lumière d'une philosophie du jugement et non du concept [1] ; disciple donc de Léon Brunschvicg, au sens vague du terme. L'inspiration philosophique importait peu. Aillet réfléchissait devant nous ; il n'était pas cuirassé par un système, il cherchait tout haut, péniblement, la vérité. Sa parole, parfois embarrassée, risquait de décourager ses jeunes auditeurs. Il m'arriva de retraduire pour mes amis — Léonard Rist, Jacques Hepp (qui devint un admirable chirurgien) — les explications du professeur, mais le travail de la pensée, authentique, sans aucune comédie, offert à une vingtaine de garçons de dix-sept ou dix-huit ans, non un spectacle

1. Juger les cas dans leur singularité plutôt que de déduire du concept le jugement qui convient au cas.

mais une expérience humaine, prit pour quelques-uns d'entre nous une valeur unique, incomparable. Pour la première fois, le professeur ne savait pas, il cherchait ; pas de vérité à transmettre mais un mode de réflexion à suggérer. Bien sûr, les vrais savants enseignent moins la vérité acquise que l'art ou la méthode de l'acquérir. Dans les lycées ou les collèges, les professeurs de sciences, même les meilleurs, ont peu d'occasions d'approcher les zones frontières de la science en devenir ou d'évoquer les péripéties des découvertes.

L'exaltation de la pensée en tant que telle ne va pas sans péril. Les philosophes prennent souvent la mauvaise habitude de prêter à la pensée toute seule, sans information ou preuve, la capacité de saisir la vérité ; d'autres en excluent l'analyse ou la démonstration scientifique. Il reste que quelques mois passés avec un vrai professeur de philosophie, qui initie les jeunes gens aux Idées de Platon ou au syllogisme d'Aristote, aux *Méditations* de Descartes et à la déduction transcendantale de Kant, marquent profondément les esprits et leur apportent quelque chose d'irremplaçable. J'anticipe peut-être. Il se peut que je confonde l'année au lycée avec les quatre années de l'École. La décision de préparer l'ENS sortit d'elle-même de la classe de philosophie. Puis-je dire décision ? Les grandes écoles scientifiques m'étaient interdites par le choix de la section A. J'ignorais la combinaison de la licence de droit et de l'École libre des Sciences politiques. Bien que mon intérêt pour la chose publique fût éveillé, je ne songeai pas à une carrière politique. Plus tard, à l'École, j'y songeai plus d'une fois mais plutôt comme à une tentation, à un risque de chute. Le journalisme aussi, autant ou plus que le métier d'homme politique, me paraissait un aveu d'échec, un refuge pour les fruits secs.

Mon amour-propre d'enfant s'était déjà sublimé, épuré après avoir été rappelé à la mesure par l'expérience. A la khâgne de Condorcet, je ne me mis pas au nombre de ceux qui briguaient une des premières places de la promotion de l'ENS. Il me suffisait d'entrer dans cette illustre maison. Quatre ans plus tard, à l'agrégation, je partageai avec Jean-Paul Sartre les faveurs des pronostics pour la première place. Quand je fus effectivement premier de la liste (devant Emmanuel Mounier et Daniel Lagache), j'attribuai ce succès, avec une clairvoyance triste, à des mérites scolaires. Dans aucune des dissertations ou des exposés oraux, je ne manifestai d'originalité quelconque. L'agrégation était à l'époque ce qu'elle est demeurée ; les candidats y témoignent de culture philosophique et de talent rhétorique.

Dois-je dire que la classe de philosophie me conduisit à l'École Normale Supérieure et à l'agrégation parce que cette voie s'ouvrait d'elle-même ? Je me vouai à l'exercice intellectuel pour lequel j'étais plus doué apparemment que pour les autres. Je crois cette sévérité excessive. La classe de philosophie m'avait enseigné que nous pouvons penser notre existence au lieu de la subir, l'enrichir par la réflexion, entretenir un commerce avec les grands esprits. Une année de familiarité avec l'œuvre de Kant me guérit, une fois pour toutes, de la vanité (au moins en profondeur). Sur ce point, je me sens aujourd'hui encore très proche de Léon Brunschvicg. Dans son agenda de 1892, à la date du 22 septembre, il écrivit : « Je rêve un temple pur d'où je m'excommunie. » Cinquante années plus tard, il se répondit à lui-même : « Il se peut que je n'aie pas été trop infidèle au double mot d'ordre : viser le plus haut et s'estimer au plus juste. » Dans une lettre à sa fille Adrienne, il cite ce « bel alexandrin » et il commente : « Cela m'a paru me définir tout entier, sans illusion sur moi-même, mais attaché à la méditation et au commentaire des plus hauts génies de l'humanité. » Je ne revendique pas, pour ma défense, une telle fidélité, mais j'ai donné beaucoup de temps à « la défense et illustration » de plus grands que moi ; je leur attribuai volontiers des idées que je ne leur devais pas mais qui me paraissaient au moins implicites chez eux.

Pourquoi la classe de philosophie entraîna-t-elle aussi la conversion à la gauche ? L'année 1921-1922 coïncidait avec le renouveau de la gauche bourgeoise, académique, étouffée jusque-là par l'ardeur nationale. Je crois cependant que la philosophie donne par elle-même une leçon d'universalisme. Les hommes pensent, ils sont tous capables de penser. Il faut donc les instruire, les convaincre. La guerre nie l'humanité des hommes puisque le vainqueur n'a rien démontré en dehors de sa supériorité en force ou en ruse. Le climat d'une classe de philosophie, quelle que soit l'opinion du professeur, nourrit d'ordinaire l'affectivité de gauche.

Cette classe m'ouvrit l'univers de la pensée ; en dépit de Descartes, elle ne me donna pas des leçons de méthode, dont les « philosophes » de Normale ont tant besoin. Penser mais aussi, d'abord, apprendre, étudier. Seuls, écrivit Bachelard quelque part, les philosophes pensent avant d'avoir étudié. Pendant dix ans, j'affirmai des opinions politiques, en fait je préférais certains hommes à d'autres ; ma sympathie allait aux humbles et aux opprimés, je détestais les puissants, trop assurés de leurs droits, mais entre la philosophie et mes émotions se creusa un vide — l'ignorance de la société telle qu'elle est, telle qu'elle peut être et telle qu'elle ne peut pas être. La plupart de mes camarades de génération n'ont pas comblé, ils n'ont même pas tenté de combler ce vide.

Je croyais me souvenir d'avoir écrit un premier article « machiavélien[1] », signé *Landhaus*, le nom de la rue dans laquelle se trouvait le *Französisches Akademiker Haus*[2]. La réaction de J.-P. Sartre fut simple, un de nos amis communs me la rapporta : « Mon petit camarade est-il devenu un salaud ? » C'était le temps où je découvris l'autonomie du politique, pour user du langage philosophique. La politique, en tant que

1. Un ami m'assure que l'adjectif « machiavélien » est incompréhensible au profane. Chacun sait le sens vulgaire du mot « machiavélique ». Le machiavélien est un machiavélique mais au sens non péjoratif. Il fait ce qu'il faut faire dans le monde tel qu'il est.

2. Je ne l'ai pas retrouvé. Peut-être s'agit-il d'un article intitulé « Propos de politique réaliste » dans les *Libres Propos*.

telle, diffère essentiellement de la morale. Belle découverte, me dira le lecteur. Oui, bien sûr, tout le monde le sait mais l'enseignement, scolaire et universitaire, tel que je l'ai reçu et absorbé, ne me préparait pas à comprendre la politique, l'Europe et le monde. L'idéalisme académique m'inclinait vers la condamnation du traité de Versailles, de l'occupation de la Ruhr, vers le soutien aux revendications allemandes, vers les partis de gauche dont le langage et les aspirations s'accordaient avec la sensibilité entretenue, peut-être créée par le goût de la philosophie. Ma sensibilité a-t-elle changé depuis lors ? Je n'en suis pas sûr bien que ma raison — ou ce que je juge telle — ait commandé peu à peu mes sentiments.

Quelle part cette reconstruction emprunte-t-elle aux souvenirs, quelle part à l'idée que je me fais de mon passé ou que je plaque sur lui ? Conversion à la philosophie et à la gauche vers ma dix-septième année ; des opinions arrêtées, des emportements politiques (la joie de la victoire du cartel des gauches en 1924), une participation affective à tous les événements, ceux du parlement français aussi bien que de l'histoire universelle. A cet égard, je ne pense pas que la mémoire intellectuelle déforme ou défigure les expériences authentiques. Mais j'anticipe ; je n'en suis qu'à la classe de philosophie, au lycée Hoche, au choix de la carrière que me dictèrent la facilité, mes goûts, mes succès scolaires, la révélation de la philosophie. Est-ce que je m'imaginais professeur de lycée toute ma vie ? Est-ce que je rêvais déjà d'une « œuvre » ? Ou bien d'une thèse, étape normale après l'agrégation ? Je ne sais et peut-être, à dix-sept ans, ne le savais-je pas moi-même. A Versailles, je ressemblais plus aux provinciaux, aux meilleurs élèves qui montent vers Paris sans regarder au-delà de leurs concours, l'ENS et l'agrégation. Seule la compétition avec les autres, en khâgne et après, m'apprendrait mes chances d'avenir. En tout cas, au rebours de la représentation que se faisaient de moi beaucoup de mes camarades, les concours me firent peur et les réussites ne m'inspirèrent pas une véritable confiance ; je veux dire la confiance de créer. J'enviais la confiance de J.-P. Sartre et, au fond de moi-même, je donnais raison à sa certitude et à mes doutes dont il avait peine à admettre l'authenticité.

J'ai presque omis, dans ces pages, les souvenirs de ma mère et de mon frère Robert. Comment parler de ma mère à moins de raconter les vagues souvenirs de mes premières années — ce que je ne saurais ni ne voudrais faire ?

Mes parents m'offrirent jusqu'au bout l'image d'un couple uni, bien que le mariage eût été « arrangé » par les familles. Ma mère n'avait pas fait d'études (elle citait volontiers une jeune fille qui avait passé le baccalauréat et que l'on appelait la « bachelière des Vosges »). Elle se détacha difficilement de sa mère, de ses sœurs, elle se dévoua à son époux et à ses enfants. Mais elle ne pouvait aider mon père dans sa carrière ou ses affaires. J'entendis dire qu'elle avait mal supporté l'éloignement à Caen et qu'impatiente de revenir à Paris, elle poussa mon père à s'accommoder d'un enseignement marginal (plus marginal à l'époque qu'aujourd'hui).

Victime du sort que lui assignaient les coutumes de l'époque, enfant jusqu'à son mariage, en larmes le jour du mariage avec un homme qu'elle connaissait peu, elle fut heureuse tant que ses enfants restèrent dans le cocon familial ; elle souffrit de la révolte, de la dureté d'Adrien ; elle souffrit de la ruine financière. Elle ne fit jamais de reproche à mon père, elle lui donna tout ce qu'elle possédait, ses quelques bijoux, ses bagues. Après la mort de mon père, en 1934, sans aucune ressource, elle dépendit de ses fils, qu'elle aurait voulu « gâter » jusqu'au bout. Elle ne tira pas de sa seule petite-fille autant de joie qu'elle en espérait. Elle aurait voulu jouer pleinement le rôle de la grand-mère auquel la destinait sa conception de la vie, venue d'un monde révolu. Elle ne pouvait offrir une famille de complément puisque, seule, elle n'en avait plus. En juin 1940, repliée à Vannes, elle mourut, seule.

Je réfléchis bien souvent sur le destin des trois « marrons ». Autant que j'en puisse juger, mes deux frères avaient reçu de leurs gènes des dons comparables aux miens. Adrien aurait probablement pu entrer à l'École polytechnique. Robert écrivait bien et vite. Le premier consacra au bridge et aux timbres toute son intelligence, qui me frappa toujours par son acuité. J'ai déploré ce qui m'apparaissait gaspillage d'un bien rare. Je ne pouvais pas m'empêcher de porter un jugement moral sur son mode de vie avant la guerre ; il ne violait aucune loi ; ceux qui jouaient régulièrement avec lui n'ignoraient pas sa supériorité ; donc, sur la longueur, ils devaient perdre de l'argent. Tout cela dit, Adrien qui, par son amoralité, me choquait et m'attristait resta mon frère, souvent affectueux et serviable. Durant ses derniers jours, c'est avec moi qu'il attendit la mort sans angoisse.

Robert, coincé entre les deux extrêmes, l'un qui brillait dans le sport, l'autre dans ses études, ne surmonta jamais pleinement son handicap de départ. Il obtint simultanément une licence de droit et une licence de philosophie. A ce moment, il aurait dû prendre une décision : ou bien préparer l'agrégation de philosophie ou bien quitter l'Université et, après son service militaire, chercher un emploi. Il n'eut pas le courage de choisir et il se consacra, une année encore, à un diplôme d'études de philosophie. Diplôme d'ailleurs excellent ; une comparaison, classique, entre Descartes et Pascal qui se terminait sur une interprétation originale du pari qui fut publiée par la *Revue de Métaphysique et de Morale* (signée Robert Aron, elle fut attribuée tantôt à l'auteur de l'*Histoire de Vichy*, tantôt à moi : le troisième était ignoré).

Après son service militaire, il entra à la Banque de Paris et des Pays-Bas par l'intermédiaire du directeur de la Banque avec lequel je jouais au tennis, au club, dit Paribas, de la Banque. Il y passa toute sa vie avec l'intermède de l'Occupation pendant laquelle il en fut exclu. Il y revint dès le premier jour de la Libération, il y monta les degrés de la hiérarchie jusqu'au poste de directeur du service des études. En ce sens, il réussit sa carrière. Il ne se maria pas et je ne lui connus pas de compagne durable ; j'ignore comment il ressentit son sort, choisi, puis subi. Estimé, admiré par ses collaborateurs (certains d'entre eux me dirent la reconnaissance qu'ils lui gardaient), il fut un des premiers analystes financiers, pour ainsi dire professionnels, en France.

Je doute qu'il ait possédé pour autant tous les atouts nécessaires au succès dans les rivalités bureaucratiques, à l'intérieur d'une grande entreprise. Emmanuel Monick, qui appréciait sa compétence, lui confia plusieurs fois la tâche de rédiger le rapport annuel pour l'Assemblée générale. Mais Robert avait le sentiment d'être utilisé, exploité par la direction, sans obtenir les contreparties auxquelles il aspirait, contreparties moins d'argent que de statut. Il racontait à Adrien plus qu'à moi ses démêlés avec les uns et les autres. En un sens, homme de cabinet, il était le *right man at the right place*, mais confiné dans l'ombre. Les présidences de sociétés filiales auxquelles il croyait avoir droit allaient à d'autres. Il n'avait pas le profil d'un président de conseil d'administration. Robert aurait été un enseignant hors du commun, et, à l'égard de ses collaborateurs du service, il se conduisit en professeur.

Après le départ d'Emmanuel Monick et les premières atteintes du mal qui peu à peu paralysa son corps, puis son cerveau, sa position à la Banque se détériora, son caractère s'aigrit ; nous le vîmes de moins en moins. Peut-être avait-il renoncé à l'agrégation de philosophie parce qu'il aurait été candidat en même temps que moi. Reçu du premier coup, il l'aurait été un an avant moi, mais l'oral de l'agrégation comportait la traduction et le commentaire d'un texte grec : or il n'avait pas appris du tout le grec. Je lui rendis probablement la vie difficile, dès mes premières années. Il ne témoigna pas de moins de mérites dans l'analyse financière que moi dans mes métiers. La différence ne tenait pas à l'obscurité de l'un, à la notoriété de l'autre. Il se débattait dans une jungle pour laquelle il n'était pas équipé ; il y perdait plus souvent qu'il n'y gagnait.

Les dernières années de Robert noircissent peut-être le portrait. Longtemps, même pendant les dix ou quinze années après la guerre, il semblait avoir gardé ses amis de jeunesse ; il aimait Dominique, la seule enfant des trois Aron ; peu à peu il s'éloigna et, comme Adrien et à sa manière, il s'enfonça dans la solitude. Il écrivit des romans policiers que je n'ai pas trouvés après sa mort, il avait entrepris une histoire du débarquement de 1944 pour corriger les erreurs des versions officielles. Son caractère et son esprit furent peu à peu blessés par les déceptions éprouvées dans son existence professionnelle, confondue avec son existence tout entière. Vinrent les années du déclin, la perte du mouvement, puis de la mémoire, puis de la conscience.

Mon père mourut en janvier 1934 d'une crise cardiaque quelques mois après une première crise ; il avait été frappé à mort par la mauvaise conscience et par l'excès de travail. Je me répétais, dans la chambre funéraire, pleurant sans larmes : il est mort de misère — ce qui était presque vrai. Robert, lui, entra dans la nuit longtemps avant de mourir ; il avait géré ses affaires de manière apparemment normale. L'envers du décor ressemblait peut-être à l'endroit de celui de notre père.

Adrien trouva la mort qu'il souhaitait. Les plaisirs finis, seul, résolu à la solitude de l'égoïsme, il attendit, non avec stoïcisme mais avec impatience, la fin — sans autre compagnie que son petit frère pour lequel le cynique, tenté par le pire, éprouvait malgré tout une véritable affection, nuancée de respect ; je l'aimais bien, moi aussi.

II

ÉTUDES ET AMITIÉS

J'entrai à la khâgne de Condorcet en octobre 1922 avec la timidité et les ambitions d'un provincial qui monte à la capitale. Pourquoi Condorcet et non Louis-le-Grand ou Henri-IV qui fournissaient la majorité des normaliens chaque année ? Mon père avait fait un choix sur les conseils de quelques amis de l'université. Peut-être la proximité de la gare Saint-Lazare fut-elle l'argument décisif : la famille vivait encore à Versailles et l'internat ne plaisait ni à mes parents ni à moi-même.

Les premiers mois m'infligèrent une épreuve de vérité qui me fut pénible et salutaire. La khâgne rassemblait à la fois les élèves qui sortaient de la classe de philosophie et ceux qui y faisaient une deuxième année ; dans les grands lycées de la rive gauche, hypo-khâgne et khâgne étaient déjà séparées ; à Condorcet, la classe unique ne comptait que vingt-cinq élèves environ. Les nouveaux devaient normalement laisser les premières places aux « carrés », à ceux qui se présenteraient à l'École à la fin de l'année. Je n'en mesurai pas moins les lacunes de ma culture, mes ignorances en latin et en grec. En philosophie, je me trouvai immédiatement à un niveau honorable.

Parmi les professeurs, je garde à Hippolyte Parigot une gratitude sincère. Il tenait la rubrique universitaire dans *le Temps* et défendait passionnément la réforme Léon Bérard qui renforçait la part des humanités dans l'enseignement secondaire. Souvent il ferraillait avec des journalistes de gauche. Les humanités glissaient vers la droite, voire la réaction, bien qu'Édouard Herriot n'eût d'autre formation que littéraire.

A l'époque, mes sympathies n'allaient certes pas à un maître de rhétorique, comme on disait une génération plus tôt, dont les opinions politiques s'accordaient avec les décisions du ministre sur l'organisation et les programmes du baccalauréat. Mais à l'époque, les lycées ne s'ouvraient guère aux bruits du dehors. Les passions des années 1922-1924 m'apparaissent rétrospectivement légères, presque à fleur de peau, quand je me rappelle les passions de 1936, de 1940, de 1944, de 1968 et d'autres encore.

H. Parigot me donna une leçon que j'ai trop souvent oubliée ou méconnue et qui me revient de temps à autre, avertissement ou sanction : apprenez à écrire, respectez la langue, cherchez l'expression juste, gardez-vous des négligences, lisez chaque jour une page d'un écrivain, la plume à la main. Avant lui, j'écrivais les rédactions (ou dissertations) sans trop me soucier du style et je ne possédais guère de facilité d'écriture. Je refoulais trop mes sentiments pour que l'expression s'épanouît d'elle-même. Par la suite, je continuai de refouler mes sentiments et de justifier la froideur de mes écrits par le souci de faire appel exclusivement à la raison de mes lecteurs.

Deux épisodes de ma relation avec H. Parigot ne se sont pas effacés de ma mémoire : le premier, au cours du premier trimestre de la première année, la lecture en classe d'un passage d'une de mes dissertations, ponctuée de remarques ironiques sur les mots, les répétitions, les maladresses, les coq-à-l'âne, et je ne sais pas trop quoi encore. La victime supportait en silence l'humiliation. Le deuxième épisode se situe au troisième trimestre de la deuxième année : je fus invité à lire devant la classe, à la chaire, un passage d'une dissertation (sur La Bruyère) qui avait reçu, en tête, l'éloge rituel « germes de talent ». J'ajoute que Parigot ne lisait pas les dissertations au-delà de la deuxième faute d'orthographe qu'il avait relevée. Superstition de l'orthographe qui me semble passablement absurde aujourd'hui. Pierre Gaxotte me répondrait que, soumis à cette discipline, les khâgneux de l'époque ne commettaient pas de fautes d'orthographe.

Un autre professeur m'impressionna davantage, à juste titre, Charles Salomon, qui nous apprenait le latin. Sa femme dirigeait l'École Sévigné où Alain donnait des cours ; lui-même avait été un ami de Jean Jaurès. Il appartenait à cette espèce, de plus en plus rare aujourd'hui, de normaliens, d'agrégés, qui acceptent sans amertume d'enseigner toute leur vie dans les lycées et qui trouvent dans ce métier, jugé ingrat, une satisfaction austère. Sa haute culture enrichissait les exercices scolaires. Doté d'une finesse d'esprit rare, Charles Salomon transformait une version latine en une fête de l'intelligence. Lui aussi, et plus encore que Parigot, savait distinguer entre la traduction et la paraphrase ; patient, il cherchait le mot exact ou, faute de celui-ci, l'équivalent de l'expression latine. J'eus avec lui une seule conversation dans l'été qui suivit mon succès à l'École. Il n'avait jamais laissé paraître la confiance qu'il mettait en moi (je l'appris par certains de ses collègues). Nous parlâmes de littérature, en particulier de Paul Valéry. Marcel Mauss, qui m'avait interrogé sur mes professeurs, fit un commentaire sur un seul d'entre eux, Charles Salomon : « Lui, me dit-il, vous fera sentir le talent. » Il mourut quelques mois après sa mise à la retraite.

Parmi mes camarades de Condorcet, que je n'ai pas oubliés, peut-être en raison de leur carrière, figuraient Jacques Heurgon, Daniel Lagache,

Jean Maugüé, Olivier Lacombe, Jacques Weulersse, Edmond Lanier. Ce dernier obtint une licence de lettres à la Sorbonne, entra très jeune à la *Compagnie transatlantique* et en devint le président-directeur général quelque trente-cinq ans plus tard. Avec deux des camarades que je viens de citer, je nouai des liens d'amitié que ni le temps, ni les hasards des carrières, ni la distance ne déchirèrent entièrement. Daniel Lagache avait une année d'avance sur moi ; sa distinction, sa facilité dans les relations mondaines m'impressionnaient et je redoutais de le décevoir ou de provoquer son ironie par quelque maladresse ou ignorance. Il ne fut pas reçu à Normale en 1923, fit une deuxième khâgne à Louis-le-Grand et entra la même année que moi à l'École, en 1924. Nous passâmes aussi l'agrégation ensemble en 1928. Durant la première année de l'École, nous allâmes régulièrement tous les quatre, Sartre, Nizan, Lagache et moi, à Sainte-Anne suivre les cours du professeur Dumas. Lagache y découvrit sa vocation, il entreprit des études de médecine en même temps que de philosophie. Je le retrouvai, bien plus tard, à la Sorbonne, après de longues années de séparation. Je n'ai jamais oublié la première année de mon amitié admirative pour lui — amitié réciproque, je pense ; mais, à l'origine au moins, l'initiative, la chaleur venaient de moi.

Jean Maugüé, quelques-uns seulement le connaissent aujourd'hui. F. Braudel se souvient de lui, grand, élégant, « fils de roi », égal aux plus brillants des universitaires qui peuplaient l'université de Sao Paulo au Brésil. Il avait eu besoin de quelques années de plus que ses pairs pour réussir à l'agrégation de philosophie en passant par l'École Normale. Personne n'attribua ses échecs à d'autres causes que son originalité d'esprit, sa rébellion contre le conformisme scolaire. Il termina sa carrière de professeur au lycée Carnot. Entre-temps, détaché au Brésil au moment de la guerre, il participa au combat en 1944-1945 et, après la guerre, il entra dans le service diplomatique et occupa divers postes de consul. Il revint, pour des raisons que j'ignore, en France et à une classe de philosophie au lycée Carnot. Si ces lignes tombent sous ses yeux, qu'il y trouve l'écho de l'amitié qui se noua dans la khâgne de Condorcet et qui perdura, à travers les années et l'éloignement [1].

De mes années d'étude, les deux années de la khâgne me laissent le meilleur souvenir ; non pas les plus agréables mais les plus enrichissantes. Encore l'adjectif n'est-il pas exact. Il s'agit moins de s'enrichir que d'apprendre. Apprendre du latin, du grec, de l'histoire ; entraînement aux exercices par lesquels s'opère en France la sélection, du baccalauréat jusqu'à l'agrégation. Indirectement, j'accable les classes antérieures, celles du lycée Hoche. Suis-je injuste ? Les professeurs étaient, autant que je le sache, des agrégés. Si j'ai l'impression d'avoir relativement peu appris avant la khâgne, la faute en incombe peut-être à moi plus qu'aux enseignants. Je mesurais peut-être mes efforts aux exigences

1. Depuis que j'ai écrit ces lignes, j'ai retrouvé Maugüé qui a raconté dans un beau livre, *les Dents agacées*, son existence, ses déceptions, ses échecs. Autobiographie qui, par instants, ressemble à une auto-analyse par laquelle il s'est libéré.

de la compétition. Celle-ci prit un tout autre caractère à partir de la khâgne. D'autres intérêts, sportifs et autres, me détournaient des études quand la crainte de l'échec ne me stimulait pas.

La plupart des professeurs de Versailles m'apparaissent, rétrospectivement, supérieurs à leur métier. Ils trouvaient en face d'eux, exclusivement ou presque, des fils de bourgeois. Le style gardait des traces de l'époque napoléonienne. Les élèves sortaient en ordre vers la cour de récréation ; en classe, ils devaient demeurer immobiles et attentifs plusieurs heures de suite. Je me souviens d'un professeur d'allemand qui, un jour, donna une bonne note globalement à toute la classe parce que tous les élèves s'étaient comportés de manière impeccable au moment de son entrée — bras croisés sur le pupitre. On sortait du lycée à dix-sept ans ; rares étaient les candidats au baccalauréat âgés de dix-neuf ans.

J'essaie de juger avec le recul l'enseignement que j'ai reçu et qui, pour les générations actuelles, pour mes petits-enfants, appartient au passé. La réduction des mathématiques dans la section A (latin-grec) avait été poussée jusqu'à l'absurde. Or cette section attirait nombre de « bons sujets » qui ne se déclaraient pas tous incapables de comprendre une démonstration ou de trouver la solution d'un problème. Aujourd'hui le pendule a penché trop loin, dans l'autre sens. Ce qui reste de la section A est devenu une impasse. La section C règne sans partage, section reine par laquelle passent presque tous les jeunes de la future élite. Les mathématiques servent de pierre de touche, d'instrument de sélection par excellence. La formation traditionnelle par les humanités survit dans les marges, et peut-être se meurt.

Mis à part l'histoire — et encore — et l'enseignement civique — insignifiant —, nous n'apprenions rien ou presque sur le monde dans lequel nous vivions. Pour l'essentiel, les matières, les programmes sortaient tout droit de la tradition des collèges de jésuites. La fameuse réforme Léon Bérard tendait à remettre l'horloge non à l'heure mais en arrière ; à restaurer, pour les meilleurs, les lycées du siècle dernier. Faut-il condamner sans réserve le lycée classique de ma jeunesse — et aussi de la jeunesse de ma fille ? C'est au cours des vingt dernières années que se produisit la « révolution culturelle » et que les mathématiques, anciennes ou modernes, remplacèrent sur le trône le latin et la rhétorique. Révolution pour une part légitime : les mathématiques constituent un langage dont il importe d'apprendre tôt les rudiments. La langue, les langues demeurent l'instrument d'expression ou de communication pour tous les hommes, même pour les mathématiciens. Entre les deux langues, celle des symboles et celle des mots, il ne faut pas choisir, toutes deux contribuent à la formation de la pensée. Je me demande même, parfois, si la fermeture des lycées aux bruits du dehors ne comportait pas autant d'avantages que d'inconvénients. Le professeur doit donner l'exemple du détachement, il figure l'arbitre, le témoin, il juge selon la vérité. Dès lors qu'il discute de la politique, il s'élève malaisément, même quand il s'efforce d'y parvenir, à cette sérénité dont il témoigne sans peine quand il traduit ou interprète les commentaires de César sur la guerre des Gaules.

Deux doctrines extrêmes s'opposent encore sur ce sujet. Faut-il entretenir les élèves des questions auxquelles ils s'intéressent d'eux-mêmes ou, tout au contraire, les amener à lire les textes qu'ils ne liraient pas spontanément, les inviter à l'ascèse culturelle, si je puis dire ? Chacun de nous détient nombre d'arguments en faveur de l'une aussi bien que de l'autre doctrine. Il se peut que la deuxième doctrine soit inapplicable dans les CES, au moins dans la plupart d'entre eux. Comme me le disait un jour Emmanuel Berl, on introduit Mallarmé à Billancourt. En sens contraire, si le professeur consacre la plus grande partie du temps, pendant l'année de philosophie, à la sexualité ou au marxisme, il doit faire preuve de qualités exceptionnelles : faute de quoi, la classe dégénère en bavardage sans aucune contribution ni au savoir, ni à l'exercice de la réflexion ou du jugement.

Comment m'apparut l'École, au milieu des années 20 (1924-1928) ? Mal logée dans un vieux couvent, elle jouissait encore d'un prestige unique. L'ENA n'existait pas. Quelques-uns, Guillaume Guindey, Dominique Leca, regardaient déjà vers l'inspection des Finances, Armand Bérard, en marge de l'agrégation d'histoire, vers la carrière diplomatique. Mais la plupart d'entre nous éprouvaient un patriotisme normalien (ou une vanité de corps). Nous n'envisagions pas les années d'enseignement secondaire avant l'université comme une épreuve ou un échec. Ensuite la Sorbonne me suffirait pour accomplir la tâche léguée par mon père. Il y a trente ans encore, je n'aurais pas imaginé l'effondrement de l'École.

Ma première impression, rue d'Ulm, je l'avoue au risque du ridicule, ce fut l'émerveillement. Aujourd'hui encore, si l'on me posait la question : pourquoi ? je répondrais en toute sincérité et naïveté : Je n'ai jamais rencontré autant d'hommes intelligents réunis en aussi peu de mètres carrés. Soit ! Ces bons élèves, ces prix d'excellence ne me semblaient pas tous voués aux exploits de la pensée. Même ceux d'entre eux que quelques-uns d'entre nous jugions parfois avec sévérité animaient leur culture d'une jeunesse d'intelligence. Peut-être celle-ci ne résistat-elle pas toujours à la routine de la classe, à la correction des copies. Je fuis les rencontres d'anciens élèves pour garder le souvenir de ce qu'ils furent. Ils ne le cédaient pas toujours à ceux qui firent carrière.

Laissons les camarades dont je ne retrouve pas les noms quand je consulte les photographies de l'École. Venons aux deux normaliens de la promotion dont tous nous attendions beaucoup, qui n'ont pas déçu leurs admirateurs, dont l'un n'a pas eu le temps d'achever son œuvre et dont l'autre poursuivait, plongé dans la nuit, son itinéraire, plus moral que politique, quand j'écrivis ces lignes. Je ne me dissimule pas les pièges dans lesquels je puis tomber. Des images de Sartre risquent de se superposer, l'étudiant, le professeur après les années d'études et avant le succès, le prophète de l'existentialisme et le compagnon de route du communisme, le protecteur des gauchistes, enfin le vieillard à l'Élysée, soutenu par Glucksmann, à côté de moi.

Sartre et Nizan venaient tous deux d'Henri-IV, liés l'un à l'autre par une amitié rare même parmi les jeunes gens. Tous deux voués à la fois à la littérature et à la philosophie ; tous deux reconnus par leurs camarades comme hors du commun ; eux-mêmes conscients de leurs dons, déjà engagés sur leur route (Sartre échappait au doute, peut-être pas Nizan). Cela dit, ils participaient gaiement à la vie normalienne, sans le moins du monde se séparer des autres. Sartre prenait volontiers la tête dans les « bizutages » des nouveaux, parfois même avec une dureté qui me choquait ; auteur et acteur dans les revues annuelles de l'École, il joua une fois le rôle de Meuvret, agrégé préparateur, qui servait de tête de turc. Ni l'un ni l'autre ne se détachaient du lot par leurs succès scolaires. Nous devinions que tous deux portaient en eux une œuvre ou un destin.

Je garde le souvenir de ma satisfaction d'amour-propre quand j'appris par un tiers que les deux m'avaient placé du bon côté de la barricade [1], parmi ceux qu'ils ne rejetaient pas dans les ténèbres extérieures. Ils soumettaient à un nouvel examen, de temps à autre, leurs camarades et mettaient au point leurs jugements. Leur intimité conservait, me semble-t-il, un caractère singulier, comparé aux relations de Sartre avec Guille ou moi ou à mes propres relations avec Nizan. Mais, après deux années à l'École, Nizan partit pour Aden (dont il rapporta un livre) en tant que précepteur dans la famille d'un riche Anglais. Il épousa Henriette Halphen alors même qu'il n'avait pas encore terminé ses études. Aussi, en quatrième année, celle de l'agrégation, je me trouvai en « thurne » avec Sartre et Guille. C'est pendant cette dernière année que nous devînmes les plus proches, Sartre et moi ; la période d'amitié la plus intime avec Nizan fut antérieure, en troisième année d'école.

Il existe déjà plusieurs biographies de Paul-Yves Nizan. Je ne pense pas que je puisse apporter sur lui rien de neuf, mises à part des indiscrétions qui ne méritent pas d'être rapportées. Quelques souvenirs seulement.

J'ai assisté, comme plusieurs autres, à sa « délibération » : dois-je accepter l'offre de l'homme d'affaires anglais, un séjour prolongé à Aden en tant que précepteur de son fils ? Nizan hésitait peut-être ; suspendre ses études, différer d'une année le concours de l'agrégation, une telle décision pouvait passer, aux yeux de ses parents, à ses propres yeux peut-être, pour peu raisonnable. Nizan écrivit à quelques hommes de lettres plus ou moins célèbres, et leur rendit visite pour recevoir leurs conseils. Il ne prenait pas au sérieux les propos de ses anciens. Il nous répéta, en se gaussant, les paroles de Georges Duhamel : « Si vous demandez au père de famille ce que vous devez faire, je vous dirai : terminez d'abord vos études. Mais si vous vous adressez à l'homme, il vous répond : partez, jeune homme, découvrez le grand monde. Vous y

1. Peut-être ai-je été plus touché par la « reconnaissance » de Sartre et Nizan que par les louanges que L. Brunschvicg me prodigua à l'occasion d'un exposé sur l'argument ontologique chez saint Anselme et Kant.

apprendrez davantage que dans tous les livres. » Nizan, en profondeur, avait pris sa décision tout seul et tout de suite.

La tournée des écrivains caractérisait encore le normalien et annonçait l'homme de lettres. Il y avait une trace de canular dans ces entretiens au cours desquels un jeune homme soumettait à un homme d'âge mûr moins un cas de conscience qu'un choix personnel. Mais le normalien prenait un plaisir d'homme de lettres à ce canular. A l'époque, je ne doutais pas que Nizan devînt un écrivain. Je le croyais inférieur à Sartre en force intellectuelle, en puissance philosophique ; en revanche, je lui prêtais un talent d'écriture qui ne me paraissait pas évident chez Sartre.

A sa demande, je passai quelques semaines à Quiberon dans l'été de 1927, afin de faciliter la rencontre entre les deux familles Nizan et Halphen. Nous y allâmes ensemble, dans une automobile (la sienne si je ne me trompe). Il m'énerva plusieurs fois par son refus de prendre de l'essence avant que l'aiguille fût au zéro ou presque. J'attendis plusieurs fois la panne sèche qui ne vint jamais. A Quiberon, je me trouvai inutile et seul ; Paul et Rirette [1], les Nizan et les Halphen n'avaient que faire de moi.

Les deux familles venaient de milieux sociaux très éloignés. Le père de Rirette était banquier (ou occupait une position honorable dans la banque) mais, de goût, de passion, il était musicien, il aimait Mozart par-dessus tout ; une blessure de guerre lui avait enlevé quelques-uns de ses doigts et l'avait rejeté vers un métier d'argent qu'il exerçait probablement bien, sans autre instrument de calcul que la règle de trois (il s'en vantait volontiers). La mère éclatait de la même vitalité, de la même confiance dans la vie et les hommes que Rirette elle-même. Les Halphen n'avaient probablement pas grand-chose à dire aux Nizan, mais ils les adoptèrent ou, si l'on veut, sympathisèrent avec eux parce qu'ils avaient adopté leur fils.

Le père de Paul-Yves ressemblait-il à Antoine Bloyé [2] ? Il m'est difficile de répondre avec certitude. Je ne prétends pas avoir saisi en quelques conversations le secret d'un homme sans révolte apparente, sans nostalgie. Technicien de niveau moyen dans les chemins de fer, il appartenait à une petite bourgeoise, besogneuse peut-être, proche à certains égards de la classe ouvrière, mais parfaitement capable de fréquenter une famille de la bourgeoisie juive dans un hôtel de vacances.

Un an ou deux plus tard, Paul eut le sentiment que son père était persécuté à cause des opinions extrémistes de son fils. Mes parents connaissaient un haut fonctionnaire de la compagnie ; ils intervinrent auprès de lui. Ce dernier répondit que le technicien avait commis une faute dans son service et avait été sanctionné pour cette raison. Je ne sais, bien entendu, laquelle des deux versions reflétait la vérité.

Ce qui nous attirait chez Paul-Yves, c'était le mystère de sa personna-

1. Henriette.
2. Le personnage principal et le titre d'un roman de Nizan. On admettait qu'il avait pris son père pour modèle.

lité. Il avait été tenté par l'Action française, par les chemises bleues de Georges Valois avant de s'ancrer dans le communisme. Mais les opinions politiques, en 1926 ou 1927, ne tenaient guère de place dans nos relations. Le mystère se situait au-delà de son élégance naturelle, de son humour, de sa rapidité d'esprit exceptionnelle. On le devinait angoissé, résolu à surmonter ses angoisses dans une action ou une pensée sérieuse, en dépit de la gaieté intermittente sous laquelle il se dissimulait.

Une appendicite foudroyante, le jour même de son mariage, faillit l'emporter. Il n'existait pas d'antibiotiques à l'époque. Une péritonite se déclara, je partageai avec Rirette ces jours d'inquiétude mortelle. Ensuite nos chemins divergèrent. Il s'engagea, sans réserve, dans le communisme. Je le rencontrai rarement pendant les années 30, j'aimai et admirai *Aden Arabie*; *les Chiens de garde* (je ne suis pas sûr de l'avoir lu jusqu'au bout) me déplut ou plutôt me choqua. Nos professeurs ne méritaient pas ces injures pour le seul crime de n'être pas révolutionnaires. Pourquoi auraient-ils dû l'être ?

Je me demande souvent, aujourd'hui, pourquoi nous mettions à part Sartre et Nizan, alors que ni l'un ni l'autre n'avaient encore rien écrit ou plutôt rien publié. La réponse que je donne, faute de mieux, ne diffère pas de celle que je me donnais à moi-même plus tard quand je m'interrogeais sur les chances d'un étudiant. A tort ou à raison, nous estimons au « pifomètre » la capacité d'un jeune homme, nous le croyons capable d'obtenir son agrégation facilement ou, tout au contraire, à la force du poignet. Au-delà, nous le croyons capable ou non d'avoir un jour quelque chose à dire. En ce sens, quelle que soit notre théorie sur l'influence respective de l'inné et de l'acquis, nous attribuons au patrimoine génétique une causalité au moins négative ; en dépit de tous ses efforts, personne ne peut aller au-delà de ses moyens programmés par ses gènes. Les mathématiciens, m'a-t-on dit, discernent d'eux-mêmes leurs limites.

Avais-je la conviction que Sartre deviendrait ce qu'il devint, philosophe, romancier, auteur de pièces de théâtre, prophète de l'existentialisme, prix Nobel de littérature ? Sous cette forme, je répondrais sans hésiter non. Même sous une autre forme : sera-t-il un grand philosophe, un grand écrivain ? la réponse n'aurait été ni toujours la même ni jamais catégorique. D'un côté, j'admirais (et admire encore) l'extraordinaire fécondité de son esprit et de sa plume. Nous le plaisantions sur sa facilité d'écriture (moi-même, à l'époque, j'écrivais péniblement et j'étais hanté par le papier blanc et le stylo immobile). Pas plus de trois cent cinquante pages du manuscrit commencé trois semaines auparavant : que se passe-t-il ? disions-nous à notre petit camarade. En dehors de la facilité d'écriture, sa richesse d'imagination, de construction dans le monde des idées m'éblouissait (et m'éblouit encore). Non que des doutes n'aient traversé mon esprit. Parfois il développait longuement une idée, en paroles ou par écrit, faute simplement de la saisir pleinement et d'en trouver l'expression pertinente. Il échafaudait des théories dont il était facile de saisir les failles.

Je lui enviais la confiance qu'il avait en lui-même. Il me revient le souvenir d'une conversation, sur le boulevard Saint-Germain, non loin du ministère de la Guerre. Il avouait, sans vanité, sans hypocrisie, son idée de lui-même, son génie. S'élever au niveau de Hegel ? Bien sûr, l'ascension ne serait ni trop ardue ni trop longue. Au-delà, peut-être faudrait-il besogner. L'ambition, me disait-il, s'exprime en moi par deux images : l'une, c'est un jeune homme, en pantalon de flanelle blanche, le col de la chemise ouvert, qui se glisse, félin, d'un groupe à un autre sur une plage, au milieu des jeunes filles en fleur. L'autre image, c'est un écrivain qui lève son verre, pour répondre à un toast d'hommes en smoking, debout autour de la table.

Sartre voulait devenir un grand écrivain et il le devint. Mais, entretemps, il s'est désintéressé du smoking, des banquets, des signes extérieurs de la gloire. Aussi bien, à l'époque, s'il discutait rarement de politique, il méprisait déjà les privilégiés et détestait de tout cœur ceux qui se prévalaient de leurs droits, forts de leur compétence ou de leur position de chef, les « salauds ». Il crut les rencontrer dans la bourgeoisie du Havre que je connus moi aussi, quand je l'y remplaçai pendant une année (1933-1934) ; au club de tennis, deux courts étaient réservés à ces « messieurs de la Bourse ».

L'image de l'éphèbe touchait à l'un de nos sujets d'entretien ; comment s'arranger de sa propre laideur ? Sartre parlait volontiers de sa laideur (et moi de la mienne), mais, en fait, sa laideur disparaissait dès qu'il parlait, dès que son intelligence effaçait les boutons et les boursouflures du visage. Au reste, petit, râblé, vigoureux, il montait en haut de la corde, les jambes en équerre, avec une rapidité et une aisance qui soulevaient la stupeur de tous.

Sartre déclara, dans une interview récente, qu'il n'avait été influencé par personne, à la rigueur quelque peu par Nizan, certainement pas par Aron. Pour l'essentiel, il a raison. Pendant deux ou trois ans, il prit plaisir à soumettre ses idées à ma critique. Il tirait peut-être profit de nos dialogues, mais cela n'a rien à voir avec une influence. Prenons un exemple : la psychanalyse constitua longtemps un thème de nos débats. Lui la rejetait, une fois pour toutes, parce que la psychanalyse se confondait avec l'inconscient et que ce dernier concept équivalait, à ses yeux, à un cercle carré ; psychisme et conscience ne se séparent pas. J'abandonnai finalement le débat sans espoir sur le problème conceptuel, mais je lui suggérai de retenir les matériaux de la psychanalyse, quitte à jeter par-dessus bord l'inconscient. La notion de « mauvaise foi » lui fournit la solution. C'est lui qui la découvrit et probablement aurait-il reconnu de toute manière le besoin d'intégrer une part de la psychanalyse à son univers, au lieu de l'excommunier globalement et une fois pour toutes.

Une autre conception sartrienne se rattache aussi de quelque manière à nos conversations. Mon diplôme d'études supérieures portait sur *l'intemporel dans la philosophie de Kant.* Sujet qui contenait à la fois le choix du caractère intelligible et la conversion, à chaque instant possible, qui laisse à la personne la liberté de se racheter ou mieux de transfigurer d'un coup l'existence antérieurement vécue. La mort élimine la liberté et fige l'existence en destin, désormais achevé. Il y a quelque chose de ces thèmes dans *l'Être et le Néant*, dans ses pièces de théâtre. A vrai dire, il combina les deux idées — le choix du caractère intelligible et la liberté de la conversion — à sa manière. En dépit du choix existentiel de soi-même, Sartre se vante de recommencer à neuf, à chaque instant, comme s'il refusait d'être prisonnier même de son passé, comme s'il récusait la responsabilité de ses actes ou de ses écrits une fois accomplis.

Je soutiendrais volontiers par un autre souvenir, tout en la nuançant, sa thèse qu'il ne doit rien à personne. C'est dans un exposé, au séminaire de Léon Brunschvicg, qu'il ébaucha la vision du monde *(Weltanschauung)* qui devint la sienne. La question qui lui était posée concernait Nietzsche. Léon Brunschvicg travaillait au *Progrès de la conscience dans la pensée occidentale* et s'inquiétait de son chapitre sur Nietzsche. Fallait-il le considérer comme un philosophe au sens rigoureux, presque technique, ou comme un littérateur ? Sartre choisit le premier terme de l'alternative et, par je ne sais quel détour, il esquissa l'opposition de l'en-soi et du pour-soi ; les choses, ces arbres, ces tables ne signifient rien, ils sont ici, là, sans raison, sans but et, en contrepartie, la conscience, à chaque instant, signifie et donne signification à ces réalités aveugles, massives, qui la nient et qui, pourtant, ne sont que par elle.

La vision du monde de Sartre n'appartient qu'à lui-même. Mais, de toute évidence, il doit beaucoup à Husserl, à Heidegger. Le premier lui fournit bien plus qu'un vocabulaire ; grâce à la phénoménologie, il analysa l'expérience vécue, l'ouverture de la conscience à l'objet, la transcendance de l'ego ; ainsi le pour-soi devient le sujet instantané, non le moi. Il emprunta aussi à l'interprétation heideggerienne du temps, de l'angoisse, du monde des objets. Peut-être connut-il, par l'intermédiaire de Merleau-Ponty, certaines idées hégéliennes que commentait Alexandre Kojève, par exemple celle de l'amour qui rêve vainement de s'emparer d'une liberté, celle du maître qui veut obtenir la reconnaissance de l'esclave — reconnaissance qui ne peut être authentique puisque l'esclave est dépouillé de sa liberté. A n'en pas douter, il saisissait au vol les idées qui passaient à sa portée. Merleau-Ponty me confia vers 1945 qu'il se gardait de lui communiquer les siennes.

Dans *les Mots*, il se présente lui-même dépourvu de père (un de mes amis d'école ajouta, en souriant : pas de père, issu d'une vierge et lui-même Logos), mais, en affirmant qu'il n'avait subi aucune influence, il ne voulait pas nier sa dette à l'égard de Husserl et Heidegger ; il emprunta, absorba, intégra nombre de concepts, de thèmes, d'approches des philosophies du passé et de son temps. S'il rejette la notion même d'influence, c'est que celle-ci suggère la passivité, fût-elle partielle ou temporaire, de celui qui la subit.

Son échec à l'agrégation, en 1928, ne l'affecta en aucune manière, pas plus que mon succès ne m'incita à une révision de mes jugements sur lui ou sur moi. J'avais été reçu premier, avec une avance importante sur le deuxième, Emmanuel Mounier (une dizaine de points sur un total de 110 pour les sept exercices, écrits et oraux). Bien entendu, je n'étais pas indifférent à ce succès, je mentirais si je l'affirmais aujourd'hui ; je gardais quelque chose du bon élève. Je n'ignorais pas que mon succès était dû à des qualités strictement scolaires (ou universitaires pour être plus indulgent). La meilleure des trois dissertations était la troisième, celle d'histoire de la philosophie (Aristote et Auguste Comte). Aucune des deux premières ne témoignait de la moindre originalité. Je tirai, à l'oral, un texte de la physique d'Aristote que j'avais expliqué au séminaire de Léon Robin. Je commentai un texte de Spinoza en latin et je commis un contresens dont je pris conscience au fur et à mesure que je le justifiais. Je mis tant de conviction à plaider mon erreur que le jury s'y laissa prendre sur le moment. Le jour suivant, il retrouva ses sens et le bon sens, et m'enleva un point (mon professeur de khâgne, André Cresson, qui figurait au jury, me raconta l'épisode).

Que l'on m'entende bien : en tant que mode de sélection, l'agrégation de philosophie ne valait, au bout du compte, ni plus ni moins qu'un autre. La plupart des candidats qui méritaient ce parchemin l'obtenaient. L'échec de Sartre fut réparé, l'année suivante, par une première place, avec un total de points supérieur au mien. En 1928, il n'avait pas joué le jeu ; il avait exposé sa philosophie du moment. Il se laissa convaincre [1] l'année suivante qu'il fallait d'abord donner à l'examinateur ce que celui-ci attendait. Ensuite, chacun pouvait gambader.

Le succès à l'agrégation n'éveilla en moi aucune vanité. Au bout de quelques semaines, plus encore dix-huit mois plus tard, après le service militaire, le bilan de mes années d'École m'apparut décevant ; à vingt-trois ans en 1928, au printemps de 1930 à vingt-cinq ans, qu'est-ce que j'avais appris ? De quoi étais-je capable ? Pendant les deux premières années de l'École, j'avais peu travaillé. Ne m'étant pas inscrit à la Sorbonne avant l'entrée à l'École, je dus consacrer deux ans à la licence — ce qui me laissa des loisirs. Je jouai au tennis, lus des romans, les grands ou les romans à la mode, je fréquentai le Louvre. Je commençai de suivre les cours d'analyse d'E. Le Roy au Collège de France et je ne persistai pas. Je pris des gros livres de droit civil et je les abandonnai au bout de quelques semaines. Je commençai d'étudier des livres de mathématiques sans davantage m'obstiner. Rétrospectivement, les deux dernières années m'apparaissent plus fécondes bien que peut-être, en 1928 ou 1930, j'en eusse jugé autrement. Le sujet de mon diplôme d'études supérieures m'obligea à étudier l'œuvre de Kant depuis les écrits antérieurs à

1. Il estimait ma technique de l'agrégation ; il me demanda conseil.

la *Critique de la Raison pure* jusqu'à *la Religion dans les limites de la simple raison.* Chaque jour, je lisais les *Critiques* — jusqu'à huit ou dix heures par jour. Je ne sais ce que j'ai appris, je ne sais ce que valait ma compréhension du kantisme. L'exemplaire du diplôme que j'avais donné à Sartre et à Nizan (Kant était au programme de l'agrégation, l'année suivante) fut perdu. Je ne le regrette que par curiosité. Sans doute le diplôme méritait-il d'être livré à la critique des souris [1].

Je garde un souvenir d'exaltation austère de mon année vécue en commun avec un philosophe. Je continue de croire en avoir tiré beaucoup plus de profit que du livre de Delbos (classique à l'époque) ou des cours professés par tel ou tel. Certes, s'il ne s'agit que de passer les examens ou les concours, les médiateurs épargnent beaucoup de temps et d'effort, fournissent aux étudiants le résumé disponible à toute fin, le prêt-à-porter philosophique. Mais rien ne remplace, même pour ceux qui ne se destinent pas au labeur philosophique, le déchiffrement d'un texte difficile. Des années durant, après mon année kantienne, les livres me semblaient tous faciles. J'évaluais le niveau des livres à la tension d'esprit que chacun d'eux exigeait.

L'année de l'agrégation m'obligea à étudier sérieusement Aristote, J.-J. Rousseau et Auguste Comte. Je relus une deuxième fois la quasi-totalité de l'œuvre d'Auguste Comte, une trentaine d'années plus tard, pour aider les candidats à l'agrégation au programme de laquelle Comte figurait de nouveau. L'histoire de la philosophie tenait une place majeure dans nos études et il ne pouvait guère en aller autrement, au moins à cette époque.

Sur les quatre certificats de philosophie, un seul — *logique et philosophie générale* — évoquait les débats actuels. Les deux autres — *psychologie, morale et sociologie* — relevaient déjà des sciences humaines ou sociales ; de ce fait, l'histoire de la philosophie, plus encore que la logique et la philosophie générale, nous mettait en contact avec la *philosophia perennis.* Faut-il ajouter qu'il n'existait pas l'équivalent de « nouveaux philosophes »; que les meilleurs professeurs accédaient rarement aux honneurs de la grande presse (Bergson mis à part), qu'ils furent l'objet d'une série d'articles satiriques de René Benjamin ? Pour nous inspirer d'un maître, pour le mettre à mort ou pour prolonger son œuvre, nous n'avions le choix qu'entre Léon Brunschvicg, Alain et Bergson (ce dernier déjà retiré de l'enseignement). A la Sorbonne, Léon Brunschvicg était le mandarin des mandarins. Non qu'il fût marqué des défauts couramment attribués aux mandarins ; il « philosophait » plus que les autres et son œuvre — *les Étapes de la pensée mathématique, l'Expérience humaine et la causalité physique, le Progrès de la conscience dans la pensée occidentale* — ne pouvait pas ne pas nous imposer quelque respect. Nous ne pouvions pas juger de sa compétence en mathéma-

1. Depuis lors, Mme Lautmann retrouva dans ses vieux papiers un deuxième exemplaire du diplôme, non corrigé. Je n'ai pas encore réussi à le lire.

tiques et en physique mais il nous — disons plutôt il me — donnait le sentiment qu'il embrassait la culture scientifique et la culture philosophique. Il éclairait les moments de la philosophie occidentale par les moments des mathématiques et de la physique. Il ne rompait pas avec la tradition, il ne tombait pas dans les platitudes de l'idéalisme ou du spiritualisme académique. Il ne se mettait pas au niveau des plus grands, il peuplait sa vie par le commerce avec eux.

Cela dit, qu'enseignait-il ? Aujourd'hui, pour réduire au minimum le jargon, je dirais que son interprétation du kantisme tendait à ramener la philosophie à une théorie de la connaissance. La *Critique de la Raison pure* a démontré, d'une manière définitive, que nous connaissons le réel à travers les formes de la sensibilité et les catégories de l'entendement. Nous ne connaissons que le monde construit par notre esprit et il n'existe pas de mode d'appréhension qui permettrait d'aller au-delà de la physique. En ce sens, il n'y a pas de métaphysique ; la science ne laisse pas à la philosophie d'objet propre en dehors de la science elle-même. Les philosophes analytiques exposent dans un langage différent une thèse proche : la philosophie réfléchit sur la science ou le langage, elle réfléchit sur toutes les activités humaines. Elle n'apporte pas sur le réel un savoir qui échapperait à la science ou la dépasserait.

La pensée de Brunschvicg, présentée de cette manière, pourrait passer pour positiviste d'inspiration. Mais j'ai omis l'autre aspect de ce néo-kantisme : l'idéalisme dont il se réclame, l'attitude morale à laquelle il aboutit. Il ne retient pas de la *Critique* kantienne le tableau des catégories, il n'accepte pas non plus la solution de la troisième antinomie (déterminisme immanent, liberté dans le transcendant). Platonicien et anti-aristotélicien, il veut supprimer toutes les entraves au progrès de la science, la fiction de concepts immuables. Le renouvellement par Einstein des notions d'espace et de temps, bien loin de contredire la conception kantienne des formes de la sensibilité, en confirme l'inspiration : l'esprit construit la réalité par la science et celle-ci consiste essentiellement non à élaborer des concepts ou à en déduire les conséquences mais à juger.

Ce résumé grossier n'a d'autre fin que de suggérer la quasi-impasse vers laquelle les apprentis philosophes avaient le sentiment d'être entraînés. Mon professeur de philosophie, à Versailles, s'inspirait de Brunschvicg pour dévaloriser les concepts juridiques au profit du jugement. Les disciples de Brunschvicg devaient, presque inévitablement, dans d'autres domaines, réfléchir sur les progrès de la science en relation avec les philosophies ou s'élever aux problèmes les plus fondamentaux de la théorie de la connaissance.

Léon Brunschvicg, en dépit de son rejet de la métaphysique traditionnelle, usait souvent d'un vocabulaire religieux, par exemple dans un de ses derniers livres : *De la vraie et de la fausse conversion.* D'où la question, maintes fois posée : était-il athée ? Était-il religieux ? A la première question, la réponse ne me paraît pas douteuse : au Dieu d'Abraham, d'Isaac et de Jacob, au Dieu du chrétien ou à la Trinité, il ne croyait pas. Du salut des âmes, après la mort, il ne se souciait pas. Les dogmes du catholicisme lui étaient étrangers, de même que l'Alliance du peuple juif avec son Dieu.

Pourquoi user de l'expression « la vraie conversion » ? Au risque de simplifier ou de vulgariser sa pensée, je dirais qu'il ne voulait pas laisser aux Églises le monopole de la religion ou de la conversion. La vraie conversion se définit par l'arrachement de l'esprit, en chacun, à l'égoïsme, à l'égocentrisme. La religion aussi prêche cette conversion et c'est pourquoi Brunschvicg fut un lecteur infatigable de Pascal et de Spinoza ; mais la conversion vraie n'est pas suspendue à une décision de Dieu, elle s'accomplit par l'effort de la personne pour s'élever au-dessus d'elle-même, pour se dépersonnaliser en quelque mesure. La conscience de l'éternité, chez Spinoza, n'est-ce pas en dernière analyse la conscience de saisir la vérité ? La vraie conversion n'espère pas le salut, elle *est* le salut.

L'humanité a fini par savoir que la terre ne se trouve pas au centre du système solaire ; elle a renoncé à l'observateur absolu, irréel qui mesurerait les durées et les distances en faisant abstraction de sa propre position. De même, le progrès moral s'exprime par le détachement de soi, par le dialogue vrai : chacun se met à la place de l'autre. La conversion spirituelle s'inspire de la vertu du savant. L'attitude du savant pur conduirait à la justice.

Philosophie dure, presque stoïque, me disait un jour Alexandre Koyré, qui prendrait même de la grandeur, si elle s'exprimait en un autre langage. Quand Léon Brunschvicg, à la Société française de Philosophie, répondait à Gabriel Marcel : « Je m'intéresse moins au destin de ma personne que M. Marcel au destin de la sienne », il annonçait, si je puis dire, les *Antimémoires*. Religieux en un sens, mais étranger à toutes les religions établies, négateur de la métaphysique, il incarnait une manière de philosopher en dépit d'un refus de système poussé à l'extrême. La pensée est jugement, les concepts ne sont que les étapes provisoires de la conquête de la vérité ou de la construction de la réalité. La même pensée tisse les relations entre les personnes qui se rendent justice mutuellement. Ajoutons, pour ceux qui taxeraient de simplisme cet immense travail, que toute la philosophie du passé demeurait latente, vivante à travers ses livres et ses propos.

Quand Léon Brunschvicg dominait la Sorbonne, entre les deux guerres, la phénoménologie de Husserl, la pensée de Heidegger avaient « dépassé » ou déplacé les néo-kantismes allemands. Si surprenante que cette proposition puisse sembler aujourd'hui, les philosophes français et allemands ne se connaissaient guère. Le livre de Georges Gurvitch, *les Tendances de la philosophie allemande contemporaine,* préfacé par L. Brunschvicg, précéda les fameuses conférences données par Husserl, en France, sous le titre de *Méditations cartésiennes.* Au reste, Jean Wahl mis à part, les Français ne connaissaient guère mieux la philosophie contemporaine anglo-américaine ; la connaissent-ils davantage aujourd'hui? Pourquoi cette corporation des professeurs de philosophie fermée sur elle-même, ignorante de l'étranger?

Régis Debray, dans son livre *le Pouvoir intellectuel*, fit l'éloge des mandarins d'hier, tout en louant Paul Nizan qui les avait grossièrement injuriés, puis s'était réconcilié avec eux au temps de la résistance antifasciste. Les universitaires, à l'époque de l'affaire Dreyfus, de l'antifascisme, de l'Occupation, avaient tenu bon, écrit-il, défendu les valeurs universelles ; ils avaient négligé le marxisme, il est vrai, mais du moins ils n'étaient pas tombés dans l'irrationalisme, les pamphlets hystériques, les écrits ésotériques. L'enseignement de la philosophie, dans les lycées et les universités, tel que l'a reçu ma génération, appelait maintes réserves. Les post-kantiens, Fichte, Hegel n'étaient pas ignorés, mais ils ne figuraient jamais au programme de l'agrégation sous prétexte que leurs œuvres principales n'étaient pas traduites en français. Les demi-dieux de l'après-guerre, Marx, Nietzsche, Freud n'appartenaient pas au panthéon, dans lequel reposaient les auteurs de la classe de philosophie ou de l'agrégation. Du moins le professeur ordinaire de philosophie, en ce temps, gardait le respect des textes, une exigence de rigueur. Les trois demi-dieux, tous trois géniaux, ont dit et autorisé à dire presque n'importe quoi. Il est facile d'intéresser les élèves en commentant l'idéologie, l'éternel retour, l'instinct de mort. Mais ces concepts, équivoques par excellence, échappent à une définition précise ; ils suggèrent des idées qui échappent à la réfutation, à la *falsification* comme disent les philosophes analytiques en anglais d'aujourd'hui (ils ne sont pas susceptibles d'être démontrés faux). Le commentaire de l'analytique de la *Critique de la Raison pure* conserve une valeur éducative, il contribue à former l'esprit. Le commentaire des aphorismes de *la Volonté de puissance* stimule l'esprit, il n'aide pas les jeunes gens à bien user de leur raison.

En dehors de Léon Brunschvicg, je fréquentai un autre philosophe, Alain, pendant les années d'école. Je vins plusieurs fois le prendre à la sortie du lycée Henri-IV et l'accompagnai jusqu'à son appartement rue de Rennes. Comment ai-je noué des relations personnelles avec lui? Sans doute des élèves d'Alain me servirent-ils d'intermédiaire.

Autant que je m'en souvienne, c'était la personnalité d'Alain, plus que sa philosophie, qui m'en imposait. Engagé volontaire du premier jour, il détestait la guerre et ne pouvait la supporter qu'en la vivant avec les combattants. Lui n'avait pas trahi, participé au déchaînement de la propagande et de l'antigermanisme (Bergson lui-même n'avait pas échappé à la déraison). Or, à l'époque, nous étions pour la plupart en révolte contre la guerre et nos aînés. On comptait peu de communistes parmi les élèves de l'École ; ceux qui se voulaient de gauche adhéraient au parti socialiste, au moins de cœur. Les catholiques, les « talas », figuraient la droite. Alain et ses élèves faisaient bande à part, ni communistes ni socialistes, mais gauche éternelle, celle qui n'exerce jamais le pouvoir, puisqu'elle se définit par la résistance au pouvoir — le pouvoir qui, par essence, incline à l'abus et corrompt ceux qui l'exercent.

Je ne crois pas avoir jamais été entièrement convaincu par sa pensée ou, plutôt, par son attitude politique, en particulier par son refus des galons d'officier. Peut-être aurais-je été reçu à l'examen de la fin de préparation militaire si je n'avais pas été, sur ce sujet, partagé. J'admirais, à l'époque, *Mars ou la guerre jugée*, livre souvent beau, mais, en dernière analyse, profondément injuste, ou, pour le moins, partial : que certains chefs trouvent dans le commandement une compensation aux périls et aux duretés du combat, il se peut, mais les sous-lieutenants, les lieutenants, les capitaines de l'infanterie vivaient avec leurs hommes, dans les mêmes tranchées ; ils sortaient avec eux des abris. Juger la guerre à partir de l'ivresse du commandement paraît aujourd'hui déraisonnable ou même, pour dire toute ma pensée, bas. De simples soldats aiment parfois la guerre. Certains officiers, sans l'aimer, exercent leur métier avec conscience. La distance, spatiale et morale, entre le front et les états-majors ne fut jamais aussi grande qu'à partir du gel des fronts, de septembre 1914 jusque 1918. Cette particularité des opérations ne devait pas servir de fondement à une philosophie de la guerre qui se ramenait, en fait, à une psychologie de l'ordre militaire.

Pourquoi avons-nous été à ce point subjugués par l'autorité du soldat qui, à la différence de tous nos professeurs, avait refusé tout à la fois l'union sacrée et la révolte ? A l'École, au cours des années 20, nous remettions en question le récent passé. Des hérétiques contestaient la responsabilité exclusive ou prédominante de l'Allemagne aux origines de la guerre [1]. L'opinion de gauche condamnait l'occupation de la Ruhr et appelait de ses vœux la réconciliation. Les jeunes ne parvenaient plus à comprendre les propos qu'avaient tenus certains des plus prestigieux de nos anciens sur l'Allemagne et les Allemands quelques années plus tôt. Alain, du moins, avait gardé le silence au milieu de la folie collective.

L'homme contre les pouvoirs, la politique d'Alain, que je critiquai âprement plus tard, je ne l'ai jamais au fond de moi-même adoptée ; elle ne répondait pas à mon tempérament intellectuel ; je l'ai utilisée à un moment où je ne savais rien des sociétés et de l'économie, où je justifiais plus ou moins mal par des raisons mes sentiments : pacifisme, horreur de la guerre, adhésion aux idées de gauche, universalisme par réaction au nationalisme de nos aînés, hostilité aux possédants et aux puissants, vague socialisme (le parti radical devenait de moins en moins présentable) ; et un intellectuel, de surcroît juif, se doit de sympathiser avec le malheur ou la dignité des humbles. Si la politique d'Alain me

1. Léon Brunschvicg, sur ce point, ne se laissa pas ébranler : à un ultimatum exorbitant, la Serbie avait donné une réponse modérée. L'Autriche avait rejeté cette réponse et bombardé Belgrade. A partir de là, à moins d'un miracle, le jeu des alliances provoquait la conflagration générale. Je lus à l'époque le premier livre d'Alfred Fabre-Luce, *la Victoire*, hérétique au point de faire scandale. Il s'efforçait de répartir les responsabilités de la guerre entre les deux camps.

tentait, c'est qu'elle m'épargnait la peine de connaître la réalité, d'imaginer à la place des dirigeants une solution aux problèmes posés. Le citoyen contre les pouvoirs s'arroge immédiatement l'irresponsabilité. Une fois que j'eus surmonté les incertitudes de ma jeunesse et les limites de ma formation académique, je pris une position extrême, de l'autre côté : je me voulus responsable presque à chaque instant ; toujours enclin à me demander : qu'est-ce que je pourrais faire à la place de celui qui gouverne ?

Après la guerre, par indignation plus contre mon passé que contre Alain, j'écrivis deux articles sur sa politique, l'un dans la NRF, l'autre dans la *Revue de Métaphysique et de Morale.* J'eus le tort de ne pas rappeler l'expérience vécue d'Alain au front. Ce qui l'empêchait de vivre, ce qui soulevait en lui une fureur impuissante, c'était le destin de ces jeunes hommes qui voulaient vivre et qui se sentaient condamnés à mort. J'ai inscrit sur la lame de mon épée d'académicien une phrase grecque d'Hérodote : *Nul homme sensé ne peut préférer la guerre à la paix puisque, à la guerre, ce sont les pères qui enterrent leurs fils alors que, en temps de paix, ce sont les fils qui enterrent leurs pères.* Jamais la tragédie des générations n'a été illustrée au même degré que par les événements de 1914-1918 : peu de témoins ont ressenti cette tragédie avec autant de noblesse et de compassion que lui. Encore aujourd'hui, quand je relis les derniers propos d'Alain avant son engagement, ou son appel aux ennemis, en 1917, je tremble de respect devant la grandeur.

En dehors de la politique, qu'est-ce que nous apportait Alain ? Sartre, qui réfléchissait déjà sur la perception, l'image, l'imaginaire, reprenait la thèse d'Alain d'une différence essentielle entre le perçu et l'imaginé. Il reprenait volontiers la question que posait Alain à ceux qui prétendaient *voir* le Panthéon sans être en face de lui : « Combien voyez-vous de colonnes sur le devant du Panthéon ? » L'hétérogénéité radicale de la perception et de l'imagination se retrouve dans le livre sur *l'Image*[1], et dans *l'Imaginaire.*

Que me reste-t-il d'Alain ? Il m'aida à lire les grands auteurs, bien que je ne souscrivisse ni à sa méthode ni aux résultats de celle-ci. A entendre ses disciples, sinon lui-même, les philosophes authentiques, Platon ou Descartes, ne se seraient jamais trompés ; ils auraient tous dit plus ou moins la même chose. Entre Kant, qui saluait de son chapeau l'autorité temporelle sans s'incliner moralement devant elle, et Auguste Comte, qui acceptait le règne de la force et le modérait par le pouvoir spirituel (l'opinion, les femmes), il tissait un lien, il découvrait une parenté en profondeur. Ce qu'ils avaient l'un et l'autre pensé, prêché ou enseigné, c'était, en dernière analyse, la philosophie d'Alain lui-même.

Léon Brunschvicg me rapporta un jour, avec plus d'irritation que d'ironie, le discours que tenaient les disciples d'Alain à l'examen devant

1. Le petit livre de Sartre parut dans la même collection « Petite encyclopédie » que *la Sociologie allemande contemporaine.*

un texte de Descartes à commenter : « Écartons, disent-ils, l'épaisse couche des commentaires et des exégèses qui nous séparent du texte lui-même. Reprenons le texte lui-même tel qu'il fut écrit, dans sa pureté, sa vérité. Et puis, continua Brunschvicg, ils nous récitent ce qu'Alain leur a appris. » Le mépris de l'histoire qu'affectait Alain, communiqué à des disciples sans génie, nourrissait une sorte d'obscurantisme.

Lui-même n'était pas dupe de ses boutades, de ses excès, de ses excommunications. Quand je lui confiai, vers 1931 ou 1932, mon intention de réfléchir sur la politique, il me répondit : « Ne prenez pas trop au sérieux mes propos sur la politique. Il y a des hommes que je n'aime pas. J'ai passé mon temps à le leur faire savoir. » Il n'ignorait pas qu'il « manquait » la dimension historique en se référant toujours à la nature humaine, constante, immuable en ses traits essentiels. Il refusa Einstein et la relativité, il refusa la psychanalyse. Par ignorance ? Par incompréhension ? Je ne le pense pas. En ce qui concerne la relativité, le refus tenait surtout à l'incompétence, mais pour une part aussi à son hygiène intellectuelle : il ne faut pas ébranler les fondements du temple de la raison. Il appelait la psychanalyse « psychologie du singe », expression peu heureuse pour le moins. Il ne voulait pas interpréter les hommes par en bas. Il aurait sympathisé avec l'idée des *Antimémoires* d'André Malraux (mais il ne partageait certes pas avec celui-ci le culte des héros). Il aurait méprisé lui aussi le misérable « petit tas » de secrets que chacun porte au fond de soi. Moraliste, il s'adressait au même homme pour lequel ont écrit les moralistes français à travers les siècles. Mais le moraliste enseignait aussi la philosophie en khâgne, professionnel de la philosophie, et maître à penser de la IIIe République.

« Sophiste », ainsi l'a qualifié Marcel Mauss, au cours d'une conversation privée. Sans hostilité, sans passion, sans mépris : sophiste par opposition aux savants ou peut-être même aux philosophes. Il traite de tout, selon la probabilité ; il nie la sociologie pour disserter à sa manière de la chose publique. Il enseigne la jeunesse et lui donne des lumières sur le monde. D. Brogan, avec plus de sévérité, écrivit vers l'année 40 une phrase que je mis en épigraphe d'un article sur Alain dans *la France libre* : « Le prestige d'un sophiste tel Alain annonce la ruine d'un État. » Pourtant des camarades tels qu'Élie Halévy, des élèves tels qu'André Maurois discernaient en lui l'éclair du génie. Élie Halévy, je crois, disait : « Il a un peu de génie, je ne suis pas sûr qu'il en fasse le meilleur usage. » Bien d'autres, qui le connurent, soit directement soit par l'intermédiaire de ses disciples, n'en démordent pas, ils ne doutent pas de son génie. « Professeur de khâgne, élevé presque au niveau du génie », ai-je improvisé à l'émission de télévision qui lui a été consacrée. Les alinistes de stricte observance m'en tinrent rigueur, de même qu'ils me reprochèrent d'avoir souligné qu'Alain a été relativement peu traduit et lu à l'étranger. Encore aujourd'hui, j'hésite à conclure.

A coup sûr, il ne voulut pas connaître certaines des conquêtes intellectuelles de son siècle ; il resta à l'intérieur de la « philosophie éternelle » telle que la concevait la corporation des enseignants de philosophie, dans les lycées et les universités de France. Mais le *Système des Beaux-Arts, les Idées et les âges*, les *Propos* (sur l'éducation, sur le bonheur), les livres sur les romanciers qu'il aimait, cette littérature philosophique ne témoigne-t-elle pas d'un écrivain, même si son style irrite à la longue ? Trop proche du syncrétisme pour être reconnu comme un philosophe original, ne reste-t-il pas un moraliste et un écrivain d'idées ?

Peut-être Georges Canguilhem fut-il l'intercesseur entre Alain et moi. Une solide amitié nous unissait, différente de celle qui me liait au groupe Nizan-Sartre, mais non moins solide. Lui avait reçu à Henri-IV l'enseignement d'Alain et il en partageait à l'époque les convictions, en particulier le pacifisme. Par lui, je me rapprochai des élèves d'Alain, marqués par leur maître plus que les autres élèves de l'École par les leurs. Nous nous retrouvâmes à Toulouse, en 1939, et il entoura ma femme, seule en mon absence, d'une gentillesse, d'une affection typiques de sa nature profonde que dissimula souvent la rudesse de l'inspecteur général. Nous nous retrouvâmes de nouveau à la Sorbonne en 1955 ; parfois il terrifia les étudiants, mais il fut toujours respecté par eux. Docteur en médecine, historien de la pensée médicale et biologique, il a travaillé, enseigné, écrit (tous ses cours étaient rédigés) beaucoup plus que ses publications ne le suggèrent. Aussi bien les vrais lecteurs ne se laissent pas abuser par sa modestie : ils le placent à son rang, au niveau qu'il mérite. Je n'en dis pas davantage : il se fâcherait si je me risquais à un portrait littéraire, peu en accord avec un demi-siècle d'amitié.

J'ai mentionné le nom de Pierre Guille et je n'en ai rien dit. Non pas parce qu'il mena une existence de fonctionnaire, secrétaire à la Chambre des Députés et à l'Assemblée nationale ; Simone de Beauvoir en a parlé quelque peu puisque c'est lui qui introduisit Sartre dans l'intimité de Mme Morel[1]. Ni philosophe ni politique, Guille nous charmait tous parce qu'il était charmant, nous l'aimions tous parce qu'il était aimable. Il aurait été, en d'autres temps, un grand professeur de khâgne, littéraire jusqu'au bout des ongles. Notre amitié dépérit d'elle-même, par le fait du temps ; la rencontre à quatre, après nos mariages, se révéla difficile. Nous nous revîmes quelquefois après la guerre, au Quartier latin, une fois dans le Midi. Nous ne retrouvions pas le climat. Dans une lettre, en réponse à une invitation, il m'écrivit : « Déjeunons ensemble si tu le souhaites, mais nous n'avons plus grand-chose à nous dire. » Sa lettre ne voulait pas être agressive : elle constatait la distance entre nous. Je ne l'avais pas vu depuis des années quand il mourut.

Politiquement, l'École comptait deux groupes cohérents : d'un côté les socialistes ou socialisants, de l'autre les « talas », les catholiques. Lucien Herr (qui régnait à la Bibliothèque pendant mes deux premières années

1. « Cette dame. » P. Guille, puis J.-P. Sartre donnèrent des leçons personnelles au fils de celle que nous appelions « cette dame ». Mme Morel était charmante au sens que ce mot a perdu. Elle charmait par son intelligence, sa spontanéité, sa gentillesse.

à l'École, inspirait le premier où militaient Georges Lefranc[1] qui joua un rôle important à la CGT non communiste, à l'Institut de formation des militants, et qui écrivit nombre de livres sur les mouvements ouvriers et le Front populaire ; Le Bail aussi qui fut député sous la IVe République. Pierre-Henri Simon appartenait à l'autre groupe, à celui des « talas », catholiques qui, à l'époque, inclinaient vers la droite, peut-être en ce sens limité qu'ils ne se révoltaient pas contre les vertus, les manières de penser qui avaient animé la France de la guerre.

J'étais plus politisé à l'époque que Sartre ou Guille. Je me passionnais, de temps à autre, pour les événements de la vie parlementaire. Je pris part aux discussions familiales sur Herriot et la crise du franc ; un oncle, fondé de pouvoir d'un agent de change, m'imposa un jour le silence : « Je t'écouterai quand tu parleras de philosophie ; sur les finances, tu ne sais rien, tais-toi. » Ce souvenir d'humiliation, quelques autres du même type, évoquent en moi la madeleine de Proust ; je ressens une deuxième fois l'humiliation ou, peut-être, je sympathise avec mon moi évanoui. Je n'ai jamais revécu avec autant d'intensité les expériences plaisantes.

De mes intérêts pour la politique, je retrouve quelques témoignages dispersés. En 1925 ou 1926, par l'intermédiaire d'une association pour la Société des Nations à laquelle je m'étais inscrit, je passai deux semaines à Genève, pendant la réunion annuelle de l'Assemblée générale. J'entendis un discours de Paul-Boncour qui passait pour un grand orateur et que j'admirais. Il plaida la cause de la paix indivisible. C'est à Genève que je rencontrai pour la première fois Bertrand de Jouvenel, de quelques années seulement plus âgé que moi mais déjà journaliste de renom.

J'assistai à une grande séance de la Chambre des Députés : en 1926, le jour où Edouard Herriot, qui était descendu du perchoir de président de l'Assemblée pour provoquer la chute du Cabinet Briand dans lequel Joseph Caillaux avait reçu le portefeuille des Finances, présentait son gouvernement qui devait être immédiatement renversé. Séance passionnée, tumultueuse, alors que le cours de la livre dépassait 200 francs et que la foule hurlait des slogans antiparlementaires dans la rue.

Briand avait parlé quelques instants pour rappeler une vérité de bon sens : la dévaluation du franc sur le marché des changes est imputable aussi à la crise ministérielle, pas seulement à une manipulation sinistre des forces d'argent. Sa réplique à A. de Monzie, ministre des Finances, me frappa. Non pas tant la fameuse voix de violoncelle que l'enveloppement verbal du fait ou de l'idée — style peut-être indispensable à l'homme politique, mais si contraire à mon tempérament. Edgar Faure, dont la voix ne rappelle certainement pas celle d'Aristide Briand, possède aussi l'art d'enrober sa pensée, quand il le faut, d'une brume verbale.

Des hommes politiques et des écrivains venaient à l'École faire des conférences. Je me souviens de celle de Léon Blum. Il développa un de

1. Il organisa les dîners de la promotion.

ses thèmes favoris, la distinction entre l'*exercice* et la *prise* du pouvoir, thème caractéristique de la IIe Internationale. Ni politique du pire à l'intérieur du régime capitaliste ni renoncement à la Révolution. Un jour, dans l'avenir, l'arbre du capitalisme, vieilli, usé, taraudé, s'écroulerait ; alors sonnerait l'heure de la Révolution, de la prise du pouvoir. Léon Blum parla avec un charme que nous appréciâmes tous. Je me demandai, déjà, pourquoi l'exercice du pouvoir accélérerait le mouvement vers la fin du capitalisme. Encore après la guerre, dans la préface qu'il écrivit pour *l'Ère des organisateurs* (*The managerial Revolution*) de Burnham, il s'avoue bouleversé par l'hypothèse que le socialisme humaniste tel qu'il l'a conçu ne recueille pas la succession du capitalisme à bout de course.

En 1925, Édouard Herriot passa une soirée avec nous ; c'était pendant les semaines des troubles estudiantins provoqués par la nomination de G. Scelle, qui appartenait au cabinet de François Albert, ministre de l'Instruction publique, à la place de Le Fur, mis au premier rang par le vote de la faculté de Droit. Herriot plaisanta, chanta avec nous, simple et bon camarade. (Georges Lefranc m'assure que la présence de Herriot, à l'École, n'avait aucun rapport avec l'affaire François Albert. Il vint le jour de la Revue.)

Je me souviens aussi d'un exposé d'Alfred Fabre-Luce qui nous parla de la Société des Nations et en plaida la cause face à un auditoire en majorité sceptique, mais nullement hostile. Julien Benda fut invité à la suite de *la Trahison des Clercs.* J'écrivis contre lui un article dans les *Libres Propos* — le premier texte que j'aurais publié, à en croire un jeune agrégé qui étudie le devenir d'une génération de khâgneux. Ma critique de Benda, me semble-t-il, se ramenait à l'objection suivante : toutes les causes historiques ne se présentent pas sous une forme aussi schématique que l'affaire Dreyfus : d'un côté un innocent, de l'autre la réputation du grand état-major de l'armée. Les intellectuels ont le droit de s'engager dans des combats douteux. Je n'employais pas, à cette époque, ce vocabulaire, mais l'idée y perçait [1].

Parmi nos invités, je ne garde pas le souvenir des grands écrivains de l'époque. Non que nous fussions plus sollicités par la politique que par la littérature, mais les responsables de ces séances l'étaient probablement.

Quelle place tenait la politique dans mes pensées d'avenir ? Ai-je rêvé, le jour où j'assistai, dans les tribunes, à la mise à mort d'Herriot, de monter quelque jour, moi aussi, à la tribune ? Je ne le crois pas. En revanche, l'émotion qu'éveillaient en moi les joutes des orateurs m'aide à comprendre les militants, les foules, les hommes de parti. Sensible à l'éloquence d'un Paul-Boncour ou d'un Édouard Herriot, plus tard à celle d'un Déat, je frissonnais en les écoutant, j'éprouvais avec eux l'hostilité qu'ils

1. Je ne relis pas sans honte la flèche que je lui lançai à la fin de l'article, une allusion à sa promotion récente dans la Légion d'honneur. Honte est trop dire : plutôt je rirais de moi.

clamaient contre leurs adversaires ; E. Herriot m'apparaissait comme une victime innocente, dans la fosse aux lions. Quelques années plus tard, je compris assez les mécanismes financiers pour juger tout autrement Édouard Herriot, les événements et mes opinions de l'époque.

C'est en 1925 ou en 1926 que je m'inscrivis à la SFIO, section du Ve arrondissement [1]. Pourquoi cette adhésion ? Je dois une réponse que mes lecteurs n'accueilleront pas sans sourire : il fallait faire quelque chose pour le peuple ou pour les ouvriers. L'adhésion, je me l'imposai à moi-même, au titre d'une contribution à la cause — la cause de l'amélioration des classes malheureuses. Un souvenir me revient, précis, à la mémoire : une lettre à un camarade, du nom de Blanchet, que j'avais rencontré à Genève et avec lequel j'avais sympathisé. Je lui décrivis mes hésitations, ma conscience d'une sorte d'obligation — nous dirions aujourd'hui l'obligation de s'engager —, avec en conclusion l'annonce de mon adhésion à la SFIO.

Dans le premier numéro des *Temps modernes*, je dissertai encore sur les chances du socialisme (en un article bien pauvre). Un intellectuel juif, de bonne volonté, qui choisit la carrière des lettres, étranger à ceux des siens qui restent dans le commerce du textile ou de l'argent, ne peut guère ne pas se vouloir, se sentir de gauche. Pour un peu, en paraphrasant mon collègue Escarpit, je dirais que je suis né à gauche, conditionné par les déterminants psycho-sociaux. J'y suis resté, au moins tant que je n'ai pas conquis une pensée propre, autonome. Y suis-je resté jusqu'au bout ?

Je fréquente peu les grands de notre société, les hommes au pouvoir, les dirigeants des grandes sociétés nationales ou multinationales ; quelquefois, je rends visite à l'un d'entre eux ou l'un d'entre eux vient me voir (selon que l'initiative vient de l'un ou de l'autre). Ils ne diffèrent pas des simples mortels, ils ne me paraissent ni plus humains, ni plus inhumains que leurs semblables. Les grands capitalistes n'acceptent pas volontiers que l'on plaide la cause du capitalisme, tout en critiquant certaines de leurs pratiques. Certes, il ne manque pas d'hommes du patronat ou des gouvernements qui se sont félicités ou m'ont félicité de l'influence que mes écrits ou mes articles exercent. Mais il subsiste entre eux et moi la distance, inévitable, infranchissable, entre les hommes du pouvoir (étatique ou économique) et un libre intellectuel.

Sur un point — et un point important — ma sensibilité s'accorde avec celle de la « vraie » gauche. Je déteste par-dessus tout ceux qui se croient d'une autre essence. Je me souviens de deux querelles qui furent sur le point de dégénérer en une bagarre de rue : une fois, avec un dirigeant de banque, une autre fois avec un diplomate de style Norpois. Les deux fois, au cours de la guerre d'Algérie : « les Algériens, je prendrai moi-même mon fusil de chasse pour les ramener à l'obéissance », disait l'un ;

1. Georges Lefranc m'assure que je n'ai jamais été inscrit à la SFIO, seulement aux Étudiants Socialistes. Mais comme je revois dans une réunion des hommes d'âge, je conclus que je fréquentai cette section sans jamais avoir pris la carte du parti.

« les Algériens, vous n'allez pas les considérer comme des gens comme nous », disait l'ambassadeur en présence de P. H. Spaak, pendant un déjeuner d'amis ; je ne suis pas sûr d'avoir gardé le ton des dialogues parisiens ni dans la banque ni dans le salon.

Le goût du sport ne m'avait pas quitté. L'équipe de football me tenta, mais j'appris bientôt que j'avais tout à apprendre et aucune chance d'y parvenir. En revanche, ma passion du tennis se réveilla et pendant les quatre années de la rue d'Ulm, je jouai régulièrement et je m'élevai jusqu'au 2/6 (deux sixièmes) dans la première moitié de la deuxième série. Tous les joueurs de France — ceux qui s'inscrivaient dans les tournois — ambitionnaient l'inscription sur cette liste nationale, avec l'espoir d'y progresser. Les performances de mon frère Adrien m'écrasaient et m'interdisaient les châteaux en Espagne. Lui, au départ plus doué que moi, avait travaillé ses coups, il s'était entraîné régulièrement — ce que je ne fis jamais. On disait le « bon » et le « mauvais » Aron dans le petit monde du tennis parisien. Expressions justes ; mon jeu était de quelque manière la réplique du sien, mais à un niveau très inférieur.

Aujourd'hui, regardant en arrière, je me juge sans indulgence ; le tennis occupa trop de place dans mon existence. Au lieu de profiter des vacances pour découvrir la France ou l'étranger, je venais sur les plages de Normandie, pour prendre part aux tournois de l'été. Georges Glasser, polytechnicien, ex-p.-d.g. d'Alsthom, fit équipe quelques années avec moi — ce qui témoigne de son bon caractère puisque mon service et ma volée étaient mes points faibles et me disqualifiaient pour le double. Mais ces regrets ne signifient rien. Je pris au tennis un plaisir extrême et le classement ne me laissait pas indifférent. Chaban-Delmas, me dit-on, se souciait encore de son classement, alors qu'il était déjà maire de Bordeaux.

III

DÉCOUVERTE DE L'ALLEMAGNE

Je glisserai sur les dix-huit mois de service militaire (entre octobre 1928 et mars 1930) que je passai, pour la plus grande part, au fort de Saint-Cyr, utilisé par le service météorologique de l'armée de l'air. Après quelques semaines à Metz dans un régiment du génie, je fus muté à Saint-Cyr, j'y appris les rudiments de météorologie que des instructeurs enseignaient à des appelés, pour la plupart fils de bonne famille. C'est grâce à mes interventions que Sartre y fit, lui aussi, son service. Rebuté par le métier de téléphoniste, à l'office national, rue de l'Université, je revins au fort où je transmis à deux promotions le peu que je savais sur les systèmes nuageux ; je m'efforçai de communiquer l'art de distinguer les cumulus, les cirrus et autres variétés de nuages.

Cette parenthèse entre les études et l'entrée dans la vie demeure dans ma mémoire un temps vide au sens fort du terme. J'avais été recalé à l'examen auquel conduisait la préparation militaire et qui, en cas de succès, ouvrait aux normaliens la porte d'une école d'officiers et réduisait de six mois la durée du service. Influencé sans être vraiment convaincu par Alain, je ne m'étais résolu ni à réussir ni à échouer à cet examen. Mes erreurs dans la lecture des cartes d'état-major, ma maladresse au commandement d'un peloton firent le reste.

Est-ce immédiatement après l'agrégation ou après cette parenthèse que je ressentis — pour la première et non pour la dernière fois — le sentiment de gaspiller ma vie : allais-je manquer au devoir que je m'assignais dans mes dialogues intérieurs, se faire soi-même en faisant (l'expression vient, je crois, d'un philosophe) ? Certes, pendant les années d'études, je me laissais vivre l'été, d'un tournoi de tennis à l'autre, mais à chaque fin de vacances, un sentiment de culpabilité refoulait le souvenir des divertissements. Quoi qu'il en soit, à l'automne de 1928, au printemps de 1930, riche de parchemins et pauvre de vrai savoir, je m'interrogeai.

Si j'avais limité mon ambition à enseigner la philosophie toute ma vie dans un lycée, il ne me restait plus d'obstacle à surmonter. Au cours des premières années, j'aurais été un bon, probablement un très bon professeur ; la philosophie me passionnait, je m'exprimais facilement, en parole plus que par écrit ; à l'époque, je parvenais à faire comprendre les controverses les plus abstruses des philosophes à des auditeurs d'ordinaire indifférents ou ennuyés. Mes maîtres, mes camarades, mes parents décrétaient que j'étais destiné à une autre carrière, celle d'un professeur de faculté, voire celle d'un philosophe. Or, à vingt-trois ou vingt-cinq ans, que m'avaient donné mes six ans d'étude au-delà du baccalauréat ? Peut-être la capacité d'apprendre ; à cet égard, le temps consacré à la lecture des grands philosophes n'avait pas été stérile. Mais sur quoi orienter ma réflexion personnelle ? Quel sujet de thèse choisir, puisque ce choix risquait de commander l'existence entière ?

Pourquoi ai-je d'abord choisi la biologie, ensuite la notion d'individu ? Je ne voulais pas suivre l'exemple de beaucoup de mes camarades, même parmi les plus brillants, Vladimir Jankélévitch par exemple : écrire avec le minimum de péril une thèse d'histoire de la philosophie. Peut-être aurais-je écrit un bon livre sur Kant ou Fichte. Mon seul maître à la Sorbonne, Léon Brunschvicg, ne laissait guère de place à la métaphysique, à la philosophie éternelle. Si la philosophie aspire à une vérité propre, celle-ci ne coïncidera pas avec la vérité telle que la science exacte en a révélé les conditions, les méthodes et les limites. Par quelle miraculeuse faculté la philosophie peut-elle atteindre une vérité métaphysique, essentiellement autre que la connaissance scientifique et supérieure à elle ?

La psychologie tenait une place majeure dans les cours de lycées, par survivance. Étant admis que la psychologie n'a pas encore accédé et n'accédera peut-être jamais au niveau de rigueur de la physique, la philosophie doit-elle épuiser sa tâche à combler les lacunes provisoires du savoir scientifique ?

Bergson n'ouvrait pas davantage une voie aux apprentis philosophes. Lui aussi se référait à la vérité scientifique et dégageait une sorte de métaphysique à partir de la critique de certains résultats de la science. Nous ne connaissions guère, à l'époque, ni la phénoménologie ni la philosophie analytique. Probablement aurais-je été séduit par la manière des analystes. Elle n'existait pour ainsi dire pas dans notre horizon.

Puisque la réflexion philosophique devait s'appliquer à une discipline scientifique, je fis choix de la biologie dont je savais peu de chose et qui n'exigeait pas une formation mathématique (je souffris toute ma vie de cette ignorance). Ai-je commencé avant ou après le service militaire ? Avant, je crois, mais je n'en suis pas sûr. Tous mes papiers d'avant-guerre furent perdus pendant les hostilités et aujourd'hui je compte moins sur ma mémoire des faits que sur celle des idées ou même des personnes.

Je me rendis quelquefois au laboratoire de l'ENS ; je lus nombre de livres et je tombai sur la génétique. Étienne Rabaud occupait encore la chaire de biologie générale à la Sorbonne et il avait déclaré, une fois pour toutes, la guerre au mendélisme, à la génétique, aux expériences sur la mouche drosophile qui avaient permis d'établir la carte des gènes sur les quatre chromosomes. Pourquoi ce refus obstiné, bien français, alors que, dans le monde entier, le mendélisme était intégré à la connaissance acquise, alors que des savants français, Lucien Cuénot par exemple, avaient contribué à la redécouverte des lois de l'hérédité ? La réponse, pour ne pas chercher une explication par en bas, s'éclaire à la lumière de la théorie fameuse de T. S. Kuhn : la structure des chromosomes, de la matière héréditaire, les atomes d'hérédité que constituent les gènes ne s'accordaient pas avec le paradigme d'E. Rabaud, celui de la totalité vivante, de l'ensemble organisme-milieu. Marcel Mauss, qui se piquait de scientificité, me dit un jour, sur une plate-forme d'autobus, entre les guichets du Louvre et la Seine : « Le mendélisme, je n'y crois pas. » C. Blondel et C. Bouglé, quant à eux, ne « croyaient » pas à la psychanalyse ; ils ne la discutaient pas, ils la refusaient.

Il n'était pas besoin d'une prescience hors du commun pour voir, en 1930, que la génétique ouvrait la voie royale vers l'analyse de la matière vivante et aussi vers la manipulation, pour le bien ou pour le mal, des patrimoines héréditaires des végétaux, des animaux, des hommes. Mais, au fur et à mesure que je m'émerveillais des perspectives de la biologie, je perdis toute confiance dans mon entreprise. Que pourrais-je dire sur les démarches du généticien que celui-ci ne pût dire mieux que moi le jour où il serait tenté de réfléchir sur son travail ? Que dire de plus sur l'individu biologique que ce que la biologie nous apprend ou apprendra ? J'aurais pu suivre le chemin que suivit Georges Canguilhem avec éclat : l'histoire de la pensée biologique, l'élaboration des concepts, la transformation des paradigmes. Je renonçai avant d'avoir sérieusement essayé, pour deux raisons, très différentes mais convergentes.

Au printemps de 1930, par l'intermédiaire du service des œuvres françaises à l'étranger que dirigeait Jean Marx au Quai d'Orsay, j'obtins un poste d'assistant de français à l'université de Cologne auprès d'un professeur réputé, Léo Spitzer. Les obligations, cours et séminaires, relativement lourdes, ne me laissaient qu'une partie de mon temps, insuffisante pour absorber le savoir qu'exigeait mon projet. L'autre raison, elle seule décisive, tenait à mon choix existentiel, pour employer une expression qui devint à la mode après 1945. Depuis la classe de philosophie, mes études ne se réduisaient pas à des exercices scolaires, la déduction transcendantale ne ressemble pas à une version latine et exige un tout autre effort intellectuel. Malgré tout, la lecture des grandes œuvres, les dialogues sur l'idéalisme ou le réalisme n'intéressaient que l'esprit, non le cœur. La révolte contre Léon Brunschvicg fut pour quelque chose dans mon deuxième choix, définitif celui-là. La morale de Brunschvicg, celle de Socrate telle que lui et Élie Halévy l'interprétaient — avec les exigences d'universalité, de réciprocité —, je l'acceptai sans peine, je l'accepte aujourd'hui encore. Mais prendre pour modèle et pour fondement de l'existence l'attitude du savant dans son laboratoire me laissait insatisfait. Le savant ne pratique la morale du savant que dans son laboratoire (et encore : les sociologues ont démystifié cette représentation, trop flatteuse, du savant). *A fortiori*, l'homme, en chacun de nous, n'est pas un savant ; la « vraie conversion » appartient aux images d'Épinal. Je cherchai donc un objet de réflexion qui intéressât à la fois le cœur et l'esprit, qui requît la volonté de rigueur scientifique et, en même temps, m'engageât tout entier dans ma recherche. Un jour, sur les bords du Rhin, je décidai de moi-même.

Je me suis si souvent remémoré cette méditation que je crains finalement d'avoir confondu avec mon authentique expérience la reconstruction que j'en ai faite. Il me souvient pourtant que j'écrivis à mon frère Robert, soulevé par la joie de la découverte, une lettre enthousiaste et peu intelligible. En gros, ce que j'avais l'illusion ou la naïveté de découvrir, c'était la condition historique du citoyen ou de l'homme lui-même. Comment, français, juif, situé à un moment du devenir, puis-je connaître l'ensemble dont je suis un atome, entre des centaines de millions ? Comment puis-je saisir l'ensemble autrement que d'*un point de vue*, un entre d'autres innombrables ? D'où suivait une problématique, quasi kantienne : jusqu'à quel point suis-je capable de connaître objectivement l'Histoire — les nations, les partis, les idées dont les conflits remplissent la chronique des siècles — et *mon* temps ? Une critique de la connaissance historique ou politique devrait répondre à cette interrogation. Cette problématique comportait une autre dimension : le sujet, en quête de la vérité objective, est immergé dans la matière qu'il veut explorer et qui le pénètre, dans la réalité dont, en tant qu'historien ou économiste, il extrait l'objet scientifique. Je devinais peu à peu mes deux tâches : comprendre ou connaître mon époque aussi honnêtement que possible, sans jamais perdre conscience des limites de mon savoir ; me détacher de l'actuel sans pourtant me contenter du rôle de spectateur. Quand, plus tard, je devins un commentateur dans la presse quotidienne, ma tendance à regarder de loin les événements, à montrer le monde tel qu'il est, non les moyens de le changer, ne laissa pas d'irriter nombre de mes lecteurs. Je reviendrai plus tard sur mon métier de journaliste. J'en étais bien loin, au printemps de 1931, alors que j'expliquais aux étudiantes et étudiants allemands *le Désert de l'amour*, *le Baiser au lépreux* ou *le Journal de Salavin*.

Le département de langues romanes, à l'université de Cologne, en l'année 1930-1931, dirigé par Léo Spitzer (qu'entourait un bouquet de jeunes filles en fleur), ne manquait ni de chaleur ni d'éclat. Le lecteur d'italien, qui resta, à travers les années et les séparations, un ami cher, Enrico de Negri, lui aussi de formation philosophique, se levait tôt tous les matins pour traduire *la Phénoménologie* de Hegel. Par ma faute (colérique dans la prime enfance, je me laisse emporter, à l'occasion), j'eus avec Léo Spitzer quelques querelles dont la responsabilité m'incombait, mais, dans l'ensemble, j'aimai le climat de l'université ; les auditeurs, dans les cours et surtout dans les séminaires, me semblaient plus chaleureux, plus ouverts, moins sur la réserve que les étudiants français. Je n'ai pas gardé le souvenir d'un incident quelconque, imputable à mon judaïsme. Au reste, Léo Spitzer était lui aussi juif, assimilé comme on dit. Après l'arrivée au pouvoir de Hitler, il me complimenta pour un article modéré sur le national-socialisme paru dans *Europe*; il me reprocha de n'avoir pas insisté assez sur la « nouvelle civilisation » qu'apportait avec lui le national-socialisme.

Dans l'année universitaire 1930-1931, je fis un cours sur les contre-révolutionnaires français Joseph de Maistre et Louis de Bonald ; je lus Claudel et Mauriac avec les étudiants, ils partagèrent, pour la plupart, les émotions que soulevaient en moi ces textes. De mes contacts avec cette jeunesse — en dépit des passions nationalistes de l'époque —, je retins une impression durable, une sorte d'amitié pour les Allemands, sentiment que le nazisme refoula et qui me revint après 1945. A Tübingen, en 1953, *Gastprofessor* pendant quelques semaines, je retrouvai les étudiants allemands, tout différents et si semblables. Aussi peu hitlériens et nationalistes que possible, ils manifestèrent bruyamment leur accord quand j'improvisai cette définition de l'histoire universelle : *die Weltgeschichte, diese Mischung von Heldentum und Blödsinn* (l'histoire universelle, ce mélange d'héroïsme et de bêtise).

C'est durant cette année à Cologne que je lus pour la première fois *le Capital.* A la Sorbonne, j'avais fait un exposé sur le *matérialisme historique.* C. Bouglé me reprocha probablement avec raison d'avoir édulcoré la pensée de Marx ; j'utilisai Engels et sa notion « en dernière instance ». J'avais étudié aussi les Italiens, Mondolfo, les deux Labriola ; je répugnais à attribuer à Marx une explication déterministe de l'histoire humaine *totale*; je ne connaissais pas assez, à l'époque, ni les textes de jeunesse ni les *Grundrisse* pour reconstituer le marxisme de Marx, comme je tentai de le faire au Collège de France en 1976-1977, presque un demi-siècle plus tard.

En 1931, je ne possédais pas une culture économique suffisante pour bien comprendre et juger *le Capital.* Mais deux questions commandaient ma lecture ; l'une plutôt économique : la pensée marxiste nous aide-t-elle à expliquer la grande crise ? l'autre plus philosophique : le marxisme de Marx, en tant que philosophie de l'Histoire, nous libère-t-il de la charge, lourde mais constitutive de notre humanité, de *choisir* entre les différents partis ? Si l'avenir est déjà écrit, inévitable et salvateur, seuls refuseront son avènement des hommes aveugles ou prisonniers de leur intérêt particulier. Dans l'interprétation courante du marxisme, c'était la philosophie de l'Histoire qui me tentait et me rebutait tout à la fois. Les contradictions du capitalisme conduisaient-elles nécessairement au socialisme par l'intermédiaire d'une révolution ou de réformes progressives ? La grande dépression qui sévissait dans le monde et qui affectait tragiquement l'Allemagne confirmait-elle les prévisions de Marx ? Et, du même coup, justifiait-elle le mouvement communiste, voire l'Union soviétique ? Que l'on ne s'abuse pas : je ne cherchai pas dans *le Capital* la confirmation de mon refus du soviétisme ; tout au contraire, j'espérai y trouver la confirmation du socialisme, phase prochaine et fatale de l'Histoire.

Le lecteur d'aujourd'hui jugera primitives ces interrogations, à bon droit. Mais je commençais à peine d'étudier les sciences sociales. Les économistes professionnels, tels que nous les entendions, ne s'accordaient ni sur le diagnostic, ni sur la thérapeutique de la crise. La réplique à la déflation, à la dépression par le rétablissement de l'équilibre budgétaire, tous les historiens d'aujourd'hui l'estiment insensée ; les observateurs de l'époque ne la condamnaient pas tous. F. D. Roosevelt fut élu en 1933 avec un programme qui comportait l'équilibre budgétaire. La littérature sur la crise que je lus en Allemagne — littérature d'essayistes plutôt que de spécialistes — mettait en cause la « structure » de l'économie allemande, la « surindustrialisation », l'agriculture de l'Est allemand. Mon ignorance de l'économie se manifestait en 1931 et 1932 dans mes articles sur l'Allemagne, publiés par les *Libres Propos* et par *Europe.* Je les relus, pour rédiger ce chapitre, sans plaisir mais sans humiliation. Pour devenir un commentateur de l'histoire-se-faisant, il me restait alors beaucoup à apprendre.

Je ne sais dans quelle mesure ces articles reflètent fidèlement mes pensées ou mon humeur de l'époque. J'inclinai, en écrivant pour les *Libres Propos,* à me conformer à l'idéologie des « alinistes », en particulier de Michel et Jeanne Alexandre dont j'admirais la foi, le désintéressement, la fidélité inconditionnelle à leur maître et à leurs idées. Quoi qu'il en soit, ces articles politiques ne témoignent pas d'une particulière clairvoyance ; les jugements moraux s'y mêlent à chaque instant aux analyses.

Au travers de tous ces textes perce une obsession qui n'était pas injustifiée : la crainte du nationalisme dont je pressens à Cologne aussi bien qu'à Berlin la montée irrésistible, la hantise de la guerre qui résulterait de la victoire du parti nationaliste englobant la droite traditionnelle et le national-socialisme. Comme je l'ai écrit déjà ailleurs, en arrivant à Cologne au printemps de 1930, j'éprouvai le choc que traduit le mot de Toynbee, *History is again on the move.* En 1930 ou 1931, intuitivement, j'étais plus conscient que la plupart des Français de la tempête qui allait souffler sur le monde. Mais cette intuition juste ne me conduisit pas immédiatement à la recherche d'une diplomatie qui répondît aux prodromes de la catastrophe ; elle m'inspira plusieurs articles sur la guerre et le pacifisme qui témoignent du progrès de ma pensée ; au refus affectif se substitue peu à peu la réflexion politique.

Un de mes premiers articles, écrit en Allemagne, paru dans les *Libres Propos* (N° de février 1931), rassemble à la perfection tous les traits, toutes les erreurs que je déteste aujourd'hui et que j'ai détestés depuis l'arrivée au pouvoir de Hitler. L'article s'intitule « Simples propositions du pacifisme ». Prenons la proposition n° 8 : « Un pacifiste allemand a le droit, peut-être parfois le devoir, de prêcher aux vaincus la patience et la résignation ; un pacifiste français n'a jamais ce droit. » Bon sentiment mais que tirer de tels commandements ? Je tâchais, avec raison, de rejeter les slogans de la propagande. La France et l'Allemagne s'opposaient l'une à l'autre, non comme la civilisation à la barbarie mais comme le vainqueur au vaincu. Le vainqueur veut conserver les avantages de la victoire ; le vaincu effacer les stigmates de la défaite. Jusque-là, mon pacifisme de principe ne m'induisait pas en sottise. Mais quand j'en vins aux réparations et au désarmement, j'aurais dû argumenter, peser le souhaitable et le possible sur chacun de ces sujets, non postuler que les revendications allemandes, celles de l'opprimé face au nanti, se justifiaient par elles-mêmes parce qu'elles venaient du plus faible (provisoirement).

De même, à propos du traité de Versailles, je m'en tenais à des formules générales, peut-être vraies, mais peu pertinentes. « Le maintien des traités ne peut pas davantage être, pour la politique française, un moyen censé indispensable. Dire « la révision, c'est la guerre », dire « on n'a jamais révisé de traités sans guerre », c'est admettre la fatalité de la guerre. Il n'y a pas de vie sans changement mais nous voulons désormais le changement sans guerre. » Quelle révision, en 1931, deux années avant l'arrivée de Hitler au pouvoir, pouvait être accomplie sans guerre ? Aucune révision territoriale n'était possible. Faisaient objet de débat les réparations et la non-discrimination, qui entraînait le droit de réarmer pour l'Allemagne ; peut-être eût-il mieux valu renoncer spontanément aux réparations, ou bien consentir à une suspension provisoire des paiements, au lieu de souscrire bon gré mal gré aux propositions américaines. En prenant l'initiative, nous aurions pu obtenir une contrepartie morale à nos concessions. Rétrospectivement, les historiens doutent qu'une autre politique française eût sauvé la République de Weimar et empêché la victoire du national-socialisme. Il reste que les gouvernants de la IIIe République, au cours des années décisives 1930-1933, ne tentèrent rien et subirent les événements. En tout état de cause, la tribune de *Libres Propos* ne portait pas assez loin pour que ma voix eût un écho quelconque. J'évoque mes premiers papiers de journaliste pour marquer les étapes de mon éducation politique.

En février 1933, je publiai, dans la même revue, des « Réflexions sur le pacifisme intégral », à propos d'une brochure, *la Paix sans aucune réserve,* thèse de Félicien Challaye, suivie d'une discussion entre Th. Ruyssen, F. Challaye, G. Canguilhem, Jean le Mataf et de textes de Bertrand Russell et d'Alain. J'y distinguai le *pacifisme du croyant,* le *pacifisme du philosophe,* le *pacifisme du révolutionnaire.* Le premier coïncide avec l'objection de conscience. Le chrétien, le kantien obéit à un impératif catégorique : ne pas tuer ; il ne se soustrait pas au péril, il se refuse à violer le commandement suprême de son éthique. Le deuxième, *le pacifisme du philosophe : la vraie et la fausse résistance,* je le résumai par la formule de Bertrand Russell : « Pas un des maux qu'on prétend éviter par la guerre n'est un mal aussi grand que la guerre elle-même. » Ce qui me semble curieux aujourd'hui, c'est que je ne réfutai pas cette formule par une vérité de bon sens que l'expérience de la Seconde Guerre mondiale nous a rappelée : les maux qui accablent le vaincu l'emportent parfois sur les maux de la guerre elle-même. A l'époque, je répliquai par un argument abstrait : « Doit-on rappeler une vérité trop banale qu'un bien comme l'honneur ou la liberté ne se prise ni se mesure ? Il faudrait donc démontrer aux hommes qu'aucune valeur authentique n'est engagée dans les conflits entre nations. » Et j'ajoutai : « ... on se représente aussi peu les calamités de la guerre que les maux de l'invasion subie... » Je m'efforçai de ne pas m'opposer directement à Alain, mais je laissais penser que sa sagesse flotte entre ciel et terre. J'y voyais une sorte d' « objection de raison ». Je lui reconnaissais une parfaite logique (j'avais tort) et une totale inefficacité (j'avais raison).

Quant au *pacifisme des révolutionnaires* (défendu par Félicien Challaye et Georges Canguilhem), je lui objectai d'abord que l'argumentation métaphysique — la guerre est le mal absolu — condamne la guerre civile tout autant que la guerre étrangère. Le « pacifiste-révolutionnaire » se contredit lui-même s'il refuse la violence en tant que telle. Pour être cohérent, il doit descendre à l'analyse historico-politique, et dire que la guerre civile peut être acceptable, à la différence de la guerre étrangère, si elle tend à la justice. Toute guerre étrangère défend un ordre social, une hiérarchie, de telle sorte que la légitime défense collective ne se confond jamais avec la légitime défense individuelle. Au reste, dans la jungle des conflits entre États, qui peut décider sans risque d'erreur que l'un a tort et l'autre raison, que la guerre, d'un côté, est strictement défensive ? A la limite, toute guerre peut être interprétée comme défensive (s'assurer un glacis aux dépens d'un pays contigu, n'est-ce pas une mesure de précaution ?).

« Il fut peut-être des époques où la collectivité politique était assez proche de l'individu pour que la défense du groupe se confondît avec la défense personnelle ; aujourd'hui, en tout cas, il n'en va pas ainsi. Lorsqu'on demande pour quelles valeurs collectives on serait prêt encore à risquer le sacrifice suprême, on hésite. Et on hésite doublement : patrie ou classe, justice pour tous ou indépendance nationale. De quel côté apparaissent pour les hommes les perspectives de justice ? Quelle collectivité a aujourd'hui une mission historique ? Le problème politique n'est pas un problème moral. Ainsi Ruyssen et Canguilhem commettent tous deux, en face des difficultés qu'ils rencontrent, une erreur initiale : l'un finit par accepter les guerres injustes, car toutes les guerres seront défensives ; l'autre, après avoir parlé de la tuerie comme du mal absolu, accepte la guerre civile. » G. Canguilhem fut un héros de la Résistance. Seul Challaye ne se départit pas de son pacifisme — non sans une dangereuse dérive.

Cet article de février 1933 — écrit avant le 30 janvier — esquisse certaines idées que j'ai exprimées plus clairement, peu de temps après, dans l'article « Réflexions sur l'objection de conscience », paru dans la *Revue de Métaphysique et de Morale* et reproduit en 1972 dans le recueil intitulé *Études politiques.* Ce souci de mettre en ordre mes idées sur la guerre apparaîtra peut-être naïf aux lecteurs d'aujourd'hui. Il naissait de l'esprit du temps, du *Zeitgeist,* de la réflexion sur la morale d'Alain, qui conjuguait obéissance au pouvoir et refus intérieur du respect.

Quelle guerre fut aussi prolongée, cruelle, stérile que celle de 1914-1918 ? Les passions qui l'avaient légitimée, les jeunes qui avaient vingt ans en 1925 ne les partageaient plus, ils avaient parfois peine à les imaginer. Nous avions pour la plupart vécu cette guerre de loin, sans en souffrir. Ceux mêmes qui l'avaient faite ou les orphelins la détestaient d'autant plus qu'ils n'estimaient pas les récompenses de la victoire à la mesure des sacrifices. La révolte glissait vers un antimilitarisme que la philosophie d'Alain transfigurait. Cet antimilitarisme contribua de quelque manière à la démoralisation de l'armée.

Ces sentiments conduisaient ou bien au communisme, à la volonté révolutionnaire, ou bien à la politique de réconciliation avec l'Allemagne (hostilité à l'occupation de la Ruhr, allégement des réparations, puis au début des années 30 évacuation anticipée de la Rhénanie), ou bien enfin au refus du service militaire tantôt sous la forme de l'objection de conscience, tantôt sous celle d'Alain (refus des galons), tantôt sous celle de l'anarchisme. Mon tempérament m'entraînait vers la deuxième attitude, celle d'Aristide Briand ; celle d'Alain m'en imposait sans me convaincre. Mes textes témoignaient d'une confusion d'idées et de sentiments qui, dans l'article de février 1933 sur les pacifismes, commença à se dissiper. Une phrase de cet article me frappe : « Le problème politique n'est pas un problème moral. » Cette phrase, je la signerais encore.

Bien entendu, cette phrase aussi est simpliste, dans le sens contraire. En termes philosophiques, la politique — problème, jugement, action — constitue un domaine spécifique. Peut-être, en dernière analyse, l'action politique ne prend-elle un sens que par rapport à la morale, au sens large de ce mot. Si je déteste les totalitarismes, c'est qu'ils favorisent l'épanouissement des vices, dont les germes se dissimulent dans les profondeurs de la nature humaine. Le but de toute politique, *a fortiori* de toute guerre, doit être moral ou encore, si l'on préfère, déterminé par les valeurs. Mais ni les moyens ni le but ne se déduisent de considérations morales ou exclusivement morales. L'égalité des droits signifiait le réarmement de l'Allemagne. La non-discrimination entre les États répond normalement à la justice, mais si l'Allemagne revendicative, qui n'accepte pas le statut territorial de Versailles, retrouve sa puissance militaire, la paix sera-t-elle confortée ou compromise ?

Une anecdote de 1932, après le retour d'Édouard Herriot au Quai d'Orsay, me revient à l'esprit en chaque occasion, elle me demeure aussi présente qu'il y a cinquante ans. Emmanuel Arago, qui fréquentait les milieux politiques et dont le frère était le meilleur ami de mon frère Adrien, me conduisit à un sous-secrétaire aux Affaires étrangères, Joseph Paganon. J'avais entretenu Arago de mon angoisse face à l'évolution de la politique allemande, de la fureur nationale qui s'emparait du peuple entier, de la menace de guerre que ferait peser sur l'Europe l'arrivée au pouvoir d'Adolf Hitler. Le ministre m'invita à parler et je lui tins un laïus, brillant je suppose, dans le pur style normalien. Il m'écouta avec attention, apparemment avec intérêt. Lorsque mon discours fut terminé, il me répondit, tour à tour ridicule et pertinent : « La méditation est essentielle. Dès que je trouve quelques instants de loisir, je médite. Aussi je vous suis obligé de m'avoir donné tant d'objets de méditation. Le président du Conseil, ministre des Affaires étrangères, dispose d'une autorité exceptionnelle, c'est un homme hors du commun. Moment propice à toutes les initiatives. Mais vous qui m'avez si bien parlé de l'Allemagne et des périls qui se lèvent à l'horizon, que feriez-vous si vous étiez à sa place ? » Je ne me souviens pas de ma réponse, je suis sûr qu'elle fut embarrassée, à moins que je ne sois resté coi. Que fallait-il dire ?

Cette leçon du ministre à un futur commentateur donna ses fruits. Quinze ans plus tard, à *Combat*, je demandai un jour à Albert Ollivier qui avait, dans un éditorial, critiqué le gouvernement : « Que feriez-vous à sa place ? » Il me répondit à peu près : « Ce n'est pas mon affaire ; à lui de trouver ce qu'il doit faire, à moi de critiquer. » Je me suis efforcé, le plus souvent, d'exercer mon métier de commentateur dans un esprit tout autre, de suggérer aux gouvernants ce qu'ils devraient ou pourraient faire. Parfois, je savais mes suggestions inapplicables à court terme. Du moins, en influant sur l'opinion, je contribuais à faciliter l'action à mes yeux souhaitable (ce que je fis, par exemple, pendant la guerre d'Algérie).

Si les articles de 1931 portaient encore la marque de mes incertitudes intérieures, de l'oscillation entre les idéaux et l'analyse de la conjoncture, je relis sans embarras mes articles de 1932, pendant la dernière année du régime de Weimar. Sur plusieurs points essentiels, j'ai vu juste et mes articles éclairaient le présent et l'avenir proche.

L'Allemagne, traumatisée par la crise économique, vivait dans une « atmosphère nationale » : le chancelier Brüning gouvernait avec le soutien du parti social-démocrate mais il cherchait des appuis à droite, il esquissa une négociation avec Hitler avec l'espoir que ce dernier se contenterait de l'entrée de quelques-uns de ses compagnons dans le gouvernement. Une conversation suffit à enlever au chancelier ses illusions : Hitler voulait le pouvoir, et tout le reste ne l'intéressait pas. J'écrivis dans le numéro de février 1932 d'*Europe*, après avoir commenté les entretiens secrets entre le chancelier et le Führer : « Une chose est sûre : Hitler se souvient encore de son échec de 1923, il ne rééditera pas une tentative de putsch (sauf accord préalable avec l'armée). Il sait trop bien que la Reichwehr et la police viendraient facilement à bout de ses bandes. La social-démocratie attendra vainement la tentative de coup d'État qui la sauverait et la justifierait. Jusqu'à nouvel ordre, Hitler respectera sa promesse de légalité. » Un peu plus loin, en conclusion sur les rapports entre le centre et les nazis, je jugeais Hitler « assez bon tacticien pour ne pas sacrifier l'unité du parti à un partage immédiat du pouvoir. S'il entre au gouvernement, ce ne sera pas pour renoncer à sa liberté d'action, j'entends le droit d'intolérance et de brutalité ».

Dans le même article du début de l'année 1932, je ne mésestimais pas le déclin des partis de gauche, social-démocrate et communiste, et la montée des partis dits nationaux, celui de Hitler étant à la fois le plus nombreux, le plus virulent, le plus redoutable : « D'abord la place est à moitié conquise, les gouvernants du jour supportent impatiemment un accord, au moins apparent, avec les social-démocrates suspects d'internationalisme (bien modéré, pourtant)... » Je multipliais les exemples du nationalisme dominant : « Les étudiants qui chahutent un professeur accusé de pacifisme sont, à en croire les maîtres de l'université de Halle, pénétrés de sens national... Les révolutionnaires, les pacifistes sont poursuivis par les tribunaux. Les nationaux-socialistes sont juges. » Formules peut-être excessives à cette date, qui n'en illustraient pas moins un fait peu contestable : la République de Weimar manquait de républicains dans les classes dirigeantes ; elle glissait irrésistiblement vers la « coalition nationale » qui ouvrit finalement la porte du pouvoir au parti de masses, qui entendait faire pièce aux partis des masses prolétariennes.

Au moment du renvoi du chancelier Brüning par le président Hindenburg, je ne me trompai guère sur la portée de l'événement. « Élu par les social-démocrates, les catholiques et les bourgeois modérés contre le fascisme, le maréchal von Hindenburg vient de renvoyer brutalement Brüning et d'appeler von Papen, assurant ainsi aux nazis un succès quasi certain... » (*Libres Propos*, juin 1932). Pour une fois, je me laissais aller à la colère : « Une clique de nobles hors d'usage, menacés dans leurs biens par une entreprise d'intérêt national, une bande de généraux qui se croient appelés au rôle de Napoléon, ont usé de leur influence pour supprimer l'ultime barrière qui arrêtait provisoirement la poussée national-socialiste. Au nom de la conscience nationale, ces privilégiés anachroniques, inutiles, égoïstes, aveugles survivants d'une époque et d'une société mortes, se saisissent du pouvoir dans la République allemande. Ils risquent fort d'être les victimes des forces qu'ils déchaînent. Les nazis, demain, se retourneront-ils contre ces réactionnaires bornés ? Ce n'est pas impossible, quoiqu'on ait le droit d'en douter. En revanche, une chose est sûre : si les nazis ne font pas justice, l'avenir s'en chargera... »

Dans un style moins passionné, je constatai, dans *Europe* (juillet 1932), que « l'Allemagne est devenue à peu près impossible à gouverner de manière démocratique » et j'annonçai, inévitable, un « régime autoritaire », pas encore nécessairement national-socialiste. Il subsistait l'alternative : Schleicher ou Hitler, les nationaux ou les nationaux-socialistes.

La défaite des nationaux-socialistes aux élections de novembre 1932 (son parti perdit deux millions de voix) qui, selon Léon Blum, enlevait à Hitler tout espoir d'arriver au pouvoir m'inspira des commentaires autrement réservés. « "Papen et Hitler vaincus ", écrivait en grosses lettres le *Berliner Tagblatt.* Bien sûr, Papen cherche en vain une majorité et Hitler a perdu deux millions de suffrages. Mais nous voici contraints d'ajouter : vaincus, ils continuent de dominer l'Allemagne. Et le communisme, théoriquement vainqueur, est toujours aussi éloigné du pouvoir, j'entends de la révolution. » Les élections de novembre 1932 ne modifiaient pas, pour l'essentiel, les données de la conjoncture. Puisque l'Allemagne devait être gouvernée à droite, la seule et vraie question se posait en termes simples : nationaux ou nationaux-socialistes, Papen (ou Schleicher) ou Hitler, lesquels des deux l'emporteraient ? L'issue national-socialiste n'était-elle pas prévisible ?

Mes articles souffraient cependant de plusieurs défauts. J'aurais dû analyser la Constitution de Weimar. Jusqu'à l'année 30 et la crise, cette Constitution, parente de celle de la Ve République à certains égards, avait été interprétée dans le sens parlementaire. Le chancelier, appuyé sur une majorité parlementaire, gouvernait. Quand il ne disposa plus d'une majorité, il dépendit exclusivement du président qui, selon certaines clauses de la Constitution, pouvait, en cas de besoin, promulguer des ordonnances *(Notverordnungen),* équivalentes de décrets-lois. Le président devenait du même coup le véritable chef de l'exécutif, l'arbitre du combat. Le vieux maréchal résista longtemps aux exigences de Hitler dans lequel il voyait un caporal de la dernière guerre et un dangereux révolutionnaire. Il ne voulait pas violer son serment de défenseur de la Constitution. Son entourage, son fils, F. von Papen le convainquirent de renvoyer d'abord Brüning au printemps, von Schleicher à l'automne. A ce moment, la « coalition nationale » avec des nationaux-socialistes devenait la seule issue, même dans le cadre constitutionnel.

A la présidence, un vieux maréchal, monarchiste de conviction ; à droite, les « nationaux » auxquels allaient les sympathies de la plus grande partie de la classe dirigeante (de l'administration, de l'économie) ; au-delà les nationaux-socialistes, mouvement populaire d'un type inédit, qui organise des milices pour la plupart non armées et recueille des millions de suffrages. Si le parti communiste ne se joint pas aux défenseurs de la Constitution, à savoir le centre et la social-démocratie, il n'existe plus de majorité weimarienne. Le gouvernement Papen avait éliminé le dernier bastion de la social-démocratie, le gouvernement Braun en Prusse (juillet 1932). Quelle issue pouvaient envisager les acteurs et les observateurs ? Ou bien la droite traditionnelle, avec l'aide de la Reichswehr : l'armée prenait le pouvoir et liquidait tout à la fois les partis weimariens et le national-socialisme (à supposer que cette liquidation générale fût possible) ; ou bien une coalition dite « nationale » incluant les nationaux-socialistes, aux conséquences imprévisibles. Qui l'emporterait dans cette coalition ? Personne n'aurait dû hésiter sur la réponse. Et pourtant, en 1933 encore, après que Hitler eut accédé à la chancellerie, les Français et les Allemands, à Berlin, s'interrogeaient sur la signification du compromis de janvier. Je me souviens d'une conversation, à l'ambassade de France, avec des journalistes : l'un d'entre eux, un ancien du métier, affirmait sérieusement : « Jamais Mussolini n'aurait accepté une pareille limitation de ses pouvoirs. » Je ne crois pas, à partir du 31 janvier 1933, avoir péché par aveuglement ou optimisme.

Ce que nous tous, les pensionnaires de l'Akademiker Haus, nous ne comprenions pas, ou pas assez, c'était l'aberration de la politique économique de Brüning[1], la déflation, l'équilibre du budget. Dépourvu de culture économique, comment aurais-je saisi ce qui échappait à la plupart des ministres et des dirigeants de l'industrie ? Plus tard, revenu en France, j'en savais assez pour déplorer la déflation Laval sans dévaluation, qui assura la victoire du Front populaire.

Probablement faisions-nous presque tous une autre erreur : sous-estimer Hitler. Bien entendu, je détestais l'homme de tout mon être. Parce qu'il était antisémite et que je suis juif ? Ma judéité y était pour quelque chose mais moins que l'on pourrait croire. L'orateur me hérissait ; sa voix, hypnotique pour certains, m'était presque intolérable ; sa vulgarité, sa grossièreté me répugnaient et me laissaient stupide face à l'enthousiasme de millions d'Allemands ; Hitler respirait la haine, il incarnait le mal, il signifiait pour moi la guerre.

Et pourtant, qui aurait imaginé qu'en moins de trois ans il aurait remis au travail les six millions de chômeurs ? En juin 1934 encore, la crise qui culmina dans la Nuit des longs couteaux amena des hommes, parmi les plus intelligents, à mettre en doute la durée du règne de Hitler. La différence entre Mussolini et Hitler, me dit un jour par hasard, au lendemain du bain de sang du 30 juin, mon ami Éric Weil, c'est que Hitler est un *Dummkopf* (un imbécile). Nous n'étions pas encore accoutumés à cette alternance d'inaction et de dynamisme frénétique qui caractérisait le Führer. En ce printemps de 1934, nombre de ses alliés de la droite s'inquiétaient ; ils comptaient sur Hitler pour instaurer un régime conservateur, nationaliste, qui arracherait aux Anglo-Français l'égalité des droits, donc le réarmement de l'Allemagne. Ils ne croyaient pas au Reich de mille ans ou ils le redoutaient.

1. Nous ne comprenions pas non plus que Brüning voulait aussi, peut-être, par-dessus tout, démontrer l'impossibilité de payer les réparations et en obtenir la suppression — ce qu'il obtint en effet.

L'article que je publiai à l'automne de 1933 dans *Europe* me laisse une sorte de malaise bien qu'il contraste moins que les précédents avec la manière qui fut, à partir de 1945, la mienne. J'analysai correctement l'issue provisoire de la crise allemande : « Depuis la chute de Brüning, la révolution nationale était inévitable. Restait à savoir qui, des hitlériens ou des nationalistes allemands, en prendrait la direction et en tirerait des bénéfices. » Et encore : « Le Sportpalast et la Wilhelmstrasse abritaient deux mondes hostiles, d'une part les masses déchaînées, de l'autre les représentants de l'ordre ancien. L'événement décisif surgit lorsque l'orateur du Sportpalast fut appelé à la Wilhelmstrasse ; le soir du 31 janvier, les hitlériens, transportés de joie, défilaient devant leur chef et devant un fantôme immobile qui venait, lui, représentant de la vieille Allemagne, de livrer le passage à l'Allemagne de demain. »

Les considérations sur le rôle de F. von Papen, sur les illusions des « nationaux » ne gardent plus guère d'intérêt aujourd'hui. Je semblais croire que la coalition nationale aurait pu ne pas aboutir à la toute-puissance de Hitler. Les historiens en doutent aujourd'hui ; du moins, je ne méconnaissais pas la différence entre les nationalistes (ou la « révolution conservatrice ») et le national-socialisme, révolution contre toutes les valeurs modernes. Je faisais allusion au bûcher dans lequel Goebbels jeta ou fit jeter par des étudiants les livres coupables, sans décrire la scène à laquelle j'avais moi-même assisté (le 10 mai 1933), avec mon ami Golo Mann (un des fils de Thomas Mann et aujourd'hui un brillant historien). La scène elle-même, telle que je la regardai, non au milieu des SA mais à quelques mètres de distance, près de l'université, était dépourvue de toute grandeur. Ni foule ni enthousiasme, peut-être une centaine d'hitlériens en uniforme, la déclamation de Goebbels : « *Ich übergebe dem Feuer* (je livre au feu)... » les œuvres de Freud « *die Übertreibung der Sexualität* » (l'exagération de la sexualité), celles de Thomas Mann, de Musil, de beaucoup d'autres auteurs, juifs ou non. Golo Mann et moi ne parlions pas, unis en silence par nos réflexions solitaires. En un pays de culture, et de haute culture, la vieille classe dirigeante avait confié à ces ruffians la mission de rendre à l'Allemagne son indépendance et sa puissance. Les livres se consumaient *Unter den Linden* comme jadis ceux de la Bibliothèque d'Alexandrie ; les flammes symbolisaient la barbarie au pouvoir.

J'ai laissé le récit de l'autodafé tel que je l'avais écrit avant de lire, dans le supplément du *Monde* du 10 mai 1982, l'article consacré par Alexandre Szombati à l'événement. Les condamnations des œuvres décadentes ou « non allemandes », rédigées par Goebbels, furent déclamées par des étudiants : le souvenir exact me revient. J'avais confondu les déclamations des étudiants avec le discours prononcé par Goebbels lui-même. Heinrich Mann et non Thomas figura au nombre des auteurs dont les œuvres furent jetées dans la nuit. Sur tous ces détails, A. Szombati a évidemment raison. Sur l'ensemble, sur la cérémonie tout entière, je n'en démords pas : elle ne revêtit pas l'ampleur, la grandeur qu'il lui prête.

Peut-être cinquante mille livres, des manuscrits d'auteurs maudits furent-ils brûlés, mais si le feu détruisit des exemplaires de ces livres, il ne les fit pas disparaître des bibliothèques publiques et privées. Peut-être la marche des étudiants à la lueur des flambeaux, spectacle en noir et rouge, que Golo Mann et moi nous ne vîmes pas, atteignait-elle à quelque beauté. Le bûcher lui-même, les déclamations des étudiants, la grandiloquence de Goebbels, tout cela se déroulait sans public. Les Berlinois ne se pressèrent pas devant l'Opéra. Nous n'étions pas loin du feu et nous nous éloignâmes, parmi des passants peu nombreux. J'entendis assez souvent, avant et après l'arrivée de Hitler au pouvoir, les hurlements d'une foule fanatisée. Cette fois, la foule n'était pas venue ou n'avait pas été convoquée. Sans public, cet incendie nous faisait frissonner par sa signification symbolique et rire par sa dérisoire mise en scène.

L'établissement du totalitarisme, la *Gleichschaltung*, j'en énumérai les principales mesures, avec une objectivité par instants excessive. Et j'en vins à l'antisémitisme ; j'en traitai en cinq pages. Texte étrange que je suis tenté aujourd'hui de psychanalyser. Juif, j'exposai l'antisémitisme hitlérien à des lecteurs français, les uns juifs, les autres non juifs. Presque d'un bout à l'autre, j'adoptai le ton de l'observateur et, quand l'observateur s'engageait, il demeurait presque aussi froid : « Il n'est pas question de ne pas condamner les cruautés inutiles. Mais il n'est pas question davantage de se laisser embaucher dans une croisade « morale » (et patriotique) contre la barbarie allemande. » Même Hitler et l'antisémitisme n'avaient pas étouffé entièrement ma germanophilie et, inconsciemment, je voulais écrire non en Juif mais en Français. Sur les atrocités, les camps de concentration, je me contentai d'allusions. A un autre moment, je me trompai. Les hitlériens, disais-je, veulent « prolétariser » les Juifs, les exclure de la communauté ; je ne leur prêtais pas encore la volonté résolue de les chasser du pays. Je m'interrogeai sur les chances d'arrêter l'élimination de la communauté juive. Publié en septembre 1933, l'article avait été écrit probablement à la fin de mon séjour à Berlin, six mois après l'arrivée de Hitler au pouvoir. Je dénonçai la « violence légale », la « cruauté froide aussi révoltante que les pogroms ».

Plusieurs passages sur l'antisémitisme ne me plaisent guère. Je cherchai des explications, sinon des excuses, à la passivité des Allemands : « habitués aux calamités sociales, beaucoup ont perdu le sens de la protestation morale... ». La suite de l'histoire a montré que la perte du sens de la protestation n'est pas réservée aux seuls Allemands. Ce qui me gêne aussi, c'est une propension à un rationalisme hors de saison. « Les hitlériens seraient sensibles aux pertes qu'infligerait à la science allemande le départ des Juifs. » Je mésestimai la nature de l'antisémitisme hitlérien, insensible à des arguments de cette sorte. Du moins, je me trompai moins que beaucoup d'autres. A tous mes amis juifs je recommandai l'exil immédiat : il n'y avait plus pour eux d'existence honorable dans l'Allemagne national-socialiste. Je ne prévoyais pas à l'époque l'*Endlösung* (la solution finale) : qui pouvait l'imaginer en 1933 ?

Ce qui me gêne aussi, c'est l'antithèse entre l'Allemagne et la France au sujet de la question juive : « Le problème de la composition raciale du peuple existe normalement pour un Allemand, il n'existe pas pour un Français. Qu'on puisse devenir français en assimilant la culture française va de soi. Diagne[1] parle de la défense de « notre civilisation ». Pour beaucoup d'Allemands, peut-être pour la majorité d'entre eux, on naît Allemand, on ne le devient pas. » Peut-être y a-t-il un grain de vérité dans ces généralités, mais je me laissais abuser par les idéologies à la mode. Ce qui me gêne enfin, c'est l'effort pour ne pas vitupérer une réalité que je détestais, l'oscillation entre celui qui veut « tout comprendre » et celui qui ne veut pas « tout excuser ».

Dans un livre paru en 1981, écrit par Serge Quadruppani et intitulé *les Infortunes de la vérité*, l'auteur s'en prend à cet article. Il me reproche la manière dont je commente l'antisémitisme hitlérien *au printemps de 1933*, bien avant les lois de Nuremberg. Or, si, à l'époque, je n'annonçais pas la solution finale, j'affirmais du moins que le IIIe Reich ne laisserait aucune place aux Juifs : « La volonté du national-socialisme est claire : on prétend non seulement supprimer la puissance économique et politique des Juifs, non seulement les écarter des fonctions officielles, des professions libérales, de la presse, on s'efforce de les prolétariser. » Avec le recul, cette interprétation du projet hitlérien, « la prolétarisation du Juif », apparaît naïvement optimiste mais à ce moment-là cette perspective donnait à la plupart des Juifs le frisson ! ils m'auraient taxé de pessimisme.

S. Quadruppani me reproche une « piètre défense » des Juifs et me blâme d'avoir écrit : « A coup sûr, les Juifs ont manqué de prudence. » Aujourd'hui, les historiens de la communauté juive allemande, y compris les historiens juifs, S. Friedländer par exemple, vont beaucoup plus loin que je n'allai alors quand ils cherchent les raisons pour lesquelles les Juifs sont devenus les boucs émissaires, les cibles du ressentiment germanique. Peut-être les circonstances auraient-elles dû m'interdire « l'objectivité », l'interrogation sur les causes du déchaînement de l'antisémitisme. A ce compte, toute analyse des événements contemporains exige le manichéisme, les invectives et non point l'effort de compréhension. Or moi-même je marquai les limites de la compréhension : « Ne cherchons pas à prévoir : j'aurais voulu aider à comprendre. Et pourtant le lecteur se refusera peut-être à comprendre certaines mesures... L'effort d'objectivité doit laisser place à l'indignation nécessaire. »

Les autres lignes que me reproche cet auteur, je ne les écrirais évidemment pas aujourd'hui. Je constatais que Hitler avait trouvé « la solu-

1. Député français, noir, sénégalais.

tion du problème politique ». A l'époque, avant 1933, tous les commentateurs ou presque, allemands et français, observaient les déchirements de la société allemande ; ils mettaient donc au crédit de Hitler le « rassemblement national ». Or, si on lit l'ensemble, et non pas une seule phrase, mes sentiments ne laissent guère de doute. « Par un usage combiné de la force et de l'idéologie, il leur a réappris à obéir : enthousiasme et abrutissement, conscience du devoir et impression d'impuissance se mêlent dans cette soumission à l'ordre. » Et, un peu plus loin : « Le " sujet " a retrouvé la vie. » *Wiedergeburt des deutschen Untertanen* (renaissance du sujet). « Il s'épanouit sous les tilleuls. Sa boutonnière s'orne de la croix gammée. Sa chambre est tapissée des images du nouveau prophète. Les moustaches à la Charlot ont remplacé le croc impérial. »

Le seul passage qui me semble vulnérable relevait d'une concession à l'esprit du temps : « La protestation de la vitalité saine contre le raffinement et le scepticisme ne mérite ni le mépris ni l'ironie. Les fois collectives sont toujours grossières et, s'il est facile d'en montrer l'absurdité, l'Histoire ne donne pas raison à l'intelligence raisonneuse. » Malheureusement, en effet, l'Histoire ne donne pas toujours raison à « l'intelligence raisonneuse » et les fois collectives, au XXe siècle du moins, sont pour la plupart grossières. J'observais, je n'approuvais pas. Dans un article postérieur, en 1935, je jugeai, et avec sévérité, l'unification apparente du peuple germanique au cri de *Heil Hitler.*

Enfin, je ne me laissai pas tromper, dès 1933, par les déclarations pacifistes de Hitler : « En dépit d'un pacifisme bruyamment proclamé depuis des mois, les chefs n'ont pas renoncé à leurs ambitions. Je crois juste l'interprétation que propose Trotsky de la politique nazie, avec une réserve : je ne pense pas que les plans du dictateur soient aussi précis et aussi nets. De toute façon, notre tâche est claire : quels que soient nos sentiments personnels, il faut bien que nous aidions (et obligions) le national-socialisme (et le fascisme) à préférer une solution pacifique. » L'article de Trotsky analysait le discours de Hitler au Reichstag le 17 mai 1933. Il discernait, au-delà des protestations pacifiques, la volonté du nouveau régime de reconstituer la force militaire de l'Allemagne. La volonté de réarmement provoquerait un conflit avec la France. Une fois la force acquise, Hitler révélerait ses ambitions : s'étendre vers l'est. « Les nazis sont contre l'assimilation, mais non contre l'annexion, ils préfèrent exterminer les peuples inférieurs, vaincus par le germanisme. »

Je souscrivis donc à la thèse de Trotsky : impérialisme à la fois contre l'Est et contre l'Ouest. Hitler, disait le créateur de l'Armée rouge, compte obtenir l'assentiment de la Grande-Bretagne à la reconstruction des forces armées du Reich. Je ne doutai pas des ambitions hitlériennes, je doutai que le Führer eût déjà déterminé en détail les étapes du « master plan ».

Après cet article d'*Europe*, je n'ai plus rien écrit sur Hitler, l'Allemagne et la politique internationale jusqu'à la guerre, à trois exceptions près : un texte dans *Inventaire*, recueil d'articles reproduisant les conférences tenues au Centre de documentation sociale de l'ENS sous la direction de C. Bouglé, un article dans la *Revue de Métaphysique et de Morale* sur le livre d'Élie Halévy : *l'Ère des tyrannies* et une communication à la *Société française de Philosophie* sur « Régimes démocratiques et régimes totalitaires ».

J'avais intitulé d'abord ce chapitre *Découverte de l'Allemagne et de la politique.* Ces deux découvertes allèrent ensemble. Mon obsession pacifiste, moraliste, issue d'Alain, se nourrissait aussi d'une conviction historique : « L'intérêt que prend notre pays à la crise allemande dérive... d'une intuition profonde : bon gré mal gré, le destin de l'Allemagne est aussi le destin de l'Europe. » J'ai repris ce thème, dès le lendemain de la défaite du IIIe Reich, en 1945 : le destin de l'Allemagne se confond avec celui de l'Europe. Ce n'est pas à tort que Ralf Dahrendorf, en prononçant la *laudatio* à l'occasion du prix Goethe [1], déclara que l'Allemagne fut mon destin.

J'essaye aujourd'hui de reconstituer mes sentiments au cours de ces premiers temps de ma rencontre avec la culture allemande. En arrivant à Cologne, au printemps de 1930, je déchiffrais les journaux, je comprenais imparfaitement l'allemand de Spitzer, de l'assistant ou des étudiants, je lisais, mais non sans peine, les livres de philosophie. Pendant l'année scolaire 1930-1931 passée à Cologne, je fis assez de progrès dans le maniement de la langue pour qu'elle cessât d'élever une barrière entre mes interlocuteurs et moi. Je fus sensible à la détresse de la jeunesse allemande, à la chaleur qui imprégnait les relations entre les personnes ; même les étudiants qui se rapprochaient plus ou moins du national-socialisme ne refusaient pas le dialogue. Ceux que j'approchai, à Cologne et à Berlin, ne ressemblaient pas aux monstres que l'on dépeint aujourd'hui. Nous buvions ensemble sur les bords du Rhin ou de la Spree, et soudain monte une bouffée d'amour ou d'amitié qui transfigure la soirée. Mais c'est la culture allemande plutôt que la jeunesse allemande qui me séduisit pour toujours.

Choc au premier abord surprenant. J'avais vécu une année entière avec Kant. Bien qu'une connaissance insuffisante de Hume ait limité mon intelligence des trois *Critiques*, j'avais absorbé un élément précieux de la philosophie allemande, peut-être le plus précieux. Je n'oubliai jamais l'impératif catégorique, essence de la morale, pas plus que la religion dans les limites de la raison. Mais j'avais traduit le kantisme dans le néo-kantisme de Léon Brunschvicg. Kant s'intégrait aisément dans

1. Je reçus le prix Goethe, décerné tous les trois ans par la ville de Francfort, en 1979. E. Jünger a reçu ce prix en 1982.

l'universalisme ahistorique de la pensée française, telle du moins qu'elle s'exprimait à la Sorbonne.

Mes lectures, peu délibérées, oscillèrent autour de deux pôles, Husserl et Heidegger d'une part, les sociologues, l'école néo-kantienne de l'Allemagne du Sud-Ouest, H. Rickert, Max Weber d'autre part. Les uns et les autres me donnaient le sentiment d'une extraordinaire richesse auprès de laquelle les auteurs français m'apparurent d'un coup médiocres, presque pauvres. Un demi-siècle plus tard, je suis enclin, pour le moins, à plus de réserve. La richesse conceptuelle de la langue et de la tradition philosophique allemande créent aisément une illusion. Les *Sinnhafte Zusammenhänge* perdent quelque peu de leur charme en devenant des « ensembles significatifs », des « réseaux de sens » ; j'ai éprouvé à l'époque, pour Karl Mannheim, une admiration qui m'étonne moi-même. Il y a quelques années, je consacrai à *Idéologie et Utopie* une séance de séminaire et je relus le livre à cette occasion : je me demandai pourquoi il avait joui d'une telle renommée. Mais revenons en arrière.

Simone de Beauvoir a raconté comment j'avais parlé de Husserl à Sartre et éveillé en lui une fiévreuse curiosité. Moi aussi, en étudiant la phénoménologie, j'éprouvai une sorte de libération par rapport à ma formation néo-kantienne. A l'époque, j'avais déjà, pour ainsi dire, refoulé mes pulsions métaphysiques ; je fus moins impressionné par la phénoménologie transcendantale ou l'*épochè* que par la méthode, je dirais presque par le regard du phénoménologue. Je méditais sur l'Histoire et l'immanence des significations à la réalité humaine — réalité qui se prête au déchiffrement. Il me parut qu'il avait manqué à Dilthey une philosophie comme celle de Husserl pour mettre au clair ses intuitions. La saisie des significations dans l'histoire-se-faisant m'amena ou me ramena à Max Weber dont j'estimai peu à peu la grandeur en même temps que je me découvris lié avec lui par une *Wahlverwandschaft*, une affinité élective.

Pourquoi ai-je été, au contact des Allemands et de Max Weber en particulier, attiré par la sociologie alors que Émile Durkheim m'avait rebuté ? Pour répondre à cette question, il me faut, pour reprendre une expression que j'ai déjà employée, partir en quête d'un passé qui, pour être le mien, m'est à peine moins étranger, objectivé, que celui d'un autre.

A la Sorbonne, entre 1924 et 1928, Paul Fauconnet et Célestin Bouglé enseignaient la sociologie, l'un disciple orthodoxe de Durkheim, l'autre disciple aussi mais plus libre d'esprit, moins « sociologiste » ; ni l'un ni l'autre n'éveillaient de vocations. Ces professeurs n'étaient pas doublés d'assistants. Les normaliens, imbus de leur supériorité, ne fréquentaient pas les cours de la Sorbonne. Je devais aller de temps en temps au cours de C. Bouglé puisque j'y fis — je l'ai déjà raconté — un exposé sur le matérialisme historique.

Je lus, bien entendu, les grands livres de Durkheim et de ses disciples, mais l'étincelle ne jaillit pas. A l'École, j'étais transporté tantôt par Kant (à la rigueur par Descartes), tantôt par Proust (ou, mais je n'en suis pas sûr, par Dostoïevski). Là j'échappais à moi-même, à mes doutes, au jugement des autres, je me confondais avec l'entendement ou la raison en moi. Ici, dans *A la recherche du temps perdu,* je retrouvais la difficulté de vivre, l'esclavage auquel réduit l'obsession du jugement des autres, la fatalité des déceptions. J'ai gardé le culte de Proust bien que je n'aie pas relu *A la recherche du temps perdu* depuis de longues années. Kant ou Proust, la déduction transcendantale ou le salon de Mme Verdurin, l'impératif catégorique ou Charlus, le caractère intelligible ou Albertine. Entre les deux, ni *la Division du Travail,* ni *le Suicide,* ni *les Formes élémentaires de la vie religieuse* ne touchaient mon cœur. Simples objets d'étude sur lesquels je dissertais en cas de besoin. Un bon agrégé de philosophie de mon temps dissertait sur n'importe quoi.

Je crains, encore une fois, de styliser. En dehors de Kant et de Proust, il y avait aussi la politique. Je n'en causais presque jamais avec Sartre, Nizan, Lagache ou même Canguilhem, un peu davantage avec des amis moins intimes, amis de Robert plutôt que de moi, que je voyais de temps en temps. La politique éveillait en moi des passions ; longtemps encore après mon éducation en Allemagne, je participai à l'émotion des foules dans les réunions publiques. Je me souviens d'une réunion au début du cartel des gauches, en 1924 : d'abord Paul-Boncour, acclamations. Herriot commence à son tour : « Il s'est tu et l'on écoute encore » ; nouvelles acclamations. J'avoue, à ma honte, que, bien plus tard, je fus ébloui par l'éloquence de Marcel Déat, toute différente de celle des Paul-Boncour ou des Edouard Herriot, plus argumentée, moins affective, servie par une prodigieuse facilité d'élocution [1]. Mais le goût de la politique représentait pour moi l'équivalent de la faiblesse, du penchant à la facilité « des Aron ».

La sociologie de Durkheim ne touchait en moi ni le métaphysicien que je souhaitais être, ni le lecteur de Proust, désireux de prendre conscience de la comédie et de la tragédie des hommes en société. La formule de Durkheim, « Dieu ou la société », me heurtait ou m'indignait. L'explication des suicides par des corrélations statistiques me laissait insatisfait. L'enseignement moral à partir et au nom de la société me paraissait une réplique à l'enseignement catholique, et une réplique fragile du simple fait que la société ne constitue pas aujourd'hui un ensemble cohérent.

A l'heure présente, un néo-durkheimisme se mêle à une sorte de marxisme : l'idéologie dominante se substitue à la société en tant qu'instance suprême. Cette sociologie suggère une interprétation de la vie collective à certains égards proche de celle de Durkheim. Ce dernier supposait une unité de la société telle que les mêmes valeurs pussent s'imposer à toutes les classes. Ceux qui emploient la notion d'idéologie dominante décrivent une société de classes ; ils accentuent la toute-puissance de l'idéologie dominante et en réduisent l'autorité morale en l'attribuant

1. Déat éblouit aussi à l'époque Jean-Richard Bloch.

aux privilégiés ou aux dominants. Durkheim, tout au contraire, espérait rendre à la morale l'ascendant sur les esprits qu'elle avait perdu. La dénonciation de l'idéologie dominante me laisse aussi rêveur que la divinisation de la société. La même théorie ne vaut pas pour les régimes totalitaires et pour les régimes libéraux.

Pourquoi Max Weber éveilla-t-il en moi un intérêt parfois passionné, à la différence d'Émile Durkheim ? J'étais plus disponible en 1931 ou 1932 que je ne l'étais entre 1924 et 1928. A l'École, j'étais encore étudiant, je n'avais pas encore rompu les amarres avec la famille, l'hexagone et les banalités universitaires. Max Weber objectivait, lui aussi, la réalité vécue des hommes en société, il les objectivait sans les « chosifier », sans ignorer, par règle de méthode, les rationalisations que les hommes donnent de leurs pratiques ou de leurs institutions. (En fait, Durkheim ignore moins les motifs ou les mobiles des acteurs que ne le suggère sa méthodologie.) Ce qui m'éblouissait chez Max Weber, c'était une vision de l'histoire universelle, la mise en lumière de l'originalité de la science moderne et une réflexion sur la condition historique ou politique de l'homme.

Ses études des grandes religions me fascinaient ; la sociologie, ainsi comprise, retenait le meilleur de ses origines philosophiques. Elle se donne pour tâche de reconstituer les sens que les hommes ont donnés à leur existence, les institutions qui ont entretenu les messages religieux, les ont transmis ou ritualisés, et que les prophètes ont ébranlées, rafraîchies, renouvelées. Peut-être la sociologie des religions de Max Weber ne s'oppose-t-elle pas autant que j'en avais le sentiment il y a un demi-siècle à celle de Durkheim. Mais, en lisant Max Weber, j'entendais les rumeurs, les craquements de notre civilisation, la voix des prophètes juifs et, en écho dérisoire, les hurlements du Führer. La bureaucratie d'un côté, l'autorité charismatique du démagogue de l'autre, l'alternative se retrouve de siècle en siècle. En 1932 et 1933, je perçus pour la première fois, élaborés par un sociologue qui était aussi un philosophe, mes débats de conscience et mes espérances.

Durkheim ne m'avait pas aidé à philosopher à la lumière de la sociologie. Une morale laïque pour faire pièce à la morale en déclin des catholiques — ce fut la mission civique que s'assigna Durkheim — me laissait indifférent, pour ne pas dire davantage. Homme de discipline, de stricte moralité, kantien dans sa vie et ses écrits, il force le respect. Il avait peut-être raison de penser que les révolutions ne transforment pas en profondeur les sociétés et font plus de bruit que de bien. Pendant les années 30, le marxisme et l'Union soviétique me troublaient, le national-socialisme menaçait la France et le judaïsme du monde entier. La sociologie qui ne prenait pas au tragique les révolutions planait au-dessus de notre condition. Max Weber n'avait méconnu ni les systèmes sociaux ni les décisions irréversibles et fatales prises par les hommes du destin. Grâce à sa conscience philosophique, il avait uni le sens de la durée et celui de l'instant, le sociologue et l'homme d'action. Grâce à lui, mon projet, pressenti sur les bords du Rhin, prenait corps.

A ces deux raisons de m'attacher à lui — immanence du sens à la réalité sociale, proximité de la politique — s'en ajoutait une autre : le souci de l'épistémologie propre aux sciences sociales ou humaines. Lui aussi, il venait du néo-kantisme. Il cherchait une vérité universelle, autrement dit une connaissance valable pour tous les hommes qui cherchent une telle vérité. Simultanément, il avait une conscience aiguë de l'équivoque de la réalité humaine, de la multiplicité des questions que l'historien est en droit de poser aux autres hommes, ceux d'aujourd'hui ou d'hier. Pluralité des questions qui explique le renouvellement des interprétations historiques et que Max Weber s'efforce de limiter. D'où la dualité de la *Sinnadäquation* et de la *Causaladäquation* (adéquation significative et adéquation causale) : il ne suffit pas qu'un rapport soit satisfaisant pour l'esprit, il faut encore en démontrer la vérité. De tous les motifs qui déterminèrent les Allemands (quels Allemands ?) à voter pour le national-socialisme, lesquels furent déterminants ? Quelles causes provoquèrent ces motifs ? De cette oscillation entre la pluralité des interprétations plausibles et le souci d'une explication vraie — oscillation que je croyais deviner au centre de la pensée de Weber — sortit mon propre travail, dans mes deux thèses.

C'est ainsi que je rends compte à moi-même de mon allergie à la sociologie de Durkheim et de mon émerveillement à la découverte de la sociologie allemande, avec, en arrière-plan, les déchirements du peuple allemand et la montée du nazisme. Combien me paraissait hors du temps une sociologie destinée à fonder l'enseignement civique dans les écoles normales d'instituteurs, face à la catastrophe qui mûrissait dans les Bierkellern ou au Sportpalast ! Quelle tragique ironie — ainsi que le reconnut Marcel Mauss lui-même — que l'idée durkheimienne de la naissance de la foi religieuse dans les transes de la collectivité, à la flamme des torches, ait dû s'incarner à Nuremberg [1], des milliers et des milliers de jeunes Allemands adorant leur propre communauté et leur Führer !

Max Weber a créé le concept du chef charismatique et, au nom de la

1. Dans une lettre datée du 6 novembre 1936 à un collègue danois, S. Ranulf, Marcel Mauss écrivit les lignes suivantes : « Durkheim, et après lui, nous autres, nous sommes, je le crois, les fondateurs de la théorie de l'autorité de la représentation collective. Que de grandes sociétés modernes, plus ou moins sorties du Moyen Age d'ailleurs, puissent être suggestionnées comme des Australiens le sont par leurs danses, et mises en branle comme une ronde d'enfants, c'est une chose qu'au fond nous n'avions pas prévue. Ce retour au primitif n'avait pas été l'objet de nos réflexions. Nous nous contentions de quelques allusions aux états de foules, alors qu'il s'agit de bien autre chose.

Nous nous contentions aussi de prouver que c'était dans l'esprit collectif que l'individu pouvait trouver base et aliment à sa liberté, à son indépendance, à sa personnalité et à sa critique. Au fond, nous avions compté sans les extraordinaires moyens nouveaux. »

Dans une autre lettre, du 8 mai 1939, il autorisait la publication de la lettre précédente. Il ajoutait : « Je crois que tout ceci est une tragédie pour nous, une vérification trop forte de choses que nous avions indiquées et la preuve que nous aurions dû attendre cette vérification par le mal plutôt qu'une vérification par le bien. »

neutralité axiologique, il l'appliquait tout aussi bien aux prophètes juifs qu'aux démagogues américains, tel Huey Long. Aurait-il refusé de mettre Hitler dans la même catégorie que Bouddha ? Aurais-je protesté à l'époque contre le refus de différenciation des valeurs ou des personnes ? Je n'en suis pas sûr. Mon admiration temporaire pour Mannheim m'entraîna vers une sorte de sociologisme. Après avoir, à la suite de Léon Brunschvicg, confondu le penseur avec un moi transcendantal, je fus impatient d'interpréter les pensées de tel ou tel par les conditions sociales de l'homme. Pour me délivrer définitivement de Léon Brunschvicg, j'écrivis un long article d'une centaine de pages que je lui soumis et dans lequel je faisais intervenir les origines juives, le milieu français, la vie bourgeoise. Il me laissa la décision de publier ou non l'étude, composée d'un exposé de sa pensée, qu'il approuva, et d'une critique, qu'il estima pour une part faible, pour une part déplaisante. Je ne publiai pas le texte qui disparut pendant la guerre. Je lui rendis hommage à Londres, à l'Institut français, au lendemain de sa mort. La *Revue de Métaphysique et de Morale* reproduisit le texte de mon discours.

Je ne suivis guère de cours ou de séminaires à l'université de Berlin. Par l'intermédiaire d'un camarade, Herbert Rosinski, qui le premier m'entretint de Clausewitz, je connus un économiste d'esprit philosophique, Gottl-Ottlilienfeld dont j'eus le courage de lire un énorme ouvrage en deux tomes, *Wirtschaft und Wissenschaft,* dont je ne tirai pas grand-chose.

Souvent, au cours des années 1931 et 1932, je me demandai si je ne me perdais pas dans toutes les directions ; après coup, une fois revenu en France, j'eus le sentiment d'avoir beaucoup appris.

J'ai assisté aux dernières années, à l'agonie de la République de Weimar. A Cologne, je vivais dans une famille allemande de moyenne bourgeoisie qui me louait une chambre. Je me souviens vaguement du chef de famille qui évoquait volontiers l'Allemagne vaincue finalement par la coalition du monde entier ; sa femme connaissait des familles juives *so anständig* (si convenables). Lors de mon deuxième séjour, après un choix malheureux (l'homme risquait de revenir la nuit, quelque peu éméché, la femme m'en avait prévenu à l'avance), je trouvai deux pièces confortables, mais sans partager mes repas avec la propriétaire. Ce ne fut pas avec mes propriétaires que je nouai des liens mais avec des étudiants, avec d'autres assistants.

A Cologne, je rencontrai un jeune étudiant dont le charme me ravit, Rudy Schröder. Son père vendait des imperméables et des parapluies. Une amitié tendre nous unit pendant mon séjour. Il détestait le national-socialisme. Deux ans plus tard, il vint à Paris où il vécut difficilement jusqu'à la déclaration de guerre. Il s'engagea dans la Légion étrangère ; après la guerre, j'appris de sa femme, dont il s'était depuis longtemps séparé, qu'il avait passé en Indochine dans le camp de Hô Chi Minh. Je lus un jour dans *le Figaro* un article signé de Dominique Auclères sous le titre *le Colonel SS Rudy Schröder* (j'ai oublié le reste du titre). Rudy était devenu un familier, un favori de Hô Chi Minh. J'essayai de l'atteindre par une lettre qu'il ne reçut probablement jamais. En 1946, ses parents m'avaient demandé de ses nouvelles ; vers 1960, j'entendis dire par des Allemands qu'il était professeur à l'université de Leipzig. S'il vit encore dans l'Allemagne de l'Est, j'aimerais le revoir. Je doute que la vie l'ait transformé en bon communiste. Qu'il ait déserté la Légion étrangère et l'ordre français à Saigon ou à Hanoi, je ne m'en étonne pas ; et au nom de quoi pourrais-je l'en blâmer ? J'ai la naïveté de croire que nous pourrions nous retrouver.

A Cologne, entre les cours et leur préparation, la lecture du *Capital*, les conversations avec les étudiants, la fréquentation du club de tennis (j'y étais classé le deuxième ou troisième), le riche musée de peinture de l'école rhénane, il me restait peu de loisir pour observer les chômeurs ou la misère. A Berlin, je passais une bonne partie de mon temps à la *Staatsbibliothek*. Je n'en ai pas moins eu l'expérience vécue de la culture de Weimar, durant les deux dernières années avant la catastrophe. En ce qui concerne la pensée, j'ai connu l'essentiel. Husserl et Heidegger d'un côté, les survivants de la IIe Internationale, l'École de Francfort, K. Mannheim de l'autre, constituaient les deux pôles de la réflexion philosophico-politique. Après 1945, la pensée française prolongea la phénoménologie, l'*Existenzphilosophie* et le marxisme hégélianisé qui dominaient la pensée allemande des années 30. Le livre de G. Lukacs, *Geschichte und Klassenbewusstsein* (Histoire et Conscience de classe), de 1923, œuvre germinale pour les marxistes en quête de Hegel, fut redécouvert pendant les années 50 par M. Merleau-Ponty, qui lui attribua curieusement la désignation de « marxisme occidental ».

Nous assistâmes aussi aux derniers feux du cinéma et du théâtre de cette époque. Je donnai des leçons de français au fameux metteur en scène Reinhardt. Nous fûmes ravis par le *Dreigroschen Oper*, émus par *die Mädchen in Uniform*. Le *Kultur Bolchevismus* fleurissait encore et, outre les châteaux et les musées de peinture classique, les œuvres de Klee ou de Kokoschka nous étaient offertes. Atmosphère de fin de siècle ? La menace de mort planait sur cette République sans républicains, sur une intelligentsia de gauche, marxisante, qui détestait trop le capitalisme et ne craignait pas assez le nazisme pour prendre la défense du régime de Weimar. Quelques années plus tard, c'est sur la France que s'inscrivit le signe de la mort.

Nous nous retrouvions très souvent le soir à la *Französisches Akademiker Haus ;* j'y ai connu Pascal Copeau, Jean Arnaud qui fit carrière en tant qu'attaché ou conseiller culturel dans diverses ambassades, Pierre Bertrand que je retrouvai à Londres en 1943 et qui y resta jusqu'à sa retraite, correspondant permanent du *Figaro,* André Martinet dont j'admirais la capacité exceptionnelle d'apprendre une langue étrangère,

Jean Leray, le grand mathématicien, Roger Ayrault, un des meilleurs germanistes de sa génération, C. Salomon, lié à la famille Langevin.

Bien entendu, nous communiions dans l'antinazisme et le soir des élections, nous écoutions, silencieux, les chiffres. Nous fréquentions les grandes réunions publiques : j'ai entendu plusieurs fois Goebbels, Hitler. Pour mes élèves, pour beaucoup de mes amis, mes souvenirs appartiennent déjà au passé historique. Puis-je leur apporter davantage que des images d'une vieille actualité ? Qui étaient ces Allemands qui se réunissaient au Sportpalast et qui acclamaient le Führer ? Ils appartenaient apparemment à toutes les classes. Nombre d'entre eux, d'après leur vêtement, d'après leur visage, appartenaient à la bourgeoisie aisée, parfois même au milieu des intellectuels. Ils hochaient la tête d'approbation aux diatribes de Hitler contre les Juifs, contre les Français ou contre les capitalistes. Je me trouvai une fois, dans une de ces réunions, avec un étudiant exceptionnellement doué, du nom de Schüle, très hostile à Hitler. Il refusa de se lever quand les porte-drapeaux traversèrent la salle pour se grouper au pied de la tribune. Autour de lui, jaillirent les injures, les injonctions ; Schüle ne bougea pas, personne ne le frappa. En 1941, il se trouvait à Moscou en tant qu'attaché à l'ambassade du Reich en Union soviétique. Il fut tué sur le front oriental. Un diplomate me rapporta qu'il avait conservé son franc parler. Vers 1958 ou 1959, un étudiant allemand vint me parler à la fin de mon cours à la Sorbonne : c'était le fils de Schüle. Sa mère avait gardé des lettres de moi. J'ai retrouvé aussi par hasard des lettres de lui, postérieures à 1933. Il a donc servi le IIIe Reich, comme des millions d'autres, condamnés à un destin qu'ils ne méritaient pas.

Je fréquentais régulièrement le Humboldt Haus, lieu de rencontre d'étudiants. C'est là que, pour la première et dernière fois, je jouai la comédie. Nous donnâmes un acte de *Knock ;* j'y jouai le rôle de Knock lui-même ; j'y pris un plaisir extrême. Le théâtre appartient à un de mes rêves que je ne pris jamais au sérieux. C'est au *Humbold Institut* que je rencontrai Herbert Rosinski ; là aussi je discutais avec des étudiants de toutes nationalités.

Janvier 1933 ne modifia pas notre existence, à nous pensionnaires du *Französisches Akademiker Haus.* Les manifestations d'antisémitisme ne m'atteignirent jamais personnellement. Avec des cheveux blonds et des yeux bleus, je n'offrais pas aux nazis l'image conforme à leur représentation du Juif. Mon ami Susini, Corse, brun, méditerranéen, fut parfois injurié dans la rue, je ne le fus jamais. Une fois pourtant, une femme dans un train me confia que nous étions dans le même camp : elle n'aimait pas le mot d'ordre hitlérien *Kirche, Küche, Kinder* (église, cuisine, enfants) et moi j'étais juif. Ce qui me frappa le plus, pendant les premières semaines du régime, c'est le caractère presque invisible des grands événements de l'histoire. Des millions de Berlinois ne virent rien de nouveau. Un seul signe ou symbole : en trois jours, les uniformes bruns pullulèrent dans les rues de la capitale. A la maison des étudiants, j'observai sans étonnement les uniformes rapidement revêtus par des camarades auparavant réservés. Beaucoup de ces étudiants s'étaient ralliés dès la première semaine. L'un d'entre eux, qui n'avait jamais adhéré au national-socialisme et qui, avant la prise du pouvoir, lui manifestait plutôt de l'hostilité, avait déjà décidé de *mitmachen* (marcher avec). Vous, me disait-il, vous serez toujours un spectateur et un spectateur critique, vous n'aurez pas le courage de vous engager dans l'action qui emporte le flux des foules et de l'histoire. Il avait raison mais, face à Hitler et, de même, face à Staline, il fallait dire *non*. Mon tempérament m'a protégé des écrits ou des engagements peu honorables dont se rendirent coupables quelques hommes de ma génération, fascinés par l'histoire ou piégés par elle.

Ce qui me frappa aussi, ce fut la diffusion de la peur, sans que fussent jetés en prison ou dans des camps de concentration des centaines de milliers d'adversaires ou de suspects. Pendant les six premiers mois du régime, les nouveaux maîtres commirent, certes, des cruautés. Les camps de concentration inaugurèrent l'avènement de l'Empire de mille ans ; ils ne contenaient pas plus de soixante ou soixante-dix mille communistes, libéraux, Juifs ou truands : assez pour créer un climat de terreur. Pourtant, dans les milieux politiques de l'ancienne République, parmi les Juifs évidemment, dans la masse populaire aussi, se répandit le sentiment d'un péril omniprésent et mortel, la menace de l'arrestation. Nous ne respirions plus le même air. Au printemps de 1933, mes amis, juifs ou libéraux, disaient, alors que le soleil illuminait les terrasses des cafés du Kurfürstendamm : *« Den Frühling werden Sie uns nicht nehmen »* (le printemps, ils ne nous l'enlèveront pas).

Mon ami Manès Sperber, qui, à l'époque, appartenait encore au parti communiste, s'attendait, malgré tout, d'après ses Mémoires, à une résistance des partis ouvriers, du prolétariat allemand, naguère orgueil de la IIe Internationale. Parmi nous, dans la petite communauté française, dans les milieux de l'ambassade, personne n'imaginait une révolte populaire. Le 1er mai, trois mois après l'arrivée de Hitler à la chancellerie, les ouvriers, les fonctionnaires défilèrent sous les drapeaux à croix gammée, les mêmes qui défilaient quelques mois plus tôt sous les drapeaux rouges, avec ou sans la faucille et le marteau, avec ou sans les trois flèches du Front d'acier dont Tchakotine raconte, dans *le Viol des foules*, les quelques succès. Pourquoi cet effondrement du prolétariat allemand ? Pourquoi la disparition des millions d'électeurs qui, jusqu'au bout, avaient voté pour les sociaux-démocrates ou pour les communistes ?

Après coup, les réponses viennent d'elles-mêmes : les communistes, sur l'ordre de Staline, combattirent les « social-traîtres » plus encore que les nazis ; comment ces deux fractions du mouvement marxiste auraient-elles pu se rejoindre dans la clandestinité, dans l'action armée, alors qu'elles n'avaient pas su le faire pour prévenir la victoire de l'homme qui les destinait toutes deux aux mêmes camps de concentration ? Démobilisation des masses, conscientes de leur impuissance, sentiment du destin, d'une vague irrésistible : le temps de la résistance était passé. Au-delà de ces arguments classiques, valables en eux-mêmes, il apparaissait une évidence : ni les dirigeants ni les troupes des partis socialiste et communiste ne songeaient à une révolte armée contre la police et contre la Reichswehr. Ils n'y songeaient pas parce qu'ils n'en possédaient pas les moyens, à savoir les armes, mais aussi parce que les électeurs socialistes, peut-être même communistes, bons citoyens, respectueux du pouvoir, se soumirent à l'ordre nouveau. Probablement certains d'entre eux attendaient-ils l'échec de l'expérience nazie pour agir. Le fait demeure et il nous frappait à l'époque : la victoire des nazis fut acceptée par le peuple allemand bien que la majorité des électeurs ne se fût jamais prononcée pour Hitler avant l'incendie du Reichstag et l'interdiction du parti communiste.

Aujourd'hui, cette capitulation collective, nombre d'Allemands, les jeunes surtout, ne la comprennent pas et l'excusent moins encore. A l'époque, après le 31 janvier et plus encore après l'incendie du Reichstag, j'éprouvai le sentiment d'une fatalité, d'un mouvement historique, à court terme irrésistible. Certes, le pullulement des uniformes bruns, le terrorisme larvé, la haine déchaînée contre la communauté juive, l'arrogance des vainqueurs, tout cela me répugnait ; vue de près la révolution est rarement édifiante ; en ce cas, il y avait Hitler dont je pressentais le satanisme. Beaucoup d'Allemands se faisaient des illusions. Pour les classes dirigeantes, pour les junkers aussi bien que pour les dirigeants de l'économie, le caporal de la dernière guerre ne représentait qu'un instrument ou un expédient provisoire. Mais l'état d'esprit des Allemands, de la grande masse, s'exprimait dans une formule : *besser ein schreckliches Ende als Schrecken ohne Ende* (plutôt une fin terrible qu'une terreur sans fin).

Faut-il dire que le peuple allemand ratifia pour ainsi dire en 1933 l'antisémitisme ? Je doute qu'il ait été gagné par les invectives contre les Juifs et qu'il ait pris au pied de la lettre les injures, les déclamations des orateurs nazis. J'ai entendu, dans la bouche de personnes intelligentes, des arguments qui, à l'époque, ne semblaient pas absurdes. « Il ne défiera pas le judaïsme mondial... Il attirerait sur le IIIe Reich la colère des États-Unis... Il ne chassera pas les chimistes et les physiciens juifs sans lesquels le Reich wilhelmien n'aurait pas tenu quatre années, face au blocus des Alliés. » Arguments qui, rétrospectivement, nous apparaissent puérils, que personne ne pouvait réfuter décisivement. Que l'antisémitisme fût plus qu'une arme de propagande, plus qu'une idéologie à usage électoral, tous les observateurs auraient dû s'en convaincre. Mais la radicalité de l'antisémitisme qui s'exprima à partir de 1942 dans la « solution finale », personne, me semble-t-il, ne la soupçonna immédiatement. Comment croire à l'incroyable !

Au cours de ces années d'Allemagne, je fis la connaissance d'écrivains, je me rapprochai de la NRF, de la Rive gauche. Les articles publiés par *Europe* me mirent en contact avec Jean Guéhenno, intime de mes amis Duval. A Cologne, Léo Spitzer invitait des conférenciers, Georges Duhamel, André Chamson, André Malraux. Le premier séduisit le public et même le grand journal de la ville ; il affirma, avec plus de sérieux que d'ironie, qu'il était plus grave pour une langue de perdre un mode de verbe que pour un pays de perdre une province. La conférence d'André Malraux, dont j'ai oublié le sujet exact (qui tenait aux cultures et à leur destin), impressionna le public. Quand je lui suggérai que peut-être ses paroles étaient passées par-dessus la tête de ses auditeurs, il me répondit — et il avait raison — que le public l'avait suivi jusqu'au bout. Malraux l'avait, en effet, saisi, subjugué, fasciné. Dans la dernière phrase de la conférence, le vent soufflait sur les déserts dans lesquels subsistaient, couvertes par le sable, les pierres sacrées des dieux morts.

Clara accompagnait André, volontiers provocante. Elle dit à Léo Spitzer au début de la conversation : « Er hat sich eine kleine Jüdin geheiratet. » Élaguée du possessif *sich*, la phrase signifiait tout simplement : il a épousé une petite Juive. Avec *sich*, elle devenait vulgaire, elle suggérait : il s'est donné, il s'est payé pour femme une petite Juive. Léo Spitzer me répéta la phrase, plus étonné que choqué. Cette phrase suggérait que Clara en ce temps, non sans ironie, s'effaçait devant André ; son charme et son intelligence en apparaissaient d'autant plus.

C'est aux décades de Pontigny bien plus qu'aux conférences de Cologne que j'eus l'occasion de découvrir la haute intelligentsia de l'époque. Paul Desjardins m'avait invité à une décade en 1928, immédiatement après l'agrégation. J'y donnai une communication sur Proust qui eut l'heur de plaire à Anne Heurgon. J'aimai les décades ; les entretiens en eux-mêmes ne manquaient pas d'intérêt et, du reste, ils ne prenaient que quelques heures par jour. Autour d'eux s'épanouissait une vie sociale faite de conversations indéfinies dont les commérages n'étaient pas absents : une cinquantaine d'intellectuels, plus ou moins grands, se trouvaient pour ainsi dire enfermés ; comment ne se seraient-ils pas observés, loués, critiqués les uns les autres, semblables à la cour d'un souverain — avec cette différence qu'il n'y avait pas de souverain. Paul Desjardins, même dans ses dernières années, occupait le centre, le foyer de la compagnie. Tous les autres ne se lassaient pas d'admirer (à tous les sens du mot) l'art, mêlé de sincérité et de comédie, qu'il mettait dans ses relations avec les autres et avec lui-même.

S'il n'y avait pas eu Pontigny, comment aurais-je pu passer dix jours avec André Malraux et nouer avec lui une longue et profonde amitié ? Roger Martin du Gard fréquentait fidèlement les décades sans jamais participer aux discussions (« comme " ils " sont intelligents, tous... »).

En revanche, par sa générosité, sa simplicité, il gagnait également les sévriennes, plus tellement jeunes, et les jeunes agrégés, inquiets et ambitieux. Je garde aussi un vif souvenir d'Arthur Fontaine, grand industriel, ami d'Albert Thomas et de Paul Desjardins, des hommes d'État et des poètes. La condition ouvrière ne l'intéressait pas moins que le compte d'exploitation. Un dialogue entre André Philip et lui, en 1928 je crois, reste gravé dans mon esprit, non dans ses détails mais dans sa substance, Arthur Fontaine compara l'usine de sa jeunesse à celle du présent.

C'est au cours d'une décade brillante de 1932 que je rencontrai Suzanne Gauchon qui devint la compagne de ma vie. Rien ne la destinait à fréquenter cette retraite d'intellectuels, en dehors de ses études au lycée Victor-Duruy. Son père, fils d'un paysan qui tenait en même temps l'hôtel du village, avait fait des études, un peu par hasard. Entré dans la marine en tant qu'officier mécanicien, il l'avait quittée à la fin de la guerre et pris un emploi assez important dans une société industrielle (qui appartenait au groupe Air Liquide). Suzanne, au lycée, eut pour camarades Christiane Martin du Gard, Edie Copeau qu'elle aimait tendrement et qui vit, religieuse, à Madagascar. Roger Martin du Gard témoignait à la camarade de sa fille une affection qui ne se démentit jamais. Il accepta d'être témoin à notre mariage en septembre 1933.

Suzanne était aussi très liée à Simone Weil, dans la même classe qu'elle pendant les trois dernières années du lycée. J'hésite à rien écrire sur Simone Weil, tant cette femme d'exception est devenue un objet de culte ; toute remarque que n'inspire pas l'admiration, qu'elle mérite à coup sûr, risque de passer pour indécente, iconoclaste. Je rencontrai Simone pour la première fois rue d'Ulm, vers 1928, alors que je passais l'agrégation et qu'elle-même passait le concours d'entrée à l'École. Nous eûmes tout au plus des conversations d'étudiants. Je ne me souviens pas de relations personnelles avec elle au cours des années suivantes, jusqu'au moment où Suzanne lui annonça notre mariage. Elle ne reçut pas cette nouvelle avec plaisir ; sans me connaître, elle m'avait placé dans une catégorie qu'elle rejetait, premier d'agrégation bien entendu, enclin à la pensée mondaine ou facile. Elle avait plaqué sur moi une image qu'elle avait forgée à partir d'impressions. Elle promit à Suzanne de se déprendre de ses préjugés puisque son amie m'avait choisi.

Elle accueillit avec joie la naissance de notre fille Dominique, comme si elle avait été la sienne. Nous nous revîmes plusieurs fois ; Simone et Suzanne restèrent fidèles à leur amitié de jeunesse. J'ai beaucoup admiré, à l'époque, le grand article qu'elle publia sur la condition ouvrière ; et aussi celui sur l'impérialisme romain, même si ce dernier prête à la critique des historiens. Malgré tout, le commerce intellectuel avec Simone me parut presque impossible. Elle ignorait apparemment le doute et, si ses opinions pouvaient changer, elles étaient toujours aussi catégoriques. Elle approuva l'accord de Munich, non en fonction du rapport des forces, mais parce que la résistance à l'hégémonie allemande en Europe ne lui paraissait pas valoir le sacrifice d'une génération. Après l'entrée des troupes allemandes à Prague, elle prit une autre position, aussi ferme : puisque les nazis ne se contentaient pas d'une hégémonie en Europe de type traditionnel, puisqu'ils tendaient à une colonisation comparable à celle que les Européens pratiquaient en Afrique, la résistance s'imposait, quel qu'en fût le prix. Elle avait peut-être raison et en 1938 et en 1939, mais il y avait matière à discuter. Tels que les hitlériens lui apparurent en 1939, n'était-il pas possible de les prévoir dès 1938 ?

Elle gardait secrète à l'époque sa vie religieuse, sa foi. Personnellement, je pressentis sa vocation un jour, au jardin du Luxembourg. Nous nous promenions, ou nous promenions Dominique, sous un soleil glorieux. Le jardin était si beau que l'on respirait pour ainsi dire le bonheur. Simone vint vers nous, le visage bouleversé, proche des larmes. A notre question, elle répondit : « Il y a une grève à Shanghai [1] et la troupe a tiré sur des ouvriers. » Je dis à Suzanne que Simone devait aspirer à la sainteté ; prendre sur soi toutes les souffrances du monde n'a de sens que pour un croyant ou même, plus précisément, pour un chrétien.

Je la revis à Londres, en 1943, à son arrivée. Pour la première fois, notre conversation, vraie, se prolongea deux heures. Elle me parut semblable à elle-même ; il fut question de la guerre, de l'Occupation, de Londres, de la condition privilégiée des Français du dehors. Certaines des idées de *l'Enracinement* affleuraient dans ses propos.

Revenons à 1933. Suzanne vint me retrouver à Berlin, en juillet 1932, et nous rentrâmes en France par petites étapes ; nous visitâmes Bamberg, Würzburg sur le chemin. Les guides nous expliquaient les beautés ou le passé des monuments, tournant souvent leurs yeux vers Suzanne qui les regardait et ne comprenait rien à l'allemand. Un guide auquel je fis la remarque me répondit : *Schöne Mädchen gibt es überall* (il y a de jolies jeunes filles partout).

Vue d'Allemagne, la France semblait, jusqu'en juillet 1932, capable d'influer sur les événements. A partir de février 1934, la situation s'inversa. L'Allemagne avait un gouvernement, détestable à coup sûr, mais stable et fort. La France, avec retard, entrait à son tour dans le cycle infernal : crise économique, exaspération des conflits sociaux, renforcement des partis révolutionnaires, de droite et de gauche, érosion des partis modérés, paralysie du pouvoir. La journée du 6 février ramena de l'exil un ancien président de la République, le sauveur dont la république des députés avait besoin, de temps à autre, pour surmonter les obstacles élevés par ses propres dissensions.

Quant à moi, j'avais franchi une étape dans mon éducation politique — une éducation qui durera aussi longtemps que mon existence elle-même. J'avais compris et accepté la politique en tant que telle, irréductible à la morale ; je ne chercherais plus, dans des propos ou par des signatures, à donner la preuve de mes bons sentiments. Penser la politique, c'est penser les acteurs, donc analyser leurs décisions, leurs fins, leurs

1. Je ne suis pas sûr de la ville, peut-être s'agit-il d'une autre.

moyens, leur univers mental. Le national-socialisme m'avait enseigné la puissance des forces irrationnelles, Max Weber la responsabilité de chacun, non pas tant la responsabilité de ses intentions que celle des conséquences de ses choix.

J'avais rêvé de prendre ma part de la réconciliation franco-allemande. Le temps en était passé, il reviendrait plus tard. Pour l'instant, la France devait tenir sa poudre sèche et dissuader le possible agresseur. Un Juif français qui mettait en garde ses compatriotes contre le péril hitlérien n'échappait pas au soupçon. Servait-il ses coreligionnaires ou sa patrie ? De 1933 à 1939, le IIIe Reich, tout proche, pesait sur le climat de notre pays. Des réfugiés affluaient. En même temps, je sortis enfin de mes doutes, je secouai ma peur de la page blanche. Les six années, entre août 1933 et août 1939, à l'ombre de la guerre redoutée et prévue, furent peut-être les plus fécondes de mon existence. Bonheur de l'homme, désespoir du citoyen.

IV

AU CŒUR DU QUARTIER LATIN

J'avais vécu dans l'après-guerre jusqu'à mon premier voyage en Allemagne. Entre le 14 septembre 1930, le premier succès du parti national-socialiste aux élections législatives, et le 30 janvier 1933, je passai lentement de la révolte contre le passé au pressentiment de l'avenir. Je sortis de l'après-guerre pour entrer dans l'avant-guerre. Les mêmes valeurs, en profondeur, m'animaient, mais, au-delà de la gauche ou de l'antifascisme, il s'agissait désormais de la France et de son salut.

En octobre 1933, quand nous nous installâmes au Havre, ma reconversion s'était presque accomplie. Le patriotisme de mon enfance, de ma famille, de tous mes ascendants l'emportait sur le pacifisme et le socialisme mal défini auxquels m'inclinaient la philosophie et le climat d'après-guerre. Je me voulais toujours « de gauche », je craignais la compromission avec la droite, afin de n'être pas exploité par l'opposition. Cette timidité tenait encore à une résistance, plutôt sociale qu'intellectuelle, à la logique de la politique. Plus tard, beaucoup plus tard, je répondis souvent à ceux qui me reprochaient mes compagnons douteux : on choisit ses adversaires, on ne choisit pas ses alliés. Au reste, je me débarrassai assez vite de la superstition que Sartre défendit jusqu'à son dernier jour : « la droite, ce sont les salauds » ou, en un langage plus académique, de la superstition que les partis diffèrent par la qualité, morale ou humaine, de leurs militants ou de leurs chefs. Probablement les partis de la gauche recrutent-ils davantage parmi les idéalistes (au sens banal du mot). Quand les révolutionnaires passent de l'autre côté de la barrière, conservent-ils longtemps leur supériorité morale ? Il se trouve des vertueux dans chaque camp ; sont-ils nombreux dans aucun ?

Le Havre que Jean-Paul Sartre a décrit dans *la Nausée* et que je découvris à mon tour souffrait durement de la crise. Une bourgeoisie protestante, qui dominait les bourses du coton et du café, tenait le haut du pavé ; on l'appelait la « côte » parce qu'elle avait construit ses villas sur la hauteur. La hiérarchie sociale de la ville s'insinuait jusque dans le lycée, dans le bureau du proviseur. La famille des élèves n'était pas inconnue des maîtres et de l'administration. Je fus accepté au club de tennis comme un égal de ces « messieurs de la bourse », non parce que j'enseignais la philosophie au lycée, mais parce que j'appartenais à l'élite des joueurs. Un classement en deuxième série de France, dans ce milieu, valait mieux que les parchemins de l'Université.

Je fus frappé aussi, à cette occasion, par l'inhumanité de la hiérarchie proprement universitaire. Les professeurs du lycée n'étaient pas tous agrégés et certains d'entre eux souffraient de leur statut, inférieur à tout jamais, par rapport à celui-ci des quelques-uns qui avaient surmonté le dernier obstacle, le plus élevé, l'agrégation. Un collègue, professeur d'histoire, que nous fréquentions, bi-admissible [1], vivait tous les ans la même humiliation : il ne participait pas aux jurys du baccalauréat. Nous allions à Caen et lui n'était pas du voyage. Avant mon passage au Havre, je n'éprouvais aucun sentiment fort à l'égard de l'agrégation, je gardais un souvenir agréable de l'année de préparation, de la lecture attentive, presque complète, des œuvres de Jean-Jacques Rousseau et d'Auguste Comte. Au Havre, je sympathisai avec les « exclus », ceux qui, pour une raison quelconque, ne seraient jamais agrégés et qui n'en méritaient pas moins le titre et les avantages que d'autres. Près de trente années plus tard, ces souvenirs du Havre inspirèrent, pour une part, des articles du *Figaro* qui firent de moi, pour un temps, l'ennemi nº 1 de la *Société des agrégés*. Aujourd'hui la roue a tourné ; les humanités ont presque disparu de l'enseignement secondaire ; les agrégés de philosophie risquent l' « exil » dans un lointain CES. L'inégalité des enseignants, déterminée par les examens et les concours de jeunesse, subsiste, mais, à maints égards, atténuée. Le verdict des concours n'est plus définitif. Des enseignants peuvent devenir agrégés, au mérite ou à l'ancienneté.

Je travaillai durant cette année 1933-1934 plus que je ne l'ai jamais fait avant ou après, puisque je rédigeai la plus grande partie de *la Sociologie allemande contemporaine* et de la thèse secondaire consacrée à des philosophes allemands que je regroupai sous le thème de la *Critique de la Raison historique.* Comme, simultanément, je professais, pour la première fois, un cours de philosophie traitant de problèmes traditionnels sur lesquels je n'avais pas réfléchi depuis des années, je dus préparer mes cours, de qualité, à coup sûr, pour le moins variable. Je ne distinguai pas les dons de Bernard Guillemin, aujourd'hui professeur de philosophie, auteur de manuels estimables et surtout d'un intéressant *Machiavel* (thèse de doctorat d'État au jury de laquelle j'appartins) ; en revanche, trois camarades, Jacques-Laurent Bost, Albert Palle et Jean Pouillon, fréquentèrent le ménage du professeur. Le premier devint, l'année suivante, un ami de Sartre et m'écrivit, il y a quelques années, une lettre injurieuse à propos d'un article sur le coup d'État chilien. Le deuxième, avec lequel j'ai maintenu des relations amicales jusqu'à ce jour, écrivit

1. Ceux qui avaient été deux fois admissibles à l'agrégation.

des romans dont l'un fut couronné par le jury Renaudot. Le troisième, fonctionnaire à l'Assemblée nationale, vint à l'ethnologie sous l'influence de Lévi-Strauss mais resta un fidèle de Jean-Paul Sartre.

Je n'ai enseigné qu'une seule année dans un lycée. Sans ennui, avec plaisir même grâce aux dialogues avec les élèves. Il fallait traiter de l'ensemble du programme ; la contradiction entre la recherche sur des sujets limités et le savoir encyclopédique qu'exige ou suppose le cours me gênait déjà et m'aurait rendu presque insupportable le métier. Sartre s'en accommoda pendant une dizaine d'années, comme nos grands anciens, Henri Bergson ou Léon Brunschvicg ; Alain ne quitta jamais sa khâgne et regarda de haut l'enseignement dit supérieur. Que ferais-je aujourd'hui ?

Revenus à Paris en octobre 1934, nous vécûmes des années intenses, illuminées par la naissance et les premières années de notre fille Dominique, enrichies par la familiarité avec des hommes hors du commun, assombries par la décadence de l'économie et de la politique françaises, par l'obsession de la guerre que nous sentions inévitable et à laquelle, malgré tout, nous ne voulions pas nous résigner.

Mon travail, au Centre de documentation sociale de l'École Normale Supérieure, me laissait des loisirs. Célestin Bouglé, directeur de l'ENS, Breton d'origine et radical-socialiste du Sud-Ouest dans ses opinions, méritait l'affection de ses collaborateurs et la fidélité que nous, les quelques-uns qui survivent, lui gardons. D'une grande intelligence, spontanée et vive, il a trop prodigué et dispersé son temps et ses dons pour laisser une œuvre. Son livre sur les castes dans l'Inde, que les spécialistes apprécient encore aujourd'hui, témoigne d'une capacité d'analyse dont il ne tira pas toujours le meilleur parti. Plus encore que la plupart des durkheimiens, il manquait de formation économique. Et s'il ne séparait pas toujours les querelles des partis et les enjeux nationaux, sa bonne foi, sa gaieté, sa bonté et aussi son courage désarmaient les animosités ; ses camarades d'école, Elie Halévy, Léon Brunschvicg, demeurèrent jusqu'au bout proches de lui. La correspondance entre Elie, spectateur passionné mais non engagé, et Célestin, plusieurs fois candidat aux élections législatives, témoigne des qualités humaines de l'un et de l'autre. Dans cette génération, les amitiés résistèrent le plus souvent aux désaccords politiques. Le cas d'Hubert Bourgin fut presque unique. Ce dernier, issu de la gauche, fut entraîné par l'expérience de la guerre vers le conservatisme et le nationalisme, mais aussi vers une âpre polémique contre ses anciens amis. Ma génération a vécu un autre destin : les désaccords politiques y brisèrent les relations personnelles. Les générations étaient-elles différentes dès l'origine ou les défis de l'Histoire furent-ils tout autres ? Peut-être par préjugé sociologique, j'incline vers la deuxième hypothèse.

Je connaissais peu C. Bouglé quand, grâce à lui, je fus nommé secrétaire du Centre de documentation. Le Centre existait depuis plusieurs années ; il avait recueilli la bibliothèque personnelle de Victor Considérant, qui contenait un fonds important de livres sur les socialistes français du début du XIXe siècle. Des acquisitions, les livres reçus par Bouglé lui-même enrichirent la bibliothèque du Centre, qui offrait aux normaliens une littérature convenable sur les problèmes économiques et sociaux de notre temps. Le Centre organisait aussi des conférences (trois séries furent recueillies en trois petits volumes intitulés *Inventaires*). Une année, nous donnâmes, Robert Marjolin et moi, un cours d'initiation à l'économie politique qui ne fut suivi jusqu'au bout que par une minorité des auditeurs du premier jour.

En revanche, les conférences du soir obtenaient presque toutes un succès de public au moins honorable. Je me souviens, en particulier, de ma conférence sur l'Allemagne national-socialiste qui figure dans *Inventaires* sous le titre : « Une révolution antiprolétarienne : idéologie et réalité du national-socialisme. » Je commençai mon exposé par des remarques personnelles sur l'antisémitisme hitlérien et mon judaïsme. Mme Poré — l'indispensable, l'inoubliable secrétaire de l'École — me raconta que les étudiants avaient beaucoup apprécié ma profession de foi. C. Bouglé jugea ce préambule trop long et presque inutile, sinon choquant. L'antisémitisme n'entrait pas dans son univers et l'interrogation d'un Juif français sur sa condition le gênait et l'irritait : à la limite, le sujet lui semblait presque indécent. Pour moi, ce fut la première fois que, en France, à l'École Normale, je fis allusion à mes origines juives. Depuis 1933, peut-être même depuis ma rencontre avec le national-socialisme, j'avais compris que l'antisémitisme allemand mettrait en question l'existence des Juifs français ; j'adoptai une fois pour toutes une attitude qui me semble la seule convenable : ne jamais dissimuler mon appartenance, sans ostentation, sans humilité, sans surcompensation de fierté.

Le texte sur la révolution antiprolétarienne, publié en 1936, un an après la conférence, était enfin dépouillé des survivances aliniennes et des élans du cœur, écrit dans un style d'analyse politique ou sociologique, sans adjectifs, sans indignation, avec quelques lignes d'avertissement au début : « Moi-même, comment pourrais-je honnêtement vous affirmer mon impartialité, alors que l'hitlérisme est depuis toujours antisémite, alors qu'actuellement il multiplie les dangers de guerre. Si je vous dis : j'essaierai avant tout de comprendre plutôt que de juger, n'oubliez pas que celui qui vous parle juge sévèrement le national-socialisme. »

A la fin du texte, je revins sur l'essentiel : « Des Français, spécialistes des choses d'Allemagne, ont parfois affirmé, en 1933, que le national-socialisme contribuait à un redressement allemand et que c'était là, dans notre Europe solidaire, un événement heureux. A mes yeux, le national-socialisme est une catastrophe pour l'Europe parce qu'il a ravivé une hostilité presque religieuse entre les peuples, parce qu'il a rejeté l'Allemagne vers son rêve ancien et son péché de toujours : sous couleur de se définir orgueilleusement dans sa singularité, l'Allemagne se perd dans ses mythes, mythe sur soi-même et mythe sur le monde hostile... Certes, nous devons comprendre et chercher un accord de bon voisinage mais l'entente exige une langue commune et la confiance : pouvons-nous honnêtement trouver l'une, accorder l'autre ? Autrement, il ne resterait plus que la paix fragile, fondée sur la force et la crainte. » Par crainte, j'entendais la peur de la guerre en tant que telle.

Entre ces remarques initiales et cette conclusion, l'analyse de la clientèle national-socialiste, des masses non ou antiprolétariennes demeure en gros valable (sans aucune originalité) ; valable aussi l'analyse des raisons pour lesquelles, en 1935, le peuple allemand, bien loin d'être déçu par le nouveau régime, tendait à se rallier à ses nouveaux maîtres ; insuffisante surtout l'analyse de la gestion Schacht et de la réduction du chômage (de 50 % déjà à ce moment). Je ne voyais dans les autoroutes qu'une mesure de préparation militaire, j'exagérais la part du réarmement dans la reprise de l'économie, je n'avais pas encore pleinement compris le mécanisme de « l'allumage », du « multiplicateur [1] » à l'intérieur d'une économie séparée de l'extérieur par un système de taux de change multiples.

C. Bouglé avait accueilli le bureau français de l'*Institut für Sozialforschung* et de sa revue *Zeitschrift für Sozialforschung.* La revue paraissait en France, chez Alcan, mais les principaux membres de l'École de Francfort vivaient aux États-Unis. Je fis la connaissance de Max Horkheimer, de T. Wiesengrund Adorno, de Friedrich Pollock à l'occasion d'un voyage de l'un ou de l'autre. Ils souhaitaient élargir la rubrique des critiques de livres français. Ils me demandèrent de prendre la responsabilité de cette rubrique (après avoir demandé à plusieurs autres collaborateurs possibles des « essais »). J'acceptai d'autant plus volontiers que le traitement d'agrégé débutant que je recevais du Centre ne me permettait aucune fantaisie.

Ma collaboration à la *Zeitschrift für Sozialforschung* n'impliquait de ralliement ni au marxisme ni à l'École. Mes critiques de livres manquaient souvent d'indulgence et ne se conformaient pas aux coutumes universitaires. Je maltraitai, à l'occasion, des mandarins, qui me firent voir comment un jeune doit se conduire. L'historien Henri Hauser, que j'avais discuté sans retenue, écrivit un compte rendu dévastateur de l'*Introduction* sans avancer d'ailleurs d'argument. Quelques semaines plus tard, dans une réunion du conseil d'administration du Centre de documentation, C. Bouglé lui reprocha de ne pas présenter le livre avant

1. Les grands travaux utilisent directement les travailleurs et augmentent de ce fait le pouvoir d'achat. Mais l'effet direct sur l'emploi et le pouvoir d'achat est « multiplié » par les emplois supplémentaires que provoquent les commandes des entreprises engagées dans les grands travaux. On appelle multiplicateur le rapport entre l'effet *direct* des grands travaux ou du déficit budgétaire et l'effet *global* sur l'ensemble de l'économie.

de le réfuter. Un peu confus, H. Hauser se répandit en bonnes paroles à mon égard. Ni Kojève, ni Koyré, ni Weil ne mettaient très haut, philosophiquement, Horkheimer ou Adorno. Je m'inclinais devant le jugement de mes amis que j'admirais. J'avoue d'ailleurs que, trente années plus tard, je ne fus pas convaincu du génie de Marcuse. J'ajouterai que ce dernier me parut toujours un « honnête homme », courtois, sans agressivité. En voici un exemple.

Au début du mois de mai 1968, l'UNESCO organisa un colloque sur Marx à l'occasion du cent cinquantième anniversaire de sa naissance. Grâce à la ruse de Jean d'Ormesson, je fus invité à prendre la parole au cours de la première séance solennelle. Je mis en titre de mon discours les deux adjectifs que j'avais utilisés dans ma thèse, *Équivoque et Inépuisable.* Je déclarai, presque en exorde, que Marx aurait détesté une institution comme l'UNESCO. Les Soviétiques, présents à la tribune, m'écoutèrent avec une irritation mal déguisée. René Maheu ne me pardonna jamais des propos peu compatibles avec l'œcuménisme hypocrite de l'institution à laquelle il voua sa vie. Marcuse me dit ou plutôt dit à la cantonade que mon discours impertinent s'élevait, seul de tous, au niveau digne de son objet.

Mes relations avec Horkheimer, Adorno et Pollock furent plus mondaines qu'intellectuelles. En 1950, je retrouvai Horkheimer, recteur magnificus de l'université de Francfort. Visiblement heureux de la revanche du destin, il eut l'honneur d'accueillir le chancelier Adenauer qui visitait la ville. Invité par l'Université, je tins le même jour un discours *an die deutschen Studenten.*

L'École de Francfort jouit d'une certaine notoriété, voire de prestige dans le monde anglo-américain. Juste retour de la mode intellectuelle ? Celle-ci méritait-elle mieux que sa relative obscurité avant 1933 ? Il se peut. Témoin, par bonne ou mauvaise fortune, des dernières années de Weimar et aussi de l'audience que trouve aujourd'hui l'École de Francfort, je m'interroge sur les causes du succès actuel en même temps que sur la place de l'École dans l'Allemagne préhitlérienne.

M. Horkheimer appartenait à une famille riche de la bourgeoisie de Francfort. Pollock, qui gérait les fonds de l'Institut, et Adorno, le plus impressionnant de tous par sa culture, par sa connaissance de la musique et par la difficulté de son style, venaient du même milieu social. Tous, y compris Marcuse qui, à l'époque, ne se situait pas au premier rang de l'École, se réclamaient, d'une manière ou d'une autre, de Marx. Politiquement, ils ne soutenaient ni la social-démocratie ni le parti communiste. Ils ne firent rien pour sauver la République. Quand ils furent contraints à l'exil, ils n'hésitèrent pas sur la direction. Ils reconstruisirent l'*Institut für Sozialforschung* aux États-Unis où ils menèrent des enquêtes sociologiques dont les deux plus célèbres furent consacrées à la famille et à la « personnalité autoritaire ». H. Horkheimer, W. Adorno, plus philosophes que sociologues, mêlaient critique économique et critique culturelle de la société capitaliste comme le fit ensuite H. Marcuse, que les étudiants, dans les années 60, choisirent pour maître et dont ils assurèrent la gloire.

Aucun des livres écrits par M. Horkheimer ou ses amis n'eut autant de retentissement que *Geschichte und Klassenbewusstsein* de Lukacs ou *Ideologie und Utopie* de K. Mannheim. Ce dernier et M. Horkheimer enseignaient à la même université de Francfort mais ils s'ignoraient ou, en tout cas, ils ne s'estimaient pas mutuellement. Peut-être à cause de leur relative proximité, de leur commune ascendance. A partir d'une même intention, utiliser les concepts marxistes pour interpréter la société de leur temps, ils aboutissaient à des théories très différentes. Le relationnisme de Mannheim — une théorie de la connaissance qui se fonderait sur l'enracinement inévitable de la connaissance sociale dans une classe — est aujourd'hui oublié, bien que l'idée de la *Wissenssoziologie,* la sociologie du savoir (des œuvres de culture), demeure tout aussi actuelle qu'il y a cinquante ans. L'École de Francfort aboutit à la *théorie critique,* que l'on ne peut guère résumer en quelques phrases. La critique sortirait pour ainsi dire de la réalité elle-même dans la mesure où celle-ci est déchirée par des contradictions. A la limite, dans sa polémique contre le positivisme, Adorno accepte les contradictions à l'intérieur de la connaissance qui émane d'un monde contradictoire. Le positivisme, la sociologie qui se veut empirique et objective, méconnaît les contradictions qui condamnent à l'échec son projet scientifique.

De manière générale, la théorie critique, à l'instar du sous-titre du *Capital,* prend pour objet à la fois la société capitaliste et la conscience nécessairement fausse qu'elle prend d'elle-même. Il s'agit d'un marxisme, pourrait-on dire, repensé à l'aide d'une théorie renouvelée de la connaissance. H. Marcuse restera jusqu'à la fin fidèle à l'idée marxiste de la socialisation des forces de production. Mais il constatait qu'à l'Est cette révolution économique n'entraînait pas la révolution culturelle ou humaine qui aurait dû l'accompagner.

Pendant les années 60, Horkheimer prit une attitude hostile aux mouvements d'étudiants qu'exaltait Marcuse, réduit, faute d'un prolétariat révolutionnaire, au Grand Refus. Adorno, professeur à Francfort, fut profondément affecté par des manifestations hostiles à son égard.

Aujourd'hui, J. Habermas représente une autre génération, bien qu'il se rattache à l'École de Francfort. Lui aussi encourut la colère des révoltés en prononçant à leur propos l'expression de « fascisme rouge ». Dans l'Allemagne d'aujourd'hui, la théorie critique n'exerce, me semble-t-il, qu'une influence limitée. Dans le monde anglo-américain, l'intérêt accru pour le marxisme s'étend aux descendants illégitimes. La combinaison d'analyse économique et de dénonciation morale convient mieux aux radicaux américains qu'aux purs marxistes.

C'est encore sur la recommandation de C. Bouglé que je fus chargé du cours de philosophie à l'École Normale Supérieure d'enseignement primaire, plus connue sous le nom d'École de Saint-Cloud. Je remplaçai Drouin, le beau-frère de Gide, qui figure plus d'une fois dans le *Journal* ou la correspondance de ce dernier. Excellent germaniste, il donna sa vie à l'enseignement et usa ses forces dans son métier. Je ne l'ai rencontré que deux ou trois fois : je ne sais s'il portait en lui une œuvre, s'il l'a sacrifiée aux contraintes de l'enseignement et des soucis d'argent.

Le directeur de l'École, Octave Auriac, me toucha, du premier abord, par les vertus, proprement chrétiennes, qui rayonnaient de ce libre penseur, de cet athée : bonté, modestie, humanité, honnêteté. Il succédait à Pécaut, célèbre de quelque manière en son temps, avec lequel j'eus une seule conversation ; il me dit franchement que ma personne ne lui inspirait pas l'antipathie qu'avaient éveillée en lui mes écrits (il s'agissait, je crois, de *la Sociologie allemande contemporaine*). Auriac m'accueillit avec générosité ; après une première année d'enseignement, j'eus le sentiment que je n'avais pas intéressé les élèves autant que j'aurais dû le faire et je lui offris ma démission. Il la refusa et m'assura que les élèves ne se plaignaient nullement de moi. Au reste, si certains ne profitaient pas de mon enseignement, la faute en incombait à eux plus qu'à moi.

Je reçus des lettres de lui après la guerre. Un de ses fils avait trouvé la mort dans la Résistance ; lui-même était devenu aveugle. Frappé par les malheurs mais non abattu, égal à lui-même, serein dans le courage, il mourut, sans espoir, je crois, d'une juste rétribution dans un autre monde. Un monument simple et digne a été élevé à ce saint laïc et à son fils, dans le petit village où il était né. Ceux qui n'ont pas connu les Pécaut, les Auriac, les Lévy-Bruhl ignorent à quel point ce genre d'hommes firent honneur à l'Université dont ils furent les bâtisseurs.

Après les années d'études, la dispersion ne déchire pas les liens, elle les relâche ; les occasions de rencontre deviennent plus rares ; la disponibilité de l'étudiant fait place aux contraintes du métier ; la famille absorbe une partie du temps. Les amitiés pendant les années 30 ne tenaient peut-être pas une moindre place dans ma vie que dans les années 20, elles en tenaient une autre.

Paul-Yves Nizan s'était engagé pleinement, romancier et journaliste, dans le communisme. Il ne subsistait rien de l'intimité de l'École bien que ni l'un ni l'autre, je crois, n'aient oublié ou renié les semaines de Quiberon ou les journées qui suivirent son mariage. Nous ne discutions jamais du communisme, peut-être quelquefois du fascisme sur lequel nous étions d'accord. Je me souviens d'un exposé de Paul-Yves à l'*Union pour la vérité* de Paul Desjardins, à la suite d'un séjour en Union soviétique. Exposé plus philosophique qu'historique qui tournait autour d'un concept marxiste ou paramarxiste, à la mode en ce temps, celui de l'homme total ou de la totalité. Julien Benda, présent dans l'auditoire, admira beaucoup l'exposé. J.-P. Sartre multiplia les variations sur ce thème, une trentaine d'années plus tard, dans sa *Critique de la Raison dialectique*.

Avec ce dernier, mes relations changèrent du jour où Simone de Beauvoir entra dans sa vie. Elle a raconté, mieux que je ne pourrais le faire, nos dialogues philosophiques ; sa mémoire l'emporte aisément sur la mienne. Bien des épisodes me revinrent à l'esprit en la lisant, par exemple l'entretien, à la terrasse d'un café, sur la phénoménologie et E. Husserl. Cela dit, elle ne nous connut, Sartre et moi, qu'après les années d'École ; elle eut l'impression et répandit l'idée que nous nous jetions toujours, à chaque occasion, dans des joutes interminables que terminait d'ordinaire ma formule : « Mon petit camarade, de deux choses l'une, ou bien... » Elle a probablement raison ; les débats entre nous, en sa présence, prenaient souvent ce tour. Sartre lui-même, dans le film tourné à la veille de sa maladie et de sa cécité, avoua qu'il n'avait jamais discuté de philosophie qu'avec Aron « qui me coinçait ». Mais la camaraderie de l'École, que nous partagions avec Pierre Guille, ressemblait davantage à celle des autres étudiants, moins à l'anticipation de nos querelles de l'âge mûr. Longtemps Sartre se chercha lui-même et prit plaisir à me soumettre ses idées du jour ou de la semaine ; si je les taillais en pièces ou, plus souvent, si j'en dévoilais les ambiguïtés ou les contradictions, il acceptait souvent la critique parce qu'il venait tout juste de les concevoir et ne les avait pas encore adoptées pour de bon. Dans la période que Simone de Beauvoir raconte, Sartre avait peut-être déjà mis ses idées à l'épreuve dans un dialogue avec elle ; en tout cas, il les défendait parce qu'il les tenait pour siennes, au sens profond du terme, et non plus pour des hypothèses formulées au hasard d'une lecture ou d'une soudaine intuition.

Pendant l'année qui suivit la rencontre avec Simone de Beauvoir, Sartre prépara l'agrégation à la Cité universitaire et je fis mon service militaire. Dans nos rencontres peu fréquentes, nous nous plaisions, en effet, à ces débats philosophiques que raconte Simone de Beauvoir. Nous nous retrouvâmes ensuite au fort de Saint-Cyr où je servais comme instructeur. Ces mois, pour des raisons insaisissables, ne me laissent pas un souvenir plaisant. Il ne s'y passa rien mais le rapport entre nous, comparé à celui de l'École, se dégrada.

Pendant les années 30, nous nous rencontrâmes plus d'une fois à quatre. Réussite ou échec ? Tout dépendait d'un je-ne-sais-quoi ou d'un presque-rien. Nous avions renoncé aux joutes philosophiques et nous parlions de choses et d'autres, sans exclure Simone ni Suzanne de nos dialogues. Je me souviens de réussites, par exemple un déjeuner avec Sartre et Simone après Munich. Nous n'étions pas d'accord, mais dans un climat d'amitié et de tragédie historique. Je me souviens aussi d'un dîner, au début de juillet 1939, dans un restaurant sur les quais, proche de Notre-Dame dont la beauté nous semblait de plus en plus miraculeuse à mesure que le jour tombait. Nous attendions les Nizan qui ne vinrent pas. Oui, dans ma mémoire, cette soirée reste un de ces moments parfaits, que la chance nous accorde et qui nous inflige d'ailleurs sans plus de raison des heures perdues ou des rencontres ratées. Après l'École, nos relations étaient suspendues à ces aléas de la fortune.

Mon amitié avec Malraux ne ressembla jamais à mes camaraderies normaliennes, même intimes. J'ai évoqué notre première rencontre à Cologne en 1930 (ou 1931). Je le reconduisis à son hôtel par une pluie battante et nous discutions ferme, en sautant par-dessus des flaques d'eau, glissant sur le pavé mouillé. A Pontigny, quand je le retrouvai un an ou deux plus tard, il raconta avec humour notre marche cahotante et notre conversation interrompue.

En 1932, il avait déjà publié *la Tentation de l'Occident, les Conquérants, la Voie royale,* alors que je me battais encore avec la page blanche. Il n'avait que quatre ans de plus que moi, il me semblait appartenir à une autre génération et surtout à une « classe » supérieure (au sens sportif du mot « classe »). Je ressentis sa supériorité et je me l'avouai à moi-même sans amertume. Il ne parlait guère de lui-même, de son petit « paquet de secrets ». La morale des *Antimémoires,* il la mettait déjà en pratique dans sa vie.

A la différence de Sartre qui ne connut jamais Suzanne ou, en tout cas, ne s'intéressa pas à elle, Malraux lui témoigna de la sympathie, immédiatement, à Pontigny même. Jusqu'aux années de la guerre d'Espagne, le climat des dîners ou des soirées à quatre ne laissait percevoir aucune tension en profondeur entre André et Clara. Elle avait *misé* sur moi — comme elle me le dit plus tard —, elle croyait à mon « succès » (social autant qu'intellectuel). Elle aimait bien Suzanne. Il s'agissait aussi entre elles, entre nous quatre, de nos filles, Florence et Dominique, du même âge. A partir de 1936, André supporta de plus en plus mal Clara. Elle en a trop écrit, lui pas assez, pour que les tiers s'en mêlent. Cependant, pour ne pas manquer à la franchise, code non écrit de ce récit, je dois dire que notre sympathie allait à André. Non pour donner raison à l'un contre l'autre (« donner raison » n'a pas de sens quand deux personnes se séparent), mais, en notre présence, c'était Clara qui, le plus souvent, se rendait insupportable. Volontairement ? Par pressentiment, désir ou refus de la rupture ? Par déchirement ? A quoi bon formuler noir sur blanc ma réponse ?

J. L. Missika et D. Wolton, dans les entretiens du *Spectateur engagé,* me demandèrent comment j'avais pu nouer une véritable amitié avec un être aussi différent de moi. Ils ne connaissent — et encore — que le Malraux d'après 1945, propagandiste du RPF, puis ministre du Général, grandement installé dans le petit hôtel de Boulogne. Quand il habitait dans son appartement de la rue du Bac, sa gentillesse, son humour refoulaient le goût des grandeurs d'établissement, à supposer que ce goût fût déjà aussi marqué qu'après 1945. A deux ou quatre, nous parlions de politique, de littérature, des uns et des autres. Il ne réduisait pas ses interlocuteurs au silence, même si je l'écoutais plus que je ne parlais, souvent ébloui, pas toujours convaincu. Sa manière décourageait la discussion, excluait les controverses, propres à mes échanges avec Sartre. Je ne pense pas qu'il possédât une formation philosophique, au sens universitaire du terme. A-t-il jamais ouvert la *Critique de la Raison pure* ou la *Phénoménologie de l'Esprit*, jamais lu *Sein und Zeit*, bien qu'il parlât parfois de Heidegger (avant ou après la guerre) ? En 1945 ou 1946, il s'exprimait sans retenue sur *l'Être et le Néant* (l'avait-il vraiment lu ?). Il avait pratiqué Nietzsche et Spengler beaucoup plus que Kant ou Hegel. Je ne pouvais vérifier sa connaissance du sanscrit et des langues de l'Asie. Mais, sur un point fréquemment contesté, à savoir l'authenticité de sa culture, je me porte en avocat et non en procureur. Quand je disposais des moyens de vérifier, j'étais frappé presque toujours par la précision, la pertinence de son savoir en matière de littérature et d'histoire. A l'époque, il se plaisait beaucoup moins que dans *les Voix du silence* ou dans ses propos à la télévision *(la Légende du siècle)* aux jongleries intellectuelles. (Est-ce l'art négro-africain qui interpelle Picasso ou inversement Picasso qui l'interpelle ?)

Il n'appartenait pas au parti communiste, mais il parla et agit jusqu'à la guerre en compagnon de route. J'ai rencontré plus tard des Français ayant vécu à Moscou (certains d'entre eux à l'ambassade), qui ne lui pardonnaient pas son conformisme quasi stalinien quand il visitait la capitale de l'Union soviétique. Cependant Clara me raconta, devant lui, qu'en présence d'officiers soviétiques, à la fin d'un grand dîner (ou débat), André défendit passionnément Trotsky et le rôle joué par l'exilé dans la Révolution de 1917.

Pourquoi notre amitié pendant les années 30 résista-t-elle aux divergences politiques ? Les raisons ne manquent pas. L'arrivée de Hitler au pouvoir avait créé une sorte d'union sacrée de la gauche, fondée sur l'antifascisme. En dépit de Staline, à cause de Hitler, nous inclinions à mettre le communisme du bon côté de la barricade. En privé, Malraux ne parlait ni en communiste ni en compagnon de route. Il ne dissimulait ni à lui-même ni aux autres les duretés, les crimes du régime mais il en vantait aussi les accomplissements sociaux. Il ne croyait pas aux affabulations des procès de Moscou, il ne jetait pas Trotsky par-dessus bord. Quand je fis la connaissance, chez Malraux, de Manès Sperber, en 1935 ou 1936, cet ex-communiste, qui avait travaillé dans l' « appareil » du parti, se refusait à dénoncer en public le stalinisme : Hitler représentait la menace immédiate, donc prioritaire. Je ne pense pas que nous ayons eu raison de nous décider ou résigner à un silence sélectif : celui de 1936 préparait celui de 1945.

Que pensait André Malraux du communisme pendant les années 30 ? Qu'en disait-il ? Il ne me reste de ce temps que des souvenirs décousus, se rapportant à des dates différentes. Il lui arriva de redouter une alliance de tous les pays capitalistes, démocraties et fascismes confondus, contre l'Union soviétique. Les Soviétiques montrent leurs crèches et leurs écoles à leurs visiteurs, me dit-il une autre fois, ils se trompent. Il y a chez nous des crèches mieux équipées, et plus luxueuses que chez eux, mais eux, ils en ont des milliers. Je ne crois pas que le *Retour d'URSS* de Gide l'ait choqué. Peut-être cependant jugeait-il inopportune cette polémique contre l'URSS aux beaux temps de l'antifascisme.

Si nous voulons comprendre et non juger, reprenons les pages des *Conquérants,* dans lesquelles il dresse un parallèle entre deux types d'hommes ; les uns, hommes de foi, adhèrent au contenu du message, aux dogmes de l'Église ; les autres, hommes d'action, les *Conquérants,* ne souscrivent pas à la doctrine mais se joignent aux vrais croyants pour combattre avec eux. Il ne prit jamais la carte du parti, il n'aliéna pas sa liberté de jugement mais il convertit au parti nombre de jeunes gens en quête d'une cause à laquelle ils pourraient se dévouer.

André Malraux, jusqu'en 1939, ne séparait pas son aventure personnelle du mouvement révolutionnaire qui se répandait à travers les continents — mouvement révolutionnaire le plus souvent marxiste ou paramarxiste. Aux vrais croyants qu'il appelait les Romains, il laissait le marxisme. Il lui suffit de se détacher du mouvement révolutionnaire pour devenir disponible, sans crise de conscience. Il ne vécut jamais la conversion des ex-communistes ou ex-maoïstes ; le marxisme ne l'avait jamais subjugué. Il n'eut même pas besoin d'un Cronstadt ou d'un Budapest.

Je suis même tenté de croire que son nationalisme, son gaullisme, furent autrement profonds, authentiques, que son paramarxisme. Certes, il adhéra au Général — le héros — bien plus qu'au RPF ou même au gaullisme. Le communisme continua de l'obséder, au cours des premières années d'après-guerre. Quand il prononça à l'Assemblée nationale, à la fin de 1945, la phrase tant de fois citée, surtout par les anticommunistes, contre lui : « La liberté appartient d'abord [1] à ceux qui l'ont conquise », il se tourna vers le parti communiste. Pendant tout son discours, il s'adressait à lui, comme si les autres partis n'existaient pas. En 1947, 1948, 1949, il imagina plus d'une fois des tentatives communistes de prise du pouvoir par la violence ; il rêvait de combattre non avec le PC ou à côté de lui, mais contre lui.

Le communisme, après 1945, se confondait avec l'Union soviétique et plus encore avec l'armée soviétique. Or cette armée imposait aux pays qu'elle libérait un régime aussi despotique que celui des nazis. Les mêmes camps de concentration recevaient d'autres « criminels », parfois les mêmes, puisque les démocrates, les libéraux subissaient un sort semblable sous Staline et sous Hitler. Malraux, avec son intuition de l'Histoire, comprit plus vite et mieux que Sartre que l'esprit révolutionnaire ne s'incarnait plus dans la lointaine Tartarie ; la mise au pas des Polonais, des Hongrois, des Roumains relevait de la *Realpolitik.* Staline déplaçait vers l'ouest sa frontière et fortifiait son glacis, indifférent aux désirs de cent millions d'Européens. Pour adhérer à l'Union soviétique stalinienne en 1945-1946, il fallait une étrange cécité morale ou l'atti-

1. Quand on citait, on oubliait le plus souvent le mot « d'abord ». L'a-t-il prononcé ? Il me l'affirma plusieurs fois. Personnellement, je ne m'en souviens pas mais je le crois sur parole.

rance de la force. André Malraux, lui, méditait sur le rôle des États-Unis, héritiers et protecteurs de l'Europe. Une civilisation fleurirait autour de l'Atlantique comme jadis la civilisation hellénique autour de la Méditerranée. Ces méditations, quoi qu'on en pense, valaient mieux que les analyses de Merleau-Ponty, qui s'en alla chercher l'intersubjectivité authentique et la raison historique dans les profondeurs de l'empire stalinien.

Le retour à la France répondait en lui à une impulsion vraie, spontanée. La démocratie parlementaire l'ennuyait : le général de Gaulle faisait le pont entre le prosaïsme de la démocratie et la poésie de l'histoire. Avant sa première entrevue avec le Général, il m'avait, contre ses habitudes, demandé ce que je pensais d'un éventuel engagement gaulliste : devait-il devenir un féal du Général sans la médiation d'un parti entre le héros et lui ? Il songeait déjà, je pense, à la rencontre de Goethe et de Napoléon alors qu'il se préparait à sa première conversation avec le Libérateur. Vingt-cinq ans plus tard, quand il rendit visite au général de Gaulle revenu à Colombey-les-Deux-Églises, il se rappela — et il rappela — la visite de Chateaubriand à Charles X, l'exilé de Prague, le dernier souverain légitime, le dernier des rois qui, en mille ans, avaient fait la France.

A ses yeux, le Général transfigurait la France et sa politique. Il répéta inlassablement que la Ve République n'était pas la IVe plus le Général. En un sens, il ne se trompait pas. La Constitution avait changé le style et même la nature de la République. Le président élu au suffrage universel direct choisit le Premier ministre et exerce le pouvoir, soutenu par une majorité contrainte à la cohérence par le jeu des institutions ; la Ve République ressemble davantage à une monarchie élective, libérale et démocratique, qu'à la République des députés de la IIIe et de la IVe. Mais, après la fin de la guerre d'Algérie, entre 1962 et 1969, la Ve avec le Général ne différait pas substantiellement de la Ve sans lui. Peut-être le Général donnait-il à ses ministres le sentiment qu'ils vivaient dans l'Histoire et non dans la quotidienneté, mais l'impression était trompeuse. La communauté franco-africaine ne résista pas à l'usure ; les pays africains devinrent tous indépendants ; les uns restèrent dans la mouvance française, d'autres se rallièrent en paroles au marxisme-léninisme. La France épousa son siècle. Elle cessa d'apparaître l'homme malade de l'Europe ; sous un régime enfin respectable, elle dévoila à l'étranger ses réussites que dissimulaient jusque-là les guerres coloniales et la valse des ministères. Une phase honorable de l'histoire de France, par la magie du verbe et des conférences de presse, devenait un moment de l'histoire universelle.

Revenons à l'André Malraux des années 30 qui ne cessa de nous manifester, à Suzanne et à moi, une extraordinaire sympathie. Camarade affectueux et charmant, il racontait des anecdotes drôles, apparemment dénué de toute « importance » au sens que Alain donnait à ce mot. Nous étions, Suzanne et moi, amis d'André et de Clara. Nous n'avions jamais été d'accord avec Roger Martin du Gard qui disait : « Faut-il être désespéré pour épouser Clara ! » (André ne s'abstenait pas non plus de remarques ironiques sur le mariage de Roger.) Clara, tant que dura l'entente avec André, valait mieux que l'image qu'elle donna ensuite d'elle-même dans ses Mémoires ou règlements de comptes. Et jusqu'en 1940 et même longtemps après, André resta le même homme que Suzanne et moi avions rencontré à Pontigny et qui nous avait adoptés comme amis.

En dehors de l'École Normale, en dehors de Gallimard, je fréquentai l'École pratique des Hautes Études, Alexandre Koyré, Alexandre Kojève, Eric Weil, tous trois des esprits supérieurs que j'admirais et auxquels je n'osais me mesurer. Des trois, seul Kojève atteignit peut-être à la notoriété au-delà d'un cercle étroit de spécialistes ou d'universitaires ; il me parut aussi le plus génial des trois, bien que sa personnalité, sa pensée ultime me soient restées mystérieuses.

Je n'ai pas suivi régulièrement les cours de Kojève, aujourd'hui fameux, sur la *Phénoménologie* de Hegel ; mais durant la dernière année, j'étais devenu un fidèle ou presque, dans ce groupe d'une vingtaine d'auditeurs parmi lesquels R. Queneau, J. Lacan, M. Merleau-Ponty, E. Weil, G. Fessard. Kojève traduisait d'abord quelques lignes de la *Phénoménologie,* martelant certains mots, puis il parlait, sans une note, sans buter jamais sur un mot, en un français impeccable auquel un accent slave ajoutait une originalité et aussi un charme prenant. Il fascinait un auditoire de super-intellectuels enclins au doute ou à la critique. Pourquoi ? Le talent, la virtuosité dialectique y étaient pour quelque chose. Je ne sais pas si l'art de l'orateur demeure intact dans le livre qui consigne la dernière année du cours mais cet art, qui n'avait rien à voir avec l'éloquence, tenait à son sujet et à sa personne. Le sujet, c'était à la fois l'histoire universelle et la *Phénoménologie.* Par celle-ci, celle-là s'éclairait. Tout prenait sens. Même ceux qui se méfiaient de la providence historique, qui soupçonnaient l'artifice derrière l'art, ne résistaient pas au magicien ; sur le moment, l'intelligibilité qu'il conférait aux temps et aux événements se servait à elle-même de preuve.

Il n'est pas possible de présenter ici la pensée de Kojève pour convaincre de sa valeur les lecteurs qui l'ignorent. Les spécialistes de Hegel citent et utilisent son livre *Introduction à la lecture de Hegel.* Ils lui attribuent le mérite d'avoir souligné l'importance du concept de *reconnaissance* dans l'anthropologie hégélienne. Mais ils ne discutent guère l'interprétation globale que Kojève donne de la *Phénoménologie,* interprétation qui exprime la philosophie propre du prétendu interprète.

Que le lecteur allergique à un certain discours philosophique passe ces quelques pages du livre, à la fois typiques et riches de l'essentiel :

« L'Histoire s'arrête quand l'Homme n'agit plus au sens fort du terme, c'est-à-dire ne nie plus, ne transforme plus le donné naturel et social par une Lutte sanglante et un Travail créateur. Et l'Homme ne le fait plus quand le Réel donné lui donne pleinement satisfaction (Befriedigung), en réalisant pleinement son Désir (Begierde, qui est chez l'Homme un Désir de reconnaissance universelle de sa personnalité unique au monde — Anerkennen ou Anerkennung). Si l'Homme est vraiment et pleinement satisfait par ce qui *est,* il ne désire plus rien de réel et ne change donc plus la réalité, en cessant ainsi de changer réellement lui-même. Le seul « désir » qu'il peut encore avoir — s'il est un *philosophe* —, c'est celui de *comprendre* ce qui est et ce qu'il est, et de le révéler par le discours. La description adéquate du réel dans sa totalité que donne la Science du Sage satisfait donc définitivement l'Homme, même en tant que philosophe : il ne s'opposera donc plus jamais à ce qui a été dit par le Sage, de même que le Sage déjà ne s'opposait plus au réel qu'il décrivait. Ainsi la description non dialectique (c'est-à-dire non négatrice) du Sage sera la vérité absolue qui n'engendrera aucune " dialectique " philosophique, qui ne sera jamais une " thèse " à laquelle viendra s'opposer une antithèse.

« Mais comment savoir si l'Homme est vraiment et pleinement *satisfait* par ce qui est ?

« D'après Hegel, l'Homme n'est rien d'autre que Désir de reconnaissance (" der Mensch *ist* Anerkennen », vol. XX, p. 206, l. 26) et l'Histoire n'est que le processus de la satisfaction progressive de ce Désir, qui est pleinement satisfait dans et par l'État universel et homogène (qui était pour Hegel l'Empire de Napoléon). Mais d'abord Hegel a dû anticiper sur l'*avenir* historique (par définition imprévisible, puisque libre, c'est-à-dire naissant d'une *négation* du donné présent), car l'État qu'il avait en vue n'était qu'en voie de formation ; et nous savons qu'aujourd'hui encore il est loin d'avoir une " existence empirique " (Dasein) ou d'être une " réalité objective " (Wirklichkeit), voire un " présent réel " (Gegenwart). Ensuite, et c'est beaucoup plus important, comment savoir que la satisfaction donnée dans et par cet État est vraiment une satisfaction définitive de l'Homme en tant que tel, et non pas seulement de l'un de ses Désirs possibles ? Comment savoir que la stabilisation du " mouvement " historique dans l'Empire n'est pas un simple temps d'arrêt, le résultat d'une lassitude passagère ? De quel droit affirmer que cet État n'engendrera pas dans l'Homme un nouveau Désir, autre que celui de la Reconnaissance, et qu'il ne sera par conséquent pas nié un jour par une Action négatrice ou créatrice (Tat) autre que celle de la Lutte et du Travail ?

« On ne peut l'affirmer qu'en supposant que le Désir de reconnaissance épuise *toutes* les *possibilités* humaines. Mais on n'a le droit de faire cette supposition que si l'on a de l'Homme une connaissance complète et parfaite, c'est-à-dire universellement et définitivement (" nécessairement ") valable, c'est-à-dire *absolument vraie.* Or, par définition, la vérité absolue ne peut être atteinte qu'à la fin de l'Histoire. Mais c'est précisément cette fin de l'Histoire qu'il s'agissait de déterminer.

« On est donc impliqué dans un *cercle vicieux.* Et Hegel s'en est parfaitement rendu compte. Mais il a cru avoir trouvé un critère à la fois de la vérité absolue de sa description du réel, c'est-à-dire de son caractère correct et complet, et de la fin du " mouvement " de ce réel, c'est-à-dire de l'arrêt définitif de l'Histoire. Et, chose curieuse, ce critère est précisément la *circularité* de sa description, c'est-à-dire du " système de la science ". »

Un peu plus loin : « C'est dire que le discours de Hegel épuise *toutes les possibilités* de la pensée. On ne peut lui opposer aucun discours qui ne ferait pas déjà partie du sien, qui ne serait pas reproduit dans un paragraphe du Système en tant qu'élément constitutif *(Moment)* de l'ensemble. »

Laissons la thèse de la circularité du système, thèse la plus difficile, et prenons l'autre thèse, celle de la fin de l'Histoire. Ces deux thèses se confortent l'une l'autre et ne peuvent se passer l'une de l'autre. La deuxième, celle de l'empire universel et homogène, est immédiatement intelligible à tous. Intelligible mais surprenante ! Hegel voyait-il dans l'empire de Napoléon en 1806 l'ébauche de l'empire universel et homogène, la preuve de la possibilité de cet empire ? Puisque cet empire n'était pas encore empiriquement réalisé, le philosophe devait anticiper sur l'avenir. Ce n'est donc pas l'empire de Napoléon qui, par lui-même, annonce ou constitue la fin de l'Histoire, c'est par son achèvement, sa circularité que le système démontre sa totalité.

La distance était immense entre ce que j'essayais de penser et d'écrire dans l'*Introduction à la philosophie de l'Histoire,* et ce qu'enseignait Kojève (ou Hegel). Mais Wilhelm Dilthey, Max Weber même appartenaient à la descendance de Hegel, tributaires des problèmes qu'il avait posés et qu'il croyait avoir résolus. Épigone, j'écoutai, interdit et sceptique, la voix du maître, du fondateur.

Il subsiste une question que je ne puis éluder. Quand il se déclarait « stalinien de stricte observance », en 1938 ou en 1939, était-il sincère ou, plus précisément, en quel sens était-il sincère ? L'Histoire conduit à l'empire universel et homogène ; à défaut de Napoléon, Staline ; empire ni russe ni marxiste mais englobant l'humanité réconciliée par la reconnaissance réciproque des personnes. Que la Russie peinte en rouge fût gouvernée par des brutes, la langue même vulgarisée, la culture dégradée, il ne le niait pas, en privé. Bien plutôt, il le disait à l'occasion comme une chose à ce point évidente que seuls les imbéciles pouvaient l'ignorer. Ceux qui s'adressaient aux imbéciles jugeaient nécessaire de le répéter. Restait-il en lui un patriotisme russe, caché et rationalisé ? Je n'en doute pas, bien qu'il ait, sans aucun doute, servi la patrie française, librement choisie, avec un loyalisme sans faille. Il n'aimait pas les Américains parce que lui, le Sage, tenait les États-Unis pour le pays le plus radicalement non philosophique du monde. La philosophie, bien entendu, se confondait pour lui avec les Grecs (les présocratiques, Platon, Aristote) et les Allemands (Kant, Hegel) et, entre les deux, les cartésiens. Quand il défendit, contre la pression américaine, les articles du GATT[1] qui permirent la formation du Marché commun, il préserva l'autonomie de la France et de l'Europe. Il passait pour un négociateur redoutable dans les conférences internationales. Le ministre des Finances de Hong Kong, fonctionnaire britannique formé à Oxford ou Cambridge, helléniste d'origine, avec qui je discutai en 1971, n'avait pas encore pardonné à Kojève l'hostilité que ce sophiste ou dialecticien manifestait à l'égard d'une des dernières possessions britanniques. Il n'en comprenait toujours pas les raisons.

Dans un de nos déjeuners, en 1946 ou 1947, il esquissa une interprétation, compatible avec sa philosophie de l'Histoire, de son itinéraire personnel : le passage de son stalinisme proclamé au service de la France et de l'Europe. L'Histoire est finie en ce sens qu'il ne se passe rien d'important depuis Hegel ; le cercle du discours philosophique est bouclé. Mais il se passe encore des événements ; une phase d'empires régionaux (ou de marchés communs) précédera l'empire universel. A cette phase appartient l'organisation de l'Europe occidentale.

Pourquoi a-t-il décidé, après 1945, d'entrer dans l'Administration, de devenir un fonctionnaire au ministère de l'Économie et des Finances, dans les services responsables des relations internationales ? Il me dit un jour : « Je voulais savoir comment cela [l'histoire] se passe. » A dire vrai, je l'imagine mal professeur dans l'une ou l'autre des universités françaises. Il aurait dû, d'abord, soutenir une thèse d'État. La réaction du jury à un de ses livres, par exemple à son *Essai d'une histoire raisonnée de la philosophie païenne,* n'aurait pas manqué de piquant. Au fond de lui-même, il croyait probablement avoir dit tout ce qu'il avait à dire, et ce tout coïncidait avec la fin, la totalité de la philosophie telle qu'il l'entendait. Il voulut, tel Platon conseiller d'un tyran, exercer dans l'ombre une influence sur les acteurs visibles, Olivier Wormser ou Valéry Giscard d'Estaing. Le premier, dans un article de *Commentaire*[2], fit l'éloge de son ami Kojève ; pour le deuxième, un épisode me revient à l'esprit. Kojève me raconta que Giscard d'Estaing respectait les intellectuels et que, en particulier, il lui aurait dit, après avoir prononcé un discours inspiré par lui : « Alors, Kojève, vous êtes content ? » J'ajoute qu'il prenait très au sérieux son métier, parfois furieux quand telle ou telle de ses suggestions n'avait pas été retenue. Il se passionna d'autant plus pour ces controverses d'économie internationale que cette diplomatie du commerce comptait davantage pour lui, bon hégéliano-marxiste, que les affaires politiques ou militaires (au moins en notre époque).

Au printemps de 1982, dans une conversation avec Valéry Giscard

1. Cette institution internationale, créée au lendemain de la guerre, *General Agreement on Tariffs and Trade,* fixe les règles des échanges commerciaux, les conditions auxquelles un marché commun ou une zone de libre-échange peuvent être créés.

2. *Commentaire,* nº 9, printemps 1980.

d'Estaing, je prononçai le nom de Kojève et je dis mon admiration pour lui, le rang auquel je le plaçais. Le Président fut surpris mais il gardait un souvenir précis du négociateur dont il commenta en quelques mots les démarches sinueuses. Il prenait des voies détournées, me dit-il, mais il arrivait finalement à son but. Kojève n'avait pas abandonné la dialectique en passant des Hautes Études à la diplomatie.

Ai-je justifié le jugement que je porte sur la génialité de Kojève ? Ai-je persuadé le lecteur ? J'en doute. Son livre, *Introduction à la lecture de Hegel*, n'apporte pas de preuve. Les livres posthumes, inspirés par les mêmes thèmes, non plus. Au reste, ils n'ont été ni commentés ni même lus. Il me reste à recommander ces livres, expression partielle de l'homme, et à évoquer encore des impressions.

Si je risque une comparaison que d'aucuns jugeront sacrilège, il me parut, en un sens, plus intelligent que Sartre. Ce dernier m'en imposait par son invention, par la richesse de son imagination intellectuelle, mais ses passions et son moralisme, souvent inverti, limitaient son angle de vision.

La répression de la révolte hongroise révéla la nature de la domination soviétique mais, la politique internationale étant ce qu'elle est, pourquoi s'étonner ? Le régime du Goulag appelait la détestation ; le rétablissement de l'ordre en Hongrie répondait à l'exigence du maintien de l'*imperium* soviétique. Kojève commentait en quelques mots l'intervention soviétique en Hongrie, Sartre en quelques dizaines de pages comme si l'événement bouleversait sa vision du monde, alors que celui-ci faisait apparaître une réalité qu'il aurait pu et dû connaître depuis longtemps. Exemple mal choisi, me diront les admirateurs de Kojève. Vous le présentez réaliste à la limite du cynisme, indifférent à la souffrance et à l'indignation des simples mortels qui n'accèdent pas à la *Phénoménologie de l'esprit*. Kojève adoptait volontiers, il est vrai, une attitude de Russe blanc à l'égard du grand nombre, à moins que cette attitude lui fût dictée par la morale du Sage, conscient de sa supériorité, indulgent aux foules aveugles. Il ne disait jamais de sottise ; j'avais rarement l'impression de lui apprendre quelque chose bien que, à la différence de la plupart des intellectuels, il prît grand soin de reconnaître la priorité de l'interlocuteur qui avait exprimé le premier l'idée sur laquelle il s'était accordé avec lui. Parce qu'il pensait avoir assimilé la totalité philosophique et historique embrassée par le système de Hegel, il suivit les idées et les événements de notre temps avec le détachement du Sage et aussi avec l'attention du grand fonctionnaire. Quand il s'agissait de politique et d'économie — nos principaux sujets de conversation — il se montrait souverain. Il me demanda mon opinion en diverses circonstances, par exemple en mai 1958 et en mai 1968. Il s'agissait de politique française ; peut-être lui manquait-il l'intuition, la compréhension immédiate, réservée à ceux qui sont nés dans le pays (du moins en jugeait-il ainsi).

Il m'est difficile de préciser l'influence que Kojève a exercée effectivement sur la politique française. Il rédigeait de temps en temps des notes, à l'usage des ministres ou des directeurs. Il m'envoya un grand nombre d'entre elles, toujours suggestives, parfois paradoxales. Je me souviens d'une note où il expliquait que la théorie marxiste de la paupérisation avait été réfutée non par les économistes mais par Ford. En revanche, écrivait-il, ce sont les économistes qui cette fois vont convaincre les hommes d'affaires qu'ils doivent aider au développement du tiers monde dans leur propre intérêt.

Pendant ces vingt-trois ans, entre 1945 et 1968, le philosophe qui avait enseigné la lecture de Hegel à une génération d'intellectuels français demeura, camouflé en Père Joseph des ministres et des directeurs de ministère, un philosophe du dimanche, il écrivit de gros volumes qui ne sont pas encore tous publiés mais qui témoignent de sa constance. Dans un texte reproduit dans *Commentaire,* il exprime sa reconnaissance à ceux auxquels il doit quelque chose, Alexandre Koyré, Martin Heidegger, Jacob Klein, Eric Weil, mais il tance, avec dédain, ceux d'entre eux qui ont dévié de la voie royale, la seule, celle de la *Phénoménologie de l'Esprit.* Lui, Kojève, avait dit le dernier mot en repensant Hegel qui avait avant lui pensé la fin.

Je me demande encore quelle était chez lui la part du jeu, intellectuel ou existentiel. En rejetant une fois pour toutes la dialectique de la nature, Kojève conservait-il en vérité tout le système hégélien ? A la suite d'un voyage et d'une aventure amoureuse au Japon, il ajouta deux pages sur la cérémonie du thé dans une réédition de l'*Introduction à la lecture de Hegel.* Peut-être pensait-il, de deux choses l'une : ou bien la philosophie dont je suis le porte-parole plutôt que le créateur est vraie ; ou bien l'humanité vit une dérisoire comédie interrompue par des tragédies également dérisoires. Il y a bien longtemps Raymond Barre me rappela un mot de lui : « La vie humaine est une comédie, il faut la jouer sérieusement. » Je me souviens aussi d'un propos qui lui échappa un jour : « Les hommes ne vont tout de même pas continuer indéfiniment à s'entre-tuer. »

Eric Weil [1], que j'avais rencontré à Berlin en 1932, quitta l'Allemagne peu de temps après l'arrivée de Hitler au pouvoir. Il comprit immédiatement le sort qui attendait les Juifs. Notre amitié, d'homme à homme et de famille à famille, fut intime dans les années d'avant-guerre, non sans tempêtes imputables tantôt au choc des amours-propres hypertrophiés d'un côté et de l'autre, tantôt aussi à des différends politiques. Eric Weil, par instants, pour des motifs mêlés de philosophie et d'actualité, pencha vers le communisme. Par exemple, après le pacte germano-soviétique, je m'indignai que le génie philosophique, au lieu de le protéger de l'aberration, l'y précipitât. Au retour des années de guerre, qu'il passa dans un camp de prisonniers, il se déclara de nouveau, pour peu de temps d'ail-

1. En 1938 ou 1939, nous avons lu à quatre, Kojève, Weil, Polin et moi, des textes de Kant. Kojève et Weil prolongeaient parfois des controverses indéfinies ; l'un ou l'autre, qui avait manifestement tort, argumentait infatigablement.

leurs, communiste (Kojève, à ce moment, jugea cette opinion peu convenable pour un Français de fraîche date).

Son procommunisme ne dura pas. Il vécut à Lille parce qu'il n'aimait pas Paris et que sa femme travaillait à Bruxelles dans l'administration de la Communauté européenne. Il venait rarement à Paris ; il attendait les visites à Lille, puis à Nice. Séparés par la distance et par des chocs en retour de drames familiaux, nous cessâmes de nous voir. Lors de notre dernière conversation au téléphone, il me remercia d'avoir contribué à son élection de membre correspondant de l'Académie des Sciences morales et politiques.

Je préfère me souvenir de celui auquel j'avais dédié ma thèse principale. Il fréquenta, lui aussi, le cours de Kojève bien qu'il maîtrisât la *Phénoménologie* aussi bien ou presque que l'orateur. Il ne parlait pas avec le même charme que ce dernier ; les conversations avec lui ne se déroulaient pas toujours aisément. C'est lui qui, dans une large mesure, me ramena vers la spéculation philosophique ou, du moins, me rendit du goût pour elle. Sa connaissance des grands philosophes m'impressionnait à juste titre, elle ne me semblait pas inférieure à celle qu'en avaient Kojève ou Koyré. Les articles qu'il publia sur les sujets les plus différents dans *Critique* témoignent d'une culture stupéfiante. Il en savait chaque fois autant ou plus que les spécialistes. Ses principaux livres, *Logique de la Philosophie, Philosophie politique, Problèmes kantiens,* jouissent, dans des cercles étroits, d'une juste réputation ; il garde, ici ou là, des admirateurs passionnés. Une certaine notoriété alla à Kojève plutôt qu'à lui. Injustice du sort ? Lui aussi écrivit une introduction à la lecture de Hegel mais peut-être pour revenir à Kant.

A. Koyré, le patriarche du groupe, avait combattu dans la Première Guerre (il n'en parlait jamais). Historien admirable de la philosophie et de la science, il couvrait un terrain immense, de la mystique allemande à la pensée russe du XIXe siècle et aux études galiléennes, justement classiques dans tous les pays. Il parlait peu, lentement, doucement, mais il portait sur les événements et les personnes des jugements justes, définitifs. Il me mit en garde contre l'antimilitarisme d'Alain, il ne se laissa jamais tenter par le communisme alors même que la grande dépression semblait confirmer les prédictions de Marx. Parmi ces esprits exceptionnels, il brillait non par le talent, mais par la modestie, par la recherche scrupuleuse et patiente de la vérité, par la rigueur morale. Il prenait au sérieux l'Université ; il souhaita une chaire au Collège de France ; Martial Guéroult lui fut préféré. L'un et l'autre méritaient d'entrer dans cette illustre maison.

Marjolin appartenait aussi au groupe ; il est un des rares Français qui se soit élevé très haut dans la société sans avoir suivi des études secondaires ni passé son baccalauréat. Obligé de gagner sa vie encore jeune, commis dans une firme de bourse, il utilisa les épargnes qu'il avait pu faire pour reprendre des études. Le diplôme de l'École pratique des Hautes Études lui donna l'équivalence du baccalauréat. Remarqué par

C. Bouglé et Charles Rist, il bénéficia d'une bourse qui lui permit un séjour prolongé dans une université américaine. Secrétaire de l'Institut des recherches économiques, dirigé par Charles Rist, il franchit sans peine les étapes : licence, doctorat. Sa thèse, une discussion des travaux de Simiand sur les phases à long terme, tranchait avec la littérature économique française de l'époque. Il ne lui restait qu'à passer l'agrégation d'économie politique — ce qu'il fit au retour de la guerre.

A ce moment, déjà grand fonctionnaire, il fut perdu pour la science, gagné par les organisations internationales... Ses premiers travaux annonçaient un économiste de classe, il préféra l'action, et, à mon sens, il eut raison. Les universités ne manquent pas de professeurs d'économie politique. La tâche des économistes, à l'OCDE ou à la Commission européenne, ne me paraît pas moins noble ou moins utile que celle des enseignants ; elle est, de plus, moins frustrante.

En lisant le livre de Zeev Sternhell [1], je me suis demandé si je n'ai pas méconnu les prémices de la Révolution nationale qui surgit en 1940 à la faveur de la défaite. Ai-je mésestimé la force de l'antisémitisme, la menace du fascisme ? La France était-elle, comme l'écrit Z. Sternhell, « imprégnée de fascisme » ?

Je n'ai pas ignoré la presse d'extrême droite, *Je suis partout*, *Gringoire*, *Candide*. Je n'ai pas lu régulièrement ces hebdomadaires qui me retournaient les ongles : pour conserver son sang-froid et épargner ses nerfs, il faut s'imposer une discipline de lecture (ainsi disait Auguste Comte). Ces feuilles, non sans talent, nourries de haine, exprimaient une certaine bourgeoisie, y compris celle que symbolisait la formule célèbre « plutôt Hitler que Blum ». Avec cette droite, je n'avais rien en commun, quelles que fussent les péripéties des luttes intestines. Entre elle et moi, la communication demeure impossible, même si nous nous accordons sur un sujet précis.

Charles Maurras continuait, pendant les années 30, à donner tous les matins sa leçon et ses directives de politique à ses fidèles, hobereaux de provinces, officiers de marine, une fraction de l'intelligentsia parisienne. J'ai tenté plusieurs fois de m'intéresser au doctrinaire de la monarchie, je n'y suis jamais parvenu. Il a tenu, à coup sûr, une place importante dans l'histoire intellectuelle de la France au cours de la première moitié du XXe siècle. Son succès tient plus à la pauvreté de la pensée rivale qu'à la richesse de la sienne. Ses analyses des conjonctures furent plus d'une fois pénétrantes. A mes yeux, il ne servit ni l'idée monarchique ni sa patrie.

Favorable à Salazar et à Mussolini (non sans réserves), il ne manifesta

1. Zeev Sternhell, *Ni Droite ni Gauche, l'idéologie fasciste en France*, Le Seuil, janvier 1983.

jamais la moindre sympathie au national-socialisme qu'il détestait en tant que germanique et romantique, aux antipodes de l'ordre antique qui demeurait à ses yeux le modèle éternel de la sagesse et de la beauté.

Les conversions ou « déconversions » des hommes de lettres, tantôt au fascisme, tantôt au communisme, sollicitaient ma curiosité ou mon dédain plus que mon attention. Le ralliement d'André Gide à la cause communiste, puis la publication de *Retour d'URSS*, relevaient, à mes yeux, de la biographie d'un écrivain soucieux de son personnage plus que de l'histoire universelle.

Je connaissais Emmanuel Mounier, je lus *Esprit* de temps à autre sans en tirer beaucoup de profit. Je n'y publiai, d'après mes souvenirs, qu'un seul article intitulé « Lettre ouverte d'un jeune Français à l'Allemagne ». Daté de janvier 1933, écrit avant l'arrivée au pouvoir de Hitler, il dévoile mes sentiments à la fin de mon séjour en Allemagne. « Excuse-moi, je ne me reconnais aucun titre pour parler au nom des jeunes Français. Je ne suis ni de droite ni de gauche, ni communiste ni nationaliste, pas plus radical que socialiste. J'ignore si je trouverai mes compagnons... Peut-être par réaction au nationalisme allemand suis-je devenu nationaliste français... » Je développais la thèse que l'Allemagne allait être gouvernée par les partis de droite, que les dialogues sur les cultures contraires des deux peuples (l'ordre contre le dynamisme, la raison contre la ferveur) n'avaient plus de sens, que l'invocation aux idéaux, aux principes moraux, était devenue hypocrisie d'un côté et de l'autre. Il ne restait plus d'autre chance que des accords d'intérêt entre des grandes puissances.

Esprit m'irritait moins par ses valeurs que par sa manière. J'y trouvai une littérature à mes yeux typiquement idéologique : en ce sens qu'elle n'abordait pas les problèmes politiques dans un style tel que le lecteur y pût discerner les solutions ou les choix recommandés. Les idées directrices, les variations sur les thèmes communautaires me rappelaient une littérature allemande, parfois exploitée par les nationaux-socialistes. Quand le temps de l'épreuve vint, quand les événements exigèrent des décisions, le groupe *Esprit* fut déchiré en 1938 — ce qui se comprenait — et même en juillet 1940 — ce qui donne davantage à penser.

Je ne prenais pas très au sérieux les livres d'Arnaud Dandieu et de Robert Aron qui, eux aussi critiques impitoyables de la démocratie parlementaire et capitaliste, se défendaient d'une quelconque parenté avec les fascismes. Quant aux écrits de ceux qui se réclamaient explicitement des expériences italienne ou allemande, M. Bucard, G. Valois, J. Doriot, ils relevaient de la propagande et je les regardais comme on regarde les journaux des partis.

Sternhell a-t-il raison malgré tout de dire que la France était « imprégnée de fascisme » à la veille de la guerre ? Si je me reporte à la conjoncture électorale ou parlementaire, je ne renie pas mon diagnostic de l'époque. Les différentes ligues qui furent dissoutes par le gouvernement du Front populaire ne constituaient pas une menace sérieuse pour la République. Les émeutes de février 1934 furent provoquées par des accidents divers, non par un complot. Aussi bien la police, sous les ordres d'un gouvernement faible mais légal, n'hésita pas à tirer contre des manifestants de droite aussi bien que de gauche. Les ligues défiaient, elles ne mettaient pas en danger la République.

On m'objectera que les classes dirigeantes étaient peut-être « imprégnées » d'idées fascistes, même si la IIIe République ne se trouvait pas dans une conjoncture comparable à celle de la République de Weimar au début des années 30. Je prendrai à coup sûr un tel argument au sérieux. Cependant les partis de droite qui peuplaient les travées de l'Assemblée nationale n'étaient pas imprégnés de fascisme, tout au plus quelques-uns des députés de l'extrême droite ; de ce fait, il n'était pas nécessaire de mobiliser le parti communiste, les masses ouvrières et l'unité d'une gauche divisée pour sauver la République. Mais la démocratie parlementaire, liée au capitalisme, souffrait d'un discrédit qui gagnait des milieux de plus en plus étendus, et non pas fascistes pour autant.

Certes, on retrouve un peu partout des tentatives, plus ou moins heureuses, de combiner des thèmes empruntés au socialisme avec des thèmes empruntés au nationalisme. Ces combinaisons n'aboutissaient pas pour autant au national-socialisme de Hitler. Certains des socialistes de droite, qui se détachèrent de la SFIO et qui arrachèrent à Léon Blum le mot « Je suis terrifié », devinrent des collaborateurs plus ou moins résolus (Marcel Déat, Adrien Marquet). Les socialistes, dans les années 30, constataient le néant de l'Internationale socialiste ; à moins d'être aveugles, ils devaient se résoudre ou se résigner à l'action dans le cadre national. Les groupes qui s'appelèrent « planistes », inspirés par Henri de Man, ne se jugeaient, ni ne se voulaient fascistes ou nationaux-socialistes ; ils cherchaient une issue à la crise mondiale et à l'impuissance des parlements.

A n'en pas douter, à la fin des années 30, les idées venues de l'autre côté du Rhin se répandaient en France ; l'antisémitisme, aussi virulent en France qu'en Allemagne au siècle précédent, tirait de l'exemple hitlérien un renfort moral et une sorte de légitimité. Enfin et surtout, la querelle sur la diplomatie à mener face au IIIe Reich divisait profondément la nation ; les partisans de la résistance étaient qualifiés par leurs adversaires de bellicistes, les autres, favorables à un accord avec Hitler, soupçonnés de sympathies fascistes. Or il y avait une part de vérité dans ces accusations réciproques : les sympathisants des régimes de parti unique se refusaient à une guerre qui se serait réclamée de la « défense de la démocratie ». Les adversaires les plus résolus des régimes de Mussolini et de Hitler risquaient de négliger la donnée capitale, en temps de guerre : le rapport des forces. Nombre d'hommes de droite mesuraient exactement l'infériorité militaire de la France ; nombre d'hommes de gauche se faisaient une idée juste des ambitions de Hitler.

Le discrédit dans lequel était tombée la IIIe République n'explique pas seulement la Révolution nationale, il explique aussi l'acceptation passive par le peuple, frappé de stupeur, et par la classe dirigeante, les corps constitués, des mesures prises par Vichy de sa propre initiative pour liquider la République et pour imiter en certains points la législation hitlérienne. Je ne fus pas surpris par les réformes vichystes : en juin 1940, à Toulouse, à la veille de quitter la France, je disais à ma femme : « Ils — ceux qui avaient voulu l'armistice après avoir refusé la guerre — vont faire plus en douceur ce qu'exigerait l'occupation allemande. » Je péchais par optimisme : je ne croyais pas qu'ils iraient au-devant des désirs des nazis.

La défaite plus que les controverses idéologiques des années 30 rendit possible le vichysme et la Révolution nationale. Mais les vieux ennemis de la République, l'Action française, ont fourni une fraction du personnel et des idées du régime initial de Vichy. D'autres hommes, d'autres écoles de pensée se joignirent aux fondateurs. On ne saurait dire que Pierre Laval ait été à l'avance un fasciste ou qu'il ait été influencé par les débats de l'intelligentsia française. Celle-ci avait popularisé une philosophie autoritaire, empruntée tout à la fois à des traditions françaises et à des expériences étrangères.

Je n'appartenais pleinement à aucun des groupes que je fréquentais et qui ne communiquaient guère entre eux. Malraux était déjà glorieux alors que Sartre, avant la publication de *la Nausée*, cherchait encore un éditeur pour ses manuscrits. Les universitaires et les écrivains se rencontraient rarement en dehors des réunions de l'*Union pour la vérité* et des décades de Pontigny. Je tirai profit et des uns et des autres. Il m'arrive de regretter l'absence aujourd'hui d'un cercle comparable à celui qu'avait créé Paul Desjardins.

Seul d'entre nous, responsable de la politique étrangère à *Ce Soir*, Paul-Yves Nizan participait à la bataille idéologique qui fit rage sur la Rive Gauche à partir de 1933 et surtout de 1934. Les hommes qui devaient dominer le Paris philosophique d'après-guerre travaillaient à leurs livres, les premiers de ceux-ci parurent à la fin des années 30. Les gros volumes des *Recherches philosophiques* rompaient avec le climat des années 20, avec l'enseignement que notre génération avait reçu. Peut-être la philosophie d'après-guerre approche-t-elle aujourd'hui de sa fin ; elle mûrissait pendant les années 30, en marge des querelles du temps, menées par des hommes de lettres.

V

DÉSESPÉRÉ OU SATANIQUE...

Les deux adjectifs que j'ai mis en titre de ce chapitre viennent de Paul Fauconnet qui me les jeta à la figure durant ma soutenance de thèse, à la Salle Liard, le 26 mars 1938. Quelques jours auparavant, au cours de la visite que je lui fis conformément à la coutume, il me demanda avec indiscrétion et bienveillance si des affaires domestiques influaient sur le ton de mes écrits. Tenté de rire, j'évoquai les menaces qui pesaient sur notre pays, la guerre prochaine, la décadence de la France. Je l'avais rassuré sur ma famille, il me rassura sur la France. Oui, bien sûr, la France avait dépassé son acmé, le point suprême de sa grandeur. Cet abaissement, tout relatif, conforme au destin des nations, ne justifiait ni même n'expliquait mon pessimisme agressif. Ce sociologue, disciple inconditionnel d'Émile Durkheim, regardait de loin, presque indifférent à force de sérénité scientifique, la montée d'une catastrophe dont je ne mesurais pas les dimensions — moi à qui les mandarins de l'époque reprochaient une humeur toujours sombre.

Lors de la soutenance de thèse, à la fin de mon intervention, Paul Fauconnet, selon le résumé publié par la *Revue de Métaphysique et de Morale*, s'exprima dans ces termes, salués par des mouvements divers du public : « Je termine par un acte de charité, de foi et d'espérance ; charité en vous redisant mon admiration et ma sympathie ; foi dans les idées que vous condamnez ; espérance que les étudiants ne vous suivront pas. »

Pur produit de la Sorbonne et du rationalisme positif ou néo-kantien, j'apparaissais à Fauconnet, et pas à lui seul, comme un négateur, moins un révolutionnaire qu'un nihiliste. Quelques années plus tard, *l'Être et le Néant* ne se heurta pas à la même surprise indignée des maîtres endormis.

Au reste, la réaction de Fauconnet, caricaturale dans son expression, ne différait pas fondamentalement de celle des autres membres du jury et, plus généralement, de celles des maîtres des années 30. Mes trois livres, *la Sociologie allemande contemporaine, Essai sur une théorie allemande de l'Histoire; la Philosophie critique de l'Histoire, Introduction à la philosophie de l'Histoire,* ont paru le premier en 1935, les deux autres en 1938 alors que plusieurs philosophes allemands, chassés du IIIe Reich ou le fuyant, vivaient à Paris. Les *Recherches philosophiques* publiaient les articles de ces exilés. Cette invasion pacifique suscita des réactions de rejet. Je profitai et souffris tout à la fois de la conjoncture. Mes livres introduisaient une ou des problématiques, venues de l'autre rive du Rhin. Fauconnet se sentit contesté par ma critique de l'objectivité historique ; tous s'étonnèrent de ne pas retrouver en moi un de leurs étudiants, qu'ils accueillaient à l'avance comme un membre de la famille. Faut-il ajouter que C. Bouglé par amitié, tous les autres, par fidélité à leur morale, ne songèrent pas un instant à me fermer l'accès de l'*Alma mater* ?

Pourquoi mes livres respiraient-ils désespérance ou « satanisme » ?

Entre le diplôme d'études supérieures sur Kant (1926-1927) et mon année havraise, j'avais beaucoup lu, un peu dans toutes les directions. En dehors des articles de *Libres Propos* et d'*Europe*, je n'avais rien écrit. Entre octobre 1933 et avril 1937, je parvins à écrire les trois livres que j'ai mentionnés plus haut.

Je n'emploie pas le mot *parvins* pour suggérer mes mérites, l'accomplissement d'un exploit, mais pour rappeler ma peur de la page blanche, ma difficulté d'écrire. Il me fallut des années pour marier écriture et lecture, pour préparer l'écriture en lisant, pour relire alors même que j'avais commencé d'écrire. La plupart du temps, je rédigeais le chapitre consacré à un auteur sans me reporter aux textes, en reconstruisant sa pensée à partir des idées que j'avais tirées de ses livres. J'ajoutais les références ensuite.

Que valait, que vaut *la Sociologie allemande contemporaine?* Je puis dire, sans vanité, que ce petit livre était utile même s'il ne l'est plus guère aujourd'hui. Certains des sociologues qui y figurent n'intéressent plus, et d'autres, en particulier Max Weber, qui occupait plus d'un tiers du livre, n'ont plus besoin d'une introduction. Plusieurs générations d'étudiants en ont tiré une connaissance, peut-être superficielle mais dans l'ensemble exacte, de quelques tendances de la sociologie allemande au moment où le national-socialisme en interrompit le développement. R. Merton, en un séminaire du Congrès international de sociologie, raconta que ce petit livre, venant d'un inconnu, l'avait frappé. Il a été depuis lors traduit en espagnol, en japonais, en anglais, en allemand — ces deux dernières traductions après la guerre. Récemment il fut traduit en italien pour des raisons que j'ignore [1] et réédité aux États-Unis et au Japon.

En 1935, la plupart des sociologues allemands dont je traitais étaient ou inconnus ou mal connus. *L'Année sociologique* avait rendu compte de certains travaux de Max Weber, en particulier de l'essai sur le puritanisme et l'esprit du capitalisme. Max Weber, de son côté, n'avait jamais cité Durkheim mais, selon un propos de Marcel Mauss, possédait toute la collection de *l'Année sociologique* dans sa bibliothèque personnelle. Il n'existait pas, en 1935, une étude d'ensemble sur la personnalité du politique et du sociologue. Les problématiques post-marxistes, par exemple celle de Karl Mannheim, affleuraient à peine à la conscience de quelques sociologues français. Mon livre succéda au *Bilan de la sociologie française* de Célestin Bouglé et bénéficia de conditions plus favorables que celui-ci. Il ouvrait, en quelque sorte, un champ inexploré. Grâce à lui, je rencontrai A. Brodersen et E. Shils avec lesquels je suis resté lié jusqu'à aujourd'hui. Ce qui me toucha le plus, vingt-cinq ans plus tard, c'est l'aveu d'un sociologue d'origine polonaise, Stalislav Andreski : ma brochure éveilla en lui sa vocation.

J'avais écrit ce petit livre sur la demande de C. Bouglé qui me promettait, pour l'année suivante, un poste au Centre de documentation sociale de l'ENS. Travail non alimentaire (les droits d'auteur devaient être modestes) mais apparemment scolaire ; il me détourna de ma thèse secondaire à laquelle je travaillais en même temps. Ai-je été, après coup, satisfait d'avoir été contraint d'exécuter ce pensum ? Je le pense. Aujourd'hui encore, je me félicite d'avoir terminé mon pèlerinage allemand par ce livre.

Je prolongeais une courte tradition : E. Durkheim, C. Bouglé avaient l'un et l'autre visité les universités allemandes, ils en avaient rapporté des articles, réunis en livres. Je n'avais pas visité les universités, j'avais à peine observé le cercle de L. von Wiese à Cologne, aperçu W. Sombart à Berlin. A la différence de mes prédécesseurs, je me concentrai sur la sociologie au sens étroit du terme. Je présentai non des rapports de lectures ou des impressions vécues mais une esquisse systématique à l'aide de l'antithèse de *sociologie systématique* et de *sociologie historique.* Cette antithèse a-t-elle une autre valeur que pragmatique, de commodité pour ainsi dire ? Fr. Oppenheimer, A. Weber et K. Mannheim appartenaient sans aucun doute à une même lignée ; les deux premiers suggèrent une vision globale de l'histoire, le troisième réfléchit sur les implications de l'enracinement social du sociologue, tous trois à l'ombre de Karl Marx. Chacun d'eux avait choisi son thème propre. Fr. Oppenheimer : l'origine de la hiérarchie sociale, de l'exploitation de l'homme par l'homme, imputable à la victoire des pasteurs sur les agriculteurs ; Alfred Weber : la dualité de la civilisation et de la culture, du technique et du spirituel ;

1. *Les Étapes de la pensée sociologique* ont été publiées en Italie. Ce gros volume réduit l'intérêt de *la Sociologie allemande.*

Karl Mannheim : la conception d'une science nouvelle, la *Wissenssoziologie*, prolongement de l'idée marxiste que chaque classe voit la réalité sociale à partir d'un point de vue, d'une position qui lui est propre.

De ces trois auteurs, c'était en 1932 Karl Mannheim qui, de beaucoup, jouissait de la plus grande notoriété. J'écrivis sur lui, à Berlin, un article que je lui envoyai ; j'allai le voir à Francfort où je fis la connaissance de N. Elias dont les livres [1] sur le procès de civilisation ont été récemment publiés en France et acclamés. K. Mannheim avait égaré mon article qui ne méritait probablement pas un meilleur sort. Quand j'écrivis *la Sociologie allemande contemporaine*, je m'étais libéré du charme qu'avait jeté sur moi *Ideologie und Utopie* et le chapitre que je lui consacrai manquait d'indulgence. Je le revis à Paris, en 1935, et avec beaucoup d'élégance et un peu d'ironie, il me félicita de mon livre qu'il « appréciait grandement » — « à l'exception du chapitre qui me concerne directement », ajouta-t-il avec un sourire. Un homme jeune écrit son premier livre et taille en pièces le mandarin, presque célèbre en Europe et en Amérique, et celui-ci, loin de s'indigner, complimente l'audacieux : Mannheim était, comme disent les Anglais, *a decent man*. Je le revis plusieurs fois à Londres pendant la guerre.

Le premier chapitre regroupe quatre personnalités ou quatre écoles, effectivement typiques : l'une, de Simmel et de L. von Wiese, se fonde sur l'opposition forme-contenu ; une autre, celle de F. Tönnies, accentue les types majeurs de « socialité », en particulier l'alternative fameuse société-communauté ; une troisième (A. Vierkandt) use de la phénoménologie pour saisir le sens des rapports et des groupes sociaux ; une dernière enfin, celle d'Othmar Spann, se développe à partir d'une décision, philosophique et scientifique à la fois, en faveur de l'universalisme et contre l'individualisme. La totalité préexiste aux parties, *a fortiori* aux individus qui n'accèdent à l'humanité que par la participation à la totalité.

Ces quatre auteurs ou écoles ne s'en tiennent pas à la microsociologie, selon l'expression courante, mais, ensemble, ils illustrent deux thèmes toujours significatifs : d'une part, les types fondamentaux de « socialité » (*Gesellschaft und Gemeinschaft*) ; d'autre part, la méthode ou le mode philosophique d'approche de la réalité sociale. Aujourd'hui encore, je ne pense pas que j'aurais pu faire beaucoup mieux, dire davantage en un nombre de pages strictement limité. En revanche, le regroupement des quatre écoles sous le titre de *sociologie systématique* me paraît aujourd'hui plus astucieux que convaincant. Trois d'entre elles s'organisent logiquement : sociologies formelle, phénoménologique ou universaliste, elles représentent trois inspirations philosophiques, trois styles d'appréhension du nœud social. Mais l'antithèse société-communauté de Tönnies ne révèle pas une approche spécifique et les trois autres auteurs la retrouvent à leur manière. Le qualificatif *systéma-*

1. *La Civilisation des mœurs* et *la Dynamique de l'Occident*, Calmann-Lévy.

tique désigne une mise en forme rigoureuse et, si possible, exhaustive des diverses variétés de « socialité » ou des divers secteurs de la totalité sociale. Or, effectivement, ces quatre auteurs ont élaboré cette classification mais celle-ci sert en quelque manière de répertoire, d'appareil conceptuel pour comprendre les phénomènes observés. Je ne suis pas sûr que l'opposition systématique-historique, commode il y a un demi-siècle, conserve une valeur aujourd'hui. Microsociologie et macrosociologie, analyse synchronique et analyse diachronique recouvrent ou refoulent cette opposition.

Les remarques sur la spécificité de la sociologie allemande, sur les différences entre la sociologie française et la sociologie allemande me paraissent aujourd'hui encore intéressantes, mais elles ne sont plus exactes. Il était légitime, au début des années 30, d'opposer l'inspiration « spiritualiste » de la sociologie allemande (du moins la plus typique) à l'inspiration positive ou scientiste de la sociologie française, même si les pratiques des deux sociologies différaient moins que leurs programmes. Il était vrai que les Allemands usaient de l'antithèse civilisation-culture autrement que les Français. Enfin, l' « autosociologie » du sociologue, issue de la réflexion marxiste, inquiétait les sociologues allemands plus que leurs collègues français.

Il ne reste plus grand-chose de ce contraste. La France d'avant-guerre n'avait pas connu d'auteurs paramarxistes, tels G. Lukacs ou K. Mannheim. Elle a rattrapé son retard. Bien qu'il n'existe pas une école comparable à l'École de Francfort, L. Althusser et N. Poulantzas ont réinterprété le marxisme et aussi le présent à la lumière de leur marxisme. Enfin, la sociologie d'après 1945 est devenue de plus en plus transnationale, même si les pratiques sociologiques conservent peut-être quelques traits nationaux. La communauté des méthodes, des thèmes de recherche, des modes d'interprétation me semble un fait accompli. Non que les sociologues s'inspirent de la même philosophie ou présentent la réalité sous le même jour. Mais la plupart des écoles se manifestent à l'intérieur de chaque pays. Les adversaires de la théorie critique de Francfort sont aussi nombreux (peut-être plus nombreux) en Allemagne que dans les autres pays. Même la dénonciation de la société rationaliste que j'observai dans l'Allemagne préhitlérienne a été reprise par la gauche et l'extrême gauche, en France et ailleurs.

Pour l'édition du livre en allemand, en 1953, j'écrivis une courte note, *Bemerkungen zur jetztigen Lage der soziologischen Problematik* (Remarques sur la situation actuelle de la problématique sociologique) et j'annonçai le réveil de la sociologie allemande, inséparable désormais de la sociologie transnationale mais capable d'apporter à la discipline une contribution propre, enrichie par sa tradition.

Ce petit livre devait-il irriter un fidèle de Durkheim ? J'ai peine à le croire. Le sociologue allemand qui aurait probablement indigné Durkheim, à savoir Karl Mannheim, je le présentai pour le réfuter. Fauconnet croyait à la sociologie qu'Émile Durkheim voulut édifier : science en devenir, encore neuve, il en avouait volontiers l'imperfection, les défauts de jeunesse, mais, pour employer une expression aujourd'hui à la mode, il ne songeait pas à objectiver lui-même la démarche par laquelle l'individu social appelé Durkheim devint sociologue. L'analyse sociologique du sociologue, implicite dans le marxisme, était pour ainsi dire absente de la sociologie durkheimienne. De même, Durkheim avait en apparence éliminé le caractère humain de l'objet par la règle de méthode : « traiter les faits sociaux comme des choses ». En fait, la règle tendait surtout à mettre entre parenthèses les préjugés, à distinguer l'interprétation spontanée des institutions par l'homme social de l'explication que les sociologues sont amenés à en donner. Les sociologies, je le répète, différaient en leur substance moins que les philosophies dont les sociologues eux-mêmes se réclamaient. Un sociologue aujourd'hui utilise sans trop de peine à la fois Marx et Durkheim. Malgré ces réserves, je ne puis pas ne pas me remémorer le choc ressenti par un durkheimien de stricte observance et d'horizon limité. Il y avait loin de la sociologie qui progresserait, comme toute science (telle que les positivistes la pensaient à l'époque), pierre par pierre, accumulant les faits et les relations, corrigeant les erreurs mais intégrant le savoir acquis dans un ensemble plus vaste, à la sociologie telle que Max Weber la pensait, se renouvelant par les questions qu'elle posait à une matière inépuisable, à un monde humain en devenir, qui crée sans cesse des œuvres inédites et suscite par là même des interrogations inédites de l'historien ou du sociologue. En dernière analyse, ce que j'ébranlai d'un seul coup, c'était la philosophie vulgaire du progrès de la science.

La notion de critique de la Raison historique vient de Wilhelm Dilthey et aboutit, me semble-t-il, à la *Critique de la Raison dialectique* de Sartre. J'en réserve provisoirement l'analyse plus précise et j'en retiens pour l'instant un des sens : élaborer, pour les « sciences de l'esprit » ou « sciences humaines », une théorie comparable à ce que fut la *Critique de la Raison pure* pour les sciences physiques. Cette théorie aurait, comme la critique kantienne, une double fonction : confirmer la vérité de la science et en limiter la portée. Le retour à Kant, pour les philosophes critiques de l'histoire, signifiait non pas tant une autre analyse transcendantale qu'un refus du système hégélien. Aucun d'entre eux ne se définissait par le refus du marxisme, sauf, à la rigueur, Max Weber qui, en certaines circonstances, s'opposait explicitement à lui tout en l'admirant. W. Dilthey interprétait historiquement les philosophies qu'il ne distinguait pas des *Weltanschauungen*[1]. Il cherchait donc dans la « critique » non un substitut au système mais le fondement d'un savoir objectif en dépit de l'enracinement de l'historien (ou du sociologue), dans une société particulière, une entre d'autres.

Le regroupement de ces quatre auteurs, Wilhelm Dilthey, Georg Sim-

1. On traduit couramment ce mot : *conception* ou *vision du monde* ; je garde le mot allemand, plus courant, plus suggestif que l'équivalent français.

mel, Heinrich Rickert et Max Weber, était-il artificiel, arbitraire, ou justifié par la similitude de leurs problématiques, la parenté de leurs interrogations ? Wilhelm Dilthey, né deux ans après la mort de Hegel, appartenait à une autre génération que les trois autres, nés aux alentours de 1860 (respectivement en 1858, 1863, 1865) ; aucun des quatre ne consacra sa vie ou son œuvre entière à la question que je lui posai. Wilhelm Dilthey fut un historien avant de « critiquer » son propre métier. Le livre de *Geschichtsphilosophie*[1] de G. Simmel tient une place modeste dans son œuvre. Le grand livre de H. Rickert, *Die Grenzen der naturwissenschaftlichen Begriffsbildung*[2], bien qu'il soit probablement le plus connu de ses livres, s'insère dans une œuvre néo-kantienne, englobante, dont l'antithèse des deux types de sciences ne constitue qu'une partie. Enfin, Max Weber, bien qu'il fût toujours soucieux de la modalité de son savoir autant que de son savoir lui-même, doit sa gloire à son œuvre de sociologue.

Il me paraît, aujourd'hui encore, que le rapprochement de ces auteurs se justifie, à condition de préciser l'objectif limité du travail. Il s'agissait non d'exposer l'ensemble de la pensée de Dilthey ou de Weber mais d'expliciter et de comparer les réponses qu'ils avaient données à une même interrogation. L'interrogation était-elle exactement la même? Probablement non, parce qu'elle était exprimée par chacun dans le langage et le cadre d'une certaine philosophie. Mais, en relisant après tant d'années ce livre difficile, je comprends à la fois les mérites que je lui attribuai, à tort ou à raison, et les mouvements divers qu'il suscita.

Je pensai d'abord que la *Philosophie critique de l'Histoire* me servirait de thèse principale. Léon Brunschvicg lut le manuscrit (avant les corrections que j'y apportai ensuite) et le jugea sévèrement. A juste titre il m'annonça que je « manquerais mon affaire » si je misais sur une interprétation, souvent obscure, de philosophes au bout du compte secondaires. Quelques mois plus tard, après avoir lu *la Sociologie allemande contemporaine*, il m'écrivit une lettre amicale dans laquelle il se rétractait partiellement et s'accusait d'une sévérité excessive à l'égard du manuscrit que je lui avais soumis. (Au rebours, M. Halbwachs fut plus sévère à l'égard de la *Sociologie allemande contemporaine*.) Pendant les vacances de 1935, je révisai l'ensemble de la *Philosophie critique de l'Histoire*, et je pris la décision d'écrire un livre qui servirait de thèse principale, ma version personnelle de la critique de la Raison historique.

Léon Brunschvicg m'avait rendu un service dont j'aurais dû lui savoir gré. Ma réaction, sur le moment, fut vive. De manière quelque peu ridicule, je fis lire le manuscrit à André Malraux, qui ne pouvait pas être un bon juge pour un ouvrage académique, à Jean Duval aussi qui releva quelques expressions qui lui plurent (l'intelligence, œil du désir). Une fois ou deux, à *l'Union pour la Vérité*, je m'étais opposé à Léon Brunsch-

1. *Philosophie de l'Histoire.*
2. *Les Limites de la conceptualisation des sciences de la nature.*

vicg, je lui reprochais de se désintéresser de la condition humaine, de ne connaître d'autre morale que celle du savant. Je m'étais libéré définitivement d'une certaine forme de néo-kantisme. Sociologues et historiens appartiennent à une société, à un moment de son devenir : ils gardent la marque de leur historicité lors même qu'ils se veulent — et ils doivent se vouloir — savants.

La *Philosophie critique de l'Histoire* devait être suivie par un deuxième tome qui aurait eu pour objet l'historisme ou l'historicisme, les deux concepts étant encore moins différenciés à l'époque qu'aujourd'hui. Le livre de Sir Karl Popper, *The poverty of Historicism*, a répandu dans le monde anglo-américain l'idée que le marxisme offre l'exemple achevé de l'historicisme, la prétention à prévoir ou plutôt à prophétiser l'avenir de l'histoire humaine dans son ensemble. Écrit pendant la guerre, ce livre, aussi bien que *The open society and its enemies*, visait les philosophies de l'Histoire qui servent de fondement et de justification à des politiques révolutionnaires. A la page 3 de ce dernier livre, Sir Karl Popper résumait dans les termes suivants son objectif prioritaire : « This book tries to show that this prophetic wisdom is harmful, that the metaphysics of history impede the application of the piecemeal methods of science to the problems of social reforms. And it further tries to show how we may become the makers of our fate when we have ceased to pose as its prophets [1]. » L'historisme est défini, dans *The poverty of historicism*, comme la thèse de la relativité des croyances, de la diversité des idées, des manières de vivre ou de penser en fonction des sociétés et des époques. La définition Popper de l'historicisme n'a été acceptée ni en Italie, ni en Allemagne, ni en France. Le livre de P. Rossi sur l'historicisme allemand, qui cite mon livre avec éloge, traite à la fois des quatre auteurs que j'analyse dans la *Philosophie critique de l'Histoire* et de ceux aussi que j'avais l'intention d'étudier dans le tome II.

Auraient figuré dans le deuxième tome : Ernst Troeltsch, Max Scheler, Karl Mannheim et peut-être Oswald Spengler. Ces quatre auteurs, très différents l'un de l'autre, ne répondaient pas à une même question, comme les philosophes critiques, mais ils se trouvaient ou se sentaient dans une situation historique semblable, ils en exprimaient, en un langage différent, la même crise, ils cherchaient dans des directions tout autres une issue. Troeltsch entendait par *Historismus* l'historicité des valeurs, d'où résultent, éventuellement, la rupture de l'unité spirituelle de l'humanité et l'anarchie des esprits. Le désarroi des intellectuels allemands d'après-guerre plus que l'inquiétude critique inspirait la recherche de Troeltsch. Karl Mannheim, avec sa *Wissenssoziologie*, mar-

1. « Ce livre s'efforce de montrer que la sagesse prophétique est nuisible, que la métaphysique de l'Histoire fait obstacle à l'application de la méthode scientifique, élément par élément *(piecemeal)*, aux problèmes des réformes sociales. Et il s'efforce aussi de montrer comment nous pouvons devenir les artisans de notre destin quand nous cessons de nous poser comme ses prophètes. »

quait l'aboutissement d'un mode de penser que désigne un des sens du terme historisme, à savoir la détermination, des hommes et de leurs idées, par le contexte social.

Max Scheler m'intéressait par une esquisse d'une théorie générale des rapports entre la pensée et la société *(Die Wissensformen und die Gesellschaft).* Deux de ses thèses, qui appellent l'examen et pour le moins des réserves, méritent d'être mentionnées. L'une concerne les trois types de société, dont la succession ordonnerait l'histoire humaine ; le premier dominé par les relations de sang, la parenté, le deuxième (les sociétés dites historiques) par le pouvoir politique, enfin le troisième (les sociétés modernes) par les rapports économiques. D'autre part, selon Scheler, les facteurs matériels ne déterminent pas, ils canalisent les idées. L'organisation économico-sociale ouvre ou ferme les canaux par lesquels passent les idées adaptées aux besoins ou aux rêves des hommes.

Oswald Spengler aurait représenté une étape ultime dans l'interprétation des œuvres, non, à la manière de Mannheim, par la classe mais, à la manière de Dilthey, par la culture ou l'ensemble de la société. L'opposition entre les mathématiques de l'Antiquité et celles des temps modernes offre un exemple privilégié de la subordination de la science elle-même à l'esprit d'une culture.

Dans le premier tome, le seul écrit, j'adoptai une méthode qui me fut reprochée à la soutenance de thèse. Méthode moins historique que philosophique. Je m'efforçai de tirer des écrits de ces quatre auteurs la réponse à quelques questions qu'ils s'étaient posées et qui me paraissaient essentielles. Le choix de ces questions allait-il de soi ? Était-il imposé par les auteurs eux-mêmes, par leur problématique ? J'étais tenté de répondre oui et je le ferais peut-être encore aujourd'hui ; mais ces questions ou les réponses ne constituaient pas l'essentiel de ce que certains d'entre eux au moins avaient produit. Je songe à Dilthey et à Simmel.

Dilthey, à coup sûr, avait toute sa vie songé à une critique de la Raison historique ; il avait conçu cette critique de deux manières tout autres. D'abord il songea à une psychologie originale, opposée à la psychologie positiviste, voire matérialiste, dominante à l'époque, à une psychologie qui servirait d'instrument privilégié aux historiens, aux philologues, aux biographes. Cette tentative se solda par un échec. Dilthey et Simmel aussi, après avoir hésité, découvrirent que la compréhension des œuvres, des événements, des personnages ne peut et ne doit pas être « psychologisée ».

La deuxième tentative de Dilthey, que Bernard Groethuysen (si j'en crois ses propos) influença, s'exprime dans des fragments, rassemblés dans le tome VII des Œuvres complètes.

A quoi aboutissait Dilthey en quête d'une critique de la Raison historique ? Il reprenait l'idée kantienne : l'esprit humain forme, structure son univers. Mais, transposée à l'univers historique, cette idée ne gardait pas la même portée. Les formes de la sensibilité et les catégories de l'entendement rendent possibles la connaissance scientifique, l'explication causale. Dilthey suggère une tout autre vision de l'univers parce que son attention se fixe non sur la nature mais sur le monde humain. A travers le temps, les hommes édifient des œuvres sociales, spirituelles. Ces œuvres — une société, une vie, une époque — constituent des ensembles. La compréhension déchiffre ces ensembles par un va-et-vient de l'élément au tout, l'élément ne prend son sens que dans le tout et le tout ne se découvre qu'à l'analyse de ses éléments. Mais, dès lors que l'on admet *die Kontinuität der schaffenden Kraft als die kernhafte historische Tatsache* (la continuité de la force créatrice en tant que le fait historique fondamental), comment surmonter la particularité de notre condition historique ?

H. Rickert, que l'on ne lit guère (bien que son petit livre *Nature et Histoire* ait été traduit, il y a une vingtaine d'années, en anglais et préfacé avec éloge par Fr. Hayek [1]), a voulu non pas créer une autre critique mais, selon une analyse d'inspiration kantienne, élaborer de manière rigoureuse une théorie des deux types de sciences ; l'un s'accomplirait dans un système de lois, l'autre dans l'histoire universelle. Toute science résultant de la construction ou de la sélection d'un objet tiré d'une matière informe, il existe deux principes de sélection ou de construction, l'un la généralité, l'autre la valeur. D'où, au niveau le plus élevé de l'abstraction, la dualité des finalités scientifiques [2].

Léon Brunschvicg ne connaissait pratiquement rien de Dilthey et de l'École de l'Allemagne du Sud-Ouest. L'histoire — et la Science — étaient pour lui le laboratoire de la philosophie, mais il ne s'est guère interrogé sur les modalités de la reconstruction historique. Mon livre ne présentait pas les avantages d'une introduction à une école étrangère ; il combinait l'analyse et la discussion — discussion organisée par mes questions. Dans les deux chapitres sur Dilthey et sur Simmel, j'entrais dans le détail des diverses périodes des auteurs, de leurs incertitudes et de leur autocritique. Qui ne s'intéressait ni à ces penseurs ni à leurs problèmes ne pouvait découvrir les mérites — limités mais peut-être réels — de ce travail.

Le livre de P. Rossi [3] ne profite pas seulement du temps écoulé, il se donne plus que moi un objectif authentiquement historique. Un des

1. *Science and History, A critique of positivist epistemology*, D. Van Nostrand Company, Princeton, 1962.

2. Les thèmes de Rickert, ou plutôt certains d'entre eux, n'ont été diffusés et popularisés que par l'usage qu'en a fait Max Weber. Celui-ci s'est-il présenté comme un disciple de Rickert, désireux de mettre à l'épreuve les idées du philosophe, ou prenait-il les *Grenzen (Die Grenzen der naturwissenchaftlichen Begriffsbildung)* pour point de départ ? Je n'en trancherai pas ici. Je pense que M. Weber, qui ne se considérait pas lui-même comme un professionnel de la philosophie, se réclamait volontiers d'un philosophe qui, lui aussi, appartenait à la descendance de Kant. Qu'il ait profondément transformé les idées rickertiennes, à n'en pas douter. Qu'il eût professé les mêmes théories en l'absence de H. Rickert, c'est possible et difficilement démontrable.

3. *Lo Storicismo tedesco contemporaneo*, 1956 et 1971. (W. Dilthey, W. Windelband-H. Rickert, G. Simmel, M. Weber, O. Spengler, E. Troeltsch-S. Meunecke.)

membres de mon jury m'avait reproché de ne pas respecter les canons de la méthode historique. Il en prit pour preuve que, dans la bibliographie, je citais les *Gesammelte Aufsätze* de Weber et non les différents articles aux lieux et dates où ils avaient été publiés pour la première fois. Il avait raison mais il aurait pu trouver d'autres arguments et meilleurs. Je n'avais pas, dans le style de P. Rossi, tenté une histoire d'un mouvement d'idées, j'avais analysé le thème philosophique de ces quatre auteurs et mis en lumière les apories dans lesquelles ils se débattaient. Par instants, une sorte d'arrogance m'incitait à croire que je reconstruisais leur pensée mieux qu'ils ne l'avaient exprimée eux-mêmes. Malgré tout, je ne méconnus pas le centre de leur méditation : la relativité des valeurs et l'objectivité de la connaissance historique.

L'accueil réservé par Léon Brunschvicg à la *Philosophie critique de l'Histoire,* le pressentiment de la guerre prochaine m'incitèrent à entreprendre immédiatement le livre auquel je songeais depuis plusieurs années, depuis ma méditation sur le bord du Rhin. Puisque je me vouais au rôle de spectateur engagé, je me devais de mettre au clair les rapports entre l'historien et l'homme d'action, entre la connaissance de l'histoire-se-faisant et les décisions que l'être historique est condamné à prendre. J'abandonnai l'idée du deuxième tome de la *Théorie de l'Histoire* et, après avoir amélioré le texte du manuscrit du premier tome, je me mis au travail en octobre ou novembre 1935 et commençai d'écrire l'*Introduction à la philosophie de l'Histoire*; le livre fut achevé après les vacances de Pâques 1937.

Je ne crois pas avoir conçu le plan à l'avance. Au fur et à mesure que j'écrivais, l'*Introduction* prit une forme qui m'irrite aujourd'hui : quatre sections dont trois comprenaient trois parties, chacune de ces dernières divisée en quatre paragraphes. Présentation scolastique, me fit remarquer Émile Bréhier à la soutenance de thèse, me reprochant de briser le développement, de découper le thème en une succession de problèmes et de laisser au lecteur le soin de rassembler les morceaux. Je répondis, avec quelque superbe, que la notion de développement ne relevait pas de la philosophie ; il me suffisait d'analyser les problèmes avec le maximum de clarté. Je serais tenté aujourd'hui de donner raison à Bréhier. Le livre souffre aussi de l'obsession des symétries ; certains paragraphes, certaines conclusions de parties, de sections ne me semblent pas indispensables. Peut-être la manière d'Alain, dans certains de ses livres, pesait-elle encore sur mon esprit.

Je ne me propose ni de renier ni de défendre ce livre, écrit il y a près d'un demi-siècle, dont la carrière, en France du moins, n'est peut-être pas entièrement épuisée, témoignage du professionnel de la philosophie, au sens universitaire du terme, que j'aurais pu être.

Au seuil de cette tâche ingrate — présenter l'essentiel d'un livre qui se dérobe au résumé — je mets pour ainsi dire en épigraphe cette remarque sur l'*autobiographie* que je relève dans l'*Introduction* (p. 60) : « ... Je ne saurais penser à nouveau comme je pensais à vingt ans ou, du moins, il me faut partir à la découverte, presque comme s'il s'agissait d'un autre. Souvent, pour retrouver le moi ancien, je dois interpréter des expressions, des œuvres. Nous sommes peu sensibles à ce devenir de notre esprit parce que nous avons accumulé le meilleur de nos expériences ; le passé de notre intelligence ne nous intéresse — sauf curiosité introspective — que dans la mesure où il est ou serait digne d'être présent. »

Je remplacerais « curiosité introspective » par curiosité autobiographique. Pour le reste, mon expérience tend à confirmer cette analyse. J'ai repris, plusieurs fois, certains des problèmes traités dans l'*Introduction,* par exemple dans *Dimensions de la conscience historique,* sans jamais me référer à mes écrits d'avant-guerre. Je supposais donc que j'avais gardé en moi l'essentiel des résultats atteints au cours des recherches antérieures. C'est par curiosité autobiographique que j'ai relu l'*Introduction,* en quête d'un texte dont j'aurais aujourd'hui grand-peine à reconstituer la formation et que j'aurais plus encore de peine à écrire.

Je cherchai d'abord les quelques passages qui pouvaient avoir échauffé la bile de Paul Fauconnet et je trouvai quelques jugements qui ne choqueraient personne aujourd'hui : « ... Une philosophie du progrès... consiste à admettre que l'ensemble des sociétés et de l'existence humaine tend à s'améliorer, parfois que cette amélioration, régulière et continue, doit se poursuivre indéfiniment. Essentiellement intellectualiste, elle passe de la science à l'homme et à l'organisation collective, optimiste, puisque la moralité, en droit et en fait, irait de pair avec l'intelligence. La réaction contre cette doctrine a pris aujourd'hui les formes les plus diverses. On met en doute la réalité ou, en tout cas, la régularité du progrès. Trop d'événements ont révélé la précarité de ce que l'on appelle civilisation ; les acquisitions les plus assurées en apparence ont été sacrifiées à des mythologies collectives ; la politique, dépouillée de ses masques, a révélé aux plus naïfs son essence. Du même coup, on a critiqué, aussi bien en droit qu'en fait, le raisonnement qui concluait de la science à l'homme et à la société. Activité parcellaire, la science positive se développe selon un rythme propre, sans que ni l'esprit ni moins encore la conduite en suivent le mouvement accéléré... Au reste, que signifie ce prétendu progrès ? Entre une société communautaire, qui se donne elle-même pour valeur absolue, et une société libérale qui vise à élargir la sphère de l'autonomie individuelle, il n'y a pas de commune mesure. La succession de l'une à l'autre ne saurait être appréciée, sinon par référence à une norme qui devrait être supérieure aux diversités historiques. Mais une telle norme est toujours la projection hypostasiée de ce qu'une collectivité particulière est ou voudrait être. Or notre époque connaît trop la diversité qu'elle retrouve, évidente, en elle-même, pour tomber dans la naïveté des groupes fermés, ou s'élever à la confiance de ceux qui se mesurent au passé et à autrui avec la certitude de la supériorité... » Une telle mise en question de la philosophie du progrès à la veille de la Seconde Guerre mondiale n'aurait dû scandaliser personne, pas même un durkheimien assoupi dans la croyance en la sociologie. Ce texte ne constituait d'ailleurs pas le dernier mot de l'*Introduction* ; il rejetait la modalité vulgaire de croyance au progrès, fondée sur une erreur de fait — l'ensemble de la société ne se transforme pas selon la même allure, selon le même style que la connaissance scientifique — sur une naïveté — le progrès ne s'apprécie qu'en fonction d'un critère transhistorique. Le *plus* du savoir s'observe, le *mieux* des cultures se juge et quel juge est impartial ?

Le pluralisme des cultures (ou des civilisations) appartenait déjà, en 1938, à l'esprit du temps. Les salons répétaient la phrase de Valéry : « Nous autres civilisations, nous savons maintenant que nous sommes mortelles. » Le refus du progressisme rationaliste choquait malgré tout la philosophie optimiste, idéaliste qui dominait encore la gauche de la Sorbonne. Une remarque, faite en passant, sur l'histoire universelle, toute banale qu'elle apparaît aujourd'hui, s'inscrivit probablement au compte du « désespoir ».

« Notre époque serait donc en apparence favorable à une telle tentative [une histoire universelle] puisque, pour la première fois, la planète entière participe d'un sort commun. On objectera l'accumulation des connaissances inassimilables à un seul esprit, la rigueur scientifique qui condamne ces visions démesurées, on fera remarquer que les relations entre les peuples divers restent aujourd'hui encore lâches, leur communauté pauvre, leur unité partielle et extérieure. Toutes ces propositions sont valables, mais elles n'atteignent pas l'essentiel. Si l'Occident avait aujourd'hui encore confiance dans sa mission, on écrirait, collectivement ou individuellement, une histoire universelle qui montrerait, à partir d'aventures solitaires, l'accession progressive de toutes les sociétés à la civilisation du présent.

« Ce qui rend une telle histoire impossible, c'est que l'Europe ne sait plus si elle préfère ce qu'elle apporte à ce qu'elle détruit. Elle reconnaît les singularités des créations expressives et des existences, au moment où elle menace de détruire les valeurs uniques. » La gauche modérée de l'époque croyait encore à « la mission civilisatrice » de la France ou des pays occidentaux. Je me situais, à coup sûr, parmi les marginaux, en France du moins. Dans l'Allemagne weimarienne, l'historisme — au sens de la prise de conscience du pluralisme des cultures, de l'historicité des valeurs — nourrissait le pessimisme, le désarroi des intellectuels. Les idées auxquelles P. Fauconnet renouvela sa foi, le 26 mars 1938, n'ont pas résisté aux années qui suivirent.

Un sociologue durkheimien devait juger plus agressive encore une analyse qui visait directement la prétention de Durkheim lui-même à fonder sur la science nouvelle la morale des instituteurs. Je rappelai, dans le paragraphe consacré au relativisme historique *(der Historismus)*, le lien entre les diverses sociétés et leur moralité (au sens hégélien de la

Moralität), et la diversité des obligations morales, des manières de vivre qui en résulte. Et je continuai : « Au contraire, l'interdépendance des morales et des sociétés confirme la validité de nos impératifs particuliers si la société est en droit autant qu'en fait à l'origine et le fondement de toute obligation. L'intention de Durkheim n'était-elle pas de restaurer la morale, ébranlée selon lui par la disparition des croyances religieuses ?... Les sociologues, démocrates, libres penseurs, partisans de la liberté individuelle, confirmaient par leur science les valeurs auxquelles spontanément ils adhéraient. A leurs yeux, la structure de leur civilisation présente (densité ou solidarité organique) exigeait en quelque sorte les idées égalitaires, l'autonomie des personnes. Les jugements de valeur gagnaient plutôt qu'ils ne perdaient en dignité à devenir jugements collectifs. On substituait en toute confiance la société à Dieu. En fait, le terme de société ne va pas sans équivoque, puisque tantôt il désigne les collectivités réelles et tantôt l'idée ou l'idéal de ces collectivités. En vérité, il ne s'applique qu'aux groupements particuliers, fermés sur eux-mêmes, mais moins que les mots patrie ou nation il rappelle les rivalités et les guerres (on imagine mal une société élargie aux limites de l'humanité tout entière). Il dissimule les conflits qui déchirent toutes les communautés humaines. Il permet de subordonner à l'unité sociale les classes opposées et de concevoir une morale nationale qui serait sociologique sans être politique : mais si ce concept, dépouillé de tout prestige emprunté, désigne l'ensemble partiellement incohérent des faits sociaux, ne semble-t-il pas que le *sociologisme* ajoute à une relativité sans limite la réduction des valeurs à une réalité plus naturelle que spirituelle, soumise à un déterminisme et non ouvert à la liberté ? »

L'exécution en quelques lignes d'une idée chère à Durkheim, à savoir la rénovation de l'enseignement de la morale dans les écoles normales par la sociologie, devait, à n'en pas douter, troubler le plus fidèle des disciples du maître. Mais je pense que l'ensemble du livre ou des livres le heurtait. Je lui donnai l'impression de rompre avec le rationalisme — alors que la suite de mon activité démontra le contraire ; de rompre avec l'optimisme du progrès et la foi dans la science — en quoi il ne se trompait pas sans avoir tout à fait raison. La signification du livre lui-même demeurait équivoque, sinon obscure : chaque analyse en elle-même était peut-être claire, l'intention et les conclusions de l'ensemble prêtaient à controverse. Pour une part, la forme du livre en porte la responsabilité mais j'aperçois d'autres raisons.

Dans l'introduction, je résumai l'intention du livre dans les termes suivants : « Sur le plan supérieur, notre livre conduit à une *philosophie historique* qui s'oppose au rationalisme scientiste en même temps qu'au positivisme. » Henri I. Marrou, dans le compte rendu qu'il écrivit pour *Esprit*, insista avant tout sur l'antipositivisme, la critique impitoyable des historiens qui nourrissent l'illusion d'atteindre la vérité au sens naïf de reproduire la réalité du passé, *wie es geschehen ist* (tel qu'il est arrivé), selon l'expression célèbre de L. von Ranke. Un peu plus loin, je précisai encore l'intention : « Philosophie historique qui est aussi en un sens une philosophie de l'histoire, à condition de définir celle-ci non comme une vision panoramique de l'ensemble humain, mais comme une interprétation du présent ou du passé rattachée à une conception philosophique de l'existence. » Ou encore : « La philosophie se développe dans le mouvement, sans cesse renouvelé, de la vie à la conscience, de la conscience à la pensée libre et de la pensée au vouloir. » Bien que d'inspiration rationaliste, le livre en 1938, dans l'ensemble, surprenait nos maîtres de la Sorbonne qui y détectaient une manière de penser, des préoccupations et des thèmes de réflexion étrangers à leur univers.

Je passerai rapidement sur les deux théories de la compréhension et de la causalité qui occupent la plus grande partie du livre mais qui relèvent de l'épistémologie. J'établissais, au point de départ, une distinction entre deux modes de connaissance, distinction que j'illustrerai par un exemple simplifié. Établir le *motif* d'un acte, dans le vocabulaire que j'avais adopté, ce n'est pas mettre en lumière la *cause.* La compréhension d'un acteur, que l'on en rende compte par la logique de la situation ou par une impulsion passionnelle, ne s'oppose pas à l'explication, au sens ordinaire du mot, mais à l'*explication causale.* Les compréhensions d'une conduite, d'une œuvre, d'une institution ont le trait commun de chercher les sens et les liaisons intelligibles, immanents à l'objet. J'aurais accepté l'énumération que je trouve dans un « working paper » d'un philosophe norvégien : sont objets de compréhension les personnes, leurs actes et leurs paroles, certains produits de leurs actions et de leurs propos, généralement les manifestations de l'esprit humain (art, peinture, sculpture, etc.), enfin certains objets que l'on dit significatifs, instruments, outils, etc. La théorie que j'exposai au début se situait aux antipodes de la conception réputée irrationaliste de la compréhension, à savoir la participation affective d'une conscience à la conscience d'autrui. Je désignai la compréhension comme la connaissance d'une signification qui, immanente au réel, a été ou aurait pu être pensée par ceux qui l'ont vécue ou réalisée.

Pour illustrer ma conception de la causalité, je reprendrai l'exemple que j'utilisai : les origines de la guerre de 1914. Pour moi, la recherche des causes de la guerre de 1914 ne consiste pas seulement à retrouver les intentions des acteurs qui, à la suite de l'assassinat de l'archiduc François-Ferdinand, ont voulu, souhaité ou accepté la guerre locale ou générale, mais à déterminer les actes qui rendaient inévitable, ou plus ou moins probable, l'explosion d'août 1914. En un sens, la détermination des causes de la guerre se compare à l'analyse des causes d'un accident, panne d'un moteur ou chute d'une avalanche. L'usure d'une pièce du moteur ou l'effondrement d'une masse de neige obéissent à des lois de la nature, mais l'expert retient pour cause parmi les antécédents celui qui provoqua directement, immédiatement, l'accident ; ou bien il retient un antécédent à tel point prévisible que l'ensemble des antécédents plutôt que le dernier, le détonateur, porte la responsabilité de l'accident ; ou bien, au contraire, il retient un antécédent imprévisible de telle sorte que l'événément n'apparaisse pas impliqué par la situation ; celle-ci ne rendait pas l'événement inévitable ni même probable, il résulta, comme on dit, d'une rencontre de circonstances.

Dans le cas des origines de la guerre de 1914, la démarche me semble simple et difficile à la fois : nous constatons, sans l'ombre d'un doute, que la crise, la crainte d'une guerre proche ont commencé avec l'envoi de l'ultimatum autrichien à la Serbie. Mais on aurait évidemment tort de dire qu'il fut la *cause*, le détonateur de la guerre. On peut cependant évaluer la *probabilité* de guerre que créa l'*initiative* prise par le gouvernement de Vienne. Les calculs rétrospectifs de probabilité n'atteignent jamais à des conclusions rigoureuses mais ils permettent des évaluations suggérées par une comparaison entre ce qui se passa et ce qui se serait passé si cet incident n'avait pas eu lieu. Pour chacun des actes (en l'espèce les antécédents de la guerre), on peut poser la question : quelles furent les conséquences que l'acteur pouvait et devait prévoir ? De plus, comme, dans les affaires humaines, la causalité ne se sépare pas de la responsabilité ou de la culpabilité, on se demandera dans quelle mesure l'acte constituait une *initiative*, si elle était conforme aux coutumes et aux règles morales de l'univers diplomatique, quelles étaient les intentions de l'acteur. A mes yeux, l'essentiel était de différencier la compréhension d'une conduite humaine par les motifs, les mobiles ou la logique de la situation d'une part, et l'analyse de la causalité de l'autre. Dans le cas d'un événement, unique, singulier, il s'agit ou bien d'une causalité historique ou bien d'une causalité sociologique ; dans un vocabulaire que je préfère aujourd'hui : ou bien on s'efforce d'établir la règle ou la loi qui explique l'événement (la loi établit que l'événement X se produit dans les circonstances a, b, c ; si nous constatons que a, b, c, étaient données, nous considérons expliqué l'événement X) ; ou bien on s'efforce de mesurer la causalité respective de divers antécédents par des calculs rétrospectifs de probabilité, sans négliger les règles ou les généralités.

Aux origines de la guerre de 1914, l'analyse rencontre d'autant plus d'obstacles que la crise se déroula en quelques jours, les actes se répondant les uns aux autres. Quelques-uns de ces actes firent l'objet d'enquêtes particulières : le rejet par le gouvernement autrichien de la réponse du gouvernement serbe, la mobilisation générale russe, etc. Au rebours de ce que certains de mes lecteurs ont cru voir dans mon livre, une recherche sur les origines de la Première Guerre ne me paraît pas affectée par une relativité fondamentale, mais elle ne peut pas aboutir à des résultats à la fois précis et démontrés. La Russie s'étant instaurée protectrice des Slaves du Sud, l'Autriche prit à coup sûr un risque de guerre générale en raison du système des alliances, mais quel était le degré du risque (ou de la probabilité) de la guerre ? Quelles étaient les intentions des ministres de Vienne ? Jusqu'à quel point les exigences de Vienne étaient-elles légitimes ? Les contemporains ne parviennent jamais à l'impartialité ; les historiens y parviennent, mais ils ne peuvent pas donner de réponses catégoriques aux questions qu'ils posent à la manière des juges d'instruction.

Cet exemple simplifié permet de saisir les propositions générales que je souhaitais confirmer par le développement de ma recherche : « La compréhension s'attache à l'intelligibilité intrinsèque des mobiles et des idées. La causalité vise avant tout à établir des liens nécessaires en observant des régularités. Dans la mesure où le sociologue s'efforce de découvrir les relations causales, il ignore légitimement, il doit ignorer la vraisemblance des consécutions rationnelles, il traite les phénomènes historiques comme une nature étrangère ou, selon l'expression classique, comme des choses. » Un peu auparavant je distinguais trois intentionnalités, celles du juge, du savant, du philosophe. La première s'exprime par l'interrogation : à qui (ou à quoi) la faute ? La deuxième conduit à l'établissement des liens constants de coexistence ou de succession. La troisième veut rapprocher et unir les deux recherches précédentes, mises à leur place dans l'ensemble du déterminisme historique.

Seule la conclusion de la section consacrée à la causalité mérite d'être rappelée, à savoir la pluralité immanente au monde historique. Ni une société ni un devenir ne constituent une totalité. Pas plus que nous ne saisissons l'intention ultime, la *Gesinnung* d'un être (ou son caractère intelligible), nous ne saisissons d'un seul coup d'œil un vaste ensemble, une culture globale ou même un macroévénement tel que la Révolution française. Cette pluralité tient à la pluralité même de l'être humain, à la fois vie, conscience et idée, et au caractère fragmentaire du déterminisme (*instantané* s'il s'agit d'expliquer un événement, *partiel* s'il s'agit de reconstruire des régularités). Mais tous les récits, toutes les interprétations emploient simultanément la connaissance compréhensive et l'analyse causale ; le déterminisme fragmentaire est suspendu à une construction du fait et des ensembles, les relations causales sont accompagnées, éclairées par un rapport intelligible. L'adéquation causale et l'adéquation compréhensive, selon la formule de Max Weber et la pratique de tous les sociologues et historiens, se renforcent et se confirment l'une l'autre, bien que chacune de ces deux démarches ait son sens propre.

La section II qui traite de la compréhension défie, me semble-t-il, le résumé. Je m'y efforce, en effet, de décrire les divers aspects de la construction de l'objet à partir du vécu ou des documents, la connaissance de soi, d'autrui, d'une bataille ou des idées. Je voulais mettre en lumière l'intervalle entre le vécu et la connaissance que nous pouvons en acquérir, et la pluralité des interprétations qui tient à la nature de l'objet humain : « La science historique est une forme de la conscience qu'une communauté prend d'elle-même, un élément de la vie collective, comme la connaissance de soi un aspect de la conscience personnelle, un des facteurs de la destinée individuelle. N'est-elle pas fonction à la fois de la situation actuelle, qui par définition change avec le temps, et de la volonté qui anime le savant, incapable de se détacher de lui-même et de son objet... D'autre part, l'historien est, par rapport à l'être historique, l'*autre*. Psychologue, stratège ou philosophe, toujours il observe de l'extérieur. Il ne saurait ni penser son héros comme celui-ci s'est pensé lui-même, ni voir la bataille comme le général l'a vue ou vécue, ni comprendre une doctrine de la même manière que le créateur... Enfin, qu'il s'agisse d'interpréter un acte ou une œuvre, nous devons les reconstruire conceptuellement. Or, nous avons toujours le droit de choisir entre de multiples systèmes puisque l'idée est à la fois immanente et transcendante à la vie : tous les monuments existent par et pour eux-mêmes dans un univers spirituel, la logique juridique et économique est interne à la réalité sociale et supérieure à la conscience individuelle. »

Cette pluralité des compréhensions n'équivaut pas au relativisme. Si un monument, une œuvre d'art ou de pensée est équivoque et inépuisable, il en résulte légitimement de multiples interprétations — multiplicité qui symbolise plutôt la richesse des créations humaines que l'incertitude de notre savoir. Certes, des historiens positivistes pourraient objecter que l'interprétation de ces œuvres dépasse la connaissance proprement historique. Mais l'histoire de la peinture ou de la pensée contient inévitablement, me semble-t-il, une part d'interprétation, inséparable de la personne de l'interprète, sans être dévalorisée pour autant. De même, l'interprétation des événements peut être renouvelée par un nouveau système de concepts ou par des problèmes dont les historiens ont pris conscience postérieurement à l'époque qu'ils étudient. Une « histoire socialiste de la Révolution française » ne fausse pas nécessairement la réalité, même si nombre des acteurs ne prenaient pas conscience des problèmes que l'historien y projette. Les Bolcheviks nous ont aidés à voir les Jacobins sous un autre jour. Enfin, de même que le sens d'une existence n'est fixé qu'au dernier jour, le sens d'un épisode d'une histoire nationale peut être transfiguré par ses conséquences plus ou moins lointaines.

La construction de l'univers historique, telle que je la décrivais, n'implique pas autant de relativisme qu'on m'en a le plus souvent attribué (par ma faute d'ailleurs). L'expression « dissolution de l'objet » me paraît aujourd'hui gratuitement agressive, paradoxale. Mais qu'on se reporte à un passage-résumé, l'impression devient tout autre : « Il n'est pas une *réalité historique* toute faite avant la science qu'il conviendrait simplement de reproduire avec fidélité. La réalité historique, parce qu'elle est humaine, est *équivoque et inépuisable*. Équivoque la pluralité des univers spirituels à travers lesquels se déploie l'existence humaine, la diversité des ensembles dans lesquels prennent place les idées et les actes élémentaires. Inépuisable la signification de l'homme pour l'homme, de l'œuvre pour les interprètes, du passé pour les présents successifs... Dans chaque cas nous avons observé aussi l'effort nécessaire du détachement vers l'objectivité. La connaissance serait partiale qui choisirait un système selon ses préférences subjectives (l'explication rationnelle pour grandir, l'explication par les mobiles pour abaisser), omettrait de reconstruire le système des valeurs ou du savoir qui permet de sympathiser avec l'acteur. De même, la compréhension des idées deviendrait arbitraire si elle se libérait entièrement de la psychologie de l'auteur et en venait à confondre les époques et les univers, sous prétexte de rendre la vie au passé ou de dégager la vérité éternelle des œuvres. » Et pour conclure : « Cette dialectique du détachement et de l'appropriation tend à consacrer bien moins l'incertitude de l'interprétation que la liberté de l'esprit ». Je ne pense pas avoir écrit autre chose dans le chapitre sur l'interprétation au début du livre sur Clausewitz, mais en mettant alors l'accent sur l'autre aspect, les contraintes qui pèsent sur l'interprète qui veut être fidèle à l'intention de l'auteur.

Je me demande même si des formules telles que « la théorie précède l'histoire » sont aussi paradoxales qu'elles le semblèrent. L'interprétation d'une œuvre de philosophie dépend de la conception que l'historien se fait de la philosophie. De même, pour l'historien de la religion. Certes la priorité de la théorie sur l'histoire est logique plutôt que psychologique. L'historien découvre tout à la fois le sens de la philosophie et celui de l'œuvre qu'il interprète. Mais le premier commande le deuxième.

De même, certaines idées, au fond banales, ne prenaient une apparence paradoxale que par l'expression : « Dans l'histoire d'une vie, les inquiétudes religieuses de la jeunesse auront une signification différente selon l'évolution postérieure. Si, incroyant, je les considère rétrospectivement comme des accidents de la puberté, elles mériteront tout juste, dans la mémoire et dans le récit, une mention rapide. Au lendemain d'une conversion, les inquiétudes anciennes, par-delà le scepticisme, prendraient la valeur d'un signe ou d'une preuve ». Rien de surprenant ou d'original, bien que J.-P. Sartre ait repris l'idée et l'exemple dans *l'Être et le Néant.* Prenons un autre exemple qui concerne les événements politiques : « La montée de Boulanger ne ressemble plus à celle de Hitler depuis que ce dernier a pris le pouvoir. La tentative de 1923 a été transfigurée par le IIIe Reich. La République de Weimar *est devenue autre* parce que la dictature [1] national-socialiste lui a donné provisoirement la signification d'une phase intermédiaire entre deux Empires. L'expérience du Front populaire révélera progressivement sa *portée* aux historiens à venir ; selon qu'elle mènera à un régime social nouveau ou à la réaction, elle apparaîtra et sera *authentiquement différente* et *c'est pourquoi il n'y a pas d'histoire du présent.* Les contemporains sont partisans ou aveugles, comme les acteurs ou les victimes. L'impartialité qu'attend la science n'exige pas tant l'apaisement des passions ou l'accumulation des documents que la constatation des résultats. »

J'ai mis en italique, dans cette citation, les expressions contestables qui, d'une certaine manière, constituent l'enjeu du débat. La *portée* du

1. Je n'emploie plus depuis longtemps le mot dictature en ce sens. Je le réserve à l'institution romaine : le pouvoir absolu, légal et temporaire.

Front populaire dépend à coup sûr de ses suites mais cette portée n'est-elle pas extérieure aux faits eux-mêmes ? Faut-il dire que la République de Weimar devient authentiquement autre à cause de ses suites ? En bref, j'affirmais implicitement que le sens des événements ne se sépare pas des événements eux-mêmes. Quarante années plus tard, quand j'écrivis *République impériale, les États-Unis dans le monde, 1945-1972*, je me heurtai à cette incertitude, non plus en théoricien mais en praticien. Je m'efforçai de distinguer effectivement la reconstruction des événements, tels qu'ils furent vécus par les acteurs et les spectateurs, ensuite la place de ces événements à l'intérieur du contexte synchronique ou diachronique, enfin le sens de ces événements. Illustrons ces distinctions : le récit suit la série des décisions diplomatiques et militaires qui constituent et jalonnent la guerre du Vietnam entre 1956 (ou 1961) et 1973 (les accords de Paris) ou 1975 (le retrait des Américains). Le récit lui-même suggère, s'il ne l'impose pas, une certaine interprétation qui donne implicitement une réponse aux questions suivantes : l'intervention américaine dériva-t-elle d'une application de la doctrine de l'endiguement ? Fut-elle prolongée par inertie bureaucratique, par arrogance, par incapacité de choisir une stratégie et de s'y tenir ? Ou bien exprima-t-elle un impérialisme, la prétention de contrôler l'ensemble du monde ? Enfin cette guerre marque-t-elle une rupture dans l'histoire des États-Unis et, du même coup, dans celle du système interétatique ? La fin du siècle américain ? La montée de l'Union soviétique au premier rang ?

Cet exemple m'amène à rectifier les expressions soulignées un peu plus haut. La portée, le sens historique des événements change avec le déroulement des suites. L'historien insère le plus souvent cette sorte d'interprétation au récit lui-même. Mais la distinction entre l'événement et ses suites me paraît logiquement possible. Au lieu d'employer l'expression *le passé devient autre*, je dirais : le passé prend un autre sens aux yeux de ceux qui disposent du recul, sans oublier que l'interprétation — par exemple de la Révolution — fait partie intégrante de n'importe quelle histoire de la Révolution, tant le choix des faits et des concepts commande la reconstitution. Aussi je supprimerais la phrase qui semble condamner l'histoire du présent. Il existe aujourd'hui un genre que l'on peut appeler histoire immédiate ou histoire du présent à laquelle je ne refuse pas le droit à l'existence, bien qu'elle constitue, en une large mesure, la matière pour un historien de l'avenir.

Plus qu'une contribution à l'épistémologie de la connaissance historique, le livre répondait à l'intention que j'avouais au lecteur : « En 1930 [1] je pris la décision d'étudier le marxisme pour soumettre à une révision philosophique mes idées politiques. » L'analyse de la causalité histori-

1. 1931, je crois, aurait été plus exact.

que servait de fondement ou d'introduction à une théorie (ou plutôt esquisse de théorie) de l'action et de la politique. Le livre tout entier éclairait le mode de pensée politique qui fut depuis lors le mien — et le reste à l'automne de ma vie. Dans un style quelque peu scolastique, je distinguais trois étapes : le choix, la décision, la recherche de la vérité.

« Logiquement, il importe avant tout d'accepter ou non l'ordre existant : pour ou contre ce qui est, telle serait l'alternative première. Réformistes ou réformateurs s'opposent aux révolutionnaires, à ceux qui veulent non pas améliorer le capitalisme mais le supprimer. Le révolutionnaire s'efforce, en détruisant son milieu, de se réconcilier avec lui-même puisque l'homme n'est accordé avec soi que s'il est accordé avec les relations sociales dont bon gré mal gré il est prisonnier... Le révolutionnaire n'a pas de programme, sinon démagogique. Disons qu'il a une *idéologie*, c'est-à-dire la représentation d'un autre système, transcendant au présent et probablement irréalisable. Mais seul le succès de la révolution permettra de discerner entre l'anticipation et l'utopie. Si donc on s'en tenait aux idéologies, on se joindrait spontanément aux révolutionnaires qui normalement promettent plus que les autres. Les ressources de l'imagination l'emportent nécessairement sur la réalité, même défigurée ou transfigurée par le mensonge. Ainsi s'explique le préjugé favorable des intellectuels en faveur des partis dits avancés. »

A cet égard, je n'ai pas changé : si je n'ai pas choisi la cause de la révolution (en 1937 aussi bien qu'en 1981, cette cause se confond avec celle du communisme ou du marxisme-léninisme), c'est à partir de ce que l'on appelle mon pessimisme : « A n'en pas douter, les sociétés que nous avons connues jusqu'à ce jour ont été injustes (mesurées aux représentations actuelles de la justice). Reste à savoir ce que serait une société juste, si elle est définissable et réalisable. » Dans ma leçon inaugurale au Collège de France, j'avouai ou, pour mieux dire, je proclamai l'échec de toutes les *sociodicées.* J'ajouterai aujourd'hui que les sociétés modernes nous apparaissent plus injustes que les sociétés d'Ancien Régime ne l'apparaissaient à ceux qui y vivaient. Pour une raison simple : les sociétés modernes démocratiques invoquent des idéaux en une large mesure irréalisables et, par la voix des gouvernants, aspirent à une maîtrise inaccessible de leur destin.

Que signifie la priorité de ce choix pour ou contre la révolution ? D'abord et avant tout, elle appelle l'étude, aussi rigoureuse que possible, de la réalité et du régime possible qui succéderait au régime actuel. Le choix rationnel, dans la politique historique telle que je la comprends, résulte non pas exclusivement de principes moraux ou d'une idéologie, mais d'une investigation analytique, aussi scientifique que possible. Investigation qui n'aboutira jamais à une conclusion soustraite au doute, qui n'imposera pas, au nom de la science, un choix, mais qui mettra en garde contre les pièges de l'idéalisme ou de la bonne volonté. Non que, en sens contraire, le choix politique ignore les valeurs ou la moralité. En dernière analyse, on ne choisit pas la démocratie libérale et capitaliste contre le projet communiste seulement parce que l'on juge le mécanisme du marché plus efficace que la planification centrale (l'efficacité relative des mécanismes économiques est évidemment un des arguments en faveur d'un régime ou d'un autre). On choisit en fonction de multiples critères : efficacité des institutions, liberté des personnes, équité de la répartition, peut-être par-dessus tout le type d'homme que crée le régime.

Je distinguai à l'époque — et j'ai utilisé depuis lors à diverses reprises cette distinction — entre la politique de l'entendement et la politique de la Raison : « *Le politicien de l'entendement* — Max Weber, Alain — cherche à sauvegarder certains biens — paix et liberté — ou à atteindre un objectif unique, la grandeur nationale, dans des situations toujours nouvelles qui se succèdent sans s'organiser. Il est comme le pilote qui naviguerait sans connaître le port. Dualisme des moyens et des fins, du réel et des valeurs ; pas de totalité actuelle ni d'avenir fatal, chaque instant pour lui est neuf. *Le politicien de la Raison*, au contraire, prévoit au moins le terme prochain de l'évolution. Le marxiste sait la disparition du capitalisme inévitable et le seul problème est d'adapter la tactique à la stratégie, l'accommodement avec le régime actuel à la préparation du régime futur. »

Je présentai les deux termes politique de l'entendement et politique de la Raison comme des types-idéaux qui ne s'excluent pas dans la réalité : « Il n'est pas d'action instantanée qui n'obéisse à un souci lointain, pas de confident de la Providence qui ne guette les occasions uniques... La politique est à la fois l'art des choix sans retour et des longs desseins. » La dernière phrase, à peine modifiée, s'applique aussi au journaliste ou au commentateur : l'interprétation de l'événement ne vaut que dans la mesure où elle en saisit à la fois l'originalité et la place dans un ensemble, système ou devenir.

La deuxième étape de l'action, je l'appelai la décision, à savoir l'engagement de la personne dans le choix politique. « Le choix n'est pas une activité extérieure à un être authentique, c'est l'acte décisif par lequel je m'engage et juge le milieu social que je reconnaîtrai pour mien. Le choix dans l'histoire se confond en réalité avec une décision sur moi, puisqu'elle a pour origine et pour objet ma propre existence. »

En donnant pour titre à ce deuxième paragraphe : *l'homme historique : la décision*, je donnais à la politique pour ainsi dire ses titres de noblesse. La décision politique, historique, c'est aussi la décision de chacun sur soi-même.

« Dans les rares époques tranquilles, où la vie privée se déroulait en marge des affaires publiques, où le métier n'avait rien (ou presque rien) à attendre ni à craindre des pouvoirs, la politique apparaissait comme une spécialité, livrée à quelques professionnels, occupation entre d'autres, plus passionnante que sérieuse. Il a fallu la guerre pour réapprendre aux hommes qu'ils sont citoyens avant d'être particuliers : la collectivité, qu'elle soit classe ou parti, exige légitimement de chacun qu'il se sacrifie à une cause. Défense nationale ou révolution, l'individu qui appartient à l'histoire est tenu d'assumer le risque suprême. » Je rédigeai ces lignes en 1937, alors que le gouvernement du Front populaire dressait les Français les uns contre les autres, alors que s'étendait sur la France l'ombre de la guerre et du IIIe Reich. Fascisme ou communisme, résistance à Hitler ou soumission, il était vrai que « si le choix politique risque d'entraîner celui d'une certaine mort, c'est que toujours il signifie celui d'une certaine existence ». La présence de Hitler et de Staline justifiait l'insistance avec laquelle j'affirmais que le choix politique entraînait un choix sur la société entière, et que la décision portait sur l'acteur en même temps que sur son milieu : « En souhaitant un certain ordre social, on souhaite une manière de vivre... Je découvre la situation dans laquelle je vis, mais je ne la reconnais pour mienne qu'en l'acceptant ou la refusant, c'est-à-dire en déterminant celle où je veux être. Le choix d'un milieu est une décision sur moi... La décision est aussi profondément historique que lui. Or, elle crée mon univers spirituel en même temps qu'elle fixe la place que je revendique dans la vie collective. » En dépit de l'obsession du caractère tragique de la politique, j'étais déjà conscient des limites de ses enjeux : « Tout ne serait pas bouleversé par une révolution. Il resterait toujours plus de continuité que ne l'imaginent les fanatiques. L'esprit n'est pas tout entier prisonnier de la destinée commune. » Simultanément, je soulignai l'inévitable paradoxe ou peut-être faudrait-il dire la contradiction entre l'absolu de l'engagement et l'incertitude des causes : « A notre époque de croyances aveugles, on souhaite plutôt que les individus se souviennent que l'objet concret de leur attachement n'est pas révélé mais élaboré, selon la probabilité, et qu'il ne devrait pas, comme les religions transcendantes, diviser le monde en deux règnes opposés. On est tenté de souligner la précarité des opinions plutôt que l'absolu des engagements. Aussi longtemps qu'il reste place pour la discussion, mieux vaut, en effet, se souvenir qu'il n'y a pas d'humanité possible sans tolérance et qu'il n'est accordé à personne de posséder la vérité totale. » Et pourtant, « pour une tâche historique, l'homme doit assumer le risque qui, pour lui, emporte le tout ».

La philosophie qui se dégage des quatre derniers paragraphes du livre contient implicitement une certaine idée de l'homme, avant tout d'un homme qui s'engage, qui se fait lui-même en jugeant l'esprit objectif qu'il a intériorisé, qui décide de lui-même en s'efforçant de rendre son milieu conforme à son choix : « L'homme qui a conscience de sa finitude, qui sait son existence unique et limitée, doit, s'il ne renonce à vivre, se vouer à des fins dont il consacre la valeur en leur subordonnant son être... Ce n'est donc ni céder à la mode de philosophie pathétique ni confondre l'angoisse d'une époque bouleversée avec une donnée permanente ni sombrer dans le nihilisme que de rappeler comment l'homme se détermine lui-même et sa mission en se mesurant au néant. C'est là, au contraire, affirmer la puissance de celui qui se crée en jugeant son milieu et en se choisissant. Ainsi seulement l'individu intègre en son moi essentiel l'histoire qu'il porte en lui et qui devient la sienne. »

Il restait, il reste encore, la question majeure : que faut-il entendre par histoire-réalité ? L'ensemble des sociétés humaines constitue-t-il *une unité*? Peut-on rassembler les milliers de groupes humains depuis les bandes paléolithiques et les tribus néolithiques jusqu'aux empires et aux nations de notre temps sous le concept de l'Histoire ? Je n'envisageai que les sept mille années durant lesquelles se sont développés ou multipliés les unités collectives ou les univers spirituels. Et j'affirmai, non sans hésitation et scrupules de conscience, que l'homme a une histoire ou plutôt « est une histoire inachevée ». Formule qui probablement se nourrissait de mes souvenirs kantiens.

Ces dernières pages témoignent, me semble-t-il, de la tension entre mes réactions immédiates, affectives à l'expérience historique, et mes spéculations : « Chaque être humain est unique, irremplaçable en soi-même et pour quelques autres, parfois pour l'humanité elle-même. Et pourtant l'Histoire fait des individus une effroyable consommation qu'on ne voit pas le moyen d'éviter tant que la violence sera nécessaire aux changements sociaux. » On sacrifie les hommes à des fins historiques et pourtant ces fins se situent ici-bas. « Le jugement moral qui rapporte l'acte à l'acteur se révèle dérisoire face à la sublimité monstrueuse de l'histoire, condamnée tout entière si elle est mesurée à la loi d'amour ou à l'impératif de la bonne volonté : doit-on soumettre le chef ou le maître à la règle commune ? Puisqu'il est un entre les autres, comment éviter la réponse affirmative ? Puisqu'il est comptable de son œuvre plus que de sa conduite, responsable devant l'avenir, la réponse négative l'emporte. »

Puisque la condition de l'homme est historique — être fini qui se dévoue à des œuvres périssables et veut atteindre des buts au-delà de lui-même et de sa durée infime —, comment ne pas s'interroger sur la fin de l'histoire ? Non la fin cosmologique ou biologique de l'humanité incapable de vivre sur un continent, devenu inhabitable par la force des éléments ou par la folie des hommes, mais la fin que Kant ou Hegel avaient conçue : un état de l'humanité qui répondrait à sa destination et qui réaliserait pour ainsi dire la vérité dont les hommes sont en quête.

« Cette vérité devrait être au-dessus de la pluralité des activités et des valeurs, faute de quoi elle retomberait au niveau des volontés particulières et contradictoires. Elle devrait être concrète, faute de quoi, comme les normes éthiques, elle resterait en marge de l'action. A la fois théorique et pratique, à l'image du but qu'avait conçu le marxisme. Par le pouvoir acquis sur la nature, l'homme parviendrait peu à peu à un pouvoir égal sur l'ordre social. Grâce à la participation aux deux œuvres collectives, l'État qui fait de chaque individu un citoyen, la culture qui rend accessible à tous l'acquis commun, il réaliserait sa vocation : conciliation de l'humanité et de la nature, de l'essence et de l'existence. » Et j'ajoutai : « Idéal sans doute indéterminé puisque l'on conçoit diversement participation et réconciliation mais qui, du moins, ne serait ni angélique ni abstrait. »

J'ai rarement fait allusion à cette idée de la Raison, à cette fin de l'Histoire, dans mes livres postérieurs, bien que j'en aie conservé la nostalgie. Après la guerre, je reprochai à Sartre et à Merleau-Ponty d'avoir confondu un but particulier avec la fin de l'Histoire — confusion qui nourrit le fanatisme puisqu'elle transfigure les combats entre les classes et les partis en la lutte, moins éternelle que finale, du bien et du mal. Peut-être le style des dernières lignes de la thèse me semble-t-il aujourd'hui exagérément pathétique : « L'existence est dialectique, c'est-à-dire dramatique, puisqu'elle agit dans un monde incohérent, s'engage en dépit de la durée, recherche une vérité qui fuit, sans autre assurance qu'une science fragmentaire et une réflexion formelle. » Ni satanique ni désespéré, je vivais à l'avance la guerre mondiale que mes juges de la salle Louis-Liard ne sentaient pas venir.

Autrement lucide, Bernard Groethuysen, dans *la Nouvelle Revue Française*, écrivit : « La conception de l'Histoire de Raymond Aron et de sa génération est-elle plus proche du réalisme historique de Dilthey que de l'idéalisme philosophique de Simmel, Rickert et de Weber... Il voudrait arracher à l'Histoire son secret... C'est le pourquoi d'une génération qui cherche à comprendre son destin ou plutôt à vaincre son destin en le comprenant. Les livres d'Aron représentent le pathos de la nouvelle génération. Il y a quelque chose qui se passe et nous ne savons pas quoi. Et que va-t-il se passer... ? Aron est lié au temps par l'action ; il est responsable de ce qui s'y passe. C'est ce qui donne à son œuvre un caractère passionné. Passion tout intellectuelle en apparence, mais dans laquelle on retrouve toujours les inquiétudes et les soucis du citoyen. »

J'étais déjà proche de celui que je devins après la guerre. Léon Brunschvicg me dit, au cours de la soutenance : « Ce livre contient un programme pour une vie entière. » Il disait vrai : un programme indéfini, inachevable.

Deux lettres me touchèrent et me donnèrent confiance dans ce travail dont j'avais hâté l'achèvement afin d'arriver au but avant la guerre prévisible. L'une de Henri Bergson : « Mon cher Collègue, l'état de ma santé m'a obligé à interrompre ma correspondance pendant plusieurs semaines. Ceci vous expliquera pourquoi je ne vous ai pas remercié plus tôt pour l'aimable envoi de votre “ introduction à la philosophie de l'Histoire ”. Je vous avais pourtant lu tout de suite, et avec un vif intérêt. Le livre est plein d'idées et suggestif au plus haut point. Si l'on pouvait lui adresser un reproche, ce serait justement de lancer l'esprit du lecteur vers un trop grand nombre de pistes. “ Felix culpa ”, sans aucun doute ; mais il résulte de là qu'une seconde lecture serait nécessaire pour avoir une idée de l'ensemble. Cette seconde lecture je la ferai si cela m'est possible, et je prendrai pour points de repères celles de vos idées qui me paraîtront les plus conciliables avec ce que je pense moi-même, en particulier la considération des effets du *découpage* et de la *rétrospection*.

Mais dès à présent je tiens à vous adresser mes compliments pour ce livre, et j'y joins l'expression de mes sentiments bien sympathiques. » Henri Bergson répondait toujours aux auteurs qui lui envoyaient leurs livres et il témoignait d'une grande indulgence. La lettre ne révélait pas nécessairement l'appréciation authentique du philosophe. Mon cousin le docteur Émile Aron, qui le soigna pendant les années de guerre, m'assura que Bergson attendait effectivement beaucoup du jeune philosophe.

Une autre lettre me vint de Jean Cavaillès que nous respections et admirions tous à l'École. L'étincelle de l'amitié devait jaillir, quelques années plus tard, à Londres, quand le chef du réseau Cahors vécut chez moi pendant quelques semaines. « Je te remercie bien vivement de l'amical envoi de ton livre. Je l'ai lu ces vacances avec une admiration et un intérêt toujours nouveaux. Il y a là une rigueur d'analyse et une domination maîtresse de l'ensemble que l'on retrouve partout avec la même joie intellectuelle — comme aussi ta lucidité à préciser la portée véritable des différentes démarches. Ce souci d'une probité totale est peut-être la chose dont je te sais le plus de gré. Tes nombreuses distinctions (et d'abord la distinction générale entre compréhension et causalité) et ta critique de Weber à propos du déterminisme, de la probabilité sont extrêmement importantes et lumineuses. J'avais retardé cette lettre dans l'espoir de t'en parler en détail mais c'est un jeu inutile si on n'a pas quelque chose de précis à dire : la seule chose pour l'instant est la reconnaissance du lecteur... Quant à la section I, en particulier les paragraphes sur la connaissance de soi et d'autrui, ils sont au centre même de la philosophie et sont ce que j'ai lu de plus beau en français depuis bien des années. »

Lucien Lévy-Bruhl, que je ne connaissais pas, exprima le désir de me rencontrer. J'eus une longue conversation avec cet homme qui forçait le respect. Philosophe de formation, il l'était resté en dépit de sa conversion à la sociologie. Pendant de longues années, c'est lui qui décida des nominations aux chaires de philosophie de France. Personne ne mit en doute son esprit d'équité ou ne le soupçonna d'une quelconque partialité en faveur de ses amis ou des philosophes proches de son rationalisme positiviste. Une grande partie de notre conversation porta sur la guerre — qu'il détestait en pacifiste mais qu'il voyait venir sans illusion, sans désespoir. Il gardait sa foi morale, par-delà les horreurs à venir. Il mourut quelques semaines plus tard. Il m'était apparu attentif au monde ; son accueil, amical plutôt que cordial, réservé mais sans l'ombre de hauteur. L'âge avait sculpté, non déformé, ses traits, son visage respirait la sérénité ; travailleur conscient d'avoir accompli sa tâche, il s'intéressait à l'œuvre qu'il ne connaîtrait pas. Je n'ai jamais oublié cet entretien et la leçon que me donnait, par son être même, un grand universitaire dont, à l'époque, je me croyais à tort éloigné.

VI

LE CHEMIN DE LA CATASTROPHE

Je ne pris aucune part aux débats, politiques et intellectuels, entre 1934 et 1939, mais je suivis les événements avec tant de passion, au cours de ces années maudites, que je crois nécessaire de les évoquer. Je ressentais en moi-même les déchirements de la nation, je pressentais la catastrophe qui guettait les Français, dressés les uns contre les autres et que même le malheur ne parvint pas à rassembler.

La plupart de mes compagnons de ce temps ne sont plus. Mes familiers d'aujourd'hui appartiennent à une autre génération, ils ne connaissent l'avant-guerre que par les livres. Ils comprennent mal ce que fut la décadence de la France : les plus jeunes éprouvent même quelque peine à imaginer le climat parisien de la guerre froide. Ces pages s'adressent à mes amis, éveillés à la réflexion politique vingt ou trente ans après moi.

Entre 1929 et 1931, la France, relativement épargnée par la crise, ne souffre pas d'un chômage massif comme la Grande-Bretagne ou l'Allemagne. En 1931, contraint et forcé, le gouvernement d'union nationale de Londres prend la décision qui libère et sauve l'économie ; il consent à la dévaluation de la livre et abandonne la valeur de la monnaie aux mouvements du marché. Comme la plupart des matières premières sont, à l'époque, évaluées en livres, leurs prix baissent pour les pays, la France par exemple, qui n'ont pas modifié la parité de change de leur monnaie par rapport à l'or ou — ce qui revient au même — aux monnaies dominantes du marché mondial.

Le taux de stabilisation du franc a été mal calculé par Raymond Poincaré en 1926, à un niveau trop bas ; l'or s'accumule en France. A partir de 1931, le flux se renverse, l'or fuit la monnaie désormais surévaluée ; les maux inévitables de cette surévaluation se précipitent. Le secteur protégé, celui qui ne se trouve pas en concurrence avec l'économie mondiale, maintient ses prix ; le secteur ouvert sur le monde perd ses marchés, cherche des marchés de remplacement dans l'empire et doit réduire les coûts de production et les prix de vente. De 1931 à 1936, contre vents et marées, tous les gouvernements, de la gauche modérée (1932), du centre ou de la droite, s'en tiennent à cette politique. Quand Laval arrive au pouvoir, il pousse jusqu'au bout la politique ancienne ; il décrète d'autorité la baisse de tout — les traitements des fonctionnaires, les dépenses budgétaires, les coûts de production — et il refuse la mesure complémentaire que ses conseillers, Jacques Rueff le premier, lui recommandent, la dévaluation. Les gouvernements successifs, Doumergue, Flandin, Laval, avaient tous contribué au drame de l'économie française. 1931 : la France épargnée par la crise, assise sur son tas d'or ; 1936, la France secouée par des grèves généralisées semble glisser vers la guerre civile. Seule de tous les pays industrialisés, elle n'était pas sortie de la crise en 1936 ; le niveau de la production de 1929 n'avait pas été retrouvé et nos gouvernants — Paul Reynaud excepté — n'avaient pas encore compris l'absurdité du patriotisme monétaire.

Telle était pour Robert Marjolin, quelques amis et moi-même, la toile de fond. La crise mondiale, le refus des gouvernants — les ministres mais aussi les responsables de l'économie — de prendre les décisions qu'exigeaient les dévaluations de la livre et du dollar, condamnaient notre propre économie à une cure prolongée de baisse des prix et à un affaiblissement progressif. La déflation se répercutait sur la condition des ouvriers. La pression qu'exerçait en permanence sur les travailleurs l'effort de produire au meilleur prix était accrue non pas tant par l'inhumanité des patrons que par la contrainte dérivée de la surévaluation monétaire. Nous assistions, impuissants, exaspérés, à cette aberration suicidaire.

Sur le devant de la scène, la rivalité des partis se prolongeait, les scandales financiers déchaînaient les campagnes de presse et poussaient au rouge les passions partisanes. Les émeutes de 1934 ne révélèrent pas l'action ou les intrigues d'un authentique parti fasciste. L'affaire Stavisky, les mutations fantaisistes de hauts fonctionnaires de la préfecture de Police à la Comédie-Française, les défilés des Croix-de-Feu du colonel de La Rocque, un service d'ordre tour à tour passif et violent provoquèrent une de ces journées historiques, le 6 février, dont la France conserve le secret (mai 1968 témoigna de cette fécondité intacte de la nation). Au Havre, j'observai de loin ces péripéties, déjà isolé par mon obsession du péril extérieur. Antifasciste, je l'étais de toute évidence, mais comment résister à la menace hitlérienne si le gouvernement ne s'appuie que sur la moitié de la nation ?

Au cours des années 30, je refusai de me joindre au comité de vigilance des intellectuels antifascistes, pour deux raisons majeures : d'abord il n'existait pas en France de péril fasciste, au sens que l'on donnait à ce terme d'après les exemples de l'Italie ou de l'Allemagne. Le colonel de La Rocque ressemblait plus à un chef d'anciens combattants qu'à un démagogue capable d'allumer la fureur des foules. Ensuite, le groupement des intellectuels antifascistes rassemblait des alinistes (pacifistes avant tout), des communistes ou compagnons de route et des socialistes bon teint. Ils détestaient tous le fascisme et la guerre, mais, sur le problème essentiel, l'attitude à l'égard du IIIe Reich, ils différaient. A partir de 1935, de la visite de Pierre Laval à Moscou et de la déclaration commune des deux gouvernements (Staline y affirmait sa compréhension des exigences de la défense nationale française), le parti communiste avait « fermé » la chronique des « gueules de vaches » de *l'Humanité*, liquidé l'antimilitarisme primaire, hissé le drapeau tricolore et rejoint la coalition antifasciste. Nous connaissions déjà leur « nationalisme étranger », pour reprendre le mot de Léon Blum ; les disciples d'Alain n'étaient pas les seuls à suspecter les intentions de leurs alliés : s'agissait-il de prévenir la guerre ou de la détourner vers l'ouest ? L'Union soviétique n'avait pas de frontière commune avec l'Allemagne. La Pologne et la Roumanie ne craignaient pas moins leur pseudo-protecteur de l'Est que leur agresseur potentiel de l'Ouest.

Je n'étais d'accord avec aucun des partis, avec aucune des motions. Chaque événement — rétablissement du service militaire en Allemagne, guerre d'Abyssinie, entrée de l'armée allemande en Rhénanie, puis en 1938 à Vienne, accord de Munich — déclencha un des grands débats dont les intellectuels français restent friands et dans lesquels se confondent les considérations d'intérêt national et les passions idéologiques.

L'expédition entreprise par Mussolini en Éthiopie à la fin de 1935 imposait à la diplomatie française un de ces choix déchirants qui symbolisent la grandeur et la servitude de la politique. Approuver ou excuser l'agression italienne, c'était ébranler les principes moraux dont se réclamait l'action française au-dehors, renier les discours, les professions de foi des hommes d'État qui, à Genève, avaient plaidé la cause de notre pays et de la paix. Appliquer à l'Italie coupable d'agression des sanctions efficaces, c'était briser le front qui s'était formé en 1934 à l'occasion de l'attentat contre le chancelier Dollfuss à Vienne, c'était pousser le fascisme italien vers le national-socialisme allemand, c'était s'écarter du gouvernement britannique qui, soudainement converti à la doctrine de sécurité collective, voulait mobiliser la Société des Nations contre l'Italie et pour le droit international.

En aucun cas, la crise ne créait un risque sérieux de guerre. L'Italie fasciste — on en eut la preuve pendant la guerre — ne possédait pas les moyens de répliquer à un embargo sur le pétrole ou à l'intervention de la *Royal Navy*. Le fascisme aurait-il survécu à une victoire de la Société des Nations, animée par la Grande-Bretagne et la France ? On en discutait il y a un demi-siècle, la même réponse demeure probable, et non démontrée : le fascisme n'aurait pas résisté à l'humiliation.

Aussi bien le débat des intellectuels commença avant même celui des diplomates. Le lendemain de l'entrée des troupes italiennes en Éthiopie, *le Temps* publia, le 4 octobre 1935, le manifeste des intellectuels français pour *la Défense de l'Occident et la paix en Europe*, dont j'extrais les lignes suivantes : « A l'heure où l'on menace l'Italie de sanctions propres à déchaîner une guerre sans précédent, nous, intellectuels français, tenons à déclarer devant l'opinion tout entière que nous ne voulons ni de ces sanctions ni de cette guerre. » En d'autres termes, les signataires de cet appel, Henri Massis en tête, assimilaient les sanctions à la guerre — ce qui était pour le moins improbable.

« Lorsque les actes des hommes à qui le destin des nations est confié risquent de mettre en péril l'avenir de la civilisation, ceux qui consacrent leurs travaux aux choses de l'intelligence se doivent de faire entendre avec vigueur la réclamation de l'esprit. On veut lancer les peuples européens contre Rome. On n'hésite pas à traiter l'Italie en coupable, sous prétexte de protéger en Afrique l'indépendance d'un amalgame de tribus incultes, qu'ainsi l'on encourage à appeler les grands États en champ clos. Par l'offense d'une coalition monstrueuse, les justes intérêts de la communauté occidentale seraient blessés, toute la civilisation serait mise en posture de vaincue. L'envisager est déjà le signal d'un mal mental où se trahit une véritable démission de l'esprit civilisateur... »

Un peu plus loin, on évoquait « la conquête civilisatrice », la coalition de « toutes les anarchies, de tous les désordres contre une nation où se sont affirmées, relevées, organisées, fortifiées depuis quinze ans quelques-unes des vertus essentielles de la haute humanité ». Éloge des vertus fascistes, de la mission civilisatrice de l'Occident, cette sorte de littérature s'est réfugiée, à supposer qu'elle survive encore, dans les marges obscures de notre pays ; elle exprimait à l'époque la sensibilité ou la pensée d'une droite à laquelle se ralliaient un Gabriel Marcel ou un Jean de Fabrègue.

Les catholiques de gauche ou les démocrates-chrétiens répliquèrent à ce texte par un autre appel qui, avec d'autres arguments, aboutissait à la même conclusion : le refus de mesures qui risquaient de déclencher la guerre : « ... il faut constater comme un fait que le monde est impuissant à intervenir par la force des armes contre le conflit de l'Éthiopie sans courir à des maux encore plus grands ». Il était pour ainsi dire admis que l'on ne pourrait arrêter l'Italie que par la force et que l'emploi de la force contre l'Italie embraserait l'Europe. Pour le reste, la gauche chrétienne rappelait que l'œuvre colonisatrice n'a pas été « accomplie sans lourdes fautes » : « ... on doit considérer comme un désastre moral que les bienfaits de la colonisation occidentale soient manifestés à ces peuples avec un éclat inégalé par la supériorité de ses moyens de destruction mis au service de la violence et qu'on prétende avec cela que les violations du droit dont témoigne une telle guerre deviennent vénielles sous prétexte qu'il s'agit d'une entreprise coloniale... Il importe aussi de dénoncer le sophisme de l'inégalité des races. Si l'on veut dire que certaines nations se trouvent dans un état de culture moins avancée [1] que

1. Cette remarque de fait trahit une philosophie « progressiste » de l'Histoire.

d'autres, on constate simplement un fait évident. Mais on passe de là à l'affirmation implicite d'une inégalité *essentielle* qui députerait certaines races ou certaines nations au service des autres, et qui changerait à leur égard les lois du juste et de l'injuste... » La condamnation morale du texte de Massis ne laissait de place ni au doute ni à l'ambiguïté mais elle ne suggérait pas une action politique clairement distincte de celle que prônait la droite. Elle écartait la force, ne mentionnait même pas les sanctions qui eussent été efficaces sans recours à la flotte ou à l'armée. Le refus du recours à la force, de la guerre ou même du risque de la guerre, unissait tous les intellectuels chrétiens dans la rhétorique et l'irréalité.

Quant à la gauche, elle répliqua par un manifeste *Pour le respect de la loi internationale* : « Les soussignés... s'étonnent aussi de trouver sous des plumes françaises l'affirmation de l'inégalité des races humaines en droit, idée si contraire à notre tradition et si ignominieuse en elle-même pour un si grand nombre de membres de notre communauté... Ils considèrent comme le devoir du gouvernement français de se joindre aux efforts de tous les gouvernements qui luttent pour la paix et pour le respect de la loi internationale... »

Les membres du *Comité de vigilance antifasciste* se solidarisèrent avec cette dernière motion. Elle promettait la paix par le respect de la loi internationale et se gardait de répliquer à l'argument de l'autre camp : faut-il imposer le respect de la loi internationale par la menace ou l'emploi de la force ? Dans une discussion, à l'*Union pour la Vérité* je crois, quand j'analysai les exigences de la sécurité collective, Jean Wahl se hâta de prendre ses distances : la force, il la refusait en tout état de cause. Sur ce point, tous les intellectuels se retrouvaient, incapables d'obéir à la logique de leurs prises de position respectives, incapables de reconnaître que l'acceptation d'un risque immédiat peut prévenir un risque autrement grave à quelques mois ou quelques années d'échéance.

L'entrée des troupes allemandes en Rhénanie se produisit alors que la crise éthiopienne n'était pas encore liquidée. Contre l'avis de ses conseillers, Hitler envoya quelques détachements de la Wehrmacht dans la zone démilitarisée, non sans donner l'assurance aux chefs militaires que les troupes se retireraient si l'armée française répliquait à cette violation du traité de Locarno. Le gouvernement Sarraut se trouvait à quelques semaines des élections générales ; le ministre de l'Armée, le général Maurin, affirma qu'une mobilisation devrait précéder l'intervention de l'armée française en Rhénanie. Rarement les responsables d'une puissance qui se voulait encore grande eurent une occasion comparable d'influer sur le destin de leur patrie et du monde. La conscription avait été rétablie par Hitler en 1935 ; à peine une année plus tard, la transformation d'une petite armée d'élite en une armée nationale ne pouvait pas être déjà assez avancée pour que le grand état-major acceptât l'épreuve de force. Certes, la Rhénanie était allemande et Hitler invoquait, une fois de plus, le principe de non-discrimination, que les ex-vainqueurs de la guerre n'osaient plus refuser, mais la réoccupation de la Rhénanie constituait une violation d'un traité librement signé par l'Allemagne. La démilitarisation de la Rhénanie n'enlevait pas au Reich une province, à ses habitants leur liberté ; elle assurait la seule précaution possible contre les projets que le chancelier allemand avait proclamés à l'avance quand il n'exerçait pas encore le pouvoir.

Quelle fut la réaction des intellectuels ? Un jour ou deux après le mouvement des troupes allemandes, je rencontrai Léon Brunschvicg au bas du boulevard Saint-Michel. La conversation se porta sur les événements. « Cette fois, heureusement, me dit-il, les Britanniques s'efforcent de nous calmer. » (Le ministre des Affaires étrangères, P. E. Flandin, se trouvait alors à Londres.) J'essayai de lui expliquer de mon mieux la portée de la remilitarisation de la Rhénanie, l'effondrement de notre système d'alliances, notre incapacité de venir dorénavant au secours de la Tchécoslovaquie et de la Pologne, la contradiction entre notre appareil militaire, destiné à la défensive, et nos obligations d'alliance — contradiction que, dans notre groupe, nous commentions volontiers. Léon Brunschvicg m'écouta, à demi convaincu, et conclut, ironique à l'égard de lui-même et désabusé : « Heureusement mes opinions politiques demeurent sans conséquence. » Quelque trente ans plus tard, à une soutenance de thèse, celle de Julien Freund, Jean Hyppolite fit la même remarque sur lui-même. Il est facile de penser la politique, mais à une condition : en discerner les règles et s'y soumettre. Je consens que les penseurs laissent à d'autres la tâche ingrate de penser cette activité, mais ils se résignent rarement à cette abstention.

Les réactions des porte-parole attitrés de l'intelligentsia furent-elles de meilleure qualité intellectuelle ? L'article d'E. Berl dans *Marianne*, le 11 mars, ne manquait pas de bon sens. Intitulé « Dictateurs et procéduriers », l'article opposait Hitler qui avançait ses pions à la France qui ne s'occupait que de procédure. « Monsieur Hitler avance ses troupes vers notre frontière et il nous offre la paix. Nous devons de même offrir la paix, multiplier les troupes et réclamer l'assistance des nations qui nous l'ont promise. Le pire serait d'exciter de plus en plus le bellicisme allemand et d'opposer à ce bellicisme des tranchées de moins en moins profondes. »

Le texte le plus élaboré, le plus représentatif et aussi le plus consternant émana du *Comité de vigilance des intellectuels antifascistes*, présidé par Rivet, Langevin et Alain. Je ne fatiguerai pas le lecteur par la reproduction du texte intégral. Il commençait par l'affirmation suivante : « La dénonciation unilatérale du pacte de Locarno, quels que soient les arguments invoqués pour la justifier, est politiquement, juridiquement, moralement indéfendable. » Un peu plus loin on lisait : « Le conflit actuel n'est pas entre l'Allemagne et la France, mais entre l'Allemagne d'une part, toutes les puissances signataires du traité de Locarno et la SDN d'autre part. » Entre le point 1 et le point 7, la déclaration rappelait les « responsabilités particulières et lourdes encourues par plusieurs de nos gouvernements dans la suite des événements qui ont mené à la situation actuelle », elle incitait la France à « rompre, de la façon la plus catégorique, avec une longue tradition de routine et d'erreurs dont la plus néfaste a été l'occupation du bassin de la Ruhr ». Quelle conclusion ? « La seule solution honorable pour tous et efficace pour la paix est la rentrée de l'Allemagne dans la SDN et sur la base de l'égalité absolue des droits et des devoirs... » Puis, au point 9, pour tenir compte des demandes du parti communiste, la précision suivante : « ... si la France démocratique, surmontant sa profonde aversion pour le régime hitlérien, accepte dans l'intérêt supérieur de la paix de négocier et de traiter dans le cadre de la SDN avec le IIIe Reich, elle ne peut reconnaître à celui-ci le droit de se poser en champion de la civilisation occidentale et de repousser tout contact avec l'URSS, membre de la SDN ».

Bien rédigé, bien argumenté, ce manifeste, qualifié d' « admirable » par Jean Guéhenno, illustre tragiquement la naïveté des intellectuels antifascistes face à l'événement. Le 7 mars 1936 le gouvernement français devait dire oui ou non, agir ou tolérer : tout le reste n'était que *words, words, words.* Le « retour du IIIe Reich à la SDN », tout ce verbiage ne présentait aucun sens. L'esprit jouait à vide, à seule fin, inconsciemment, de camoufler le renoncement. La plupart des chancelleries, en dehors de France, comprenaient la portée de l'événement. Le gouvernement polonais fit savoir, je crois, qu'il était prêt à faire entrer ses troupes en Allemagne si les nôtres pénétraient en Rhénanie. Les intellectuels de gauche ne le comprenaient pas ou ne voulaient pas le comprendre. Que l'on relise l'article de Jean Guéhenno, dans *Marianne* du 13 mars : « Le moment de la première alarme passé, le pays a tout de suite retrouvé sa sagesse... Une telle déclaration [celle du *Comité de vigilance*] fait que de cette alarme même, de ces folies [d'Hitler], de ces violences, la paix peut naître enfin, la vraie paix, “ l'Europe ”, si la France trouve enfin les hommes capables de parler vraiment pour elle, si la France le veut. » La France avait perdu sans la défendre la seule garantie de paix qu'elle devait à la mort de 1 300 000 de ses enfants ; les intellectuels louaient un peuple qui, une semaine après l' « alarme », retrouvait sa « sagesse ».

Peut-être convient-il de citer Léon Blum dont je ne méconnais certes pas le courage, la hauteur morale, mais dont les biographes-hagiographes finissent par dissimuler l'aveuglement. Qu'écrivait-il dans *le Populaire* du 7 avril ? Lisons : « Le texte littéral du pacte de Locarno ne peut prêter à aucune espèce de doute. L'occupation militaire de la zone rhénane y est assimilée en termes formels à une agression non provoquée et à une invasion du territoire national. Le gouvernement français aurait donc le droit strict de considérer le passage du Rhin par la Reichswehr comme une voie de fait flagrante, comme un acte de guerre et même je le répète, comme une invasion. Il ne l'a pas fait. Je ne crois pas qu'il ait songé un seul instant à le faire [1], je n'ai pas connaissance qu'un

1. C'était inexact : au Conseil des ministres, il fut question d'une réplique militaire.

seul parti politique, qu'un seul organe responsable de l'opinion lui ait reproché de ne pas l'avoir fait. Au lieu de remettre ses passeports à l'ambassadeur allemand, de mobiliser, de mettre les puissances garantes en demeure de remplir sur-le-champ des obligations militaires incontestables, il a saisi la Société des Nations. Entre le règlement direct par les armes et la procédure du règlement pacifique par l'entremise et l'action internationales, ni le gouvernement français ni l'opinion française n'ont hésité. Ne nous y trompons pas, c'est un signe des temps. C'est la preuve du changement immense dans lequel le socialisme peut revendiquer orgueilleusement sa part. » Léon Blum a-t-il jamais pris conscience de ses aberrations, de la faute commise par un homme d'État qui sacrifie les intérêts et même la sécurité du pays à ses illusions, qui confond une abdication avec le signe d'un monde nouveau ? En prison, après la défaite, en 1941, il fit une demi-confession : « Parce qu'elle était pacifique par essence, la France a voulu croire à la possibilité d'une « coexistence paisible » entre les démocraties installées en Europe et l'autocratie guerrière qui s'y implantait. Elle a fait à cette possibilité des sacrifices de plus en plus coûteux, qui n'ont eu d'autres résultats que d'affaiblir son prestige au-dehors, de compromettre sa cohésion au-dedans et par conséquent d'aggraver le péril. »

Parmi ceux qui auraient saisi sur le moment même la portée du 7 mars 1936, j'ai entendu plus d'une fois citer Charles Maurras et *l'Action française* : la lecture des numéros immédiatement postérieurs à l'entrée des troupes allemandes en Rhénanie démontre le contraire. Le journal continua de dénoncer les sanctions contre l'Italie et la ratification de l'accord franco-soviétique. Ainsi, dans le numéro du 8, dans un appel aux Français sous le titre « Dissoudrez-vous la vérité ? », on lit : « Il s'agit d'intervenir contre l'Italie alliée, dans une affaire qui ne nous regarde pas. Il s'agit d'assouvir contre le fascisme abhorré la vengeance des Loges maçonniques, de servir les intérêts de l'Angleterre et d'obéir aux Soviets qui ont besoin de cette guerre pour déchaîner la révolution universelle. Pour cette cause-là, communistes, socialistes et radicaux acceptent que la France coure tous les risques... Ils viennent de voter le traité franco-soviétique qui met la paix à la merci des intérêts et des querelles de Moscou. Huit jours ont suffi pour que nous en voyions le premier et grave résultat, Hitler déchirant le traité de Locarno avec les derniers articles du traité de Versailles, la Rhénanie remilitarisée et les troupes allemandes bordant notre frontière. »

L'Action française, aussi bien que les journaux de gauche, « défendait la paix » : celle-là contre les sanctions votées par la SDN à l'encontre de l'Italie, ceux-ci contre une réplique militaire éventuelle à la violation du traité de Locarno. Ces polémiques restituent l'atmosphère de ces années maudites. Un mouvement d'opinion amène le gouvernement de Londres à prendre au sérieux, pour la première fois, la doctrine de la sécurité collective, il veut l'appliquer contre l'Italie, engagée dans une entreprise coloniale alors que l'ère coloniale s'achève et que monte la puissance allemande. La France ne le suit pas. Quand Hitler déchire le traité de Locarno que le Reich avait signé librement et bouleverse d'un coup l'équilibre européen, les Britanniques rendent aux Français la monnaie de leur pièce ; ils ne répliquent ni par des mesures militaires ni par des sanctions économiques à la remilitarisation de la Rhénanie. Ils se déclarent indifférents aux alliances françaises en Europe centrale et orientale, et, trois ans plus tard, ils entrent en guerre pour venir au secours de la Pologne que, depuis le 7 mars 1936, les démocraties occidentales ne peuvent plus protéger. La diplomatie britannique ne mérite pas plus d'indulgence que celle de la France.

Dans *l'Action française* du 9 mars, un passage de l'article de Maurras peut passer pour une invite à l'action : « Pendant deux semaines Bainville et après lui *l'Action française* ont représenté au gouvernement républicain que le moment viendrait, tôt ou tard, où, devant les empiétements graduels et les usurpations progressives de l'Allemagne, il faudrait enfin dire : " non ". Ce moment vient de naître. Cette dure fatalité vient d'échoir. » Vient le rappel des « erreurs et crimes » antérieurs, en particulier l'évacuation de Mayence, et voici la première conclusion : « Cette fatalité est dure, elle menace même d'être très dure, parce que, avec les devoirs accrus, les moyens de les remplir ont diminué et qu'il est devenu difficile d'opposer des actes efficaces, suffisamment efficaces aux faits audacieux que les vaincus d'hier imposent à l'ancien vainqueur. » Maurras, pas plus que les ministres, ne devine que Hitler bluffe et que ses troupes se retireraient devant les troupes françaises. Aussi bien le reste de l'article écarte l'éventualité d'un rassemblement français face au danger : « ... Puisque le gouvernement demande un sacrifice politique à des Français qui n'ont pas partagé ses sanglantes erreurs, ses folies sanguinaires, qu'il prenne les devants et donne l'exemple d'un sacrifice qui est dû. Qu'il s'en aille... Dehors Sarraut ! Dehors Flandin ! Dehors Boncour ! Dehors tous les abjects synonymes des Chautemps et des Zay, vermine qui pullule sur le corps de la France. »

Le 10 mars, Maurras s'exprime avec plus de clarté encore. Il commence par : « Et d'abord, pas de guerre. Et d'abord, nous ne voulons pas la guerre. Il est triste et cruel d'avoir à dire cela, à l'écrire, et surtout à le publier... »

Puis viennent quelques lignes sur ce qui aurait pu et dû avoir lieu : « ... Samedi après-midi, à la première nouvelle des décisions d'Hitler, un gouvernement national, stable, cohérent, n'eût pas été embarrassé. Car ce gouvernement aurait eu des troupes. Il aurait eu du matériel et des munitions. Fort de son droit, fort des pactes et des traités, un tel gouvernement eût fait occuper, dans le bref délai que l'événement lui laissait, toutes les places de la Rhénanie que n'eussent pas envahies les divisions au pas de l'oie... » Maurras s'interroge ensuite sur les raisons pour lesquelles le gouvernement n'a pas agi et il conclut : « Au point où sont tombées les choses depuis quarante-huit heures, il n'y a qu'un conseil et, hélas, hélas, trois fois hélas : un conseil public à donner au gouvernement de la république : D'abord, pas de guerre !... Ensuite, il faut que vous armiez. Armons, armons, armons. » Charles Maurras, à partir de cette date, prit position contre les « bellicistes » ou les « résistants » à l'hitlérisme, parce qu'il prévoyait la défaite française. A cet égard, certes, il ne se trompa point.

Je me suis reporté aux deux journaux, *l'Ordre* et *l'Écho de Paris*, auxquels collaboraient respectivement Émile Buré et Henri de Kerillis, tous deux crédités d'une particulière lucidité à l'égard du péril hitlérien. Le premier analysait correctement la conjoncture. Le dimanche 8 mars 1936, il écrivait : « Le Führer dit que, s'il rompt les engagements pris à Versailles et à Locarno, c'est parce que la France a signé l'accord franco-soviétique. Détestable prétexte qui malheureusement sera accepté par une partie de l'opinion française, aveuglée par sa passion partisane... C'est l'épreuve de force : il s'agit maintenant de savoir si elle réussira, si les nations, menacées de vassalisation par l'Allemagne, laisseront le Führer les mains libres à l'est, comme il le leur demande. Alors nous serions vraiment en 1866. » Émile Buré passait pour entretenir des relations avec l'ambassade de l'Union soviétique : il ne recommandait pas la réplique militaire, il faisait appel à l'unité nationale et il pressentait l'avenir. « Aujourd'hui le viol de Locarno, demain le viol de l'Autriche, ensuite l'attaque brusquée sur tel point ou sur tel autre. Pourquoi se gênerait-il ? D'un côté il y a des boxeurs qui portent des coups. De l'autre des avoués qui les enregistrent. » (11 mars 1936.)

Henri de Kerillis, lui, le 9 mars 1936, titrait « Les crimes du Front populaire » : « La politique insensée qui consiste d'abord à s'appuyer sur le communisme moscoutaire quand ses représentants en France refusent les crédits militaires, sabotent la défense nationale... ne pouvait que conduire le pays à l'impasse effroyable dans laquelle il se trouve, à une des plus grandes humiliations de son histoire et au bord de la catastrophe. C'est la raison pour laquelle nous suppliions, l'autre jour, les députés, les nationaux de refuser leur vote au pacte... » Il dénonçait ensuite « l'odieuse politique des sanctions », de « la rupture du front de Stresa à propos d'une bagatelle coloniale » et il appelait, contre le gouvernement Sarraut, un gouvernement d'union nationale « dégagé de l'esprit et de la pression des communistes ». Et, quelques jours plus tard, il concluait un article par ces mots : « Vive l'union sacrée contre le danger extérieur et les traîtres de l'intérieur. »

J'avais gardé le souvenir d'un article clairvoyant d'Alfred Fabre-Luce, antérieur à l'événement. Il m'en a indiqué la date et le lieu de publication (25 janvier 1936 dans *l'Europe nouvelle*). J'en extrais des passages dont l'histoire et les historiens ont confirmé la pertinence : « Le maintien du statut rhénan répond pour nous à un intérêt vital ; il est en outre le centre du traité de Locarno qui est l'expression d'après-guerre de la solidarité franco-anglaise et la base sur laquelle de plus en plus nous tendons à construire tout le reste de notre système européen. C'est donc le point où nous devons témoigner le maximum de fermeté ; et cette fermeté même assurera la paix... L'abolition des clauses 42 et 44 du traité de Versailles, c'est justement, pour l'Allemagne d'après-guerre, l'équivalent de la livraison de Toul et Verdun pour l'Allemagne de 1914, avec toutefois cette différence que l'obtention lui paraît aujourd'hui plus facile. Parce qu'il s'agit de prendre quelque chose qui se trouve déjà sur son territoire. Elle envisage donc de le faire sans nous consulter. Un geste serait en réalité une façon d'interroger la France sur son attitude en cas de guerre dans l'Est européen. L'absence de toute réaction militaire serait considérée comme une réponse suffisante. A partir de ce moment, l'Allemagne, jusqu'à nouvel ordre, ne s'occuperait plus de nous. Elle préparerait sa guerre à l'est, assurée même sans doute que cette modification des conditions de la guerre amènerait l'opinion française à se prononcer contre une intervention. Nous pouvons donc être appelés d'un moment à l'autre à jouer une partie essentielle. La pire des illusions serait de céder sur ce terrain en conservant l'espoir d'exercer avec la même efficacité notre rôle de garant du statut européen. La pire des absurdités serait d'intervenir dans la guerre orientale dont la remilitarisation rhénane serait certainement la préface, après avoir accepté cet handicap. D'autre part, si nous ne devons pas intervenir, il ne faut pas laisser les peuples d'Europe dans l'espoir que nous interviendrons... » Cette prise de position de 1936 explique et justifie l'approbation que Fabre-Luce donna à l'accord de Munich de 1938.

Quelques mois après l'entrée de la Reichswehr en Rhénanie, le gouvernement du Front populaire arriva au pouvoir et bientôt éclata la guerre civile espagnole. Une fois de plus, la prise de position diplomatique ne se séparait pas des préférences idéologiques ; la notion de l'intérêt national se perdait dans le tumulte des passions.

J'étais de cœur avec les Républicains espagnols : autour de moi, le choix allait de soi. André Malraux, Édouard Corniglion-Molinier étaient partis immédiatement pour Madrid qui restait la capitale de l'Espagne républicaine. Parmi mes amis de l'Université, Robert Marjolin, Eric Weil, Alexandre Koyré, Alexandre Kojève, la question ne se posait pas davantage. Les généraux menaient une guerre civile après avoir pris l'initiative d'un coup d'État à demi avorté. Ils recevaient aide et assistance de l'Italie fasciste et de l'Allemagne hitlérienne. Georges Bernanos, disciple d'Édouard Drumont, qui avait écrit un livre passionnément antisémite, *la Grande Peur des bien-pensants*, écrivit, contre les nationalistes espagnols, un réquisitoire : *les Grands Cimetières sous la lune.* Malraux et Bernanos comparèrent leurs expériences des crimes perpétrés d'un côté et de l'autre. Salvador de Madariaga, que j'ai bien connu plus tard, se tint au-dessus de la mêlée, convaincu — il avait raison — qu'il ne pourrait vivre en Espagne quel que fût le camp victorieux, ni dans l'Espagne de Franco, ni dans celle des Républicains gangrenée par les communistes. Derrière Franco, se profilaient Hitler et Mussolini ; derrière les Républicains, Staline et son GPU, actif à l'arrière des combats et déjà occupé à la besogne de l'épuration.

La diplomatie de non-intervention sépara les deux fractions du Front populaire, socialistes et radicaux d'un côté, communistes de l'autre. Bien que, dans le milieu d'André Malraux, la politique de Léon Blum fût plus souvent critiquée qu'excusée, je me mettais à la place du président du Conseil, selon la leçon que m'avait donnée Joseph Paganon, et j'aboutissais à la même conclusion que lui. Un chef d'un gouvernement démocratique peut-il engager son pays dans une action qui comporte un risque de guerre et que la moitié du pays ne juge pas conforme à l'intérêt national ? A. Kojève, dans un entretien chez Léon Brunschvicg (celui-ci recevait tous les dimanches matin), expliqua que les Soviétiques craignaient, par une présence trop visible en Méditerranée, d'inquiéter le gouvernement de Londres et de l'inciter à un rapprochement avec Berlin. Le dialecticien se heurta au scepticisme du mandarin aussi bien que des jeunes philosophes réunis. Il ne se trompait pas sur un point essentiel : le gouvernement de N. Chamberlain ne souhaitait guère la victoire des Républicains, hypothéquée par l'emprise des communistes et, du même coup, des Soviétiques.

Mon ami Golo Mann s'était fâché, m'a-t-il raconté récemment, avec nombre de ses amis de gauche parce qu'il pensait à l'époque que l'Espagne de 1936 n'était pas mûre pour une démocratie parlementaire. Le long règne de Franco répondait à une nécessité tragique. Quarante années après la guerre civile, sous le roi Juan Carlos, héritier légitime de la monarchie, choisi comme successeur par le général qui avait pris le pouvoir par les armes, l'Espagne devint une démocratie parlementaire, encore fragile, menacée par le terrorisme basque plus que par les généraux, malgré tout prête à entrer dans la Communauté européenne, à joindre son sort à celui de l'Europe libre.

Je connais trop mal l'Espagne d'hier et d'aujourd'hui pour porter un jugement, même platonique et rétrospectif, sur la guerre d'Espagne et mes sentiments de l'époque. Simone Weil avait connu de près et maudit l'action du GPU qui introduisit les méthodes moscovites dans la Catalogne, dernier bastion de la résistance ; elle aurait dissipé nos illusions sur le camp républicain si nous les avions cultivées, mais le ralliement de Franco au camp fasciste complétait l'encerclement de la France. Un troisième front risquait de surgir. En fait, l'Espagne franquiste n'a pas contribué à la victoire alliée, mais pas non plus à la victoire allemande. Quelle attitude aurait adoptée une Espagne républicaine en 1940 ? La guerre civile espagnole apparut à juste titre comme le prélude de la guerre européenne, mais de celle qui commença en 1941 plutôt que de celle qui éclata en septembre 1939.

La victoire du Front populaire, en 1936, quelques mois après la remilitarisation de la Rhénanie, résultait logiquement de la politique déflationniste menée jusqu'au bout par Pierre Laval avec autant de courage que d'aveuglement et soutenue par la Chambre élue en 1932. Édouard Daladier, chassé du pouvoir par les émeutes du 6 février, s'engagea dans l'alliance avec le parti de Maurice Thorez et contribua, lui aussi, à la victoire du Front populaire. Nos sentiments, les miens, ceux de nos amis, par exemple de Robert Marjolin, ne s'accordaient avec les projets d'aucun des deux camps.

Nous savions, Marjolin et moi-même, quelques autres dans des groupuscules, parmi lesquels « X crise [1] », que l'application immédiate, soudaine du programme du Front populaire condamnait à l'avance l'expérience. L'augmentation des salaires horaires, la limitation de la durée hebdomadaire du travail à 40 heures, le refus de la dévaluation composaient un cocktail que l'économie ne pouvait absorber. Léon Blum croyait que la loi de 40 heures apporterait un emploi à des centaines de milliers de chômeurs. Alors même qu'il lança une politique d'expansion, le gouvernement réduisit la capacité physique de production d'un appareil vieilli par les années de déflation et l'insuffisance des investissements. La politique de Laval avait provoqué une baisse des prix ; il aurait suffi d'une dévaluation limitée du franc pour les remettre au niveau international et pour accélérer la reprise, amorcée avant la victoire du Front populaire. Léon Blum ignorait tout des prix mondiaux, du rapport entre les prix mondiaux et les prix intérieurs ; il ne savait pas — et peut-être ses conseillers ne le savaient-ils pas plus — combien des chômeurs recensés (entre 400 000 et 500 000) étaient en état de reprendre le travail. Marjolin envoya des notes au Cabinet de Léon Blum. Il écrivit aussi dans *l'Europe nouvelle* des articles en faveur de Paul Reynaud, au grand scandale de Célestin Bouglé qui y vit la trahison d'un jeune, que les socialistes avaient accueilli à bras ouverts et qu'ils considéraient comme un de leurs espoirs. C. Bouglé, dont l'absolue bonne foi était protégée par l'ignorance économique, jugeait des opinions en la matière, non par rapport au réel, mais par rapport aux partis. Quand je l'irritais trop, il me prophétisait — Mme Porée [2] me le rapporta — une fin de carrière en tant que critique économique du *Journal des Débats.* Peut-être la mort de ce journal m'a-t-elle épargné cette infortune.

François Goguel me rappela, il y a quelques mois, l'article intitulé

1. Un groupe d'études économiques, créé par des polytechniciens comme J. Coutrot, J. Ulmo, A. Sauvy.

2. Mme Porée était la secrétaire du directeur de l'École. Une des premières dactylographes avant 1914, elle tapa pour les normaliens d'innombrables thèses ou diplômes d'études. Elle connaissait tout de l'École et jouissait d'une popularité proche de la célébrité.

« Réflexions sur les problèmes économiques français », que j'avais publié dans le numéro 4 de l'année 1937 de la *Revue de Métaphysique et de Morale*. L'article, me dit-il, l'avait sur le moment frappé par la pertinence, la fermeté de l'analyse. Je l'ai relu à mon tour, plutôt déçu par ce premier exercice d'une critique d'actualité (cependant meilleur que mes « Lettres » dans les *Libres Propos*).

Les remarques du début, sur les intellectuels, ne me déplaisent pas, aujourd'hui encore : « Les intellectuels interviennent donc, et à bon droit, dans les luttes politiques, mais on discerne deux modes de cette intervention : les uns agissent (ou prétendent agir) en clercs à seule fin de défendre des valeurs sacrées ; les autres adhèrent à un parti et acceptent les servitudes qu'entraîne cette adhésion. Chacune de ces attitudes me paraît légitime, pourvu qu'elle soit consciente d'elle-même. Mais pratiquement ceux qui se donnent pour clercs, intellectuels antifascistes ou interprètes des droits de l'homme, se conduisent en partisans. Glissement inévitable : il n'y a pas tous les jours une affaire Dreyfus qui autorise à invoquer la vérité contre l'erreur. Pour qu'ils puissent, en tant que tels, exprimer quotidiennement leur opinion, les intellectuels devraient avoir une compétence économique, diplomatique, politique..., etc. S'il s'agit de déflation ou d'inflation, d'alliance russe ou d'entente cordiale, de contrat collectif ou de niveau des salaires, la justice est moins en cause que l'efficacité. D'autre part, dans tous les partis, écrivains et professeurs apparaissent aujourd'hui comme des délégués à la propagande. On leur demande moins d'éclairer les esprits que d'enflammer les cœurs. Ils justifient et attisent les passions, rarement ils les purifient. Ils sont les hérauts d'une volonté collective. Les masses qui leur font confiance ignorent que tel illustre physicien, tel écrivain célèbre, tel ethnographe réputé [1] n'en savent pas plus long que l'homme de la rue sur les conditions de la reprise économique... Il ne suffit pas de pratiquer une discipline scientifique et de se dire positiviste pour échapper aux mythes. »

Pour le reste, la discussion, marquée par les débats de l'époque, ne présente plus qu'un intérêt historique : le livre d'Alfred Sauvy, *Histoire économique de la France entre les deux guerres*, instruira bien mieux le lecteur que mon texte de 1937. A celui-ci on reconnaîtra un mérite : avoir mis l'accent sur les deux causes essentielles de l'échec de l'expérience Léon Blum, le refus de la dévaluation d'abord, l'application rigide de la loi des 40 heures ensuite. « Si, après l'amélioration de 1933, la situation économique de la France s'est aggravée en 1934 et 1935, la cause essentielle en est, d'après toutes études sérieuses, la disparité des prix français et des prix mondiaux. Cette disparité ne compromet pas seulement les exportations, elle entretient sur toute l'économie une pression déflationniste... Un fait est aujourd'hui indiscutable : dans tous les pays du bloc-or, la dévaluation a amélioré rapidement et profondément

1. Paul Langevin, André Gide, Paul Rivet.

la situation ; en déclenchant une hausse plus vive et plus forte des prix de gros que des prix de détail, elle a contribué à supprimer à la fois la disparité des prix intérieurs et la disparité entre prix intérieurs et prix mondiaux... » Le refus de la dévaluation s'explique, au moins en partie, par l'opposition du parti communiste. Quant à la loi des 40 heures, je l'imputai à tort au programme du Front populaire ; elle n'y figurait pas à l'origine, mais elle se trouvait dans celui du parti communiste. Au jugement que je portai à l'époque sur cette mesure la plupart des historiens souscriraient aujourd'hui. « Aucune des études nécessaires n'avait été faite au moment où le principe nouveau [les 40 heures] fut inscrit au programme du Front populaire, aucune des précautions indispensables... ne fut prise au moment où la loi fut appliquée brutalement à toutes les branches de l'économie. On avait surestimé la puissance de l'industrie française que l'on jugeait, sans preuves, capable de produire en quarante heures autant qu'auparavant en quarante-huit. En fait, on réduisit la marge de reprise. » La moyenne du travail, dans les industries recensées, se situait aux alentours de 45 heures. Léon Blum apprit ces chiffres au procès de Riom : les simples particuliers, comme moi-même, pouvaient connaître la durée approximative du travail hebdomadaire.

Bien entendu, ce texte, relu aujourd'hui, appelle des corrections. Je sous-estimai les premières conséquences de la dévaluation, l'importance de la reprise que celle-ci aurait provoquée si l'application de la loi des 40 heures n'avait réduit la capacité productive de l'économie tout en accélérant l'allure de la hausse des salaires. De plus, bien que l'article s'en tînt aux aspects économiques de l'expérience Blum, j'aurais dû souligner la portée morale plus encore que sociale des réformes : un demi-siècle plus tard, la gauche, fidèle à elle-même, célèbre l'expérience Blum, les congés payés et sa défaite.

Bien entendu, je ne parvins pas à convaincre les universitaires qui, pourtant, auraient dû comprendre. Maurice Halbwachs discuta aimablement avec moi mais, bien qu'il fût un des spécialistes de l'économie dans l'équipe des durkheimiens, il ne fut pas ébranlé par mes arguments. Seul Léon Brunschvicg, dont la femme appartenait au gouvernement, me dit, un dimanche suivant la chute de Léon Blum : « Aucune personne intelligente n'avait cru au succès. »

Depuis lors, la personnalité de Léon Blum a été transfigurée comme celle de Jean Jaurès l'avait été entre les deux guerres. Son courage devant ses juges à Riom, l'indignité de ceux qui instruisirent son procès, l'admiration presque unanime qui l'accueillit à son retour d'Allemagne rendent presque impossible aux hommes qui ne vécurent pas les années 30 de juger sereinement l'action du président du Conseil du premier gouvernement du Front populaire. Et à l'époque, la haine que suscitait à droite le grand bourgeois, socialiste et juif — haine peu compréhensible pour les générations d'après-guerre —, nous interdisait pour ainsi dire d'apporter par nos critiques des arguments à des hommes ou des partis avec lesquels nous n'avions rien de commun. C'est pourquoi je confiai mon analyse de la politique économique du Front populaire à une revue confidentielle, la *Revue de Métaphysique et de Morale.*

A gauche, on se souvient, on veut se souvenir exclusivement des réformes qui firent date et survécurent : les congés payés, les conventions collectives, les négociations désormais habituelles entre les syndicats et les entrepreneurs. De fait, la législation et la pratique sociales en France étaient en retard sur celles des autres pays démocratiques d'Europe. Le patronat, la grande bourgeoisie, terrifiés par les occupations d'usines, détestèrent celui qui, tout en les sauvant d'une révolution, avait ébranlé le pouvoir royal des chefs d'entreprise. Les erreurs de Léon Blum n'effacent pas ses mérites, les uns et les autres tout aussi incontestables que la noblesse de l'homme.

Du reste, il ne manquait pas de circonstances atténuantes. La France n'avait pas d'Institut de la conjoncture. Les statistiques sur le chômage prêtaient à équivoque. Le programme du Front populaire avait été rédigé par une Commission dans laquelle le *comité de vigilance* joua probablement un rôle aussi important que les délégués des partis. L'ignorance de la situation ne se limitait pas aux hommes politiques ; les dirigeants de l'économie ne témoignèrent pas de plus de lucidité. Malgré tout, Paul Reynaud, conseillé par un banquier français aux États-Unis, Istel, dénonçait l'aberration des gouvernants et disait, seul, la simple vérité. Léon Blum ne dépassait pas le reste de la classe dirigeante par le savoir ou par le jugement. Au bout d'une année, le Sénat mit fin à l'expérience et le parti socialiste accepta enfin de participer à un gouvernement qu'il ne dirigeait plus.

Après l'échec du premier gouvernement du Front populaire, les événements suivirent leur cours sans nous surprendre. La direction radicale, avec Camille Chautemps, remplaça la direction socialiste. L'inflation se poursuivit, la première dévaluation, trop longtemps retardée, fut suivie d'une autre. A la faveur de la fusion des deux confédérations ouvrières, les communistes avaient pris des positions clés dans la CGT. Au-dehors, l'Italie de Mussolini avait lié son sort à celui du IIIe Reich. Quand, au printemps de 1938, Hitler décida d'annexer l'Autriche, d'éliminer le chancelier Schuschnigg, successeur de Dollfuss assassiné en 1934, la France n'avait pas de gouvernement et Mussolini se résigna à l'événement qu'il avait contribué à prévenir quelques années auparavant. Du jour où la Wehrmacht entra à Vienne, la question de la Tchécoslovaquie se posa. Quelques mois après, ce fut Munich.

Le nom de la capitale de la Bavière demeure dans le langage politique du monde entier un nom commun plutôt qu'un nom propre : un symbole. Munich, c'est sacrifier un allié dans l'espoir de s'épargner à soi-même l'épreuve de force ; c'est l'illusion que l'agresseur se contentera des victoires remportées sans combat ; c'est l'apaisement opposé à la résistance. La politique dite de Munich signifie donc aujourd'hui tout à la fois la faute morale et l'erreur intellectuelle, la lâcheté, la guerre retardée mais d'autant plus coûteuse et fatale. Je n'ai pas la prétention de corriger cette interprétation ; après tout, en dépit des faits les mieux établis, les historiens n'ont pas réussi à refouler la légende du partage du monde à Yalta.

Entre 1936 et 1939, la plupart des Français — ou plutôt des hommes politiques et des intellectuels — s'étaient rangés dans un camp ou dans un autre : pour ou contre le fascisme italien et la conquête de l'Abyssinie, pour l'insurrection des généraux espagnols ou pour la défense de la République. La gauche, dans l'ensemble, ne comprit pas que la réoccupation de la Rhénanie modifiait radicalement l'équilibre des forces en Europe : notre armée, en position défensive derrière la ligne Maginot, perdait les moyens de porter secours à nos alliés à l'est du Reich. De 1933 à 1936, la gauche ne prêchait pas le réarmement, elle déclarait à l'avance perdue la course aux armements. Elle se convertit à la résistance, même militaire, contre Hitler à partir de la guerre d'Espagne. La résistance à Hitler, en mars 1936, comportait le minimum de risques : nous savons aujourd'hui qu'il n'y en avait aucun et nous devions savoir à l'époque que le péril était faible. L'intervention en Espagne n'allait pas sans danger, en tout cas pour l'unité nationale. En septembre 1938, une alliance nous obligeait à déclarer la guerre à l'Allemagne si celle-ci lançait ses cohortes à l'assaut du quadrilatère de Bohême. Cette fois, la résistance comportait une probabilité de guerre, mais l'autre terme de l'alternative consistait à imposer à Prague la capitulation, c'est-à-dire le détachement du pays des Sudètes et, du même coup, l'abandon de ses fortifications, de son matériel. Hitler fit savoir au monde, après son triomphe pacifique, l'énormité du butin.

Hommes d'État et simples citoyens s'interrogeaient : Hitler bluffait-il ou bien était-il résolu à attaquer la Tchécoslovaquie au cas où celle-ci ne céderait pas ? Si Hitler bluffait, la résistance s'appelait aussi la paix. S'il ne bluffait pas, la résistance provoquait une guerre, locale en tout cas, générale probablement. Ceux qui soutenaient la thèse du bluff se donnaient du même coup une bonne conscience : la paix par le courage et sans la guerre, qui ne la choisirait d'enthousiasme ? Mais ce langage, à coup sûr habile, me paraissait malhonnête. Au lendemain de Munich, quand je commençai mes cours à l'École de Saint-Cloud, je consacrai une demi-heure à des réflexions sur la crise. Je commentai le « lâche soulagement » de Léon Blum et je dénonçai avant tout les « marchands de sommeil », selon l'expression d'Alain, ceux qui incitaient les Français à la fermeté tout en les rassurant sur le prix de leur vaillance.

Je fréquentais à l'époque Hermann Rauschning qui avait gardé des relations avec les milieux de l'armée et des conservateurs allemands hostiles à l'aventure du Führer. Il m'entretint plusieurs fois de la conspiration des généraux ; il m'assura que les chefs de l'armée se seraient rebellés au cas où Hitler aurait ordonné l'attaque sur la « Tchéquie », comme le Führer disait à l'époque[1]. Je conduisis Rauschning chez Gaston Palewski, chef du cabinet de Paul Reynaud, après la signature des accords de Munich ; Palewski écouta avec un visible scepticisme les propos de l'ancien maire de Dantzig. Le complot existait et Halder en a parlé après coup. Mais aujourd'hui encore les historiens en discutent. Les chefs militaires auraient-ils refusé au dernier moment d'obéir à l'homme auquel ils avaient prêté serment ? Auraient-ils déposé Hitler ?

En tout cas, personne n'avait le droit d'affirmer catégoriquement que Hitler bluffait et nous savons aujourd'hui qu'il ne bluffait pas. Il a même regretté parfois que l'intervention de Mussolini l'ait empêché de détruire la Tchécoslovaquie par les armes. Une fois admis le risque de guerre et l'obligation de l'alliance, l'homme d'État et les citoyens auraient dû peser les coûts et les avantages du sursis. A supposer que la guerre fût inévitable, que Hitler, en dépit de ses déclarations solennelles (« la dernière revendication »), eût poursuivi, en tout état de cause, l'application des plans de *Mein Kampf* et de ses projets exposés en 1937 aux responsables des forces armées, quelle était la date préférable, 1938 ou 1939 ? Cette délibération raisonnable, les passions déchaînées l'excluaient.

Je ne m'excepte pas des intellectuels que cette critique vise. Je ne pensais pas, à l'époque, que Hitler bluffait ; j'étais antimunichois, comme on disait, mais par émotion, sans connaître assez le rapport des forces, sans réfléchir sur la thèse sérieuse, peut-être valable, du « sursis ». Les antimunichois applaudirent par sentiment plus que par raison à la conversion de la diplomatie anglaise après l'entrée à Prague des troupes allemandes. Je ne compris que plus tard ce que n'importe quel diplomate aurait dû comprendre immédiatement : en concluant avec la Pologne un traité d'assistance mutuelle, le Royaume-Uni accordait automatiquement une garantie à l'Union soviétique sans obtenir d'elle la moindre compensation.

Ironie de l'histoire et folie des passions : les munichois demeurent des criminels alors que ceux qui applaudirent la « sagesse » des Français en mars 1936 ne sont jamais mis en accusation. Le conformisme va si loin que Sartre, dans *le Sursis*, présente tous les munichois comme des « salauds », alors que lui-même, par pacifisme, approuva l'accord des Quatre. La conversion de la politique anglaise, en mars 1939, ne fait presque jamais l'objet d'un débat, comme si elle n'appartenait pas à la suite des actes et des événements qui décidèrent du destin.

Chacun peut reconstruire à sa manière l'histoire qui n'a pas eu lieu et conclure qu'il eût été préférable de livrer la guerre en 1938 ou aboutir à la conclusion opposée. L'armée tchèque valait mieux que l'armée polonaise, mais Hitler plaidait le dossier des Sudètes, Allemands qui avaient le droit à l'autodétermination en vertu des principes dont se réclamaient les Français. La volonté impérialiste au-delà du rassemblement des

1. Mais le dit-il déjà avant Munich ? Je n'en suis pas sûr.

populations allemandes prêtait encore au doute et les *Spitfires* n'auraient pas été opérationnels dans une bataille d'Angleterre livrée un an plus tôt. Parmi les munichois figuraient, à coup sûr, nombre de ceux qui approuvèrent ensuite l'armistice et soutinrent le Maréchal. Mais parmi eux se trouvaient aussi des hommes qui jugeaient que la résistance à Hitler, en 1938, se manifestait trop tard (la Rhénanie était occupée) ou trop tôt : sans frontière commune avec le IIIe Reich, l'Union soviétique assisterait, l'arme au pied, à la bataille de l'Ouest, se réservant d'intervenir plus tard pour frapper le coup de grâce et élargir son espace de souveraineté ou d'influence.

Je lisais ces derniers jours, alors que je rédigeais ce chapitre, *Un voyageur dans le Siècle.* Je connaissais à peine, avant 1939, Bertrand de Jouvenel. Il commença sa carrière de journaliste et d'écrivain beaucoup plus tôt que moi. Alors que je me libérais péniblement des leçons d'Alain, il parcourait l'Europe et le monde, il fréquentait tous les hommes politiques de France et d'Angleterre. Par son père et son oncle Robert, il appartenait de naissance à la classe politique de la IIIe République ; dans les salons de sa mère, il rencontra les fondateurs de « l'Europe de Versailles ». En 1919, quand fut signé le traité, j'habitais Versailles et, perdu dans la foule, je regardais passer les hommes qui construisaient le monde d'après-guerre. Il se trouvait probablement à la Galerie des Glaces.

Deux années d'écart — quatorze et seize ans — signifiaient encore beaucoup quand nous fréquentions le même lycée Hoche ; elles ne signifiaient plus rien cinq années plus tard. Nous appartenons à la même classe d'âge, mais il vivait déjà une existence de journaliste mêlé de près à la politique qui faisait l'Histoire, alors que je prolongeais des études conventionnelles, dans le cadre de l'Université ou en Allemagne. Je n'ai presque pas connu les amis de sa génération qu'il mentionne avec fidélité, voire avec admiration dans ses Mémoires. Je rencontrai une seule fois Jean Luchaire, auteur de *Une génération réaliste.* Un vague souvenir me reste de cette conversation. Je lui fis part de quelques-unes de mes préoccupations philosophiques ; il me répondit qu'il n'avait jamais entendu un homme de mon âge exprimer de telles préoccupations. Je ne fus pas ébloui par le talent que Bertrand lui prête, par générosité peut-être. J'ai rencontré plusieurs fois Alfred Fabre-Luce pendant les années 30. Je lus régulièrement la revue *Pamphlet* qu'il publia pendant une année avec Jean Prouvot et Pierre Dominique, puis l'*Europe nouvelle* de Louise Weiss dont il devint le rédacteur en chef. Il me proposa de collaborer à la revue. C'est chez lui que je rencontrai une seule fois Drieu La Rochelle dont j'admirais le talent. André Malraux m'avait dit : « De nous tous, c'est lui qui est doué du talent d'écrivain le plus authentique, le plus spontané. » Drieu et Malraux restèrent amis en dépit de la divergence de leurs itinéraires politiques. Drieu et Jouvenel étaient amis mais non Jouvenel et Malraux (pendant l'Occupation, ils se retrouvèrent en Corrèze avec Berl).

Avec la génération dont Jouvenel raconte avec tristesse le naufrage, je partageais la révolte contre la guerre et le poincarisme, la volonté de réconciliation avec l'Allemagne de Weimar. Je n'étais pas lié, comme Bertrand, à la Tchécoslovaquie, à l'Europe de Versailles, à la Société des Nations. Favorable en principe à cette dernière, j'étais revenu de quelques jours passés à Genève, pendant l'Assemblée générale, avec des sentiments mêlés. L'Allemagne n'était pas encore là ; les États-Unis se tenaient à l'écart. L'expression parlementaire des relations entre les États me sembla verbale, artificielle, théâtrale.

Jusqu'au printemps de 1930, mes sentiments, mes opinions ne différaient pas, pour l'essentiel, de ceux des amis de Jouvenel ; ni les uns ni les autres nous ne nous dissimulions la fragilité de l'ordre édifié par les vainqueurs, immédiatement divisés, et nous jugions sévèrement la diplomatie menée par la France à l'égard du vaincu. En 1930, j'eus l'expérience brutale de l'Allemagne, frappée de plein fouet par la crise économique et le retrait des prêts américains, humiliée, revendicative, antifrançaise. Expérience choc qui suscita une intuition : le temps du malheur va revenir. L'année suivante, en 1931, la France, épargnée par la crise, domine en apparence l'Europe ; elle est dénoncée par tous, Américains, Anglais, Allemands, qui rejettent sur elle, immobile sur son stock d'or, toutes les responsabilités. En cette même année, le national-socialisme poursuit son ascension, porteur d'une tempête historique dont les signes avant-coureurs se multiplient. En sept années, entre 1931 et 1938, tout l'édifice s'écroule ; en octobre 1938, la France est réduite aux dimensions de sa population et de son industrie. Fabre-Luce fit scandale quand il rappela dans un article que la population de notre pays ne représentait que 7 % de celle de l'Europe. Elle n'a plus de choix qu'entre une guerre que les Français refusent et une soumission dont nul ne prévoit le terme.

Pendant ces années de décadence, nous avons eu mal à la France. Une obsession m'habitait : comment sauver la France ? C'est dans un climat de déclin national et d'exaspération partisane que le ralliement d'un Bertrand de Jouvenel ou d'un Drieu La Rochelle au mouvement de Jacques Doriot devient intelligible. Je n'ai jamais vu ni entendu le maire de Saint-Denis, l'orateur populaire expulsé par le PC alors qu'il soutenait des thèses que le parti adopta plus tard. Dans le parti communiste, avoir raison à contretemps est le crime suprême. Soutenu par ses troupes, qui préférèrent leur chef au parti, Jacques Doriot créa un Parti populaire français (PPF) qui, seul des groupes, ligues et groupuscules de l'époque, faisait figure d'un éventuel parti fascisant. Doriot termina sa vie en Allemagne, victime d'une attaque de l'aviation alliée.

Les écrivains des années 30, même certains qui appartenaient à une autre génération et qui, auparavant, se désintéressaient des affaires publiques, n'échappèrent pas au torrent de l'histoire. Presque tous étaient tentés de prendre à leur compte la formule attribuée, je crois, à Napoléon : la politique est le destin. Il ne s'agissait plus de choisir entre les deux Édouard[1], ni même entre Aristide Briand et Raymond Poincaré. Depuis 1933, peut-être même depuis 1929, le peuple de l'hexagone était arraché à ses distractions. Le vent souffla du dehors, de l'Est et de l'Ouest. Beaucoup des grands intellectuels savaient peu de chose de Lénine, de Hitler, de l'économie moderne, des ressources américaines. André François-Poncet, avec beaucoup d'autres, prit l'Italie pour une grande puissance. Ce qui nous frappait tous — et à juste titre —, c'était le contraste entre la paralysie des régimes démocratiques et le relèvement spectaculaire de l'Allemagne hitlérienne, les taux de croissance publiés par l'Union soviétique. Quel gouvernement pouvait sortir de la compétition entre des partis qui se perdaient dans des intrigues parlementaires et qui refusaient d'ouvrir les yeux ? Baisse de la natalité, baisse de la production, effondrement de la volonté nationale : il m'est arrivé par instants de penser, peut-être de dire tout haut : s'il faut un régime autoritaire pour sauver la France, soit, acceptons-le, tout en le détestant.

A la différence de Drieu La Rochelle ou de Bertrand de Jouvenel, je ne courais pas le risque d'être entraîné par le désespoir vers des engagements absurdes. Je fus protégé non pas tant par mon judaïsme que par les hommes au milieu desquels je vécus, par mon mode de penser, par mon refus constant des deux régimes où régnait un parti unique.

De toute évidence, je ne fus pas effleuré par la tentation fasciste. J'aurais pu l'être par l'autre tentation. Alexandre Kojève se déclarait « stalinien de stricte observance », André Malraux se conduisait en compagnon de route. Mais le premier me paraissait malgré tout un Russe blanc, communiste peut-être pour des motifs d'histoire universelle mais très éloigné du parti. Quant au deuxième il ne cherchait nullement à faire pression sur moi et me jugeait, je suppose, destiné par nature à des opinions modérées.

Pour moi, dès mon retour d'Allemagne, je jugeai vaines et même funestes les tentatives de réconciliation franco-allemande, Hitler régnant, alors qu'avant janvier 1933 je plaidais cette cause. J'observai, sans y participer, la guerre civile froide, déclenchée depuis février 1934. Je l'ai écrit déjà : je ne croyais pas au danger du fascisme en France parce qu'on y cherchait vainement un démagogue, des masses désintégrées, une passion conquérante, en bref aucune des composantes de la crise fasciste. Les antifascistes pourchassaient un ennemi insaisissable et ils ne s'accordaient pas sur l'essentiel, la méthode à suivre contre le véritable ennemi, Hitler.

Je gardais de mes souvenirs d'Allemagne, des harangues du Sportpalast, la conviction que le Führer du IIIe Reich était capable de monstruosités. L'Histoire m'a donné raison, mais je dois avouer que mon jugement se fondait sur une intuition, psychologique ou historique, plus que sur des preuves. En septembre 1938, la plupart des Allemands s'étaient ralliés au régime à cause des succès remportés, à savoir la liquidation du

1. Édouard Herriot et Édouard Daladier.

chômage, le réarmement, la création du Grand Reich, le rattachement de l'Autriche et des Sudètes *sans guerre* : l'œuvre dépassait en apparence celle de Bismarck[1]. S'il était mort, soudainement, au lendemain des accords de Munich, n'aurait-il pas passé pour un des plus grands Allemands de l'Histoire ? En apparence, bien sûr, puisqu'il n'aurait laissé après lui ni un régime ni un État de droit. La Constitution de Weimar n'existait plus, celle du IIIe Reich n'existait pas encore. De plus, Hitler avait déjà promulgué les lois de Nuremberg et dressé son peuple contre une minorité, visible mais impuissante. C'est après Munich que Goebbels organisa le pogrom national de la « Nuit de cristal », en représailles de l'assassinat d'un secrétaire de l'ambassade d'Allemagne à Paris. Le chaos constitutionnel, le successeur de Hitler, quel qu'il eût été, l'aurait surmonté. L'administration restait en place, les chefs traditionnels de l'armée l'emportaient encore sur les officiers nationaux-socialistes. Ce qu'eût été l'évolution du IIIe Reich après 1938 sans Hitler, nul ne le sait. Tout ce que l'on est en droit de dire, c'est que l'Allemagne sans Hitler en octobre 1938 n'aurait pas nécessairement déclenché la guerre européenne, puis mondiale.

Après l'achèvement de mes thèses, au printemps de 1937, je m'accordai quelque répit — pour une fois sans mauvaise conscience. Nous avions décidé, ma femme et moi, en dépit de la probabilité d'une guerre prochaine, de vivre jusqu'au dernier jour comme si l'avenir nous demeurait ouvert, comme si les plans à long terme nous étaient permis. Je songeai à une introduction aux sciences sociales qui corrigerait le relativisme excessif imputé à l'*Introduction*. Simultanément, inspiré par les événements, je m'intéressai à Machiavel et au machiavélisme. Au moment où vint la guerre, je travaillais à une étude sur la *Théorie générale* de Keynes dont je n'ai heureusement conservé aucune trace (dans le meilleur cas, mes commentaires auraient été banals et exacts), et à une autre étude sur Machiavel, dont survivent une trentaine de pages qui ne valent pas grand-chose ; ma connaissance de l'œuvre de Machiavel était insuffisante.

Au cours de l'année 1937-1938, je fis l'aller et retour entre Paris et Bordeaux. Le ministre (Pierre Bertaux appartenait à son Cabinet) m'avait nommé à l'université de Bordeaux, en tant que remplaçant de Max Bonnafous (lui aussi, comme Déat, élève de C. Bouglé), qui remplit les fonctions de ministre du Ravitaillement à Vichy pendant quelque temps. Les trois textes de cette période m'intéressent aujourd'hui, non en eux-mêmes mais comme témoignage de mon état d'esprit : l'un sur Pareto, publié dans la *Zeitschrift für Sozialforschung*, la revue de l'Insti-

1. Sébastien Haffner, dans son remarquable livre *Bemerkungen zu Hitler*, développe cette thèse avec talent.

tut de Francfort, un autre sur *l'Ère des tyrannies*, recueil d'études d'Élie Halévy que j'avais mis au point avec C. Bouglé et Florence Halévy, enfin le syllabus d'une Communication à la Société française de philosophie, en juin 1939, quelques semaines avant le déclenchement du conflit.

Dans l'article sur le livre *l'Ère des tyrannies*, je retrouve des analyses des régimes totalitaires proches de celles que je fis après 1945, analyses biaisées malgré tout par une volonté d'indulgence à l'égard de l'Union soviétique : « Fascisme et communisme suppriment également toute liberté. Liberté politique : les plébiscites ne représentent que le symbole dérisoire de la délégation par le peuple de sa souveraineté à des maîtres absolus. Liberté personnelle : contre les excès de pouvoir, ni le citoyen allemand, ni le citoyen italien, ni le citoyen russe ne disposent d'aucun recours ; le fonctionnaire ou le membre du parti communiste, le führer local, le secrétaire du fascio sont esclaves de leurs supérieurs, mais redoutables aux particuliers. Liberté intellectuelle, liberté de presse, de parole, liberté scientifique, toutes les libertés ont disparu. Si, dans la pratique démocratique anglaise, l'opposition, selon un mot admirable, est un service public, dans les États totalitaires, l'opposition est un crime. »

Rapprochement tolérable mais excessif : le régime italien et même le régime hitlérien, à cette date, n'allaient pas aussi loin que le régime soviétique dans le totalitarisme, aux deux sens du mot : l'absorption de la société civile dans l'État, la transfiguration de l'idéologie de l'État en dogme imposé aux intellectuels et aux universités. Bien plus, quelques lignes plus haut, je marquai la supériorité du soviétisme : « Le communisme est capable du même cynisme réaliste que les fascismes ; il ne s'en fait pas gloire au même degré. Le communisme tâche d'apprendre à lire à tous les hommes et ceux-ci ne se contenteront pas toujours du *Capital*. Même l'idéologie unique n'a pas la même signification : le communisme est la transposition, la caricature d'une religion de salut, les fascismes ne connaissent pas l'Humanité. » Est-ce le besoin que nous avions de l'Union soviétique contre le IIIe Reich qui tendait à fausser mon jugement ? Peut-être, mais peut-être aussi un motif plus profond guidait-il ma plume. Dans mon milieu, imprégné de hégélianisme et de marxisme, l'adhésion au communisme ne faisait pas scandale, l'adhésion au fascisme ou au PPF était simplement inconcevable. De tous, dans ce groupe, j'étais le plus résolu dans l'anticommunisme, dans le libéralisme, mais ce n'est qu'après 1945 que je me libérai une fois pour toutes des préjugés de la gauche.

Quant à la guerre, j'en traitai en citant Élie Halévy, que je connus malheureusement trop tard ; notre amitié, immédiate, se poursuivit après sa mort avec Florence seule. Pacifique comme les vrais libéraux (seul, me disait-il un jour, le libre-échangiste a le droit de se dire pacifique), il n'était pas pacifiste, ni à la manière d'Alain, ni à celle des juristes. Il ne comptait ni sur les traités, ni sur le refus individuel. Il envisageait la guerre en historien-philosophe. La condition permanente en est “ que l'homme n'est pas uniquement composé de sens commun et d'intérêt personnel, telle est sa nature qu'il ne juge pas la vie digne d'être vécue, s'il n'y a pas quelque chose pour quoi il soit prêt à la perdre ". C'est en historien encore, et non en moraliste, qu'il répondait aux questions sur les perspectives prochaines. Dans une conférence, au début de 1935, il affirmait que la guerre ne lui semblait pas immédiatement à craindre, mais que, dans six ou sept ans, le danger serait grand. Un an après, comme je lui rappelai sa prévision, il me dit simplement : " j'étais trop optimiste ". Depuis lors, les événements ont justifié ses craintes. Si l'article s'était terminé sur ce mot, je n'y aurais rien à reprendre mais j'ajoutai : « Les événements ont aussi révélé des forces de paix puissantes : complicité de toutes les bourgeoisies avec les tyrannies réactionnaires, décomposition plus morale encore que matérielle des démocraties et, enfin, volonté profonde de paix de tous les peuples européens, terrifiés par l'approche de la commune catastrophe. »

Je ne voulais pas annoncer la guerre que je pressentais, comme le malade qui se sait atteint d'une maladie mortelle garde malgré tout l'espoir ; pourquoi pas une erreur de diagnostic ou un médicament miraculeux ?

La discussion à la Société française de philosophie me reste présente à l'esprit. Sur les huit points du syllabus, certains me paraissent tout aussi fondés, indiscutables, qu'il y a quarante ans. Par exemple, chacun admet aujourd'hui que la France et la Grande-Bretagne n'auraient jamais pu apaiser ou satisfaire Hitler par des concessions économiques. A l'époque, il n'était pas inutile de l'affirmer, parce que nombre d'hommes de bonne volonté croyaient ou voulaient croire que l'Allemagne et l'Italie, sans espace et sans colonies, étaient poussées à la conquête par les difficultés de leurs balances des paiements et qu'elles seraient éventuellement détournées des aventures par des offres généreuses. De même, Valéry Giscard d'Estaing a préfacé, il y a quelques années, un livre [1] qui nourrit une illusion de même sorte : par le commerce avec l'Occident, l'Union soviétique serait transformée à la longue, convertie à nos valeurs. Les démocrates, antimarxistes et mercantiles, s'abandonnent volontiers à un marxisme vulgaire, incapables de comprendre que Hitler, Mussolini et Staline pensent tous trois, chacun à sa manière : politique d'abord. Brejnev ou Andropov aussi : un budget de défense qui absorbe 15 % du produit national ne laisse pas de doute sur l'ordre des priorités.

Je reprendrais aussi le point 8 : l'alternative « communisme ou fascisme » n'est pas fatale. A la différence d'une fraction importante de l'intelligentsia, je ne me suis jamais laissé prendre à cette prétendue fatalité. J'écrirais encore la phrase de commentaire : « Le mélange d'autorité illimitée et irrationnelle, de technique rationalisée et de propagande démagogique, offre l'image caricaturale d'une société inhumaine possible. »

1. Celui de S. Pisar, *les Armes de la paix.*

Pour tous les autres points du syllabus, j'écrirais en marge : « oui, mais ». J'avais décidé de prendre la thèse de Pareto sur les élites pour point de départ de mon interprétation des régimes que j'appelais totalitaires, en l'espèce l'Italie de Mussolini et l'Allemagne de Hitler. J'avais raison, me semble-t-il, pour l'essentiel, du moins dans le cas du IIIe Reich. Un des faits fondamentaux, sinon le fait fondamental, c'était bien « la constitution de nouvelles élites dirigeantes... élites violentes, composées de demi-intellectuels ou d'aventuriers, cyniques, efficaces, spontanément machiavéliques ». Maublanc, un communiste de service, m'objecta que ces élites nouvelles étaient au service du grand capital, que Hitler continuait de prendre les ordres de Krupp (peut-être des communistes le pensent-ils encore). En dehors d'eux, personne ne prend aujourd'hui au sérieux ce cliché. En revanche, je ne distinguai pas assez entre l'Allemagne hitlérienne et l'Italie mussolinienne. Les anciennes classes dirigeantes de l'économie, l'Église, la monarchie, en Italie, retenaient des positions de force. Mussolini ressemblait plus aux *caudillos* d'Amérique latine qu'aux monstres de l'histoire, à Hitler ou Staline.

Dans le point 2 : « Les régimes totalitaires s'opposent premièrement aux démocraties et non au communisme », je critiquai implicitement la théorie communiste ou marxiste selon laquelle fascisme ou démocratie ne constituent que des superstructures politiques derrière lesquelles se dissimule la même domination du grand capital. Ce que je voulais dire, c'est que le national-socialisme entraînait avec lui une véritable révolution (pour l'Italie, la proposition était plus discutable), révolution des valeurs, des institutions. J'avais défendu la même thèse, dès 1933, à Berlin lorsque les Français de la *Französisches Akademiker Haus* se demandaient si l'arrivée de Hitler à la chancellerie inaugurait une révolution.

J'allai au-delà et risquai une formule qui sembla scandaleuse à nombre de mes auditeurs : « Les régimes totalitaires sont authentiquement révolutionnaires, les démocraties sont essentiellement conservatrices, la France et la Grande-Bretagne, puissances possédantes et saturées, sont spontanément conservatrices du *statu quo.* » Je constatais cette situation et je voulais dissiper l'illusion que les *have not* se contenteraient de quelques os à ronger. Mais en un autre sens, plus profond, que je n'exprimai qu'imparfaitement, « les régimes démocratiques, parlementaires *conservent* les valeurs, les principes de la civilisation européenne » alors que le national-socialisme « détruit les fondements moraux et sociaux de l'ordre ancien ». Je le pense encore aujourd'hui : étant entendu que le conservatisme des démocraties n'exclut pas les réformes. Même la phrase : « rien n'est donc plus étrange, à cet égard, que la sympathie que leur ont si longtemps manifestée les conservateurs de France et d'Angleterre » garde quelque pertinence, rédigée autrement. Les conservateurs de France et d'Angleterre ne comprirent pas que les hitlériens n'avaient pas pour seule ambition d'éliminer les sociaux-démocrates et les communistes ; les hitlériens menaçaient aussi les conservateurs français et anglais, et même les conservateurs allemands. Le ralliement de toutes les classes dirigeantes d'Europe occidentale aux institutions démocratiques après 1945 s'explique par l'expérience des révolutions de droite et par une juste appréciation des régimes représentatifs.

Plus discutable, au moins dans sa formulation, me semble aujourd'hui la thèse que les conflits diplomatiques ne naissent pas des conflits d'idéologies. Je voulais dire que Hitler n'épargnerait pas plus une France fasciste qu'une France démocratique — en quoi j'avais raison —, mais le régime national-socialiste et, à un moindre degré, le régime mussolinien se définissaient par la volonté de conquête. En ce sens l'idéologie, incarnée dans le régime, conduisait à la guerre. Étienne Mantoux, pour lequel nous avions, Suzanne et moi, une profonde affection, que son intelligence destinait à une grande carrière et dont la générosité gagnait les cœurs de ses maîtres et de ses camarades, m'envoya une lettre pertinente dont j'extrais un passage : « Il est exact que des idéologies aussi opposées pourraient subsister côte à côte sans entraîner de conflit si elles restaient purement nationales. Ce n'est pas le cas du totalitarisme soviétique dont l'essence même est (ou était et sera peut-être encore) le prosélytisme universel, donc l'agression universelle. » En laissant de côté le cas de l'Union soviétique, je faussais inévitablement l'analyse de la conjoncture.

Quelques phrases scandalisèrent, non sans quelque raison, certains de mes lecteurs ou auditeurs : « Malheureusement, les mouvements antifascistes, jusqu'à présent, ont aggravé les défauts, politiques et moraux, des démocraties, défauts qui fournissent les meilleurs arguments en faveur des tyrannies. » Et, un peu plus loin : « Les excès de l'irrationalisme ne disqualifient pas, bien au contraire, l'effort nécessaire pour remettre en question le progressisme, le moralisme abstrait ou les idées de 1789. Le conservatisme démocratique, comme le rationalisme, n'est susceptible de se sauver qu'en se renouvelant. »

La phrase contre les mouvements antifascistes, écho de ma critique de la politique menée par le gouvernement du Front populaire, attribuait injustement à l'un des camps une responsabilité partagée par les deux. La remise en question du progressisme, du conservatisme démocratique exprimait des émotions plutôt que des idées élaborées. En fait, un sentiment me dominait : la proximité de la guerre. Les vertus dont les totalitaires revendiquaient le monopole et dont les démocraties devraient témoigner, c'étaient, dans ma pensée, les vertus nécessaires au combat.

Dans mon exposé du début de la séance, je retrouve aussi quelques idées que les recherches historiques, depuis lors, ont plutôt confirmées que démenties. Nous nous faisons, disais-je, une idée fausse de la révolution. Nous la pensons comme libératrice par essence ; or les révolutions du XXe siècle semblent sinon des révolutions d'asservissement, du moins des révolutions d'autorité. Elles établissent un pouvoir plus étendu, plus rigoureux que celui qui existait avant elles. Elles élargissent l'organisation technique, la bureaucratie. J'aurais pu citer Tocqueville et, du même coup, corriger, atténuer l'opposition entre les révolutions du XIXe et celles du XXe siècle. Les révolutions du siècle passé s'inspiraient d'une philosophie de la liberté et de l'individu, mais l'État sorti de la grande Révolution fut, lui aussi, plus étendu et plus fort que l'État monarchique empêtré dans les privilèges et les franchises innombrables. Bien plus, autre ressemblance, je n'avais pas tort de souligner « un phénomène nouveau » : « les chefs recrutés dans les milieux populaires peuvent prendre le pas sur les représentants des vieilles classes dirigeantes... ». Des historiens ont récemment insisté sur la démocratisation que le régime national-socialiste provoqua dans les relations humaines. J'exagérais peut-être quelque peu, mais je n'avais pas tort de déclarer que « six ans de régime national-socialiste ont réussi à faire ce qu'un demi-siècle de social-démocratie n'avait pas fait, éliminer le respect pour les prestiges traditionnels ».

Dans la discussion qui suivit, l'intervention de Victor Basch suscita l'ironie ou l'irritation de la jeune génération, alors que Jacques Maritain et Charles Rist qui n'appartenaient pas à ma génération m'approuvaient. Aujourd'hui, à la lumière des événements postérieurs, les paroles de cet homme de bien revêtent un accent pathétique : « Je vous ai écouté, Monsieur, avec un très grand intérêt ; d'autant plus grand que je ne suis d'accord avec vous sur aucun point... je dirai que ce pessimisme n'est pas héroïque, je dirai que, pour moi, fatalement les démocraties ont toujours triomphé et triompheront toujours... Il y a une régression aujourd'hui, nous sommes dans la vallée ? Eh bien, nous monterons de nouveau au sommet. Mais, pour cela, il faut précisément nourrir la foi démocratique et non pas la détruire par des arguments aussi fortement et aussi éloquemment développés que vous l'avez fait. » Jusqu'au dernier jour, il n'a jamais douté de la victoire des démocraties alors même que les miliciens s'emparaient de lui et de sa compagne pour les assassiner.

Étienne Mantoux, le pilote qui jeta sur Paris révolté en 1944 le message « Tenez bon, nous arrivons » et qui mourut à l'aube de la victoire, en mission sur une des autoroutes allemandes, répondit à Victor Basch : « C'est faire preuve d'une compréhension superficielle de l'histoire que de considérer avec tant de négligence les époques qui ont séparé les triomphes de la démocratie... C'est contre l'optimisme de la génération qui nous a précédés que je m'élèverai, pour ne pas trahir la règle qui veut que les jeunes s'élèvent contre leurs aînés. » Et, en une phrase émouvante qui n'a rien perdu de sa force, il m'approuvait en ces termes : « Je crois comme vous que ceux qui réussiront à conserver les valeurs dont je parle seront des libéraux, et non pas de ces libéraux à l'oreille basse qui n'osent pas dire leur nom, mais des libéraux prêts à défendre la liberté, non seulement politique, mais aussi économique. »

Le pacte Hitler-Staline bouleversa les communistes et les hommes de gauche qui avaient travaillé avec eux dans les mouvements antifascistes. Personnellement, je n'avais pas à réviser radicalement mes idées ou mes prises de position, mais mon anticommunisme, à demi refoulé par mes amitiés et par le besoin de l'appui soviétique contre le IIIe Reich, éclata au-dehors. Ceux qui ne dénonçaient pas Staline et le pacte germano-soviétique me devinrent insupportables. Au cours d'une permission, nous dînâmes, Suzanne et moi, avec Malraux et Josette Clotis ; pendant trois heures, je tentai vainement de convaincre Malraux de rompre avec le PC, de le faire savoir publiquement.

Certes, les événements rétablirent l'alliance des démocraties occidentales et de l'Union soviétique ; l'intermède de 1939-1941 fut oublié. Je ne l'oubliai jamais. Non que ce « coup diplomatique » révélât particulièrement la nature essentielle du stalinisme : la collectivisation agraire et la grande purge nous en apprenaient davantage. Mais mes hésitations à suivre jusqu'au bout la logique de ma pensée disparurent une fois pour toutes, et le « stalinisme orthodoxe » de Kojève (qui ne se manifesta plus après 1945) m'inspira, pour un temps, quelque détestation de la philosophie elle-même.

DEUXIÈME PARTIE

LA TENTATION DE LA POLITIQUE (1939-1955)

VII
LA GUERRE

La nouvelle du pacte Hitler-Staline nous parvint au Val-André, village des Côtes-du-Nord où la famille Bouglé possédait une grande maison, toute proche de la côte. C. Bouglé y mourait, dans d'indicibles souffrances, d'un cancer qui se généralisait. Nous avions loué une petite villa à un pêcheur, retraité de la marine nationale. Nous suivions de loin les négociations entre les délégations française et anglaise et les autorités soviétiques [1]. Quand un ami nous apporta, bouleversé, le télégramme de presse : le ministre allemand des Affaires étrangères, Joachim von Ribbentrop, se rendait à Moscou afin d'y signer un pacte de non-agression (les accords secrets étaient soupçonnés mais non connus), ma réaction première fut une sorte de consternation, face à un tel cynisme qui signifiait pour nous la guerre. A l'indignation, quelque peu naïve, succéda, quelques instants plus tard, la réflexion. Le partage de la Pologne entre ses deux puissants voisins reproduisait un scénario historique. A la Société française de Philosophie, en juin 1939, j'évoquai l'alliance possible des deux régimes totalitaires, mais je la jugeai improbable dans l'immédiat. Je me trompais et je compris bientôt la logique de la « rencontre des deux révolutions ».

L'Union soviétique n'avait pas de frontière commune avec le IIIe Reich ; la Roumanie, la Pologne refusaient à l'Armée rouge l'autorisation de pénétrer sur leur territoire pour y combattre la Wehrmacht ; elles ne se méfiaient pas moins des armées qui viendraient de l'Est à leur « secours » que des envahisseurs de l'Ouest. Quant à Staline, il avait par-dessus tout peur de Hitler et des Allemands. L'alliance conclue

1. A la veille des vacances, j'avais rencontré Marc Bloch et Marcel Mauss. Le premier, avec une rigueur impressionnante, démontrait que la guerre éclaterait dans quelques mois. M. Mauss murmura : « Le grand état-major attend la fin des récoltes. » Nous aurions dû noter les signes multiples d'un changement de diplomatie à Moscou : le remplacement de Litvinov par Molotov, les petites phrases (« nous ne tirerons pas les marrons du feu pour les autres »).

entre Londres et Varsovie donnait à Staline la garantie qu'il aurait peut-être achetée à bon prix. En s'engageant à se battre pour la Pologne, la France et la Grande-Bretagne prenaient implicitement le même engagement pour l'Union soviétique. Le calcul de Staline, cyniquement correct dans l'hypothèse d'hostilités prolongées à l'ouest, fut démenti par la rapidité de la défaite française.

En août 1939, je ne spéculai guère sur les suites lointaines de ce coup de théâtre diplomatique, je m'abandonnai, comme la plupart des Français, au ressentiment contre Staline qui, tout à la fois, rendait la guerre inévitable et nous en laissait, à nous les démocrates, tout le poids. L'argument qui me dissuadait de m'exprimer librement, sans réserve, sur le régime soviétique tomba de lui-même. Au début de septembre, je ralliai le centre de mobilisation, Reims, je crois, et je partis quelques jours plus tard vers la frontière belge, là où le poste météorologique OM1 devait s'établir.

En septembre 1939, le poste météorologique comptait une vingtaine de personnes, chiffre disproportionné aux missions qui nous incombaient. Le capitaine qui commandait le poste, ingénieur de l'aviation, fut l'objet au bout de quelques semaines d'une affectation spéciale ; le lieutenant qui lui succéda bénéficia à son tour d'une affectation spéciale ; je devins, en tant que sergent, le chef du poste sans être pour autant le plus expert à suivre les ballons à l'aide des théodolites.

Jusqu'au 10 mai, je ne manquai pas de loisir ; je travaillai à mon étude sur Machiavel, à la mise au point du livre *Histoire du socialisme* d'Elie Halévy que nous avions préparée en contact avec Florence Halévy. Les rédacteurs [1] de ce livre posthume, Raymond Aron, Jean-Marie Jeanneney, Pierre Laroque, Étienne Mantoux, Robert Marjolin, anciens étudiants ou amis, s'étaient partagé le travail.

J'allais déjeuner le dimanche à Charleville. J'y retrouvai plusieurs fois Lucien Vidal-Naquet — le père de l'historien de la Grèce — qui avait, à diverses reprises, séjourné dans notre maison de Versailles. Il témoigna, pendant l'Occupation, d'un courage presque excessif tant il se désigna lui-même aux bourreaux. Quand les lois de Vichy lui interdirent l'exercice de sa profession d'avocat, il protesta publiquement, m'a-t-on raconté, au Palais de Justice, défiant ceux de ses confrères qui appliquaient passivement les ordonnances de Vichy. A Marseille, où vivait la famille de sa femme, il habita une maison occupée par des officiers allemands. Il ne dissimulait ni ses origines ni ses opinions ; un jour, la Gestapo vint les prendre, lui et sa femme. Deux des enfants furent sauvés par le courage et le sang-froid de leur mère, les deux autres par le dévouement et l'intelligence de la cuisinière de la maison, par des amis, informés par elle.

1. Nous ne disposions que des résumés de Halévy lui-même ou de notes d'étudiants.

Tant que dura la drôle de guerre, je ne fus pas troublé par ma condition privilégiée. Dès le déchaînement de la bataille, il en fut tout autrement. Regarder le ciel avec les instruments, transmettre les indications par téléphone et, en cas de besoin, par radio, cette activité — si je puis dire — devint dérisoire, ridicule. J'eus la naïveté d'écrire à Jean Cavaillès ; je le croyais encore au service du chiffre au ministère de la Guerre ; en fait, il avait regagné volontairement une unité combattante dès le début de la bataille. Je lui demandai comment je pourrais sortir de la météorologie et être versé dans une autre arme, de préférence dans les chars. Je n'imaginais pas qu'en quelques semaines, ou plutôt en quelques jours, la bataille serait perdue et l'armée française détruite.

Près de Charleville, je vis les spahis, sur leurs petits chevaux, partir vers l'est et, quelques jours plus tard, revenir, apparemment éprouvés. Les déplacements commencèrent. Dès le 13 ou le 14 mai, l'ordre de retraite vint et bientôt nous fûmes engloutis par la cohue des soldats de l'armée Corap. Dès ce jour-là, le souvenir de la débâcle de 1870, celle que décrivit Zola, me hanta et, sans recevoir de nouvelles, sans lire régulièrement les journaux, je perdis au bout d'une semaine ou deux tout espoir. Ma mémoire des faits ne me permet pas de reconstituer les étapes successives de nos mouvements, de Charleville à Bordeaux. Je me souviens de quelques jours passés à Brie-Comte-Robert, entre l'évacuation de Dunkerque et la bataille de la Somme. C'est au début de juin que ma mère mourut à Vannes. Je téléphonai au capitaine Léglise qui avait commandé le OMl et qui se trouvait à l'état-major de l'armée de l'air. Il me refusa l'autorisation de me rendre à Vannes. Quelques instants plus tard, il me téléphona à son tour et me dicta un ordre de mission qui me permit d'arriver avant la mort de ma mère, déjà dans le coma. J'y retrouvai ma femme qui, après un voyage interminable, avait réussi finalement à se rendre de Toulouse à Vannes. Je regagnai l'OMl, depuis le 12 ou le 13 mai parfaitement inutile ; nous transportions nos instruments désormais sans objet, armés de vieux fusils, sans autre occasion de les utiliser qu'au passage d'avions allemands volant bas.

Nous passâmes la Loire à Gien et nous assistâmes à l'attaque des ponts par les bombardiers. Les ponts ne furent pas atteints, au moins ce jour-là. J'observai à quel point les hommes s'étaient accoutumés aux attaques aériennes. Les mêmes qui, le premier jour, à Charleville se précipitaient vers un abri quand des *Stukas* apparaissaient, restaient assis, tranquillement, sur la berge de la Loire, suivant presque avec curiosité la dispersion des bombes autour de l'objectif.

Nous nous trouvâmes, vers le 20 juin, près de Bordeaux, au sud de la ville. Je me souviens d'avoir traversé la ville ; j'y allai voir, à l'université, Darbon, le doyen de la Faculté des lettres que j'avais connu pendant les mois où je remplaçais le titulaire, Max Bonnafous. Nous étions tous frappés de stupeur par la soudaineté de la catastrophe. André Darbon, un de ces professeurs de vieux style qui faisaient l'honneur et la conscience de l'Université, accomplissait sa tâche comme à l'accoutumée tout en participant de tout son être au malheur de sa patrie.

J'entendis l'allocution du maréchal Pétain. Je crus longtemps avoir entendu : « Il faut *tenter* d'arrêter le combat... » Selon les historiens, le texte exact ne contenait pas le mot « tenter ». Autour de moi, le discours fut accueilli avec soulagement, comme une décision qui résultait naturellement des circonstances. A Gien, nous avions perdu dans le chaos le sous-officier de radio, blessé par un éclat de bombe. Nous avions traversé la France du nord au sud, craignant d'être faits prisonniers par les Allemands, dont toujours on annonçait la présence à quelques kilomètres du village où nous nous arrêtions. Je discutai avec mes camarades de l'alternative : capitulation de l'armée et transfert du gouvernement français en Afrique du Nord ou bien armistice. La deuxième branche de l'alternative répondait aux sentiments de ceux qui m'entouraient. Quand je fus à Toulouse, pour une nuit, je respirai un air tout autre.

En dépit de l'afflux des réfugiés, Toulouse conservait son visage coutumier. J'avais encore devant les yeux le spectacle de l'exode, les milliers et les milliers de civils et de soldats confondus, les automobiles des riches, les carrioles des paysans, un peuple sur les routes mêlé aux soldats d'une armée en déroute, interminable chenille qui se déroulait sur les routes de France. A froid, mes amis de Toulouse, ceux qui, pour une raison ou une autre, n'étaient pas sous les drapeaux, avaient déjà pris position : contre le Maréchal, pour le Général dont ils avaient entendu l'appel. Certains d'entre eux, comme mon ami Georges Canguilhem, s'apprêtaient déjà à prendre modestement une part — qui fut glorieuse — à la Résistance.

Mes sentiments s'accordaient avec les leurs mais mon jugement politique n'était pas encore fixé. Je n'étais pas certain que le transfert du gouvernement français en Afrique du Nord et la capitulation de l'armée pour mettre fin aux combats fussent la meilleure solution. A l'époque, deux questions m'obsédaient : par la capitulation de l'armée, quelques millions de soldats devenaient des prisonniers de guerre. Si la guerre se poursuivait quelques années, qu'adviendrait-il de la nation, privée de tant de ses hommes mûrs ? L'autre question portait sur les ressources de l'Afrique du Nord : il n'y existait pas d'industrie d'armement. A défaut de la Grande-Bretagne, les États-Unis pourraient-ils ravitailler les forces armées de la France, passées de l'autre côté de la Méditerranée ?

Je discutai avec ma femme de la décision à prendre : rester en France ou partir pour l'Angleterre qui, pensions-nous, continuerait le combat. Le jugement sur l'armistice, pas encore conclu mais probable, ne pesait guère sur notre délibération. Le gouvernement qui négocierait avec le IIIe Reich se situerait entre le statut d'un satellite et celui d'un État indépendant. L'arrivée au pouvoir des hommes et des partis qui avaient dénoncé les « bellicistes » ne prêtait pas au doute. Ni le maréchal Pétain ni Pierre Laval ne se convertiraient au national-socialisme, mais la France vaincue, réconciliée avec le IIIe Reich ou soumise à lui, ne laisserait plus de place aux Juifs. Nous envisageâmes les deux démarches possibles : ou bien rester avec mon détachement, à mon poste, jusqu'à la probable démobilisation qui suivrait l'armistice, puis revenir à Toulouse et attendre le cours des événements ; ou bien gagner immédiatement l'Angleterre et m'y engager dans les troupes du général de Gaulle. Ma femme comprit que je préférais prendre ma part, si faible fût-elle, dans la lutte que le Royaume-Uni n'abandonnerait pas. A la différence de quelques-uns, au plus haut de la hiérarchie militaire ou politique, je ne pensais pas que Churchill traiterait avec Hitler, qu'il accepterait la défaite avant même qu'il eût repoussé la tentative prévisible de débarquement. La réussite de l'opération, l'invasion de l'île — depuis le onzième siècle inviolée —, exigeait un autre type de *Blitzkrieg* que la percée des divisions blindées, soutenues par les *Stukas.*

Du sud de Bordeaux, j'étais venu à Toulouse sur le siège arrière d'une moto conduite par un soldat du Nord, mécanicien de son métier, avec lequel j'entretenais des relations cordiales [1]. Revenu à mon détachement, je dis au revoir à mes camarades (certains revêtaient leur uniforme neuf dans l'attente des Allemands) et je partis pour Bayonne et Saint-Jean-de-Luz. Je dormis dans un wagon attaché au train qui contenait les valeurs de la Bourse de Paris. Je n'avais pris avec moi qu'une musette, qui contenait les objets de toilette, le rasoir, le savon, un livre (je crois) et j'éprouvai un curieux sentiment de légèreté. Que m'importaient les choses, les meubles, même les livres, tout cela se perdait dans le lointain. Dans le désastre national, seul surnageait l'essentiel — ma femme, ma fille, mes amis. Par ces attachements, je restais moi-même. Tout le reste, la catastrophe même en révélait la futilité.

Le lendemain, le 23 juin probablement, j'errai sur le port de Saint-Jean-de-Luz, avec quelques autres, en quête d'un bateau à destination de l'Angleterre. J'appris qu'une division polonaise allait être transportée par un transatlantique, l'*Ettrick*, ancré à quelques centaines de mètres du port. Je quittai la capote bleue de l'aviation, revêtis la capote jaune de l'infanterie, et je me trouvai finalement dans une barque qui m'amena à l'*Ettrick*. Parmi nous, épaves ou volontaires, un parent éloigné du maréchal Foch qui, si ma mémoire ne m'abuse, fit des réflexions sur les Juifs dont il m'exceptait bien entendu (vous devez leur en vouloir, me dit-il, ou quelque chose de ce genre).

Je rencontrai René Cassin sur le vaisseau ; je conversai avec quelques officiers polonais, l'un d'eux me recommanda la condition et l'humeur appropriées à l'époque : pas de famille, accepter joyeusement l'aventure solitaire. La guerre allait durer : qui sait combien d'années ? Peut-être un jour reviendrons-nous dans notre patrie. En attendant, cueillons les fleurs du jour.

Deux souvenirs me restent de la traversée qui ne me paraissent pas

1. Il vint me voir une fois après la guerre ; il dirigeait une petite entreprise de robinetterie ; il me montra les innombrables types de robinets qu'il fabriquait ; il se tirait difficilement d'affaire avant la standardisation des années 60 et 70.

indignes d'être rappelés. J'étais en train de desservir une table, de nettoyer la toile cirée, peut-être la vaisselle ; je ne sais trop pourquoi un Anglais, d'un certain âge, entama la conversation et me demanda ce que je faisais dans le civil ; quand je lui appris que j'enseignerais la philosophie à l'université de Toulouse si l'armée ne m'avait réclamé, il éclata en reproches furieux contre les gouvernements français et anglais, reproches qu'il semblait adresser à sa femme : « Je te l'ai dit, depuis des années, qu'avec cette imbécile politique, nous allions perdre tout. Voici où nous en sommes vingt ans après la victoire. » Le professeur d'université transformé en plongeur lui devenait le symbole de la société à l'envers, du malheur que les Français et les Anglais avaient appelé sur eux-mêmes.

L'organisation sur le vaisseau me laissa une impression durable. Les milliers de soldats passaient l'un après l'autre pour remplir leur gamelle. Pas de « bon », pas de vérification, on faisait confiance à tous, on ne prenait pas de précautions contre les tricheurs ou les resquilleurs... Sur l'*Ettrick*, je respirai pour la première fois l'atmosphère britannique, je m'y sentis immédiatement à l'aise, bien que je n'entendisse rien à l'anglais des marins, des soldats et, à peine davantage, à celui des intellectuels.

Ce qui nous frappa, nous tous qui venions d'un pays sens dessus dessous, avec des millions de réfugiés sur les routes, hantés par les images de la débâcle et des bombardements, ce fut la paix, la perfection de la campagne anglaise. Comme d'un coup, la guerre s'effaçait ! Les gazons ne le cédaient en rien à leur légende. Les premières conversations avec des citoyens ordinaires de Sa Majesté nous laissèrent muets et reconnaissants. On vous rendra votre patrie à Noël, me disait un petit homme, installé dans un charmant cottage. Personne, au sommet, n'ignorait le danger ; le peuple, lui aussi, attendait l'attaque aérienne et peut-être la tentative de débarquement. Les usines tournaient à plein régime et des milices s'organisaient pour soutenir l'armée dont les cadres avaient été rapatriés, mais les armes lourdes perdues. Étrange impression : la nation confiante et, par places, presque inconsciente. Nous avions appris, sur le bateau, la signature de l'armistice. Nous découvrions un pays intact, à peine frôlé par la violence qui avait renversé le château de cartes d'une grande puissance ; sur lui pesait la menace de mort, et le soleil — le soleil du printemps 1940 — éclairait un paysage où tout était calme, luxe et volupté.

Je me retrouvai à Londres, avec quelques milliers d'autres soldats français, à l'Olympia Hall ; nous n'avions rien d'autre à faire que de manger, de nettoyer — vainement — notre bouge et de causer. Pour reprendre une expression courante à l'époque, nous discutions le coup. Les Français de l'Olympia Hall appartenaient à toutes les catégories sociales, à toutes les familles politiques. L'armistice ou le transfert du gouvernement en Afrique du Nord ? La même conversation se déroulait entre les Français des deux côtés de la Manche. La plupart des Français avaient déjà adopté une position sans nuances ; ou bien le Maréchal et les siens trahissaient la France et ses alliés, ou bien le Général et les siens se séparaient de la nation. Personnellement, j'éprouvai plus d'une fois, sur des interlocuteurs d'occasion, une opinion apparemment paradoxale : la décision du Maréchal ne va pas sans avantages, disais-je, à condition que l'Angleterre gagne la guerre. Paradoxe puisque l'un, à Bordeaux, misait en apparence sur la victoire allemande, l'autre, à Londres, sur la victoire anglaise. Et, de fait, la victoire anglaise mena le général de Gaulle au pouvoir. Mais l'armistice sauva quelques millions de Français des camps de prisonniers ; la zone non occupée améliora la condition d'une moitié des Français ; le souci d'épargner le sang français pouvait légitimement influer sur l'esprit des hommes d'État. A la fin de juin 1980, je rencontrai un vieux monsieur dont je ne sais plus le nom et qui me rappela une conversation à l'Olympia Hall. Il fut si frappé, me dit-il, par mon discours qu'il me demanda qui j'étais. Sa surprise disparut lorsqu'il apprit mes parchemins et mon métier.

Pendant mon premier séjour à Londres, je retrouvai Robert Marjolin qui faisait partie de l'équipe de Jean Monnet [1] ; il avait passé deux jours dans l'enfer de Dunkerque et accompagné le futur « Monsieur Europe » à Bordeaux. Il se proposait de revenir en France. Non qu'il hésitât sur son camp, mais il se croyait obligé en conscience de retrouver d'abord sa famille, sa mère, dans une période pareille.

Par son intermédiaire, je fis la connaissance des économistes libéraux du *Reform Club*, Lionel Robbins (Lord Robbins aujourd'hui), Fr. von Hayek, d'autres encore, avec lesquels je dînai presque chaque jeudi pendant les années de guerre. Notre première conversation porta sur les chances de l'Angleterre. Robbins, plus optimiste que moi, insistait sur les chances de l'Ouest, à condition que la tentative de débarquement fût repoussée dans les mois à venir. Une fois ce moment d'extrême péril passé, la Grande-Bretagne, aidée par les États-Unis, redeviendrait inexpugnable. D'autres forces se mobiliseraient contre le IIIe Reich. Analyse impeccable, qui empruntait aux appels du général de Gaulle, et que les événements confirmèrent : si la Grande-Bretagne refusait les avances de Hitler, si celui-ci n'offrait pas de paix acceptable aux pays européens occupés, la guerre devait s'étendre. A la fin de l'année 1940, on s'interrogeait : ou bien Hitler tenterait de réduire la Grande-Bretagne à la faveur de la neutralité soviétique, ou bien il lancerait son armée à l'assaut du communisme détesté, à la faveur de la demi-neutralité des États-Unis. Dans les deux cas, la défaite française se ramenait aux dimensions d'une péripétie. Dans un système élargi aux dimensions de la planète, la France cessait d'appartenir au club exclusif des grandes puissances.

Je visitai une famille anglaise que j'avais connue à Varangéville, celle de A.P. Herbert, humoriste, romancier, auteur de pièces de théâtre,

1. Je connus à peine, sur le moment, la proposition de communauté franco-anglaise soumise au gouvernement français replié à Bordeaux. Je n'eus donc pas l'occasion d'y réfléchir immédiatement.

marin. Je m'étais lié surtout avec sa femme, pendant les vacances que j'y avais passées en 1931. Je lisais sur la falaise *Sein und Zeit*; elle peignait ; une amitié se noua. Je la revis plus d'une fois au cours des années suivantes.

Une fois à Aldershot, le camp militaire, je passai devant un comité de deux ou trois officiers britanniques qui offraient à chacun le choix suivant : rentrer en France, s'engager dans les Forces françaises libres ou enfin rester en Angleterre. L'immense majorité des soldats [1] choisirent le retour en France. Quant à moi je choisis la compagnie des chars d'assaut des Forces françaises libres. J'y fis figure d'ancien déjà : les officiers mis à part, la plupart des soldats étaient plus proches des vingt que des trente ans.

Au lieu d'entrer dans un char, je fus chargé d'administrer les comptes de la compagnie et je devins expert au calcul des livres, des shillings et des pence. Du séjour au camp, un épisode me reste présent à la mémoire. Un dimanche, en fin d'après-midi, un aspirant arriva. Il y avait un lit vide dans ma chambre, il s'y installa. Nous bavardâmes l'après-midi et la soirée. Le lendemain matin, il me demanda l'heure, d'une voix encore ensommeillée. « Sept heures moins vingt. » J'entendis sa réponse : « Déjà sept heures moins vingt ! » Je quittai la chambre pour faire ma toilette ; quand je revins, il était mort, le revolver au bas de son lit. Probablement s'était-il fixé l'heure limite de sept heures. Du Maroc, il avait gagné l'Angleterre pour continuer le combat. Pourquoi ce suicide ? L'enquête eut lieu devant le coroner ; je témoignai, accompagné par un aide-médecin, étudiant en médecine, François Jacob. Le coroner conclut au suicide, commis en état de *disturbed mind.*

Quelques jours avant la date de notre embarquement pour l'expédition de Dakar (le projet était un secret de Polichinelle et je ne fus pas surpris que Vichy, informé, eût eu le temps d'envoyer à Dakar quelques vaisseaux de guerre), j'allai à Londres, je me rendis à Carlton Gardens, au quartier général des Forces françaises libres où André Labarthe m'avait donné rendez-vous. Cette visite changea le cours de mon existence entière. Pour mon bien ou pour mon mal ?

Je rencontrai à Carlton Gardens André Labarthe, avec ses deux collaborateurs, Mme Lecoutre et Stanislas Szymanczyk (que nous appelions Staro), elle, Juive de Varsovie, lui Polonais de la région de Teschen (annexé par la Pologne en 1938, au moment de Munich). André Labarthe se présenta comme chargé de cours de mécanique à la Sorbonne. Tous trois se jetèrent sur moi et déployèrent tous leurs charmes, toute leur capacité de persuasion. Labarthe dirigeait un service encore fantôme à l'état-major ; il avait accès au Général qui, au début, lui témoigna de la sympathie et le chargea de créer une revue mensuelle. Il m'affirma qu'il avait lu l'*Introduction à la Philosophie de l'Histoire* et il me conjura de renoncer à la compagnie de chars et aux calculs de soldes.

1. Ils avaient été rapatriés de Dunkerque.

Ses arguments, le lecteur les devine. Beaucoup d'autres pouvaient me remplacer dans mon travail de comptable, mais combien, en Angleterre, à ce moment, pouvaient rédiger des articles ? Staro, avec cynisme, me lança : « Si vous voulez la mort du héros, vous avez le temps. La guerre ne finira pas de sitôt. » Labarthe appartenait au mouvement gaulliste ; les militaires ne lui refuseraient pas le transfert du sergent Raymond Aron à l'état-major.

Je délibérai pendant trois jours. Tempête sous un crâne, me disais-je à moi-même par dérision. Je n'avais pas quitté ma famille, la France, pour me mettre à l'abri (à cet égard, les États-Unis étaient plus sûrs), mais pour coopérer avec ceux qui continuaient la lutte. L'expérience humiliante de la campagne de France me restait présente à l'esprit. Je ne savais pas si je tiendrais face aux sifflements des balles et aux explosions des obus. Enfant au cours de la Première Guerre, j'étais encore assez jeune pour participer physiquement à la deuxième. Pourquoi ai-je finalement accepté l'offre de Labarthe ? Je ne puis que me rappeler les raisons que je me donnai à moi-même. Je voulais servir dans un char : on m'avait mis aux écritures. J'accompagnerais les véritables combattants, je ne serais pas l'un d'entre eux. Du reste, le choix que Labarthe me pressait de faire ne revêtait pas un caractère définitif. Peut-être la revue ne durerait-elle pas longtemps, ou bientôt n'aurait-elle plus besoin de moi. Si j'hésitai, c'est malgré tout que je craignais que le choix ne fût irréversible.

Pour un intellectuel juif, diriger la rédaction d'une revue représentative de la France en exil, ce n'était pas déshonorant, ce n'était pas non plus glorieux. En 1943-1944, me comparant aux aviateurs qui risquaient leur vie à chaque mission, comme Jules Roy ou Romain Gary, je me sentis « embusqué » ; le regard de ceux qui défiaient la mort chaque jour pesait sur moi. A l'été de 1940, plus encore à l'automne et durant l'hiver, je n'éprouvai pas cette mauvaise conscience. Peut-être la grande bataille se livrerait-elle en Grande-Bretagne : Londres servait de cible à l'aviation allemande.

Ni ce que l'on a coutume d'appeler le *Blitz* — le bombardement de Londres toutes les nuits pendant l'hiver 1940-1941 — ni les V1 de 1944 ne ressemblaient, même de loin, à l'épreuve du feu. J'ai régulièrement dormi dans mon lit, pendant le *Blitz,* à l'exception d'une ou deux nuits « sous la protection du calcul des probabilités », selon le mot de Dennis Brogan. A ce moment-là, du moins en apparence, les volontaires de Londres subissaient l'assaut, cependant que les Français de Toulouse suivaient de loin, en spectateurs, les péripéties de la lutte. A la faveur de la bonne conscience, je dormis mieux que d'ordinaire. Une nuit, pour soutenir le moral de la population, les Anglais renforcèrent l'artillerie antiaérienne. Le bruit des canons, plus assourdissant que celui des bombes, me tint éveillé quelques heures, il ne m'empêcha pas de m'assoupir ensuite paisiblement. J'habitais à la maison de l'Institut de France, Queens Gate, dirigé par M. Cru, célèbre par des livres dans lesquels il s'efforçait de rétablir la vérité sur la Première Guerre, sur les combats tels que les fantassins les avaient réellement vécus, de faire justice des légendes (par exemple celle des combats à l'arme blanche). Il avait organisé un roulement de garde pour les pensionnaires de la Maison pendant les alertes. Il fut tué, la maison détruite en 1943, au cours d'un des rares bombardements sérieux menés par l'aviation allemande contre Londres après le début de la campagne de Russie.

Les attaques des V1 en 1944 n'ébranlèrent que les nerfs fragiles. Les V1 agissaient par l'effet du souffle. Même dans une maison soufflée par une bombe volante, une table suffisait le plus souvent à protéger la personne des chutes de bois ou de pierre, des éclats de vitre ou d'acier. Le bruit du moteur grossissait plus ou moins vite. Quand le bruit s'arrêtait, on savait à peu près à quelle distance on se trouvait de l'explosion. Au pire moment, cent vingt V1 s'abattirent sur Londres en un seul jour : le sang-froid ou mieux l'indifférence face à ce danger mineur ne peut servir de test du courage physique.

Londres, au cours de l'hiver 1940-1941, apparut aux yeux du monde le symbole de la résistance à Hitler. A juste titre, à condition de mettre l'accent sur le symbole. La ville ne fut jamais frappée physiquement comme le furent des villes allemandes.

André Labarthe me séduisit. Il parlait de tout et de rien, d'abondance, avec charme. Il évoquait, de temps à autre, ses talents de violoniste, enfant virtuose quand il avait huit ans. Fils d'une mère très pauvre (femme de ménage), peut-être d'un père illustre (on murmurait Maeterlinck), il excipait volontiers de ses titres de scientifique. Il avait appartenu au Cabinet de Pierre Cot, ministre de l'Aviation dans le gouvernement du Front populaire ; il passait pour un homme de gauche. Parmi les ralliés de 1940, il faisait figure d'une personnalité de premier ordre, une brillante carrière lui était ouverte dans le mouvement gaulliste. Il gaspilla ses chances par excès d'ambition, par ce que je puis appeler son anormalité, par sa propension à la paranoïa, à des propos rarement exacts, presque toujours flottant quelque part entre le vrai et le faux.

Quand je le rencontrai, il entretenait d'excellentes relations avec le Général. A l'occasion du premier incident sérieux, à savoir l'arrestation de l'amiral Muselier par la police anglaise pour avoir divulgué les secrets de l'expédition de Dakar, il réagit avec résolution, avec une certaine noblesse. Il rendit visite au Général et se porta garant de son ami Muselier ; le Général apprécia cette attitude qui, pour une fois, n'obéissait à aucun calcul politique.

Bien longtemps plus tard, en 1979 ou 1980, Henri Frenay m'affirma que Labarthe avait avoué, avant sa mort, qu'il appartenait aux services secrets de l'Union soviétique. Je ne parviens pas à le croire. Pourquoi, agent soviétique, aurait-il gâché l'occasion de recueillir, dans les Forces françaises libres, des informations ? Ses démarches désordonnées, son agitation permanente, les propos qu'il tenait dans les salons, son penchant à l'imagination plus encore qu'au mensonge, rien de tout cela ne s'accorde avec la conduite d'un agent soviétique [1].

Puisque la question des liens entre Jean Moulin et les communistes a été posée, en particulier par H. Frenay, je ne puis pas ne pas mentionner l'amitié ancienne qui liait Jean Moulin et André Labarthe (tous deux se trouvaient en même temps au cabinet de Pierre Cot). Staro, de son côté, se vantait volontiers d'avoir réclamé et obtenu de Pierre Cot des rémunérations substantielles en contrepartie des idées qu'il lui donnait au cours de déjeuners ou de dîners. Quand Jean Moulin vint à Londres, il évita de rencontrer A. Labarthe. Ce dernier pensa que Moulin ne voulait pas se compromettre avec un homme qui, à cette époque, passait déjà pour ne pas appartenir aux fidèles du Général.

« L'état-major » de Labarthe comprenait deux personnes, l'une et l'autre hautes en couleur, marginaux à la limite de la bizarrerie, Staro et Martha. Staro avait fait la Première Guerre comme officier d'artillerie dans l'armée austro-hongroise, avant de servir dans l'armée polonaise après 1918. Il appartint longtemps au parti communiste (polonais ou allemand, je ne sais), résida en Union soviétique, milita dans l'Allemagne de Weimar ; il connaissait bien le fameux Münzenberg [2]. Quel rôle avait-il joué dans le mouvement communiste international ? Quand avait-il rompu avec lui ? Je ne l'ai jamais su. Quand je le rencontrai, je le jugeai libre de toute attache et j'en reste convaincu aujourd'hui encore. Il affichait volontiers un cynisme radical. Le communisme, disait-il, c'est un fascisme de sous-officiers ; le fascisme, le régime des officiers. Avant tout, il était intelligent, d'une intelligence remarquable qui perçait en dépit de sa peine à s'exprimer, même en allemand, sa langue de culture. Au début de notre collaboration, il me donnait parfois un manuscrit informe d'une cinquantaine de pages dont je tirais une vingtaine de feuillets dactylographiés. Ainsi naquit l'article sur la bataille de France que le général de Gaulle lut et commenta en marge. Peu à peu, ses manuscrits allemands se rapprochèrent des dimensions et du style de l'article ; mon travail se rapprocha de la traduction. Nous signâmes ensemble un petit livre, *l'Année cruciale,* demandé par un service britannique de propagande. Il avait jeté sur le papier quelques idées. Cette fois, ma contribution fut grande ; aussi bien, depuis 1940, j'avais réfléchi pour la première fois sur les choses militaires. Je m'indignai rétrospectivement de notre ignorance, à nous tous, de la stratégie et de la tactique, comme je m'étais indigné de notre ignorance de l'économie.

En dépit de son intelligence, Staro ne se situait pas au même niveau que mes amis de France. Il avait beaucoup lu Clausewitz à coup sûr,

1. A moins qu'il ne le fût devenu après la guerre, par dépit de ses échecs. Là encore, j'en doute.

2. Militant communiste qui joua un rôle important à l'Ouest, dans l'organisation de la propagande soviétique et des mouvements de gauche manipulés par les communistes.

mais non les philosophes. Il méprisait, peut-être par provocation, les nuances et les subtilités. Le pouvoir que le Général exerça de 1958 à 1969 aurait, à ses yeux, plutôt vérifié que démenti sa formule : « Le Général est un fasciste. » Voué à l'action politique, dans le parti communiste ou contre lui, il avait collaboré aux journaux, acquis une culture étendue. Mais il collait de trop près à l'événement. Du trio, il me semblait, il me semble encore aujourd'hui, en dépit de ses accès de brutalité, en dépit de son cynisme, le meilleur — et pas seulement sur le plan intellectuel.

Mme Lecoutre — Lecoutre auquel elle devait la nationalité française vivait quelque part en France — ne manquait certes pas de finesse, de vitalité, de savoir-faire, d'intelligence. Dans la rédaction, elle exerçait une sorte de censure et avait à cœur de relire tous les articles et de suggérer des corrections ou des améliorations utiles. Pour le reste, elle s'occupait des relations publiques de Labarthe et de la revue. Elle attachait à son rôle de lectrice plus de prix qu'il n'en méritait. En revanche, probablement son activité d'animatrice fut-elle indispensable.

Autour de la revue tournaient des personnalités à la fois mondaines et marginales ; parmi elles avant tout la baronne Budberg, issue d'une famille d'aristocratie germanique en Estonie, d'une grande beauté dans sa jeunesse, encore charmante, adorée par quelques hommes célèbres, entre autres H. G. Wells. Je vis ce dernier deux ou trois fois, proche de la mort contre laquelle il luttait avec opiniâtreté. Je me souviens de sa phrase à propos d'elle : « Everybody likes her because she is so likable. » Un ministre du gouvernement britannique (Bruce Lockard), qui avait vécu les premiers mois de la révolution russe, évoque, dans ses Mémoires, l'entrée de « Moura » dans sa vie. Les traits de son visage rappelaient encore à ses adorateurs les amours à peine éteintes. Elle tenait salon toutes les fins d'après-midi et l'on y rencontrait des membres de la bonne société, rarement ceux de la couche la plus élevée.

La France libre dut ainsi sa naissance et son succès à quatre « permanents », dont deux n'étaient pas français. Staro fut autant que moi indispensable, parce qu'il concevait ou rédigeait les analyses mensuelles de la conjoncture militaire, analyses de stratégie qui, plus que tous les autres articles, firent la réputation, l'autorité intellectuelle de la revue. Il ne pouvait se passer de moi. Et tous deux, Staro et moi, nous ne pouvions nous passer ni de Martha, l'animatrice et la responsable des relations publiques, ni d'André Labarthe, capable d'élans généreux et, finalement, naïf dans son ambition. Sans lui, la revue n'aurait pas existé, même s'il n'y écrivit pas toujours les articles qu'il signait. Par sa faute, elle perdit son cap.

Il m'est difficile de souligner les mérites de la revue sans me vanter moi-même, mais avec la distance de quarante années, je suis assez détaché d'elle pour l'évoquer sans en tirer une satisfaction qui serait ridicule. Je me risque donc à citer Alexandre Koyré qui m'écrivit, vers la fin de la guerre, que les Français de l'extérieur avaient peu produit qui fût valable, à l'exception de *la France libre*, la meilleure production de l'exil.

Jean-Paul Sartre, auquel j'avais donné un volume relié d'un semestre de la revue, écrivit dans *Combat* un article élogieux (il faut tenir compte des circonstances, de notre amitié). J'en reproduis un extrait : *« La France libre* offre l'aspect le plus pondéré et le plus calme, le mieux équilibré. Écrite avant tout dans le feu vivant d'une actualité toujours mouvante et dont le rythme même n'était pas prévisible, elle semble toujours disposer du recul de l'Histoire. Bannis, insultés en France, séparés de leur famille, comment ont-ils pu garder quatre ans cette objectivité sans passion, alors qu'ils étaient au fond d'eux-mêmes rongés d'espoir et de regrets ? Est-il beaucoup de chroniques militaires que l'on puisse relire, quatre années après les événements, avec le même intérêt profond ? Les articles les plus divers sur Vichy, l'état de la France, sur l'opinion italienne ou la presse allemande, sur des problèmes de droit international, des récits de guerre faits par des officiers ou des soldats se groupaient autour de trois chroniques régulières, toutes trois d'une intelligence admirable : la chronique de Raymond Aron (René Avord) qui nous donne une sorte d'analyse spectrale du national-socialisme, celle du critique militaire anonyme qui a su prendre, pour expliquer les batailles et la stratégie de cette guerre universelle, un point de vue mondial et montrer en chaque cas comment le sort des armes et la lutte économique se commandaient étroitement ; celles enfin de René Vacher (Robert Marjolin), l'économiste, qui examinent les problèmes de la guerre et de l'après-guerre[1]. »

J'écrivais chaque mois un article sur les événements et l'état de la France, sous le titre « Chronique de France », et un article d'analyse politique ou idéologique ; je traduisais ou adaptais en français l'article militaire de Staro et parfois j'écrivis aussi l'éditorial que signait Labarthe. Dans la partie littéraire, souvent faible, nous avons publié des textes de Jules Roy, d'Albert Cohen. Sartre, en lisant un des textes de ce dernier, réagit avec vivacité ; il en détesta le style et me dit : « Qui est cet Albert Cohen ? » Il s'agissait d'un article sur l'armée allemande, paralysée par l'hiver russe. Jules Roy donna aussi des textes de haute qualité. Je lus à Londres le manuscrit de l'*Éducation européenne* de Romain Gary à qui je promis une grande carrière littéraire. Après mon retour en France, l'article de Lucien Febvre, en 1946, me toucha d'autant plus qu'il avait critiqué sévèrement l'*Introduction* en privé. Il commenta les deux livres dans lesquels j'avais réuni les « Chroniques de France » et les articles idéologiques[2].

« ... Cela dit, les deux livres de Raymond Aron ont pour nous histo-

1. J.-P. Sartre avait lu un volume qui regroupait les numéros de six mois, le deuxième semestre de 1941. Robert Marjolin collabora régulièrement à la revue pendant cette période. Il la quitta, avec les meilleures raisons, après la crise Muselier. (Il se trouvait à l'état-major de l'amiral.)

2. *L'Homme contre les tyrans* et *De la capitulation à l'insurrection nationale.*

riens un intérêt de plus. Ils ont été écrits en Angleterre et dans toute la mesure où ils traitent de la France, de ses réactions et de ses devoirs en ces temps troublés, ils ne bénéficiaient même pas de ces informations misérables, tronquées et truquées de mille façons et pour mille motifs, dont les Français des deux zones disposaient tant bien que mal. Mais précisément, soucieux d'expliquer son pays aux étrangers, aux Alliés notamment, Raymond Aron ne se préoccupait guère de précisions documentaires impossibles à obtenir. Ce qu'il se proposait, c'était de faire comprendre au-dehors « l'ensemble de la réalité française ». Ses explications étaient-elles toujours celles-là mêmes que, sur place, Français demeurés en France, nous nous fournissions à nous-mêmes des grands événements qui tantôt nous exaltaient, tantôt nous déprimaient ? Et, si non, sur quels points différions-nous ? Il y a là matière à une belle étude de psychologie historique comparée. J'espère qu'on ne laissera pas perdre l'occasion, et que quelqu'un s'avisera de nous en doter. L'entreprise serait capitale, pour notre connaissance des Français (car il y en avait toute une série) qui réagissaient aux mêmes événements, dans des milieux très différents, avec une identité foncière de sentiments et des nuances de sensibilité parfaitement tranchées.

« Je n'ai pas besoin de dire que celui qui s'appliquerait à cette tâche délicate et tentante serait payé de ses peines, d'avance par un plaisir... Les études de Raymond Aron sont belles, limpides, nuancées et d'une rare pénétration... Économiste, sociologue, politique, il est tout cela à la fois, et avec un égal bonheur. Personne, ayant ouvert ces livres de bonne foi, ne les refermera sans les avoir lus et médités comme le voudrait l'auteur. »

Trente-cinq ans plus tard, Jean-Louis Missika, un des deux jeunes hommes qui préparèrent les émissions de télévision d'Antenne 2, s'étonna du ton de mes « Chroniques de France », de notre discrétion sur la question juive. A l'occasion de ces entretiens, je parcourus quelques-uns de ces textes, vieux de quarante ans.

Pour l'historien d'aujourd'hui, ces articles ne constituent qu'un témoignage ou un document. Je disposais de la presse française des deux zones. Dans une presse bâillonnée on trouve des informations, mais les archives allemandes en ont apporté beaucoup d'autres ; probablement les archives françaises contiennent-elles encore nombre de faits que nous ignorons. Ce qui me trouble, avec le recul, c'est la critique implicite d'un Français d'une trentaine d'années, de confession juive, non croyant : pourquoi cette froideur ? Pourquoi seulement trois passages d'un paragraphe ou deux sur le statut des Juifs ou la rafle du Vél' d'hiv' ?

Sur le ton de ces chroniques, je me défendrai. Ce qui fit la valeur, le succès de *la France libre,* c'est précisément le fait que la revue ne relevait pas de la littérature de guerre. Les quelques articles qui s'en rapprochèrent furent critiqués par nos meilleurs amis. Il y a quelque temps à Oxford, au déjeuner qui suivit ma conférence, l'historien de la Révolution française Richard Cobb me rappela qu'il m'avait déjà rencontré deux fois ; la première rencontre, il l'avait provoquée en me rendant visite à *la France libre,* la seule publication française, me dit-il, qu'il pouvait alors lire, revue de culture, sans propagande, sans polémiques excessives, revue française.

Nous évitions, il est vrai, l'usage des adjectifs dont les « philosophes » d'aujourd'hui sont friands. Appeler l'antisémitisme « bête abjecte » nous aurait semblé ridicule. L'antisémitisme, ce n'était pas pour nous un souvenir atroce ou une menace diffuse, c'était la réalité. Aurions-nous dû en traiter davantage, en particulier dans mes « Chroniques de France » ? Aujourd'hui, je répondrais certainement *oui.* Mais entre 1940 et 1943, peut-être même jusqu'à la Libération, je me souciais davantage des sentiments pro- ou anti-allemands des hommes de Vichy que de leurs opinions en politique intérieure. On rencontrait aussi des antisémites parmi les gaullistes. Je tairai le nom d'un ministre de la IVe République qui, dans le courant de l'automne 1940, me dit : « La Révolution nationale, je ne lui serais pas hostile, mais pas tant que les Allemands occupent le pays. »

Dans une revue française qui défendait inlassablement la démocratie, je n'avais pas besoin de multiplier les invectives contre les vichystes pour démontrer que je n'étais pas l'un d'eux. Les vichystes, il est vrai, au moins ceux de la première équipe, n'agissaient pas le plus souvent sur l'ordre des Allemands, ils appliquaient certaines de leurs théories ; je savais que seule la défaite leur avait permis d'accéder au pouvoir, mais je savais aussi que certaines de leurs idées préexistaient à la défaite et survivraient à la victoire. Il faudrait bien, pour reconstruire la France, en exclure le moins possible de « traîtres ». Traîtres, les collaborateurs, oui ; traîtres, les tenants de la Révolution nationale, certainement non. Ceux qui regrettent aujourd'hui, à froid, que l'épuration n'ait pas frappé tous les tenants de la Révolution nationale en tant que tels se conduisent en fauteurs de guerre civile. Même en 1941, je ne m'abandonnai pas à ces passions basses.

Venons à l'autre reproche : je n'aurais pas donné assez de place dans mes « Chroniques » aux persécutions des Juifs. Un argument simple m'incitait à un relatif détachement à l'égard des *lois* (mais non des *pratiques*) de Vichy. Si les Allemands gagnaient la guerre, les Juifs disparaîtraient de la France et de l'Europe. S'ils la perdaient, le statut des Juifs ne durerait pas ; il s'évanouirait avec la guerre. Reste la rafle, menée par la police française, sur les ordres des autorités allemandes d'occupation. Reste le sort de tous les Juifs, de Drancy à Auschwitz. Nous savions que le régime d'occupation différait profondément d'un pays à un autre, de l'ouest à l'est. Les conceptions raciales de Hitler déterminaient en gros les modalités de l'occupation. Écoles, lycées, universités fonctionnaient à peu près normalement à l'ouest en général, en France en particulier. En Pologne, les occupants interdisaient l'enseignement supérieur comme si les Slaves, peuple inférieur, devaient abandonner leur terre au *Herrenvolk* ou y travailler sous les ordres et pour la gloire de leurs maîtres.

Nous n'ignorions ni l'action des résistants, ni la répression par la Gestapo, ni les déportations de Juifs. Mais jusqu'à quel point, à Londres, les services de la France libre savaient-ils que le transfert des Juifs vers l'est avait une autre signification que la déportation des résistants saisis par la Gestapo ? On parla, à Londres, à voix basse, sans précision, du suicide de deux dirigeants du *Bund*[1] qui avaient mis fin à leur vie pour attirer l'attention du monde sur le génocide qui se déroulait à l'est de l'Europe, dans le silence des deux hommes — en dehors du pape — qui auraient pu parler, Winston Churchill et Franklin D. Roosevelt.

Si nous avions possédé les informations nécessaires, aurions-nous pu les utiliser dans *la France libre*? Nous n'étions pas soumis à une censure, nous pratiquions une sorte d'autocensure. La revue ne donnait pas dans la *Greuelpropaganda,* selon l'expression que les Allemands avaient forgée en 1914 pour dénoncer la propagande alliée qui les accusait d'atrocités. Nous tenions pour acquise l'horreur du régime hitlérien, de la Gestapo et de ses œuvres. Pour le reste, nous n'entrions pas dans les détails. En 1944, après la libération de la France, je ne participai plus à la rédaction de la revue. Du *dernier secret*[2], pour citer un livre maintenant classique, je n'ai rien su ou rien voulu savoir. J'écris « rien voulu savoir » par scrupule ; je crois me souvenir que l'on fit allusion, dans les journaux, aux Soviétiques qui refusaient de revenir dans leur pays.

Un doute encore aujourd'hui me hante. Le génocide[3], qu'en savions-nous à Londres ? Les journaux anglais l'ont-ils évoqué ? S'ils l'ont fait, était-ce hypothèse ou affirmation ? Au niveau de la conscience claire, ma perception était à peu près la suivante : les camps de concentration étaient cruels, dirigés par des gardes-chiourme recrutés non parmi les politiques mais parmi les criminels de droit commun ; la mortalité y était forte, mais les chambres à gaz, l'assassinat industriel d'êtres humains, non, je l'avoue, je ne les ai pas imaginés et, parce que je ne pouvais les imaginer, je ne les ai pas sus.

Dans une émission à la télévision, il y a quelques années, Jacques Attali mit en accusation les générations de l'avant-guerre qui, sourdes et aveugles, n'avaient rien prévu, rien tenté pour forger leur propre destin et échapper à celui que leur réservaient les nazis. L'accusation, portée moins contre moi que contre une génération, me blessa. Je ne pouvais pas beaucoup pour les Juifs allemands, faute de fortune personnelle et de relations, mais j'en ai aidé quelques-uns ; Hannah Arendt n'oublia pas les modestes services que je pus lui rendre ; mes amis et moi avions compris qu'il n'y avait plus, après 1933, de place pour les Juifs en Allemagne hitlérienne. Bien qu'« assimilé », je détestais les « Israélites » qui ne voyaient dans les Juifs réfugiés que des « boches » et l'occasion (ou la

1. Parti socialiste organisé par des Juifs polonais.

2. Écrit par un diplomate américain sur la livraison aux autorités soviétiques de tous les soldats ou civils d'URSS qui se trouvaient en Occident. Les Américains et les Britanniques s'y étaient engagés à Yalta.

3. On a pris l'habitude d'employer le mot *holocauste*, de résonance religieuse ; le mot *génocide* me paraît plus exact.

cause) d'un nouvel antisémitisme. J'envoyai à un de mes camarades du *Französisches Akademiker Haus* une lettre furieuse lorsqu'il écrivit qu'une loi, frappant les derniers immigrés venus de la Pologne, pas encore assimilés, en elle-même acceptable, aurait permis d'épargner la communauté juive établie depuis des dizaines d'années, voire des siècles. L'effort des Israélites français de séparer leur sort de celui des « polaks » me répugnait. Mais je ne prêtai pas, même aux hitlériens, l'idée de l'*Endlösung*: la mise à mort, à froid, de millions d'hommes, de femmes et d'enfants, une telle opération monstrueuse, accomplie par un peuple de haute culture, qui osait la prévoir ? La collectivisation agraire en Union soviétique, dira-t-on, coûta encore plus de morts. Délire d'un tyran, résolu à transformer par la force le monde agricole d'un immense empire, la collectivisation agraire en tant que projet d'un parti idéologique n'échappait pas à la compréhension d'un esprit normal, d'un Européen des années 30. L'exécution d'un projet de génocide, je ne parviens pas à me reprocher de ne pas l'avoir prévue et de n'en avoir rien écrit dans *la France libre.*

Une fois l'armistice signé, les ministres de l'État français, y compris les plus anti-allemands, devaient attendre le moment propice de reprendre les armes, le moment où les Alliés pourraient leur en donner. Mais la plupart d'entre eux se trompèrent d'abord sur la nature de cette guerre planétaire ; ils songèrent à signer un traité de paix avec l'Allemagne hitlérienne avant la fin des hostilités. De même, ils se trompèrent sur le cours des événements, ils se firent des illusions sur les projets de Hitler et sur le poids de la France pendant les hostilités ou à la fin de la guerre.

L'armistice ne les obligeait pas à lancer le mot d'ordre de la Révolution nationale, moins encore à prendre l'initiative du statut des Juifs. De Londres, je préférai croire que les propos et les actes les plus odieux de Vichy venaient de la contrainte des « vainqueurs » et non de la volonté des maîtres de l'État français. Les documents ne permettent plus aujourd'hui cette interprétation, au moins dans la plupart des cas. La propagande anti-anglaise, anti-alliée, antisémite exprimait les préjugés et les passions des amiraux, des intellectuels contre-révolutionnaires, fascistes ou parafascistes que la défaite rapprochait dans leurs haines, sinon dans leurs aspirations. Par cette propagande, les vichystes, loin de préparer les Français à reprendre la lutte, s'imposaient un isolement dont le suicide de la flotte, à Toulon, symbolisa et consacra l'absurdité.

Quand la Syrie, l'Afrique du Nord, les colonies furent l'objet d'une « agression » anglaise ou américaine, le gouvernement de Vichy ordonna aux gouverneurs ou aux commandants de troupes de résister jusqu'au bout. Après coup, ils justifièrent ces ordres par la crainte des représailles allemandes au cas où les Français du dehors se joindraient trop aisément aux Anglo-Américains ; seul l'amiral Auphan prit sur lui d'envoyer à l'amiral Darlan un câble, l'assurant que le Maréchal approuvait au fond de lui-même l'accord signé avec les « envahisseurs » anglo-américains. Je doute que la crainte des représailles allemandes déterminât seule même les meilleurs des vichystes à transformer en Syrie le baroud d'honneur en véritable bataille (à supposer que le baroud d'honneur fût inévitable). Encore en 1943, la résistance aux Anglais se poursuivit à Madagascar pendant plusieurs semaines. Aucune des équipes de Vichy ne réduisit au minimum le coût inévitable de l'armistice.

La vie politique ne s'arrêta pas dans la France à demi occupée, elle se poursuivit aussi à l'extérieur. A Vichy, attentistes et collaborateurs luttaient pour le pouvoir, les uns et les autres s'efforçant de gagner les faveurs du Maréchal dont le prestige leur parut jusqu'au bout indispensable. Ni l'amiral Darlan ni Pierre Laval ne voulurent s'engager jusqu'au bout dans l'aventure hitlérienne. Mais ce dernier était le plus pro-allemand des attentistes et tous deux négociaient avec le vainqueur tantôt afin de s'attirer les faveurs du Führer dans l'hypothèse de la victoire allemande, tantôt afin d'atténuer les rigueurs de l'Occupation. Le personnel de Vichy venait de milieux différents : survivants de la IIIe République, doctrinaires de l'extrême droite, technocrates, intellectuels fascisants. Les hommes de Paris attaquaient les hommes de Vichy et leur reprochaient de rester entre les deux camps. Le Vichy de 1944, avec Déat ou Doriot, ne ressemblait plus guère à celui de 1940, avec des royalistes, tel Raphaël Allibert.

Si Jean Monnet ou André Maurois partirent pour les États-Unis, la plupart des Français qui se trouvaient à Londres au moment de l'armistice décidèrent de rentrer en France. Ils obéissaient à des sentiments divers, souvent honorables. Certains, dont l'attachement à la cause alliée ne faiblit jamais, voulaient partager avec leur famille les épreuves des années à venir. D'autres jugeaient que le moment n'était pas encore venu de rompre avec un gouvernement qui possédait, en dépit de l'article publié par René Cassin dans le premier numéro de *la France libre*, presque tous les attributs de la légalité (de la légitimité, on discutera indéfiniment). C'est à Vichy que résidaient les ambassadeurs de l'Union soviétique et des États-Unis, accrédités auprès du gouvernement français. Le 18 juin, le général de Gaulle fit un geste tout autant moral que politique. Probablement aurait-il été amené par la force des événements à présider après la guerre le gouvernement provisoire de la République, même s'il n'avait pas revendiqué immédiatement et avec autant de véhémence un statut aussi proche que possible de celui d'un gouvernement en exil (celui des gouvernements de plusieurs pays occupés).

La France libre, créée en 1940, à l'instigation du Général lui-même, appartenait au mouvement des Français libres, mais elle ne fut jamais une revue gaulliste. Le premier numéro déçut et peut-être irrita quelque peu le Général, parce que son nom n'y figurait qu'une seule fois, dans une parenthèse [1]. Il le fit remarquer à Labarthe, en souriant. Il envoya à

1. Dans ce premier numéro, René Cassin condamnait l'armistice et mettait en cause la légalité et la légitimité du gouvernement du maréchal Pétain.

la revue quelques mois plus tard une lettre dans laquelle il rendait hommage à son chef Paul Reynaud. Au début de 1941, Labarthe ne songeait pas à rompre avec le Général : il voulait être reconnu par lui à la mesure des mérites qu'il s'attribuait à lui-même.

Le culte de la personnalité de Charles de Gaulle naquit en même temps que le mouvement lui-même. L'armistice devint le péché originel qui, une fois pour toutes, disqualifiait tous les hommes de Vichy. Les gaullistes déchaînèrent immédiatement la propagande contre le « gouvernement de rencontre », qui livrait à l'ennemi nos armes, nos arsenaux, nos ports, etc. (comme si, en cas de capitulation de l'armée, les Allemands n'eussent pas tout pris). Le Général, dans un de ses premiers discours, accusait ou suspectait le gouvernement de Vichy de vouloir livrer la flotte à l'ennemi.

Je ne disposais pas de toutes les informations nécessaires pour exprimer un jugement catégorique sur l'armistice, mais j'inclinai à le croire inévitable. En tout cas, ceux qui l'avaient signé ou accepté ne me paraissaient pas, de ce fait même, déshonorés. Quelles armes, quelles munitions le gouvernement français aurait-il trouvées en Afrique du Nord ? Le Maréchal et Laval, qui avaient déclaré qu'ils ne quitteraient pas la France, auraient probablement formé un gouvernement. A quel gouvernement les aviateurs, les marins auraient-ils obéi ? Combien d'hommes sous l'uniforme auraient été envoyés dans les camps allemands ? Le transfert du gouvernement français à Alger aurait dû être décidé dès la fin de mai au plus tard, organisé pendant les premières semaines de juin. Improvisé au dernier moment, eût-il servi ou desservi la cause alliée ? Certes, ceux qui l'emportèrent finalement à Bordeaux obéissaient à d'autres considérations que le calcul, réfléchi et tragique, des avantages et des inconvénients respectifs de la capitulation militaire et de l'armistice : ils désespéraient de la démocratie, de la France, ils appelaient de leurs vœux une « restauration » ou un régime autoritaire. C'était une faction politique qui avait imposé l'armistice : dès lors les gaullistes dénoncèrent les « fascistes » en même temps que l'armistice (que l'on appelait la « capitulation », alors que l'autre solution comportait la capitulation au sens propre, à savoir celle de l'armée, que le général Weygand refusa obstinément).

Encore aujourd'hui, le débat n'est pas clos. Les magistrats qui instruisirent le procès contre le maréchal Pétain ne retinrent pas l'armistice lui-même parmi les chefs d'accusation. Le Général, dans ses *Mémoires*, ne pardonne pas aux magistrats leur refus. Puisqu'il revendiqua la légitimité depuis le 18 juin 1940, puisqu'il emporta avec lui cette légitimité à Colombey-les-deux-Églises en janvier 1946, l'armistice devait être criminel et l'appel du Général l'expression authentique de la France, encore inconsciente d'elle-même. Les événements ont ratifié après coup cette légende juridique, mais, à la fin de l'année 1940, l'ensemble de la France, les corps constitués, l'armée, la flotte, l'aviation prenaient leurs ordres du

Maréchal. Il fallait non excommunier tous les vichystes, mais ramener la plupart d'entre eux à la cause de la France et de ses alliés.

Après l'élimination des survivants de la IIIe République, le premier Vichy, si je puis dire, la première équipe symbolisée par Raphaël Alibert, se réclama explicitement de la contre-révolution, elle s'inspira d'idées maurrassiennes. Réaction comparable à celle de 1871 qui amena une majorité de royalistes à l'Assemblée nationale. Les deux voix de Vichy et de Londres, sans compter la radio de Paris directement contrôlée par les Allemands, échangèrent dès juin 1940 un dialogue d'ennemis inexpiables. Les Français ne participèrent pas tous à ce duel à mort (beaucoup croyaient à un accord secret entre le Maréchal et le Général). Jusqu'à novembre 1942, la France garda une chance d'échapper à la guerre civile.

Nous discutions souvent, à Londres, du sort de l'Afrique du Nord. La plupart de mes interlocuteurs usaient de l'argument simpliste : « Puisque les Allemands tolèrent le maintien de l'autorité vichyste en Afrique, c'est qu'ils y trouvent leur intérêt. » Argument qui se fondait sur l'omniscience ou l'omnisagesse des hitlériens. Je plaidais que les deux camps trouvaient leur intérêt à cette neutralité : les Allemands économisaient les troupes d'occupation qui eussent été nécessaires pour contrôler directement l'Afrique du Nord ; les Alliés attendaient le moment où ils posséderaient les moyens du débarquement. Depuis lors, j'ai lu, dans Clausewitz, la théorie rationnelle de l'accord implicite entre ennemis : le parti supérieur, qui donc devrait attaquer, ne dispose pas d'une marge de supériorité suffisante pour compenser l'avantage intrinsèque de la défensive. Le cas de l'Afrique du Nord illustre en quelque façon le raisonnement : le parti le plus fort, l'Allemagne, n'avait pas intérêt à prendre la responsabilité de ces territoires. Le sort de la guerre se jouait en Russie. Une fois l'armistice avec la France signé, les Allemands et les Alliés s'accommodèrent du *statu quo*. Celui-ci, en dernière analyse, favoriserait le camp qui mobiliserait à son profit l'Afrique du Nord française : ce furent les Alliés. Ainsi s'explique le mot de Churchill au général J. Georges, à Alger, en novembre 1942 : « Finalement, c'est mieux comme cela ; en 1940, nous n'aurions rien pu faire, faute de troupes et de matériel. » Le propos a été naturellement démenti ; je crois qu'il a été tenu.

En 1941 comme en 1942, nous nous demandions ce qui se passerait le jour où les troupes alliées débarqueraient. J'en causai plus d'une fois avec l'ambassadeur canadien Pierre Dupuy qui faisait l'aller et retour entre Vichy et Londres, accrédité, en fait sinon en droit, tout à la fois auprès du gouvernement du Maréchal et auprès de la France libre. Il analysait les différentes factions de Vichy, et, s'il n'annonçait pas le ralliement des vichystes à la cause alliée, il ne le jugeait pas inconcevable. En novembre 1942, le général Weygand [1], des ministres, J. Borotra,

1. Au moins le premier jour.

conjurèrent le Maréchal de partir pour Alger. Sans succès, nous le savons. Le Maréchal s'était interdit de jamais quitter le sol du pays ; il s'imaginait capable, par sa seule présence, de protéger le peuple français des rigueurs extrêmes de l'Occupation. A défaut du Maréchal, les officiers et les soldats de l'Afrique du Nord finirent par reconnaître l'autorité du Général. La propagande anti-anglaise de Vichy retarda le ralliement de la marine en particulier. La politique et la propagande du mouvement gaulliste entre 1940 et 1942 ne facilitèrent pas non plus le rassemblement des deux France d'outre-mer.

Je souhaitais, sans y croire, le rassemblement des Français lorsque le débarquement des Alliés en Afrique priverait le gouvernement de Vichy de ses dernières armes, la flotte et l'Empire, et le dépouillerait de ses apparences légales. En Syrie, les troupes, obéissant au Maréchal, avaient combattu courageusement contre les Français libres et les Anglais. La plupart des soldats, après la fin des hostilités, avaient préféré le rapatriement au ralliement à la France libre. Les Américains et les Anglais ne mirent pas le général de Gaulle dans le secret de l'opération d'Afrique du Nord, peut-être parce qu'ils prévoyaient une résistance plus forte contre les Français libres que contre les Alliés, peut-être aussi par hostilité au général lui-même. Les Américains avaient misé sur le général Giraud, le jugeant à tort capable de rallier les forces d'Afrique du Nord à la cause alliée. « L'expédient temporaire » — selon le mot de Roosevelt —, le rôle de l'amiral Darlan, ne me scandalisa pas ; il mettait fin aux combats entre les Français et leurs alliés ; il créait une transition entre le Maréchal et le Général. Je détestais la guerre civile et ne partageais pleinement les passions d'aucun des camps.

Que l'armistice ait été ou non inévitable, le choc entre Vichy et Londres était, lui, inévitable parce que, ici et là, des hommes prétendaient incarner le gouvernement légitime de la France. Comme René Pleven me l'expliqua un soir de 1941, dans un dîner en tête à tête, dès l'origine, le général de Gaulle avait le choix entre deux voies : ou bien il créait un corps de volontaires et, en ce cas, il ne représenterait rien, tant les effectifs apparaîtraient insignifiants, mesurés aux dimensions de cette guerre planétaire ; ou bien il constituait une organisation politique ayant vocation de devenir le gouvernement de la France. Entre ces deux voies, il n'a pas hésité et les accords conclus entre le général de Gaulle et le gouvernement britannique à l'instigation de Winston Churchill ne laissaient pas de doute : ils assuraient à la France libre un statut original, celui de représentant des intérêts français au-dehors, ils faisaient du général de Gaulle le chef des Français qui poursuivaient le combat. Le Général devait donc dénoncer « l'imposture » du Maréchal. D'où les longs visages de certains gaullistes, en novembre 1942, quand un demi-ralliement de vichystes leur fit craindre la perte du monopole de la Résistance.

Je pense que le Général ne pouvait pas choisir d'autre voie, en juillet 1940, mais il aurait pu mener la lutte politique contre Vichy un ton au-dessous. La guerre de Syrie, qu'il recommanda aux Anglais, n'était pas nécessaire : les événements jouaient pour lui. Même si le Maréchal avait gagné Alger en novembre 1942, le général de Gaulle aurait probablement accédé au pouvoir, comme héritier du Maréchal. Le Général voulait qu'il en fût autrement, pour la France et donc pour lui-même.

Dès juin 1940, il s'est tenu pour le dépositaire de la légitimité. Du coup, sa mission se transfigurait à ses propres yeux. Ce qu'il revendiquait apparemment pour lui-même, c'était pour la France qu'il le revendiquait. S'il regardait comme des transfuges les Français qui combattaient dans les forces anglaises, c'est qu'il incarnait la France et qu'à ses yeux les batailles diplomatiques contre les Alliés n'importaient pas moins que la guerre contre l'ennemi. La reconnaissance qu'il arracha « envers et contre tout » bénéficiait à la France qui, grâce à lui et par lui, n'avait jamais quitté le camp de la liberté et de la victoire. Vision épique, mythique de l'Histoire qu'il n'était pas interdit de refuser.

Non gaulliste mais proche du mouvement, *la France libre* passa pour antigaulliste à partir de la querelle entre l'amiral Muselier et le général de Gaulle. André Labarthe, lié à l'amiral, prit à coup sûr une part importante dans cette crise grave. Je serais bien incapable de rien écrire de neuf sur cet événement que l'amiral Muselier raconta à sa manière et dont les textes du Général permettent de reconstituer le déroulement. A. Labarthe ne me racontait pas tout ce qu'il faisait et ce qu'il racontait n'était pas toujours exact.

L'amiral Muselier, sur l'ordre du Général, prit possession des îles de Saint-Pierre et Miquelon, en décembre 1941, ou, si l'on préfère une expression plus orthodoxe, hissa sur ces territoires français le drapeau tricolore à croix de Lorraine et en chassa les représentants de Vichy. L'opération fut menée dans le secret, sans en avertir les Britanniques ou les Américains. Selon le Général, les Américains et les Canadiens projetaient de s'emparer de la radio de ces îles.

Les Américains réagirent avec une brutalité extrême, verbale bien entendu, contre l'intervention des Français libres dans une zone que couvrait un accord conclu avec le Maréchal. Sous certaines conditions, les autorités, établies dans les possessions françaises de l'hémisphère occidental et obéissant à Vichy, ne seraient pas inquiétées. Le coup de Saint-Pierre et Miquelon violait apparemment cet accord. Ulcéré, le secrétaire d'État américain, Cordel Hull, parla des « so - called free French », les « soi-disant Français libres ». Le mot déchaîna une tempête dans la presse et dans quelques milieux du Congrès. Il servit le Général, tant le secrétaire d'État, qui ne manquait pas de griefs valables, s'était mis dans son tort et avait heurté l'opinion pro-française aux États-Unis.

Quant à de Gaulle, comme ses télégrammes de l'époque et ses

Mémoires en témoignent, il ne douta pas un instant d'avoir bien agi. Je retrouve dans le volume *Lettres, notes et carnets* (juillet 1941-mai 1943) la phrase révélatrice de sa pensée : « S'il arrive que, pour des raisons d'opportunité, nos alliés s'accommodent de la neutralité française, générale ou locale, nous ne l'acceptons pas. En toute occasion, nous faisons tout pour faire cesser cette neutralité de gré ou de force partout où nous en avons les moyens. » Il ajoute : « Nous pensons d'ailleurs que cela est dans l'intérêt commun. » En d'autres termes, par principe, il combattait, y compris par la force, les autorités vichystes [1].

La fureur des Américains ne troubla pas le Général ; bien plutôt celui-ci savourait-il, en artiste, le spectacle de la tourmente qu'il avait soulevée. Les Britanniques, au fond d'eux-mêmes, n'en voulaient pas au chef de la France libre d'avoir lancé une pierre dans la mare aux grenouilles et embarrassé le secrétariat d'État, qui prolongeait la politique baptisée plus tard *The Vichy Gamble* par un historien américain [2].

Le Général félicita l'amiral pour la manière dont il avait exécuté ses ordres et accompli le ralliement des îles à la France libre. L'amiral lui-même n'approuvait pas la manière, agressive à l'égard des Américains, que le Général lui avait imposée. Quand il revint à Londres, Alain Savary exerçant l'administration civile et Louis de Villefosse le commandement militaire de l'île, il tenta, semble-t-il, de modifier le fonctionnement du Comité national, pour éviter que des décisions aussi graves fussent à l'avenir prises par un seul, sans délibération. (La décision relative à Saint-Pierre et Miquelon fut-elle prise dans ces conditions ?) A travers les *Notes* et les *Mémoires* du Général, on retrouve les étapes de la crise. L'amiral démissionne de ses fonctions de membre du Comité national, mais veut conserver le commandement des Forces françaises navales libres. Le Général lui enlève le commandement quelques jours plus tard et nomme à sa place le contre-amiral Auboyneau. Des manifestations de solidarité avec l'amiral Muselier agitent la marine, surtout dans l'état-major. Le gouvernement britannique fait pression sur le Général, d'abord pour qu'il ne renvoie pas l'amiral, ensuite, le général s'étant montré inflexible, pour qu'il lui réserve un statut digne de son grade et des services rendus. L'amiral, après avoir été prié de prendre du repos en dehors de Londres, ne se rend pas aux convocations du Général et rompt avec lui. Il refuse le titre et la fonction d'Inspecteur des forces militaires de la France libre.

Quel fut le rôle exact d'André Labarthe dans toute cette affaire, dans ce « complot », pour prendre l'expression souvent employée ? A n'en pas douter, il poussa l'amiral à se dresser contre « l'exercice solitaire du pouvoir », mais, à mon sens, il n'envisagea jamais une « dissidence » ou une « sécession » de la marine, inconcevable quel que fût l'attachement de nombre d'officiers à la personne de l'amiral. Rétrospectivement, la tenta-

1. Il ne restait rien de la promesse, faite aux volontaires de 1940, de n'avoir pas à combattre des Français.
2. W. Langer.

tive de Muselier et de Labarthe paraît puérile. A l'intérieur du Comité national, l'amiral n'avait pas de soutien. L'appui anglais, sur lequel, probablement, l'un et l'autre comptaient, ne leur fit pas défaut, mais le Général rejeta avec hauteur ces ingérences dans les affaires intérieures de la France libre, donc de la France tout court. Après l'apaisement, le Général fit une concession au gouvernement anglais : il proposa, je l'ai dit, un poste, honorable mais sans pouvoir, à l'amiral, qui préféra se retirer.

Louis de Villefosse resta fidèle à l'amiral, avec noblesse et désintéressement ; le capitaine de vaisseau Moret (Moullec de son vrai nom) aussi, mais il avait été très lié à Labarthe, de ceux qui tissèrent les fils de l'intrigue. Quant à l'amiral et à André Labarthe qui, au fond, voulaient une place élargie à l'intérieur du mouvement, en limitant la toute-puissance du Général, ils se trouvèrent finalement sur la touche. Il n'y eut guère d'échos de cette crise dans *la France libre* qui n'en apparut pas moins antigaulliste, en raison de l'activité politique de son directeur.

La distance entre le gouvernement gaulliste et *la France libre* s'élargit encore en novembre 1942 quand les troupes anglo-américaines débarquèrent en Afrique du Nord et que les autorités de Vichy se rallièrent, non sans un baroud d'honneur, à la cause alliée. Un éditorial équivoque qui suggérait un rassemblement de tous les Français fut critiqué âprement par les services du Général. Jacques Soustelle m'envoya une lettre que je n'ai pas conservée, mais qui nous reprochait de rompre avec l'inspiration et les principes de la France combattante.

Cette rupture n'aurait peut-être pas été définitive si l'amiral Muselier et André Labarthe n'avaient gagné l'Afrique du Nord pour se mettre aux ordres du général Giraud. Autant que je m'en souvienne, la revue ne suivit pas les péripéties de la bataille des généraux, mais la prise de position de son directeur mettait *la France libre,* en apparence au moins, du côté du général Giraud et, après l'élimination de ce dernier, parmi les exilés non gaullistes ou antigaullistes. En particulier, un de mes articles, « L'ombre des Bonaparte » (1943), fit scandale, parce qu'il développait une comparaison entre le bonapartisme et le boulangisme d'un côté, le fascisme de l'autre. J'énumérais les traits caractéristiques d'une situation de césarisme plébiscitaire : *popularité d'un homme ou simplement d'un nom, ralliement au César des classes bourgeoises, discrédit du Parlement, divisions des républicains et confusion dans les masses populaires, chances offertes par le système des plébiscistes.* Je retrouvais, à l'origine de l'aventure boulangiste, la conjonction des mêmes phénomènes : « république contre parlement, appel au peuple avec la bénédiction des classes possédantes. Général républicain et général Revanche : autour de son nom se cristallisaient et les transports d'un patriotisme humilié par la défaite et l'espérance du romantisme démocratique ».

Je répondais aux deux objections soulevées contre le rapprochement entre le bonapartisme du XIXe siècle et le fascisme du XXe siècle : le rôle décisif de la paysannerie au siècle passé, la crise économique à l'origine du national-socialisme. « Le rôle des paysans est une des caractéristiques du bonapartisme français mais il y a, d'autre part, un bonapartisme des villes, celui des petits-bourgeois, des artisans, des ouvriers même, milieux radicaux sensibles à l'appel du soldat, nationalistes et frondeurs, républicains et en même temps désireux d'une autorité forte. De plus, la conjonction des extrêmes dans le mythe d'un héros national, le ralliement du parti d'ordre à l'aventurier adulé par les foules, l'explosion de ferveur montant vers le chef charismatique, la mobilisation des multitudes flottantes, tous ces traits communs à la formation des fascismes comme des bonapartismes justifient la comparaison. » Quant à la deuxième objection, la différence radicale entre la conjoncture socio-économique du milieu du siècle passé et celle du milieu du siècle présent, je répondais par une question : « Pourquoi la France a-t-elle connu, avant tous les autres pays d'Europe, une forme particulière de césarisme populaire ?... La peur des « partageux » créa la même disponibilité au césarisme dans les masses paysannes, devenues conservatrices avec l'accession à la propriété, que la peur de la prolétarisation créa dans les masses de la petite bourgeoisie allemande après 1930. »

La conclusion analytique se résumait dans les lignes suivantes : « Le bonapartisme est donc tout à la fois l'*anticipation* et la *version française* du fascisme. Anticipation française parce que l'instabilité politique, l'humiliation patriotique et le souci des conquêtes sociales — mêlé d'une certaine indifférence aux conquêtes politiques — de la révolution ont créé à diverses reprises une situation plébiscitaire dans le pays, au temps même du capitalisme ascendant. Version française, parce qu'il se trouve toujours, dans des circonstances favorables, des millions de Français pour compenser leur hostilité coutumière à leurs gouvernants par des élans passionnels, cristallisant autour d'une personne désignée par les événements. Version française encore parce qu'un régime autoritaire, en France, inévitablement se réclame de la grande Révolution, paie tribut verbal à la volonté nationale, adopte un vocabulaire de gauche, fait profession de s'adresser, par-delà les partis, au peuple entier. »

L'article ne laissait guère de doute au lecteur sur le sens de cette mise en garde : « Si profonde et unanime que soit cette aspiration à la liberté, la nation n'en restera pas moins, tant que ses institutions n'auront pas été réorganisées, exposée aux aventures. Abreuvée d'humiliations, elle vibrera d'un patriotisme ombrageux. » Je transmuai l'analyse en polémique parce que je mis en épigraphe la phrase écrite par Louis-Napoléon alors qu'il résidait à Londres, précisément à Carlton Gardens : « La nature de la démocratie est de se personnifier dans un homme. » Maurice Schumann dénonça la « mauvaise action », Dennis Brogan admira beaucoup l'article. Un historien anglais, spécialiste du second Empire, confirma la pertinence de l'analyse. Aujourd'hui, je regrette certaines insinuations du texte plus que le texte lui-même.

En quoi consistait l'erreur ? Le Général avait avec Louis-Napoléon et tous les candidats au pouvoir suprême des similitudes évidentes. Alexis de Tocqueville présente Louis-Napoléon « plus assuré de sa légitimité que les descendants des rois de France ». Le Général s'était attribué à lui-même une inaliénable légitimité, qu'il conserva précieusement dans son exil et sa solitude. Quand il revint au pouvoir, en 1958, il invoqua l'acte du 18 juin, bien que les Français n'eussent pas tous condamné l'armistice, ni accepté l'appel du 18 juin en tant que créateur d'une légitimité personnelle qui persisterait après la restauration de la République. Comme les Bonaparte, de Gaulle détestait les partis et les factions ; s'adressait à la nation tout entière ; et il usa du plébiscite comme l'avait fait Louis-Napoléon. Au rebours de ce qu'affirmaient les thuriféraires, il n'avait jamais limité sa mission à la victoire militaire ; il avait conçu le projet — et pourquoi lui en tenir rigueur ? — de donner à la France de « bonnes institutions ».

Mais il avait à l'avance limité son pouvoir, par conviction démocratique, peut-être aussi afin de convaincre les Anglais et les Américains de son orthodoxie républicaine. Il avait rejeté la proposition faite par certains résistants, comme Henri Frenay ou Pierre Brossolette, d'empêcher la reconstitution des vieux partis et de rassembler les mouvements de résistance en un parti, au moins provisoirement unique. Le Général arriva en France avec une Assemblée consultative, un parti communiste légal, lavé des fautes de 1939-1940. A coup sûr, il ne voulait pas restaurer la IIIe République. Les radicaux et les socialistes qui publiaient le quotidien *France* pressentaient, avec raison, que la République gaulliste ne ressemblerait pas à celle des députés. Lorsqu'on était conscient des tares de cette dernière, pourquoi rejeter à l'avance cette perspective ?

« L'ombre des Bonaparte », relu aujourd'hui, souffre moins de ce qu'il contient que de ce qu'il omet. Ni général Monck ni général de coup d'État, le général de Gaulle voulait instaurer une Constitution taillée à sa mesure et, en même temps, viable après lui. Il y parvint en 1958.

Aux États-Unis comme en Angleterre, les Français hostiles au régime de Vichy ne se rallièrent pas tous au gaullisme. A New York, Antoine de Saint-Exupéry soulevait la colère des gaullistes qui le traitaient de traître, et lui-même ne supportait pas leur sectarisme. Au lendemain du débarquement anglo-américain en Afrique du Nord, Saint-Ex plaida pour la réconciliation de tous les Français qui voulaient combattre l'ennemi. Jacques Maritain lui répliqua dans une lettre sévère qui blessa le destinataire [1]. L'un a-gaulliste, sinon antigaulliste, l'autre gaulliste. Le premier voyait les hommes de Vichy tenus à la gorge par les occupants et contraints à des concessions pour sauver « le lait des enfants », l'autre, critique impitoyable de l'armistice, ne concevait pas de réconci-

1. Dans l'introduction que j'écrivis, en 1982, aux *Écrits de guerre* de Saint-Exupéry, j'ai tenté de faire comprendre l'attitude de l'écrivain-pilote qui donna sa vie à sa patrie.

liation avec ceux qui avaient joué un rôle à Vichy. L'un refusait toute politique et voulait reprendre le combat ; l'autre rappelait que la guerre doit être conduite et que la charge en revenait de toute évidence au Général lui-même. (Sur ce point, Maritain avait raison.) Ainsi se heurtaient les deux esprits supérieurs, les deux consciences des Français d'Amérique. Saint-Exupéry, passé en Afrique, n'adhéra pas au mouvement gaulliste qu'il jugea aussi sectaire à Alger qu'à New York. Il obtint avec peine l'autorisation de piloter un *lightning,* en violation de tous les règlements. Il trouva la mort dans une mission d'observation au-dessus de la France.

Autre personnalité française, Saint-John Perse (Alexis Léger) s'en tint à l'opinion qu'il exprima dès le premier jour : pas de gouvernement, même provisoire, en dehors de la France occupée. Il refusa la position importante que le Général lui offrit, il continua de vivre pauvrement de la dotation que lui assurait le poste de conseiller littéraire à la Bibliothèque du Congrès, dirigée alors par son ami, le poète Archibald Mac Leish.

Les Français qui refusèrent de se joindre au mouvement gaulliste obéirent, pour la plupart, à d'autres motifs qu'Alexis Léger, par exemple les rédacteurs de *France,* le journal quotidien publié en français à Londres. Eux s'accordaient pleinement avec la version gaulliste de l'Histoire. Ils traitaient le Maréchal et Maurras de traîtres. Par passion partisane, ils dénonçaient parfois les gens de Vichy avec tant de violence que leur propagande prenait un caractère antifrançais. Je me souviens d'un déjeuner auquel un rédacteur du journal avait invité des Tchèques, Ripka parmi eux. La conversation vint sur le président Hacha, celui qui avait signé le texte par lequel son pays demandait la « protection » du Reich. Notre interlocuteur répondit avec retenue, par une phrase vague : « Il fait de son mieux ». Quelques instants plus tard, le journaliste français tira à boulets rouges sur le Maréchal, ses ministres et ses partisans, comme si aucun ne faisait de son mieux, comme si tous servaient docilement, voire avec zèle, les occupants.

L'équipe qui rédigeait *France,* Pierre Comert, Charles Gombault, Louis Lévy, venait de la classe politique de la IIIe République ; elle se méfia toujours du général de Gaulle que son style, ses affinités (prétendues) avec l'Action française, ses propos sévères sur le régime aboli rendaient suspect.

L'équipe de la radio, *Les Français parlent aux Français,* était divisée. Jean Marin passait pour un gaulliste de stricte observance ; Pierre Bourdan prenait ses distances par rapport à l'orthodoxie. Jacques Duchesne, qui dirigeait l'équipe, neveu de Jacques Copeau, acteur de profession, nullement nostalgique de la IIIe à la manière des journalistes de *France,* n'aimait pas l'atmosphère de confessionnal qui régnait autour du Général. P. Bourdan, le plus doué de tous, se noya stupidement, en 1947, après avoir commencé une carrière politique brillante.

Après le débarquement des Alliés en Afrique du Nord, grâce à la multiplication des vols entre la France occupée, l'Afrique du Nord et la Grande-Bretagne, la colonie française de Londres grossit. Résistants, hommes politiques, hauts fonctionnaires enrichirent la France libre dont le général de Gaulle avait déploré devant moi, en 1941, la pauvreté en hommes de qualité.

Robert Marjolin était revenu en 1941, après que Emmanuel Monick, dont il avait été le chef de cabinet au Maroc, eut été rappelé en France sur l'exigence des Allemands. Il avait connu et admiré le général Weygand mais il apprit vite que ces sentiments nuisaient à ceux qui les avouaient. La plupart des diplomates ou des hommes politiques, qui venaient de Vichy, se ralliaient au général de Gaulle, et ils avaient raison. Il y avait désormais deux France, chacune incarnée dans un groupe qui, à ses propres yeux, représentait *la* France. Il n'existait plus de troisième terme, sinon pour les isolés. Bien plus, les ralliés apprenaient vite que les ex-vichystes, une fois le baptême gaulliste reçu, étaient acceptés plus aisément que ceux qui avaient servi la cause alliée en marge du gaullisme.

A l'époque, la vertu du baptême gaulliste me choquait, comme me choquait la sévérité gaulliste à l'égard des Français inscrits dans l'armée anglaise ou dans les mouvements de Résistance, en relations directes avec les services britanniques. Aujourd'hui, une éducation politique un peu plus avancée m'aide à tolérer cette logique de la guerre civile (que j'avais toujours comprise) ou, si l'on veut, du nationalisme intégral. La cause française ne se *séparait* pas de la cause alliée mais elle ne se *confondait* pas avec elle. Une fois l'armée française détruite et la France occupée, la contribution matérielle de la France à la victoire ne pouvait être que secondaire. Il importait donc de valoriser au maximum cette contribution ; tout ce qui était donné à la cause alliée sans apparaître comme l'apport propre de la France, donc du gaullisme, manquait au devoir national.

Pour moi, il n'était pas question de me rallier au mouvement gaulliste, désormais victorieux. La politique s'était déplacée de Londres vers Alger. André Labarthe était aux États-Unis. Face à la dégradation du régime de Vichy, le général de Gaulle était devenu, de manière incontestable, le chef légitime. La vie politique n'était pas pour autant suspendue ; au contraire, elle sortait des brumes de l'exil et rentrait dans la réalité.

Dans le Londres de la guerre, capitale de l'Europe occupée, se retrouvaient les gouvernements en exil des pays occupés. A partir de l'agression hitlérienne contre l'Union soviétique, les perspectives d'avenir, au-delà de la défaite maintenant probable du IIIe Reich, nourrissaient les conversations en même temps que les négociations entre les hommes d'État. Notre revue entretenait des relations amicales avec les Polonais de Londres et nous publiâmes, à maintes reprises, des articles, rédigés par eux à l'instigation de leurs autorités officielles, à savoir du gouvernement polonais en exil.

Les spéculations d'avenir des Polonais se développaient en un monde irréel ; elles imaginaient un réseau de pays, petits ou moyens, qui s'uniraient contre l'Union soviétique et contre l'Allemagne, et, de ce fait, préviendraient tout aussi bien le conflit que la coalition des deux Grands. Projet parfaitement utopique puisqu'il équivalait à la reproduction du règlement dicté à Versailles, que le géographe H. J. Mackinder avait conçu en 1919. L'idée d'une zone tampon entre l'Union soviétique et l'Allemagne se heurtait à de multiples obstacles. Les pays désignés pour constituer cette zone non engagée entre les empires devaient être suffisamment unis pour qu'aucun d'entre eux ne demandât l'arbitrage de l'un des Grands dans un conflit qui l'opposerait à l'un de ses voisins. Cette union n'avait jamais été réalisée au cours de l'entre-deux-guerres. La Roumanie et la Hongrie revendiquaient toutes deux la Transylvanie ; la Pologne participa à la curée après l'accord de Munich ; ni la Pologne ni la Tchécoslovaquie n'étaient à l'abri de protestations ou de revendications des minorités nationales. De plus et surtout, le statut territorial de l'Europe dépendait de l'Union soviétique. Les États de la zone tampon, rêvée de loin, ne posséderaient pas la force nécessaire pour faire respecter leur non-engagement, pour remplir leur mission de double barrage, vers l'est et vers l'ouest.

Les Polonais et les Tchèques, en dépit de l'accord qu'ils avaient conclu, ne parlaient pas le même langage. Les Polonais ne faisaient pas mystère de leurs craintes. Aussi bien n'avaient-ils oublié ni le pacte Hitler-Staline, ni le partage de leur territoire par les armées des deux empires, ni l'assassinat à Katyn d'une douzaine de milliers d'officiers polonais par les troupes soviétiques. Ce dernier forfait, ils le connaissaient par les informations de quelques survivants du massacre, informations précises, apportées par des réfugiés. Les personnalités proches du gouvernement Sikorsky le savaient : les milliers d'officiers polonais, retenus prisonniers dans un camp soviétique, avaient disparu avant l'arrivée des troupes hitlériennes. Quand les communiqués officiels de la *Wehrmacht* firent état du charnier mis au jour, les ministres polonais réclamèrent une commission d'enquête, composée de personnalités neutres, dont le témoignage ne serait récusé par aucun gouvernement. On sait ce qu'il en advint.

Dans les conversations privées, les Tchèques — au moins tous ceux que je fréquentais — critiquaient la conduite des Polonais. Ils avaient tous adopté la thèse de Benès. L'Union soviétique dominerait l'Europe orientale — ce qui, en effet, semblait incontestable. Donc, le gouvernement qui s'établirait à Prague devrait avant tout maintenir de bonnes relations avec Moscou. A Munich, Benès et le peuple tout entier avaient fait l'expérience tragique de l'impuissance de leurs alliés. Ils avaient appris à leurs dépens que l'Occident ne leur assurerait jamais la sécurité.

C'est donc sur l'amitié de Moscou qu'ils compteraient désormais. Raisonnement au premier abord raisonnable, qui risquait de rejoindre celui de Gribouille. De même que, de 1919 à 1939, Benès avait pourchassé le fantôme de l'Empire austro-hongrois alors que le péril venait du IIIe Reich, de même, pendant la guerre, il prit des précautions contre le réveil de l'impérialisme allemand et la trahison occidentale. Il chercha la protection du nouvel impérialisme.

Benès ne croyait pas à cet impérialisme. Il se portait pour ainsi dire garant des intentions soviétiques auprès de ses grands alliés. L'Union soviétique ne tolérerait pas à sa frontière occidentale des pays hostiles, susceptibles de se joindre à une invasion venant de l'Ouest, comparable à celle de juin 1941. Mais, à l'exception des provinces polonaises de l'Est, habitées en majorité par des allogènes, en particulier des Russes ou des Ukrainiens, les gouvernants de Moscou, selon lui, ne se proposaient ni de conquérir des terres, ni de répandre par la force leur régime. Parfaitement aveugle, cet homme d'État, étoile aux beaux jours de Genève, continuait le travail de désinformation qu'il avait inauguré en transmettant à Staline en 1936 des « informations » reçues des services allemands par l'intermédiaire de son propre service d'intelligence, qui favorisèrent l'exécution de Toukhatchevski et des autres généraux passés par les armes au temps de la grande purge.

Les propos privés des Tchèques sur les Polonais ne laissaient pas de me déplaire. Certes, les premiers se conduisaient, une fois de plus, raisonnablement. Puisque l'Union soviétique régnerait sur l'est de l'Europe, la raison ordonnait de s'entendre avec Moscou. Au château des rois qui surplombe Prague, Benès, au lendemain de la guerre, embrassa d'un geste large la ville et dit à un visiteur : « Voyez ce que j'ai sauvé. » Prague, dans son être matériel, devait sa survie à la capitulation de septembre 1938, qu'il avait flétrie mais qu'il avait peut-être souhaitée au fond de son cœur et dont les Alliés avaient assumé la responsabilité.

Le langage des Tchèques me paraissait d'autant plus irritant qu'ils adoptaient volontiers un ton de supériorité à l'égard des Polonais, toujours puérils ou romantiques, incapables de mesurer les rapports de forces et d'agir en conséquence. A quoi bon rallumer les cendres ? Certes, les officiers polonais avaient été assassinés, mais chaque jour des milliers de Soviétiques, aussi nombreux que les prisonniers du camp de Katyn, tombaient sur les champs de bataille. Il fallait regarder vers l'avenir, donc vers Moscou. A quoi nous répliquions : pouvons-nous faire confiance à Staline, à l'Union soviétique ? Celle-ci est-elle devenue un État comme les autres, dont l'impérialisme ne dépasserait ni les limites, ni la manière de la Russie tsariste ? De fait, les Tchèques n'ont pas plus échappé à la domination soviétique que les Polonais. Une première fois les Soviétiques ont pris le pouvoir à Prague par l'intermédiaire du parti communiste, sans qu'aucun de leurs soldats eût franchi la frontière. La deuxième fois, vingt ans plus tard, ce sont les troupes du pacte de Varsovie qui ont « normalisé » un régime que les dirigeants communistes tchèques eux-mêmes s'efforçaient de libéraliser.

Pendant ces années, je vécus dans un milieu français, mais j'entrai aussi dans la société anglaise. Le *Reform Club* et le groupe des libéraux, Lionel Robbins ou Friederich Hayek, m'accueillirent avec une générosité dont je garde un souvenir reconnaissant. Karl Mannheim qui enseignait à la *London School of Economics and political studies* m'invita plusieurs fois. Morris Ginsberg, le sociologue principal de la même école, vers la fin de la guerre, me demanda si j'accepterais un poste qui deviendrait rapidement celui d'un *full professor.* Je n'envisageai pas sérieusement cette proposition. Bien que, durant ces années, j'eusse parlé le plus souvent français et avec des Français, j'avais fait assez de progrès pour que des conférences ou des cours en anglais ne fussent plus de nature à me terrifier. La raison décisive de mon choix allait pour ainsi dire de soi : je ne changerais jamais de patrie. Je serais français ou je n'aurais pas de patrie.

Certes, j'aurais pu vivre dans un autre pays, en Grande-Bretagne ou aux États-Unis, et m'y conduire en bon citoyen. Mais sans y trouver une patrie de substitution. La langue, les symboles, les émotions, les souvenirs, tous les liens qui attachent un individu à une communauté se nouent dans les premières années de la vie ; une fois ces liens déchirés, nous nous sentons amputés d'une partie irremplaçable de notre être. Nombre de Juifs français n'ont pas pardonné à la France le statut des Juifs ; ou, pour mieux dire, le statut les a séparés de *leur* France, de leur pays tel qu'ils le connaissaient ou le voulaient. Quant à moi, peut-être pour m'épargner une révision déchirante, je crus d'abord que le statut avait été imposé à Vichy, directement ou non, par les Allemands, puis je décrétai que Vichy constituait une parenthèse dans l'histoire de France, un épisode de la guerre.

Je connus beaucoup de Français de Londres, le personnel de l'Institut de France ; je me liai d'une profonde et douce amitié avec Louise Verrier. Parmi les combattants qui avaient servi en Afrique et qui revinrent à Londres, je retrouvai le général Édouard Corniglion-Molinier, le pilote d'André Malraux dans l'expédition aérienne vers la capitale de la reine de Saba. Niçois, homme du pays d'oc à la frontière de l'Italie, il racontait volontiers des « anecdotes fumantes », mais jamais des vantardises. Tout au contraire : un des seuls Français à avoir été un pilote de chasse dans les deux guerres, 1914-1918 et 1939-1940, il ne parlait jamais de ses exploits, des appareils ennemis qu'il avait abattus. Pas davantage, il ne mentionnait ses dons de musicien, de violoniste. Discret sur le meilleur de lui-même, expansif sur des réussites d'autre qualité, il fut, pour Suzanne et moi, un incomparable ami, fidèle, serviable, désintéressé.

Par chance, grâce aux relations d'André Labarthe avec les Américains, Suzanne et Dominique arrivèrent à Londres le 14 juillet 1943. Notre fille Emmanuelle naquit le 18 juin 1944 et Édouard en fut le parrain. Nous louâmes deux cottages proches, l'un pour Corniglion et son amie de l'époque, l'autre pour Suzanne et son bébé. La Libération ne nous sépara pas. Plusieurs fois ministre sous la IVe République, il demeura pour nous un compagnon.

Plusieurs jeunes Français, appartenant au commando des FFL qui fit partie de la première vague du débarquement, fréquentèrent la petite maison de Queensberry Gate dans laquelle je vivais seul quand nous fûmes obligés de quitter l'appartement de Cromwell Gate et quand Suzanne s'installa à la campagne. Deux d'entre eux me restent présents, vivants à l'esprit, Guy Hattu et Guy Vourch. Ce dernier est aujourd'hui un spécialiste réputé d'anesthésie. Nous nous rencontrons rarement, mais je conserve un souvenir fidèle de ces années de camaraderie.

C'est dans la petite maison de Queensberry Gate que Jean Cavaillès passa plusieurs semaines avec moi. Je l'avais connu à l'École, « cacique général » (le premier de la promotion la plus ancienne). Nous l'admirions, un peu de loin ; il fréquentait beaucoup les scientifiques puisqu'il préparait la licence de mathématiques. De ces années d'École, un seul souvenir précis à son propos me revient à la mémoire : il faisait une démarche auprès d'Émile Bréhier pour que celui-ci retirât sa démission. Émile Bréhier avait été offensé par le fait que certains élèves n'assistaient pas régulièrement à son séminaire donné pour les philosophes de l'École (les principaux « coupables » étaient Sartre et Nizan). Je fus impressionné par l'ardeur, le ton avec lesquels Cavaillès tenta de convaincre le professeur de revenir sur sa décision. Plusieurs années plus tard, agrégé préparateur pour les candidats à l'agrégation, il m'invita à parler de l'Histoire à un de ses séminaires. Il m'écrivit une lettre généreuse à propos de ma thèse. A la veille de la guerre, nous créâmes ensemble une collection à la maison d'édition scientifique Hermann. La collection ne compta qu'un ouvrage, la *Théorie des émotions,* de Jean-Paul Sartre.

C'est à Londres que nous devînmes amis. Il me parla de sa famille, de sa sœur, Gabrielle Ferrières. J'admirai sans réserve le philosophe-mathématicien, la force de son esprit et la fermeté de son sens moral. Nous échafaudâmes des projets d'avenir. Pris par la Gestapo, il fut fusillé. S'il avait vécu, la communauté philosophique, la communauté intellectuelle de la France auraient été différentes. J'aurais commis moins d'erreurs.

A Londres aussi, je me savais juif et les autres me savaient juif. Mais en dépit des rumeurs qui circulaient sur l'antisémitisme de certains milieux gaullistes, je n'ai jamais perçu le moindre indice d'un antisémitisme venant d'en haut. Personnellement, je n'ai pas voulu parler à la radio — sauf en des occasions exceptionnelles, par exemple à la mort de Bergson — pour ne pas donner de nourriture à la propagande adverse ; il me plaisait de revenir en France aussi anonyme, aussi pauvre que j'en étais parti. A cet égard, je réussis.

Quel était mon état d'esprit, à l'été de 1944, après la Libération, à la veille du retour en France ? Quel bilan établir ? J'oscillais entre la bonne et la mauvaise conscience. A défaut d'avoir connu des dangers dans une unité combattante, j'avais contribué à une œuvre nécessaire : une revue française de culture, distribuée dans le monde entier, alors que la voix de la France était étouffée ou, pis encore, déformée. Elle aurait dû, selon certains, témoigner d'un gaullisme plus orthodoxe : je n'en suis pas, aujourd'hui encore, convaincu. Pas plus au-dehors qu'au-dedans, les Français ne se partageaient entre des inconditionnels, du Maréchal ou du Général. Elle servit mieux le gaullisme œcuménique, au moins jusqu'en 1943, que ne l'aurait fait une publication rédigée dans le style et le ton adoptés par les fidèles du Général.

En même temps, je m'interrogeai sur moi-même, sur mon penchant à la solitude. Devais-je trouver toujours des raisons plus ou moins subtiles de rester marginal, en dehors de tous les partis, de tous les mouvements ? Je me souvins de l'étudiant allemand qui, en 1933, me reprochait d'être incapable de *mitmachen*, de m'enrôler.

L'exil accentue les traits les plus déplaisants de la politique : pullulement des intrigues, propos rapportés, inimitiés couvertes, rapprochements superficiels. Les controverses portent sur l'avenir, sur les possibles. L'expérience de Londres aurait dû représenter la dernière étape de mon éducation politique. Elle le fut en un certain sens puisque, pour la première fois, j'approchai les hommes qui font la politique. Je n'en acceptai que progressivement la leçon. Mon allergie à toute vision mythique de l'histoire-se-faisant me vouait à la destinée qui fut la mienne au cours des trente-sept années écoulées depuis la fin de la guerre. Je ne le savais pas aussi clairement qu'aujourd'hui à l'instant où, le cœur battant, je mis le pied sur la terre de France. Il me fallut encore quelques années pour m'accepter ou, plus exactement, pour faire la part exacte qui revenait respectivement à l'analyse et à l'engagement.

VIII

L'ILLUSION SANS LYRISME

J'ai choisi pour titre de ce chapitre, consacré à la fin de la guerre et aux premières années de l'après-guerre, *L'illusion sans lyrisme,* inverse de la formule par laquelle André Malraux désigne la première phase d'une révolution. On parla beaucoup de révolution, dans la France libérée ; sur la première page de *Combat,* au-dessous du titre, figurait le mot d'ordre *De la Résistance à la Révolution ;* Georges Bidault lança le slogan « Révolution par la loi ». Cette phraséologie ne signifiait rien.

Pendant la guerre, la décision avait été prise, par le général de Gaulle lui-même, de favoriser la reconstitution des partis. Aujourd'hui encore, je tiens cette décision pour tout à la fois sage et inévitable. De toute manière, le parti communiste n'avait pas cessé de vivre dans la clandestinité ; il avait pris une part active à la lutte contre l'occupant à partir de juin 1941. Puisque le général de Gaulle s'était engagé à donner la parole à la nation, en d'autres termes à organiser des élections, il fallait bien que, face au PC, d'autres partis et leurs représentants fussent capables de se manifester. Léon Blum et les survivants de la SFIO n'auraient pas consenti à se fondre dans un ensemble défini par la Résistance ou la République. La France était condamnée à la rivalité, sinon au régime, des partis. Lutte camouflée et faussée tout à la fois par la tactique adoptée par le PC. Celui-ci, tant que les hostilités se poursuivirent, soutint le gouvernement du Général, incita les ouvriers au travail tout en réglant ses comptes, à la faveur de l'épuration, avec d'anciens militants communistes ou des syndicalistes à l'intérieur des fédérations hostiles à la CGT. Leurs ministres mettaient en place leurs hommes et s'assuraient des positions que le PC conserve parfois aujourd'hui encore (Marcel Paul à l'EDF par exemple).

L'unité de la Résistance m'apparaissait mensongère. Le comportement des autorités soviétiques d'occupation, en Roumanie, en Pologne, dans la zone allemande, ne laissait guère de doute sur les intentions de Staline. Selon la formule qu'il employa dans une conversation avec Djilas, chaque armée apporte avec elle son idéologie. Dès mai 1945, la rupture entre le PC et les autres partis n'était qu'une question de temps. En refusant au PC un ministère clé, le Général avait marqué la différence radicale qu'il établissait entre lui et tous les autres partis. Le tripartisme — l'alliance des trois grands partis, PC, MRP, SFIO — ne pouvait durer longtemps ; il ne résisterait pas à la dissolution de l'alliance des trois grandes puissances.

Autant que la lutte des partis, l'épuration empoisonna l'atmosphère de la première phase de la démocratie retrouvée. L'inflation, partiellement refoulée pendant la guerre, se déchaîna immédiatement. L'expulsion des envahisseurs ne guérit pas d'un coup les déchirements du corps national, elle laissa tout au contraire libre cours aux ressentiments, aux aspirations contradictoires des diverses classes, des divers partis ; les simples Français s'abandonnèrent à la morosité, tant la réalité démentait les espoirs nourris durant les années noires. Je me souviens des journées du 8 et 9 mai et de la tristesse de la capitale. Avec Jules Roy, si mes souvenirs ne m'abusent, j'ai échangé quelques mots sur l'étrange climat, l'absence de tout enthousiasme. Les massacres prenaient fin, en Europe du moins ; la France se trouvait dans le camp des vainqueurs, mais le peuple n'était pas rassemblé et nous nous interrogions déjà sur l'avenir. J'avais treize ans au 11 novembre 1918. Mes parents nous conduisirent tous trois, mes frères et moi, à Paris, le lendemain de la signature de l'armistice. Je n'oublierai jamais la liesse du peuple de Paris, qui tout entier, sorti des maisons, des usines, des bureaux, remplissait les rues. Bourgeois et ouvriers se mêlaient, les hommes et les femmes s'embrassaient, tous criaient à tous les échos « nous avons gagné la guerre », « nous les avons eus ». L'unanimité nationale, elle non plus, ne dura pas. Du moins exprima-t-elle la fierté que les Français tiraient de leur héroïsme et de leurs sacrifices, le soulagement que leur apportait la fin de la tuerie. J'ai participé à beaucoup de manifestations ; aucune ne réunissait les Français de toutes conditions, aucune ne ressembla à celle des Parisiens du 12 novembre 1918. Ce jour-là, ils ne défilaient pas, ils marchaient ensemble, ils vivaient ensemble.

Faut-il ajouter que la France se releva mieux de la défaite de 1940 que de la sublime et surhumaine épreuve de 1914-1918 ?

La rencontre d'André Labarthe à Carlton Gardens, en juillet 1940, avait déterminé mon existence durant les années de guerre.

Une autre décision prise cette fois sans examen de conscience, presque sans réflexion, influa, elle aussi, sur le reste de ma vie. Le doyen de la Faculté des lettres de Bordeaux me demanda de poser ma candidature à une chaire de sociologie vacante, il me promit un soutien unanime de ses collègues. J'avais été élu maître de conférences à la Faculté des lettres de Toulouse et ma femme avait perçu mon traitement au cours des années 40-43, tant que je fus porté disparu. Le doyen de la Faculté n'ignorait pas la vérité. J'aurais donc dû me rendre le plus tôt possible à Toulouse pour remercier le doyen et mes collègues de leur attitude à l'égard de ma famille. Pourquoi je ne le fis pas, je ne parviens pas à le comprendre.

En 1938, remplaçant du professeur Bonnafous, j'avais fait l'aller et retour de Bordeaux pendant la plus grande partie d'une année universitaire. Cette pratique, interdite sur le papier à moins de circonstances particulières (par exemple la résidence de la femme — ou du mari — dans une autre ville), ne troublait ni l'administration, ni le doyen. D'après mes souvenirs, celui-ci qui m'invita à me porter candidat ne formula aucune exigence de résidence. Peut-être mon exercice du métier, en 1938, avait-il laissé à Bordeaux de bons souvenirs. Peut-être aussi les Juifs, hier persécutés, bénéficiaient-ils, pour un moment, d'une cote de faveur, dans certains milieux au moins. Dans l'université, ceux qui avaient été tentés par la collaboration se comptaient presque sur les doigts de la main. En revanche, même dans les camps de prisonniers en Allemagne, de nombreux universitaires catholiques restèrent acquis plus ou moins longtemps au Maréchal, Jean Guitton par exemple.

Ma nomination à Toulouse, en août 1939, avait comblé mes espérances. En 1944, j'avais le choix entre Toulouse et Bordeaux puisque j'aurais obtenu, si je l'avais sollicité, ma réintégration au poste même d'où le statut des Juifs m'avait exclu. La raison que je me donnai à moi-même se réduisait à la question de la résidence. Sevré, depuis cinq années, de mes amitiés parisiennes, je craignis une sorte d'exil à Bordeaux où mes futurs collègues, à peu d'exceptions près, m'étaient inconnus. En 1938, j'avais respecté et estimé le doyen André Darbon avec lequel j'avais causé brièvement, en juin 1940, à la veille de prendre le bateau pour l'Angleterre ; je fréquentai régulièrement William Seston, historien de Rome, protestant, avec lequel je sympathisai. Répugnant à m'installer à Bordeaux, je répugnai aussi au va-et-vient entre la ville où je vivrais et celle où j'enseignerais. Donner un jour et demi par semaine à l'université, était-ce suffisant, convenable ?

Cette objection morale fut-elle le mobile majeur ? Pour parler brutalement, j'étais atteint par le virus politique. Non que j'aie rêvé, à mon retour en France, d'une carrière politique. Ce qui me décida à interrompre la carrière universitaire à laquelle me destinaient mes études, mes aspirations et le souvenir de mon père, ce fut le changement de ma personne même, dû aux années de Londres, que j'avais passées tout proche des acteurs de l'Histoire dans l'exercice du journalisme. Au fond, je ne me l'avouais pas à moi-même, l'université telle que je l'avais connue, telle que je la devinais à l'avance, m'ennuyait. Quelques dizaines d'étudiants auxquels j'exposerais *le Suicide* et *les Formes élémentaires de la vie religieuse :* je me rappelai mon expérience de 1938 avec des sentiments tout différents de ceux que j'avais éprouvés à l'époque. En 1938, je sortais de quatre années durant lesquelles j'avais écrit trois livres et je me reposais sans trop de scrupules ; je rechargeais les accumulateurs. Déjà les résultats atteints, tout modestes qu'ils étaient, auraient transporté de joie mon père s'il avait vécu quatre années de plus. En 1944-1945, une autre ambition me détournait provisoirement de ce que j'appellerais aujourd'hui mon lieu naturel : l'ambition de prendre part aux débats nationaux, de servir ma patrie, de ne pas ronger mon frein si la France de nouveau s'enfonçait dans le déclin. Mon pays était libéré et tout restait encore à faire.

J'avais plaidé, à Londres, pour un régime de démocratie libérale — ce régime que j'avais critiqué avec tant d'âpreté à la *Société française de philosophie.* La nouvelle république éviterait-elle les tares qui avaient conduit la précédente à la mort ? La même ignorance des affaires économiques amènerait-elle les gouvernants à des aberrations comparables à celles des années 30 ? Comment la France parviendrait-elle à s'adapter à l'âge des empires, à un système interétatique non plus européen mais mondial ? Je ne crois pas me flatter à distance, trente-sept années plus tard : je voulais participer activement à la reconstruction de la France autrement que par une *Introduction aux sciences sociales* ou par un essai sur Machiavel. Mes amis qui ont aujourd'hui trente ou quarante ans imaginent mal ce mélange d'humiliation et de volonté nationale qui animait les hommes de ma génération. L'épopée gaulliste n'avait pas effacé le souvenir de l'écroulement de 1940, précédé par les années de déclin. La défaite du IIIe Reich rendait une chance à la France : cette chance, il ne fallait pas la manquer.

Dois-je aussi incriminer le goût du journalisme, la tentation de la facilité que Londres et *la France libre* m'avaient inoculés ? Un livre sérieux exige des années de travail ; des mois s'écoulent avant que les échos du livre publié reviennent à l'auteur. Mon ambition authentique, strictement intellectuelle, céda pour un temps au rêve du service public et à l'intoxication politique.

Je m'interroge rarement sur ce qu'auraient été mon existence et mon œuvre si j'avais occupé la chaire de Bordeaux, qui m'aurait probablement conduit à celle de Paris, non en 1955 mais en 1948. Tous mes livres, ou presque, se ressentent de mon attention à l'actualité. *Le Grand Schisme* sortit du besoin que j'éprouvai de prendre une vue d'ensemble du monde afin d'encadrer pour ainsi dire les commentaires de politique internationale. *Les Guerres en chaîne* faisait suite au *Grand Schisme,* répondait à des critiques, approfondissait l'étude de certains problèmes que me posait la conjoncture mondiale. Même des livres auxquels je tiens davantage, comme *l'Opium des Intellectuels, Paix et guerre entre les nations,* ne se séparent pas de l'histoire-se-faisant bien que je m'y efforce de m'élever au-dessus de l'expérience vécue et des balbutiements du destin.

Cela dit, rien ne me permet d'affirmer que, revenu à l'Université dès 1945, j'aurais prolongé les recherches des dernières années avant la guerre, comme si la guerre, simple parenthèse, ne m'avait pas transformé moi-même. Tel que j'étais en 1944 ou en 1945, je n'imagine pas que j'aurais entrepris une introduction aux sciences sociales. Les questions d'épistémologie qui m'intéressaient, éventuellement même me passionnaient avant 1939, me laissaient presque indifférent en 1945. La réalité, plus que les diverses manières de l'approcher, sollicitait ma curiosité philosophique. Pour me détacher des événements, au cours des années d'après-guerre, il m'aurait fallu me contraindre moi-même. Il en fut tout autrement dix années plus tard, en 1955, quand j'aspirai à rentrer dans l'Université non pour m'assurer le prestige d'une chaire à la Sorbonne, mais pour me délivrer, au moins partiellement, du journalisme. Au bout de quelques années du *Figaro*, je me sentis, une fois encore, en train de me disperser ou de me perdre — comme mon père.

Ma carrière de journaliste, à mes yeux, ne commença qu'en mars 1946, à *Combat*, quotidien issu de la Résistance, dirigé par Pascal Pia. Des dix-huit mois entre mon retour en France à l'automne de 1944 et l'entrée à *Combat*, je ne garde que des souvenirs incohérents que j'ai grand-peine à me remémorer — au point que cette période m'apparaît rétrospectivement comme un temps vide. Durant les premiers mois, je ressentis intensément tout à la fois la joie de retrouver mon pays et les « désillusions de la liberté » pour reprendre le titre d'un article que j'écrivis pour le premier numéro de la revue *les Temps modernes*.

Simone de Beauvoir a raconté avec quelle émotion Sartre et moi nous reprîmes notre dialogue, plus rarement philosophique désormais, mais toujours amical. Après cette longue séparation, nous fûmes immédiatement proches...

Sartre écrivit pour *la France libre* un très bel article, « Paris sous l'Occupation » ; il l'écrivit en une nuit, non sans avaler un excitant, parce que je lui avais indiqué une date limite. Entre-temps, cette date avait été reportée d'un jour ou deux, et je ne lui en avais pas fait part. Quand je le lui dis, alors même qu'il me donnait son article, il répondit par un « la vache ! ». Bien sûr, j'avais eu tort (peut-être n'avais-je pas eu le moyen de communiquer avec lui). Je suis frappé — et pas exclusivement par cet incident — à quel point il réagissait en moraliste. Spontanément kantien, il se souciait de l'*intention* de l'autre, bien plus que de l'acte lui-même, et il concluait sur un jugement sans appel, mal ou bien, en fonction de l'arrière-pensée qu'il attribuait à la personne.

Une autre de mes joies fut de retrouver une amitié que je n'ai pas mentionnée dans les chapitres précédents. Non qu'elle tînt moins de place dans ma vie ou dans mon cœur ; je dirais plutôt au contraire. Colette et Jean Duval ne se rattachaient pas à mes études ; j'avais rencontré pour la première fois Colette aux Praz de Chamonix, avant qu'elle fût mariée à Jean. C'est par elle que je connus Jean. Un de mes camarades de Condorcet, Philippe Schwob, était lié à un frère de

Colette, Michel Lejeune, l'helléniste ; peut-être aussi à un autre frère Lejeune, Jean Effel. Jean Duval, collègue et ami de Jean Guéhenno, était, d'abord et avant tout, un être adorable, d'une finesse, d'une délicatesse qui m'aurait aisément donné le sentiment d'être un paysan du Danube s'il n'avait dissimulé pudiquement, sous l'humour, et ses affections intimes et ses sentiments pour les autres. Jean et Colette composaient un couple ; ami de l'un, on devenait nécessairement un ami de l'autre. Pendant notre année au Havre, ils vinrent passer deux jours avec nous. Tantôt nous causions à quatre, plus souvent par deux, Colette ou Jean tour à tour avec l'un de nous deux.

Ils avaient traversé la guerre là où ils avaient toujours vécu — là où vit maintenant leur fils André, rue Monsieur-le-Prince. Ils avaient fait partie du réseau du Musée de l'Homme, sauvés miraculeusement. La Gestapo savait qu'il y avait eu une rencontre rue Monsieur-le-Prince ; elle fit passer un suspect tout le long de la rue dans l'espoir que, d'une manière ou d'une autre, par un signe, une expression du visage ou un geste, il désignerait la maison. Le prisonnier soutint l'épreuve et sauva ses camarades.

Malraux connaissait les Duval et les estimait. Un jour, en sortant avec moi de leur appartement, il parla de ces êtres nobles, voués à un métier noble, cultivés, en marge des batailles et des vulgarités de la jungle politique ou littéraire, dépositaires du patrimoine et chargés de le transmettre. André Duval, aujourd'hui, victime de la « révolution culturelle » et du discrédit des humanités, ne croit plus autant que son père à cette tâche obscure et nécessaire. Son père y croyait mais sans y enfermer le tout de son existence. Il parlait de la poésie comme personne ; ses élèves l'admiraient et l'aimaient. Lui, il nourrissait un projet lancinant, un livre sur Victor Hugo ; il ne l'écrivit jamais. Après sa mort, on découvrit le journal intime qu'il tenait régulièrement, mais non quotidiennement. Malraux pensait que le journal intime dévore peu à peu l'écrivain. Dans le cas de Jean, l'explication ne suffit pas. Heureux avec Colette, autant qu'un homme peut l'être, satisfait de son métier, entouré d'amis, il souffrait de contradictions intérieures qu'il ne voulut pas s'avouer à lui-même. Jusqu'au bout, il tint bon, heureux et déchiré. Colette écrivait des livres pour enfants, charmants, traduits dans d'innombrables langues. Elle survécut à Jean de nombreuses années, toujours en pensée avec lui, toujours aussi jeune de cœur, toute proche de ses petits-enfants. Je me reproche de ne l'avoir pas vue assez souvent au cours des dernières années mais, quand nous nous revoyions, la distance et le temps disparaissaient et la même amitié nous unissait dans les mêmes souvenirs.

Sartre, en dépit du succès de *la Nausée,* ne jouissait encore, en 1938, que d'une notoriété restreinte au milieu littéraire. En 1944, il n'avait pas changé sa manière d'être et de vivre mais il accédait à la gloire. *L'Être et le Néant* avait paru, *Huis Clos,* après *les Mouches,* était accueilli avec enthousiasme par le public du théâtre. La mode de l'existentialisme et des cafés de Saint-Germain-des-Prés commençait. Loin d'ignorer la politique, il s'y jetait résolument. Au communisme, il portait, non sans réserve, une amitié rarement payée de retour. André Malraux avait changé. Non dans ses relations avec ses amis, ou, en tout cas, avec moi ; j'observai la même simplicité, la même affection discrète ; ce qui me stupéfia, ce fut son hostilité, je dirais presque sa haine du communisme. Il ne m'expliqua jamais les motifs de sa « conversion ».

Pendant la guerre, je n'avais reçu de lui qu'une petite lettre, alors qu'il résidait dans le Midi et écrivait *la Lutte avec l'Ange.* Je me souviens d'une phrase dont je reproduis le sens mais non les termes exacts : « On dit que je vais participer à la *Nouvelle Revue française* de Paris. Il n'en est pas question. » Il n'est entré dans la Résistance qu'en 1944 mais il n'a certainement jamais été tenté par la collaboration ou par le vichysme. Il venait de temps en temps à Paris, pendant l'hiver 1944-1945, parfois pour mettre en garde les mouvements unis de Résistance contre les manœuvres des communistes. Il n'avait pas encore pris parti pour le général de Gaulle ou plutôt, dois-je dire, il n'avait pas encore choisi le général de Gaulle en tant que son chef. Il regardait avec quelque mépris l'agitation littéraire et le surgissement de revues (le projet de Sartre de créer *les Temps modernes* lui était bien connu).

Exilé volontaire de l'Université, je continuai à collaborer à *la France libre* jusque vers le milieu de l'année 1945. Tant qu'il avait eu besoin de moi, André Labarthe avait joué de son charme et m'avait même manifesté une affection qu'il éprouvait probablement dans la mesure où ce comédien, à sincérité intermittente, en était capable. Simple salarié de l'entreprise, je n'avais pas demandé un statut différent à un moment où il n'aurait pas pu me le refuser. Il ne me resta pas d'autre issue que de m'en aller quand les divergences, politiques et personnelles, s'exaspérèrent, à partir de la fin de 1943, quand, après l'échec final du général Giraud, il partit pour les États-Unis et tenta d'y créer une revue en anglais, caricature de *la France libre.* Je m'étais attaché à cette revue à laquelle j'avais pris une grande part, je la quittai, le cœur lourd. Amertume qui me semble aujourd'hui quelque peu ridicule. Une revue pèse sur le responsable d'un poids qui accable ; j'avais donné beaucoup de temps et surtout de pensée à cette œuvre éphémère — j'aurais pu et dû trouver du loisir pour les travaux plus substantiels.

Politiquement, au cours de cette période, j'étais *ailleurs* ou en marge. Il n'était plus question d'antigaullisme. Le Général, arrivé au pouvoir avec le soutien des partis reconstitués et des mouvements de Résistance, donc avec une coalition dominée par les idées et les organisations de gauche, se présentait sous un double visage : l'homme autour duquel la masse des Français se rassemblait, comme la majorité d'entre eux l'avaient fait quatre années plus tôt, en 1940, autour du Maréchal ; l'homme qui, grâce à sa popularité, restaurerait l'État et tiendrait en respect le parti communiste qui, à la faveur de l'épuration, liquidait des adversaires sous prétexte de faire la justice.

Il me paraissait évident que, dans le jeu électoral, les mouvements de Résistance ne pèseraient pas lourd et que les partis retrouveraient rapidement leur rôle traditionnel. Je l'écrivis dans deux articles intitulés « Révolution ou Rénovation[1] » ; j'écartai le vocabulaire révolutionnaire à la mode dans le Paris de 1944-1945, qui me paraissait vide de sens par rapport à la situation historique et géographique de la France. A propos des mouvements de Résistance, j'écrivis dans le numéro d'octobre 1944 : « La Résistance joue et jouera un rôle de premier plan dans la période initiale où elle appuiera le gouvernement comme celui-ci s'appuiera sur elle. Mais dès qu'interviendront les élections, elle se heurtera aux partis... ; transformer *Combat* et *Libération* en partis, c'est la voie de la facilité qui probablement aboutira au fiasco. Ériger la Résistance en un parti unique est pure illusion parce qu'il n'y a pas d'unité politique entre ceux qui ont, d'un même cœur, combattu pour la France... La Résistance n'amène pas au jour des *partis* nouveaux, elle fait surgir un *personnel* nouveau... »

En août 1945, j'expliquai pourquoi la France n'était pas à la veille d'une révolution. Le parti communiste ? « Convaincu qu'à l'ouest de l'Europe, dans la phase historique actuelle, son heure n'est pas encore venue, il se borne, à la faveur de la légalité reconquise et des circonstances, à étendre ses positions, à entretenir l'ardeur et à calmer l'impatience de ses troupes. La Résistance ? Certains des hommes des organisations de la Résistance se plaisent souvent au langage extrémiste. Ils se trouvent contraints, du jour au lendemain, à un renversement du pour au contre ; hier avant tout soucieux d'obscurité et de mystère, ils appellent désormais le grand jour de la publicité. La loi de la clandestinité, c'est d'être inconnu. La loi de la politique, c'est d'être connu. On n'est pas un homme politique avant d'avoir eu son nom cité assez souvent dans les journaux. » Pour le reste, j'esquissai les grandes lignes de la rénovation nécessaire, sans révolution, dans le cadre d'un régime parlementaire.

C'est dans un hebdomadaire illustré, *Point de vue,* que je fis la première expérience du journalisme dont je ne me souviens jamais sans embarras, sinon quelque honte. Pourquoi ai-je accepté de jouer l'éditorialiste d'une telle publication ? Il faut se rappeler le Paris des mois qui suivirent la Libération, puis la capitulation du IIIe Reich. A l'exception du *Figaro,* tous les journaux de l'avant-guerre avaient disparu ; des titres nouveaux surgissaient, retenant quelquefois un fragment d'un titre populaire (*le Parisien libéré, France-Soir,* etc.). Des réseaux de Résistance (*Combat*) transformèrent une feuille clandestine en journal quotidien. Des personnalités de la Résistance, à un moment où n'importe quelle feuille se vendait, se lancèrent, elles aussi, dans la presse. C'est Corniglion-Molinier et Marcel Bleustein qui me convainquirent d'écrire dans *Point de vue,* dont Lucien Rachline, de son métier fabricant de sommiers et de matelas, qui avait occupé un poste de commandement

1. *La France libre,* octobre 1944 et août 1945.

dans la clandestinité, fut le directeur et Pierre Descaves le rédacteur en chef. Quel que fût le titre qui m'avait été donné, mon rôle se réduisit bientôt à la rédaction d'un article qui, par ses dimensions et son caractère, ne différait pas, sensiblement, de ceux que j'écrivis ensuite au *Figaro.*

J'ai relu certains de ces articles que j'avais complètement oubliés. J'y ai retrouvé quelques idées, aujourd'hui banales ou, pour mieux dire, évidentes, qui, à l'époque, allaient à l'encontre de l'opinion. Avant tout, je m'efforçai plusieurs fois de libérer les Français de l'obsession de l'Allemagne. Ainsi, le 4 avril 1945, j'écrivis : « Nous Français, nous restons obsédés par la seule question allemande, comme si l'univers continuait à graviter autour de l'Europe. Et quand M. Wladimir d'Ormesson nous met en garde contre les erreurs de 1919, il nous propose de revenir au partage de l'Allemagne, c'est-à-dire à trois siècles en arrière. 1945 est le 1815 de l'Allemagne. » Quelques semaines après la fin de la guerre, je dénonçai la politique des autorités d'occupation, l'interdiction faite aux soldats de fraterniser avec la population. « A l'Ouest, on redouble de sévérité, surtout verbale. On prétend maintenir le règlement proprement absurde de non-fraternisation. On n'a pas encore jugé Goering ou Rosenberg, mais les tommies ou les G.I. n'ont pas le droit de sourire aux bambins de cinq ans... »

Punir l'Allemagne ? C'est Hitler lui-même qui s'en est chargé. Face à ses villes détruites, à une économie en ruine, à des millions de réfugiés, les vainqueurs sont chargés par l'Histoire, qu'ils le veuillent ou non, de reconstruire leur ennemi abattu et de lui promettre un avenir. « Hitler, par sa folle obstination, a châtié son propre peuple plus cruellement qu'un " Vansittariste " endurci n'eût pu le faire. D'après la *Neue Zürcher Zeitung,* le bombardement de Dresde fit 200 000 victimes [1] » (4 mai 1945). Dès ce moment-là, je ne croyais pas à la reconstitution de l'unité allemande. « De l'unité, chacun attend autre chose. Les Anglo-Saxons auraient l'espoir que le rideau de fer abaissé depuis plus de deux mois sur la ligne de démarcation serait enfin levé. Mais les Russes y verraient la chance d'étendre jusque vers l'ouest du Reich le rayonnement de leurs idées et l'action de leurs représentants. Qui gagnerait davantage ? » L'expression du « rideau de fer » n'était pas encore courante. Je crois que W. Churchill ne l'avait pas encore employée.

Le partage de l'Allemagne me semblait acquis pour une longue période et, de ce fait, le rapprochement de la France avec la fraction occidentale de l'Allemagne inévitable. Ces idées de bon sens gardaient alors un ton paradoxal ou audacieux. Un antigermanisme extrême animait encore, au moins en apparence, l'opinion française. Aussi bien le général de Gaulle et ses porte-parole réclamaient-ils des amputations de l'Allemagne à l'ouest comparables à celles que l'Union soviétique lui

1. Le chiffre s'élève à 300 000. Les Anglais, depuis lors, condamnent cet acte inhumain, sans justification militaire.

infligeait à l'est. Quelques années plus tard, président du RPF, le Général reprenait encore le slogan « Plus jamais de Reich ». André Malraux, lui aussi, soutint cette thèse et répéta la formule dans un dialogue publié avec James Burnham.

Dans *les Temps modernes,* j'écrivis trois articles : « Les désillusions de la liberté » ; « Après l'événement, avant l'Histoire » ; « La chance du socialisme ». Le dernier ouvrait pour le parti socialiste français une perspective plus ou moins comparable à celle du travaillisme vainqueur aux élections en Grande-Bretagne ; je préfère l'oublier bien qu'une idée s'y exprimât, vraie hier, vraie encore aujourd'hui. Le socialisme n'a de véritable chance en France qu'à la condition de penser par lui-même, de se vouloir social-démocrate, en dehors de l'alliance avec le parti communiste. Dans l'article « Les désillusions de la liberté », je retrouve une discussion — la première — de la politique extérieure du général de Gaulle : « Matériellement nous dépendrons surtout de nos Alliés américains. Une menace « extérieure » à notre indépendance vient donc plutôt de l'Ouest que de l'Est. Le gouvernement français se trouve amené, par cette sorte de logique passionnelle, à marquer sa souveraineté totale, sa répugnance aux concessions, surtout à l'égard de ceux dont il dépend le plus. » Ces propos, embarrassés, mal écrits, visaient l'anti-américanisme dont témoignait la diplomatie inspirée par le Général.

Je développai, dès cette date, en octobre 1945, les idées qui me furent tant reprochées et qui me valurent la réputation suspecte de pro-américain : « Notre indépendance réelle, la liberté d'action, et non pas la souveraineté qui, en tout état de cause, est et demeurera légalement intégrale, exige d'abord et avant tout le relèvement du pays. Le relèvement importe plus pour l'avenir que les succès diplomatiques. » Or seuls les États-Unis, à l'époque, avaient les ressources nécessaires pour nous expédier les matières premières et les machines qui nous manquaient. En ce sens, disais-je, l'amitié américaine est pour nous décisive. Déjà, dans la France ravagée, la propagande contre « l'invasion » américaine se déchaînait. On sait aujourd'hui qui disait vrai : « l'invasion » américaine accéléra la restauration de l'économie française et européenne.

Par bonne chance, je ne pris aucune part ou presque à « l'épuration ». Je fus nommé dans une Commission qui, au ministère de l'Éducation nationale, traita les cas des professeurs d'université. Peu de dossiers nous furent soumis. Le seul dont je garde le souvenir, celui de Maurice Bardèche, fut renvoyé à la Commission de l'enseignement secondaire [1]. J'écrivis cependant deux textes sur les principes et les contradictions de l'épuration, l'un à propos du procès Pétain dans *les Temps modernes,*

1. J'ai cherché vainement à consulter les archives de l'épuration ; elles ne sont pas encore ouvertes aux chercheurs.

l'autre dans une « Note finale », en conclusion aux « Chroniques de France » publiées dans *la France libre.*

Les quelques pages sur le procès Pétain anticipaient sur les polémiques qui jalonnèrent les années d'après-guerre et qui se prolongent encore. Première thèse : le procès et, du même coup, l'épuration relevaient d'une « justice révolutionnaire », non d'une justice au sens ordinaire. « Le gouvernement provisoire, sorti d'une insurrection et non d'un vote populaire, accusait celui qui avait reçu le pouvoir constituant, donc suprême, des derniers représentants élus du peuple français. » Et, un peu plus loin : « Parler d'intelligence avec l'ennemi dans le cas d'un chef d'État alors que le territoire national est occupé se ramène à une pure fiction juridique. » Deuxième thèse : ou bien l'accusation dénonçait la politique de Vichy comme condamnable en tant que telle, incompatible avec l'honneur, ou bien elle la dénonçait comme contraire à l'intérêt national. Elle choisit le deuxième terme de l'alternative et la défense fit valoir les efforts de l'accusé — du Maréchal — pour protéger les Français. Qui, à moins d'aberration, aurait jamais soupçonné le Maréchal de s'être mis au service des nazis pour accabler son peuple ?

Troisième thèse : bien que l'armistice ne fût pas retenu en tant que chef d'accusation par le réquisitoire, il tint une grande place dans les dépositions des témoins. Certains d'entre eux tentèrent de démontrer la thèse du complot qui aurait amené le Maréchal au pouvoir à l'occasion de la défaite. Ils apportèrent tout au plus de vagues présomptions. Devant un vieillard silencieux, « syndic plutôt que responsable de la défaite », les hommes politiques de la IIIe République prononcèrent sans convaincre des plaidoyers *pro domo.*

Quatrième thèse : les arguments pour et contre l'armistice se laissent plaider en 1945 comme en 1940. Une capitulation militaire condamnait l'armée entière à la captivité ; l'Afrique du Nord, presque sans matériel, possédait-elle les moyens de se défendre ? Dans le sens contraire, on faisait valoir la contribution qu'auraient apportée à la lutte la flotte, l'aviation, l'Empire. J'avançai l'argument le plus souvent oublié aujourd'hui encore : « On ne saura jamais si les Allemands auraient attaqué l'Afrique du Nord (où le gouvernement français se serait replié) en passant par l'Espagne. On ne saura jamais si, en ce cas, nous aurions « tenu ». Mais, à supposer que nous ayons tenu, il est hautement improbable que Hitler eût attaqué la Russie au printemps de 1941 en laissant les forces franco-anglaises maîtresses de la Méditerranée. Dans la mesure où l'armistice précipita indirectement l'intervention de l'Armée rouge, il servit la cause alliée. » Et je risquai la formule : « La décision de l'armistice paraît rétrospectivement justifiable, *sur le plan des faits,* parce que les choses ont bien tourné. » Non sans compléter par cette autre : « ... ni le prestige ni l'unité morale de la France ne sont entièrement remis du coup que leur porta l'armistice ».

Cinquième thèse : en ce qui concerne les Juifs, les avocats du Maréchal invoquaient le moindre mal. « Il est certain que la zone inoccupée a offert un abri à de nombreux Israélites... Sans l'armistice, les Juifs auraient probablement souffert physiquement davantage. Mais qui osera dire que tels aient été les objectifs de Xavier Vallat, de Charles Maurras ou de Darquier de Pellepoix ? » A nouveau, on bute sur l'équivoque des intentions et des conséquences.

Sixième thèse : la date cruciale se situe en novembre 1942 et non en juin 1940. Si le Maréchal avait gagné Alger en 1942, il ramenait à la France, c'est-à-dire à la Résistance, les bons Français égarés par son prestige. Resté en France, multipliant les messages contre les dissidents et les résistants, il empêchait le rassemblement de la nation. Il ne trompait plus guère les Allemands, mais il continuait de tromper nombre de Français.

Plus en détail, dans la « Note finale » : « De l'armistice à l'insurrection nationale », j'analysais les distinctions nécessaires au jugement historique et au verdict des tribunaux sur les acteurs de ces années tragiques. Après l'armistice, inévitable ou criminel, il fallait avant tout sauver la flotte et l'Empire ; des patriotes devaient légitimement rester en poste afin de freiner la collaboration et de favoriser la rentrée de la France dans la guerre. Sur ceux qui firent preuve d'un zèle particulier entre 1940 et novembre 1942 en faveur de la collaboration pèse une présomption de culpabilité, non sur ceux qui obéirent à un gouvernement qui conservait les attributs visibles de la légalité.

Je ne mentionnerai qu'en passant un échange de lettres avec Alfred Fabre-Luce à la suite de deux textes dans lesquels je le mettais en cause. J'avais écrit à Londres trois articles respectivement sur Henry de Montherlant, Jacques Chardonne et Alfred Fabre-Luce.

Je n'écrirais plus aujourd'hui aucun de ces trois articles, à froid. Ils figurent dans le recueil *l'Homme contre les tyrans,* publié d'abord à New York dans une collection dirigée par Jacques Maritain, puis à Paris, après la Libération. Depuis lors, Alfred Fabre-Luce a exposé plusieurs fois ses prises de position entre 1940 et 1944 ; le troisième tome du *Journal de France* ne m'était pas connu quand je discutai les deux premiers. Je n'avais pas lu non plus l'Introduction à l'*Anthologie de la nouvelle Europe,* qui date de la fin de 1941, et qui à Londres m'aurait indigné. Depuis lors, nous nous sommes si souvent retrouvés dans le même camp qu'il me paraîtrait fâcheux de ranimer de vieilles polémiques. Renan mettait l'oubli au premier rang des vertus nécessaires à la politique. Je souhaite que Fabre-Luce juge l'oubli aussi facile pour lui que pour moi.

De toute évidence, les articles de *Point de Vue* passèrent inaperçus dans le Paris littéraire et politique. André Malraux me tira de l'impasse dans laquelle je m'étais moi-même fourvoyé en me demandant de diriger son Cabinet. C'était en décembre 1945, dans le ministère composé par le général de Gaulle après l'élection de l'Assemblée constituante. Pour la première et dernière fois, je remplis une fonction officielle, modeste d'ailleurs : le ministre de l'Information ne disposait pas de grands pouvoirs et son directeur de Cabinet moins encore. Ajoutons que le Secrétaire général du ministère était Jacques Chaban-Delmas. Que de substance grise dans ce trio pour si peu de chose !

Ce ministère ne dura que deux mois et le temps manqua à André Malraux pour entreprendre aucun des projets qu'il lança douze ans plus tard. A la fin de l'année 1945, la question centrale demeurait l'autorisation de paraître des publications, la répartition du papier, le sort des anciens journaux interdits, des imprimeries saisies au lendemain de la Libération. Je n'éprouvai aucune sympathie pour le *racket* des journaux, en particulier de province, dont les anciens propriétaires avaient été dépossédés et dont des résistants s'étaient emparés. Peut-être les anciens propriétaires méritaient-ils un châtiment (nombre d'entre eux ne furent pas traînés devant les tribunaux) ; les résistants méritaient-ils la fortune que leur assura un journal au titre proche de celui qui dominait une région avant la guerre ? Quelques-uns des grands journaux régionaux, les plus prospères de la presse française, changèrent quelque peu de nom et échurent à de nouveaux propriétaires. Parfois, des groupes de résistants se répartirent les actions de l'entreprise sans en tirer de profit ; dans d'autres cas, le résistant prit la place de l'entrepreneur de presse.

Quand André Malraux arriva avenue de Friedland, ce bouleversement de propriété était un fait accompli. A quelques exceptions près, les journaux d'avant-guerre avaient changé de mains et de titre. *Paris-Soir,* devenu *France-Soir,* revint non à Jean Prouvost, mais à celui qui en avait été le premier collaborateur, Pierre Lazareff. Jean Prouvost profita d'une autorisation de paraître que détenait le directeur de *France* à Londres, Comert, pour lancer *Paris-Match,* qui, après un début difficile, remporta un succès éclatant pour retomber ensuite. Le vieux lion fut contraint de vendre, à la veille de sa mort, *Paris-Match,* son enfant chéri, qui, sous une direction plus attentive, redevint une bonne affaire. Je n'étais pour rien dans cette situation que je n'aimais guère. Parmi les visiteurs figurèrent quelques spoliés ; Jacques Chastenet vint me voir ; je lui déclarai, sans ambages, que *le Temps* n'existait plus et que *le Monde,* installé dans les meubles de son prédécesseur, conserverait la place. Je m'abstins d'un jugement sur la substitution elle-même ; je constatai qu'elle était définitive.

Les autorisations de paraître et la répartition du papier faisaient déjà l'objet de polémiques. Les autorisations de paraître, disait-on, nous ramenaient au second Empire et peut-être plus loin encore. Un jour, une directive du Cabinet de la Présidence du gouvernement nous invita à préparer la suppression des autorisations de paraître. Initiative louable mais qui ne levait pas le véritable obstacle au retour à un régime normal de liberté : la pénurie de papier. Tant que le papier était réparti par voie administrative, la suppression de l'autorisation de paraître n'avait de sens qu'à la condition que toute publication nouvelle eût automatiquement droit à un certain volume de papier. C'est dans mon bureau de l'avenue Friedland que je fis la connaissance de Louis Gabriel-Robinet, bouleversé quand je lui annonçai, un jour à l'avance, la décision du Général de quitter le pouvoir. Nous fûmes d'accord, Malraux et moi, pour accorder au *Figaro littéraire* l'autorisation de paraître.

De mon passage au ministère, la seule décision de quelque importance qui, je le crois, eût été conforme à l'intérêt commun et que j'avais prise — Malraux ne s'en occupait pas — arriva trop tard, et son successeur Gaston Defferre revint à la solution qui me semblait déraisonnable et qui produisit les conséquences prévisibles. Des centaines d'imprimeries de labeur et de presse avaient été saisies par les pouvoirs publics ou simplement par des équipes de résistants, vrais ou faux. Le juriste du ministère, spécialiste et responsable du droit de la presse, de tendance socialiste, me soumit un projet, le plus simple mais à mes yeux le moins opportun : la constitution d'une société unique qui posséderait et gérerait l'ensemble de cette propriété d'État. J'objectai que cette société para-étatique remplirait mal la fonction qui lui serait confiée : assurer l'entretien et la modernisation d'installations trop diverses pour se prêter à une autorité unique, lointaine et mal informée. Je suggérai une loi tout autre qui prévoyait la vente des imprimeries aux nouvelles sociétés de presse ; l'État se déchargerait peu à peu de son fardeau. Aussi bien, puisque nous voulions revenir à un régime de presse libre, la nationalisation des imprimeries ne s'accordait pas avec l'esprit de nos projets. Le juriste du ministère eut plus de succès avec Defferre qu'avec moi.

Quelles impressions me restent de ces quelques semaines ? D'abord, le nombre de personnes que je devais recevoir chaque jour. Peut-être la multitude des quémandeurs — mot injustement péjoratif puisque ces visiteurs demandaient souvent moins une faveur qu'une facilité, qu'en temps normal ils n'auraient pas eu besoin de solliciter — était-elle grossie par les pouvoirs abusifs du ministère ? Puis-je ajouter que les dix heures de travail au ministère me semblaient moins dures que quatre heures de lecture de la *Critique de la Raison pure ?* Une autre impression, probablement plus banale, que je n'oubliai pas : la rivalité d'amour-propre entre les divers membres d'une administration ou d'un Cabinet, rivalité qui se manifestait à propos des bureaux ou des automobiles. Ce ministère, improvisé, avec des services pléthoriques, caricaturait probablement les pratiques ordinaires des ministères. Dois-je ajouter que le Cabinet, en deux mois, se gonfla lui aussi ; Aron-Brunetière, qui avait dirigé un service de deuxième bureau dans la Résistance, passa quelques semaines avec nous et revint bientôt à la médecine. Quelques jours avant la démission du Général, Jean Lecanuet y entra ou devait y entrer.

Un mot encore sur le ministre. Ceux qui ont travaillé avec lui, à partir de 1958, en savent beaucoup plus que moi, mais un bref témoignage peut intéresser quelques-uns. En arrivant au ministère, Malraux ignorait encore plus que moi le fonctionnement des pouvoirs publics ; la distinction de la loi, du décret et de l'arrêté lui était étrangère, probablement inconnue. En quelques jours, il apprit ce qu'il devait savoir et il absorba, avec la même rapidité, les dossiers sur lesquels la curiosité des journalistes était braquée. Il s'imposait un horaire rigoureux et recevait les journalistes à la minute même fixée à l'avance. Il répliquait à des questions précises par des réponses pertinentes qui impressionnaient les journalistes ordinaires et attristaient un Georges Altman par exemple, désolé que Malraux s'occupât de pareilles vétilles. En dépit de sa nervosité, je ne me souviens pas qu'il eût jamais dit un mot plus haut que l'autre à aucun de ses collaborateurs. Il me créait parfois des difficultés parce qu'il promettait à tel ou tel un poste ou une faveur en me laissant la responsabilité de tenir sa promesse. Il ne dépendait pas toujours de moi de le faire.

Telle fut l'origine de ma « brouille » avec Romain Gary dont j'avais reconnu le talent à Londres et pour lequel j'éprouvais de l'amitié. André Malraux voulait le nommer conseiller culturel à l'ambassade de France à Londres ; moi aussi. Dans son style favori, André lui assura que « la chose était faite ». Or nous devions encore obtenir l'accord du Cabinet du Général. Gaston Palewski jugea Gary trop léger ou trop jeune pour ce poste. A moi donc de l'en informer. Une matinée, plus que d'ordinaire harcelé, je lui dis au téléphone, plus brutalement que je ne l'aurais dû, de ne pas compter sur Londres et d'accepter un autre poste qui s'offrait à lui. Pendant des années, il rejeta sur moi une responsabilité qui ne m'incombait pas. Roger Martin du Gard dans une de ses lettres fit allusion aux propos que Gary tenait sur moi. Bien des années avant sa mort, il ne restait rien de ce malentendu.

Un mois après la fin du premier règne du Général, j'entrai à *Combat*, à l'époque le journal le plus réputé dans les milieux littéraires ou politiques de la capitale. Les éditoriaux d'Albert Camus jouissaient d'un prestige singulier : un véritable écrivain commentait les événements du jour. L'équipe comprenait aussi une pléiade d'intellectuels qui, sortis de la Résistance, n'avaient pas encore regagné leur lieu naturel ; pour n'en citer que quelques-uns : Albert Ollivier, Jacques Merleau-Ponty, cousin de Maurice, qui, après une thèse sur les *Cosmologies du XXe siècle*, enseigne la philosophie à l'université de Nanterre, Pierre Kaufman qui enseigne aussi la philosophie à la même université, Alexandre Astruc, Roger Grenier, d'autres encore, écrivains ou philosophes. Quelle disproportion entre la substance grise et l'espace rédactionnel disponible ! j'avais observé une disproportion de même sorte au ministère de l'Information. Probablement ces écrivains ou universitaires étaient-ils animés par des sentiments proches de ceux qui me détournaient d'un retour immédiat à l'Université.

Le directeur de cette équipe, au rebours de l'opinion courante, ne fut jamais Albert Camus ; ce fut Pascal Pia, personnalité hors du commun, dont l'existence visible, l'itinéraire public ne laissent deviner ni ce qu'il fut ni ce qu'il aurait pu faire. Ami très proche d'André Malraux qui lui dédia l'un de ses livres de jeunesse, d'une culture littéraire à la fois étendue et profonde, doué d'un talent exceptionnel de critique sinon de créateur, il imposait le respect à tous par ce que W. Jankélévitch appellerait le *je-ne-sais-quoi.* Les titres de Résistance ? d'autres détenaient les mêmes. La modestie ? peut-être ; directeur en théorie et en fait, il travaillait du matin au soir mais, comme nous disions, il corrigeait les virgules et les fautes d'orthographe. Refus « d'arriver », au sens social du mot, résolution ferme de s'enfoncer dans l'anonymat alors que *Combat* offrait à tous l'occasion de percer ? Pourquoi cette volonté de l'ombre ? Nous en parlions dans l'équipe. Certains affirmaient qu'au cours de ses études historiques il avait mesuré les aléas de la gloire, découvert l'œuvre d'un écrivain tombé dans l'oubli — œuvre dont un auteur encore renommé avait tiré la substance de ses écrits. Interprétation trop rationnelle pour être convaincante. J'ignore le secret de Pia, et beaucoup d'autres qui le connurent mieux que moi n'en savent peut-être pas davantage.

Il avait protégé Albert Camus, plus jeune que lui. Quand celui-ci revint à *Combat* en difficulté au début de 1947, les relations entre les deux hommes se tendirent insensiblement. A. Camus prenait des initiatives, discutait de l'avenir du journal comme s'il en avait été le créateur ou le directeur. Il n'empiétait pas sur l'autorité de Pia, puisque celui-ci ne l'exerçait pas. Ils quittèrent tous deux le journal quand la moitié du capital fut rachetée par un homme d'affaires tunisien, Smadja, et que Claude Bourdet en prit la direction politique. Pascal Pia emprunta le chemin du gaullisme et écrivit ensuite dans *Carrefour*, l'hebdomadaire d'Amaury, qui glissa de plus en plus vers l'extrême droite. Il fut de ceux qui maltraitèrent Albert Camus, à l'occasion du prix Nobel. Il fut de ceux qui m'accusèrent de vouer les « pieds-noirs » aux camps de concentration lorsque je pris position en faveur de l'indépendance de l'Algérie. Peut-être ne supporta-t-il pas à la longue l'obscurité qu'il avait choisie. Peut-être souffrait-il de ne pas s'être accompli et rejetait-il sur les autres le ressentiment qu'il éprouvait contre lui-même. Je veux me rappeler aujourd'hui le Pascal Pia de mars 1946, directeur reconnu par une équipe incomparable, qui se chargeait gaiement des tâches ingrates en laissant aux autres la lumière qu'il semblait fuir délibérément.

C'est à la demande de Pascal Pia, répondant peut-être à une suggestion d'André Malraux, que je commençai d'écrire régulièrement dans *Combat*[1]. Les premiers articles traitaient successivement des différents partis de 1946. Pour des raisons que je m'explique assez mal, ces articles furent remarqués. Albert Ollivier et beaucoup d'autres m'en félicitèrent, non sans une ombre de surprise. Dans le petit milieu de la presse, ils m'assurèrent d'un coup une position que mes livres d'avant-guerre, ignorés par la plupart des journalistes, ne me promettaient nullement. Je devins éditorialiste, au sens propre du terme, et non plus seulement

1. J'avais écrit, à la demande de P. Pia, un article pour *Combat* dès octobre 1944.

columnist. En alternance avec Albert Ollivier, et, plus rarement, avec un journaliste qui signait Marcel Gimond, je rédigeais la colonne de gauche de la première page.

Au printemps de 1946, le débat portait sur la Constitution que rédigeait l'Assemblée constituante, les relations entre le PC et les autres partis, les difficultés économiques et les négociations avec Hô Chi Minh, plus largement les relations de la métropole avec l'Empire français, déjà baptisé Union française.

Sur la Constitution, j'écrivis pour la maison d'édition de P. Vianney, « Défense de la France », une étude qui parut sous le titre : *les Français face à la Constitution.* Un jeune juriste que je connaissais peu passa en revue brièvement les diverses constitutions de la France depuis 1789 ; une deuxième partie, plus brève, rédigée par moi, envisageait la Constitution prochaine. J'avais gardé un si mauvais souvenir de ce texte qu'il ne figure dans aucune des bibliographies que l'un ou l'autre de mes assistants établit au cours des vingt dernières années. Je l'ai relu il y a quelques jours, avec une surprise plutôt agréable.

Non que le texte fût d'aucune manière original. Il élaborait un certain nombre d'idées dans l'air, à la mode, que d'ailleurs ne reprirent pas les constituants : renforcement du président de la République par le mode de son élection et par ses pouvoirs (droit de dissolution sans agrément du Sénat), autorité donnée au gouvernement de clore les débats parlementaires, de contrôler davantage les travaux de l'Assemblée ; j'exprimai une préférence hésitante pour le scrutin nominal à deux tours, sans croire à la chance de succès de cette proposition. J'avais emprunté quelques suggestions à Jacquier-Bruère, c'est-à-dire à Emmanuel Monick et à Michel Debré.

Je commis une erreur cardinale : ne pas déclarer, dès le point de départ, le contexte politique du débat constitutionnel, à savoir la bataille triangulaire qui se développa dès le retour en France et les séquelles des années de guerre et d'Occupation. En apparence, de la Libération à l'élection de la première Assemblée constituante, le général de Gaulle gouverna le pays avec le soutien des trois grands partis, communiste, socialiste et MRP, le dernier récoltant la majorité des suffrages des électeurs modérés ou radicaux-socialistes. Il n'y avait jamais eu de parti organisé au centre et à droite sous la IIIe République. Des hommes de droite avaient siégé dans le Conseil national de la Résistance, mais, quand le peuple fut consulté, le MRP possédait les meilleurs atouts ; il se réclama du Général, ses dirigeants détenaient des titres de Résistance incontestables ; il sembla seul capable de freiner la poussée socialo-communiste.

Cette première constellation dissimulait deux conflits fondamentaux : le parti communiste contre tous les autres et tous les partis — ou presque — contre le Général. Celui-ci ne jugea jamais que sa mission dût s'achever avec la Libération et l'élection d'une Assemblée constituante. Il nourrissait l'ambition de donner à la France des institutions solides et de la gouverner, au moins pendant quelques années. Quand il démissionna au début de 1946, il comptait revenir au pouvoir au bout de quelques mois. Je me souviens d'André Malraux, au retour d'un entretien avec le Général, me disant : « Nous reviendrons dans six mois. »

Pourquoi la démission du Général en janvier 1946 ? Il crut que les partis ne parviendraient pas à gouverner le pays, mais il pensa aussi, à juste titre, que l'Assemblée constituante ne rédigerait pas une Constitution qui lui donnerait la place qu'il entendait occuper dans la République. Tous les partis, sans excepter le MRP, comprirent, de manière plus ou moins claire, que le Général ne refusait pas aux partis le droit d'exister mais n'entendait pas recevoir d'eux son pouvoir. Il ne voulait pas gouverner le pays en tant que président du Conseil des ministres. Non qu'il en fût incapable : tout au contraire, il possédait un talent inné de *debater* parlementaire. Je me trouvais à l'Assemblée lorsqu'il intervint dans le débat, ouvert par une proposition d'André Philip [1], et laissa prévoir son retrait. Son intervention impressionna l'Assemblée sans la convertir. Divisés, dès 1947, entre communistes et non-communistes, les partis restèrent en dernière analyse unis pour voter une Constitution que le Général tenait pour incompatible avec les intérêts de la nation et ses propres ambitions.

Combat, le premier, celui qui dura jusqu'au printemps 1947, se situait à gauche par son vocabulaire, par ses prises de position sur les questions coloniales, mais quelques-uns des rédacteurs, Pascal Pia, Albert Ollivier, au cours de l'année 1946-1947, s'affirmèrent de plus en plus gaullistes. Dans mes éditoriaux, je conseillai le *non* au texte de la Constitution votée par l'Assemblée nationale, appuyée par les communistes et les socialistes ; quand la deuxième version de la Constitution fut soumise aux Français, je suggérai un *oui* de résignation ; le lendemain, Albert Ollivier me répondit par un *pourquoi pas non ?*

En décembre 1946, la guerre d'Indochine éclata : le Vietminh attaqua par surprise les troupes françaises à Hanoi. J'écrivis un éditorial que Sartre qualifia d' « embarrassé ». Je l'ai relu sans trop de honte ou de remords. A Londres, je plaidais en faveur de l'*abandon* de l'Indochine. Les charges de l'Empire dispersé à travers le monde dépassaient les ressources d'une France appauvrie par les années de guerre et d'Occupation. Mais, en décembre 1946, dans un article quotidien, alors que nos soldats venaient d'échapper de peu à un massacre, je ne pouvais pas ne pas soutenir le gouvernement socialiste de Léon Blum qui décidait lui-même de l'envoi de renforts. D'où la ligne en zigzag de mon analyse ou plutôt de ma prise de position.

D'abord : « ... Quand nos troupes se défendent contre une attaque délibérée, déclenchée par surprise et par ordre, nous nous sentons solidaires des Français qui se battent et meurent sur une terre lointaine. » Mais contrepartie immédiate : « Il y aurait pourtant quelque lâcheté à

1. Il s'agissait, je crois, d'une diminution du budget de la défense nationale.

s'en tenir là. Il se peut bien que, dans la situation actuelle, l'affirmation de la force soit une nécessité inéluctable. Fût-ce pour négocier demain, il faut aujourd'hui recourir aux armes. Mais comment ne pas avouer que cette nécessité même marque pour les espoirs qui nous animaient tous, au lendemain de la Libération, une rude déception, un échec amer ? La Constitution qui vient d'être adoptée proclame solennellement que la France n'entreprendra rien contre la liberté d'aucun peuple. Nous avons reconnu l'indépendance du Vietnam dans le cadre de l'Union française. Rien ne nous autorise à penser que nos représentants veuillent revenir sur le principe. Mais la bataille actuelle n'en paraît que plus funeste, puisque nous n'avons pas et ne pouvons pas avoir l'intention d'une reconquête militaire et que le Vietnam jusqu'à présent ne niait pas nos droits. » Je ne distinguai pas entre Vietnam et Vietminh : Hô Chi Minh représentait le Vietnam. Faute de connaissances précises sur la préhistoire du coup de Hanoi, je me refusai à répartir les responsabilités entre les divers acteurs. Je conclus en faisant appel au parlement pour qu'il rappelât une fois de plus la doctrine française. « Nous ne doutons pas que les élus du peuple n'affirment la volonté de " maintenir ", mais les véritables positions françaises, celles qui ne se confondent pas avec les intérêts sordides, celles que la nation est résolue à sauver, ne sont pas celles que la force seule puisse maintenir. Maintenir par la violence, ce ne sera pas maintenir la France. »

En dépit de l'embarras, le sens ne me semble pas équivoque. Pas de reconquête militaire dont nous n'avons ni les moyens ni l'intention ; honorer la promesse de l'indépendance ; ce que la France veut maintenir, ce n'est pas le régime colonial du passé. Le ton d'Albert Ollivier, le lendemain, différait du mien mais son éditorial se référait à la communication de Léon Blum au parlement. Albert Ollivier, sur le point essentiel, citait le président du Conseil socialiste : « Pour l'instant, l'on ne peut qu'enregistrer le refus de négocier sous la pression de la force ou, comme l'a fort bien dit Léon Blum, " avant que soit rétabli l'ordre pacifique, base nécessaire de l'exécution du contrat ". »

Chef d'un gouvernement transitoire, Léon Blum devait prendre en charge une situation dont, peut-être à contrecœur, il assumait la responsabilité et n'ignorait pas la gravité. Il n'en usa pas moins d'une formule qui portait en germe des années de guerre : « rétablir l'ordre pacifique ». Rétablir cet ordre équivalait à tenter une reconquête militaire dont par ailleurs on se défendait de nourrir l'intention. Le sentiment national, si fort dans le pays — pour ne pas user du terme ambigu de nationalisme —, la méconnaissance du rapport des forces expliquent, sans les excuser, les décisions qui entraînèrent peu à peu la France dans le piège vietnamien. L'éditorial du 29 janvier 1947 dans lequel je commentai les déclarations de Marius Moutet au retour de l'Indochine, trop modéré à mon goût d'aujourd'hui, n'en rappelait pas moins ce refus de la reconquête militaire et la nécessité de conversations non pas avec nos seuls protégés mais, avant tout, avec ceux qui jouissent de la confiance des populations[1].

En dehors des articles économiques d'actualité, j'écrivis les éditoriaux les plus nombreux et peut-être les plus importants sur l'Allemagne et la Constitution. Dans le numéro daté des 26-27 janvier 1947, sous le titre « Y a-t-il encore un danger allemand ? », j'analysai, une fois de plus, la nouveauté radicale de la conjoncture, l'abaissement de l'Europe entière dans le cadre de la politique planétaire, l'infériorité définitive du pays du milieu par rapport à l'Union soviétique d'un côté, par rapport aux démocraties occidentales de l'autre ; quelques jours plus tard, j'insistai sur l'inévitable reconstruction économique et industrielle de l'Allemagne, je critiquai les « plafonds » fixés à la production de certaines branches de son industrie. Enfin le 7 février 1947, j'évoquai « une autre Allemagne ». « La renaissance de l'Europe, c'est-à-dire des États nationaux situés entre la frontière de la Russie et l'Atlantique, n'est guère concevable sans la réintégration du Reich ou de ce qui en tiendra lieu dans une communauté pacifique. » Quant à la politique française, disais-je, en acceptant l'unité économique de l'Europe, elle accepte virtuellement une certaine forme d'unité politique. « Rien ne s'oppose à l'affirmation d'une doctrine française, doctrine positive et constructive, qui se donne pour fin une Allemagne reconstituée dans une Europe pacifique... Je pense que la reconstruction de l'Allemagne se fera contre nous si, par notre faute, elle se fait sans nous. »

J'ai relu la plupart des articles que j'écrivis sur la Constitution — ou plutôt sur les deux textes qui furent successivement soumis au peuple par référendum. Sur le premier texte, nous nous accordions tous : nous rejetions la Constitution proposée à la fois parce qu'elle nous semblait détestable et parce que seuls les deux partis « marxistes », communiste et socialiste, la soutenaient ; et encore le parti socialiste la soutenait-il la mort dans l'âme. Au lendemain du « non », je titrai mon éditorial « Sauvés par la défaite ». Il s'agissait, bien entendu, des socialistes.

Le débat sur le deuxième projet de Constitution se déroula dans de tout autres conditions à cause de l'intervention du général de Gaulle. Celui-ci prononça à Bayeux, le 16 juin 1946, un discours qui resta célèbre et dans lequel on discerne sans peine les idées directrices de la Constitution de 1958. Les formules clés demeurent les mêmes : la séparation des pouvoirs, donc l'exécutif ne doit pas « procéder » du législatif ; le président de la République (dont l'élection était prévue par un collège élargi) choisit le Premier ministre. La responsabilité du gouvernement devant l'Assemblée n'était pas explicitement prévue. Le Général dissipa l'équivoque sur ce point essentiel dans des discours ultérieurs.

Peut-être le portrait du chef de l'État tel que le concevait le Général se dégage-t-il de ces propos de 1946 mieux que dans aucun de ses

1. L'éditorial du 20 mars 1947, après le débat à l'Assemblée sur l'Indochine, n'ajoute rien aux précédents. Il insiste sur l'équivoque de la politique du gouvernement Ramadier : avec qui veut-il négocier ? combien de temps durera la « pacification » ?

écrits : « C'est donc du chef de l'État, placé au-dessus des partis, élu par un collège qui englobe le Parlement mais beaucoup plus large et composé de manière à faire de lui le président de l'Union française en même temps que celui de la République, que doit procéder le pouvoir exécutif. Au chef de l'État, la charge d'accorder l'intérêt général quant au choix des hommes avec l'orientation qui se dégage du Parlement. A lui la mission de nommer les ministres et, d'abord, bien entendu, le Premier, qui devra diriger la politique et le travail du gouvernement. Au chef de l'État, la fonction de promulguer les lois et de prendre les décrets, car c'est envers l'État tout entier que ceux-ci et celles-là engagent les citoyens. A lui la tâche de présider les conseils du gouvernement et d'y exercer cette influence de la continuité dont une nation ne se passe pas. A lui l'attribution de servir d'arbitre au-dessus des contingences politiques, soit normalement par le conseil, soit, dans les moments de grave confusion, en invitant le pays à faire connaître par des élections sa décision souveraine. A lui, s'il devait arriver que la patrie fût en péril, le devoir d'être le garant de l'indépendance nationale et des traités conclus par la France. »

Entre les discussions au Palais-Bourbon et le projet du Général, un compromis apparaissait pour le moins malaisé. Le régime esquissé à Bayeux condamnait à mort non la démocratie parlementaire mais la République des députés (ou des partis). Jamais les partis communiste et socialiste ne souscriraient à une Constitution inspirée par la doctrine du Général. Ainsi se dégage, en même temps que le « grand schisme » entre les communistes et tous les autres, un « petit schisme » entre tous les partis et le général de Gaulle. Je ne croyais pas à la victoire du Général sur les partis dans le proche avenir ; la réplique immédiate de Léon Blum au discours de Bayeux ne laissait pas de doute sur l'attitude du parti socialiste à l'égard des idées constitutionnelles du Général.

L'éditorial que j'écrivis le 18 juin, deux jours après le discours de Bayeux, se terminait sur les lignes suivantes : « Désormais, en dehors de ce régime dont personne ne se déclare satisfait, pas même ceux qui le dirigent, il y a au moins une autre possibilité. La Constitution intermédiaire entre le parlementarisme britannique et le système présidentiel esquissé par le général de Gaulle n'est probablement pas viable en période tranquille ; du moins laisse-t-elle apercevoir une tentative à laquelle les partis ne se résoudront pas volontiers mais à laquelle certains d'entre eux se résigneront, peut-être par nécessité, quelque jour. » J'aurais dû écrire non pas que ce régime ne serait pas viable en période tranquille mais qu'il ne viendrait à la vie que dans une période non tranquille — un jour où les partis abdiqueraient sous la contrainte. Ce jour ne vint que douze ans plus tard, à l'occasion de la guerre d'Algérie.

Après le discours d'Épinal, prise de position claire du Général contre le projet nº 2, j'annonçai la victoire des partis au référendum prochain. « Si donc il doit y avoir une " épreuve de force "... l'issue n'en paraît pas douteuse. La propagande des partis invoquera la menace du pouvoir personnel plutôt que les mérites de la Constitution. Avec une participation plus faible, les 47 % du *oui* au premier référendum deviendront une majorité. »

Que faire ? me demandai-je le 10 septembre 1946. Rien n'est changé pour l'essentiel, par rapport à mai : « L'exécutif demeure un simple mandataire de l'Assemblée. La seconde Chambre ne possède même pas de veto suspensif. Il n'y a pas de contrôle de la constitutionnalité des lois... Le président de la République ne dispose pas effectivement du droit de choisir le président du Conseil ou du droit de dissoudre la Chambre. Rien n'a été prévu pour qu'une mesure grave puisse être éventuellement différée de quelques mois ou sanctionnée par de nouvelles élections. Aucune institution dotée de pouvoirs réels n'est élevée au-dessus du jeu des partis, c'est-à-dire de la volonté de leurs états-majors. »

Et ma conclusion : « Pour le citoyen, l'abstention sera probablement le seul moyen de manifester son désir de sortir du provisoire et sa répugnance pour la Constitution qu'on lui offre. » Du même coup, un parti « révisionniste », le RPF, devait sortir de l'approbation de la Constitution par un tiers des électeurs inscrits.

Contre la Constitution voulue par le Général, les communistes s'allièrent aux autres partis, ils firent même de la surenchère : ils voulaient une Assemblée unique, toute-puissante, maîtresse du gouvernement qui serait son serviteur, l'exécuteur de ses volontés. Même une fois le parti communiste passé dans l'opposition, le schisme entre le Libérateur et les partis persista en toute clarté. Il fallut la guerre d'Algérie pour que le Général trouvât la conjoncture qu'il appelait de ses vœux depuis son retour en France : l'abdication de la République des députés devant un Législateur qui, une fois pour toutes, fonderait une République que l'on baptisera, faute de mieux, consulaire. Le parti de la fidélité, le MRP, s'il eût été fidèle jusqu'au bout, n'aurait probablement pas fait voter par une troisième Assemblée constituante la Constitution qui aurait répondu aux exigences du Général. Celui-ci, en effet, entendait avant tout que le président de la République, non responsable devant les Assemblées, détînt l'autorité supérieure. La Constitution de 1958 n'aurait été votée par aucune Assemblée au lendemain de la guerre.

Beaucoup d'amis de la presse et de l'Université m'ont interrogé sur mes expériences de journaliste au cours de ces trente-sept années. Je laisse de côté l'expérience de *Point de Vue* qui ne m'apprit rien, tant je restai en dehors de la communauté. A *Combat*, j'eus l'impression d'être cordialement accueilli ; je me souviens à peine de deux ou trois incidents. La répartition des éditoriaux devint un peu plus difficile quand Albert Camus revint au journal dans l'espoir de le sauver. D'un autre côté, un des journalistes, à l'époque un des « petits, sans grade », aujourd'hui haut placé dans la hiérarchie des *free lance*, René Dabernat, me dépeignit à sa manière l'humeur autour de moi, l'irritation que suscitait chez certains la rapidité avec laquelle je rédigeais les éditoriaux, les commentaires, pas toujours indulgents, moins sur mes « papiers » que sur ma personne. Je ne le crois qu'à moitié. La rédaction de *Combat* me rappelait quelque peu la rue d'Ulm. Quand nous ne parlions pas de littérature ou de politique, nous parlions des uns et des autres. Je ne devais probablement pas différer de l'équipe à cet égard.

En 1947, quand la situation financière s'aggrava, je participai à de multiples réunions entre les rédacteurs ou entre la direction et les ouvriers d'imprimerie. L'administrateur, Jean Bloch-Michel, appartenait aussi à la catégorie des intellectuels-écrivains, non à celle des journalistes professionnels ou des hommes d'affaires. Grâce à ses études juridiques, il était plus qualifié que les autres pour l'administration du journal. Les ouvriers d'imprimerie discutaient avec lui (et avec Pia) âprement, selon leurs coutumes. Ils n'éprouvaient pas une sympathie particulière pour d'apprentis gestionnaires animés de sentiments socialisants ; ils élevaient, face à des intellectuels résistants, les mêmes revendications qu'ils auraient élevées face à un patron de combat. Je me souviens du mot d'un syndicaliste, à la fin d'une longue palabre : « Vivement un vrai patron ! »

Pourquoi le premier *Combat*, celui de Pia, de Camus, Ollivier, Grenier, Nadeau mourut-il aussi vite ? Nous en discutions entre nous. Tout le monde lit *Combat*, disait-on à Paris. A quoi je répondais : « Malheureusement, tout le monde ne représente que quarante mille personnes ! » Les journaux qui bénéficiaient d'un titre d'avant-guerre se détachèrent peu à peu du lot. *Combat* représentait par excellence un journal d'opinion, comme on disait avant 1939, et les journaux d'opinion n'atteignent jamais aux gros tirages. Si je m'en souviens bien, *Combat* tira, à un moment donné, jusqu'à près de 200 000. Le tirage baissa peu à peu au cours de l'année 1946. Pourquoi ? Certains rédacteurs mettaient en cause Albert Ollivier dont le gaullisme s'accordait mal avec la sensibilité d'une clientèle de gauche (nous en jugions ainsi mais sans sondages d'opinion). Probablement d'autres s'en prenaient-ils à mes éditoriaux. Il y a trente-sept années comme aujourd'hui, mon diagnostic n'incriminait personne en particulier. Journal de la Résistance, *Combat* ne trouva pas sa place dans la presse d'un régime de partis.

En 1944-1945, la guerre continuait, la pénurie de papier réduisait les journaux à deux pages, une feuille avec un endroit et un envers. La qualité des textes, le climat d'unité de la Résistance attiraient une clientèle hétérogène, rassemblée par des circonstances transitoires. Après la fin des hostilités, à mesure que les Français retrouvaient le chemin des urnes, les clivages politiques se manifestaient de nouveau et, du coup, un journal inclassable s'exposait au danger mortel pour un quotidien : ne satisfaire pleinement aucune catégorie de ses lecteurs. D'une colonne à l'autre, les rédacteurs exprimaient des opinions contradictoires. L'épisode qui demeura symbolique fut celui du référendum sur le deuxième projet de Constitution.

Bien entendu, il existe une clientèle qui accepte une libre discussion entre les rédacteurs du même journal. Celui-ci s'efforce d'instruire et non d'endoctriner. En politique, à un moment d'incertitude, voire de drame, qui peut se vanter de détenir la vérité ? Présenter sa vérité comme *la* vérité, n'est-ce pas au fond peu honnête [1] ? Arguments respectables auxquels la plupart des lecteurs répondraient : « Nous n'avons pas besoin de notre journal habituel pour ne pas savoir quoi penser. Si le journaliste ne le sait pas davantage, qu'il se taise. » Il y a plus : après une expérience de trente années — 1947-1977 — au *Figaro*, je suis convaincu que nombre de lecteurs attendent de leur journal, autant que des informations, une sorte de sécurité, la confirmation de leurs propres jugements. Robert Lazurick, qui dirigea *l'Aurore* jusqu'à sa mort accidentelle, faisait volontiers un numéro sur la liberté de la presse : « Presque toute ma vie, disait-il, j'ai écrit dans des journaux " vendus " — ce qui veut dire que des financiers ou des industriels possédaient l'entreprise et se montraient sourcilleux dès qu'il s'agissait des affaires qui les concernaient directement. Pour le reste, ils nous laissaient une paix royale. Maintenant, je dirige un journal qui ne dépend de personne sinon des lecteurs. Si j'écris ceci ou cela, ils menacent de se désabonner ou de ne plus l'acheter. » En d'autres termes, chaque journal se sent à demi prisonnier de sa clientèle ; Pierre Brisson arrêta la campagne de François Mauriac pour le sultan du Maroc, lorsque le nombre de lettres de protestation franchit le seuil de rupture. Grâce à sa position exceptionnelle, *le Monde* n'hésite pas à heurter, tour à tour, telle ou telle école de pensée [2].

Le *Combat* de Pia, au moins celui que j'ai connu de mars 1946 à l'arrivée de Smadja, combinait l'anticommunisme, l'anticolonialisme et un demi-gaullisme (ou, du moins, le gaullisme un jour sur deux). Trop gaulliste pour les socialistes, trop anticolonialiste pour les modérés, trop à gauche dans son vocabulaire et son style pour le MRP, il plaisait aux marginaux de tous les partis mais il cherchait vainement un centre, un noyau de fidèles. Oui, ces fidèles existaient, assez nombreux pour un journal d'opinion, non pour un journal national. Peut-être aurait-il malgré tout gagné la partie s'il avait été géré par des professionnels.

Dans les semaines qui précédèrent l'abandon de la première équipe, il fut question de chercher des soutiens financiers. Je conversai avec deux ou trois banquiers. Ils critiquaient la ligne du journal sur tel ou tel point, en particulier sur la question coloniale. Au reste, je doutai que l'équipe s'accommodât d'une direction que j'aurais partiellement au moins assumée. Bloch-Michel ne me permit pas de l'ignorer. Il disait probablement

1. Comment faire autrement ? m'objecta un ami.

2. Position exceptionnelle pour de multiples raisons : la magistrature qui lui est reconnue, la tribune libre qu'il offre à tous les hommes politiques, le rôle que lui accordent les enseignants et les étudiants.

vrai, bien que ses sentiments à mon endroit fussent plus forts que ceux de beaucoup d'autres.

Quand Smadja et Claude Bourdet prirent possession de *Combat*, je pris contact avec Hubert Beuve-Méry et Pierre Brisson. Je n'avais connu aucun des deux avant la guerre. J'avais entendu parler de la démission du premier qui quitta *le Temps* au moment de Munich. Quant à Brisson, je l'avais connu pendant les deux mois que je passai au ministère de l'Information. Une année de collaboration à *Combat* m'avait transformé, aux yeux du Paris politique, en journaliste ou en éditorialiste. Là encore, je dus choisir, non plus entre l'Université et la presse, mais entre *le Monde* et *le Figaro*.

Les conditions financières ne différaient guère. Le choix portait entre un journal du matin et un journal du soir, entre un journal historique, renouvelé depuis la guerre, et un journal de l'après-guerre. J'entretenais des relations cordiales avec Beuve-Méry et du reste, en 1947, les désaccords sur le neutralisme et l'atlantisme n'avaient pas encore déclenché un débat national. Il n'était pas évident que les deux journaux qui sollicitaient ma collaboration représenteraient, deux années plus tard, les pôles extrêmes de la pensée française non communiste.

Je suivis le conseil d'André Malraux ; vos relations avec Pierre Brisson seront plus faciles, me disait-il, qu'avec Beuve-Méry. Je pensais de même. Je voyais mal la place qui me serait donnée au *Monde*. Quelques convictions fortes animaient le directeur du *Figaro* : l'anticommunisme, la défense de la démocratie parlementaire, l'unité européenne. Ses convictions s'accordaient avec les miennes, je ne prévoyais donc pas de divergences graves entre la ligne du *Figaro* et mes propres opinions — prévisions dans l'ensemble confirmées par les événements, avec quelques exceptions : le RPF, la décolonisation, les mérites de la gestion économique d'Antoine Pinay.

Pierre Brisson, gaulliste à la Libération, rallié au gaullisme en 1958, s'opposa au RPF avec une sorte de passion. Il ne se résigna à l'indépendance de l'Algérie qu'au début des années 60, en suivant la politique du Général lui-même.

Au printemps de 1977, victime d'un accident cardiaque, sur un lit de l'hôpital Cochin, je reçus de Beuve-Méry une lettre qui me toucha profondément. Nous étions tous deux arrivés à un âge qui nous aide à regarder le passé avec détachement ; il évoquait ses rêves de 44-45, m'écrivait-il, et toujours avec nostalgie, « l'espoir un instant caressé de vous voir partager l'aventure du *Monde* après l'échec du premier *Combat*. Qu'en fût-il advenu ? Toutes divergences ou querelles de boutique mises à part, les difficultés éventuelles auraient été d'un tout autre ordre que celles d'aujourd'hui ». Peut-être. Je ne suis pas sûr que ma participation à l'aventure du *Monde* aurait pu se prolonger. Mais, après tant de controverses et d'années, ce signe d'amitié m'émut plus que je n'oserais l'avouer.

IX

JOURNALISTE ET MILITANT

J'ai été sur le point d'écrire, en tête de cette page, *Dix années perdues.* Quand la guerre éclata, j'avais trente-quatre ans ; j'avais beaucoup travaillé depuis la fin du service militaire et je pouvais compter encore sur une douzaine d'années d'enrichissement intellectuel et peut-être d'invention. Les six années, de 1939 à 1945, me firent connaître d'autres personnes, d'autres événements, une autre manière de penser et de vivre. La majorité des universitaires ne sortent de leurs études que pour entrer dans l'enseignement. Univers de coton, peuplé d'enfants ou de jeunes gens, qui risque d'entretenir une sorte de puérilité. J'ai vu la politique en action de plus près que la plupart des politologues — et je m'en félicite — mais l'analyse politique *in vivo,* loin de favoriser la réflexion philosophique, la paralyse. Le philosophe, face aux députés et aux journalistes, éprouve le sentiment qu'il se fera moquer ou qu'il tombera dans le puits.

Les dix années où je fus un journaliste professionnel et non pas un professeur qui écrit dans les journaux, je les ai, en dernière analyse, choisies moi-même ; même de mon échec à la Sorbonne en 1948, je suis partiellement responsable puisque je donnai à nombre de mes futurs collègues l'impression que je tenais au *Figaro* plus qu'à la Sorbonne et que, contraint de renoncer à l'un ou à l'autre, je ne renoncerais pas au journalisme. Georges Davy interpréta de cette manière une phrase que j'aurais prononcée au cours de ma visite de candidature ; il la répéta à l'assemblée des professeurs, par malice ou par naïveté, et décida ainsi d'une élection serrée [1].

1. J'ai scrupule à évoquer des épisodes de la vie universitaire. En fait, il y avait trois candidats, G. Gurvitch, J. Stoetzel et moi ; J. Stoetzel spécifia qu'il ne se portait pas candidat contre moi mais les faveurs du directeur de la section de philosophie, J. Laporte, allaient à lui. Les bulletins qui s'étaient portés sur Stoetzel au premier tour auraient dû normalement se reporter sur moi. Les propos rapportés par Davy déplacèrent probablement les quelques voix qui assurèrent le succès de Gurvitch.

Je me souviens de mon entretien avec Le Senne, représentant typique du spiritualisme académique, homme courtois, de bonne volonté, nullement hostile à mon activité politique et au *Figaro.* Ce que vous faites, me dit-il, est honorable, nécessaire, et je ne vous en tiens pas rigueur mais le journalisme n'est pas, à mes yeux, convenable pour un professeur d'université. Celui-ci doit accepter une existence modeste, en dehors du tumulte, celle d'un clerc qui trouve dans l'exercice et la transmission de la pensée, dans la formation de disciples, le sens de sa vie et la plénitude de sa vocation. Vous n'appartenez plus à notre ordre [1]. Il ajouta, en toute franchise, qu'il voterait malgré tout pour moi parce que Georges Gurvitch, ne fût-ce qu'à cause de l'imperfection de son français, méritait moins encore d'occuper la chaire qu'Albert Bayet, lui aussi plus journaliste que professeur, venait de quitter.

Le Figaro où j'entrai au printemps de 1947, tout différent de celui que je quittai au printemps de 1977, était le journal de Pierre Brisson ; sous la IVe République, il ne fut peut-être pas le plus prestigieux en dehors de France, mais il fut à coup sûr le plus influent sur la classe politique. Pierre Brisson détenait une influence, je dirais même une puissance sur les hommes politiques que Hubert Beuve-Méry n'acquit jamais. Paradoxe plus apparent que réel : *le Monde* fut, de manière permanente, un organe d'opposition, hostile à l'Alliance atlantique, au réarmement de l'Allemagne, mollement favorable à l'unification européenne ; il agit sur l'opinion, en particulier sur la jeunesse. Plus anti-américain, au moins en apparence, qu'antisoviétique, il devint la bible d'une intelligentsia de gauche qui s'accommodait d'une attitude critique, sans impact direct sur les événements. Les hommes politiques au pouvoir se résignaient aux jugements de *Sirius*, aux décrets prononcés de haut par l'incorruptible directeur. Pierre Brisson, parce qu'il s'accordait dans l'ensemble avec la politique de la IVe République, parce qu'il fréquentait les ministres et les députés, inspirait plus de crainte. Éventuellement, c'est lui qui convoquait les ministres. Il va de soi que tout changea avec le retour du général de Gaulle au pouvoir. *Le Figaro* qui avait combattu le RPF devint le journal des ci-devant. Mais il faut rendre hommage à P. Brisson, il ne regretta jamais son règne ; en bon Français, il se réjouit comme moi que le pays fût enfin gouverné décemment, lui aussi, à la longue, humilié par les humiliations de la France qui faisait figure, à l'époque, d'homme malade de l'Europe.

Frappé par mes articles à *Combat*, par des analyses faites en passant au cours de déjeuners (par exemple je lui avais dit, plusieurs mois à l'avance, que l'on devait se préparer à un gouvernement qui ne comprendrait plus de communistes), il insista amicalement auprès de moi au

1. Je stylise certainement ses propos.

printemps de 1947, et me convainquit d'écrire un certain nombre d'articles chaque mois. Je fus payé à la pige de son vivant.

Pierre Brisson vivait dans et pour son journal. Il n'avait pas voulu rompre avec le propriétaire, Mme Cotnaréanu, la première femme de Coty, qui, au moment du divorce et du partage de la fortune, avait reçu les actions du *Figaro.* Tout en reconnaissant les droits du propriétaire, il entendait gérer le journal en toute liberté. Sa formule (« en accord avec le capital mais indépendant de lui »), Mme Cotnaréanu, ou plutôt son beau-frère qui dirigeait la firme Coty aux États-Unis, la refusa, elle revendiqua le plein exercice des droits du propriétaire, autrement dit un droit de regard sur l'administration et même sur l'orientation politique du journal. Pierre Brisson rejeta ces revendications en s'appuyant sur le fait que l'autorisation de paraître avait été accordée à lui personnellement et à son équipe, et non pas à la société du *Figaro.* Une loi, appelée loi Brisson, votée par l'Assemblée nationale, concernait exclusivement *le Figaro* et réservait à ceux qui avaient obtenu l'autorisation de paraître le droit d'exploiter le titre. En 1947, le conflit durait encore, il ne fut réglé qu'en 1949, par un compromis valable pour vingt ans, dont Marcel Bleustein avait imaginé les termes.

Une société fermière, dont les amis de P. Brisson possédaient le capital, exploitait le titre *le Figaro*; Jean Prouvost acquérait la moitié du capital de la société *le Figaro*; Pierre Brisson, avec 2,5 % du capital, présidait les deux conseils d'administration. Règlement exceptionnel, plus vulnérable que le statut du *Monde,* mais qui ne devait pas soulever de tempêtes tant que deux conditions seraient réalisées : la prospérité du journal et la présence de Pierre Brisson. Moins de vingt ans plus tard, ce dernier mourut. Vingt-cinq ans plus tard, l'autre condition ne sembla plus réalisée.

Avant la guerre, *le Figaro,* journal de petit tirage (environ 80000) avec un passé éclatant et scandaleux[1], était dirigé par Lucien Romier et Pierre Brisson. Ministre du Maréchal en 1943, le premier mourut avant la fin des hostilités ; le second saborda son journal après l'occupation de la zone libre par les Allemands et passa à la clandestinité. A la Libération, il obtint l'autorisation de reparaître (refusée au *Temps* qui s'était sabordé deux jours plus tard). A la faveur de la disparition des journaux d'avant-guerre, *le Figaro* mondain et académique devint en quelques mois le journal national du matin. Pierre Brisson tirait légitimement fierté de cette exceptionnelle réussite. Il exerçait pleinement ses fonctions de directeur ; sur lui et sa rédaction, les formules couraient : dictateur qui préside à une aimable anarchie, ou despotisme tempéré par l'anarchie de la rédaction. Il bénéficiait d'une autorité incontestable et incontestée ; il prenait conseil d'André Siegfried, il discutait avec François Mauriac ; les journalistes le reconnaissaient comme un des leurs.

1. Le directeur du journal avait été assassiné par la femme de Caillaux en 1914. Le journal avait mené contre elle une campagne odieuse (publication de lettres privées). Mme Caillaux fut acquittée.

Parisien jusqu'au bout des ongles, il appartenait à une France du passé. Il ne parlait aucune langue en dehors du français et il ne connaissait pas l'étranger. Sa formation, son œuvre, strictement littéraires, ne le destinaient pas à orienter la ligne d'un journal national à vocation internationale en une période de bouleversements révolutionnaires. Par bonne chance, il adopta quelques positions qui, rétrospectivement, paraissent justes, sensées et que pourtant une bonne partie de l'intelligentsia, nombre d'hommes beaucoup plus versés que lui dans la grande politique, critiquèrent âprement : anticommunisme, réconciliation avec l'Allemagne, Alliance atlantique, unification européenne. Certes, il poussa parfois l'anticommunisme jusqu'à publier des documents quelque peu dérisoires. Au lendemain du vote de l'Assemblée contre la CED, il écrivit un éditorial d'une incroyable violence (« J'ai honte »).

J'eus la plus grande peine à le convaincre que le correspondant du *Figaro* aux États-Unis devait résider à Washington et non à New York. A la différence de Jean Prouvost qui offrait à Raymond Cartier un tour du monde tous les ans, l'idée ne lui vint jamais de me donner les moyens de voyager. Si je parvins à le faire, ce ne fut jamais pour le compte du *Figaro*, avec une seule exception : il m'offrit de « couvrir » la Conférence de San Francisco pour le traité de paix avec le Japon. Je lui expliquai maintes fois l'intérêt d'utiliser les sondages d'opinion, sans succès. Depuis lors, les sondages tiennent une place excessive, presque grotesque, dans les hebdomadaires aussi bien que dans les quotidiens. Bien plus, les journalistes ne commentent pas toujours avec pertinence les résultats des sondages. La remarque de bon sens devrait être répétée à chaque occasion : si l'on demande à quelqu'un ce qu'il fera dans quelques mois ou ce qu'il ferait dans telle conjoncture future, la réponse doit être accueillie avec une extrême prudence. Les scores de Ted Kennedy s'effondrèrent, presque du jour au lendemain, quand il déclara officiellement sa candidature. Tant qu'il n'était pas candidat, les personnes interrogées exprimaient leur insatisfaction de Carter en « préférant » Kennedy, sans prendre de risque. Dès qu'il fut question de voter « pour de bon », les électeurs se souvinrent de Chappaquiddik, inoubliable, impardonnable.

Quand P. Brisson mourut, en 1965, *le Figaro* glissait déjà sur la pente. La part de la publicité dans les recettes atteignait 85 % — ce qui créait une certaine vulnérabilité. Le nombre des lecteurs diminuait ; les chiffres du tirage dissimulaient quelque peu ce déclin grâce à des abonnements gratuits, aux distributions dans les hôtels. Avant tout, le journal ne s'était pas renouvelé. Il gardait encore une centaine de milliers d'abonnés ; la vieille clientèle du journal, celle du carnet mondain et des académiciens, demeurait fidèle dans son ensemble ; les morts n'étaient pas tous remplacés. La bourgeoisie des années 1960, formée dans l'après-guerre, lisait de temps à autre *le Figaro*, elle n'y trouvait pas tout ce qu'elle cherchait. Peu à peu *le Monde* avait pris la place du *Figaro* en tant que symbole de statut intellectuel, sinon social.

Comme la plupart de ceux qui aiment leur œuvre au point d'être incapables de l'imaginer sans eux, P. Brisson n'avait pas préparé sa succession. Quand il fit connaître à Jean Prouvost son intention de nommer L.G.-Robinet sous-directeur, il ajouta que son collaborateur de chaque jour ne devrait pas monter plus haut. Wladimir d'Ormesson m'écrivit plus tard que P. Brisson pensait que je serais le plus qualifié pour prendre la direction du *Figaro* s'il venait à disparaître. Mais il ne me l'avait jamais dit, pas davantage à son fils Jean-François. Je ne pense pas qu'en tout état de cause, j'aurais accepté la tâche ; pourtant, s'il m'avait écrit ou dit ce qu'il avait confié à Wladimir d'Ormesson, la situation eût été toute différente. Une des raisons qui me dissuadèrent de toute ambition en 1965, ce fut la résistance prévisible de l'état-major du journal (J.-F. Brisson excepté) et d'une fraction de la rédaction. La résistance eût été pour le moins réduite au silence si P. Brisson m'avait explicitement désigné comme le successeur.

Curieusement, ce Parisien qui jetait sur les hommes et les mœurs de la capitale un regard sans illusions refusa de songer même aux ambitions, au reste légitimes, de Jean Prouvost ; je lui en parlai maintes fois et il écartait mes inquiétudes d'un mot : « Prouvost ne s'intéresse pas au *Figaro*, il maintiendra le statut actuel. » Il me semblait inconcevable que Jean Prouvost, qui se voulait un journaliste avant d'être un capitaliste, consentît à n'avoir jamais son mot à dire dans un journal dont la moitié du capital lui appartenait. Après avoir refusé Jean Prouvost, *le Figaro* (la rédaction) accepta Robert Hersant. Dans cet absurde scénario, je ne nie pas ma part de responsabilité. Autre histoire.

En 1947, trois « grandes signatures » dominaient le journal, François Mauriac, André Siegfried, André François-Poncet. Avec le premier, aucune question de frontière ne se posait ; avec André Siegfried non plus — ce dernier ne discutait pas volontiers les problèmes économiques d'actualité, j'entends les problèmes d'inflation, de prix, de salaires qui exigeaient une référence à une théorie ou à un schème. Il n'avait probablement pas lu Keynes ; géographe de formation, il décrivait les pays et leurs paysages, il en analysait les ascensions et les déclins, il expliquait la crise de la Grande-Bretagne au XXe siècle ou la grande dépression à la manière d'un sociologue ou d'un ethnographe, sans utiliser les instruments des théories économiques. A. François-Poncet souhaitait — ce qui était compréhensible — conserver le monopole des relations internationales. Je ne consentis pas à en être exclu. Cette rivalité de compétence s'effaça d'elle-même : A. François-Poncet prit en Allemagne la place du général Kœnig (chef des autorités d'occupation, puis ambassadeur auprès de la République fédérale).

Avec Pierre Brisson, je n'eus jamais de querelle au cours des dix-huit années de ma collaboration au journal sous sa direction, mais mes prises de position ne s'accordèrent pas toujours avec la ligne du *Figaro*. Deux cas majeurs : au moment du RPF d'abord, à propos de la décolonisation ensuite. Mon adhésion au RPF n'entraîna pas ma conversion aux thèses du Général ; j'analysai les affaires économiques et diplomatiques dans mon style ordinaire, sans me rallier à l'orthodoxie ou à la propagande des gaullistes. C'est la polémique du *Rassemblement* et d'Albert Ollivier contre *le Figaro* qui mit en position délicate les collaborateurs du journal, adhérents du RPF, Claude Mauriac et moi. Le *Rassemblement* déterra du *Figaro* des années de guerre quelques textes embarrassants. Vers la fin de l'année 1940, un article qui engageait à coup sûr P. Brisson lui-même énumérait les réformes déjà appliquées ou mises en chantier parmi lesquelles figurait le statut des Juifs. Texte que je ne lus pas sans un pincement au cœur. La censure de Vichy interdisait probablement de critiquer le statut des Juifs, elle n'obligeait pas à en souligner les mérites [1].

Brisson était-il antisémite ? Certainement non. Le journal l'avait-il été ? En une certaine mesure, peut-être. Antisémitisme de salon, d'académie, fort éloigné de celui des hitlériens ou même de celui de Maurras que Brisson lui-même détestait et contre lequel il ne cessa pas de rompre des lances, en 1940-1942. Nous le savons aujourd'hui, le gouvernement de Vichy prit seul l'initiative du statut des Juifs ; cette mesure suscita peu de protestations que pourtant le contexte n'interdisait pas. Même des écrivains, comblés par la République et hostiles à l'occupant, écrivirent sur le sujet des Juifs des pages qui finirent par me convaincre que l'antisémitisme — à la veille de la guerre et pendant celle-ci — avait gagné des milieux plus étendus que je ne le croyais à l'époque. Moins par générosité à l'égard de Vichy que par confort intellectuel, pour ne pas admettre qu'une certaine France m'expulsait de la communauté nationale, j'imaginai à Londres que les hommes du Maréchal avaient pris les devants, afin de prévenir la pression allemande. Illusion consola-

1. Le numéro du 19 décembre 1940 contenait une page entière sous le titre « Six mois d'Histoire de France. L'œuvre politique, économique et sociale du maréchal Pétain ». Le résumé de l'œuvre se divisait dans les paragraphes suivants : Réforme de l'État, Cours de justice, les fonctionnaires, la franc-maçonnerie et les sociétés secrètes, l'industrie nationale, contre le chômage, l'agriculture, le contrôle de la nationalité française, statuts professionnels, sociétés anonymes et Banque de France, politique économique et monétaire, protection de la race, réforme de l'enseignement, les héritages, la famille, discipline économique, le cinéma, l'assistance aux prisonniers, union des combattants, la jeunesse et les sports. Dans le chapitre « Contrôle de la nationalité française » les clauses principales du statut des Juifs sont résumées : « Les Juifs sont exclus de l'administration, de l'enseignement, de l'armée, de la presse, de la radio, des spectacles, sauf ceux qui ont rendu des services au pays. Les ressortissants étrangers de race juive peuvent être internés dans des camps spéciaux (18 octobre). Les droits politiques sont retirés aux Juifs indigènes d'Algérie. »

Sans doute ne s'agissait-il que d'un bilan. Mais Pierre Brisson signait P.B. un chapeau qui ne laisse pas de doute sur les sentiments qu'éprouvait à l'époque le directeur du *Figaro*.

« Le 17 juin 1940 le maréchal Pétain prenait le pouvoir. Nous avons jugé utile de dresser dans ce tableau la nomenclature des réformes accomplies depuis dix mois sous son inspiration. Toutes s'inspirent du sentiment réaliste des nécessités. Elles attestent une volonté d'assainissement et de relèvement moral dont la vigueur reste digne des épreuves les plus décisives de notre Histoire. Depuis cent quatre-vingts jours, s'exposant à toute heure, le Maréchal s'est voué, sans faiblir, au sauvetage du pays. Lui rendre hommage serait superflu. Il a compris que les conditions d'une entente avec le vainqueur seraient liées à une estime réciproque et que le premier gage de cet accord ne pouvait être que l'union spirituelle et la confiance de tous les Français. »

trice. Les lois de Vichy rivalisaient avec celles de Nuremberg, pas moins scolastiques dans leur recherche des ascendants, pas moins rigoureuses dans leurs exclusions.

Pierre Brisson, tel que je le connus en 1945 ou 1946, ne me parut nourrir, à l'endroit des Juifs, aucun sentiment particulier de sympathie ou d'antipathie. Il avait toujours compté des Juifs parmi ses amis, l'un d'entre eux lui consacra une biographie. En exil, je lus *le Figaro* et surtout les pages littéraires dans lesquelles respirait un esprit de liberté, de résistance. Polémique infatigable contre Maurras, défense et illustration de la littérature française, critique de textes des collaborateurs ; aucun lecteur ne pouvait s'y tromper. Je rendis hommage au *Figaro* plusieurs fois dans *la France libre*[1]. Je n'éprouvai aucun scrupule de conscience en me joignant à l'équipe Pierre Brisson. Le milieu des *Annales*, d'Yvonne Sarcey et d'Adolphe Brisson, étroitement lié à la République de la fin du siècle précédent, se situait au centre-droit ou gauche selon les temps.

En 1956, quand l'expédition de Suez aboutit à un lamentable fiasco et que je critiquai l'entreprise elle-même, il me reprocha mon attitude avec l'argument classique : « Alors, vous qui êtes juif... » Je protestai avec vigueur : « Je ne suis pas israélien mais français. » En d'autres circonstances, un lecteur m'aurait reproché de prendre position pour Israël.

Entre 1947 et 1951 (ou 1953), P. Brisson mena la bataille contre le RPF. Dans nos débats, je plaidais que le retour au pouvoir du Général était inscrit à l'avance et que mieux valait un retour en douceur, légal plutôt que provoqué par une quelconque turbulence. Il ne croyait pas à la victoire du RPF et les événements lui donnèrent raison. En 1958, il accepta avec plus d'enthousiasme que moi l'accession du Général au pouvoir suprême à l'occasion d'une rébellion militaire.

Mes discussions avec Brisson sur la décolonisation, en particulier sur le Maroc et l'Algérie, ne nous éloignèrent pas l'un de l'autre. J'ai retrouvé une lettre qu'il m'écrivit à la suite de l'enquête de Thierry Maulnier qui présentait l'Algérie comme la Sibérie, ou le Middle West, ou la Californie de la France. Datée du 4 mai 1957, la lettre reflète à la fois la nature de nos relations et l'idée qu'il se faisait de moi ; lui du moins ne s'imaginait pas que, calculateur au cœur sec, je sacrifiais l'Algérie parce qu'elle coûtait trop cher : « La fin de l'enquête de Thierry Maulnier, cher ami, m'a fortement touché, la conclusion surtout. Il met de l'âme dans le problème et l'âme sans doute ne suffit pas mais sans âme rien ne se fait — et vous le savez mieux que personne, vous qui flambez parfois. Les calculs de politique pure, des calculs d'intérêt qui sont toujours faux, le facteur humain et passionné les corrige, les dément, brouille les données inévitables. Imaginez le rapport d'expert sur les chances de Jeanne au départ de Domrémy ou même sur celles de Miltiade à Marathon ! Se régler sur l'exception est une folie, d'accord.

1. Article du 15 juin 1941. « Culture et société », pp. 91-102 dans le livre *De la capitulation à l'insurrection nationale* : « ... contre les menaces, *le Figaro*, organe de l'intelligence en exil, s'honore de mener infatigablement campagne ».

Mais proscrire d'une détermination la foi, une certaine part de foi, c'est se priver de ce qu'il y a tout de même de meilleur dans l'homme. Ce n'est pas le procès de l'économiste que je fais ici. Vous n'êtes au fond pas plus économiste que moi — enfin c'est une façon de parler. Je ne me charge pas de vous relayer à la Sorbonne ! Mais dans votre rigueur et votre rapidité d'esprit, vous êtes absolutiste, un absolutiste enflammé. Pourquoi vous parler de tout cela, cher ami, au milieu de roses italiennes, dans ce coin plein de souvenirs et plein d'oubli ? N'accusez que mon amitié qui, pour être tout à fait sûre d'avoir raison, souhaiterait sans se l'avouer que vous me disiez : d'accord... »

Pierre Brisson croyait encore à la légende de quelques centaines d'Athéniens vainqueurs des hordes perses. Ce détail importe peu. Rien ne peut être accompli sans foi, bien sûr. Mais il existait aussi, de l'autre côté, une foi ; le pari, contre la probabilité des chiffres, ce sont les membres du groupe militaire du MPLA qui le firent, quand ils prirent l'initiative de la rébellion ; quelques centaines de combattants dressés contre un pouvoir apparemment solide. Les attentats de novembre 1954 enflammèrent de proche en proche l'Algérie, plus rapidement que les sept chefs historiques ne l'avaient espéré à l'avance. Même si je suivais Pierre Brisson, si j'en venais à la foi ou à l'âme, ma conclusion demeurait la même. Des millions de musulmans, au milieu du XXe siècle, qui combattent pour leur indépendance, doivent l'emporter, sinon en courage du moins en patience, sur un peuple qui ne croit plus à sa mission civilisatrice et à son droit d'imposer sa souveraineté sur un peuple en quête de son identité.

En 1947 ou 1948, j'adhérai au RPF à la grande surprise, voire au scandale de ceux qui se souvenaient de « L'ombre des Bonaparte » et des propos, probablement plus vifs encore, que j'avais tenus à Londres. J'avais dénoncé un danger potentiel et je l'oubliais lorsqu'il se manifestait ? Pourquoi cette parenthèse de militantisme au milieu des trente-sept années, de 1945 à 1982, années non de spectateur pur mais en tout cas d'un spectateur non inféodé à un parti. Au même moment, Manès Sperber déplorait mon ralliement à un mouvement qui lui semblait peu démocratique, dans son style et dans ses objectifs, en dépit de ses professions de foi.

D'ordinaire, on expliquait cette incartade par mon amitié pour André Malraux. Lui-même le pensa. Il n'avait pas entièrement tort, mais je ne pense pas qu'il touchât l'essentiel, à savoir les souvenirs et les regrets de Londres d'une part, l'impuissance de la IVe République de l'autre.

Que l'on me comprenne bien, je ne reniais pas mon refus à souscrire à la légende gaulliste, à la légitimité acquise depuis le 18 juin 1940 et conservée dans l'exil de Colombey. Je ne regrettai pas de n'avoir pas exclu, jusqu'en novembre 1942, l'éventualité du départ du gouvernement de Vichy pour Alger — départ qui aurait pour le moins atténué les violences de l'épuration. En revanche, à partir du débarquement allié en Afrique du Nord, une fois l'insuffisance du général Giraud évidente, il était à la fois inévitable et souhaitable que le général de Gaulle assumât la fonction de chef du gouvernement provisoire. Que le Général n'eût nullement l'intention de se retirer de la politique, une fois la France libérée, qu'il conçût une République toute différente de la IIIe, nous le pensions et nous ne nous trompions pas. Mais, sans se rallier au mouvement gaulliste, il convenait, dès la fin de 1943 au plus tard, de le regarder comme le responsable, indiscutable et provisoire, du destin national.

Le gaullisme de 1946 ou de 1947 ne ressemblait guère à celui de 1941 ou de 1942. En dehors du Général, probablement semblable à lui-même, le groupe qui entourait le chef et les troupes qui le suivaient ne me rappelaient pas les quelques dizaines de fidèles, confits en dévotion, qui entretinrent le culte de la personnalité dès 1940. A l'un des quelques rares dîners auxquels il me convia, à Londres, le Général lui-même commenta, sans méchanceté mais sans complaisance, la pauvreté de la France libre — non de la revue mais des Français à Londres. Il n'ignorait pas ce que je baptisais les « déclassés vers le haut ». A Paris, les gaullistes se confondaient avec des résistants. André Malraux, Édouard Corniglion-Molinier s'étaient joints à son « entourage », cette mystérieuse entité, par nature détestable puisque les péchés du chef retombent sur elle ou plutôt émanent d'elle.

Avec la politique recommandée par le Général, je n'étais pas d'accord sur plusieurs points importants, en particulier sur l'attitude à l'égard de l'Allemagne. Je garde un souvenir assez précis d'un débat passablement passionné avec Maurice Schumann sur les objectifs de la diplomatie française à l'égard de notre ex-ennemi héréditaire, rue de La Tour-Maubourg, chez les Dominicains, en 1945. Les Russes — j'emploie pour une fois cette expression parce que le Général en usa toujours — avaient amputé le territoire allemand à l'est, en annexant eux-mêmes la Prusse orientale et en donnant à la Pologne les territoires à l'est de la ligne Oder-Neisse. Les Français, pour maintenir l'équilibre (quel équilibre ?), devaient en faire autant, détacher la rive gauche du Rhin (sans l'annexer), instaurer une haute autorité de la Ruhr qui en contrôlerait la production, s'opposer à Berlin [1], puis, dans le cadre occidental, à toutes les institutions qui annonceraient la reconstitution d'un Reich. Cette accumulation de garanties me semblait quelque peu ridicule, inacceptable aux Allemands, donc incompatible avec la réconciliation franco-allemande pour laquelle le Général plaidait en même temps. Maurice Schumann défendit les thèses gaullistes avec la même ardeur, la même éloquence que d'habitude. Je n'eus pas trop de peine à convaincre la

1. Les représentants des quatre pays occupants se réunissaient à Berlin. Ils tentèrent de créer des administrations centrales dont l'autorité s'étendrait aux quatre zones. Le représentant français opposa son veto à toutes ces tentatives. Peut-être servit-il, en ce cas, les intérêts de l'Occident tout entier.

plus grande partie de l'auditoire, Étienne Gilson en tête, que les ambitions françaises se heurteraient à un veto brutal des Anglo-Américains. Inquiétés par l'avance soviétique et la soviétisation des pays libérés par l'Armée rouge, les vainqueurs de l'Ouest reconstruiraient une Allemagne viable, capable d'élever un barrage à la vague venue de l'Est. Maurice Schumann répondit, sur un ton catégorique, que les gaullistes ne subordonnaient pas leurs projets ou leur action au bon vouloir de leurs alliés. Le débat fut tranché non par l'éloquence mais par le rapport des forces. L'attitude du Général, que magnifiait le porte-parole de la France combattante, provoqua, non sans déboires, des crises aiguës avec Londres à propos de la Syrie, avec Washington à propos de Stuttgart ou de la vallée d'Aoste.

Revenu en France, le Général, conformément à sa philosophie, mit au premier rang la politique extérieure. Cette primauté de la diplomatie ne présente guère d'originalité, elle avait été érigée en dogme et en impératif catégorique par la pensée des historiens, surtout allemands, à la fin du siècle dernier. En un sens, je l'accepterais, moi aussi, en fonction de cette vérité de bon sens, *primum vivere*. La sécurité de la nation, l'indépendance de l'État : qui subordonnerait ces exigences fondamentales à un bien privé ou collectif, quel qu'il soit ? Mais quand la primauté de la diplomatie se traduit en rectifications de frontières proprement insignifiantes, une grande politique risque de se dégrader en chicanes de procédurier. La reprise immédiate de l'alliance russe, au lendemain de la libération de la France, laissa paraître, pour la première fois, une constante de la diplomatie gaulliste ou plutôt de la conception du monde du Général. Celui-ci ne voyait pas ou ne voulait pas voir l'Europe telle qu'elle sortait de la tempête, partagée en deux zones de civilisations politiques opposées, puis en deux blocs militaires ; il a presque toujours vitupéré, comme le faisaient volontiers les Soviétiques, la politique des blocs. Comme s'il ignorait que la soviétisation de l'Europe orientale équivalait à la formation d'un bloc communiste, donc impliquait, par contrecoup, celle d'un bloc occidental ! Ajoutons qu'au temps du RPF, entre 1948 et 1952, son antisoviétisme et son anticommunisme dépassèrent en vigueur ceux des partis gouvernementaux.

Si le Général était resté au pouvoir après 1946, aurait-il souscrit à la politique anglo-américaine à laquelle les ministres de la IVe, Georges Bidault en particulier, consentirent, non sans grincements de dents ? Probablement le Général n'aurait-il pas pu refuser indéfiniment la formation de la République de Bonn. Mais je doute que sous son règne Jean Monnet eût eu la chance de convaincre des ministres et, par leur intermédiaire, de lancer le pool charbon-acier et d'obtenir le vote de l'Assemblée en faveur du traité de Rome. Les Français d'aujourd'hui ont oublié que Jean Monnet et Robert Schuman frayèrent la voie à la réconciliation franco-allemande par des institutions que le Général et les gaullistes combattirent. Par ces institutions, fondées sur l'égalité des droits, ils rompaient non avec la fin — la réconciliation franco-allemande —

mais avec les moyens de la politique gaulliste. Plus question de prendre modèle sur la politique russe et d'amputer le territoire que gardaient les Allemands de l'Ouest. En 1958, les hommes de la IVe République laissèrent un héritage de faits accomplis sur lesquels le Général ne pouvait revenir. Il compléta le Marché commun dont il n'aurait probablement pas lui-même pris l'initiative. La Ruse de la Raison nous fut favorable : le Général n'aurait pas signé les traités, la IVe n'aurait probablement pas été capable de les appliquer.

Ce qui me rapprochait du RPF, ce n'était certes pas la politique allemande du Général, mais son refus du « régime des partis » (ou, de manière plus exacte, de la rechute de la démocratie restaurée dans les pratiques qui avaient entraîné la IIIe à l'abîme). Durant la première phase de l'après-guerre, l'instauration du scrutin proportionnel avait favorisé les succès des trois grands partis, communiste, socialiste, MRP. En 1947, le tripartisme ne résista pas à des tensions intérieures et aux répercussions au-dedans des conflits entre les Soviétiques et les Américains. Bientôt les communistes devinrent intouchables. Les gouvernements de coalition ressemblèrent à ceux de la IIIe. Le commentateur le plus résolument attaché à la démocratie ne pouvait pas ne pas mesurer le décalage entre les tâches de l'État et le pouvoir que possédaient les ministres, jamais assurés de leur avenir.

De tous les avatars du gaullisme, le RPF fut, par le fait des circonstances, à la fois le plus parlementaire et le plus résolument anticommuniste. C'est le général de Gaulle qui lança la formule : les troupes soviétiques « à deux étapes du Tour de France ». C'est lui aussi qui se présenta comme le plus radicalement opposé au communisme et à l'Union soviétique, cependant qu'à ses yeux, la « troisième force », les partis au pouvoir, tenait la place de Vichy entre les collaborateurs et les résistants (analyse certainement non valable).

En quoi consista mon activité de militant du RPF ? Dans une salle du 5e arrondissement, sous la présidence de Claude Mauriac, je donnai une conférence sur la situation internationale. Un petit groupe de normaliens avait décidé de m'empêcher de parler (je crus à tort qu'André Duval[1], le fils de mes chers amis Colette et Jean Duval, se trouvait parmi eux). Ils y réussirent sans grand-peine : en l'absence d'un service d'ordre, une douzaine de garçons, résolus à interrompre l'orateur au milieu de chacune de ses phrases, finissent par user la patience de n'importe qui. Claude Mauriac me répétait à mi-voix : « Continuez, continuez ». Au bout de trois quarts d'heure ou d'une heure, le bureau, en accord avec moi, capitula et leva la séance.

André Malraux, qui dirigeait la propagande du parti, réagit comme il devait le faire ; il organisa une réunion plus importante, avec un service d'ordre qui, d'ailleurs, n'eut pas l'occasion d'intervenir. Les opposants,

1. Il m'affirme qu'il ne faisait pas partie de ce groupe. Il avait raconté l'épisode à ses parents et j'avais cru à tort qu'il s'était joint aux chahuteurs.

socialistes et communistes, firent savoir au bureau, à l'avance, qu'ils ne troubleraient pas la réunion. Je sortais d'une maladie assez sérieuse et je n'étais pas, d'après mes souvenirs, dans ma meilleure forme. Les idées spécifiques du RPF n'inspiraient pas mes propos ; André Malraux fut cependant satisfait de la revanche : nous avions repris la parole et démontré que nous avions la force d'imposer le respect à nos adversaires, de tenir une réunion où et quand nous le voulions. Mais il regretta, sincèrement, que le discours fût peu imprégné d'idées proprement gaullistes. J'avais joué davantage sur mes thèmes favoris, l'union de l'Occident ou de l'Europe, que sur les thèmes propres du Général.

J'ai participé une autre fois à une grande réunion organisée par le RPF dans une salle de la Mutualité, que remplissaient plusieurs centaines de personnes. Réunion des intellectuels du RPF, et pour les intellectuels. Public composé dans l'ensemble de sympathisants ou de curieux, les Gallimard au premier rang. Pascal Pia parla le premier, sans soulever de tempête, sans soulever même une brise. Jules Monnerot parla ensuite ou plutôt lut un texte de qualité qui, écrit, trop écrit, ne pouvait pas « passer » dans une telle enceinte. Les interruptions fusèrent de tous les côtés, surtout d'un petit groupe installé au coin d'un balcon, au premier étage. Je parlai après Monnerot et les interruptions reprirent. Par bonne chance, je pris à parti le journal *Franc-Tireur*, peut-être même mon ami G. Altman, pour leur neutralisme. Je leur reprochai de ne pas prendre position, de s'obstiner à ne pas choisir, face au communisme qui appliquait le principe « qui n'est pas avec moi est contre moi ». Comme, à l'époque, *Franc-Tireur* servait de cible favorite à *l'Humanité*, je me tournai vers les interrupteurs et leur dis : « Je croyais gagner votre indulgence en attaquant *Franc-Tireur.* » Un immense éclat de rire secoua la salle. Et le calme revint, pour toute la soirée. Je crois avoir terminé sur une phrase de bravoure : l'aventure du gaullisme, c'est l'aventure de la France. A l'applaudimètre, je ne fus pas surclassé par les deux orateurs qui suivirent, Jacques Soustelle et André Malraux.

Régulière fut ma participation au *Comité d'Études* qui se réunissait chaque semaine. J'y rencontrais Gaston Palewski, Albin Chalandon, Georges Pompidou. Ce dernier me frappa par sa simplicité, son bon sens, son désintéressement [1]. Je m'entendis bien avec A. Chalandon (ou du moins, je le crus), qui évoquait volontiers, non sans regret, les circonstances qui l'avaient empêché d'entrer à l'École Normale Supérieure. Je n'ai gardé aucune note des travaux de ce comité d'études, travaux qui, d'après mes souvenirs, portaient le plus souvent sur des questions d'actualité, travaux déjà dépassés au moment même où ils s'achevaient.

1. A en juger sur ses Mémoires, je me trompais sur ses sentiments à mon endroit. Les erreurs de pronostic qu'il m'attribue se rapportent probablement à 1948-1949, à la réussite de la stabilisation économique sous le gouvernement Queuille. Je gagnai un pari avec Gaston Palewski : le général de Gaulle ne serait au pouvoir ni le premier janvier 1950, ni le premier janvier 1951. Jacques Soustelle ne croyait pas au succès des « apparentements » : je soutins vainement la thèse contraire.

Je fus nommé par le Général dans le *Conseil national*, composé de personnalités qui siégèrent à plusieurs reprises. Le Général y faisait chaque fois une analyse brillante de la conjoncture nationale et internationale. C'est à une réunion du *Conseil national*, à la mairie de Vincennes, en 1952, que se produisit la première scission : une fraction du groupe RPF à l'Assemblée avait voté pour Antoine Pinay, contre la volonté du Général. En tout état de cause, l'affaire était entendue dès les élections de 1951. Puisque les opposants de principe — communistes et gaullistes — ne composaient pas ensemble la majorité, les partis de la IVe République sauvaient leur règne, contraints de s'entendre par la menace des deux oppositions.

Plus curieusement, je fus chargé, aux Assises nationales de Lille, en 1949, du rapport sur l'*association*, le mot dont usait le Général à l'époque pour désigner ce qui devint plus tard la participation. Le Général croyait sincèrement à une formule intermédiaire entre le capitalisme et le socialisme, entre la jungle de la compétition sauvage et la bureaucratie tentaculaire, entre la propriété individuelle des instruments de production et l'étatisation des entreprises. Entre ces deux régimes, il en envisageait un troisième, qui mettrait fin à la guerre des classes sans pour autant imposer à la société le carcan d'un État tout-puissant. De ce régime intermédiaire, il connaissait le titre, l'inspiration, la finalité, il en ignorait les moyens. Je fis de mon mieux pour concrétiser l'idée d'association et j'indiquai les directions possibles : participation à la gestion ou au profit. Il existait déjà, il y a trente ans, mais moins qu'aujourd'hui, des expériences plus ou moins réussies de participation des ouvriers à l'organisation du travail, des syndicats à la gestion des entreprises, des salariés aux bénéfices.

Je fis de mon mieux, mais je ne donnai pas à mes compagnons le sentiment que je communiais avec eux dans leur foi. Mon scepticisme me fut reproché, non sans quelque injustice. Que signifie « croire à l'association » ? Représente-t-elle une doctrine comparable au socialisme ou au libéralisme ? Se définit-elle par des réformes progressives ou par des institutions définies ? Si l'association devait rivaliser avec le socialisme, en effet, je n'étais pas au nombre des croyants. Une fois au pouvoir, les gaullistes ont fait voter, en onze années, tout au plus quelques lois qui favorisent l'une ou l'autre des modalités de participation que nous avions envisagées au temps du RPF.

En revanche, sur deux points, je méritais le reproche de scepticisme. Dans la France telle qu'elle était et telle qu'elle demeure, les réformes visant à modifier l'entreprise, l'unité productive par excellence, se heurtent le plus souvent à deux oppositions, à deux pouvoirs, d'une part les syndicats, en particulier les syndicats alliés au parti communiste, et d'autre part le patronat. Les premiers ne veulent pas apaiser la lutte de classes dans le cadre du capitalisme, les seconds se méfient des réformes imposées d'en haut, par l'autorité publique. Je n'étais pas hostile à une action incitatrice de l'État, je me méfiais de textes qui s'appliqueraient à toutes les entreprises sans le consentement préalable de ceux qui devraient les mettre en œuvre.

Ma deuxième réserve tenait à la phase que traversait l'économie française. Nous étions à la fin des années 1940. A la différence de maints économistes qui, hantés par le souvenir des années maudites, redoutaient à chaque occasion la rechute de l'économie française dans la stagnation, je penchais vers l'optimisme. En dépit de l'inflation et de l'instabilité ministérielle, la reconstruction, favorisée par le plan Marshall, allait bon train. Mais la reconstruction — ou peut-être fallait-il dire déjà la croissance — supposait un taux élevé d'investissement, donc un taux élevé de réinvestissement des profits des entreprises. La participation aux profits risquait tout à la fois de réduire les réinvestissements et de décevoir les bénéficiaires.

A l'époque, nul ne connaissait encore la thèse que popularisa, une quinzaine d'années plus tard, un polytechnicien, M. Loichot. Selon celui-ci, les profits réinvestis devaient être tenus en équité comme propriété des employés et mis au compte du capital. Si, chaque année, les fonds réinvestis constituent une augmentation de capital et sont attribués aux salariés, ceux-ci deviennent automatiquement, au bout d'un certain nombre d'années, propriétaires de leur entreprise. Le général de Gaulle, me dit-on, saisi d'enthousiasme, déclara : « Voici la participation que j'ai si longtemps cherchée. »

L'enthousiasme qu'éprouva aussi mon ami Louis Vallon me rappela une plaisanterie qu'affectionnait Léon Brunschvicg : « Il y a dans la famille Aron deux bons philosophes et deux bons joueurs de tennis et ils ne sont que trois. Un polytechnicien de mes amis ne trouva jamais la solution. » Dans une entreprise moderne, la valeur du capital, exprimée par le cours des actions, dépend avant tout de la capacité de produire et de vendre avec profit. On peut dire encore que l'entreprise est une machine à produire de la plus-value ou de la valeur ajoutée, la différence entre le total des dépenses et le total des ventes. Les réinvestissements annuels n'augmentent pas automatiquement la plus-value. Les réinvestissements servent, au-delà de l'amortissement, à la modernisation du matériel, ils ne garantissent pas, par eux-mêmes, une augmentation de la valeur du capital. Seul un polytechnicien, saisi par la foi, pouvait considérer que la valeur des profits réinvestis entraînait une augmentation égale de la valeur du capital.

Revenons au RPF. A Londres, avant la rupture de Labarthe avec le Général, celui-ci m'avait invité deux fois à dîner. De la première rencontre, je garde deux souvenirs : les compliments qu'il m'adressa pour mes articles de *la France libre* — compliments que l'on aurait pu dire banals, mais marqués par un mélange de courtoisie et de sérieux caractéristique de son approche, probablement à l'égard de tous ses visiteurs. Et au cours du dîner, il improvisa une analyse brillante du régime d'Occupation en France : la Wehrmacht qui souhaite une occupation de style traditionnel conforme au droit des gens, la Gestapo qui torture et les partisans, plus ou moins sincères, d'une coopération franco-allemande, comme Abetz. Ces trois groupes ensemble déterminent la condition des Français, la Gestapo étant destinée à une influence croissante à mesure que se développe la Résistance.

A ce même dîner — ou à un autre — la conversation vint sur le gouvernement de Vichy. Celui-ci se gardait alors d'aller jusqu'au bout de la collaboration, il s'efforçait d'obtenir des améliorations matérielles pour la population sans consentir à l'ennemi des avantages politiques, qui provoqueraient des réactions vives de Washington. A mots couverts, j'insinuai que, dans la conjoncture où ils se trouvaient, le Maréchal et ses conseillers ne pouvaient guère agir autrement. Le Général perçut le sens de mes propos et me fit sentir qu'il n'acceptait pas cette interprétation ou cette indulgence. Ce soir-là — ou un autre — il dit, plutôt en passant, au terme de son analyse, que les hommes de Vichy iraient jusqu'au bout de la collaboration. Je formulai une objection de bon sens : la flotte, l'Afrique du Nord constituaient un enjeu de la politique mondiale ; en même temps elles fournissaient à Vichy ses dernières armes, ses suprêmes arguments. Privé d'elles, le Maréchal se livrait au bon vouloir des occupants. Pourquoi le ferait-il de lui-même ? Il était visible, même dans ces conversations informelles, que le Général détestait le jeu de Vichy en tant que tel, comme s'il souhaitait que la situation fût parfaitement claire.

Une autre fois, c'était le soir où le *State Department* avait publié le communiqué fameux qui comprenait l'expression *the so-called free frenchmen*, les soi-disant Français libres. L'occasion en avait été la libération de Saint-Pierre et Miquelon par les bâtiments commandés par l'amiral Muselier. Le Général marchait de long en large dans son salon et répétait : « Ils sont bons, nos alliés », avec colère. Par sa manière d'interpeller les États-Unis, lui, incarnation de la Fance, s'élevait spontanément au même niveau que la première puissance du monde. Ce dialogue du Général avec lui-même reste fixé dans ma mémoire.

Pendant les années du RPF, je vis le Général plusieurs fois ; le récit de ces entretiens, à supposer que je sois capable de les reconstituer, n'ajouterait rien à la littérature consacrée au « héros historique ». Quand ma femme et moi, nous fûmes blessés, à la fin de 1950, par la mort de notre petite fille, née à Londres en 1944, nous reçûmes du Général une lettre de condoléances dont les termes et surtout le ton allaient au-delà des formules de circonstances ; je lui demandai une audience et dans la conversation que j'eus quelques jours plus tard avec lui, il me parla de sa fille Anne « qui n'avait jamais été normale ». Il s'exprima avec réserve, comme pour dissimuler les émotions, les souffrances qui l'attachaient à cette enfant, mais, simultanément, il laissait paraître sa sensibilité ou plutôt sa vulnérabilité. Il ne m'offrait pas sa compassion, mais, en évoquant sa propre épreuve, il se rapprochait de la mienne.

En cette même année 1950, celle de la guerre de Corée, je conversai assez longuement avec lui sur la situation mondiale et française. « Qu'allez-vous faire ? » lui dis-je à un moment. « Que puis-je faire ? me répondit-il, je n'ai pas de grenadiers et si j'en avais et les utilisais, vous ne me suivriez pas. » Il commenta la retraite précipitée de la VIIIe armée du nord de la Corée jusque vers le 38e parallèle. Il évoqua, à cette occasion, la retraite que le général Eisenhower avait ordonnée et qui aurait livré Strasbourg aux représailles nazies si elle avait été exécutée. Les Américains, dit-il, ont tendance à prendre de la distance bien au-delà des nécessités.

Ces détails ne présentent qu'un intérêt limité, ils suggèrent ce que furent mes relations avec le Général lui-même au cours des années du RPF. En 1951, je songeai à figurer sur une liste du RPF à Paris ; quand Malraux souleva la question dans les instances dirigeantes, les premières places étaient depuis longtemps promises. Le Général fit remarquer — et il avait pleinement raison — que je ne lui avais jamais soufflé mot de mes intentions — velléités plutôt qu'intentions. Je supportais mal ma vie de journaliste professionnel et d'enseignant occasionnel ; la politique active m'apparut par instants une issue, mais, dans la jungle, la velléité ne pardonne pas. On veut ou on ne veut pas. Si l'on rêve, on rêvera longtemps. Heureusement, je renonçai bientôt même à rêver.

Je ne sortis pas du RPF, celui-ci cessa d'exister. J'en tirai au moins la satisfaction de lui avoir donné plus que je n'en avais reçu. En 1953, en vacances en Haute-Marne, non loin de Colombey-les-Deux-Églises, je sonnai à la grille de la propriété du Général, et, comme il était absent, je laissai ma carte et mon adresse. Je reçus de lui quelques jours plus tard une invitation. Ma femme et moi, nous eûmes donc l'occasion d'entrer à la Boisserie et d'en connaître les rites : le thé, puis le Général m'entraîne dans son bureau, il me lit un passage de ses *Mémoires*, le portrait du Maréchal. Ensuite, une promenade dans le parc. Il fit allusion à la conférence que j'avais prononcée sous sa présidence ; je me souviens non pas des organisateurs de cette conférence, mais des propos du Général après moi. J'avais, au cours de la conférence qui traitait de la situation économique de la France, formulé une idée, au reste quelque peu banale : les Français font de temps à autre une révolution, jamais de réformes. Le Général m'avait corrigé de manière pertinente : « Les Français ne font de réformes qu'à l'occasion d'une révolution. » Et il rappela les réformes accomplies au lendemain de la Libération.

Quand j'écrivis, en 1959, dans *Preuves*, un article intitulé « Adieu au gaullisme », le Général dit à Malraux, m'a-t-on rapporté : « Il n'a jamais été gaulliste ». Il avait raison. Je n'ai jamais été gaulliste à la manière de Malraux, attaché au Général par une sorte de lien féodal. Je ne l'ai pas été non plus à la manière de Maurice Schumann, bien qu'il n'ait pas suivi le Général pendant les années du RPF. Mes relations avec de Gaulle ont toujours été ambiguës, y compris pendant les années du RPF, pour des motifs à la fois obscurs et profonds.

L'intransigeance dont il se vante dans ses *Mémoires* le poussait à la guerre contre Vichy et, par instants, à la limite de la guerre avec ses alliés. C'est grâce à l'appui de Churchill qu'il obtint des Anglo-Américains une zone d'occupation en Allemagne dont Staline ne jugeait pas la France digne ; c'est à Staline qu'il prodigua les bonnes manières dès son retour en France. Vichy dressait l'opinion française contre nos alliés ; de Gaulle aussi, à sa manière, dressait ses compagnons contre les Anglo-Américains. A l'exception de la période du RPF, le général de Gaulle ne cessa de livrer des batailles diplomatiques contre les Anglais et les Américains. Dans certaines de ces batailles, il défendit effectivement l'intérêt français ; mais, quand il reprocha aux Anglo-Américains de débarquer en Afrique du Nord, sans contingents de Français libres, il servait l'intérêt de sa légitimité, non celui de la France. L'expérience de la Syrie avait prouvé que les troupes et officiers de Vichy se ralliaient plus volontiers aux Alliés qu'au Général.

La visite à la Boisserie fut ma dernière conversation avec le Général. Pour des raisons que j'ai peine à dégager moi-même, je n'eus plus aucun rapport, même par écrit, avec lui jusqu'en 1958. Peut-être le relâchement de mes liens avec Malraux influa-t-il inconsciemment sur mon attitude à l'égard du Général. Peut-être, le RPF disparu, avais-je le désir de prendre du recul après cette incursion dans la politique partisane. En 1955, j'étais revenu à l'Université et les dernières années de la IVe furent bouleversées par les soubresauts de la décolonisation. Celui qui, parmi les gaullistes, était le plus proche de moi, en dehors de Malraux, Michel Debré, s'engagea dans une polémique excessive, non pas seulement contre la IVe République, mais pour l'Algérie française. En 1957, je pris position en faveur de l'indépendance algérienne alors que la plupart des gaullistes défendaient la cause de l'Algérie française. Je ne confondis pas le Général avec ceux qui se réclamaient de lui. Je n'osai lui demander audience.

Certains de mes amis les plus chers préfèrent oublier mes années du RPF, déviation temporaire d'une carrière autrement rectiligne. D'autres s'efforcent d'oublier mon attitude à l'égard des événements de mai 1968. Dans les deux cas, je ne me résigne pas à m'avouer coupable sans au moins me défendre.

Le Général eut-il tort de créer le RPF ? A son retour en France, il se heurta aux partis dont il avait favorisé, pendant la Résistance, la reconstruction. Les premières élections marquèrent une poussée à gauche, comme il est de règle après une guerre. Le parti communiste et le parti socialiste, en dépit d'une hésitation de ce dernier, s'opposèrent aux idées constitutionnelles du Général. Pour lui-même et pour la France, il voulait un président fort, pierre angulaire de la République. Peut-être aurait-il gouverné le pays s'il avait accepté la fonction de président du Conseil des ministres, mais, bien qu'il fût parfaitement capable de l'emporter sur ses rivaux dans les tournois parlementaires, il n'envisagea pas un seul instant de se prêter à ces jeux, poisons et délices du régime des partis. Il incarnait la France, il ne devait pas gaspiller son capital de confiance publique en se dégradant en chef de parti.

La démission de 1946 ne fut jamais, dans la pensée du Général, un adieu à la politique ou un aveu de défaite. Il crut que les partis, incapables de gouverner le pays, paralysés par leurs querelles, se tourneraient vers lui, comme ils avaient appelé au secours Raymond Poincaré en 1926 et Gaston Doumergue en 1934. Calcul bientôt démenti par les événements. Mais le Général, en bon stratège, maintint deux fers au feu. En se retirant de sa propre initiative, il se mettait à l'écart des querelles de partis, il restait un recours national, il préservait sa légitimité, exilée mais non prescrite. Que devait-il faire ? Agé de cinquante-cinq ans, dans la force de l'âge, devait-il vivre à Colombey-les-deux-Églises sans autre activité que la rédaction de ses *Mémoires*? Ou bien parler et écrire en *Older Statesman*, prodiguer ses conseils aux gestionnaires du pays, sans retour sur lui-même, sans considération de sa propre fortune ? A Colombey, il rongea son frein ; puisque les partis s'obstinaient à ne pas venir à lui, c'est lui qui irait vers eux, non pour corriger leurs défauts mais pour les aggraver et, du même coup, abréger l'inévitable agonie de la IVe.

Descendait-il dans l'arène, désormais chef du parti à la manière de Léon Blum, de Maurice Thorez ou de Georges Bidault, il risquait de perdre l'aura du chef charismatique. Il n'ignorait pas le péril, aussi appela-t-il son parti Rassemblement et lui assigna-t-il une mission nationale, la révision de la Constitution. S'il était resté au pouvoir au lieu de le quitter, il aurait livré cette bataille dans des circonstances autrement favorables. La première Constitution avait été rejetée sans que le Général sortît de son silence. La deuxième fut approuvée en dépit de la condamnation prononcée par le Libérateur, mais à une majorité très faible : les non et les abstentions délibérées constituaient ensemble la majorité. Le Général lança le Rassemblement alors que, à l'intérieur comme à l'extérieur, la tension entre les Soviétiques et les Occidentaux, entre les communistes et les autres partis atteignait à l'extrême.

Le général de Gaulle se trahissait-il lui-même, en 1948, lorsqu'il s'employait à créer la conjoncture dans laquelle les partis s'inclineraient devant lui et consentiraient à réformer les institutions ? Ce qu'il permit à ses « inconditionnels » de faire, dix ans plus tard, me parut beaucoup plus choquant. En 1947, il n'y eut ni complot ni bazooka ; le Rassemblement critiquait la Constitution que personne ne défendait, une pratique parlementaire qui ridiculisait le pays, avec un but clair : posséder un nombre suffisant de sièges à l'Assemblée nationale pour contraindre les partis à un compromis. Cette procédure eût été moins humiliante pour la République que la capitulation de l'Assemblée nationale en 1958 devant la sédition des forces armées et la menace des prétoriens.

En ce qui me concerne, j'ai toujours, même dans les années 30, défendu un régime libéral contre le communisme et les mouvements révolutionnaires de droite, mais j'ai souffert, comme tout patriote, de la décadence de la République et de la France au long des années maudites. Je ne contredisais pas mes convictions permanentes en m'associant à une tentative de révision à froid. Quand la révision eut lieu à chaud, je ne pus guère ni m'associer, ni m'opposer : ceux qui amenaient le Général au pouvoir, en majorité voués au salut de l'Algérie française, m'avaient moralement exclu parce que je plaidais pour le droit des Algériens à l'indépendance. Certes, il m'avait été rapporté que le Général, en privé, me donnait raison contre Soustelle. Mais, à ce moment, toute velléité de prendre part à l'action politique s'était définitivement évaporée. Tout compte fait, je n'ai pas honte d'avoir « milité » dans le RPF sans en être fier pour autant.

Militant du RPF de 1948 à 1952, je fus aussi, avant et après, militant de l'unité et de la Communauté européennes. Réunions publiques, colloques, séminaires d'études, ils furent trop nombreux pendant les années de la guerre froide et les années suivantes pour que je me les remémore tous.

C'est aussi pendant mes années de journalisme et de militantisme que j'eus la chance de sortir de l'hexagone, non pas seulement pour visiter fréquemment les autres pays de la Communauté européenne, mais pour traverser l'Atlantique plus d'une fois et aussi pour passer quelques semaines au Japon ou en Inde. Malgré tout, je puis dire que je fus un *columnist* ou un commentateur en chambre.

Pour dire vrai, je pris plaisir à ces activités parapolitiques, non sans parfois un sentiment de futilité. Peut-être le sentiment est-il plus fort aujourd'hui qu'à la fin des années 40 et au début des années 50. Dans les années qui suivirent la guerre, jusqu'à la mort de Staline, nous livrions une bataille réelle dont l'esprit ou le cœur des hommes constituait l'enjeu.

Aujourd'hui, ces activités de militant me rappellent le *Congrès pour la liberté de la culture* dont je ne puis pas ne pas évoquer le rôle, l'influence et finalement le scandale. Nous pensions que le Congrès était financé par des fondations américaines. Le *New York Times,* dans une enquête sur la CIA, le mentionna parmi les organisations financées par cette fameuse Agency, les fondations ne servant que de couverture. A partir de là, je m'éloignai du Congrès qui, sous un autre nom, et avec des subventions de la *Ford Foundation*, survécut quelques années.

Deux questions se posent à nous, Denis de Rougemont, Manès Sperber, Pierre Emmanuel et tous les autres qui travaillèrent d'une manière ou d'une autre dans le cadre du Congrès : aurions-nous dû savoir ou du moins deviner ? Si nous avions connu l'origine de l'argent, aurions-nous refusé toute collaboration ? A la première question, j'incline à répondre que nous avons manqué de curiosité, que de multiples signes auraient dû nous alerter. Mais le financement par ces fondations était plausible et, en tout état de cause, quand je participais à des colloques ou que j'écrivais des articles pour *Preuves,* j'y disais ou écrivais ce que je pensais. Je n'étais pas rétribué par le Congrès, celui-ci me donnait l'occasion de défendre et illustrer des idées qui, à l'époque, avaient besoin de défenseurs.

Il reste la deuxième question : aurions-nous toléré le financement de la CIA, si nous l'avions connu ? Probablement non, bien que ce refus eût été, en dernière analyse, déraisonnable. J'écrivis nombre d'articles dans *Preuves* ; je m'y exprimai avec la même liberté que dans toute autre revue. *Encounter,* créée par le Congrès, demeure en Grande-Bretagne la première, la meilleure revue mensuelle en anglais. Ni l'une ni l'autre de ces revues n'auraient prospéré, si elles étaient apparues comme des instruments des services secrets des États-Unis. Le Congrès ne pouvait accomplir sa tâche — et il l'accomplit — que par le camouflage ou même, si l'on veut, le mensonge par omission. Ce mensonge ne cesse de peser sur mes souvenirs du Congrès, bien que je songe encore volontiers au colloque de Rhodes, à celui de Rheinfelden, et, bien plus tard, quand le Congrès avait changé de nom et ne recevait plus rien de la CIA, à celui de Venise [1].

Curieusement aujourd'hui, des intellectuels qui n'eurent rien à voir avec le Congrès l'évoquent sans hostilité, parfois l'approuvent explicitement, quitte à trouver là prétexte pour s'opposer à une organisation analogue, créée récemment par Mme Midge Decter, femme du rédacteur en chef de *Commentary,* Norman Podhoretz. J'ai accepté [2], non sans hésitation, la présidence d'honneur de cette organisation (Committee for the Free World) qui est née dans un contexte tout autre. En 1950, quand le Congrès naquit à Berlin, il fallait mobiliser une résistance intellectuelle bien plus que des armes contre l'Union soviétique. En 1982, en France tout au moins, la haute intelligentsia et les plus connus de la jeune génération ne sont tentés ni par le soviétisme ni même par le progressisme des compagnons de route d'il y a trente, vingt ou seulement dix ans. Certes le marxisme ou une vision vaguement marxiste du monde continuent, en France, de dominer l'esprit de la majorité des enseignants, du premier et du second degré. Les plus nombreux, ou, en tout cas, les plus activistes des maîtres-assistants dans les universités n'ont pas abjuré des convictions plus ou moins marxistes. Qui a vécu les vingt années qui suivirent la dernière guerre mesure la distance franchie.

Laissons à d'autres le soin d'établir un bilan du Congrès. Je ne regrette pas d'y avoir participé, parce qu'il exerça une influence non négligeable sur les intellectuels européens. En ce qui me concerne, je garde surtout le souvenir de quelques personnes. Michaël Josselson, d'origine estonienne, fut le créateur du Congrès, l'intermédiaire entre la CIA et les intellectuels. Il nous a trompés, pourrions-nous dire, et il

1. Les deux derniers ont fait l'objet de publications. Le dernier, sous le titre « L'histoire entre l'ethnologie et la futurologie », n'avait pas la moindre connexion avec les problèmes politiques.

2. Je le regrette aujourd'hui.

l'aurait reconnu si nous avions discuté du fond avec lui. Probablement aurait-il ajouté : comment faire autrement ? Je garde pour lui considération, estime. Il croyait à ce qu'il fit. Il en vécut aussi, mais son exceptionnelle intelligence lui aurait permis de trouver ailleurs un métier. Il était plus et autre chose qu'un agent de services secrets. Intellectuel doué du sens de l'action, il porte la double responsabilité de la réussite du Congrès et du mensonge originel. Quand il se retira, il entreprit d'écrire un livre sur un des généraux russes adversaires de Napoléon pendant la campagne de Russie, Barclay de Tolly. Il mourut il y a quelques années d'une maladie de cœur dont il souffrait depuis longtemps.

C'est dans le cadre du Congrès que je rencontrai maintes fois G.F. Kennan. Dans un autre chapitre, je raconte notre dialogue à la suite des *Reith Lectures*. Je l'avais rencontré pour la première fois à Princeton, en 1950, à un colloque sur la France dont l'initiative revenait à E. Mead Earle. Nous eûmes toujours des relations personnelles, à la fois excellentes et superficielles. Il estima en moi, à moins que je ne me trompe tout à fait, la vitalité intellectuelle, le goût de la controverse et aussi l'art de faciliter le dialogue entre des hommes venus d'horizons différents. A Rheinfelden, je passai plusieurs jours avec lui et j'appréciai sa courtoisie, son savoir, son absence totale de vanité ou de prétention. Réservé, à la limite de la froideur, moraliste en profondeur, « élitiste » peut-être sans le savoir, il aima de moins en moins l'Amérique de plus en plus populiste. Son évolution, de l'article signé M.X jusqu'à ses positions actuelles, s'explique probablement par son détachement croissant par rapport à son propre pays. Son article de *Foreign Affairs* exerça une influence durable sur la diplomatie des États-Unis et posa les fondements de la doctrine de l'« endiguement ». Depuis il ne cesse de se repentir de sa *finest hour*, d'expier son rôle historique. J'écrivis en 1978 une réponse à G.F. Kennan dernière manière [1] : l'occasion ne me fut pas donnée, jusqu'à présent, d'en discuter avec lui.

R. Oppenheimer prit part aussi à certaines réunions, par exemple à la Conférence de Berlin, en 1960, pour le dixième anniversaire de la création du Congrès. Il impressionnait par le contraste entre la pureté de ses yeux bleus et le frémissement nerveux de chacun de ses gestes, de ses propos. Dévoré par un feu intérieur ou par les batailles qu'il livrait avec lui-même, il tendait à prendre n'importe quel épisode de l'existence non pas au sérieux, mais au tragique. Je le revois dans sa chambre, avec sa femme, discutant avec moi des derniers entretiens — comme angoissé par leur possible banalité. Avec lui non plus, je ne dépassai pas la première phase de l'amitié. Au contraire de Kennan, il établissait une distance non par sa rigueur, mais par les déchirements personnels qu'il laissait entrevoir. Père de la bombe atomique, hostile à la fabrication de la bombe H, mis en cause pour son passé et ses imprudences, il portait un

1. Dans *Commentaire*, n° 2, été 1978.

fardeau que même un homme moins écorché que lui aurait difficilement soutenu.

De tous les grands intellectuels que je connus grâce au Congrès, Michael Polanyi demeure au premier rang de mon admiration, de mon affection. Étrange carrière : sortant des sciences « dures », physico-chimiste du plus haut niveau, destiné à recevoir un prix Nobel, il décida un jour d'abandonner ses recherches et d'obtenir de son université la transformation de sa chaire. Il devint philosophe. Le monde avait davantage besoin de sagesse que de savoir. L'homme doit se connaître lui-même plus encore qu'accumuler des connaissances supplémentaires. Il écrivit des ouvrages sur la liberté dans l'économie et dans la recherche scientifique. Il écrivit surtout un beau livre, un grand livre : *Personal knowledge*, admiré par quelques-uns, ignoré ou méconnu par la plupart. Sa théorie de la connaissance, qui contenait, implicite, une philosophie, peut-être même une conclusion religieuse, se trouvait en marge de toutes les écoles anglo-américaines de son temps, logiques ou analytiques. Sa représentation des niveaux de réalité, son antiréductionnisme, le sens qu'il donnait à l'engagement personnel dans l'acceptation d'une vérité conduisaient, entre les lignes, le lecteur vers la croyance — croyance en l'esprit, peut-être en l'Esprit Saint. J'entendis d'Isaiah Berlin une remarque ironique sur l'itinéraire de Polanyi. Étranges, ces Hongrois, dit-il, voici un grand savant qui renonce au prix Nobel pour écrire une médiocre philosophie. A supposer que cette philosophie soit médiocre — ce qui reste à démontrer —, ce jugement néglige une dimension, peut-être essentielle, la dimension personnelle.

M. Polanyi abandonna la recherche scientifique pour mieux s'accomplir lui-même et pour servir les autres hommes. La défense de la liberté, celle des savants et aussi des simples citoyens, importait plus, pour lui et pour tous, qu'une découverte scientifique qu'un autre ferait tôt ou tard à sa place. Son propre accomplissement n'était pas suspendu à la reconnaissance des spécialistes, qu'ils fussent chimistes ou philosophes, il ne dépendait que de la reconnaissance de sa conscience, de sa voix intérieure ; ce qui rendait le contact avec Michael apaisant et enrichissant tout à la fois, c'était précisément la présence de l'esprit que nous discernions en lui. Bien entendu, sa gentillesse, son affabilité ne se démentaient jamais. Mais d'autres hommes supérieurs manifestent de pareilles qualités. Chez lui, quelque chose s'y ajoutait. Sa gentillesse ne s'adressait jamais à un homme quelconque, elle s'adressait à un homme unique qui se sentait compris en son identité. Nos conversations furent relativement nombreuses et je crois qu'une amitié s'était nouée entre nous. Pour le recueil d'hommages, à l'occasion de son 70e anniversaire, j'écrivis une étude intitulée « Max Weber et Michael Polanyi ». Je crois qu'elle lui fit plaisir ; il me remercia d'une lettre que je conserve précieusement. Notre dernière conversation eut lieu à Oxford, le lendemain du jour où un doctorat *honoris causa* me fut conféré par l'Université. J'avais prononcé une très médiocre conférence après avoir reçu le diplôme (sans texte, j'avais improvisé en anglais). Mme Polanyi, digne de lui par son intelligence et par sa bonté, me complimenta de ma conférence. Michael ne se joignit pas à sa femme ; sa véracité n'autorisait pas, surtout à l'égard d'un ami, la complaisance. Il me parla de ce que le monde devait chercher, sinon trouver. Je crois qu'il dit : Dieu. Il n'a jamais, autant que je sache, écrit ce mot.

Un écrivain anglais [1], dans un livre sur les compagnons de route du communisme, esquisse une comparaison entre le *Congrès pour la Liberté de la culture* et les organisations d'intellectuels créées et manipulées par le PC. Des deux côtés, la présidence de personnalités prestigieuses, ici K. Jaspers, là Joliot-Curie ou, avant la guerre, André Gide, des écrivains ou des savants engagés et des militants de parti. Les similitudes formelles dissimulent les différences radicales. Nous n'avons jamais, au Congrès, défendu systématiquement la diplomatie ou la société américaine. En 1955, à Milan, une controverse s'instaura parmi nous entre certains, qui soulignaient et exaltaient presque les réussites économiques du soviétisme, et ceux qui mettaient en doute les statistiques triomphales. Nous écrivions dans *Preuves* comme nous écrivions dans une autre revue. Nous avions, en effet, quelque chose de commun, le refus du communisme. Mais l'anticommunisme pluraliste qui englobait des sociaux-démocrates à une extrémité, des conservateurs à une autre, différait en nature du prosoviétisme des organisations d'intellectuels condamnés à farder la vérité (pour user d'une litote).

Revenons à mon activité de journaliste au *Figaro*. Comparé aux *columnists* américains [2], j'ai relativement peu voyagé, même au cours des dix années de journalisme professionnel. Une seule fois, je l'ai dit, Pierre Brisson me demanda de « couvrir », sur place, la conférence de San Francisco sur le traité de paix avec le Japon, en 1951. L'issue de la pseudo-bataille diplomatique ne faisait de doute pour personne. Tous les États, à l'exception des satellites de l'Union soviétique, suivaient en ce temps les États-Unis. Les représentants soviétiques ne se faisaient aucune illusion. Les journaux américains étalaient sur toute la largeur de la première page (« six colonnes à la une ») : « 100 contre 3. » Les journalistes se demandaient les uns aux autres : pourquoi les Soviétiques ont-ils cherché ici une défaite ? A un correspondant du *New York Times*, je répondis à demi sérieusement : « Parce qu'ils n'ont pas oublié les leçons de Lénine dans *la Maladie infantile du communisme.* » Mon interlocuteur me demanda, sans sourire, s'il pourrait dénicher quelque part, à Washington, ce précieux ouvrage.

Je me débrouillai honorablement de cette épreuve inédite de *reporter*. La difficulté majeure tenait à ma quasi-incapacité d'user de la machine à écrire. Mon ami Nicolas Chatelain, correspondant permanent à Was-

1. David Caute, *les Compagnons de route.*
2. A l'exception de Walter Lippmann.

hington, me donna un coup de main avec son habituelle gentillesse. Pour dire vrai, le vol de San Francisco à Dallas me demeure plus présent que les trois jours de la Conférence. L'appareil qui ramenait vers Washington une partie de la délégation française fut pris dans une tempête qui nous transforma, pendant quelques heures, en épaves humaines, trop malades pour avoir peur. Une exception pourtant : Jacques et Laurence de Bourbon-Busset, serrés l'un contre l'autre, résistèrent aux mouvements fous du fétu qui, par miracle, s'obstinait à tenir en l'air.

L'année précédente, en octobre-novembre 1950, j'avais, pour la première fois, mis le pied sur la terre du Nouveau Monde. Voyage mixte de journaliste et de professeur. J'avais reçu de l'*Institute for Advanced Study*, de Princeton (dirigé par J.R. Oppenheimer), une invitation pour plusieurs semaines. Pierre Brisson me convainquit de ne pas abandonner aussi longtemps le journal et m'offrit un séjour plus court aux États-Unis. Je passai quelques jours à Princeton, mais la plus grande partie du temps à Washington, d'abord chez James Burnham, l'auteur de la *Managerial Revolution*, puis chez mon camarade de lycée, Léonard Rist, qui travaillait à la Banque mondiale.

Je rencontrai, à cette occasion, nombre de journalistes : Walter Lippmann, Joseph Alsop et d'autres. Ai-je beaucoup appris ? J'ai peine à répondre. J'acquis une sorte de familiarité avec cette ville étrange, absorbée de manière quasi obsessionnelle par la politique, qui bourdonne à chaque instant de rumeurs, dans laquelle des dizaines de milliers de personnes depuis le président jusqu'au plus simple journaliste — après tout Nixon a été renversé par deux jeunes reporters — fouinent, intriguent, papotent, curieux du destin des sénateurs ou des rois lointains ; cité provinciale désormais rattachée par des fils innombrables à tous les coins du monde.

C'est de l'entretien avec Dean Acheson que je retiens le souvenir le plus vif. La conversation eut lieu au début de novembre 1950 alors que les mauvaises nouvelles au sujet de la « end the war offensive [1] » commençaient d'affluer. Le secrétaire d'État me dit que ni le comité des chefs d'état-major ni lui-même n'approuvaient la décision de MacArthur. Mais, ajoutait-il, nous n'y pouvons rien. C'est une tradition des États-Unis de laisser une large liberté d'action au commandant d'un théâtre d'opérations (il ne me rappela pas que le comité des chefs d'état-major n'avait guère été favorable au débarquement d'Imchon). Il ne doutait pas que l'intervention des forces américaines en Corée eût préservé le système des alliances américaines : la confiance dans les engagements de Washington n'aurait pas résisté à la destruction de la République de Corée par les chars de Kim Il Sung. Pour le reste, il s'attendait à une défaite et à la retraite de la VIIIe armée.

Mon voyage de 1953 au Japon, à Hong Kong, en Inde et en Indochine m'instruisit tout autrement. Pour la première fois, j'observai direc-

1. Le nom donné par MacArthur à l'offensive qui devait donner la victoire finale.

tement, et non par les livres, des cultures qui diffèrent de la nôtre tout autrement que la culture allemande de la culture française. Dans ma leçon inaugurale au Collège de France, je pris pour exemple de l'*autre* qui nous guérit de la naïveté ethnocentrique, les nazis. J'avais tort : les nazis constituaient un cas pathologique de notre civilisation. A Tokyo, Calcutta, New Delhi, ici les caractères d'écriture et là les vêtements nous jettent aux yeux l'évidence de l'étranger ; ce qui me frappa aussi et, plus d'une fois, créa en moi un malaise, c'est la mince pellicule d'occidentalisation, qui risque de nous dissimuler la réalité authentique.

A Tokyo, ceux qui composaient la branche japonaise du *Congrès pour la liberté de la culture* parlaient le plus souvent le langage des Occidentaux, discutaient de politique en adoptant le vocabulaire américain. Avec les étudiants japonais, mes conversations portèrent souvent sur la démocratie, sur ce qu'elle exigeait. Le Premier ministre de l'époque, Yoshida Shigeru, qui me reçut assez longuement, m'expliqua avec élégance à quel point la hiérarchie traditionnelle, le sentiment de sécurité et l'instruction que l'ancien donnait au jeune, s'accordaient avec le vrai sens de la démocratie. Ainsi le Premier japonais traduisait-il en mots neufs les valeurs traditionnelles de son pays. Ce qui m'indisposa le plus en Inde, ce fut d'entendre de la bouche d'un quelconque « homme saint » les propos conventionnels sur « l'impérialisme américain ». A New Delhi, je fis connaissance de l'ambassadeur de France pour lequel j'éprouvai immédiatement sympathie et respect, le comte Ostrorog, Polonais d'origine et homme de qualité au meilleur sens du terme. De ma demi-heure avec le Pandit Nehru, je ne tirai rien ou presque, bien que je fusse, comme tout un chacun, impressionné par une personnalité à laquelle l'Histoire réserva une destinée hors du commun.

Au Japon, l'Occident était représenté, selon les secteurs, par des Américains, des Allemands ou des Français. En 1953, l'influence américaine dominait en général, mais peut-être la littérature française était-elle mieux connue que toute autre. Parfois, dans une université, c'est en allemand que je causai avec un philosophe de formation phénoménologique ou heideggerienne. Dans l'Inde, en revanche, l'Occident se confond avec l'Angleterre ou les États-Unis. Je ne pouvais me défendre d'admirer la préservation de la culture japonaise en profondeur, dans la famille, dans les manières, dans les croyances, sans que cette continuité ralentît si peu que ce fût l'adoption de la technique ou de l'économie modernes, nécessaires à l'ambition du Japon, guéri des rêves militaires. Puisqu'il renonçait au premier rang par la puissance, l'Empire du Soleil levant s'élèverait au plus haut dans les arts de la paix.

Les conversations avec les intellectuels japonais ne me dépaysaient pas. En ce temps, leurs réactions à la prédominance américaine éveillaient en moi un sentiment de déjà-vu ou de déjà-entendu. Le style décontracté des relations interpersonnelles des Américains contraste avec le quasi-ritualisme de ces mêmes relations dans le Japon éternel.

Certes, les petits Japonais se conduisaient, ici ou là, comme des petits Américains et s'exerçaient au base-ball. Dans mes voyages postérieurs, j'eus l'impression que la tradition tendait à l'emporter sur l'influence extérieure, et je m'interrogeai sur le sens des révoltes d'étudiants qui, au cours des années 60, revêtirent une exceptionnelle brutalité.

En Inde, à cette époque au moins, les foules et leur misère frappaient le voyageur au visage, dès son arrivée. Je débarquai à Calcutta, venant de Hong Kong, et durant les premiers jours, je me demandai comment les privilégiés s'accoutumaient au malheur des autres, aux corps étendus sur les trottoirs pendant la nuit, aux quartiers misérables peuplés de centaines de milliers d'hommes, de femmes, d'enfants dépourvus de tout. A ma honte, je me rendis compte qu'au bout de quelques jours, moi non plus je ne voyais plus l'intolérable. Je découvris, par accident, une règle des mendiants qui m'échappait. En sortant d'un temple, je donnai à un enfant quelques pièces de monnaie. En quelques secondes, je fus entouré d'une meute hurlante de jeunes Indiens qui réclamaient leur dû. Tant que je ne donnais à personne, aucun ne protestait ; dès que j'eus donné à un seul, tous les autres se jugèrent en droit de réclamer à leur tour. Les compagnons qui m'expliquèrent le sens de l'incident sortaient de la *London School of Economics* et m'exposaient des idées fabiennes, socialisantes, qui juraient avec le contexte indien et avec leur propre conduite plutôt imposée que choisie.

Par mes séjours au Japon, peut-être n'ai-je rien ou presque appris que je n'eusse pu apprendre dans les livres. Les conversations, les paysages, les monuments, les foules, tous les souvenirs que nous gardons, les expériences qui nous ont enrichis, créent en nous une illusion de familiarité. Ce que nous savions auparavant, nous le savons autrement. Nous ne sommes plus tentés de reprendre la question de Montesquieu : « Comment peut-on être persan ? » Que ne paierait un latiniste pour vivre, ne fût-ce qu'un jour, dans la Rome impériale au début de notre ère ?

Mes voyages (mises à part mes fréquentes visites aux États-Unis) ont-ils beaucoup servi « l'analyste en chambre » ? Je n'en suis pas sûr. Pour l'essentiel, je ne dispose pas d'autres informations que celles de mes lecteurs, celles qu'eux et moi trouvons dans les dépêches. Tout dépend donc de la connaissance de la conjoncture dans laquelle a lieu l'événement. Par exemple, en 1973, lors du franchissement du canal de Suez par l'armée égyptienne, certains de mes camarades du *Figaro* se laissèrent intoxiquer par les Israéliens de l'ambassade. Roger Massip intitula son article « Le piège », suggérant que les Égyptiens étaient tombés dans un piège tendu par les astucieux Israéliens. Le lendemain — ce que je ne faisais pour ainsi dire jamais —, j'écrivis un éditorial où je m'opposai directement à R. Massip. J'étais convaincu que les Israéliens s'étaient laissé surprendre. Pourquoi ? Je savais — et tout le monde aurait dû le savoir — qu'il n'y avait que quelques centaines de soldats sur la ligne Barlev et que le canal de Suez ne constitue pas un obstacle difficile à franchir. Comment les six cents soldats du Tsahal, étirés sur des centaines de kilomètres, pouvaient-ils empêcher une armée de franchir le Canal ? Quant à réduire la tête de pont égyptienne, comment les Israéliens y parviendraient-ils dans l'immédiat puisqu'ils n'étaient pas encore mobilisés ? L'armée israélienne, en temps de paix peu nombreuse (30 000 hommes environ à l'époque), divisée entre trois fronts, ne pouvait pas prendre immédiatement l'initiative contre l'ennemi principal, l'armée égyptienne. Je me trompai partiellement, puisque les Israéliens jetèrent contre la tête de pont, sans avoir concentré leurs forces, une brigade motorisée qui fut détruite. Je m'étais trompé, parce que je ne pensais pas que le commandement commettrait une telle erreur, victime de sa sous-estimation de l'adversaire.

En une autre conjoncture, ma réflexion solitaire me servit mieux que les rumeurs de Washington. Quand tomba la dépêche annonçant le franchissement du 38e parallèle par les divisions nord-coréennes, j'eus immédiatement la conviction que l'équipe Truman ne laisserait pas disparaître une république formée sous l'égide des Nations Unies, où stationnaient encore des troupes américaines. L'événement coréen — qui, en France ou en Europe, se souciait de la Corée ? — jetait un défi à la République américaine. De la réponse au défi dépendrait le jugement du monde sur les États-Unis : acceptaient-ils le fardeau impérial ? Je ne doutai guère de la réponse, je la laissai entendre et je l'approuvai à l'avance dans un article du 27 juin intitulé « Épreuve de force [1] », tandis que J.-J. Servan-Schreiber télégraphiait de Washington au *Monde*: « L'Amérique ne fera pas la guerre pour la Corée comme elle n'a pas fait la guerre quand le bombardier américain s'est abattu au-dessus de la Baltique... » Mon article insistait à juste titre sur les engagements pris par les États-Unis à l'égard de la Corée du Sud : « ... la sécurité et la prospérité de la Corée du Sud sont la meilleure base de confiance pour tous les peuples d'Asie » (déclaration de Truman) ; « ... j'espère que les journées que je viens de passer ici seront une preuve de plus que la Corée n'est pas abandonnée » (J.F. Dulles, une semaine avant l'agression). J.-J. Servan-Schreiber donnait pour acquise la non-intervention militaire des États-Unis et en concluait que « toute la politique étrangère de l'Amérique doit être entièrement redéfinie et clarifiée ». Il avait raison : si les États-Unis n'étaient pas venus au secours de la Corée du Sud, ils auraient dû redéfinir toute leur politique étrangère — ce qui m'autorisait à prévoir la décision prise effectivement par Truman, dont doutait l'observateur sur place.

Au Proche-Orient, en deux circonstances, je mesurai les chances et les risques de la prévision par raisonnement. Au printemps de 1956, lors de mon premier voyage en Israël, invité par l'université de Jérusalem, je donnai une conférence sur la crise israélo-arabe. Les incidents militaires se multipliaient aux frontières : attaques de feddayin, représailles de

1. Le lecteur trouvera dans le chapitre suivant des extraits de cet article

l'armée israélienne. Tout le monde craignait ou espérait, attendait en tout cas, d'importantes opérations militaires. Ces opérations, disais-je, les grandes puissances les arrêteraient au bout de quelques jours.

Quand vinrent les questions, le Pr Akzin me demanda combien de jours les grandes puissances accorderaient aux belligérants avant de leur enjoindre de suspendre les hostilités, voire de les y contraindre. Je répondis trois jours au minimum, huit ou neuf au maximum. La nationalisation du canal de Suez modifia le contexte de la guerre israélo-égyptienne, mais, en gros, les grandes puissances, les États-Unis en particulier, se conduisirent comme je l'avais prévu. Sans mérite particulier : à l'époque, en 1956, les États-Unis dominaient le système international et usaient de leur puissance pour imposer ou interdire certaines pratiques : en particulier, ils condamnaient et prévenaient, dans la mesure du possible, le recours aux armes.

Dix années plus tard, en 1966, je me trouvai de nouveau en Israël, invité par l'*Institut de Défense nationale,* géré par l'armée pour donner à des officiers un complément de formation stratégique et politique. T. Schelling, H. Kissinger, H. Kahn m'avaient précédé à cette tribune. Ma visite coïncidait avec l'anniversaire de la création de l'État, anniversaire célébré chaque année par un défilé militaire. Après le défilé, je déjeunai avec quelques-uns des généraux. J'engageai une conversation avec le général Weizmann qui commandait à l'époque l'aviation et devait quitter l'armée une année plus tard. Je lui rapportai les questions et mes réponses à l'université, dix ans auparavant : « Si vous êtes si bon aux pronostics, dites-moi ce qui se passera dans les prochaines années. » Je lui répondis dans les termes suivants : « Raisonnablement, Nasser ne devrait pas déclencher une autre bataille avant une modification sensible du rapport des forces. Pour l'instant, une fraction de l'armée égyptienne est embourbée au Sud-Yémen. Israël ne devrait donc pas, si les événements obéissent à la logique, affronter de périls au cours des prochaines années. — *So, we will have a dull life* », répondit le chef de l'aviation, aujourd'hui « colombe » (il participa aux négociations avec Sadate). L'année suivante eut lieu la guerre des Six Jours ; Nasser s'était conduit de manière « déraisonnable ». Ses conseillers militaires lui avaient dissimulé la vulnérabilité de l'aviation égyptienne et lui-même avait surestimé ses moyens militaires et politiques. Pour ma part, j'avais sousestimé le risque d'accident en une conjoncture explosive comme celle du Proche-Orient.

Une autre erreur, moins excusable, me reste à la mémoire. Les opérations militaires entre Chinois et Indiens, aux frontières de l'Himalaya, en 1962, ne pouvaient, en aucun cas, s'amplifier en une véritable guerre comme je le pensai un moment. Aucun de ces deux États n'y avait intérêt ni n'en avait les moyens. Bien plus, si j'avais étudié la tradition militaire et diplomatique de l'Empire chinois, j'aurais immédiatement saisi la nature des hostilités, de la « leçon » infligée par la Chine, et je n'aurais pas douté de l'arrêt prochain des hostilités au lieu d'envisager une avance des troupes chinoises [1]. Du coup, je décidai d'étudier la tradition diplomatique et militaire de l'Empire du Milieu.

Il va de soi que l'analyse de la politique, intérieure ou extérieure, n'a pas pour mission, dans un journal quotidien, de prévoir le cours des événements, même à très court terme. Elle doit faire comprendre l'événement en l'insérant dans un ensemble plus vaste : éclairer une décision américaine par la conception des dirigeants de Washington, par les diverses contraintes et pressions auxquelles ils sont soumis, ou bien expliquer l'intervention soviétique en Tchécoslovaquie par le système soviétique, la vision du monde, le code de conduite des hommes du Kremlin. La prophétie nietzschéenne — de grandes guerres se livreront au XXe siècle pour la domination du monde au nom de philosophies rivales — se confirme devant nos yeux, depuis plus d'un demi-siècle. Les analystes de la politique mondiale, et plus encore les hommes d'État français, se trompèrent durant les années 30, parce qu'ils s'obstinaient à voir l'Europe au centre de l'univers, à considérer le IIIe Reich comme une modalité, à peine originale, de l'Empire wilhelmien, à ne pas croire que l'Union soviétique différait en nature de la Russie tsariste. Les journalistes d'aujourd'hui apprennent, dans les écoles de journalisme, des talents, des trucs, des techniques que n'importe qui apprend en quelques mois sur le tas. En revanche, ces écoles n'enseignent pas l'essentiel : l'histoire et la culture des peuples, la théorie et la pratique de Lénine et de Staline, le fonctionnement de la Constitution américaine. Si la lecture du journal est la prière du matin de l'homme moderne, selon la formule de Hegel, alors le journaliste se trouve investi d'une tâche *weltgeschichtlich*[2], à un niveau inférieur. Il doit insérer l'événement dans le réseau planétaire et du même coup lui donner son sens et sa portée.

Golo Mann me rappela, alors que je m'enfonçais dans le journalisme avec mauvaise conscience, que Max Weber avait tancé ses collègues *Ordinarius* pour rabattre leur superbe : il leur avait rappelé ou peut-être appris qu'ils ne seraient pas tous capables de remplacer au pied levé les éditorialistes ou même les simples commentateurs. Le mépris du professeur en tant que tel à l'égard du journaliste en tant que tel me paraît en effet injustifié ou, pour mieux dire, ridicule. Les érudits ne sont pas tous intelligents ; même les économistes professionnels ne parviennent pas toujours à analyser une situation ou à exposer une thèse en quatre feuillets. Celui qui peut le plus ne peut pas toujours le moins. Certes une copie d'agrégation de philosophie requiert davantage de culture qu'un éditorial du *Monde* ou du *Figaro,* mais l'agrégé ne devient pas toujours un bon éditorialiste. Il reste que le journaliste moyen se sent d'ordinaire « snobé » par l'universitaire, même s'il adopte parfois à son égard une attitude de supériorité. Quand je dis un jour à Lazareff que, dégoûté par la politique de la IVe République, je voulais rentrer à l'*Alma mater,* il me

1. Dans un article du *Figaro* du 21 novembre 1962.
2. Qui le met en rapport avec l'histoire du monde.

regarda comme si je me trouvais au bord du suicide et murmura : « Oh, non, ne fais pas cela. »

Avant la guerre, Roger Martin du Gard, qui me voulait du bien, me laissa entendre que je possédais les qualités nécessaires au journalisme politique. Je lui laissai entendre, en retour, que la philosophie valait mieux que le journalisme. Il n'insista pas, mais songeant à la condition médiocre ou obscure du professeur, probablement préférait-il pour moi — et pour Suzanne — une autre place dans la société.

Bien entendu, une fois dans la place, j'ambitionnai comme tout un chacun — un peu plus que tout un chacun — le prix d'excellence. Ni à *Combat* ni au *Figaro*, je ne pus le décrocher puisqu'il revenait en droit et en fait à Albert Camus ou à François Mauriac, l'un et l'autre doués d'un talent littéraire que je ne possédais pas et qui, du reste, s'accordait malaisément avec les rigueurs de l'analyse économique ou diplomatique. Cependant, les satisfactions d'amour-propre ne me manquèrent pas. Je dirais même que la tentation de ce métier tient, pour une part, aux éloges immédiats qui récompensent un article bien au-delà de ses mérites, alors que le livre, le plus souvent, fraie péniblement sa voie parmi d'innombrables concurrents.

Un ministre de la IVe (Petsche) me dit, dans une conversation privée : « Vous êtes, à ma connaissance, le seul qui ait acquis une influence politique exclusivement par la plume. » Influence douteuse en fait, diffuse, peu mesurable. Pierre Lazareff, avec qui j'entretenais des relations cordiales quoique intermittentes, m'envoya, le 25 février 1960, ce petit mot : « Cher Raymond, je n'écris jamais — c'est une mauvaise habitude qui vient du manque de temps — pour dire « bravo » à l'auteur d'un article que j'apprécie. Sans cela, je t'écrirais après la publication de chacun de tes articles. Mais celui de ce matin est si pertinent, si utile, correspond tant à ce que je pressens des vrais dangers qui nous menacent que je ne puis résister au désir de te le dire. Il faut sans cesse tirer sur cette cloche. Lutte idéologique, oui, mais dans la liberté ou sans cela — comme je l'ai dit à la radio à M. Adjoubei — on remplacera la « guerre froide » par une « paix froide » qui sera la même chose mais plus dangereuse car elle fera moins peur. Heureusement qu'il y a Raymond Aron. Je le dis comme je le pense et je t'embrasse. » W. Baumgartner me dit plus d'une fois qu'il prévoyait, presque à tout coup, le sujet que je traiterais dans l'article économique de la semaine, qu'il lisait régulièrement. Il prenait plaisir à certaines de mes analyses et formules. Par exemple : « Le soviétisme, c'est l'électrification et le blé du Middle West. »

Ces satisfactions à fleur de peau, au bout de peu d'années, me laissèrent inquiet, amer. Il se peut que j'aie progressé entre mon entrée au *Figaro* en 1947 et le moment de mon départ en 1977. Il se peut aussi que le feu se soit peu à peu éteint et que l'expérience ait étouffé l'imagination. Ce qui, à mes yeux, compromet le métier de journaliste, c'est la possibilité d'y exceller immédiatement et la difficulté d'y progresser, à la différence de celui de l'écrivain ou du savant. Certes le journaliste est contraint, lui aussi, de se renouveler, quoi qu'il en ait, de ne pas se laisser prendre de vitesse par les événements, de ne pas s'accrocher à une représentation du monde qui, déjà, appartient au passé.

Il m'a toujours manqué le goût de la nouvelle, caractéristique du journaliste. J'admirais en Pierre Lazareff, animateur hors pair, un talent, une manière d'être qui me sont parfaitement étrangers. A quoi bon, sinon pour faire sensation, l'impatience d'obtenir une information quelques heures avant les autres ? Si celle-ci est importante, on aura toujours le temps d'y réfléchir ; si elle ne l'est pas, à quoi bon s'exciter ?

Étais-je suspect de regarder de haut les professionnels ? Peut-être mais, en ce cas, à tort. Pourquoi aurais-je méprisé globalement ces hommes et ces femmes, je suis tenté de dire ces garçons et ces filles, tant ils me paraissaient jeunes pour ainsi dire par profession. A l'intérieur des rédactions que j'ai fréquentées, certains me plurent, d'autres moins ; certains m'aimaient bien, d'autres non. Quand je dirigeai la toute petite équipe du *Figaro* chargée de l'économie, les rédacteurs ne se plaignaient pas de nos entretiens hebdomadaires. Avec Roger Massip, qui dirigeait la rubrique de politique étrangère, les occasions de froissement risquaient de surgir chaque jour : notre collaboration fut sans nuages. Ceux qui, au *Figaro,* me supportaient le plus mal, M. Gabilly ou J. Griot, n'avaient, je crois, rien à me reprocher sinon d'être ce que je suis.

X

LE PARTAGE DE L'EUROPE

Je m'étais fait, dès le lendemain de la capitulation du IIIe Reich, une vue d'ensemble de la conjoncture européenne, sinon planétaire. Je surprenais souvent mes interlocuteurs, à *Point de Vue,* en affirmant que l'Allemagne demeurerait divisée pendant au moins une génération. Vingt ans plus tard je repris encore volontiers le même pari. Bien plus, le danger allemand, tel que les Français l'avaient connu entre 1870 et 1945, appartenait au passé. État du milieu, le Reich, quand il tenait la première place en Europe, se sentait encerclé et, simultanément, suspendait une menace sur le voisin de l'Est comme sur celui de l'Ouest. Menace réelle puisqu'à n'en pas douter il l'emportait aisément sur chacun de ses voisins séparés. L'alliance de revers s'imposait à la France pour équilibrer la puissance germanique. Mais, du même coup, l'alliance franco-russe d'abord, puis la grande alliance des Anglo-Américains et des Russes étouffèrent le Reich, le IIe ou le IIIe, d'un cercle d'acier. L'Allemagne d'après 1945, amputée à l'est, un fragment de son peuple soumis à un régime soviétique, ne possédait plus de ressources supérieures à celles de son voisin slave : l'Union soviétique, maîtresse des pays qui la séparaient auparavant de l'Allemagne ; pas davantage elle ne surclassait désormais, comme elle l'avait fait en 1940, la France ou l'alliance franco-anglaise ; bien plus, l'alliance de l'Ouest incluait désormais les États-Unis. L'Allemagne croupion de l'Ouest ne faisait plus le poids face au géant du Nouveau Monde.

Pour le court terme, au moins une vingtaine d'années, l'Allemagne de l'Ouest appartiendrait nécessairement, que les Français le voulussent ou non, au même camp que la France, camp occidental ou démocratique. Français et Allemands, inévitablement, subiraient ou assumeraient un destin commun. Les arguments de la raison se heurtaient aux émotions du cœur. Ai-je écrit pendant la guerre quelques textes que l'on peut baptiser anti-allemands et non pas seulement antihitlériens ? Peu nombreux en tout cas. J'ai écrit peut-être aussi des articles qui, après coup, me semblent dérisoires, qui envisageaient des précautions contre le « danger allemand » du passé. Mais, dès la Libération, en tout cas dès la fin de la guerre, le partage de l'Europe, le rideau de fer, l'extension de la Pologne jusqu'à la ligne Oder-Neisse me débarrassèrent une fois pour toutes des images du passé. Le rêve de ma jeunesse — la réconciliation franco-allemande —, la ruse de la Raison nous en donnait une deuxième occasion : celle-là, il ne fallait pas la manquer. Quand je revins pour la première fois en Allemagne, en 1946, je détestai le régime d'occupation et j'eus honte des « bombardements de zone », contraires aux lois de la guerre, qui avaient réduit en ruines des villes entières sans une efficacité militaire à la mesure des pertes infligées à la population.

Je fis en 1946 une conférence à l'université de Francfort, entourée de gravats, à demi épargnée au milieu d'une population mal nourrie. J'y rencontrai Hans Mayer qui n'était pas encore passé à l'Est (et que je retrouvai, il y a quelques années, revenu à l'Ouest). Ce qui me frappa le plus, ce sont les regards de haine qui se concentrèrent sur moi, à une gare, alors que, pour prendre mon billet, je passai devant la queue des Allemands en usant du privilège de l'occupant. Quelques années plus tard, à Tunis, je détestai, avec la même spontanéité, le régime colonial, bien que celui-ci ne fût pas un des pires.

A partir de cette analyse, primitive mais fondamentale, je fus systématiquement favorable aux mesures dont les Américains et les Anglais prirent l'initiative, création de la bizone, puis de la trizone, fin des démantèlements, création de la République fédérale allemande, réarmement de la République de Bonn, égalité des droits. L'évolution s'est déroulée telle que je la prévoyais et la souhaitais (sans que la résistance française eût fait beaucoup de mal). Il n'en est pas moins légitime de se demander si j'avais raison de pousser à la roue, si les choses auraient pu se passer autrement.

Que l'on se souvienne des conceptions du général de Gaulle en 1945-1947 : les vetos qu'opposa le représentant de la France, à Berlin, à toutes les mesures qui tendaient à la création d'une administration unique pour les quatre zones, les déclarations publiques en 1947 pour condamner la décision prise par les Trois de créer la trizone, et, au-delà, la République fédérale allemande. Encore à cette date, le Général rejetait l'idée même d'un Reich : il souhaitait une fédération qui rassemblerait des Länder. Il s'accrochait à une thèse de Bainville et de Maurras, qui, dans la conjoncture des années d'après-guerre, me semblait anachronique, pour ne pas dire davantage. Le Général raisonnait, au moins en apparence, comme si l'Allemagne demeurait le perturbateur potentiel alors que, de toute évidence, le rôle était repris, pour une période indéterminée, par l'Union soviétique.

Je trouve, dans une conférence de presse du 12 novembre 1947, l'expression des thèses du Général à propos de l'Allemagne, à l'occasion d'un discours du général Marshall, secrétaire d'État des États-Unis. J'en détache les passages les plus importants : « C'est la reconstruction économique de l'Europe qui est aujourd'hui la première préoccupation de ceux qui veulent bâtir le monde dans des conditions qui lui permettent de vivre et peut-être de rester en paix. A ce point de vue, la France ne conçoit pas que ce qui constituait naguère l'Allemagne n'entre pas dans la coopération économique qu'il s'agit de bâtir. Il est tout à fait certain que la France n'a jamais pensé à exclure, par esprit de vengeance, ceux qui sont allemands, de l'économie européenne. Mais cela n'empêche pas que la France, après ce qui lui est arrivé plusieurs fois et qui a failli la faire mourir, la France se doit à elle-même et doit aux autres que l'Allemagne ne reparaisse jamais comme une menace. Les Allemands doivent renaître comme des hommes associés à l'effort commun de l'humanité pour sa reconstruction et spécialement à l'effort commun de l'Europe, mais jamais plus ils ne doivent retrouver les moyens de redevenir une menace. Pour que l'Allemagne ne redevienne pas une menace, la France propose un moyen pratique, éprouvé par l'Histoire et répondant à la nature des choses : l'Allemagne ne doit pas redevenir le Reich, c'est-à-dire une puissance unifiée, centralisée autour d'une force et nécessairement amenée à l'expansion par tous les moyens. *Nous ne voulons pas de Reich.* »

Le Général envisageait les deux éventualités : l'accord des Alliés sur la reconstruction d'*une* Allemagne et l'absence d'accord. Mais, dans les deux cas, le refus du Reich demeurait le même impératif suprême : « Si l'Allemagne doit rester coupée en deux, c'est sous cette forme également que doit être organisée l'Allemagne occidentale. » En quoi consiste cette forme ? « L'avenir de l'Allemagne tel que nous l'envisageons, nous, ce n'est pas le Reich, c'est une Allemagne reconstruite à partir des États allemands. Nous ne voyons en outre aucun inconvénient à une fédération de ces États dans laquelle chacun jouira de ses droits naguère écrasés par le Reich. Cette fédération, avec un « contrôle interallié pour empêcher les bêtises », spécialement un contrôle dans la Ruhr, et avec des conditions de fournitures, en particulier de charbon, cette fédération peut très bien être l'avenir de l'Allemagne. Avec les États de cette même fédération la France n'aurait aucune difficulté à conclure des traités économiques : c'est la nature même des choses. » Les traités économiques seraient-ils signés avec les États ou avec leur fédération ? En tout cas, le Général invitait la France à ne pas « abandonner les gages qu'elle tient dans les mains », autrement dit à ne pas consentir à la fusion des trois zones d'occupation tant que subsistait le risque de résurrection du Reich.

La conception du Général rappelle évidemment celle de Jacques Bainville et de l'Action française, mais la notion même « plus jamais de Reich » demeure équivoque : si les États allemands concluent entre eux une fédération, en quoi cette fédération diffère-t-elle d'un Reich qui, en dépit de la résonance historique du mot, n'impliquait rien de plus, en 1946 ou en 1947, que la formation d'un État allemand ?

Le Général prenait très au sérieux le refus du Reich ; André Malraux aussi qui me disait, de temps à autre : « ils — les hommes de la IVe — vont tout lâcher ». Le Général n'en démordait pas, comme en fait foi la déclaration qu'il fit publier le 9 juin 1948 en réponse aux recommandations de la Conférence de Londres sur l'avenir des zones occidentales d'occupation, autrement dit la formation de la trizone qui devint l'année suivante la République fédérale d'Allemagne.

Le Général prévoyait justement que les Russes bâtiraient eux aussi, à leur manière, un État allemand. Mais la rivalité entre les deux États allemands lui paraissait lourde de risques mortels pour la paix et pour la France[1] : « Une seule question dominera l'Allemagne et l'Europe : « Lequel des deux Reich va faire l'unité », puisqu'il est conclu et proclamé que « l'unité est l'avenir de l'Allemagne » ? On peut prévoir quelle concurrence dans le nationalisme se déchaînera, à partir de là, entre Berlin et Francfort, et quelle atmosphère internationale va en résulter. Si les secousses qui menacent de se produire entre les Allemands et entre les puissances, par suite de la rivalité des deux Reich, n'amènent pas bientôt la guerre, on peut, du moins, deviner lequel des deux camps allemands sera assez dur et rigide au-dedans, assez puissamment soutenu du dehors, pour gagner finalement la partie. On peut même imaginer qu'un jour l'unité allemande, réalisée une fois de plus autour de la Prusse — mais cette fois d'une Prusse totalitaire, liée corps et âme à la Russie soviétique ainsi qu'aux États « populaires » de l'Europe centrale et balkanique — apparaîtrait à la lassitude, à l'insularité ou à l'illusion des Anglo-Saxons, comme la solution d'« apaisement ».

La Ruhr intégrée à l'Allemagne, pas de garanties pour les réparations, formules vagues sur la durée de l'occupation militaire : « la France se trouverait en état de danger permanent ». Et, un peu plus loin : « nous sommes au bord d'un abîme ». Après le réquisitoire, les objectifs : « Plus de Reich ! Parce que le Reich constitue automatiquement un mobile et un instrument pour les instincts dominateurs de l'Allemagne, *a fortiori* lorsque ces instincts pourraient être tentés de s'unir à d'autres. » Une fois de plus, le Général insistait, avec plus de force encore, sur *des* États allemands « dont chacun aurait ses institutions, son caractère, sa souveraineté, pouvant se fédérer entre eux et entrant dans un groupement européen où ils trouveraient le cadre et les moyens de leur développement... » La souveraineté des États allemands et la notion de fédération semblent contradictoires, selon le sens ordinaire de ces mots. En conclusion, le Général recommandait le refus des accords de Londres et la reprise des négociations.

Je n'acceptai ni le réquisitoire ni les recommandations. Convaincu que la séparation des deux Allemagnes, l'une soviétique, l'autre occidentale, durerait, les revendications de sécurité à l'égard d'une Allemagne amputée et divisée me semblaient inactuelles ; face à la seule Allemagne de l'Ouest, quelque peu ridicules. Quant aux prévisions de la victoire

1. Déclaration du 9 juin 1948.

inévitable de l'Allemagne de l'Est sur celle de l'Ouest, je les rejetai à l'époque et les événements les ont démenties jusqu'à présent. Quand le général de Gaulle revint au pouvoir en 1958, il eut l'intelligence d'oublier ses conceptions, dépassées par les événements.

En 1949, la République fédérale allemande fut proclamée, la Loi fondamentale *(das Grundgesetz)* ayant été finalement approuvée par les autorités occupantes. Dans ses discours et déclarations de 1949, le général de Gaulle maintint ses critiques et ses thèses. Cependant la discussion du pacte de l'Atlantique prit le pas sur celle de la reconstitution du Reich. Aux États-Unis, celui qui passait pour le plus prestigieux des commentateurs politiques, dénonçait la politique américaine en Europe. Walter Lippmann refusait une politique fondée sur l'hypothèse de deux Allemagnes, l'une soviétique, l'autre occidentale, et il affirmait, avec une incroyable assurance, que les Allemands n'accepteraient jamais que leur territoire fût divisé en deux.

La lecture, trente ans plus tard, des articles de Walter Lippmann rédigés au printemps de 1949 donne une leçon de prudence à ceux qui acceptent l'ingrate mission de réagir aux événements et d'en dégager immédiatement la signification, avant que les suites s'en développent.

Citons quelques extraits de ces articles à la fois pour restituer les débats de l'époque et pour situer ma propre position. Dans le *New York Herald Tribune* du 15 avril 1949, il décrète, avec quelque arrogance intellectuelle, que l'arrangement militaire conclu à Washington équivaut à la cessation de l'occupation militaire : « Tout cela montre qu'autogouvernement et occupation militaire sont comme l'huile et l'eau : ils ne peuvent pas se mélanger. Nous ne pouvons pas nous attendre à une République fédérale allemande gouvernant l'Allemagne occidentale tant que nous l'occupons. Nous devons prévoir que l'Assemblée et les partis que nous avons autorisés à organiser le gouvernement allemand mettront fin à l'occupation et négocieront le règlement avec l'Allemagne de l'Est si nous sommes incapables nous-mêmes de négocier ce règlement. » W. Lippmann allait encore plus loin : l'arrangement militaire ne serait même pas une solution temporaire.

Dix jours plus tard, W. Lippmann décrète sur le même ton : « Le fait fondamental que nous préférons ne pas reconnaître est que les Allemands ne croient pas à notre conception d'un État allemand occidental... Si nous leur imposons cet État, ils l'utiliseront au mieux, usant de la machine gouvernementale pour liquider ou annuler notre contrôle et établir leurs propres termes d'un règlement avec l'Allemagne orientale et le gouvernement soviétique... Si nous n'avons pas de possibilité d'un règlement allemand avec l'accord des quatre puissances, les Russes possèdent une autre politique, négocier le règlement directement avec les Allemands. » Le mois suivant, W. Lippmann allait encore plus loin dans l'invention. Comme la République fédérale allemande, en dépit des prophéties du maître à penser, s'obstinait à naître, le commentateur, impavide, trouva dans son imagination les causes secrètes, inavouées, d'une réalité incompatible avec la représentation qu'il s'en faisait. « Les délibérations parlementaires à Bonn ne deviennent intelligibles qu'à la condition de comprendre qu'elles sont accompagnées par des discussions clandestines entre l'Allemagne occidentale et l'Allemagne orientale qui est en contact avec les Soviétiques. Elles sont intelligibles seulement si nous abandonnons l'idée que l'objectif majeur des Russes est de répandre le communisme et si nous lui substituons le souvenir que les ententes russo-allemandes ont été fondées dans le passé et peuvent l'être dans l'avenir non sur l'idéologie mais sur l'intérêt national. » Terminons ces citations sur une phrase de l'article du 20 mai 1949 : « La Constitution de Bonn est manifestement un document ambigu en vue de négociations avec les Russes... »

Pourquoi un homme aussi cultivé, aussi intelligent, pouvait-il se tromper à ce point ? Pourquoi, afin de soutenir jusqu'au bout ses erreurs, supposait-il des négociations secrètes entre Ulbricht et Adenauer, éventualité que, à l'époque, quiconque connaissant si peu que ce fût les deux hommes tenait pour strictement impossible ? La raison me paraît simple : Lippmann se refusait à voir les faits et les hommes, parce que ni les uns ni les autres ne s'accordaient avec sa conception globale de l'Histoire, avec sa thèse de la primauté de la nation sur l'idéologie. De même, nous qui reconnaissions la force du lien idéologique dans le communisme, nous avons commis une erreur comparable, de sens contraire : nous avons tardé à percevoir le schisme soviéto-chinois ou nous en avons sous-estimé la gravité.

Dans le cas de W. Lippmann, son obstination dans l'erreur demeure aujourd'hui encore presque incroyable. Il suffisait de visiter l'Allemagne pour échapper à certaines aberrations. En 1950, je donnai à Francfort un discours aux étudiants allemands, à l'occasion de la visite du chancelier (je l'ai déjà mentionné). Je développai la thèse que le partage de l'Allemagne ne se séparait pas de celui de l'Europe elle-même et que le premier durerait aussi longtemps que le second. Le lendemain, commentant avec bienveillance mon discours, la *Frankfurter Allgemeine* me reprochait de prêter aux Allemands de l'Ouest le souci obsessionnel de leurs compatriotes de l'Est. La défaite avait été à ce point totale, les conditions de vie demeuraient à ce point difficiles que les Allemands de l'Ouest songeaient plus à la reconstruction de leur pays qu'à une réunification qu'ils jugeaient provisoirement exclue. Il se peut que nombre d'Allemands aient assisté avec scepticisme à l'instauration d'une République, à l'ombre des armées d'occupation. Mais aucun d'entre eux ou presque ne songeait à des conversations secrètes entre le secrétaire du parti ouvrier unifié de l'Allemagne de l'Est et le chancelier Adenauer, président du parti démocrate-chrétien. Il se peut que la présence, à la tête de ce parti, d'un Rhénan, peu sensible à la tradition prussienne, ait facilité la formation de la RFA où les catholiques équilibraient à peu de chose près les protestants. De toute façon, une fois le désaccord des Quatre sur l'Allemagne acquis, que pouvaient faire les Anglo-Américains sinon ce qu'ils firent, construire une Allemagne occidentale ? Celle-ci, aujourd'hui encore, trente ans plus tard, demeure fidèle à l'Alliance atlantique et ne sacrifie pas sa liberté à l'espoir de la réunification, bien que la social-démocratie, à l'origine hostile à la fondation de la RFA, soit sensible de nouveau à la tentation de l'Est.

Je connais des fonctionnaires français qui discutèrent avec les Russes en 1945-1946 et qui continuent à croire que la rupture n'était pas inévitable. D'autres historiens insistent sur la responsabilité des Français qui opposèrent un veto à toutes les mesures qui auraient mis en application le principe, affirmé à Yalta et à Potsdam, à savoir une administration centrale, à Berlin, qui aurait coiffé les quatre zones d'occupation. Les Français, à coup sûr, facilitèrent la tâche des Soviétiques ; mais les faits ne laissent guère de doute. Les Soviétiques amenèrent avec eux les communistes allemands destinés à gouverner le pays ; ils s'employèrent immédiatement à créer des faits accomplis. Deux d'entre eux revêtaient une valeur symbolique et politique : l'unification des partis socialiste et communiste d'une part, la collectivisation agraire d'autre part. La première mesure annonçait la disparition du pluralisme partisan, même si, en droit et sur le papier, les partis non communistes survivaient ; la deuxième inaugurait l'ordre social de type soviétique. Rien de pareil ne se produisit dans la zone soviétique en Autriche ; c'est pourquoi j'ai toujours cru à la réunification de l'Autriche et jamais à celle de l'Allemagne.

C'est en 1947 que le gouvernement français se résigna ou se rallia à la politique anglo-américaine à l'égard de l'Allemagne et participa à la création de la trizone et de la République de Bonn. Il semble curieux, avec le recul, que la décision française ait été provoquée par le refus de Staline d'accéder aux revendications françaises au sujet de la Sarre, à savoir le rattachement du bassin charbonnier à l'économie française (qui s'intéresse aujourd'hui à la Sarre ?). Peut-être G. Bidault saisit-il cette occasion de sortir la France de l'impasse dans laquelle le général de Gaulle l'avait engagée : à la longue, la France ne gagnait rien à paralyser la reconstruction de l'Allemagne en exigeant des mesures de précaution ou de punition qu'elle ne gardait aucune chance d'imposer.

Le premier grand débat de l'après-guerre se déclencha à propos du pacte de l'Atlantique Nord et de la neutralité. Les deux questions se rattachaient l'une à l'autre mais ne se confondaient pas. Le refus du pacte de l'Atlantique Nord n'impliquait pas la neutralité. Le débat sur la neutralité (ou le neutralisme) se déroula, non sans confusion, entre Étienne Gilson et *le Figaro* (moi-même inclus), entre Hubert Beuve-Méry et Pierre Brisson.

Les survivants de l'après-guerre se souviennent de « l'affaire Gilson », dont je n'ai connu que certains aspects et dans laquelle je fus impliqué, contre mon gré. Tenons-nous-en d'abord aux textes.

E. Gilson publia dans *le Monde* plusieurs articles dont je retiens trois, le premier daté du 25 décembre 1948, intitulé « Un peuple juste », le deuxième, du 2 mars 1949, intitulé « L'alternative », un troisième, du 6-7 mars 1949, intitulé « L'équivoque ». Dans le premier, il attaquait vigoureusement la presse américaine, la manière dont elle traitait la France. Les Américains se plaisent à couvrir leurs décisions d'opportunité par des arguments moraux. Ainsi à propos de la Chine : « Il n'en est que plus curieux de voir journaux et revues procéder en ce moment à une exécution morale de la Chine et prouver qu'il est juste de laisser ces barbares aux prises avec d'autres barbares. Il ne suffit pas que ce soit une cause perdue, on veut que ce soit une mauvaise cause. On ne se contente pas de dire, comme il serait si simple, que l'affaire ne peut plus être sauvée, on s'acharne à prouver qu'elle ne mérite pas de l'être, surtout si, comme il arrive, on se sent pour quelque chose dans l'état où elle est. » Des commentaires analogues auraient été pertinents au cours de la dernière phase de la guerre du Vietnam.

E. Gilson détectait, dans la presse américaine, les premiers signes d'un « lâchage » de cette sorte à l'égard de la France ou de l'Europe. « On pourrait nous lâcher parce que nous sommes inutilisables mais, puisqu'on commence à nous prouver que nous sommes coupables, c'est le signe certain qu'on se prépare à nous lâcher. » Pour conclure, le philosophe exprimait, lui aussi, le ressentiment français : « En 1914, en 1939, nous avons été en première ligne. Nous sommes même assez corrompus pour ne pas désirer qu'on nous refasse le coup de 1939 ; s'il doit y avoir demain une guerre mondiale américaine, l'extrême pointe d'avant-garde ne saurait être ni française, ni anglaise, ni moins encore allemande. C'est le tour des États-Unis. »

Ressentiments et conclusion parfaitement compréhensibles, mais les États-Unis bénéficient d'une géographie qu'ils doivent à la nature, non à la ruse ou à l'égoïsme. Pas davantage ils ne portent la responsabilité de la guerre de 1914 : les Européens eux-mêmes se sont lancés dans la guerre dont les États-Unis ont déterminé l'issue par leur intervention mais à laquelle ils n'étaient ni moralement ni politiquement tenus de participer. Faut-il leur reprocher d'être arrivés aussi tard ou se souvenir que, sans eux, nous aurions perdu la guerre ? En 1939, Hitler ne menaçait pas les États-Unis comme il menaçait la France et la Grande-Bretagne. Il n'y a pas eu de « coup de 1939 ». La question, en 1949, se posait de la même manière : la menace soviétique pèse-t-elle d'abord sur les Européens ou d'abord sur les États-Unis ?

Le deuxième article portait sur le pacte de l'Atlantique lui-même et exprimait clairement l'objection qui fut utilisée par tous les adversaires du traité : les États-Unis honorent leurs engagements mais pas au-delà de leurs engagements. Or, les formules utilisées, suffisamment vagues pour être acceptables au Sénat américain, n'auraient aucune valeur, ni en elles-mêmes, ni pour les Soviétiques : « Quand M. Vandenberg dangereusement naïf assure que la simple reconnaissance formelle d'une « communauté d'intérêt en cas d'attaque armée contre la communauté atlantique » serait une assurance précieuse contre la guerre, il s'illusionne s'il croit que les Russes ne comprendront pas aussi bien que nous le sens de cet article. »

A partir de là, la conclusion : « Nous n'avons d'autre choix qu'entre un engagement, non point moral mais militaire, des États-Unis avec toutes les précisions qu'il requiert ; ou bien, si les États-Unis refusent de se battre en Europe, ce qui est leur droit, notre refus de nous sacrifier pour les États-Unis, ce qui est le nôtre. » Un an après la signature du pacte, l'engagement moral s'était transformé en un engagement militaire par la création de l'OTAN. De toute manière, l'expression de Gilson « les États-Unis achètent notre sang avec des dollars » m'apparaissait exorbitante. L'Europe se sentait, à tort ou à raison, menacée par l'Union soviétique ; c'est elle qui demandait la protection des États-Unis. Aurait-il suffi de rompre les liens avec les États-Unis pour assurer notre sécurité ?

Le troisième article, du 6-7 mars 1949, revenait sur le contenu exact du traité. Le Sénat ne veut pas que les États-Unis soient contraints par le traité à répliquer militairement à une agression militaire dans la région de l'Atlantique Nord. Gilson reprenait l'idée centrale que l'on trouvait un peu partout dans les propos et les écrits des hommes d'État ou des commentateurs : nous ne voulons pas d'une troisième invasion de l'Occident « au prix de laquelle les deux précédentes apparaîtraient comme des parties de plaisir ».

Bien plus qu'Étienne Gilson, c'est bien entendu Hubert Beuve-Méry qui symbolisa la doctrine de la neutralité ou — ce qui serait peut-être plus exact — l'opposition au pacte de l'Atlantique, plus généralement à l'adhésion de la France au bloc anglo-américain. L'origine de notre différend remonte à la fin de la guerre. Les modalités de l'occupation soviétique en Europe de l'Est, zone allemande incluse, me convainquirent immédiatement que les troupes soviétiques resteraient sur la ligne de démarcation à moins qu'elles n'en fussent refoulées (ce qui me paraissait improbable). H. Beuve-Méry, dès le lendemain de l'écrasement du IIIe Reich, redouta ce que moi-même j'annonçais, à savoir la récupération par chacun des deux Grands d'un des morceaux de l'Allemagne. Avant même la fin des hostilités en Europe, les textes de H. Beuve-Méry, rédigés pendant l'Occupation et reproduits dans *Réflexions politiques 1932-1952,* laissent paraître la philosophie qui inspira les prises de position diplomatiques.

On trouve, dans ce recueil, un rapport rédigé non par H. Beuve-Méry mais par un de ses amis qui avait fait l'aller et retour entre la France occupée et Alger. J'extrais de ce rapport les lignes suivantes : « Les Américains constituent un véritable danger pour la France. C'est un danger bien différent de celui dont nous menace l'Allemagne ou dont pourraient éventuellement nous menacer les Russes. Il est d'ordre économique et d'ordre moral. Les Américains peuvent nous empêcher de faire une révolution nécessaire et leur nationalisme n'a même pas la grandeur tragique du matérialisme totalitaire. S'ils conservent un véritable culte pour l'idée de liberté, ils n'éprouvent pas un instant le besoin de se libérer des servitudes qu'entraîne leur capitalisme. Il semble que l'abus de bien-être ait diminué chez eux la puissance vitale de façon inquiétante. » Hubert Beuve-Méry commentait ce rapport par les lignes suivantes : « Je n'ai rien à ajouter à ce témoignage qui laisse percer en filigrane les linéaments de la politique future : la nécessité d'une révolution intérieure qui intègre aux éléments valables de la révolution nationaliste et de la révolution communiste, la nécessité de vastes organisations internationales de type fédéral permettant le libre épanouissement de chaque groupe, la marche difficile, semée d'embûches et de déceptions de toutes sortes, vers une plus grande liberté en même temps que vers une plus grande unité, le lent avènement de l'humanisme du XXe siècle. » Cette conception, d'inspiration démocrate-chrétienne, proche de celle d'*Esprit*, plutôt idéologique qu'historique, condamnait le directeur du *Monde* à une opposition quasi permanente, parce que les événements suivaient un tout autre cours : le partage de l'Allemagne entraînait celui de l'Europe et rendait caduque l'idée de neutralité.

Dès le 19 octobre 1945, dans l'hebdomadaire *Temps présent*, H. Beuve-Méry formulait, en pleine clarté, l'objectif qu'il fixait à la France et, si l'on peut dire, à l'Europe : « L'organisation d'une entente occidentale d'importance comparable aux États-Unis et à l'Union soviétique, située géographiquement, économiquement, politiquement à mi-chemin de ces deux puissants partenaires, pari normalement logique, souhaitable, profitable à tous. *A une condition* cependant : que la nouvelle organisation soit aussi indépendante de Washington que de Moscou. » Contre l'union atlantique, dont H. Beuve-Méry observait bientôt la formation progressive, il éleva trois objections majeures : il n'aimait pas les États-Unis et leur régime économique, en particulier « les contradictions et l'impuissance du capitalisme libéral qui ont définitivement dégoûté certains éléments nombreux en Europe ». En deuxième lieu, il redoutait pour l'unité de la France le choix en faveur d'un des camps. « La division de l'Europe soumet la France à un effort d'écartèlement qui exclut, en fait, toute vraie reconstruction. » « La France ne peut ni ne doit opter pour le capitalisme américain dont elle reconnaît les défauts et auquel l'avenir réserve sans doute les déboires qui ont mis mal en point le capitalisme européen. » Enfin, il pensait que l'adhésion de la France à l'un des camps accroîtrait les dangers de guerre. « Il se peut que l'Europe n'ait pas finalement le moyen d'empêcher la guerre, mais elle est à peu près sûre de la précipiter si elle se laisse glisser dans un camp ou dans un autre [1]. »

1. Cette phrase, avec le recul de plus de trente-cinq années, apparaît encore plus aberrante qu'à l'époque où elle fut écrite.

Dès 1948, H. Beuve-Méry ne se faisait plus guère d'illusions : « Il y a peu de chances que l'Europe reste vraiment européenne. Il y en a beaucoup au contraire qu'elle s'américanise rapidement par le fait des Américains sans doute, de leur activité, de leur richesse, de leur puissance, mais aussi et plus encore par le fait des Européens, si souvent empressés à solliciter ce qu'ils devraient et pourraient combattre... » Un peu plus loin : « Les libertés que confère le dollar sont précieuses... Les religions, l'histoire, le goût du bien-être et celui de la liberté poussent vers l'Amérique l'Occident menacé... » En dernière analyse, tant qu'à choisir, le directeur du *Monde* choisissait l'Occident bien que son allergie aux États-Unis l'incitât à critiquer peut-être plus souvent les turpitudes du capitalisme américain que les cruautés du totalitarisme soviétique. Il ne s'interdisait pas de qualifier de « professionnels de l'anticommunisme » ceux qui rappelaient les crimes de Staline, que Khrouchtchev dénonça à son tour quelques années plus tard.

En 1949, les événements avaient évolué en sens contraire des conceptions de H. Beuve-Méry. La neutralité de l'Europe semble impossible. L'idée ne s'en glisse pas moins, ici et là, dans les commentaires sur le pacte de l'Atlantique, signé le jour du premier anniversaire du plan Marshall. H. Beuve-Méry jugeait le pacte de l'Atlantique tout à la fois provocateur à l'égard de l'Union soviétique et équivoque dans sa formulation puisqu'il ne garantissait pas l'intervention immédiate des forces américaines en Europe : « Le pacte de l'Atlantique était lui aussi une erreur. Nier à la fois qu'il dût déboucher rapidement sur le réarmement allemand et inquiéter fortement les Russes tout en leur fournissant un magnifique terrain de propagande n'était rien de moins que le refus de l'évidence. » (13 décembre 1949).

Je répondis plusieurs fois à E. Gilson et à H. Beuve-Méry mais, dans l'ensemble, sur le ton de l'honnête controverse sans excès de polémique : d'abord dans des articles du *Figaro* (21-12-48 ; 21-2-49 ; 23-2-49 ; 21-3-49 ; 17-2-50) ; puis dans des articles de la revue *Liberté de l'Esprit* (avril 1949 et septembre 1950).

A l'origine, en 1948 et 1949, je compris mal la passion déchaînée contre le pacte de l'Atlantique. J'avais encore moins compris l'hostilité au plan Marshall — du moins de la part de Français nullement attirés par le stalinisme. Aussi fus-je tenté, avant la signature du traité, d'en réduire la portée, non par stratégie mais par conviction : « Dans l'immédiat, la situation ne sera pas essentiellement modifiée. Personne n'ignorait, surtout à Moscou, qu'une agression militaire contre l'Europe occidentale déclencherait une intervention militaire des États-Unis ; la présence des contingents américains en Allemagne donnait par elle-même cette garantie. » Je rappelai l'erreur commise par les Américains après la victoire, un désarmement immédiat. Le plan Marshall favorisait et accélérait le relèvement de l'Europe occidentale ; le pacte de l'Atlantique Nord accomplissait une fonction analogue : permettre un réarmement limité en Europe occidentale en vue de négociations avec l'Union soviétique. Je ne conseillai pas un réarmement « illimité » : « Il ne faut ni acculer les prophètes d'une religion conquérante, maîtres d'un vaste empire, au désespoir, ni par faiblesse éveiller en eux la tentation. » Je conclus cet article par la formule aujourd'hui surprenante : « Comme le plan Marshall, le Pacte atlantique n'a d'autre fin dernière que de se rendre lui-même inutile. » En trois ans, le plan Marshall se rendit lui-même inutile. Plus de trente ans après, le pacte de l'Atlantique survit, affaibli mais nécessaire.

En 1949, l'article d'E. Gilson, que j'ai résumé plus haut, déclencha un de ces grands débats dont les Français demeurent friands. Je m'efforçai de fonder en raison mes propres opinions dans l'article de *Liberté de l'Esprit* que les rédacteurs gaullistes de la revue hésitèrent à publier et que le Général lui-même, après l'avoir lu, approuva au moins partiellement.

Ai-je contribué, par cet article, à persuader le général de Gaulle de ne pas prendre position contre le pacte de l'Atlantique ? Il se peut, à s'en tenir au récit de Claude Mauriac dans son livre *Un autre De Gaulle, journal 1944-1954*.

Le 17 mars 1949, Claude Mauriac parle au Général de « l'article que m'a adressé Raymond Aron pour le numéro 3 sur le Pacte atlantique dont je lui explique en quelques mots l'essentiel, car je crains qu'il ne soit en opposition avec sa politique et celle du RPF. Il s'agit d'une critique assez violente des deux articles d'Étienne Gilson qui accusait les Américains de vouloir acheter avec des dollars le sang français. Il reprochait au Pacte atlantique de ne donner aux Français aucune garantie sur le moment et le lieu de l'intervention américaine en cas d'invasion russe en Europe occidentale.

« — Mais, c'est évidemment M. Gilson qui a raison, s'écrie le Général ; il faut bien comprendre ceci : c'est que l'Amérique est un pays essentiellement isolationniste pour cette simple raison qu'elle est une île. Elle ne s'est jamais sentie solidaire de l'Europe dont il est, ma foi, vrai qu'elle est séparée par une grande étendue d'eau. Dans la guerre de 1914, comme dans celle de 1940, ce n'est certes pas parce que Paris était menacé ou occupé que les Américains sont intervenus. Et si Londres avait été occupée en 1940, elle l'aurait certes déploré, comme elle déplorerait que Paris fût occupé et, cette fois-ci, par les armées soviétiques, mais ce ne serait pas pour délivrer Londres ou Paris que l'Amérique ferait la guerre. Elle choisirait son heure en prenant tout son temps. De même, dans le Pacte atlantique, se sont-ils bien gardés de dire quand et où les armées américaines interviendraient. Le fond de la question, c'est qu'avec les armes actuelles les Américains estiment inutile de se déranger et qu'ils feront relativement tranquillement la guerre, sans bouger de chez eux, avec leurs forteresses volantes, leurs fusées, etc. Que Paris et la France soient occupés par les Soviets, leur apparaîtra certes comme un événement très regrettable mais qui, à lui seul, ne justifierait pas un débarquement américain. »

Quelques jours plus tard, Claude Mauriac était persuadé que le Général allait lui opposer les plus grandes objections « quant à l'opportunité de faire paraître ce texte dans *Liberté de l'Esprit* sous sa forme actuelle. Aussi ai-je été étonné des mots par lesquels le Général m'a accueilli :

« — Eh bien, il n'est pas mal du tout, cet article.

« La vérité est que le Général semble avoir en quelques jours profondément modifié sa conception du Pacte atlantique.

« Lorsqu'il m'annonça qu'il allait m'expliquer de quoi il était question, je me dis qu'il avait sans doute oublié qu'il avait fait longuement connaître son point de vue et que j'allais à peu de chose près entendre le même discours. Mais il n'en fut rien.

« — Il est certain, et Raymond Aron a eu raison de mettre l'accent sur ce point, que ce pacte, même sans engagement précis, est de nature à faire réfléchir Staline. Je ne dis pas qu'il soit désormais assuré qu'il n'interviendra pas mais enfin, il sait maintenant que s'il occupe l'Europe occidentale, il aura la guerre. Or, nous pouvons être persuadés que si un tel pacte avait existé en 1939, Hitler ne se serait probablement pas lancé dans l'aventure polonaise. Évidemment, il aurait été souhaitable qu'Aron insiste sur le fait qu'une France forte rendrait les chances de guerre moins grandes encore. C'est l'intérêt de Queuille et de son équipe de nous faire croire que le Pacte sous sa forme actuelle suffit à tout. Il n'empêche qu'un tel Pacte vaut mieux que pas de Pacte du tout et c'est là que Raymond Aron a très bien fait de dénoncer la faiblesse de l'argumentation de Gilson. »

A la fin de la conversation, le Général conclut : « Vous savez maintenant ce que je pense de la question. Vous êtes libre, naturellement, de publier ou pas l'article, mais je ne voulais pas que Raymond Aron pût croire que je désapprouvais sa position. »

Le Général ne souhaitait pas apparaître, à mes yeux, comme un censeur. Il ne voulait pas que mon article fût refusé parce qu'il ne s'accordait pas avec sa position. Mais il faut ajouter que la première tirade contre le pacte de l'Atlantique et l'isolationnisme américain était à ce point éloignée de la réalité que le Général n'aurait probablement pas maintenu de telles insanités si son interlocuteur lui avait opposé des objections de bon sens. En tout état de cause, il accepta le pacte de l'Atlantique tout en déplorant la rédaction du Traité. Dix ans plus tard, il pensait tout autrement sur la rédaction.

Le débat me paraissait légitime et, comme le dit H. Beuve-Méry dans une conférence de 1951, des hommes en profondeur proches les uns des autres pouvaient différer sur les moyens les meilleurs d'atteindre leurs fins communes. « Quant aux anticommunistes, ils ont tendance à approuver le pacte pour la simple raison que les communistes le condamnent. Aussi est-il heureux qu'un philosophe catholique ait, par un article retentissant, ouvert le vrai débat. Je ne suis d'accord sur aucun point avec M. Gilson, je tiens certaines de ses expressions pour insensées. Malgré tout, je me suis réjoui qu'un écrivain ait le courage, au milieu de cette conspiration du silence, d'exprimer publiquement ses inquiétudes et ses doutes. »

Une des objections majeures d'E. Gilson, je l'ai indiqué plus haut, portait sur la rédaction du traité. Il ne jugeait pas les termes assez précis, assez contraignants pour les États-Unis. (Le général de Gaulle avait formulé des critiques de même sorte.) Ma réponse consistait à mettre en doute l'importance de la formulation exacte des obligations des signataires. Tant que les troupes américaines seraient stationnées en Allemagne, la garantie dépendrait davantage de ce fait que des textes. Le pacte de l'Atlantique ne modifierait ni le comportement des Américains ni celui des Soviétiques : « Je pense, pour mon compte, que le pacte de l'Atlantique Nord ne modifie pas sensiblement la situation de fait. L'Europe occidentale sera protégée demain par la force américaine, comme elle l'est aujourd'hui. Le pacte de l'Atlantique n'apprendra rien à Staline qu'il ne sache déjà, à savoir qu'une agression militaire sur le Vieux Continent constituerait, selon toute probabilité, un *casus belli*. Plus l'engagement d'assistance mutuelle sera rédigé en termes précis, plus il impliquera l'automatisme d'intervention, plus il fera impression sur les réalistes du Kremlin ; nous ferons volontiers cette concession à la thèse de M. Gilson, mais l'essentiel n'est pas là et ne saurait être inscrit dans les textes. La présence américaine, symbolisée par quelques contingents en Allemagne, la puissance industrielle et atomique, au loin, voilà, pour l'heure, la garantie de la sécurité française. Cette sécurité sera maintenue demain dans la mesure où, sur place, la preuve continuera d'apparaître de la présence américaine, où, de l'autre côté de l'Atlantique, les forces virtuelles resteront supérieures à celles de l'agresseur éventuel. »

Cela dit, je reconnaissais que le pacte de l'Atlantique ne garantissait pas la protection contre l'invasion en cas de guerre. Quelle autre politique nous donnerait une telle garantie ? Gilson évoquait la neutralité armée ; mais l'Europe occidentale n'était pas armée, et serait moins capable encore de s'armer si elle refusait l'aide des États-Unis. Elle ne provoquait pas l'ire ou l'hostilité de l'Union soviétique parce qu'elle se liait aux États-Unis par le pacte de l'Atlantique. Elle déplaisait au Kremlin parce que les pays de l'Est, soviétisés à l'ombre de l'armée dite rouge, regardaient vers elle.

Un an plus tard, en septembre 1950, je repris le dialogue mais sur un ton moins amène, parce que les adversaires du pacte de l'Atlantique ne nous épargnaient pas non plus. Deux arguments dominaient l'article intitulé « Imposture de la neutralité [1] ». Le premier consistait à substituer à la vision du monde que suggéraient les partisans de la neutralité une autre représentation : « L'Union soviétique concentre sa propagande contre les États-Unis parce que ceux-ci constituent, à ses yeux, l'ennemi principal. Les États-Unis abattus, nul obstacle ne se dresserait

1. *Liberté de l'Esprit,* septembre 1950.

plus sur le chemin de la domination mondiale. Mais les ambitions soviétiques visent autant et, pour l'instant, bien davantage l'Allemagne, la France ou l'Italie. Quand les agents, conscients ou inconscients, du stalinisme nous suggèrent que l'hostilité que le Kremlin manifeste à la France ou à l'Italie disparaîtrait ou s'atténuerait le jour où ces pays auraient rompu le pacte de l'Atlantique, ils mentent. Staline dénonce le plan Marshall, le pacte de l'Atlantique, toutes les formes de la solidarité entre l'Ancien et le Nouveau Monde parce qu'il y voit non une menace ou une provocation, mais une résistance à ses entreprises de conquête. En revanche, que les États-Unis se désintéressent de l'Europe, que celle-ci, divisée et impuissante, se trouve seule face à l'empire soviétique, et le moment serait proche où elle succomberait à l'infiltration, au désespoir et au chantage. »

Le deuxième argument se dégageait d'une comparaison entre les deux Grands : « On commence par dresser une image d'Épinal, les deux géants face à face, on continue par des comparaisons entre les deux barbaries, entre les deux matérialismes. La troisième force, l'Europe, devient le foyer de culture également menacé par le NKVD et par le Coca-Cola... L'Occident n'est pas pour nous l'Ange de Lumière luttant contre le démon des Ténèbres... Quand, intellectuel français, je me déclare solidaire de la lutte des États-Unis contre l'entreprise stalinienne, je n'entends pas approuver du même coup tous les traits de la civilisation américaine... De l'autre côté on déifie Staline. Grâce à Dieu, chacun de nous garde le droit d'exprimer son opinion sur le génie de Truman. »

Laissons ces discussions, malheureusement pas toutes dépassées. Quels sentiments animaient E. Gilson, H. Beuve-Méry ? Chez le premier, je perçus un sentiment fort, légitime, intelligible, la révolte contre l'injustice du sort : de guerre en guerre, les États-Unis se renforcent cependant que les Européens s'affaiblissent. La France a supporté le fardeau le plus lourd en 1914-1918, la Grande-Bretagne en 1939-1945 : au tour des États-Unis de livrer la IIIe si elle doit éclater. Jusqu'à présent, les souhaits d'É. Gilson ont été exaucés. C'est la République américaine qui, parmi les États d'Occident, a consacré à la défense nationale le pourcentage le plus élevé de son produit national, c'est elle qui a combattu en Corée et au Vietnam. C'est elle encore qui jouerait le premier rôle dans l'hypothèse de la grande guerre. Ce que les hommes ne peuvent pas changer, c'est la géographie. En 1949 ou en 1950, l'Europe, contiguë à l'imperium soviétique, semblait la plus menacée, inévitablement occupée en cas d'hostilités. Gilson s'imaginait conjurer le sort en exigeant, noir sur blanc, un engagement américain soustrait à toute espèce de doute. Or un engagement, quel qu'il fût, n'assurait pas une protection efficace contre l'armée soviétique. La neutralité ne constituait pas une meilleure protection.

L'autre sentiment, visible dans les textes de Beuve-Méry que j'ai cités, je le qualifierai sinon d'anti-américanisme, du moins d'antipathie à l'égard de la société américaine telle qu'il l'imaginait sans la connaître. Démocrate-chrétien, longtemps en poste dans l'Europe centrale, il se hérissait à l'idée de la civilisation mercantile, symbolisée et répandue par la République américaine.

Que reste-t-il des débats sur l'Alliance atlantique ? Personne ne se souvient de la fureur avec laquelle le texte du traité a été commenté, contesté, critiqué parce qu'il n'impliquait pas des engagements assez précis. Peut-être les gaullistes m'accorderaient-ils quelque prescience quand j'écrivis, le 23 mars 1949, les lignes suivantes : « Une formule rigide ne nous aurait rien apporté de plus dans l'immédiat, sans nous mettre à l'abri d'un imprévisible et improbable retournement d'opinion aux États-Unis. Bien plus, l'absence d'automaticité peut, dans certaines éventualités, nous laisser le temps de la réflexion et le choix de la tactique. » Depuis que la France a quitté l'OTAN, elle se félicite que le texte du traité n'ait pas répondu à toutes les demandes du général de Gaulle à l'époque.

Je n'ai pas retrouvé de polémique contre H. Beuve-Méry signée de moi. Au reste, les articles réunis par lui dans *Réflexions politiques* ne témoignent pas de l'étrange passion qui inspirait ceux d'Étienne Gilson. Ainsi, dans l'article du 25 juin 1949, je lis : « Aussi bien, est-ce moins la légitimité du Pacte atlantique qui prête à discussion que son opportunité, ses modalités et, en tout cas, les tapages et maladresses dont il a été l'occasion. » Il reconnaît que « le pacte oriental est constitué depuis longtemps » et il craint que le pacte de l'Atlantique n'apparaisse comme une provocation. Pourquoi, en ce cas, ne pas déployer ses efforts pour éclairer les bonnes gens ? Quelques lignes plus loin, il écrit : « En attendant, après comme avant le pacte, la plus sûre garantie de paix reste dans la volonté des Européens de ne plus se laisser « staliniser » par persuasion et dans la menace que fait peser sur l'agresseur éventuel la puissance des États-Unis. » On ne saurait mieux dire et je n'écrivais pas autre chose dans *le Figaro.* Au bout du compte, le pacte de l'Atlantique disait explicitement ce qui, dans l'immédiat, allait de soi. Il consacrait la présence américaine en Europe et en promettait la perpétuation.

Dans une conférence prononcée le 8 mai 1951, Beuve-Méry analysait la neutralité active et l'atlantisme dans des termes tels que les deux attitudes se rapprochaient singulièrement. Par exemple : « L'Amérique doit savoir qu'elle est perdue à plus ou moins brève échéance si l'Europe est sacrifiée. L'Europe doit savoir que l'Amérique a été depuis six ans et demeure sa principale et presque son unique protection contre l'invasion. Le débat entre elles ne doit donc pas porter sur le but qui est largement commun, mais sur le partage des tâches et le choix des moyens. De ce point de vue, on peut estimer qu'il eût mieux valu ne pas signer le Pacte atlantique tel qu'il a été conçu et rédigé. Aujourd'hui, il existe, il a commencé de fonctionner, et s'en retirer pourrait fort bien accroître encore le désordre et servir l'adversaire éventuel. Mais il ne doit pas être impossible pour les Européens de garder avec le Pacte atlantique l'essentiel des attitudes qu'ils auraient dû prendre sans lui. » L'alliance était donc acceptée et n'excluait pas l'effort des Européens de s'unir et d'affirmer leur culture propre. « Les atlantistes qui cherchent à développer au maximum l'Alliance atlantique en invoquant l'efficacité et sans esquiver la part de sacrifices, sont proches des neutres actifs, qui mettent l'accent sur le particularisme européen. »

Aux articles d'E. Gilson, j'avais répondu courtoisement, peut-être vivement, mais sans mettre en cause d'aucune manière l'homme et ses intentions. Plusieurs mois plus tard « l'affaire Gilson » éclata. Au cours de mon séjour aux États-Unis (à l'automne de 1950), je reçus de Waldemar Gurian, professeur à l'université Notre-Dame (catholique), une lettre dans laquelle il m'exprimait ses regrets que je ne pusse donner la conférence promise. Il ajoutait qu' « Étienne Gilson qui est en ce moment à Notre-Dame a raconté que *vous êtes un agent payé par les États-Unis.* Il y a des témoins qui vous confirmeront cette accusation... » La lettre me surprit plus qu'elle ne m'émut. W. Gurian n'avait pas entendu lui-même ces propos et, dans le climat de la guerre froide, toutes les formes de polémique devenaient possibles. Aussi bien, quelques semaines plus tard, la mort de ma petite Emmanuelle réduisit à ses exactes proportions ces débats d'intellectuels.

Dans le numéro du 27 janvier 1951, *le Figaro littéraire* publia une lettre ouverte à Étienne Gilson du même Waldemar Gurian. Il lui reprochait d'avoir « propagé le sombre évangile du défaitisme », d'avoir « accusé de la manière la plus catégorique d'être à la solde des Américains un écrivain et savant français bien connu et parmi les plus respectés... Je sais pertinemment que vos efforts ne tendent pas à favoriser l'expansion communiste. Vous la croyez simplement inévitable par suite de la répartition actuelle des forces en présence. Mais vos affirmations sur le manque d'aide américaine et le sombre avenir réservé à l'Europe, votre prédiction que la France ne se battra pas, tout cela ne peut que servir la cause du communisme mondial, même contre votre gré... » Comme Étienne Gilson, entre-temps, avait pris sa retraite du Collège de France pour se consacrer à l'Institut d'Études philosophiques médiévales qu'il dirigeait à Toronto, il fut accusé de fuir la France pour se mettre en sécurité de l'autre côté de l'Atlantique. L'assemblée des professeurs lui refusa l'honorariat qui, d'ordinaire, est accordé automatiquement.

E. Gilson répondit dans une lettre publiée le 17 février 1951 dans *le Figaro littéraire.* Il corrigeait un certain nombre d'erreurs de son procureur. Ses conférences à Notre-Dame portaient sur Duns Scot et non sur la politique actuelle. Il n'avait rien écrit ni rien dit en public sur le « neutralisme » et se déclarait victime d'une campagne de diffamation, nourrie par « un milieu heureusement restreint mais virulent aux États-Unis contre tout catholique un peu connu qui ne tient pas la guerre contre la Russie pour un devoir sacré, au sens strictement religieux du mot. Puisque « Dieu le veut », plus une politique rend une guerre inévitable, plus cette politique est chrétienne ». Enfin, il précisait ce qu'avait été sa pensée en 1949-1950 : « ... [il] pense dans son cœur qu'on *aurait pu*, à un certain moment, relever la France et même la faire réarmer, sans la lier à une politique extérieure dont elle n'a pas encore les moyens et qui peut d'un jour à l'autre la plonger dans une guerre pour laquelle elle n'est pas prête... »

La polémique se poursuivit entre W. Gurian et E. Gilson sur les propos que celui-ci aurait tenus en privé — ces propos que l'accusateur n'avait pas entendus lui-même. Ce dernier en appela aux collègues qui lui avaient rapporté le contenu de ces conversations. Le principal témoin, J. Corbett, ne démentit pas, pour l'essentiel, la version des propos, mais il dénonça avec violence le procédé de W. Gurian, responsable d'avoir lancé une campagne publique contre E. Gilson à propos d'opinions exprimées dans un groupe d'amis (*le Figaro littéraire*, 21 avril 1951). Le président de l'Institut médiéval de l'Université de Notre-Dame prit position sans réserve pour E. Gilson et contre W. Gurian.

La polémique se termina par une lettre de E. Gilson dans *le Monde* (22-2-51) et une réponse finale du 8 mars 1951 à une réplique du 4-5 mars 1951 de W. Gurian. Je n'avais et n'ai toujours rien à voir avec une part de cette querelle entre catholiques. La lettre ouverte de W. Gurian, reproduite par *le Figaro littéraire*, était-elle inspirée par un groupe de catholiques « bellicistes », rappelés à l'ordre ensuite par la hiérarchie ? Je n'en sais rien. W. Gurian a-t-il eu tort de donner à des conversations entre amis un retentissement hors de proportion avec leur importance ? A coup sûr.

E. Gilson a-t-il pris sa retraite du Collège de France parce qu'il redoutait une guerre prochaine et s'attendait à une nouvelle occupation ? Je n'en sais rien et nul ne peut l'affirmer puisqu'il avait le droit, entre ses deux activités d'enseignement, l'une au Collège de France et l'autre à l'université de Toronto, de choisir la deuxième.

Tout cela dit, des amis, proches de lui et de moi, ne faisaient pas mystère du sombre pessimisme du philosophe et des paroles — boutades ou non — qu'ils entendirent de sa bouche. Il annonçait la prochaine arrivée des chars soviétiques qui ne se heurteraient à aucune résistance sérieuse en France, abandonnée une fois de plus par les Américains ; ceux-ci, peut-être, la libéreraient ensuite, mais que resterait-il de la France si les élites étaient décimées ? En bref, comme bien d'autres, il crut à la guerre, dans l'atmosphère de quasi-panique provoquée par la campagne de Corée. Il cessa d'ailleurs de plaider pour la neutralité (il refusa le mot neutralisme) à partir d'août 1950, jugeant que les dés étaient jetés et que l'atlantisme l'emportait; dans sa première lettre au *Figaro littéraire*, il évoquait la politique « qui peut d'un jour à l'autre nous plonger dans la guerre ».

En ce qui concerne la prétendue accusation d'E. Gilson contre moi, j'ai peine à y croire. Nous avions peu de relations, mais nous faisions partie, tous deux, de l'étroite corporation des professeurs de philosophie : même en désaccord politique, nous ne manquions pas aux règles de la politesse et de la controverse. Il avait assisté, en 1945, chez les Dominicains de la rue de La Tour-Maubourg, à un débat entre Maurice Schumann et moi : il m'avait donné raison et complimenté. Plusieurs années plus tard, après la crise de la neutralité, il me dit spontanément qu'il ne prenait *le Figaro* que pour lire mes articles. W. Gurian avait rapporté avec légèreté des propos qu'il n'avait pas entendus et que Gilson a toujours démentis.

J'ai retrouvé une lettre, datée du 15 juillet 1950, d'Alexandre Koyré, qui se tenait en dehors de toute politique et qui respectait et admirait l'incomparable historien de la philosophie médiévale. « Je vous écris tout d'abord pour vous féliciter d'avoir réagi contre la propagande défaitiste du *Monde* et de notre maître Gilson qui nous convie, en somme, à une non-résistance et à une reddition sans phrases — ou dans l'honneur — à Staline. Je crois même que vous devriez réagir d'une manière plus nette et crever le stupide ballon du neutralisme. Je ne fais pas à Gilson l'injure de croire qu'il puisse un instant admettre la possibilité d'une neutralisation armée de la « France seule ». Quant à la « neutralité » désarmée, je pense que ces messieurs du *Monde* savent bien ce que cela veut dire : occupation et russification. Ou germanisation si c'est la République populaire allemande qui serait chargée de l'opération. Qu'ils estiment l'occupation inévitable en tout état de cause et, de ce fait, une occupation sans guerre préférable à une occupation après défaite, qu'ils le disent. Gilson d'ailleurs le dit — la politique de notre armée ne peut être que reddition. C'est son droit de le penser. Tout homme a droit au suicide et tout pays a droit à la répudiation de son indépendance et de son existence — il se peut que la France en soit là. Mais il faudrait qu'on le dise ouvertement. Gilson et *le Monde* sont-ils devenus chrétiens-progressistes ? » Je cite cette lettre afin de restituer, aux lecteurs pour lesquels la guerre froide appartient à l'Histoire, le climat de ces années de désarroi.

Dans une lettre d'André Malraux de la même période (juillet 1950) je lis : « Bainville a raison *mais* ce n'est pas vrai, aujourd'hui, pour tous et il y a des gens qui pensent (vous et moi par exemple) que ce ne sont pas les symptômes d'agonie qui manquent. Étrange pays qui croit assez à la guerre pour stocker des sardines (c'est la principale occupation des Parisiens ici [1]) mais pas assez pour s'occuper de la défense. Vos articles sur la situation, celui qui commençait par Churchill et le suivant étaient excellents. J'espère que vous vous faites injurier. »

1. A. Malraux se trouvait à Concarneau.

Le débat sur le pacte de l'Atlantique prit un tour et un ton tout autres à partir du mois de juin 1950, qui vit le déclenchement de la campagne coréenne. Peut-être le pacte aurait-il entraîné, en tout état de cause, le réarmement de l'Allemagne occidentale ; la guerre chaude en Asie réduisit, pour le moins, le délai entre la reconstruction et le réarmement de l'ex-ennemi. Le débat diplomatique s'amplifia, il engloba la politique mondiale des États-Unis, les rapports entre l'Asie et l'Europe.

Avant même que la décision du président Truman fût connue, je pris position en faveur d'une intervention militaire des États-Unis en Corée, et même d'une intervention immédiate. Dans mon style ordinaire, j'énumérai d'abord les arguments de sens contraire : « On dira que les troupes de la Corée du Nord s'en prennent non à un pays voisin mais à une autre partie d'un même pays. » Je ne me présentai pas en témoin de moralité de la République du Sud, encore que des élections libres y eussent été tenues. « Que le régime de Syngman Rhee soit « réactionnaire », il se peut, mais celui du chancelier Adenauer reçoit le même éloge ou la même injure de la part des Allemands de l'Est, tout régime anticommuniste ayant droit aux mêmes attaques. Tout cela dit, il ne s'agit pas d'un procès devant le tribunal de la conscience universelle[1], chargé d'établir le bilan des mérites et des démérites des deux États de la Corée, mais d'une épreuve de force. »

Je ne niai pas que la Corée du Sud fût difficile à défendre du jour où un parti communiste s'était emparé de la Cité interdite à Pékin, mais les raisons politiques de sauver la Corée du Sud me paraissaient impérieuses : « Si la Corée du Sud était occupée en quelques jours et si les autorités américaines n'intervenaient pas ou se bornaient à obtenir des décisions vaines au Conseil de Sécurité, les États-Unis achèveraient de perdre la face. La conviction que la force est de l'autre côté, déjà si répandue en Extrême-Orient, deviendra générale. » Je ne mésestimai pas la gravité du choix : « ou bien intervenir dans une guerre civile en un pays lointain, proche des bases ennemies, ou bien subir une humiliation qui achèverait de décourager les hommes et les pays alliés ». Ma conclusion ne laissait aucun doute sur mon jugement : « Un de nos confrères terminait son article par une formule qui résume parfaitement la diplomatie française de 1933 à 1939 : « Il est urgent d'attendre ». On espère que la diplomatie américaine prendra le contre-pied de cette formule ; il est urgent d'agir. En tolérant une telle forme d'agression en 1950, on appellerait en 1952 ou 1953 une agression qui, elle, ne laisserait aucune chance à la paix. » Dans la conversation que j'eus avec le secrétaire d'État Dean Acheson, en décembre de la même année, ce dernier justifia

1. Cette phrase choqua Pierre Brisson.

le conseil qu'il avait donné à H. Truman par les mêmes arguments que je développai dans cet article.

Le temps écoulé et les informations depuis lors acquises inclinent-ils à réviser l'analyse ? Nous savons aujourd'hui, de manière presque certaine, que les Chinois ignoraient tout de l'entreprise conçue par Kim Il Sung. Staline, à coup sûr, n'ignorait pas le projet de ce dernier, mais probablement l'a-t-il autorisé plutôt qu'il ne l'a suggéré ou provoqué. De même, nous savons aujourd'hui que les Chinois sont entrés dans la guerre avec regret, après avoir par deux fois mis en garde le gouvernement de Washington contre une avance des troupes américaines vers le Yallou [1]. Nous avons eu tous tendance à prêter à l'épisode une signification mondiale qu'il n'avait pas, dans l'esprit des acteurs, au point de départ.

Certes, dès cette époque, je n'ignorais pas les divergences probables entre les Soviétiques et les Chinois. La méthode employée par les Soviétiques pour imposer, aux Nations Unies, la reconnaissance de la République populaire de Chine semblait de nature à produire le résultat contraire. Je regrettais que, pour des raisons militaires, les États-Unis fussent amenés à défendre Formose et, du même coup, à ne pas établir de relations normales avec Pékin, à maintenir la fiction d'une Chine représentée par le gouvernement nationaliste, chassé du continent. Spéculations qui, toutes, furent démenties par l'ironie de l'Histoire. En apparence, les États-Unis acculaient la Chine de Mao à l'alliance avec Moscou. Or, dès 1960, les Soviétiques retiraient leurs techniciens de Chine et laissaient, abandonnés, les cent soixante projets industriels qu'ils avaient commencés.

Communistes mis à part, l'intervention américaine ne fut pas sévèrement critiquée en France [2], au moins dans l'immédiat. Ce qui relança le débat sur la neutralité ou lui donna une âpreté nouvelle, ce fut la volonté américaine du réarmement européen et, partant, la crainte d'un « bellicisme » des États-Unis le jour où le réarmement leur aurait assuré une incontestable supériorité. Les adversaires du pacte de l'Atlantique qui déploraient la veille que le texte ne fût pas assez contraignant, exprimèrent le lendemain la crainte d'être entraînés par l'impétuosité américaine dans une guerre qui ne les concernerait pas.

Jusqu'au 25 juin 1950, la formule que j'avais mise en titre du premier chapitre du livre *le Grand Schisme*, « paix impossible, guerre improbable », demeura l'idée directrice de mes commentaires. Après le 25 juin, pendant quelques mois — et je l'écrivis dans le livre suivant, *les Guerres en chaîne* — je redoutai que la guerre devînt moins improbable (selon les jours, selon mon humeur, j'évaluais d'autre manière l'improbabilité). Je

1. Je renvoie le lecteur à mon livre, *République impériale, les États-Unis dans le monde, 1945-1972* (Calmann-Lévy, 1973).
2. On reprocha cependant à Dean Acheson d'avoir encouragé l'agression en ne mentionnant pas la Corée du Sud parmi les positions américaines en Asie qui seraient défendues.

n'ai jamais, à la différence de quelques commentateurs américains, interprété l'épisode coréen comme la première étape d'un plan global de conquête, conçu en commun par Staline et Mao. La réplique américaine réfutait un des arguments utilisés par les adversaires du pacte de l'Atlantique : en Corée les Américains honoraient leurs engagements, au-delà des promesses consignées noir sur blanc. Les revers militaires des Américains, durant les premières semaines, puis en novembre à la suite de l'intervention des « volontaires » chinois, contribuèrent au défaitisme, par instants à la panique en Europe.

La presse d'Allemagne orientale et d'Union soviétique menaçait le chancelier Adenauer du sort qui frappait Syngman Rhee. Les autorités communistes de la République démocratique allemande avaient déjà organisé une police qui, encasernée, ressemblait à une armée. L'inégalité de force entre les deux armées coréennes, au nord et au sud, imposait une comparaison entre les deux « polices » de l'est et de l'ouest de l'Allemagne. Simultanément, se trouvaient posées les trois questions du réarmement américain, européen, allemand.

L'argument en faveur du réarmement américain s'imposait sans peine à tous les Français, communistes mis à part. Les États-Unis possédaient seulement, en 1950, quelques bombes atomiques (très peu) et l'expérience suggérait qu'une menace nucléaire ne suffisait pas à dissuader de n'importe quelle agression un petit État communiste étroitement lié à Moscou. Après la science-fiction qui décrivait la paix par la terreur et la disparition des gros bataillons, l'Histoire surprit une fois de plus les acteurs. Cinq années après la fin de la grande guerre, les GI combattaient, à des milliers de kilomètres de leur patrie, contre l'armée d'un demi-pays, équipée par leur ex-allié. Les dirigeants de Washington tirèrent de l'événement une leçon valable : ils avaient vécu dans l'illusion. Quelques bombes atomiques et le potentiel industriel américain ne suffisaient pas à sauvegarder la paix à travers le monde. Les États-Unis découvraient leur rôle impérial et ses obligations. Ils devaient renoncer à leur tradition : le minimum de forces militaires en temps de paix, un effort de mobilisation totale dès que la guerre est déclenchée. La paix belliqueuse, les obligations internationales, héritées pour partie de l'empire britannique, condamnaient la République américaine à maintenir en permanence un appareil militaire substantiel.

La question du réarmement européen souleva d'autres controverses. Le relèvement économique des pays européens ne devait-il pas recevoir la priorité ? Un réarmement massif paralyserait la reconstruction ; un réarmement symbolique ne modifierait pas le déroulement de la guerre éventuelle. Certains critiques reprenaient la thèse qui avait été celle du sénateur Taft ; au lieu d'un traité d'assistance mutuelle, les États-Unis se déclareraient unilatéralement garants de la sécurité européenne. Du coup, sous la protection américaine, les Européens mèneraient à bien leur relèvement avant de se donner les moyens de se défendre. La thèse de R. Taft, soutenue par certains adversaires du pacte de l'Atlantique, perdit toute audience après juin 1950 : à la lumière de la campagne coréenne, l'objection majeure contre le pacte — les États-Unis pourraient éventuellement nous libérer mais non nous épargner l'occupation — portait encore davantage contre la solution Taft.

De même que les gouvernements européens avaient pris l'initiative du pacte de l'Atlantique ou, du moins, avaient demandé aux dirigeants de Washington un traité de cet ordre, ils souhaitèrent, autant que les Américains, l'OTAN, autrement dit l'organisation du traité de l'Atlantique Nord, le commandement intégré inclus. La question du réarmement européen était posée et, du même coup, celui de la République fédérale allemande.

A l'automne de 1950, Dean Acheson lança le projet du réarmement de la RFA à un moment où les troupes américaines combattaient durement l'armée nord-coréenne, équipée par l'Union soviétique. Les gouvernants français, René Pleven et Robert Schuman, face à cet impératif, s'ingénièrent à éluder le *oui* ou le *non* catégorique. Ils jugeaient à juste titre que l'opinion française n'accepterait pas la reconstitution d'une Wehrmacht, défaite cinq ans auparavant par une coalition écrasante. D'un autre côté, ils hésitaient à refuser une mesure qui répondait à la logique de la conjoncture, et non pas à une foucade des dirigeants américains. La proposition d'armée européenne, accueillie d'abord avec soupçon à Washington, fut adoptée par la diplomatie commune des Occidentaux, à tel point que J. F. Dulles menaça la France, en 1954, d'une « révision déchirante » si l'Assemblée nationale refusait de ratifier le traité de la CED, ratifié déjà par les parlements de nos partenaires.

L'entreprise d'unification européenne, dont Jean Monnet fut l'inspirateur et l'infatigable artisan, avait été lancée en mai 1950, avant le déclenchement de la campagne de Corée, dans un climat tout autre que celui du mois de septembre de la même année, quand le réarmement de l'Allemagne fut mis à l'ordre du jour. Je garde un souvenir précis de l'exposé fait par Étienne Hirsch à quelques journalistes. Aucune allusion à la menace soviétique, à la défense de l'Europe occidentale : le collaborateur de Jean Monnet mettait l'accent sur la rivalité russo-américaine qui risquait de conduire le monde à une guerre, si les Européens ne s'interposaient pas entre les deux géants, entraînés par la passion dans une course à l'abîme. E. Hirsch n'évoquait ni une troisième force ni à proprement parler la neutralité : la construction de l'Europe servirait de tampon entre les deux Grands plutôt que de renforcement de l'un des camps. Il s'exprimait apparemment avec sincérité ; la présentation du projet devait, à coup sûr, apaiser des oppositions prévisibles, elle mettait en lumière une des fonctions possibles de l'œuvre projetée.

L'idée et la propagande européennes ne naquirent pas avec le pool charbon-acier. Le plan Marshall avait obligé les Européens, Allemands inclus, à travailler en commun, à s'accorder sur la répartition des capitaux que les États-Unis leur donnaient ou prêtaient. La conférence de La Haye, en 1948, qui fut à l'origine de l'Assemblée européenne, réunit une galerie impressionnante d'hommes d'État, d'avant et d'après-guerre. Quelques détails me restent présents à l'esprit.

Le matin, je me promenai dans les rues de la ville et j'aperçus Édouard Daladier, seul, oublié ou ignoré par les membres de la Conférence, lui qui, en 1938-1939, assumait les responsabilités suprêmes. J'allai vers lui et j'entamai la conversation. Il fut sensible au geste d'un journaliste qu'il connaissait à peine et qui, à cette date, représentait surtout *le Figaro*. Les hommes de la guerre, Winston Churchill, Paul Reynaud, prirent part aux débats avec une apparente passion. Paul Reynaud plaida en faveur de l'élection de l'Assemblée européenne au suffrage universel ; les Britanniques, Ducan Sandys en tête, répliquèrent que, même dans une assemblée sans responsabilité, ils se refusaient à la démagogie, ils ne recommanderaient pas une mesure qu'ils tenaient pour irréalisable. Paul Reynaud, impavide, mena la bataille jusqu'au bout, et fut, bien entendu, mis en minorité. Le dernier jour, un petit groupe d'inspiration fédéraliste se refusa à voter pour la motion finale. W. Churchill intervint, sur un ton presque pathétique, afin que se rétablît l'unanimité.

Je suivis ces débats sans y participer, incapable de me mobiliser dans ces tournois d'éloquence. Nous n'étions mandatés par personne ; ceux même qui avaient été délégués par un mouvement ou par un parti, ne représentaient qu'eux-mêmes. Majorité et minorité, dans les commissions, ne signifiaient rien. La Conférence tout entière relevait de la propagande, au sens noble du terme, de l'art de la persuasion non clandestine.

C'était le printemps de l'Europe unie, rêvée et toute proche, les moins portés à l'utopie s'abandonnaient à de glorieuses espérances. Qui se rappelle la brochure de Michel Debré en faveur de la République européenne, brochure qui contenait les articles d'une Constitution ? Celle-ci prévoyait une présidence des États-Unis d'Europe qui, de toute évidence, reviendrait au général de Gaulle. Conviction sincère ou surenchère d'opposant ? Dans le petit livre que Michel Debré avait rédigé en collaboration avec E. Monick pendant la Résistance, l'unité atlantique tenait la première place.

Par quels détours cet avocat d'une République européenne devint-il le procureur contre une communauté qui ne concernait que le charbon et l'acier et ne comportait qu'une faible dose de transfert de souveraineté ? La brochure de 1950 laisse le lecteur d'aujourd'hui interdit : elle dénonçait les retards de l'unification européenne et en rejetait la responsabilité sur les hommes au pouvoir. Faut-il dire que le noir devenait blanc et le blanc noir selon que le Général fût ou non au pouvoir ? Passionné, enclin à pousser ses opinions du moment à l'extrême, M. Debré n'hésita pas à concevoir une République fédérative des États européens, quitte à reculer ensuite devant l'amputation de la souveraineté nationale et à subordonner à son jacobinisme ses velléités atlantiques et européennes [1].

Le pool charbon-acier fut ratifié par l'Assemblée nationale, sans être approuvé par les députés RPF, mais le général de Gaulle n'avait pas alerté l'opinion comme il le fit dans deux circonstances, à l'occasion de la déclaration finale de la Conférence de Londres qui annonçait la formation de la trizone, donc de la République fédérale allemande, une deuxième fois à l'occasion du traité créant une communauté européenne de défense ou, selon le terme courant, une armée européenne.

Jean Monnet et René Pleven ne souhaitaient pas lier à l'entreprise d'unification européenne le réarmement allemand. Ils y furent amenés par les circonstances, dans l'espoir tout à la fois de retarder la décision sur le réarmement de la RFA et de trouver dans les partisans de l'unité européenne un renfort de députés susceptibles de ratifier à l'Assemblée le réarmement allemand. Ils se trompèrent : aux adversaires de ce réarmement s'ajoutèrent les adversaires d'une organisation supranationale, qui enlevait à l'État français la responsabilité exclusive de ses forces armées et subordonnait les forces « européennes » aux ordres d'un général américain.

Personnellement, dès le 22 novembre 1952, je mis en garde mes amis du « parti européen ». Je jugeai inévitable le réarmement de l'Allemagne, mais la méthode choisie prêtait à d'évidentes critiques. Faute de gouvernement européen, cette armée obéirait à un commandement non européen, en fait américain. Comment la France pouvait-elle entretenir simultanément des divisions soumises au commissariat européen et des divisions destinées à l'outre-mer et relevant de la responsabilité exclusive de l'État français ? A force de précautions pour empêcher la reconstitution d'une armée allemande, la Communauté européenne de défense parviendrait-elle jamais à s'unir en un tout cohérent, capable de combattre ?

En privé, dans les conversations, je tenais un langage plus brutal. De toute évidence, le réarmement allemand, imposé par le contexte diplomatique, pouvait s'insérer ou bien dans le cadre européen ou bien dans le cadre atlantique. A mes amis américains, je répétais qu'au lieu de s'engager sans réserve pour la CED, ils devraient dire ouvertement qu'il appartenait aux Européens eux-mêmes de choisir entre la CED et l'intégration de l'armée allemande dans l'OTAN. La première de ces deux

1. Dans une déclaration du 17 août 1950, le général de Gaulle s'exprimait ainsi : « Nous avons à rassembler l'Europe. L'actuel Conseil de Strasbourg ne le fera pas, lui qui n'a pas de mandat européen valable. Il y faut comme base une entente pratique franco-allemande, car sur notre vieux continent, c'est là que sont pour l'essentiel les réelles possibilités stratégiques et économiques. Il y faut aussi des institutions européennes procédant du vote direct des citoyens de l'Europe et disposant dans les domaines de l'économie et de la défense, de la part de souveraineté qui leur sera déléguée par les États participants. Il y faut, enfin, un système de défense commun dont il appartient normalement à la France de tracer le plan et de désigner le chef, tout de même que cette prééminence revient aux États-Unis sur le théâtre du Pacifique, à l'Angleterre sur celui d'Orient... »

solutions avait toutes les chances d'être rejetée par la coalition des adversaires de l'Europe supranationale et des adversaires du réarmement allemand. La deuxième serait peut-être aussi rejetée si elle était présentée avant l'autre à l'Assemblée nationale ; elle serait acceptée par résignation si la CED avait été écartée auparavant par les députés.

Les Européens de stricte observance s'étonnèrent de ma froideur ; l'un d'eux me dit que mes prises de position étaient finalement imprévisibles. Le réquisitoire prononcé par le général de Gaulle, le 25 février 1953, contre la CED ne pouvait pas ne pas impressionner les simples citoyens comme les députés : « Pour qu'il y ait l'armée européenne, c'est-à-dire l'armée de l'Europe, il faut d'abord que l'Europe existe, en tant qu'entité politique, économique, financière, administrative et, par-dessus tout, morale, que cette entité soit assez vivante, établie, reconnue pour obtenir le loyalisme congénital de ses sujets, pour avoir une politique qui lui soit propre et pour que, le cas échéant, des millions d'hommes veuillent mourir pour elle. Est-ce le cas ? Pas un homme sérieux n'oserait répondre oui. » Et le général de Gaulle rappelait tout ce qu'il avait accompli pendant la dernière guerre grâce à l'autorité maintenue par le gouvernement sur ses forces armées : « Kœnig n'aurait pas été à Bir-Hakeim, Juin n'aurait pas joué en Italie le rôle que l'on sait, Leclerc n'aurait pas pris le Fezzan et n'aurait pas été lancé, quand il le fallait, sur Paris, de Lattre n'aurait pas défendu l'Alsace, ni passé le Rhin et le Danube, Larminat n'aurait pas réduit les poches de l'Atlantique, Doyen ne se serait pas assuré de Tende et de La Brigue, le corps expéditionnaire ne serait jamais parti pour l'Indochine... »

Le débat sur la CED se poursuivit pendant plus de deux années, entre le moment où le texte du traité fut connu et le vote de l'Assemblée nationale qui écarta même la discussion sur le fond du projet. A l'appel pathétique d'Édouard Herriot à demi paralysé, une majorité vota une question préalable. La CED fut enterrée sans que ses partisans eussent l'occasion de plaider leur cause.

Le Figaro, à l'instigation de Pierre Brisson lui-même, prit la tête de la croisade pour l'unité européenne, la CED, les idées de Jean Monnet. Personnellement j'entretins avec ce dernier d'excellentes relations, mais je ne lui dissimulai pas mes objections contre la CED, projet d'une armée européenne, qui serait probablement inefficace et qui, dans l'immédiat, divisait la majorité atlantique. J'avais dit un jour à Robert Schuman, précisément à propos de la CED : « Vous ne voulez pas des Allemands comme alliés, vous les acceptez comme compatriotes. » Un peu surpris par cette formule, il hésita un instant et répondit finalement : « Pourquoi pas ? »

Ce grand débat — un de plus — ranima les passions antigermaniques de certains Français. Les souvenirs historiques, depuis Arminius jusqu'à Hitler en passant par Bismarck, remontèrent à la surface. Les gaullistes, Jacques Soustelle et Michel Debré en tête, menèrent une campagne furieuse contre la CED. Le premier, je crois, tint des réunions publiques avec les communistes. Le deuxième trouva la formule de polémique la plus frappante : la CED refait l'armée allemande et défait l'armée française.

Le débat servit pour ainsi dire de catharsis, il purifia les Français de leurs « humeurs peccantes », des ressentiments accumulés au cours du siècle d'hostilités contre « l'ennemi héréditaire ». Quand les Assemblées votèrent en faveur de la création d'une armée allemande, intégrée dans l'OTAN, ni dans la classe politique ni dans l'opinion publique le débat ne se prolongea. Les Français avaient finalement préféré la reconstitution d'une armée allemande à la fusion de l'armée française dans une armée européenne. Auraient-ils fait ce choix si les deux branches de l'alternative lui avaient été présentées simultanément ou dans l'ordre inverse ?

Que reste-t-il du débat des années 50 qui puisse intéresser les Français des années 80 ? La discussion, en dehors du problème de l'armée européenne, portait sur le « danger allemand », à terme sinon dans l'immédiat. Sous des formes diverses, le même argument revenait : à la différence des autres États d'Europe occidentale, la République fédérale allemande demeure un État « revendicateur » et non pas satisfait ou comblé : revendication de l'unité d'une part, revendication des territoires annexés par la Pologne à l'est de la ligne Oder-Neisse. A l'occasion de la campagne contre la CED, Jacques Soustelle découvrit et souligna les origines polonaises de Breslau, ville germanisée depuis des siècles et redevenue Wroclaw après 1945.

Selon un premier scénario, tout aussi invraisemblable aujourd'hui qu'il y a vingt-cinq ans, la RFA entraînerait la France dans un conflit déclenché à seule fin de recouvrer ce qu'elle avait perdu en 1945. L'Allemagne de l'Ouest, même quelque peu réarmée, ne remontait pas au niveau des grandes puissances, encore moins à celui des superpuissances. L'idée que la République de Bonn, telle qu'elle apparaissait en 1954 (ou telle qu'elle apparaît en 1982), pût se lancer dans une reconquête par les armes ne méritait pas d'être prise au sérieux.

Un autre scénario, en revanche, appelait la réflexion. Le rapprochement de la RFA avec Moscou dans l'intérêt national des Allemands ne constituait pas, en 1953, un danger immédiat, mais, à terme, il ne manquait pas de plausibilité. De qui, sinon de Moscou, les gouvernants de Bonn pouvaient-ils espérer une amélioration des rapports entre les deux États allemands ? Les adversaires de la CED présentaient l'argument sous la forme la plus invraisemblable ; un nouvel accord de Rapallo ou un nouveau pacte germano-soviétique, un nouveau partage de la Pologne. A quoi j'objectai que la soviétisation d'un tiers des Allemands, en RDA, assurait à Moscou tout à la fois une protection contre une attaque venant de l'ouest et une base d'offensive en direction de l'ouest d'une valeur incomparable. Le Kremlin, à moins d'y être contraint, ne sacrifierait pas Pankow, pas plus que Bonn ses libertés. Certains historiens pensent qu'au lendemain de la mort de Staline, Béria et d'autres membres du *politburo* avaient envisagé une Allemagne unifiée et neutralisée. En 1982, la RFA, sans déserter l'Alliance atlantique, hésite à déplaire aux Soviétiques qui tiennent entre leurs mains des millions d'otages. Ajoutons que le réarmement de 1955 n'influa d'aucune manière, ni dans un sens ni dans l'autre, sur la diplomatie de Bonn ou de Moscou.

La querelle sur le pacte de l'Atlantique et le réarmement de l'Europe, RFA incluse, se termina en 1954-1955, alors que la guerre d'Indochine et les troubles d'Afrique du Nord occupaient le devant de la scène. Pierre Mendès France eut le mérite de négocier les accords de Genève à l'ombre de Diên Biên Phu et, après le rejet de la CED, de mettre en train la solution de remplacement.

J'ai parcouru les articles que j'ai publiés dans *le Figaro* pendant les mois du gouvernement PMF pour confirmer ou infirmer la légende selon laquelle je l'aurais âprement critiqué. En fait, sur l'essentiel, je lui donnai raison. Pierre Brisson prit la plume pour approuver le voyage spectaculaire de Pierre Mendès France à Tunis, qui annonçait l'autonomie interne. Moi-même je ne cessai d'approuver l'orientation « libérale » de la politique inaugurée à l'égard des protectorats d'Afrique du Nord. Quand les accords de Genève furent signés, mon article eut pour titre « Un pari bien gagné » et j'y félicitai PMF des résultats obtenus. Les clauses de l'accord, en fonction de la conjoncture militaire et politique, ne pouvaient pas être meilleures [1]. Bien plus, le 28 octobre 1954, je jugeai que la responsabilité de PMF dans le rejet de la CED était limitée et j'approuvai les démarches faites par le gouvernement pour obtenir de l'Assemblée l'approbation de la formule de remplacement, à savoir la formation d'une armée allemande dans le cadre de l'OTAN.

Mes réserves ou mes critiques portèrent sur le pari des trente jours (ou bien l'accord sera conclu à Genève dans les trente jours qui viennent, ou bien je reviens devant vous pour me retirer ou pour envoyer en Indochine les soldats du contingent). Ce pari, sans lequel PMF n'aurait peut-être pas été investi par l'Assemblée, comportait des périls évidents : l'existence du gouvernement français dépendait dès lors des Nord-Vietnamiens ou plutôt des Soviétiques et des Chinois. Si PMF gagnait son pari, il devenait suspect aux yeux du Parti atlantique ou européen : les Soviétiques auraient assuré son succès afin qu'il liquidât la CED. Le fait est que, surtout après le rejet de la CED, il perdit la confiance d'Adenauer, des « monnettistes », du MRP. Je lui ai reproché aussi, sur le moment, de se tenir en dehors du débat prévu à l'Assemblée sur la CED. Critique quelque peu injuste que j'atténuai bientôt en écrivant le

1. Dans ses *Mémoires,* Khrouchtchev affirme qu'il fut agréablement surpris par les propositions de PMF. Il n'espérait pas tant. Cette version des événements ne me convainc pas.

3 septembre 1954 : « La CED était moribonde quand PMF est devenu président du Conseil, il aurait probablement pu la sauver s'il l'avait fermement voulu... » Je ne suis pas sûr aujourd'hui qu'il aurait pu sauver la CED, même s'il l'avait voulu. Mais les attaques des « Européens » contre lui, lorsqu'il tenta d'arracher aux Cinq quelques révisions supplémentaires, ruinèrent les dernières chances. Les partisans les plus résolus de Mendès France se comptaient parmi les adversaires de la CED et même du réarmement de l'Allemagne. On ne pouvait lui demander de combattre sans réserve pour un traité qu'il n'approuvait probablement pas au fond de lui-même. Un autre reproche que je lui adressai, ce fut de privilégier les relations avec la Grande-Bretagne aux dépens des rapports avec la RFA.

L'article intitulé « L'échec des rassemblements », après la chute de PMF, ne témoigne certes pas d'hostilité à l'égard de l'homme ou de l'homme d'État : « PMF a rendu des services au pays : il a conclu l'armistice en Indochine auquel aspirait la nation entière, il a pris l'initiative de négociations avec le Néo-Destour — initiative courageuse sur laquelle on ne peut plus revenir et qui marque la seule voie d'avenir. Mais sur les sujets qui, au même titre que l'Afrique, dominent notre destin — relations avec l'Est, politique européenne —, on ne sait s'il avait à l'avance des idées arrêtées, on ne sait pas après expérience quelles sont ses intentions profondes. » Je n'ai jamais rendu un pareil hommage à aucun autre président du Conseil de la IVe République. J'expliquai ensuite qu'il avait été victime d'un « amalgame politico-passionnel » : « Autour de lui s'étaient ralliés tous les opposants — qui voulaient les uns la paix en Indochine, d'autres des réformes en Afrique du Nord, d'autres une négociation avec Moscou, d'autres la liquidation de l'intégration européenne, d'autres encore davantage de gouvernement et d'autorité. Il n'y a aucun lien raisonnable entre ces divers souhaits. Un atlantiste n'a pas plus de raison d'approuver la déposition de l'ancien sultan du Maroc qu'un neutraliste. » Après avoir présenté PMF en victime de sa majorité hétéroclite, je conclus « qu'il serait lamentable qu'il n'eût plus d'autre occasion de manifester les dons exceptionnels que personne ne lui conteste »... PMF n'eut plus d'autre occasion, mais par sa faute et non par la faute de ses adversaires. Il n'accepta jamais le retour du général de Gaulle au pouvoir par un quasi-coup d'État et il n'accepta jamais la Constitution de la Ve. *Le Figaro* n'y fut pour rien, moi non plus.

En 1955, l'évolution commencée en 1948 par le plan Marshall ou en 1949 par le traité de l'Atlantique Nord aboutit à son terme : une Allemagne, redevenue souveraine et armée, appartenait à l'OTAN cependant que, de l'autre côté, s'organisait officiellement, conformément au pacte de Varsovie, l'unité des armées des pays de l'Europe orientale sous la direction politique et militaire de l'Union soviétique... Vingt-sept ans plus tard, les deux blocs continuent de se faire face. Avons-nous laissé passer des occasions ? La politique que j'ai soutenue de mon mieux était-elle la seule, la meilleure possible ?

Il existe aujourd'hui encore des nostalgiques de la CED. En refusant *leur* armée, l'armée européenne, les Européens ont choisi l'armée américaine, la protection par les États-Unis, et, du même coup, ils ont aliéné pour longtemps leur autonomie. A l'époque, le débat ne prenait pas cette signification puisque la CED, conçue par Jean Monnet et René Pleven, servait, tout à la fois, à différer le réarmement de l'Allemagne et à le rendre acceptable à l'opinion française. Par-dessus le marché, les « monnettistes » y voyaient un moyen de relancer l'idée européenne, illustrée quelques mois plus tôt par le pool charbon-acier. La CED succomba à la coalition de ceux qui refusaient le réarmement de la RFA et de ceux qui détestaient l'armée européenne. A cette époque, les troupes françaises guerroyaient encore en Indochine ; les révoltes algérienne et marocaine allaient, à leur tour, éclater. Comment créer une communauté avec l'armée allemande si le gros de la nôtre se trouvait en dehors de la métropole ?

Je n'ignore pas la réponse des partisans de la CED, par exemple Hervé Alphand qui, par formation et par tempérament, n'était certes pas enclin aux utopies. Le détail des textes importait moins que l'idée, le principe, le projet. L'expérience aurait peu à peu corrigé les textes. Les dimensions d'un détachement allemand homogène n'auraient pas été longtemps limitées par les clauses du traité ; les exigences de l'efficacité l'auraient emporté sur les compromis des diplomates. Sur le papier, la CED se présentait comme une fraction de l'armée atlantique, elle-même sous commandement américain. Rétrospectivement, peut-on imaginer que la CED aurait été le germe d'une défense européenne, peu à peu libérée du commandement américain ? Aujourd'hui encore, j'ai peine à croire que l'échec de la CED marque une date historique, une abdication européenne, le consentement à la protection américaine pour une durée indéfinie.

Sur la cristallisation des deux blocs militaires en Europe, je me sens moins assuré. Je voudrais d'abord évoquer une discussion qui eut lieu en janvier 1958, organisée par le *Congrès pour la liberté de la culture,* à laquelle prirent part, selon les mémoires de G. Kennan [1], Denis Healey, Joseph Alsop, Sidney Hook, Richard Löwenthal, Carlo Schmid, Denis de Rougemont et moi. Je me souviens de cette table ronde mais je m'en tiens à la version qu'en donne G. Kennan qui disposait à coup sûr du compte rendu de la séance.

G. Kennan avait prononcé à la BBC les *Reith Lectures,* conférences annuelles confiées à une personnalité de haut niveau. Il y avait plaidé une cause hérétique, à savoir le retrait des troupes américaines d'Alle-

1. Voir note en fin de chapitre, p. 283.

magne à la condition d'une évacuation semblable de l'Europe orientale par les troupes soviétiques. Le désengagement simultané des Américains et des Soviétiques constituait le cœur de ces conférences. La thèse s'accompagnait d'autres propositions, elles aussi contestables : les Européens ne chercheraient pas à se doter d'un appareil militaire comparable à celui de l'Union soviétique ; ils se prépareraient à une résistance et à la guérilla qui dissuaderait les Soviétiques de toute velléité d'agression.

Selon le résumé de Kennan dans ses *Mémoires,* j'élevai deux objections majeures. La situation, dis-je, est effectivement anormale ou absurde, mais clairement délimitée : chacun sait où se trouve la ligne de démarcation. Quand quelque chose bouge de l'autre côté du rideau de fer, rien ne se passe de notre côté. Un partage net de l'Europe est considéré, à tort ou à raison, comme moins dangereux que tout autre arrangement. En d'autres termes, une situation équivoque créerait plus de dangers que cette situation anormale.

G. Kennan, qui, à l'époque, appartenait encore au service diplomatique, déplorait l'hypocrisie des hommes d'État qui, à Bonn ou à Washington, prétendaient avoir pour but l'unification de l'Allemagne alors qu'en fait ils s'accommodaient volontiers du *statu quo.* L'indignation de Kennan me stupéfie, aujourd'hui encore. Les hommes d'État occidentaux ne disposaient d'aucun moyen pour contraindre les Soviétiques à tolérer des élections libres sur le territoire de la RDA. Simultanément, ils ne jugeaient ni utile, ni nécessaire d'accepter légalement ou politiquement le *statu quo,* à savoir la présence des troupes soviétiques à deux cent cinquante kilomètres du Rhin. Ils refusaient par principe le partage de l'Allemagne et de l'Europe, sans ignorer que ce refus contribuait à le maintenir. Quelques années plus tard, quand le général de Gaulle s'efforça de rompre avec cet immobilisme, j'écrivis que le *statu quo* serait déstabilisé du jour où il serait reconnu. Les conséquences de la *Ostpolitik* et des accords d'Helsinki confirment cette analyse. Les Allemands, le chancelier Schmidt tournent leurs regards vers l'est depuis que le statut territorial de l'Europe, issu de la guerre, a été solennellement accepté.

Dans la discussion avec Kennan, je me contentai de dire qu'il s'agissait de choisir entre les risques — les risques du partage et les risques d'une politique qui tendrait à surmonter l'actuel partage. J'ajoutai que mon évaluation des risques me laissait « pour une fois, par accident et avec grand regret, du côté des hommes d'État » et non du côté de Kennan.

La deuxième objection concernait la portée du retrait des troupes soviétiques, contrepartie du retrait des troupes américaines. Il me paraissait évident, après l'expérience de la Révolution hongroise, en 1956, que les troupes soviétiques n'hésiteraient pas à rentrer dans les pays socialistes qu'elles auraient évacués, si le régime conforme à leur idéologie se trouvait en péril. « Je ne fus pas impressionné par cet argument contre mes conférences, écrit G. Kennan, parce que, personnellement, je n'aurais pas tenu pour acceptable un accord sur le désengagement qui n'aurait pas donné des assurances contre de tels événements et les sanctions qu'ils auraient impliquées, mais je dois aujourd'hui, rétrospectivement, accorder à Aron le crédit d'une très remarquable intuition prophétique car, en présentant son argument, il offrit, dix années avant l'événement, une formulation classique de la doctrine de Brejnev, affirmée publiquement par Brejnev lui-même sous le coup des tensions de la crise tchécoslovaque de 1968. Les Russes, dit Aron, ont formulé une nouvelle doctrine, que j'appellerais une *Sainte-Alliance.* Elle consiste dans le droit d'apporter une « aide désintéressée » à n'importe quel gouvernement communiste menacé par la « contre-révolution ». Mes propos de 1958 ne méritaient pas toutes les louanges dont Kennan les honora. Après l'expérience de Hongrie, il n'était pas besoin d'une intuition prophétique *(prophetic insight)* pour prévoir que le Kremlin réoccuperait un pays dit socialiste, même auparavant évacué, si la révolte, baptisée par définition contre-révolutionnaire, risquait d'abattre ou de désoviétiser le régime. Ce qui me frappe, c'est la confiance de Kennan dans un accord russo-américain de désengagement. L'accord ne serait jamais officiellement violé, puisqu'il se trouverait toujours un « gouvernement ouvrier-paysan » qui appellerait au secours les alliés du pacte de Varsovie.

Tout cela dit, les *Reith Lectures,* relues aujourd'hui, posent encore une question qui concerne l'ensemble de la politique américaine de 1949 à 1955 — politique d'ailleurs inspirée à l'origine par les Européens eux-mêmes. De l'Alliance atlantique on en vint logiquement à l'organisation de la défense européenne, puis au réarmement de la RFA, donc finalement à la cristallisation des deux blocs militaires et au maintien du partage de l'Allemagne et de l'Europe. Une autre politique était-elle possible et quand le choix a-t-il été fait de manière irréversible ?

Reportons-nous par la pensée à 1949, la date de la signature du pacte de l'Atlantique Nord : l'Europe de l'Ouest, composée d'États vaincus ou épuisés, constituait un vide. L'Union soviétique, elle aussi, avait subi d'énormes pertes pendant la guerre, elle ne devait pas, selon la raison, prendre le risque d'une grande guerre contre les États-Unis, le seul des belligérants sorti non pas seulement intact mais renforcé de l'épreuve. A l'époque ces raisonnements, en eux-mêmes convaincants, ne dissipaient pas tous les doutes. Les Soviétiques avaient imposé leur autorité et leur régime à tous les pays de l'Europe orientale : s'ils ne rencontraient pas de résistance, pourquoi s'arrêteraient-ils d'eux-mêmes ? Une garantie unilatérale que les États-Unis auraient accordée à l'Europe occidentale dans une déclaration solennelle, authentifiée par le Congrès, n'aurait-elle pas suffi à rassurer les Européens et à dissuader les Soviétiques de toute agression ? Objection rétrospective et peu convaincante. Que l'on se rappelle les articles d'Étienne Gilson, les discours du général de Gaulle : les obligations des signataires du pacte de l'Atlantique Nord, des États-Unis en particulier, n'étaient pas assez clairement consignées dans le texte. Qu'auraient dit les critiques du pacte si une déclaration solennelle avait pris la place du traité ?

Ajoutons à ces spéculations sur le passé une remarque de bon sens, trop souvent oubliée : la politique du plan Marshall et du pacte de l'Atlantique fut un succès éclatant pour les Européens de l'Ouest. Même la France, en dépit des guerres coloniales, participa au relèvement spectaculaire du Vieux Continent. Dira-t-on que cette politique sacrifia les Européens de l'Est et les abandonna à leur sort ? La passivité des Occidentaux en 1956, au moment de la révolution hongroise, n'est pas imputable au pacte de l'Atlantique, mais au refus des dirigeants américains d'intervenir. L'expédition franco-anglaise de Suez, déclenchée alors même que les Hongrois offraient le premier exemple d'une révolution antitotalitaire, ne facilitait pas la diplomatie américaine. Mais, selon toute probabilité, cette dernière n'eût pas été différente, si les Franco-Anglais ne s'étaient pas lancés dans leur absurde équipée. Dès 1956, en dépit du bavardage sur la « libération » en lieu et place de « l'endiguement », les dirigeants des États-Unis n'envisageaient pas de recourir aux moyens militaires pour soutenir les dissidents ou les insurgés dressés contre un régime soviétique à l'est de l'Europe. Comme à la fin des guerres de religion, la carte politique se confondait avec la carte idéologique : à l'est d'une ligne de démarcation régnait le marxisme-léninisme, à l'ouest l'idée démocratico-libérale.

J'ai choisi pour date charnière 1955 — à savoir la formation des deux coalitions militaires ; j'aurais pu retenir l'année 1956 : la révolte des Hongrois et l'expédition franco-anglaise, la connivence soviéto-américaine, au moins en apparence, chacun des deux Grands rappelant à l'ordre ses alliés. Les Hongrois perdaient tout espoir de se libérer par la force, la Grande-Bretagne toute illusion d'appartenir encore au nombre des grandes puissances.

Plus d'un quart de siècle plus tard, les Occidentaux regrettent-ils les décisions prises entre 1949 et 1955 qui modelèrent le monde dans lequel nous vivons encore ? S'ils se rappellent les « trente glorieuses », les années d'une expansion économique sans précédent, pourquoi s'accuseraient-ils d'aveuglement ? Trente années de réussite justifient les décisions politiques. L'état de l'Alliance atlantique ou de l'Occident, un quart de siècle après la cristallisation des deux blocs militaires en Europe, ne condamne pas l'œuvre des bâtisseurs, Truman, Acheson, Eisenhower, de l'autre côté de l'Atlantique, Jean Monnet, Robert Schuman, Adenauer, de Gasperi chez nous.

On peut reprocher aux Américains de n'avoir rien tenté pour « libérer » l'Europe orientale quand ils disposaient d'une évidente supériorité militaire, mais les Européens, à l'époque, redoutaient le bellicisme et non la passivité de leur protecteur. Pour le reste, les événements qui nourrissent l'actuel pessimisme ne découlent en rien des choix faits pendant la guerre froide. Ni la guerre du Vietnam, ni Watergate, ni le surarmement soviétique, ni le relâchement de l'effort américain de défense n'étaient impliqués par le plan Marshall, le pacte de l'Atlantique Nord ou le réarmement de la RFA.

Immédiatement après les *Reith Lectures,* je reçus de G. F. Kennan une lettre très amicale dont j'extrais quelques passages (la lettre était écrite à la main, probablement l'a-t-il oubliée).

« Je viens de recevoir du Congrès votre réponse aux *Reith Lectures* et je me hâte de vous écrire pour vous dire à quel point je vous en sais gré *(deeply appreciative).* De toutes les réactions à mes conférences, la vôtre est la plus réfléchie, la plus raisonnable et la plus pénétrante ; vous seul, parmi mes amis et connaissances, vous avez compris l'esprit dans lequel ces conférences furent données ; vous avez discuté de la manière dont je souhaitais qu'elles le fussent.

« Il ne me semble pas que les Russes auraient davantage à gagner que l'Occident d'un retrait mutuel. Certainement pas politiquement et, en ce qui concerne les forces militaires, ils sont, après tout, les plus forts.

« Il me semble qu'il devrait être entendu, en tant que part de l'accord, que toute rentrée des forces armées d'un côté ou de l'autre dans une portion des territoires évacués rendrait à l'autre ses droits antérieurs de mise en place militaire, comme elle se trouve aujourd'hui. Je suppose, par suite, qu'une intervention militaire soviétique en Pologne ou en Hongrie aurait pour conséquence un retour immédiat des États-Unis en Allemagne de l'Ouest.

« Il me semble que beaucoup de gens, en Occident, ont méconnu à quel point les Russes, en prenant les décisions qu'ils prirent en Hongrie, ont été influencés par trois facteurs :

1. La présence et la proximité des troupes américaines en Europe.
2. Le danger que les Hongrois non seulement quittent le pacte de Varsovie mais finissent par demander à être admis dans l'Alliance atlantique.
3. Le fait que eux, les Russes, occupaient déjà effectivement le pays, sur une base légale dont l'origine n'avait jamais été mise en question par les puissances occidentales ; de telle sorte que la menace de quitter le pacte de Varsovie leur apparut comme un défi direct et ouvert à leurs droits d'occupation et à leur prestige politique et militaire.

« Tous ces facteurs pourraient tout au moins être grandement atténués par un accord mutuel de retrait ; et on pourrait penser que les Russes, qui ont plus qu'assez de certains de leurs protégés européens de l'Est *(pretty thoroughly fed up),* adopteraient éventuellement une attitude plus détendue à l'égard d'événements dans cette partie du monde. »

Kennan avoue ensuite qu'il a donné une idée fausse de l'organisation militaire qu'il envisageait pour les Européens de l'Ouest ; il ne s'agissait pas de remplacer des armées régulières par des troupes de guérilla. Il recommandait d'ajouter aux troupes régulières des préparatifs d'une résistance populaire.

Un passage de cette lettre me frappait et me frappe : les Russes seraient *fed up with some of the Eastern European* protégés. En l'absence des troupes américaines en Europe, les Soviétiques ne seraient pas au même degré soucieux de l'orthodoxie de leurs satellites. A ce point se manifeste un désaccord fondamental entre la vision de Kennan et la mienne. Je crois que les dirigeants soviétiques demeurent marxistes-léninistes et que, de ce fait, leur diplomatie ne peut pas ne pas être expansionniste. Il va de soi que la dissidence de la Hongrie (1956) ou de la Tchécoslovaquie (1968) ou de la Pologne (1980) est d'autant moins acceptable pour le Kremlin que le dispositif militaire de l'alliance de Varsovie est en question, mais imaginer qu'en l'absence de troupes américaines en Europe, les Soviétiques s'accommoderaient des hérésies de leurs protégés, c'est leur prêter un état d'esprit (*fed-up*) qui me paraît contradictoire avec tout ce que nous savons des oligarques de Moscou.

XI

LES GUERRES DU XXe SIÈCLE

En dépit de mon choix du journalisme, en 1944-1945, je ne renonçai pas à l'enseignement : quelques cours à l'École nationale d'administration et à l'Institut d'Études politiques, des conférences dans des universités étrangères, en particulier à Manchester et à Tübingen, témoignaient de regrets et de nostalgie. Je m'efforçai, durant cette décennie d'exil ou de divertissement, de ne pas perdre le contact avec la littérature philosophique et sociologique. Mais les événements aussi bien que mon métier mobilisaient mes passions. La reconstruction de la France et de l'Europe, au milieu du tumulte des propagandes, prenait dans mon esprit la première place. Aussi, je ne parvins pas à séparer radicalement d'un côté les articles du *Figaro* et, de l'autre, les ouvrages « scientifiques », je m'abandonnai à la facilité : j'écrivis deux livres, *le Grand Schisme* et *les Guerres en chaîne*, tentative d'une sorte de philosophie immédiate de l'histoire-se-faisant qui devait servir de cadre et de fondement à mes commentaires quotidiens ou hebdomadaires et à mes prises de position.

Je ne relis pas (ou plutôt je ne parcours pas) ces livres sans mauvaise humeur. Je me demande pourquoi je me laissai entraîner vers cette sorte de littérature, à vrai dire moins abondante à l'époque qu'aujourd'hui. Si *le Grand Schisme*, paru en 1948, eut du succès dans les milieux intellectuels ou politiques, c'est parce qu'il dessinait, à grands traits, tout à la fois la carte de la politique mondiale et celle de la politique française. Un critique, Roger Caillois, écrivit que *le Grand Schisme* contenait trois livres ou les éléments de trois livres : l'un sur la rivalité planétaire des deux Grands, un deuxième sur la dégradation du marxisme en soviétisme, un troisième sur la crise de la démocratie française. En un sens, la construction de l'ouvrage contenait par elle-même un enseignement : c'est à la lumière de la conjoncture diplomatique et du schisme idéologique que la situation de la politique française s'éclairait. Je voulais faire comprendre aux Français, séparés pendant quatre années du monde extérieur, que l'hexagone appartenait à un ensemble, l'Europe occidentale, et que celle-ci, à son tour, appartenait à ce qu'André Malraux appelait la civilisation atlantique : participation à l'histoire mondiale qui différait en nature du rôle de grande puissance que la France avait joué dans le concert européen, mais qui ne réduisait pas pour autant notre diplomatie à l'insignifiance. L'Europe ne pouvait pas plus se passer de la France que de l'Allemagne, ou, pour mieux dire, elle ne pouvait pas se passer de ces deux pays, relevés et réconciliés.

La formule « paix impossible — guerre improbable » fit mouche ; elle demeure vraie bien que nombre d'hommes d'États occidentaux n'en saisissent toujours pas le sens ; ou plutôt, à la faveur de la « détente », ils en méconnaissent la vérité durable. Je me risque à me citer : « Il n'y a plus de concert européen, il n'y a plus qu'un concert mondial » (p. 14) ; « L'élargissement de la scène politique a modifié l'échelle de la puissance. Telle nation, grande dans le cadre européen, devient petite dans le cadre mondial » (p. 15) ; « L'Allemagne, même si l'on suppose qu'elle ait, d'ici à quelques années, relevé ses ruines et rétabli son unité, figure déjà dans une classe inférieure. » Par là même, je fondai en raison la politique de réconciliation avec l'Allemagne pour laquelle je plaidais dans mes articles.

Dans un champ diplomatique étendu aux limites de la planète, la diplomatie devient totale : « La notion traditionnelle de paix impliquait la limitation de la diplomatie au double sens : limitation des enjeux des conflits entre États, limitation des moyens employés lorsque les canons faisaient silence. Aujourd'hui, tout est mis en question, régime économique, système politique, convictions spirituelles, survivance ou disparition d'une classe dirigeante. Sans qu'un coup de feu soit tiré, un pays risque, par le triomphe du parti communiste, de connaître les épreuves de la défaite... Les véritables frontières désormais sont celles qui, en plein cœur des peuples jadis unis, séparent le parti américain du parti russe. La carte électorale se confond avec la carte stratégique » (p. 19). Formule simplificatrice d'une situation plus complexe déjà il y a trente ans, mais qui garde une vérité partielle : c'est à l'intérieur des États, et pas toujours par les bulletins de vote, que se livre la lutte entre le communisme et ses ennemis. Et cette lutte se prolonge dans le monde entier, bien que certaines régions du monde semblent stabilisées (l'Europe par exemple), bien que les conflits entre les États et à l'intérieur des pays ne se ramènent pas tous à la rivalité des deux Grands. En Europe, en 1947-1948, le duel des Grands absorbait pour ainsi dire tous les autres.

La « paix impossible » ne tient pas seulement à la diplomatie totale : « Avec ou sans Internationale, avec ou sans Kominform, les partis communistes représentent une conspiration permanente, destinée à ouvrir la voie à l'impérialisme russo-soviétique. Objectifs illimités et guerre permanente : par ces deux traits, l'impérialisme de Moscou se définit comme essentiellement soviétique et non russe. Tant que le peuple russe sera enfermé dans la prison du mensonge et du NKVD, tant qu'il subira les contraintes et les privations des garnisons assiégées, la guerre froide connaîtra peut-être des alternances, elle ne laissera pas d'espoir à la paix. »

En contrepartie ou en complément, j'ajoutai : « L'absence de paix n'est pas la guerre. Une source d'énergie, jusqu'alors inconnue ou inemployée, ouvre normalement une époque de l'art militaire et, du même coup, de la civilisation tout entière. Mais entre l'essai et la mise au point de l'arme nouvelle, du temps s'écoule... Personne ne sait si la bombe atomique est ou quand elle sera l'arme absolue, celle qui, à elle seule, contraint l'ennemi à la capitulation. Ainsi s'explique l'équilibre actuel dont la précarité n'exclut pas la durée » (p. 29).

Staline, un autre Hitler ? « L'idéologie national-socialiste devait mourir avec son fondateur, l'idée communiste a précédé celui qui en est provisoirement l'interprète le plus puissant, sinon le plus autorisé, et elle lui survivra. L'impérialisme de Staline n'est pas moins démesuré que celui de Hitler, il est moins impatient » (p. 31).

Les deux dernières parties du livre, « le Schisme français » et « Réformes », suscitèrent davantage de controverses proprement partisanes, parce que je me réclamais explicitement du RPF, autrement dit du gaullisme. Maurice Duverger, dans un article du *Monde*, s'efforça de démontrer qu'en profondeur, je n'étais pas un véritable gaulliste — en quoi il ne se trompait pas. J'avais, dans ma préface, déclaré que le livre était celui d'un partisan et non d'un savant. Duverger me répondit qu'il tenait *le Grand Schisme* pour une œuvre de science, une sorte de manuel de sociologie politique contemporaine et que « chez Aron, l'homme de parti n'est pas à la hauteur du savant : cet excellent sociologue est un mauvais partisan... Il ne lui manque pas seulement la mauvaise foi, mais la foi tout court ».

Critique ou louange ? Je ne sais. Ai-je jamais ambitionné les vertus d'un bon partisan ! Cela dit, avec le recul, peut-on dire que les événements aient confirmé l'objection majeure de M. Duverger ? Un gaullisme démocratique est-il possible ? demandait-il. A ses yeux, mon livre entier tendait à prouver la possibilité d'un gaullisme modéré, possibilité que lui niait. Il avait raison sur un point : si le style bien plus que le programme définit la vraie nature d'un mouvement politique, un abîme ne séparait-il pas le gaullisme du général de Gaulle de celui du *Grand Schisme* ? Peut-être, mais par définition le style du chef charismatique ne ressemble pas à celui de l'analyste. Comme le RPF a échoué, la controverse demeure ouverte. Mais, en 1958, le gaullisme arriva au pouvoir avec le général de Gaulle sans le RPF et le régime ressembla au gaullisme modéré que le politologue jugeait impossible à l'avance, condamné à l'ascension vers les extrêmes de l'autoritarisme.

Vers la fin du livre, à la dernière page du chapitre intitulé « La

Réforme intellectuelle », j'écrivais : « Au-delà de la crise [1948-1950], on redécouvrira les données simples du problème français. La France ne se pliera pas à un régime autoritaire qui, à notre époque, dégénère plus ou moins en régime totalitaire [1] mais elle ne se relèvera pas si elle s'abandonne à la confusion d'un pluralisme impuissant. Restauration de l'État, stabilité du pouvoir exécutif, limitation des organismes professionnels, amélioration de la technique administrative et de la compétence économique, toutes ces réformes jointes, dont aucune n'est spectaculaire et aucune ne se suffit à elle-même, nous rapprocheraient de l'objectif, régime d'autorité modéré [2]. L'État serait fort, mais non illimité. Partis et syndicats seraient libres, mais non tout-puissants. Le parlement légiférerait et contrôlerait, il renoncerait à gouverner. L'économie serait orientée mais non dirigée. » La Ve République, jusqu'en 1981, ressemble à cette « utopie ». La victoire du RPF aurait-elle abouti à un résultat équivalent ? On ne le saura jamais. Il reste que nous pouvions, en 1948, envisager un gaullisme modéré qui aurait pu succéder à la IVe République qui, « sous sa forme actuelle... capable de durer, n'est pas capable d'innover ». Ajoutons que la Constitution de 1958, révisée en 1962, beaucoup plus radicale que celle que j'envisageais, entraîna pour ainsi dire d'elle-même certaines des réformes sociales et économiques que je souhaitais. Une fois le Général au pouvoir, personne n'exprima la crainte d'un parti unique.

Comme je l'avais fait, mais avec plus d'inquiétude, dans *la France libre* à Londres, je ne refusai pas la comparaison avec le bonapartisme : « Il est vrai que le RPF appartient au genre des mouvements bonapartistes qui, depuis Napoléon Ier jusqu'à Boulanger en passant par Napoléon III, ont surgi en France au cours du siècle précédent, quand ce pays était las du chaos parlementaire et que la restauration monarchique était exclue. Cette fois encore, le rassemblement se fait autour d'un homme dont l'itinéraire politique a passé de la gauche à la droite, qui restaura la République avant de rallier des troupes en majorité de droite. Mais, par rapport au bonapartisme du siècle précédent, le RPF se singularise d'abord par la personnalité de son chef. Le général de Gaulle a été une première fois au pouvoir. S'il a commis des erreurs, si sa gestion économique n'a été ni meilleure, ni pire que celle de ses successeurs, il a montré autant de souci de la légalité que de l'autorité. Il n'a guère le goût des parlementaires et de leur subtilité, il n'a pas davantage celui du pouvoir sans limites et sans règles. Le régime auquel il songe se rapprocherait de la démocratie présidentielle plus que du despotisme. »

A. Fabre-Luce me reprocha un ralliement hypocrite à un fascisme camouflé, reproche que je crois pour le moins excessif. Un passage du livre résume et simplifie ma pensée sur ce point décisif de l'histoire de notre temps : « Contre la menace du totalitarisme communiste, les fas-

1. Cette formule exigerait de multiples réserves et nuances.
2. Dans le livre, j'avais écrit ou un typographe m'avait fait écrire modér*ée*. En fait, c'est le régime, dans ma pensée, qui devait être modéré.

cistes n'ont trouvé d'autre solution que celle d'un totalitarisme anticommuniste. Au mythe de la libération prolétarienne, ils ont opposé celui de la grandeur nationale. A force de rêves impériaux, ils ont précipité le monde dans un déluge de sang et ruiné l'Europe qu'ils prétendaient unir. Même s'ils en avaient le désir, les gaullistes seraient bien incapables de refaire du fascisme parce que les peuples ne sont plus sensibles à l'exaltation nationale. Mais la question reste posée. A travers toute l'Europe occidentale on s'est demandé, en 1945 et 1946 : peut-on gouverner avec les communistes ? En 1947, peut-on gouverner sans eux ? En 1948, on se demande : comment gouverner contre eux ? »

Le général de Gaulle et ses successeurs ont gouverné en apparence contre les communistes, mais non sans manifester, en contrepartie, une certaine complaisance à l'égard de l'Union soviétique, complaisance accentuée par des bouffées d'anti-américanisme. Dans le même temps d'ailleurs, les communistes perdaient la guerre froide, du moins la guerre idéologique, en Europe occidentale.

Le Grand Schisme parut en 1948, donc avant la rupture finale de la Grande Alliance contre le IIIe Reich, avant la querelle du pacte de l'Atlantique et du neutralisme. *Le Monde* consacra au livre, sous la signature de Maurice Duverger, un article à ce point élogieux [1] qu'il me stupéfia sans apaiser mes doutes sur les mérites de ce genre, philosophico-journalistique : « ... tous les problèmes essentiels qui tourmentent les hommes du temps — politiques, sociaux, économiques — sont ici posés en termes clairs et dépouillés : l'enchevêtrement des causes et des conséquences est débrouillé avec une lucidité presque douloureuse à force de rigueur. On aimerait qu'une opinion publique, aveuglée par des slogans contradictoires dans leurs termes mais identiques dans leur stupidité, se mît à pratiquer régulièrement cette somme politique de notre temps dont l'usage lui serait une véritable cure de désintoxication. »

Je me permets de citer des extraits de deux autres lettres parce qu'elles viennent de deux princes de l'esprit, qui y expriment deux réactions antagonistes de l'intelligentsia française. D'une grande lettre d'Alexandre Koyré, dont l'autorité morale égalait l'autorité intellectuelle, je tire un passage : « Merci de votre *Grand Schisme* que nous avons lu tous deux... avec le plus grand intérêt et plaisir. Plaisir tout intellectuel, car l'analyse de la situation européenne, et surtout française, que vous présentez n'est pas très plaisante. Et l'on peut se demander si la bataille n'est pas perdue d'avance (pour l'Europe), si en face de l'Europe soviétique — car on ne peut pas ne pas voir que dans vingt ans tous les satellites deviendront parties intégrantes de l'URSS ; c'est en contrecarrant ce plan que Dimitrov est tombé dans l'hérésie et que Tito est allé au schisme — unie par une volonté inflexible, possédant une continuité de vues et des réserves inépuisables d'hommes et de matières premières, notre pauvre “ Europe ”, divisée, hésitante, minée de l'intérieur par la

1. Pour le savant et non pour le partisan.

5e colonne communiste, paralysée par la guerre, la rivalité des États petits et grands (moyens) qui la composent, la mollesse et la stupidité de ses " élites ", a encore quelque chance... J'ai été enchanté de vous voir dire quelques vérités à nos amis d'*Esprit* et des *Temps modernes.* Au cher Merleau-Ponty qui veut le tout tout de suite na ! et à tous ces imbéciles ou si l'on veut " belles âmes " (" schöne Seelen ") dont *l'Heure du choix*[1] nous offre un choix significatif... » Suivait une analyse des motifs des intellectuels qui adhèrent au PC ou l'accompagnent : « C'est un gros avantage d'appartenir à une Église triomphante, à une Église qui peut distribuer et le salut et les prébendes. Quant au reste... L'homme est un animal religieux, et, Aristote nonobstant, il ne déteste rien de plus que la pensée. Comme l'a dit notre ami Joliot-Curie à un de mes amis : " C'est si bien d'être du parti, on n'a plus besoin de penser... " N'est-il pas vrai, en outre, que Dieu ou le Weltgeist ou l'histoire est du côté de Staline (Dieu est toujours du côté des gros bataillons) puisqu'il s'ingénie, depuis 1918, à le sauver et à le promouvoir par les moyens les plus dialectiques ? »

Lucien Febvre m'écrivit sans avoir encore lu le livre, me dit-il, parce qu'une phrase de la page 8 l'avait frappé et meurtri : « L'influence américaine n'implique ni assimilation ni domination impériale, dites-vous. Hélas ! nous, " culture française ", qui sommes si fort attaqués, combattus, pourchassés, par " l'influence américaine ", comme nous voudrions pouvoir nous associer à votre acte, faut-il dire de foi ou d'espérance ?

« Voilà trois ans que, dans toutes les réunions internationales qu'organise l'Unesco, nous sommes contraints de nous opposer, nous Français, aux volontés brutales de " nos amis américains " dans le domaine de la science, de la culture et de l'éducation. Voilà trois ans que nous nous heurtons à la politique la plus suivie et la plus systématique d'écrasement de notre langue et de nos idées... Certes, je tiens le manichéisme dont vous parlez pour *le* grand danger, qui menace le monde aujourd'hui. Mais pour lutter contre lui, efficacement, il faut regarder bien droit les deux périls. Ils se valent finalement. Et il faut lutter contre eux du même cœur quand on est français et conscient de ce qu'est la France. Je le dis sans préjugé politique... Et je reste convaincu, hélas, que ce n'est pas sur un seul, mais sur deux fronts que nous devons lutter pour sauver dans le monde un peu de liberté spirituelle et d'intelligence critique, s'il en est encore temps. »

Venant d'une personnalité telle que Lucien Febvre, d'un homme marqué, au début de sa vie, par l'anarchisme proudhonien de la Fédération jurassienne (Bakounine-Kropotkine), très exactement le contraire d'un stalinien, la formule, « les deux périls se valent finalement », prend toute sa signification, sa valeur symbolique. Le « conformisme américain » et le « stalinisme » apparaissaient à nombre de Français presque équivalents. La pratique de l'Unesco, dans les premières années

1. Recueil d'études récemment paru, signées par L. Aveline, G. Friedmann, etc.

d'après-guerre (j'assistai une seule fois, en 1950, à une Assemblée générale), devait, à coup sûr, éveiller et nourrir l'anti-américanisme. Un intellectuel ressentait avec douleur le recul de la langue et de la culture françaises — recul inévitable, même en l'absence de « l'impérialisme américain ». La réaction de Lucien Febvre reflétait l'état d'esprit d'une fraction importante de l'intelligentsia ; réaction superficielle ou conviction profonde ? Après tout, c'est aux États-Unis que la plupart de nos savants se sont recyclés après la guerre. Cette même année, le coup de Prague et le plan Marshall interdirent ou auraient dû interdire la mise en parallèle des deux Grands ou les deux Fronts.

En dehors de ces deux lettres qui posaient toutes deux un problème vital — l'un, diplomatique, l'autre, culturel —, je reçus peut-être plus de lettres ou de comptes rendus élogieux que pour aucun autre de mes livres. Je m'interroge encore sur les causes de ces louanges excessives. Pour une part les mérites du livre à l'époque le condamnaient à ne pas durer. « Une somme politique » en 347 pages, « un livre magistral d'un philosophe et d'un journaliste », ces formules de comptes rendus définissent peut-être l'ambition inconsciente de l'ouvrage. En 1948, la synthèse répondait à une curiosité du public qui comprenait mal les conséquences de la Seconde Guerre mondiale. Aujourd'hui, il existe, sur tous ces thèmes dont je traitai, une énorme littérature qui refoule mon essai vers le livre d'actualité.

Dans la préface du *Grand Schisme*, j'écrivis : « On n'y trouvera ni la théorie des guerres du XXe siècle, ni celle des régimes totalitaires, ni celle des démocraties parlementaires, ni celle de l'évolution capitaliste. » J'ajoutai que j'espérais élaborer ailleurs ces théories avec plus de rigueur. Je le tentai, en effet, quelques années plus tard ; le livre *les Guerres en chaîne*, paru en 1951, contenait une esquisse des théories que j'annonçai en 1948.

Les deux premières parties, intitulées « De Sarajevo à Hiroshima » et « Carrefour de l'Histoire », tendent à une interprétation philosophique, dans le style d'Auguste Comte ou de Cournot, des cinquante années écoulées du XXe siècle. Comment la guerre de 1914, commencée comme tant d'autres guerres européennes, est-elle devenue hyperbolique, selon l'expression de G. Ferrero ? La « surprise technique » prit au dépourvu les responsables, civils et militaires. La société moderne, à l'époque bourgeoise et libérale, se mobilisa tout entière sous la direction de l'État afin d'entretenir, des années durant, des millions de soldats en armes et en munitions. De 1914 à 1918, l'Europe découvrit peu à peu la guerre totale et la guerre de matériel. Après leur échec sur la Marne, les Allemands s'enfoncèrent dans le sol. Les tranchées, l'équilibre des forces prolongèrent une lutte impitoyable ; sous un déluge d'acier, des hommes mouraient par milliers pour quelques kilomètres ou quelques centaines de mètres.

La Seconde Guerre s'amplifia par un tout autre processus. De 1939 à 1945, les victoires initiales de Hitler provoquèrent l'extension planétaire des combats. En 1918, les chars d'assaut avaient contribué aux succès des Alliés. En 1945, la bombe atomique provoqua la capitulation du Japon. Différentes dans leur déroulement, dans leur style stratégique et tactique, les deux guerres du XXe siècle aboutirent l'une et l'autre à la démesure, à l'écrasement du vaincu et, par leur effet cumulé, à une nouvelle carte du monde.

La Première Guerre, comparée par A. Toynbee et A. Thibaudet à la guerre du Péloponnèse, ébranla la structure de la République des États européens. La deuxième mit fin, définitivement, à la prédominance de l'Europe. Les États périphériques accédèrent au premier rang. L'un d'eux se réclame d'une idéologie du XIXe siècle, élaborée par un intellectuel allemand, issu d'une famille juive convertie. L'autre demeure fidèle à la philosophie des Lumières, dans sa version anglo-américaine. L'Union soviétique et les États-Unis revendiquent l'héritage européen. Le choc devient inévitable entre les deux États qui ont remporté ensemble la victoire sur le cadavre des nations du Vieux Continent, alors même que la mise au point d'une arme de destruction massive modifie en profondeur l'essence de la guerre et les relations entre les États.

Les autres parties du livre traitaient du présent et des perspectives d'avenir. Je m'efforçai d'analyser ce qui allait venir, selon une méthode inspirée de celle que j'employai pour éclairer la première moitié du siècle. La tentative était ambitieuse et presque irréalisable. En regardant vers le passé, j'avais distingué, autant que possible, la part de la nécessité et celle des accidents. Reportée sur l'avenir, la même distinction aboutissait à des points d'interrogation. La question majeure était posée dans le chapitre XIX : la guerre froide, préparation ou substitut de la guerre totale ? Je penchai vers la thèse du « substitut », celle qui est jusqu'à présent confirmée. Malheureusement, je ne me contentai pas d'analyser les conventions de la guerre froide, la stratégie défensive de l'Occident, je consacrai plus d'une centaine de pages à l'Europe, à ses chances de se relever, de se défendre, de s'unir. Et mes analyses abusaient des nuances et décevaient les lecteurs tant j'insistai sur l'incertitude de l'avenir.

Enfin j'ajoutai, à la fin du livre, des chapitres, dont un (« Le totalitarisme ») fut estimé par Hannah Arendt et peut-être inspiré par elle, qui grossirent encore le volume de l'ouvrage. Ces chapitres, sous le titre « L'enjeu », accentuaient le sentiment d'une juxtaposition d'essais dont ni l'ordre ni la cohérence n'apparaissent clairement. Aussi je souscris aujourd'hui sans trop de réserve aux critiques de mon ami Manès Sperber dans une lettre et à celles de Maurice Duverger dans un article du *Monde*. « Entre nous, ce n'est pas un livre mais des articles groupés d'après un système chronologique qui est ici mal choisi, en contradiction même avec vos thèses fondamentales [1]. De là les répétitions qui autrement ne vous caractérisent pas du tout... Vous êtes, mon cher ami, presque aussi arrogant que moi, mais cette fois-ci vous vous êtes décidément

1. Je ne suis pas d'accord avec cette critique.

sous-estimé, vous vous êtes plié aux nécessités du journalisme quand vous aviez à dire des choses que des journalistes, dans le meilleur cas, apprennent mais jamais n'enseignent... » Sévérité compensée par un bilan plus indulgent : « 497 pages, 250 notamment dans la première partie et dans la deuxième section de la troisième partie (Impuissance de l'Europe) parmi les meilleures pages, in denen eine Epoche ihrer selbstbewusst wird [1]. P. 247 : Brillant journalisme, le meilleur d'aujourd'hui, mais évidemment répétitif, trop insistant. »

L'article de Maurice Duverger, qui m'avait à l'époque irrité, me paraît aujourd'hui largement justifié : « La technique des *Guerres en chaîne* fait penser à celle des *Nymphéas*. L'effort désespéré de Claude Monet pour rendre toutes les nuances de la lumière, pour analyser ses mille irisations, pour peindre tous ses reflets même les plus ténus, aboutit à un brouillard doré où les traits essentiels des choses s'estompent, se dissolvent, s'effacent. La volonté constante de Raymond Aron d'atténuer toute affirmation primitive et ainsi de suite, par une série de lacets intellectuels, entraîne parfois des résultats analogues [2]. » Je laisse de côté les éloges qu'en contrepartie il décerne à certains chapitres du livre.

Aux États-Unis *les Guerres en chaîne* a remporté un certain succès de public et non pas seulement d'estime. A mon extrême surprise, j'appris à l'automne 1980 qu'un éditeur américain se proposait de rééditer le livre sous le titre *The Century of Total War*, titre peut-être plus topique que le titre français. Henri Gouhier m'écrivit avec l'amitié qu'il m'a toujours témoignée : « *Les Guerres en chaîne* me semblent être l'illustration concrète de l'*Introduction à la philosophie de l'histoire*. Les pages sur Nécessité et accidents et les derniers alinéas de l'ouvrage font le raccord... », et encore : « J'avais appris en lisant Comte tout ce qu'il y a sous les mots " analyse historique ". C'est ce que j'ai retrouvé dans vos pages, avec une intelligence non prévenue par la loi des trois états. »

La théorie esquissée de notre guerre de trente ans s'opposait à la théorie léniniste formulée dans *l'Impérialisme, stade suprême du capitalisme*. Mais cette opposition ne constituait ni le centre ni la finalité de la première partie intitulée « De Sarajevo à Hiroshima ». Je m'efforçai d'illustrer, sur un cas précis, des idées que j'avais développées, dans l'*Introduction à la philosophie de l'histoire*, au sujet du déterminisme historique. C'est dans le mouvement même de l'analyse que se dégageait progressivement la réfutation du léninisme. Les deux guerres du XXe siècle ont été marquées par la nature des sociétés qui les ont menées et qu'elles ont transformées, mais ni la cause profonde, ni le détonateur, ni l'enjeu de ces guerres ne résident dans les rivalités économiques des grands pays capitalistes.

Aussi bien dans la première que dans la deuxième partie, je mis en lumière le caractère accidentel des événements tels qu'ils se sont passés,

1. Dans lesquelles une époque prend conscience d'elle-même.
2. 21-22 octobre 1951.

à leurs dates, sous leurs formes, dans leurs détails. Simultanément, je dégageai les « causes profondes » ou les « données globales » qui rendaient probables, mais non inévitables, à une date non déterminée à l'avance, des événements comparables à ceux qui effectivement ont eu lieu. « Raté diplomatique », le déclenchement de la Première Guerre qu'aucun des principaux acteurs n'a voulue consciemment et directement ; « surprise technique », la prolongation des hostilités dont les états-majors, des deux côtés, attendaient la conclusion en quelques mois. La supériorité temporaire de la défensive sur l'offensive, les fronts fixes, la mobilisation de l'industrie et de la population entière rendirent possible la guerre hyperbolique dont sortirent les révolutions et l'épuisement de tous les peuples européens.

« Si l'on veut penser les deux guerres comme éléments d'un seul et même ensemble, comme épisodes d'une seule lutte, on se référera non à la seule " Allemagne éternelle " mais à ce tragique enchaînement de causes et d'effets, au dynamisme de la violence. Toutes les théories " monistes ", celles qui accusent la nation allemande et celles qui incriminent le capitalisme, sont puériles. Elles sont, dans l'ordre historique, comparables aux mythologies qui tenaient lieu de science physique, au temps où les hommes étaient incapables de comprendre la mécanique des forces naturelles... Histoire au sens plein du terme dont on dessine rétrospectivement les lignes maîtresses, sans être en droit de proclamer que l'aboutissement effectif ait été à l'avance prévisible, impliqué par les forces majeures de notre temps. Un conflit local, par le jeu de la diplomatie d'équilibre, s'est transformé en guerre européenne, et celle-ci, par suite de l'industrie, de la démocratie, et de l'égalité approximative des forces aux prises, s'est amplifiée en guerre hyperbolique ; celle-ci à son tour a fini par user le maillon le plus faible de la chaîne européenne. La Révolution a fait irruption en Russie, les trônes d'Europe et les derniers empires multinationaux se sont écroulés. Flanquée d'une Russie bolchevique, l'Europe des démocraties bourgeoises et des nations indépendantes a tenté de revenir au monde d'avant 1914 qu'elle s'obstinait à tenir pour normal. La crise de 1929 fit sauter l'ordre, péniblement rétabli, des monnaies et des économies. Le chômage ouvrit les écluses et un mouvement révolutionnaire emporta vers la frénésie les masses allemandes. Dès lors, l'Europe, travaillée par les conflits des trois idéologies en même temps que par les rivalités traditionnelles des puissances, glissa rapidement vers la catastrophe. Commencée en 1939 par l'alliance germano-soviétique et le partage de la Pologne, la guerre fit, cette fois, le tour de la planète, ranimant et élargissant la guerre qui, depuis 1931 ou 1937, sévissait en Chine. Lorsque l'incendie, au bout de six ans, s'éteignit, la terre était brûlée en Europe et en Asie. Ici et là, les deux vrais vainqueurs, à peine apaisé le fracas de la première bombe atomique, ceignaient leurs reins en vue de l'explication finale. Si claire est cette histoire qu'on s'étonne, après coup, de ne pas l'avoir reconnue plus tôt. Bien plutôt faut-il aujourd'hui lutter contre une illusion rétrospective de fatalité. Il y eut, au cours de ces trente années, des moments où le destin fut, pour ainsi dire, en suspens et où se dessinaient des lignes tout autres d'évolution. Il s'en fallut de quelques corps d'armée que l'issue de la bataille de la Marne fût différente. Une victoire décisive de l'Allemagne à l'ouest aurait probablement raccourci la durée de la guerre, quelle qu'eût été la politique de la Russie et de la Grande-Bretagne après l'écrasement de la France. L'Europe eût ignoré, encore une fois, les virtualités de la guerre hyperbolique, comme elle les avait ignorées en 1870-1871.

« Plus nettement encore, une paix de compromis, intervenue avant la Révolution russe, aurait témoigné d'une double clairvoyance : les Allemands auraient reconnu qu'ils ne pouvaient pas, avec la seule Autriche-Hongrie, vaincre militairement le reste de l'Europe, et les Alliés qu'ils ne pouvaient pas réduire l'Allemagne à merci. Le glissement de la Première à la Seconde Guerre mondiale n'était pas non plus fatal. Il fallut, pour en arriver là, une conjonction presque incroyable de sottise et de mauvaise chance. En retard d'un siècle, les Britanniques évoquèrent l'ombre de Napoléon, parce qu'un Poincaré défendait avec hargne les droits de la France et se montrait indifférent aux conséquences économiques des sanctions. La diplomatie française fut à la fois tatillonne et brutale à l'égard de la République de Weimar, alors que la générosité, la reconstruction en commun de l'Europe divisée auraient été peut-être payantes. Elle fut faible et résignée face à une Allemagne qui n'aurait compris que la force et la résolution de s'en servir. Après l'arrivée au pouvoir de Hitler, il y eut encore des occasions de détourner le destin. En mars 1936, une réplique militaire à l'entrée des troupes allemandes en Rhénanie aurait au moins ralenti l'allure des événements, peut-être même provoqué la chute de Hitler. Il se peut, mais on en doute, que la résistance franco-britannique, en 1938, aurait décidé les conspirateurs antihitlériens (qui comprenaient certains chefs de l'armée) à l'action. Durant la guerre, les Anglo-Américains auraient pu maintenir ou reprendre le contact avec l'opposition à Hitler, tenter de vaincre l'Allemagne sans la détruire, ne pas pousser la guerre jusqu'au point où l'anéantissement du vaincu rend inévitable le choc entre les Alliés. Épargner un ennemi quand on n'est pas sûr de son allié a toujours été la leçon d'une honorable sagesse machiavélienne. »

J'esquissai, dans le même style, la conjonction des séries historiques (expression que j'empruntai à Cournot) qui aboutit au *Carrefour de l'Histoire* : « La constellation présente se situe au point de rencontre de trois séries. La première aboutit à l'unité planétaire et à la structure bipolaire du champ diplomatique ; la deuxième à la diffusion, en Asie et en Europe, d'une religion séculière dont un des deux géants se donne pour la métropole ; la dernière à la mise au point des armes de destruction massive, à la guerre totale qu'animent à la fois la science moderne et les fureurs primitives ; le franc-tireur et la bombe atomique apparaissent comme les formes extrêmes de la violence illimitée. » J'ajoutai que chacune de ces séries comporte simultanément une part de logique et une part de hasard — interprétation qui me condamnait au style Claude Monet, pour reprendre l'expression de Duverger. Catégorique sur les forces profondes, je me sens toujours partagé et incertain quand j'en viens à spéculer sur le cours des événements, prochains ou lointains.

André Kaan me posa par écrit des questions proprement philosophiques sur l'interprétation du déterminisme historique. Questions qui éclairent la disparité entre la rétrospection et la prospective. Je cite quelques passages de cette lettre parce qu'ils méritent de l'être et aussi pour évoquer une des figures les plus pures de ma génération. Petit, apparemment frêle, maladif, maladroit de geste et de parole, André, résistant, fut pris par la Gestapo et déporté dans un camp de concentration. Son frère aîné, lui aussi résistant actif, avait connu le même sort. André survécut alors que son frère mourut du typhus, au lendemain de la victoire alliée. L'un et l'autre, étrangers aux calculs de la politique, animés par le sens moral, sans l'ombre d'une pensée égoïste ou basse, incarnaient le type-idéal du philosophe au combat. André, que je connus mieux que son frère, me donna l'impression d'une sorte de sainteté. Je le cite : « Il me semble qu'un des résultats de ton livre que je découvre et auquel peut-être tu ne souscrirais pas est qu'on ne peut répondre de la même manière à la question de la nécessité historique selon qu'on l'envisage du point de vue réel ou du point de vue formel. Pour le premier il est hors de conteste qu'aucune nécessité n'est saisissable à la pensée positive ou même simplement raisonnable et que le but ou la fin de l'Histoire, si tant est que ces mots aient un sens, est aussi loin de nous qu'au premier jour. En revanche, on ne peut se défendre de l'impression que la modalité des conflits à partir d'un moment relativement ancien s'est trouvée orientée vers le dénouement de la guerre totale en vertu d'une nécessité inéluctable. Si, comme tu le dis, la bataille de la Marne l'a fait mûrir et qu'une issue inverse aurait pu la retarder, les velléités de résistance à outrance du gouvernement de la défense nationale auraient pu l'avancer de quelques décades. » André Kaan semble, dans ce passage, limiter la contingence à l'échéance, autrement dit à la date où cette tendance inévitablement aboutit à son terme.

Il refuse ensuite que la contingence résulte de la pluralité des séries historiques. Assurément, les deux séries du progrès technique et de la démocratisation des sociétés occidentales sont indépendantes : « ... Cela dit, il reste que cette indépendance des causes ne saurait garantir la contingence des résultats si les deux séries causales agissent dans le même sens et si l'une des deux peut amener isolément la même issue que les deux conjuguées. En fait, le progrès technique semble bien avoir une autonomie suffisante pour qu'on puisse prévoir son orientation et affirmer son irréversibilité d'ensemble. D'autre part, les deux séries se renforcent... En bref, il résulterait de ton livre qu'en dépit de la contingence de chacun des événements particuliers qui rend incertains la date et le degré des résultats, le mouvement vers l'extension qualitative et quantitative des conflits internationaux obéit à une nécessité d'ensemble... Ce sur quoi je demande ton accord, c'est qu'au début du XXe siècle les facteurs capables de limiter l'emploi de la violence pouvaient raisonnablement être considérés comme des survivances, promises à une élimination plus ou moins rapide. »

Dans la dernière partie de sa lettre, André Kaan se tournait vers l'avenir : « Projetées vers l'avenir, les incertitudes mettent en question la possibilité éventuelle de limiter la guerre totale. Là encore, je crains de trouver une opposition entre la réponse affirmative, inspirée de ma conscience philosophique, et les données réelles de la constellation présente. » Et André formulait clairement des inquiétudes soulevées par mon livre. « Peut-on mettre une volonté absolue au service d'une vérité relative ?... Je me demande si notre temps, en recevant toujours plus de socialisme dans son cours, ne diminue pas encore l'espérance et la foi dans la cause de la liberté... En fait, la possibilité idéale de dissocier le socialisme, en tant qu'ensemble de techniques économiques, de la religion séculière est vérifiée par l'opposition de la Grande-Bretagne et des Soviets. Je crains cependant que la séduction du totalitarisme pour les esprits attachés à la doctrine socialiste n'ait des causes profondes dans l'inspiration idéologique et passionnelle de celle-ci. »

Pas de pluralisme des valeurs, écrivait-il, sans pluralisme des hiérarchies sociales. Et en conclusion : « Tandis que le prolétariat malheureux, révolté par l'inégalité, appelle un univers d'esclaves, des philosophes unissent, d'une façon inintelligible pour moi, la revendication de choix existentiels indéfiniment multiples au refus de l'aliénation comme si celle-ci ne résultait pas de ceux-là... En tout cas, aussi longtemps que le socialisme oublie qu'il procède du primat de la société sur l'État, les partis socialistes resteront entravés par un complexe d'infériorité dans leur lutte contre le communisme. »

Ces remarques pertinentes rappellent, de quelques manière, la cause majeure des défauts du livre telle que je l'ai analysée un peu plus haut. La même distinction entre les séries causales et la contingence des événements pouvait-elle commander les perspectives aussi bien que les rétrospections ? Était-ce possible ? En tout cas, je n'y parvins pas et les critiques s'attachèrent non à l'ensemble mais à certains chapitres, chacun d'eux faisant son choix. Maurice Duverger mettait à part les chapitres sur les transformations du communisme, sur l'évolution du travaillisme et le développement du socialisme national, « analyses absolument remarquables » ; Manès Sperber réservait ses faveurs à la partie consacrée à « l'impuissance de l'Europe ». Je ne suis d'accord ni avec l'un ni avec l'autre. A mes yeux, les deux premiers chapitres, « La surprise technique » et « Le dynamisme de la guerre », l'emportent de loin sur les autres. Un bon lecteur s'accorda avec moi, Jean Duval.

Presque au même moment, j'écrivis, pour le *Bulletin of atomic scientists*, un article intitulé : « Un demi-siècle de guerres limitées. » L'ascension aux extrêmes aboutissait à la guerre froide et à la rivalité des deux

Grands, du même coup à l'interrogation historique : l'arme nucléaire, l'innovation qu'évoquait André Kaan dans sa lettre, ne crée-t-elle pas au moins la chance d'une rupture, de la retombée de la violence paroxystique à la violence limitée ? Retombée d'ailleurs qui, en contrepartie, diffuse et perpétue la violence. La paix traditionnelle disparaît en même temps que la guerre totale.

La philosophie de l'histoire qui inspire les deux livres oscille entre Marx (peut-être plutôt Saint-Simon) et Spengler. Bien que les guerres aient été déclenchées par les passions nationales — celles qui déchiraient la double monarchie, celles qui enflammaient les masses germaniques et Hitler lui-même —, ce sont les forces de production, à la faveur de la mobilisation de l'industrie, qui entretinrent le monstre guerrier entre 1914 et 1918, ce sont elles encore qui assurèrent aux États-Unis l'hégémonie mondiale après l'écroulement des empires nippon et hitlérien. C'est la science elle-même, fondement de la technique, qui introduisit une phase nouvelle des rapports entre les États.

Le thème de la *technicisation* de la planète appartient aussi bien à Saint-Simon et à Marx qu'à Spengler et à Heidegger. Ce qui était en question au lendemain de la guerre, et qui le demeure aujourd'hui, c'est l'avenir que porte en elle la révolution technique, le sort qu'elle réserve à l'Occident. Dans la pensée de Marx, la science constitue en elle-même une force de production ; une fois le capitalisme détruit par ses propres contradictions, elle créera une société humaine d'où l'exploitation de l'homme par l'homme aura disparu. Dans la pensée de Spengler, le triomphe de la technique entraînera la prolifération des villes et de la démocratie, des masses ou des esclaves et, du même coup, la désintégration des formes culturelles. Je ne m'accordais avec aucune de ces deux philosophies que je confrontais, trente années plus tard, dans le *Plaidoyer pour l'Europe décadente.* Ni l'optimisme rationaliste de l'un ni le pessimisme stoïque de l'autre : une philosophie ouverte qui avoue humblement les limites de notre savoir, échappe à l'orgueil prométhéen et au fatalisme biologique, ne s'achève ni sur une certitude de victoire ni sur un cri de désespoir.

Dans les dernières lignes du chapitre consacré à l'avenir de l'Europe, je prévoyais la fin des empires européens : « Le manque d'espace crée pour les collectivités un péril comparable à celui du manque d'oxygène pour les humains. L'Europe occidentale, tant que l'armée russe sera établie à quelque deux cents kilomètres du Rhin, se sentira menacée d'étouffement... Qu'il s'agisse de progrès économique ou d'échanges spirituels, les tâches ne manquent pas aux Occidentaux, minorité de privilégiés qui dispose de moyens de production et de connaissances techniques largement supérieurs à ceux du reste de l'humanité... Les Européens n'ont nul besoin de domination coloniale et de zones d'influence pour maintenir leur présence et poursuivre leur fonction historique... L'Europe devrait craindre moins l'effondrement des empires que l'hostilité de leurs anciens maîtres, des pays devenus indépendants. »

De manière plus brutale, je condamnai la politique française en Indochine : « Nous avons provoqué (ou nous n'avons pas su éviter) ce que nous aurions dû craindre par-dessus tout : une guerre interminable contre une résistance indochinoise dirigée par les communistes, mais ralliant le plus grand nombre de nationalistes. Dès l'origine, nous avions le choix entre deux méthodes : ou bien accorder franchement à Hô Chi Minh l'essentiel de ses revendications, à savoir l'indépendance de l'Indochine, l'Union des trois Ky, avec un rattachement plus ou moins vague à l'Union française, ou bien, si nous jugions impossible de traiter avec Hô Chi Minh, susciter un gouvernement national auquel nous aurions accordé, pour l'essentiel, ce que nous aurions refusé à un agent stalinien. Au lieu de choisir résolument une politique et de nous y tenir, nous avons hésité. Nous avons reconnu Hô Chi Minh pour le chef de la résistance nationale, en 1946, nous avons négocié avec lui, nous l'avons reçu solennellement. Mais, tout en lui donnant par là même un prestige supplémentaire, nous avons en apparence joué un double jeu. Nous aurions dû souhaiter une Indochine indépendante et amie... Il se peut que cet objectif ait été dès l'origine inaccessible, l'Indochine indépendante serait peut-être devenue communiste. Au point de vue de la France même, cet aboutissement nous aurait coûté moins cher que la guerre. » Un peu plus loin : « La France, sans moyens de défendre son propre territoire, gaspille ses ressources en une aventure que justifie à la rigueur la diplomatie mondiale de l'anticommunisme mais non l'intérêt propre du pays. »

A Londres, je m'exprimais sans retenue sur l'avenir de l'Indochine : je souhaitais que la France accordât l'indépendance aux trois pays de la péninsule. A *Combat*, au moment où éclata la guerre (16 décembre 1946), mon article que j'ai cité dans un autre chapitre ne laissait guère de doute sur mes sentiments.

A partir de 1949, et surtout de la campagne coréenne, la France se trouvait piégée. Hier critiquée par les Américains, elle recevait soudain leur appui. Nous nous étions engagés à l'égard des États associés et de Bao Daï. A moins d'un choc, d'une défaite militaire, nous ne pouvions pas abandonner les troupes vietnamiennes que nous avions nous-mêmes créées, organisées, armées. Dès 1950, à partir des défaites aux frontières, les gouvernants de la IVe République ne se faisaient plus d'illusion. Ils cherchaient l'occasion de la retraite. Quand ils envoyèrent De Lattre de Tassigny en Indochine, ils espéraient de lui un rapport qui leur permettrait un retournement ou, tout au moins, une inflexion de leur politique.

Le général de Gaulle ne facilitait pas la tâche des responsables. Il avait nommé gouverneur d'Indochine Thierry d'Argenlieu, le prêtre-amiral, l'homme qui s'en prit aux généraux qui ne « voulaient pas se battre » et qui forma le gouvernement de la Cochinchine sur l'ordre du gouvernement de Paris alors même qu'à Fontainebleau, G. Bidault négociait avec

Hô Chi Minh. Dans sa conférence de presse du 14 novembre 1949, le Général disait : « La France doit rester en Indochine. Elle doit y rester pour l'Indochine, car sans la présence et le concours de la France, l'indépendance, la sécurité, le développement de l'Indochine seraient compromis. D'ailleurs, plus le temps passe, mieux on s'aperçoit que les événements d'Indochine ne sont qu'une partie d'un tout. En réalité, il s'agit de savoir si l'Asie va rester libre. Du moment qu'il est utile que le monde libre coopère avec l'Asie libre, je ne vois pas pourquoi la France ne coopérerait pas avec l'Indochine. »

Le 16 mars 1950, il revendiqua la responsabilité et l'honneur d'avoir envoyé dès 1945 un corps expéditionnaire en Indochine. Sans l'armée française, c'est Hô Chi Minh qui l'emporterait et « l'Indochine d'Hô Chi Minh ne serait que subordonnée au système eurasien que l'on sait. Il faut donc que la France et l'armée française restent en Indochine. Pour cela, il faut qu'elles aient les moyens d'agir ». Il ajoutait même que c'est grâce à l'envoi des soldats français en Indochine que « l'Union française commence à prendre corps dans les esprits à travers le monde ».

L'année suivante, le 22 juin 1951, il énuméra quatre solutions militaires : « On peut s'en aller. On peut se limiter à tenir quelques môles. Ce sont là des solutions de défaite. Quant à moi, je ne les accepte pas. » La troisième solution était celle de la IVe République. La dernière serait d' « envoyer des forces nouvelles au point de vue des effectifs et au point de vue du matériel... A cette double condition, nous pourrons trancher définitivement la question militaire en Indochine ». Le général de Gaulle croyait-il à la solution militaire ? Quelle illusion en ce cas !

Certes, je n'ai jamais hésité à tenir des propos en contradiction avec les thèses du Général sur tous les sujets, en particulier sur l'Allemagne. J'aurais d'autant moins hésité à prendre parti pour la « solution Hô Chi Minh » qu'André Malraux, en 1946, quand je travaillais avec lui au ministère de l'Information, ne cessait de me répéter : « Il faudrait dix ans et un demi-million d'hommes pour rétablir l'autorité française. » Le général Leclerc de Hauteclocque partageait cette opinion. Encore A. Malraux se trompait-il par optimisme : il aurait fallu beaucoup plus que dix ans ; la démonstration fut faite. Je ne l'ai du reste jamais entendu prêcher la guerre en Indochine. Il s'en tirait par des formules, incontestables et faciles : « Si le gouvernement choisit la guerre, qu'il donne du moins au corps expéditionnaire les moyens matériels nécessaires. »

Durant les mêmes années, je songeais déjà au livre qui devint *Paix et guerre entre les nations* et j'écrivis plusieurs articles qui traitaient de la théorie ou de la méthode des relations internationales : « Les tensions et les guerres du point de vue de la sociologie historique », « De l'analyse des constellations diplomatiques », « Des comparaisons historiques », « De la paix sans victoire », « En quête d'une doctrine de la politique étrangère », « A l'âge atomique, peut-on limiter la guerre [1] ? »

1. Tous ces articles ont été réunis dans *Études politiques* (Gallimard).

Quelques idées servirent pour ainsi dire de transition entre les analyses historiques développées dans *le Grand Schisme* et *les Guerres en chaîne,* et les considérations abstraites ou générales qui aboutirent à *Paix et Guerre.*

Une première idée, qui se retrouve dans plusieurs de ces études, constituait, à l'origine, une réponse à une thèse proclamée par des experts ou prétendus tels de l'Unesco : « la guerre commence dans l'esprit des hommes [1] » ; ou encore à un texte signé par un groupe d'experts sur la possibilité d'éliminer la guerre. Je soutins contre les psychologues, psychanalystes, marxistes ou antimarxistes que la recherche doit prendre pour point de départ la guerre comme « conflit armé entre deux unités politiques indépendantes par le moyen de forces militaires organisées dans la poursuite d'une politique tribale ou nationale », phénomène spécifique, qui se retrouve dans toutes les civilisations, sous des formes multiples mais toujours reconnaissables. En d'autres termes, je plaidai pour une sociologie historique.

J'énumérai les six questions auxquelles doit répondre l'analyse d'une constellation diplomatique. Les trois premières, qui constituent une première catégorie, doivent être présentes à l'esprit des hommes d'État : quel est le champ diplomatique ? Quelle est la configuration des relations de puissance à l'intérieur de ce champ ? Quelle est la technique de guerre à laquelle les gouvernants se réfèrent plus ou moins clairement pour estimer l'importance des positions ou des relations ?

La première question m'était évidemment suggérée par l'expérience de la première moitié du siècle. Les hommes d'État ou les chefs militaires qui entraînèrent les peuples dans la grande guerre de 1914-1918 ne se représentaient pas les États-Unis comme un des acteurs, voire l'acteur décisif du drame. Grande puissance dans un champ limité à l'Europe et à ses dépendances, la France cesse de l'être dans un champ étendu à la planète entière.

La deuxième question sortait de la bipolarité du champ diplomatique postérieur à la destruction du IIIe Reich et de la « sphère » nipponne de « coprospérité ». Le concert européen du XIXe siècle ou du XXe avant 1914 se fondait sur la pluralité de grandes puissances, de force comparable, dont les alliances changeantes prévenaient l'ascension d'un « empire universel ». Le souvenir du concert européen me servait de type-idéal d'une certaine configuration des relations de force. L'écart entre les États-Unis et l'Union soviétique d'une part, et toutes les autres unités politiques d'autre part, caractérisait un autre type de configuration, celui de la bipolarité.

L'extension du champ diplomatique dépend tout à la fois de la dimension des États et de la technique militaire. Les moyens de mouvement ou de transport rendirent possible l'intervention décisive des

1. Proposition en un sens évidente, mais qui suggérait faussement que l'action psychologique, l'éducation pourraient éliminer les guerres.

États-Unis en Europe dès 1917-1918. MacKinder avait déjà été frappé par les deux premières guerres du XXe siècle, en Afrique du Sud et en Mandchourie. A dix milliers de kilomètres, au bout d'une seule voie ferrée, la Russie tsariste avait ravitaillé une armée au combat ; de même l'Angleterre, grâce à la maîtrise des mers, avait entretenu un corps expéditionnaire très loin de la métropole. La bombe nucléaire, novation révolutionnaire de l'armement, quelle transformation entraînait-elle dans les relations internationales ?

A ces trois questions — essentiellement stratégico-politiques — j'ajoutai trois questions idéologico-politiques : jusqu'à quel point les États aux prises se reconnaissent-ils les uns les autres de telle sorte que les frontières seulement, et non l'existence des États eux-mêmes, constituent l'enjeu de la lutte ? Quelle est la relation entre le jeu de la politique intérieure et les décisions des hommes d'État ? Quel sens ceux-ci donnent-ils à la paix, à la guerre, aux relations entre États ?

La première de ces interrogations visait l'alternative des guerres impériales et des guerres nationales. Clausewitz écrivit qu'avant Napoléon les souverains ne croyaient pas à la possibilité de grandes conquêtes en Europe. Avec Napoléon, avec Hitler, l'existence même de certains États devenait l'enjeu des guerres. La non-reconnaissance des États se produit dans diverses circonstances : quand le vainqueur vise à soumettre les vaincus à sa souveraineté, quand il tient une population pour indigne de l'indépendance, enfin quand les belligérants jugent mutuellement leurs régimes et leurs idéologies incompatibles et se donnent donc pour objectif d'éliminer le régime et l'idéologie de l'ennemi.

La deuxième question renvoie à une étude de politique intérieure. Le président des États-Unis ne dirige pas l'action extérieure de son pays à la manière dont le *politburo* du parti communiste dirige celle de l'Union soviétique. La sociologie américaine a multiplié les études sur le jeu des lobbies, des groupes de pression, de la presse et du Congrès, jeu qui limite la liberté de manœuvre du président et de ses conseillers (sans compter la rivalité entre les diverses organisations étatiques qui ont leur mot à dire dans la détermination des choix diplomatiques).

La dernière question m'était inspirée également par la conjoncture. Les marxistes-léninistes du Kremlin ne désignent pas les événements par les mots dont usent les dirigeants de Washington. Selon Moscou, l'instauration du régime fidéliste à Cuba marque une étape de la libération des peuples victimes de l'impérialisme américain. La diplomatie soviétique s'inspire d'une théorie et d'une pratique révolutionnaires, s'insère dans une vision globale de l'Histoire. La diplomatie américaine combine un idéalisme juridico-moral avec un réalisme souvent inconscient de lui-même.

Quelques années plus tard, je repris ces six questions dans une étude intitulée « Analyse des constellations diplomatiques » et je les utilisai pour débrouiller la conjoncture d'après-guerre. En particulier, je distinguai les diverses formes de non-reconnaissance. Au début des années 50, les Occidentaux ne reconnaissaient pas la RDA, les Etats-Unis ne reconnaissaient même pas l'annexion des États baltes. Pour l'Union soviétique, la République de Corée n'existait pas ; pour les Occidentaux, c'est la République populaire de Corée qui n'existait pas. L'examen des techniques diplomatiques que j'ajoutai à la troisième question conduisit aux modalités nouvelles des relations entre États : Nations unies, GATT, etc., de même que l'examen des techniques des armements conduisit aux conséquences historiques des armes nucléaires. La problématique de H. Delbrück demeure plus actuelle que jamais : l'histoire des guerres ne se comprend que dans le cadre de l'histoire des relations politiques.

Dans toute conjoncture, on discerne *les relations de puissance* — limites du champ, structure des forces, technique militaire — et le *sens idéologique* du commerce, pacifique ou belliqueux, entre les États, sens qui résulte tout à la fois des liens entre politique intérieure et politique extérieure, de la reconnaissance ou non-reconnaissance mutuelle des États et de la philosophie de la diplomatie que professent les divers États. Relations de puissance d'un côté, sens idéologique de l'autre, tels sont les deux aspects d'une constellation interétatique. Quand tous les États donnent le même sens à la diplomatie, celle-ci tend vers un type historique : la diplomatie idéologiquement neutre, qui met en relations et aux prises des États qui ne cherchent pas à se déstabiliser l'un l'autre par l'intérieur. La diplomatie religieuse ou révolutionnaire l'emporte dans les époques où les conflits entre partis ou confessions recoupent ou compliquent les conflits entre États. Après les guerres de religion, l'Europe chercha et trouva un refuge dans la diplomatie des cabinets et la subordination des Églises et des croyances à la raison d'État. Après les guerres de la Révolution, elle revint une fois de plus à une sorte de légitimité étatique, support d'une diplomatie traditionnelle. Depuis 1917, l'Europe est entrée dans une nouvelle phase idéologique dont elle n'est pas encore sortie, et elle y a entraîné le monde entier. Je découvris, dans une thèse de doctorat, soutenue à Genève, les concepts que je cherchais pour désigner les deux types de relations internationales : *système homogène,* celui dans lequel les États se réclament du même principe de légitimité, *système hétérogène* celui dans lequel les États se fondent sur des principes antagonistes de légitimité et, par suite, obéissent à des considérations idéologiques ou religieuses, en dehors des calculs de puissance. L'auteur de cette thèse, M. Papaligouras, servit comme ministre, il y a quelques années, dans un ministère présidé par C. Karamanlis.

Les deux guerres du XXe siècle m'avaient aussi amené à réfléchir sur la guerre hyperbolique, selon l'expression de G. Ferrero, sur la volonté de combattre jusqu'au bout afin d'imposer une paix dictée, mais pas nécessairement carthaginoise. Aussi la guerre de Corée me parut-elle un tournant : pour la première fois dans leur histoire, les États-Unis renonçaient à une victoire d'anéantissement. Après un demi-siècle de guerres totales, s'ouvrait le demi-siècle de guerres limitées (titre d'un article que je publiai dans le *Bulletin of atomist scientists*).

L'article intitulé « De la guerre sans victoire », publié à l'automne de 1951, après l'intervention chinoise et la stabilisation des fronts à proximité de la ligne de démarcation tracée en 1945, prévoyait un compromis, sans vainqueur ni vaincu. La relecture de l'analyse ne me paraît pas entièrement dépourvue d'intérêt. Du côté de Washington, « la paix négociée constitue l'objectif minimum que doit se fixer une grande puissance. Quel qu'en soit le coût, la bataille doit être poursuivie jusqu'au moment où l'ennemi cédera, c'est-à-dire renoncera à l'ambition de vaincre décisivement ». Qu'en est-il de l'autre côté ? « Logiquement, donc, les Sino-Soviétiques devraient mettre fin à la guerre de Corée dès que les hommes du Kremlin auront jugé la Chine suffisamment affaiblie et docile. » Dès ce moment, je ne croyais pas à une entente parfaite entre l'Union soviétique et la Chine populaire. J'ajoute que cet article avait été rédigé avant l'initiative de Malik [1] qui aboutit aux pourparlers de Pan Mun Jon.

Dès lors qu'aucun des deux belligérants ne se donne pour objectif une victoire décisive, une paix — ou un cessez-le-feu — négociée devient inévitable. Et le compromis possible se ramène au maintien des deux Corées : « En l'état actuel des choses et des esprits, il semble donc que le retour au *statu quo ante* doive être l'issue dérisoire, absurde, d'une guerre qui aura duré plus d'un an. » Elle dura en fait deux années de plus ; les Américains ayant arrêté leurs opérations dès le moment où commencèrent les pourparlers, les Sino-Soviétiques, pour des raisons encore aujourd'hui obscures, refusèrent de céder sur la question des prisonniers : ces derniers n'auraient pas la possibilité de choisir entre le sud et le nord de la Corée, entre Pékin et Taiwan. Ils cédèrent quelques semaines après la mort de Staline — ce qui suggère au moins une interprétation.

L'aboutissement de la campagne de Corée devenait, dans ma pensée, le symbole du conflit Est-Ouest considéré globalement : « La guerre froide équivaut à une guerre limitée où chacun des deux camps n'emploie qu'une partie des moyens disponibles, mais où l'un vise une victoire totale et l'autre une victoire partielle. En Corée, le camp occidental a remporté la sorte de victoire à laquelle il aspire dans le troisième conflit mondial. L'Occident ne veut détruire ni l'Union soviétique ni le régime stalinien, il veut que l'Union soviétique renonce à son entreprise d'expansion mondiale. » Avais-je raison ? Bien entendu, j'avais raison de ne pas plaider en faveur d'une stratégie belliqueuse, mais les États-Unis, à l'époque de leur évidente supériorité, devaient-ils se contenter de la partie nulle ? Se résigner au partage de l'Europe ? Ne peut-on dire que Staline, en simulant la volonté de conquérir l'Europe occidentale, laissa aux États-Unis l'illusion de remporter une victoire par la stabilisation des démocraties libérales à l'ouest de la ligne de démarcation, alors qu'il

1. Représentant soviétique aux Nations unies.

atteignait, lui, son but : stabiliser les démocraties populaires imposées aux pays occupés par l'Armée rouge ?

Je voudrais dire un mot sur les deux autres articles qui font suite à la campagne de Corée et à la « Paix sans Victoire ». Dans un article de *Preuves* (1953), j'interrogeai : « A l'Age atomique, peut-on limiter la guerre ? » Je plaidai en faveur de la limitation géographique des conflits, en faveur aussi de la modération des hommes d'État. Pour éviter l'ascension aux extrêmes, il faut avant tout que les chefs de guerre, les hommes d'État ne se donnent pas des buts qu'ils ne peuvent atteindre que par l'écrasement de l'ennemi. J'en vins au cas de la guerre générale : là encore, la limitation ne devait pas être exclue à l'avance. Certes, « une guerre, en Europe, *une guerre générale entre les deux camps, ne pourra pas ne pas être atomique.* Mais il n'en résulte pas que les belligérants jetteront, l'un sur l'autre, tous leurs moyens de destruction. » Rationnellement, chacun s'efforcera de détruire les instruments de représailles de l'autre. L'abondance atomique, la diversité des usages militaires de l'explosif atomique, le développement des fusées obligent à concevoir la prolongation de cette bataille initiale, sans modifier l'idée qui nous paraît essentielle. « A partir du moment où les deux camps ont une capacité égale de bombardements atomiques des villes, la raison leur commande à tous de s'abstenir. L'égalité atomique devrait faire à nouveau des armées ennemies l'objectif n° 1. » Le raisonnement n'a rien perdu de sa valeur. Peut-être même a-t-il gagné en force de conviction. Or, curieusement, les Américains, en 1970, adoptèrent la doctrine de *mutual assured destruction.* En d'autres termes, ils réduisirent pour ainsi dire la dissuasion à la capacité de chacun des deux Grands de détruire les villes de l'autre. Dissuasion singulièrement faible contre toute attaque autre qu'une attaque nucléaire visant son propre territoire. Les Américains furent amenés à cette doctrine par le postulat que je critiquai déjà dans cet article : tout franchissement du seuil nucléaire irait nécessairement à l'extrême de la guerre nucléaire totale.

Peut-être le titre d'un article paru dans le *Bulletin of Atomic scientists* résume-t-il mon interprétation, à cette époque : « Un demi-siècle de guerres limitées. » Il n'énumère pas les moyens de limiter les guerres, même celles où certaines armes nucléaires sont employées. Il se concentre sur le changement des rapports entre les deux Grands. Après avoir développé, pour un public américain, les raisons passablement claires pour lesquelles les Soviétiques ne pouvaient pas accepter le plan Baruch-Lilienthal d'internationaliser cette arme en même temps que l'industrie atomique, je m'interrogeai sur les conséquences de l'égalité, actuelle ou prochaine, des deux Grands en fait d'armes nucléaires et de vecteurs. La dissuasion résumée par la formule : « Arrête ou je te réduis en poussière » impressionne davantage l'agresseur présumé que l'autre formule : « Arrête ou nous allons mourir ensemble. » En 1956, les États-Unis disposaient encore d'une supériorité substantielle au niveau de ce que l'on appelle aujourd'hui « la balance centrale » ; mais j'anticipai sur la situation et je discutai les implications de la doctrine appelée aujourd'hui *mutual assured destruction.* Chacun des deux belligérants conserve, après une première attaque de l'autre, des instruments de représailles suffisants pour infliger à l'agresseur des destructions, sinon égales, du moins du même ordre de grandeur que celles qu'il a lui-même subies. A partir de là, je posai la question : quelles sont les positions qui ne peuvent être défendues que par la menace de représailles nucléaires ? Quelles sont celles qui doivent être défendues localement parce que l'adversaire ne prendra pas au sérieux la menace nucléaire ? J'en vins ensuite à deux controverses qui devinrent de plus en plus courantes. Convient-il de maintenir la dissuasion sous sa forme extrême, primitive, ou bien, tout au contraire, faut-il graduer la dissuasion (c'est-à-dire la menace) et la proportionner à l'importance de l'enjeu ? Je plaidai en faveur de la gradation de la menace en fonction de l'importance de l'enjeu, en faveur aussi du renforcement des forces conventionnelles, là où la dissuasion par la menace de représailles massives demeure peu plausible.

La conclusion reflète assez exactement la conjoncture. Les armes thermonucléaires n'ont pas la seule fonction de se neutraliser mutuellement, elles servent aussi à prévenir les agressions dans les régions de particulière importance. Elles ne sont pas un instrument diplomatique utilisable en tout temps et en tout lieu. Pour la prochaine période historique, tout au moins, l'observateur politique ne s'accorde pas entièrement avec les physiciens qui déplorent que ces armes monstrueuses aient été mises par les savants à la disposition des hommes politiques. Certes, on ne peut pas exclure qu'une erreur ou une folie déclenche une guerre dont les horreurs dépasseraient de loin celles de toutes les guerres du passé. Mais, pour l'avenir prévisible, il est probable, disais-je, que la guerre générale et totale n'aura pas lieu.

Les coups de feu de Sarajevo déclenchèrent un processus en chaîne qui se termina avec les bombardements atomiques de Hiroshima et de Nagasaki. N'assistons-nous pas à un processus de sens contraire ? Une tendance à limiter les conflits dans l'espace et à renoncer à la victoire absolue par l'emploi de toutes les armes ? Toutes ces guerres limitées ensemble comportent un enjeu illimité et risquent toujours de provoquer une explosion suicidaire.

J'oscillai entre la méditation sur la première moitié du siècle et la réflexion prospective sur la seconde moitié. Une fois revenu à l'Université, je tentai d'unir, en un seul ouvrage, les leçons d'un passé récent, l'analyse du présent et les conseils aux acteurs. Spectateur mais engagé, je devais conclure sur une théorie de l'action.

XII

« L'OPIUM DES INTELLECTUELS »

L'installation permanente de l'armée russe au centre de l'Europe aurait frappé de stupeur les Britanniques et les Français au siècle dernier. Karl Marx aurait dénoncé avec plus de virulence encore l'impérialisme des tsars et la passivité lâche des Occidentaux. La réaction lente et modérée des Américains et des Européens, la formation du pacte de l'Atlantique Nord, exigée par la seule mécanique des forces, n'eût guère été moins nécessaire face à un régime traditionnel. Comme la Russie était devenue l'Union des républiques socialistes soviétiques, le débat diplomatique prit une tout autre ampleur. Étions-nous menacés par l'Armée rouge, par le « spectre qui hante l'Europe », le communisme, ou par l'irrésistible ascension de l'économie socialiste ?

Relire les articles ou livres de la période de la guerre froide, signés des auteurs les plus responsables, éveille des sentiments ambigus : pourquoi des esprits de qualité ont-ils déraisonné à propos de l'Union soviétique, alors même qu'ils n'adhéraient ni au marxisme ni au marxisme-léninisme ? La raison, le bon sens, la simple vérité que 2 et 2 font 4, toutes ces instances de contrôle sont-elles à ce point fragiles, vulnérables, même en l'absence de passions idéologiques ?

Je me souviens d'un chroniqueur de l'économie, au *Figaro*, éclairé, proche de la pratique, qui commenta sérieusement l'éventualité prochaine du pain gratuit en Union soviétique. Pourquoi n'a-t-il pas songé — sans même évoquer la misère de l'agriculture soviétique — que le pain, donc le blé, gratuit, serait gaspillé en nourriture pour les animaux et deviendrait bientôt rare ? Je ne dirais pas que la peur guidait leur plume. Bien plutôt, je dirais que ces analystes de circonstance voulaient inconsciemment témoigner de leur liberté d'esprit, de leur sens « progressiste ». Ils tenaient à reconnaître les vertus, l'efficacité d'une organisation sociale, qu'ils refusaient par ailleurs pour d'autres raisons.

Les polémiques entre les progressistes et les atlantistes tournaient autour des mérites ou démérites respectifs du régime soviétique et de la démocratie américaine. Sur ce sujet, les textes abondent et nous n'avons que l'embarras du choix. Je ne citerai pas des communistes — ils faisaient leur devoir — mais des hommes qui ne le furent jamais et qui, aujourd'hui, se trouvent du même côté que moi.

Je lis dans *les Temps modernes* de janvier 1950, à propos de la discussion à l'ONU sur le travail forcé : « ... Dans aucun pays du monde, la dignité du travail n'est plus respectée que dans l'Union soviétique. Le travail forcé n'y existe pas, car l'exploitation de l'homme par l'homme est depuis longtemps abolie. Les travailleurs jouissent du fruit de leur propre travail et ne sont pas obligés de dépendre de quelques exploiteurs capitalistes. Le travail forcé est propre au système capitaliste, car, dans les pays capitalistes, les travailleurs sont traités comme des esclaves par leurs maîtres capitalistes... Les représentants de la France et du Liban n'ont pas compris que, sous le régime soviétique, les travailleurs peuvent être amenés à travailler sans qu'il leur soit imposé une discipline rigide. Dans l'Union soviétique, chacun éprouve le désir de travailler et les héros du travail sont placés sur le même plan que les héros de la guerre... » A un autre endroit : « Les diverses mesures inhumaines appliquées dans les prisons des États-Unis à la population nègre de ce pays contrastent singulièrement avec les dispositions équitables et raisonnables du Code du travail collectif de l'Union soviétique ; ce code a été rédigé dans un esprit plus humanitaire que répressif et son but est de transformer les criminels en citoyens respectueux des lois. » Ce texte est signé de Roger Stéphane [1].

En avril 1953, je lis dans *Esprit :* « Notre combat a le même sens qu'en 1938, en 1940, en 1942, celui que désignait Mounier au lendemain de Munich : *l'Europe contre les hégémonies ;* l'Europe contre l'hégémonie raciste allemande, aujourd'hui l'Europe contre la double hégémonie des blocs, et d'abord notre Europe d'Occident contre l'hégémonie américaine et son relais allemand... » J.-M. Domenach ne maintiendrait évidemment pas aujourd'hui cette assimilation.

Sous la signature d'Albert Béguin on lisait : « On préconise un anticommunisme qui camoufle opportunément une fin de non-savoir opposée aux revendications de justice sociale, machiavéliquement mises au compte d'un subterfuge d'inspiration soviétique » et, un peu plus loin, évoquant les ouvriers français et italiens, il reconnaît que la « rigide orthodoxie stalinienne revêtue comme un uniforme par un travailleur d'Occident donne à ses gestes et à sa personne une raideur qui n'était

1. J'ajoute que Roger Stéphane s'est libéré rapidement de ces aberrations, qu'il a pris une part honorable au débat français sur la décolonisation. Je le cite précisément parce que ce texte ne lui ressemble pas.

pas le fait des hommes de vieille civilisation ». Mais comment lui en faire grief alors que « notre vieille civilisation ne lui offre rien dont, dans la situation française, il puisse nourrir son être » ?

Les partisans de l'Alliance atlantique devenaient, sous la plume des progressistes, catholiques ou non, de nouveaux collaborateurs (à supposer qu'ils ne fussent pas d'anciens collaborateurs). Le pacte de l'Atlantique, le réarmement de l'Allemagne signifiaient la guerre. Albert Béguin jugeait ridicule la réponse d'un professeur américain selon lequel les États-Unis, en favorisant le plan Marshall, « avaient sapé de gaieté de cœur leur propre suprématie ». Vingt ans plus tard, les États-Unis ressentaient en effet la concurrence européenne (et japonaise plus encore).

Voici, dans *Libération*, le 22 juin 1953, un article de Jean-Paul Sartre s'adressant aux Américains : « Sur un point, vous aurez gain de cause, nous ne voulons de mal à personne : le mépris et l'horreur que vous nous inspirez, nous refusons d'en faire de la haine. Mais vous n'arriverez pas à nous faire prendre l'exécution des Rosenberg pour un " regrettable incident ", ni même pour une erreur judiciaire. C'est un lynchage légal qui couvre de sang tout un peuple et qui dénonce une fois pour toutes et avec éclat la faillite du Pacte atlantique et votre incapacité à assumer le *leadership* du monde occidental... Mais si vous cédiez à votre folie criminelle, cette même folie demain pourrait nous jeter pêle-mêle dans une guerre d'extermination... Et qu'est-ce que c'est que ce pays dont les chefs sont forcés de commettre des crimes rituels pour qu'on leur pardonne d'arrêter une guerre... Vous rappelez-vous Nuremberg et votre théorie de la responsabilité collective ? Eh bien, c'est à vous aujourd'hui qu'il faut l'appliquer. Vous êtes collectivement responsables de la mort des Rosenberg, les uns pour avoir provoqué le meurtre, les autres pour l'avoir laissé commettre, vous avez toléré que les États-Unis soient le berceau d'un nouveau fascisme ; en vain vous répondrez que ce seul meurtre n'est pas comparable aux hécatombes hitlériennes ; le fascisme ne se définit pas par le nombre de ses victimes, mais par sa manière de les tuer... En tuant les Rosenberg, vous avez tout simplement essayé d'arrêter les progrès de la science par un sacrifice humain. Magie, chasse aux sorcières, autodafé, sacrifices : nous y sommes, votre pays est malade de la peur... En attendant, ne vous étonnez pas si nous crions d'un bout à l'autre de l'Europe : attention, l'Amérique a la rage. Tranchons tous les liens qui nous rattachent à elle, sinon nous serons à notre tour mordus et enragés. » Bien que postérieur à la mort de Staline, ce texte appartient à la littérature hyperstalinienne. Rien n'y manque, y compris le meurtre rituel. Les Américains tiennent dans la démonologie sartrienne la place que les Juifs tenaient dans la démonologie hitlérienne.

Plus extraordinaires encore nous apparaissent aujourd'hui quelques remarques de mon ami Alfred Sauvy (le texte de Sartre n'appartient pas à la littérature « normale ») qui se rapportent pour la plupart à l'Union soviétique ou plutôt à son avenir. Dans *le Pouvoir et l'opinion* (1949), voici comment il présentait les rapports de l'État à son peuple : « Aucun besoin de travestir la vérité, d'inventer des faits imaginaires, il suffit de sélectionner, de tamiser comme un verre de couleur... Les raisons de ce black-out soviétique ne sont pas seulement sentimentales : dans l'impossibilité d'assurer dans l'immédiat un niveau d'existence aussi élevé que celui des pays capitalistes occidentaux, les dirigeants ont résolu d'approcher ce niveau par les voies les plus rapides. Et cette rapidité même oblige à imposer des privations supplémentaires. » Privations pour accélérer l'accumulation du capital, l'idée était courante ; en revanche, la formule « tamiser » la vérité sans la travestir pour définir la politique stalinienne d'information, mon vieux professeur de rhétorique l'aurait qualifiée de « rencontrée ».

Il est cruel, je l'avoue, de reproduire certaines phrases : « De même que les biens d'équipement priment aujourd'hui le bien-être pour assurer le bien-être de demain, de même les vacances de la vérité sont nécessaires, pendant la période ingrate, pour faire éclater demain la pleine vérité... Vu sous cet angle, le communisme est un immense essai de vérité à terme et de liberté à crédit... Dans tel ou tel pays où le communisme s'est introduit par la violence, l'opinion entière sera communiste dans une génération ; annoncer qu'elle l'est dès maintenant n'est qu'une anticipation. » On attend encore le dénouement des opérations à terme de vérité et de liberté.

Quelques années plus tard, dans *le Monde* (30 et 31 octobre 1952), il mettait en garde les Européens contre les progrès de l'économie soviétique. Et il avait raison de le faire. En 1952 la croissance de l'économie française s'essoufflait ; les Soviétiques consacraient à l'investissement une part considérable du produit national. Nous pouvions en effet craindre qu'à force d'investissements la production soviétique dépassât celle des Européens. Mais Alfred Sauvy commettait une grave imprudence quand il écrivait : « Personnellement nous croyons le niveau de vie de l'ouvrier soviétique encore inférieur actuellement à celui des Français, mais la différence est peut-être moins grande qu'on ne le croit et diminue régulièrement. Dans quelques années, l'écart pourra avoir changé de sens. Qu'arrivera-t-il alors si le rideau de fer s'ouvre à des caravanes de touristes ouvriers, employés ou intellectuels ? Faudra-t-il le fermer de notre côté ? » En fait, le niveau de vie des travailleurs soviétiques demeurait en 1952 inférieur à celui de 1928.

Je répondis dans un article du 8 novembre 1954, non à Sauvy mais à ceux qui brandissaient la « prétendue menace de la prospérité soviétique ». Premier argument : l'antisoviétisme n'est pas fonction du niveau de vie ; la Turquie et la Corée, plus pauvres que l'Union soviétique, lui sont plus hostiles que les Occidentaux. Deuxième argument : le niveau de vie, mesuré par la quantité et la qualité de la nourriture disponible, est considérablement inférieur dans la patrie du socialisme à celui des Français. En URSS, on néglige l'équipement général du pays, le système des communications, les industries de transformation. « On n'a pas le droit de se donner par la pensée le même taux de croissance avec une autre répartition des investissements ; on n'a pas le droit de passer de l'égalité du revenu par tête à l'égalité du niveau de vie. Il serait mauvais de confondre la capacité de produire charbon, acier et chars d'assaut... avec la capacité de satisfaire les besoins des hommes... »

Troisième argument : supposons qu'en effet le niveau de vie en Union soviétique se rapproche du niveau de vie européen. De deux choses l'une : ou bien le rideau de fer restera abaissé, en ce cas, quel changement ? La propagande ne gagnera rien à rétrécir la distance entre la réalité et le verbe. « Le grand mensonge a une force percutante que n'a pas la vérité. » Ou bien le rideau de fer est relevé, les Soviétiques se promènent librement en France et les Français en Union soviétique. Le jour où l'Union soviétique s'ouvrirait, la guerre froide serait finie et la paix possible.

Conclusion : ceux qui imaginent pour le proche avenir la France ou l'Occident abaissant à leur tour le rideau de fer sont victimes du délire statistique. De ces victimes du délire statistique, je ne puis pas ne pas citer en première ligne l'auteur du livre intitulé *Révolution, dernière chance de la France,* publié en 1954, donc après la mort de Staline et la période extrême de la guerre froide. Ainsi que A. Sauvy, M. Lauré présente le soviétisme non comme un modèle, mais comme une menace : « S'il est vrai, comme nous nous en rendons compte, que le niveau de vie russe qui augmente de près de 10 % par an doive atteindre le nôtre vers la fin de l'année 1960, puis le dépasser rapidement, notre protection la plus efficace contre l'expansion du communisme disparaîtra[1]. » En 1954, au lendemain de la mort de Staline, le niveau de vie de la population demeurait inférieur à celui de 1928, avant la collectivisation agraire. Un quart de siècle après ce livre, le niveau de vie de la population soviétique se situe entre le tiers et la moitié du niveau de vie français dans la mesure où ces comparaisons grossières présentent un sens. M. Lauré, un des hommes les plus intelligents de France, considérait que l'augmentation du pouvoir d'achat en URSS représentait un danger proche pour la France. En bon polytechnicien, il calculait. Sur un revenu net de 100 après impôt, un Occidental en épargne 10 ; un Soviétique 15[2] et l'État en impose 15 de plus sous forme d'épargne collective ; de plus 10 encore doivent être soustraits du revenu net pour l'effort militaire supplémentaire. Sur un revenu net potentiel de 100, un citoyen soviétique ne dispose donc pour sa consommation que de 65 (contre 90 pour l'Occidental). A égalité de production par habitant, le niveau de vie soviétique sera inférieur de 28 % à celui de l'Occidental. Pour atteindre à l'égalité du niveau de vie avec les Occidentaux, les Soviétiques doivent les dépasser de 38,5 %. Résultat qui sera obtenu en cinq années puisque la production augmente de 10 % par an et par habitant en Union soviétique alors que ce même taux de croissance en Europe occidentale ne

1. *Révolution, dernière chance de la France,* Paris, PUF, 1954, p. 48.
2. Qu'en savait-il ?

dépasserait pas 2 %. L'avantage pris par l'Union soviétique chaque année serait de 7 % (1 % d'augmentation supplémentaire de population). « C'est donc vers les années 1962 ou 1963 que le niveau de vie du citoyen soviétique égalera le niveau de vie occidental, *en supposant que l'URSS continue encore à cette époque à soutenir le même effort d'équipement et le même effort militaire qu'actuellement* » (p. 66).

Pourquoi des calculs apparemment précis aboutissent-ils à des résultats que l'expérience ridiculise ? Tout d'abord, M. Lauré supposait le niveau de vie du Soviétique en 1953 beaucoup plus élevé qu'il ne l'était. Il prenait ensuite pour point de départ la production par tête et il acceptait les chiffres officiels sans les critiquer ; il ne connaissait apparemment pas les critiques américaines des statistiques soviétiques. Il surestimait, en l'évaluant à 65 %, la part du produit national qui revenait finalement au consommateur soviétique. Même si l'augmentation annuelle de la production nationale s'élevait à 10 %, au cours des années de l'immédiat après-guerre, Lauré ne tenait compte ni de la nature des produits, ni des particularités du régime. Les tracteurs sortaient par centaines de milliers des usines et entraient dans la comptabilité de la production nationale, mais s'ils tombaient massivement en panne, quelle contribution apportaient-ils à l'effort des producteurs ? La croissance de la production tenait avant tout à l'énormité des investissements et à l'expansion de l'industrie lourde. Le charbon et l'acier ne se transformeraient pas sur commande en biens de consommation, même industriels.

Enfin, et c'était là l'erreur cardinale, M. Lauré affirmait que, dans le secteur industriel, l'accroissement de la productivité s'est maintenu, abstraction faite de la période de guerre et de l'après-guerre, à un rythme extraordinairement rapide : 10 % au moins par an (contre 3 % aux États-Unis et 1,5 % environ en France sur longue période). Or il se trompait sur le taux français d'élévation de la productivité qui, dans les années d'après-guerre, était de 4 à 5 %. Il se trompait tout autant sur le taux soviétique. L'accroissement de la production industrielle a été réalisé grâce à l'accumulation des investissements et au gonflement de la main-d'œuvre. La productivité par tête, dans l'industrie, a progressé, au cours des premiers plans quinquennaux, grâce à la modernisation de l'appareil[1].

Certes, M. Lauré ne niait pas que la rapidité du progrès soviétique tînt aussi au retard initial de la Russie sur les pays occidentaux et il admettait que l'allure se ralentirait avant même que la productivité russe eût atteint la productivité américaine. Malgré tout, sur l'essentiel, il se faisait des illusions : à propos de l'agriculture, il observait « la promptitude et la facilité avec lesquelles le gouvernement de l'URSS met au service du développement du niveau de vie les moyens dirigistes extrêmement puissants qui ont fait leurs preuves à l'occasion du développement

1. A la même époque, un autre polytechnicien, Maurice Allais, étudiait le même problème de la production et de la productivité soviétiques. Ses conclusions, pour l'essentiel, étaient correctes et sans commune mesure avec celles de M. Lauré.

de l'industrie lourde ». Et il ajoutait : « ... une augmentation massive de la production agricole, dans toute la mesure où cette production dépend des hommes, est certaine pour le proche avenir... » Il y eut en effet une certaine progression dans les années qui suivirent la mort de Staline, mais à partir d'un niveau extraordinairement bas. Nous savons ce qu'il en est encore aujourd'hui.

En d'autres termes, il raisonnait sur des chiffres faux et méconnaissait les vices inhérents au régime. Il se représentait les ouvriers attachés au régime par un idéal communautaire et il ne voyait de salut, pour la France, que dans le surgissement de valeurs nouvelles, de valeurs communautaires, qui cicatriseraient les blessures du corps français, déchiré par les souvenirs et les idéologies.

Maurice Lauré ne me reprochera pas de citer ces vieux textes parce qu'il sait l'admiration que je porte à l' « inventeur » de la taxe à la valeur ajoutée. Si un prince de l'esprit, il y a un quart de siècle, pouvait commettre des bourdes pareilles, les jeunes d'aujourd'hui imaginent aisément quelles insanités peuplaient les journaux dits d'opinion.

Le débat proprement idéologique valait-il beaucoup mieux ? Au lecteur d'en juger. Je ne voudrais pas reprendre la controverse — ce qui serait ridicule et déplaisant puisque les interlocuteurs ont disparu — mais rafraîchir mes propres souvenirs et, du même coup, faire comprendre ces querelles, peut-être typiques des Trissotin du XXe siècle, à ceux qui n'ont pas vécu ces événements ni connu ces acteurs.

La première suprise, en 1945 je crois, qui me révéla la distance qui me séparait désormais de J.-P. Sartre et de M. Merleau-Ponty, me vint d'un article dans *le Figaro* ou *le Figaro littéraire ;* Merleau-Ponty y traitait de Sartre et de l'existentialisme, et notait, en passant, que les dissentiments avec le communisme relevaient des « querelles de famille ». Ils apprirent bientôt ce que signifient les « querelles de famille » avec les staliniens. Ma première controverse avec Merleau-Ponty eut pour objet *Humanisme et Terreur* (je laisse de côté le dialogue qui suivit, au Collège de Philosophie que présidait Jean Wahl, ma conférence intitulée « Marxisme et existentialisme »).

L'essai de Merleau-Ponty, publié en 1947, me heurta ou, pour mieux dire, m'indigna sur le moment. Les procès de Moscou tels que Koestler les avait présentés dans *le Zéro et l'Infini* constituaient le centre, l'objet ou l'occasion de l'essai. Roubachov tendait à se confondre avec Boukharine et ce dernier devenait un existentialiste. Je n'ai jamais lu sans irritation les lignes suivantes : « ... Il y a autant d' “ existentialisme ” — au sens de paradoxe, division, angoisse et résolution — dans le *compte rendu sténographique des débats de Moscou* que dans tous les ouvrages de Koestler. » Curieusement, les procès s'appellent Débats comme si Vychinski et Boukharine discutaient, en professeurs de philosophie, la part respective de nécessité et d'accident, de rationalité et de hasard dans le cours de l'histoire. Auteur et lecteur finissent par oublier que les procès sont fabriqués à l'avance, les rôles distribués et que tous, juges et accusés, récitent des discours écrits à l'avance. Je me sentais proche du paysan du Danube, dont la réaction naturelle fut exprimée par N. S. Khrouchtchev dans son fameux discours du XXe Congrès : « Pourquoi les accusés ont-ils avoué des crimes qu'ils n'avaient pas commis s'ils n'ont été torturés ? » Peut-être Merleau-Ponty le savait-il, mais peut-être ce philosophe pensait-il aussi que ces éléments matériels n'enlevaient rien à l'intérêt du *débat* sur la responsabilité de l'opposant.

Le livre me choquait encore par la réfutation, infatigable et inutile, d'une thèse que ses contradicteurs ne soutenaient pas. Merleau-Ponty rejetait le manichéisme de la propagande anticommuniste. De tous les côtés, il existe de la violence et le monde libre ou libéral ne s'oppose pas au monde communiste comme la vérité au mensonge, la loi à la violence, le respect des consciences à la propagande. Soit, mais une fois acceptée la thèse que tous les combats sont, à un degré ou à un autre, douteux, il reste à distinguer les degrés. Si toute politique étrangère comporte une dimension de ruse et de violence, il n'en résulte pas qu'il n'y ait pas de différence morale entre d'un côté celle de Hitler ou de Staline et, de l'autre, celle de Roosevelt ou de Churchill. Quand Merleau-Ponty écrit, comme s'il s'agissait d'une vérité évidente, que « la civilisation morale et matérielle de l'Angleterre suppose l'exploitation des colonies », il tranche légèrement un procès encore ouvert. L'Angleterre a perdu son empire, sans perdre sa civilisation morale. Le respect de la loi sert, éventuellement, à justifier la répression policière de grèves en Amérique, mais certainement pas « le développement de l'empire américain dans le Moyen-Orient ».

De même, j'acceptais sans peine que l'entremêlement de la rationalité et des accidents laissât une marge aux décisions des individus et, par suite, exposât les hommes aux démentis, voire aux condamnations de l'Histoire. Les acteurs, parfois, ne se reconnaissent plus dans les conséquences, dans la signification même de leurs actes. Leur opposition au pouvoir établi apparaît rétrospectivement trahison si elle a favorisé la cause des ennemis. Ce qui me choquait, ce n'était pas cette dialectique, au bout du compte banale. Tout opposant peut *post eventum* sembler un traître. Mais toute décision historique doit être jugée en tenant compte du moment, du contexte dans lequel elle a été prise ; si l'historien a le droit, le devoir de prendre en considération les suites involontaires ou imprévisibles d'une décision, ces suites ne doivent pas fonder le jugement du moraliste, moins encore le verdict d'un tribunal.

Enfin, la philosophie de l'histoire de Merleau-Ponty m'apparaissait, d'un côté, classique (rationalité et hasard), de l'autre, presque puérile : « Considéré de près, le marxisme n'est pas une hypothèse quelconque, remplaçable demain par une autre, c'est le simple énoncé des conditions sans lesquelles il n'y aura pas d'humanité au sens d'une relation réciproque entre les hommes ni de rationalité dans l'histoire. En ce sens, ce n'est pas une philosophie de l'histoire, c'est *la* philosophie de l'Histoire et y renoncer c'est faire une croix sur la Raison historique. Après quoi, il n'y a plus que rêveries ou aventures [1]. »

Merleau-Ponty fondait sa position d'a-communisme ou d'attentisme sur le doute : « ... La construction des bases socialistes de l'économie s'accompagne d'une régression de l'idéologie prolétarienne et, pour des raisons qui tiennent au cours des choses — révolution dans un seul pays, stagnation révolutionnaire et pourrissement de l'Histoire dans le reste du monde —, l'URSS n'est pas la montée au grand jour de l'Histoire du prolétariat tel que Marx l'avait défini. » Il allait plus loin encore : « Il y a peut-être encore une dialectique, mais au regard d'un Dieu qui saurait l'Histoire universelle. Un homme situé dans son temps... ne voit pas au pouvoir le prolétaire comme " homme de l'Histoire universelle "... »

Retraduite en langage ordinaire, la pensée de Merleau-Ponty ne péchait pas par un excès de subtilité. La base économique du socialisme se construisait dans le bruit et la fureur ; l'homme universel, le prolétariat au pouvoir se faisait attendre. Si l'Histoire démentait définitivement le marxisme, la Raison historique disparaîtrait avec lui. Il ne resterait plus que la puissance des uns et la résignation des autres : « Replacées dans les perspectives de cette unique philosophie, les " sagesses historiques " apparaissent comme des échecs. » Mais combien de temps faut-il attendre et, à la manière des théologiens, faire confiance au Jugement dernier, à un avenir inconnu ?

Quelques années plus tard, Maurice Merleau-Ponty se lassa d'attendre l'harmonie entre l'histoire réelle et la vision marxiste. L'agression de la Corée du Nord l'amena à réviser le diagnostic qu'il portait sur la conjoncture. Je tâcherai de faire un résumé de l'autocritique à laquelle Merleau-Ponty se soumit honnêtement.

Le reproche majeur qu'il s'adresse à lui-même porte sur une des idées que j'avais le plus vivement critiquées, à savoir la valeur absolue attribuée au marxisme en tant que philosophie de l'Histoire par excellence, seule susceptible de conférer un sens au devenir humain, critère suprahistorique pour ainsi dire puisque « comparées au marxisme toutes les sagesses historiques apparaissent comme des échecs ». Or Merleau-Ponty découvre que sa démarche antérieure elle-même ne s'accorde pas avec le marxisme. Comment conserver à celui-ci sa vérité négative et lui refuser sa vérité d'action sans sortir d'un cadre par lui fixé ? « Dire, comme nous l'avions fait, que le marxisme reste vrai à titre de critique ou de négation, sans l'être comme action ou positivement, c'était nous placer hors de l'action et en particulier hors du marxisme, le justifier pour des raisons qui ne sont pas les siennes, finalement organiser l'équivoque. » On ne peut pas garder la critique et abandonner l'action : « Il est donc bien impossible de couper en deux le communisme, de lui don-

1. *Ibid.*, p. 165.

ner raison dans ce qu'il nie et tort dans ce qu'il affirme car concrètement, dans sa manière de nier, sa manière d'affirmer est déjà présente. » Vient enfin la confession décisive. Il rappelle les pages dans lesquelles il identifiait l'échec éventuel du marxisme à l'échec de la philosophie de l'Histoire elle-même, et il juge son marxisme de la veille dans les termes suivants : « Ce marxisme qui reste vrai quoi qu'il fasse, qui se passe de preuves et de vérifications, ce n'était pas la philosophie de l'Histoire, c'était Kant sous un déguisement et c'est encore Kant que nous avons finalement trouvé dans le concept de la révolution comme action absolue. » Je vois bien en quel sens Merleau-Ponty juge rétrospectivement kantienne sa philosophie de la veille, qui rapportait l'histoire à un absolu, le prolétariat, classe universelle, vérité en action ; mais Kant lui-même, dans sa philosophie de l'Histoire, dans l'Idée de la Raison, ne commettait pas les erreurs de Merleau-Ponty dans *Humanisme et terreur.*

Une fois l'absolu prolétarien écarté, Merleau-Ponty retrouvait des propositions sociologiques passablement classiques. Toute révolution élimine une classe dirigeante et en élève une autre. La démocratie pour le peuple, qui serait en même temps dictature vers l'extérieur, contre les ennemis du peuple, n'est qu'une vue de l'esprit. Comme il est difficile de trouver un chemin entre la social-démocratie et la dictature du prolétariat, « toute révolution est dans le relatif et il n'y a que des progrès ». « Le propre d'une révolution est de se croire absolue et de ne l'être pas justement parce qu'elle le croit ». « Le prolétariat tchèque est-il plus heureux aujourd'hui qu'avant la guerre ? »

Merleau-Ponty risquait même l'expression de « nouveau libéralisme ». « Si l'on parle de libéralisme, c'est en ce sens que l'action communiste, les mouvements révolutionnaires ne sont admis que comme utile menace, comme continuel rappel à l'ordre, que l'on ne croit pas à la solution du problème social par le pouvoir de la classe ouvrière ou de ses représentants. Que l'on n'attend de progrès que d'une action qui soit consciente et se *confronte* avec le jugement d'une opposition. » Avec ce libéralisme, j'avais d'autant moins de querelle qu'il ne différait pas substantiellement du mien (quoi qu'il en dît), et j'aurais volontiers souscrit à la formule : « Le Parlement est la seule institution connue qui garantisse un minimum d'opposition et de vérité. »

Entre *Humanisme et terreur* et *les Aventures de la dialectique,* Merleau-Ponty franchit une longue distance et, sans tomber d'accord avec moi, il s'était rapproché de mes positions. Officiellement, sa révision se réduisait à être passé du préjugé favorable accordé à l'Union soviétique à l'a-communisme avec une neutralité authentique, sans aucune trace de cryptocommunisme. Les tares du capitalisme demeuraient, lui continuait à les dénoncer, mais il admettait que la critique unilatérale de ces tares tendait à glisser vers une forme de cryptocommunisme. La guerre de Corée avait réduit encore la marge entre communisme et non-communisme. « L'attentisme marxiste n'était plus en nous que rêverie, et rêverie lourde. » En bref, pour critiquer l'anticommunisme, il allait manifester clairement une totale indépendance par rapport au communisme. Le refus d'un choix devient choix d'un double refus.

Le livre de M. Merleau-Ponty parut presque en même temps que *l'Opium des Intellectuels.* Parfois il fut mis dans le même sac et exécuté dans le même style par des écrivains communistes de l'époque (Claude Roy par exemple). Merleau-Ponty et moi-même ne rompîmes jamais et, en revanche, Sartre répliqua, par la plume de Simone de Beauvoir, à son ami. Pour une part, en effet, leur rupture fut provoquée par des dissentiments sur l'attitude à adopter face au parti communiste et, du même coup, à l'Union soviétique. Pour une autre part, et peut-être plus grande, elle tint à une controverse essentiellement philosophique sur les relations entre la classe et le parti — relations qui impliquaient la dialectique du vécu et du construit, de l'expérience ouvrière et de l'action politique. Je reviendrai plus loin sur cette controverse philosophique, après l'analyse des prises de position politiques.

Comme je le fis remarquer dans un article de 1956 [1], « on a le sentiment d'une sorte de ballet ou de chassé-croisé. La " gauche nouvelle " de Merleau-Ponty de 1955 ressemble au *Rassemblement démocratique révolutionnaire* de Jean-Paul Sartre de 1948. L'attentisme marxiste du premier se rapproche du procommunisme du second plus que de l'a-communisme exposé dans *les Aventures de la dialectique.* En bref, Merleau-Ponty accordait au parti communiste un préjugé favorable quand il écrivait *Humanisme et terreur* et le lui refusait dans *les Aventures.* Inversement, J.-P. Sartre tançait sévèrement le PC dans les entretiens avec David Rousset pour se rapprocher de lui dans « Les communistes et la paix ».

Ce sont les entretiens de Sartre et de Rousset qui mirent publiquement fin à notre amitié de jeunesse. Merleau-Ponty, après avoir lu les propos qui me visaient, fit observer à Sartre que ces attaques, de toute évidence, entraînaient la rupture entre nous deux. Sartre aurait répondu à peu près : « Oui, mais il ne reste rien à sauver. » Peut-être avait-il raison.

Un premier incident nous avait opposés. Sous le gouvernement Ramadier, Sartre avait obtenu une émission à la radio ; il conversait librement avec quelques-uns de ses amis. Dans une de ses premières émissions, il parla du général de Gaulle. Un de ses interlocuteurs compara longuement le général de Gaulle à Hitler (« les paupières lourdes... »). Bien entendu, la comparaison fit scandale. Le soir, je fus

1. J'écrivis, dans *Preuves*, après *l'Opium des Intellectuels*, deux articles qui répondaient à ceux des critiques que je prenais au sérieux : « Aventures et mésaventures de la dialectique » et « Le fanatisme, la prudence et la foi ».

invité à rencontrer à la radio J.-P. Sartre et ses contradicteurs. Je me trouvai au milieu de gaullistes excités, Henri Torrès, le général de Bénouville qui accablaient Sartre de reproches violents, plus ou moins injurieux. Je restai silencieux, ne pouvant donner raison à Sartre ni moins encore me joindre aux « imprécateurs ». J'appris quelques semaines plus tard que Sartre ne me pardonnait pas mon « silence », alors que lui se trouvait seul au milieu d'ennemis.

Dans son dialogue avec Simone de Beauvoir, en 1974, il raconte cette même scène, telle qu'il l'a vécue : « Aron, c'est toute l'histoire du gaullisme et d'un dialogue à la radio ; nous avions une heure à la radio, chaque semaine, pour discuter sur la situation politique, et nous avions été très violents contre de Gaulle. Des gaullistes ont voulu me répondre face à face, en particulier Bénouville, et puis un autre dont j'ai oublié le nom. Alors je me suis rendu à la radio, nous ne devions pas nous rencontrer avant que le dialogue ne commence. Aron est venu, je pense que je l'avais choisi pour arbitrer entre nous, étant convaincu, d'ailleurs, qu'il prendrait mon parti ; Aron n'a pas fait mine de me voir ; il s'est joint aux autres ; je concevais qu'il voie les autres mais non qu'il me laissât tomber. C'est à partir de là que j'ai compris qu'Aron était contre moi ; sur le plan politique, j'ai considéré comme une rupture sa solidarité avec les gaullistes contre moi. Il y a toujours eu une forte raison qui a provoqué mes brouilles, mais, finalement, c'est toujours moi qui ai pris la décision de me brouiller[1]. »

Reprenons quelques points : « Nous avons été très violents contre le général de Gaulle. » C'est peu dire : ils avaient longuement comparé le général de Gaulle à Hitler, avec des rapprochements physiques. Pouvais-je l'approuver par amitié pour lui ? Quelques mois plus tôt, en son absence, je l'avais défendu contre Gabriel Marcel qui lui reprochait de comparer l'occupation française en Indochine à l'occupation nazie en France. L'invitation, d'après mes souvenirs, vint de la radio et non de lui personnellement, mais peu importe : quand j'arrivai, Bénouville et Torrès multipliaient les invectives contre Sartre, déclarant que l'on ne pouvait pas discuter avec celui qui s'abaissait à des attaques pareilles. Aux invectives Sartre ne répondait pas : il n'a jamais aimé le face à face.

Certes, j'aurais pu trouver le moyen de me conduire autrement, de lui témoigner mon amitié sans me solidariser avec son émission de la veille. Je me souviens de cette courte scène comme d'un moment insupportable : d'un côté des gaullistes pour lesquels je n'éprouvai aucune sympathie et, de l'autre, Sartre impavide sous les injures, et moi-même silencieux. Chacun est parti de son côté.

Cela dit, Sartre a raison, l'amitié se mourait d'elle-même, inexorablement. Notre amitié, au cours des deux dernières années de l'École, se nourrissait de connivence intellectuelle d'une part, de camaraderie estudiantine de l'autre. La première composante s'en alla avec le temps, et

1. *La Cérémonie des Adieux*, p. 354, Gallimard.

aussi la deuxième, pour des raisons que son dialogue de 1974 avec Simone de Beauvoir permet de mieux comprendre. Après l'École, il préféra les amitiés féminines ; les conversations entre hommes lui parurent pauvres et bientôt ennuyeuses. Nous discutâmes de philosophie tant que nous n'écrivîmes pas de livres. Sartre lut l'*Introduction à la Philosophie de l'Histoire*, il me dit l'avoir relu avant d'écrire *l'Être et le Néant*, mais il n'entama pas avec moi un dialogue sur l'*Introduction*, pas plus qu'il ne m'invita à critiquer son propre *Opus*. Une fois au moins, j'abordai le thème du Néant et les deux sens différents du concept qu'il ne distingue pas, le néant selon l'acception ordinaire, le non-être, d'un côté, le pour-soi ou la conscience que l'on peut appeler néant par opposition à la densité, à l'immobilité des choses, de l'autre. Il répondit que les deux sens se rejoignaient en dernière analyse. Ni entretiens politiques, parce que nous vivions dans des univers différents, ni entretiens philosophiques, puisqu'il ne prenait plus plaisir à la controverse : il aurait pu rester, comme entre Desanti et Clavel, le rien ou l'essentiel, le plaisir de se retrouver ensemble, même si l'on n'a rien à se dire ; ce bonheur ne nous fut jamais donné.

Quand j'appris que nous étions « brouillés », je montai un jour chez lui, avec Manès Sperber, et je tentai de justifier mon attitude et surtout de réduire l'importance de l'épisode. Il se rendit, sans trop de bonne grâce, à mes explications. « Entendu, nous allons déjeuner ensemble un de ces jours », fut la conclusion rituelle de la conversation. Le déjeuner n'eut pas lieu. J'entrai dans le RPF et lui créa avec David Rousset le Rassemblement démocratique révolutionnaire. Les deux compères me prêtaient dans leurs *Entretiens sur la Politique*[1] des opinions que je n'avais jamais professées. Par exemple, « l'utopie d'Aron est de croire que le développement technique entraîne nécessairement une émancipation sociale ». L'exemple de l'Union soviétique m'aurait guéri de cette illusion, si jamais je l'avais prise au sérieux. Sartre, lui, me prêtait en les caricaturant des opinions qu'il empruntait non à mes écrits mais à des conversations. Je lui répondis dans *Liberté de l'Esprit* et je ne juge pas nécessaire de reprendre ce débat.

Plus grave encore à ses yeux que mon « cynisme, même pas intelligent », était mon acceptation « fataliste » de la guerre : « Il serait romantique de croire que la paix est encore possible. Du coup, en déclarant la guerre fatale, on contribue à la hâter... » J'avais, dans *le Grand Schisme*, affirmé exactement le contraire. C'était la première occasion, ce ne fut pas la dernière, dans laquelle Sartre éprouva le besoin de définir sa propre attitude politique en dénonçant la mienne. Je n'avais pas pris au sérieux, il est vrai, le Rassemblement démocratique révolutionnaire, alors que la « nouvelle gauche » de Merleau-Ponty, en 1955, n'était pas dépourvue de quelque pertinence. Au sens ordinaire de ces mots, démocratie et révolution se contredisent[2]. L'idée même de prêcher en France

1. Gallimard, 1948.
2. Un de mes cours à l'École Normale d'administration avait ce titre, « Démocratie et Révolution ».

une révolution prolétarienne, différente de celle que symbolisait le parti communiste, relevait moins du « romantisme révolutionnaire » (dont j'avais accusé Rousset et Sartre) que de la naïveté ou de l'ignorance. Au reste, le RDR connut le destin que l'histoire lui assignait à l'avance.

Une dernière remarque : Rousset et Sartre prenaient leurs distances par rapport aux Soviétiques et aux démocraties populaires : « Nous ne sommes pas avec les républiques populaires. Nous ne sommes pas avec eux pour des raisons précises et, en particulier, parce que nous ne croyons pas que ces régimes satisfassent aux intérêts élémentaires des travailleurs. Je suis sûr qu'une bonne partie de la stratégie cégétiste dans la grève est beaucoup plus commandée par des fins militaires lointaines que par des objectifs sociaux évidents[1]. »

Le RDR subit des attaques de tous les côtés, communistes, gaullistes, sans même bénéficier du soutien des partis modérés au pouvoir. Merleau-Ponty, j'en garde un souvenir précis, se demanda sérieusement un jour si ce groupuscule pourrait apparaître demain comme l'origine d'un grand mouvement, comparable aux bolcheviks qui, eux aussi, furent au début baptisés un groupuscule.

Entre 1948 et 1955, j'écrivis quelques articles, plus ou moins réussis, les uns de polémique, les autres d'analyse, la plupart réunis dans le recueil *Polémiques.* L'un d'entre eux, « Histoire et politique », originellement paru dans la *Revue de Métaphysique et de Morale*, échappe le mieux à l'usure du temps et à l'épuisement des débats entre intellectuels.

L'Opium des Intellectuels, à la différence du recueil précédent, conserve pour moi une signification. Je le rédigeai entre 1952 et 1954, lentement, non sans efforts. Peut-être victime de la facilité journalistique, mais surtout blessé par des malheurs personnels ; entre 1951 et 1955, je cherchai un refuge dans une activité incessante, multiple, fuite dans le divertissement studieux, à supposer que cette conjonction de mots ne soit pas en elle-même contradictoire. J'eus l'impression, peut-être l'illusion de m'être guéri, sauvé grâce à *l'Opium des Intellectuels.* Les attaques dont ce livre fut l'objet me laissèrent presque indifférent. J'étais sorti de la nuit, peut-être parviendrais-je à me réconcilier avec la vie.

Des trois parties du livre, la première qui traitait des « trois mythes », ceux de la « gauche », de la « révolution », du « prolétariat », visait au cœur les thèmes favoris d'intellectuels nombreux, au-delà des progressistes ou des paramarxistes que je visais de préférence. Je ne niais pas que l'on pût distinguer, dans l'Assemblée, une droite et une gauche. Ce que je niais, c'est qu'il existât une gauche éternelle, la même à travers la

1. *Entretiens sur la Politique,* J.-P. Sartre, David Rousset, Gérard Rosenthal. Le passage cité est de D. Rousset.

diversité des conjonctures historiques, animée par les mêmes valeurs, unie dans les mêmes aspirations. En France, le mythe de « l'unité de la gauche » compense et camoufle les querelles inexpiables qui, depuis la grande Révolution, dressèrent les uns contre les autres Jacobins et Girondins, libéraux bourgeois et socialistes, socialistes et communistes. Idéologiquement, la gauche n'a jamais été homogène, tantôt anti-étatique, tantôt organisatrice, tantôt égalitaire. Certains la veulent peut-être à la fois libérale, organisatrice et égalitaire, avec la croyance naïve que ces objectifs s'harmonisent aisément.

Que certaines idées, par exemple le nationalisme, aient passé d'un camp à l'autre, l'historien en convient volontiers. Qu'il existe une gauche pessimiste, celle par exemple d'Alain, qui plaide pour la résistance des citoyens à tous les pouvoirs, qui ne fait jamais confiance à la sagesse des maîtres, comment en douter ? Si ce libéralisme du soupçon appartient à la gauche, qu'a-t-il de commun avec l'étatisme des planificateurs, impatients de soumettre les puissants ou les riches au contrôle du pouvoir et inconscients du devoir de contrôler les contrôleurs ?

De même, à propos de la révolution et du prolétariat, je m'efforçai de ramener la poésie idéologique à la prose de la réalité. La classe ouvrière constitue-t-elle « l'intersubjectivité authentique » ? Peut-elle devenir la classe dirigeante ? Est-elle libérée lorsqu'un parti exerce un pouvoir absolu en son nom mais en la dépouillant des instruments de la relative et partielle libération, conquise dans la démocratie capitaliste ? Pourquoi la révolution en tant que telle constitue-t-elle un bien ? « Le mythe de la révolution sert de refuge à la pensée utopique, il devient l'intercesseur mystérieux, imprévisible, entre le réel et l'idéal. La violence elle-même attire, fascine plutôt qu'elle ne repousse. Le travaillisme et la “ société scandinave sans classes ” n'ont jamais joui auprès de la gauche européenne, surtout française, du prestige qu'a gardé la Révolution russe, en dépit de la guerre civile, des horreurs de la collectivisation et de la grande purge. Faut-il dire *en dépit* ou *à cause* ? »

Sans m'instaurer arbitre du débat entre Camus d'un côté, Sartre et *les Temps modernes* de l'autre, je repris sur un point décisif la thèse ou plutôt l'interpellation de Camus : « Oui ou non, reconnaissez-vous dans le régime soviétique l'accomplissement du projet révolutionnaire ? » A quoi Jeanson (interprète de Sartre, je suppose) répondit : « ... le mouvement stalinien, à travers le monde, ne nous paraît pas authentiquement révolutionnaire et il rassemble, en particulier chez nous, la grande majorité du prolétariat ; nous sommes donc à la fois *contre lui* puisque nous en critiquons les méthodes et *pour lui* parce que nous ignorons si la révolution authentique n'est pas une pure chimère, s'il ne faut pas justement que l'entreprise révolutionnaire passe d'abord par ces chemins-là avant de pouvoir instituer quelque ordre social plus humain... » Étrange réponse : l'homme historique, conscient de sa condition, ne peut pas ignorer qu'il s'engage sans connaître les conséquences ultimes de son action ou du mouvement historique auquel il se rallie ; éluder la décision à l'égard de l'Union soviétique ou combiner le oui et le non, c'est violer, de toute évidence, l'impératif de l'engagement.

Sur un ton quelque peu arrogant, je donnai raison à Camus sur le point essentiel de sa polémique avec Sartre et le sartrisme : « Sur les points où elle soulève la colère des *Temps modernes*, la pensée de Camus apparaît banale et raisonnable. Si la révolte nous découvre la solidarité avec les malheureux et les impératifs de la pitié, les révolutionnaires de type stalinien trahissent, en effet, l'esprit de révolte. Convaincus d'obéir aux lois de l'Histoire et d'œuvrer pour une fin à la fois inéluctable et bienfaisante, ils deviennent à leur tour, sans mauvaise conscience, bourreaux et tyrans. »

Sartre ne répondit pas non plus nettement à l'interpellation de Camus ; il usa d'un style proche de celui de Francis Jeanson. Lui aussi se refusait tout à la fois à la rupture et à l'adhésion. Il se voulait critique du mouvement stalinien, mais proche de lui. Après la répression de la révolution hongroise encore, Sartre ne voyait pas d'incarnation du projet révolutionnaire et socialiste en dehors du mouvement communiste. Jeanson, en passant, envisageait la possibilité que la révolution authentique fût une pure chimère, mais il ne retenait pas cette éventualité ou, en tout cas, n'en tirait aucune conséquence. Il s'en tenait à l'hypothèse qui, au moins jusqu'en 1970, servit de principe à la pensée de Sartre : peut-être le projet révolutionnaire doit-il passer par ces chemins pour aboutir à la fin de la préhistoire ou, du moins, à une société préférable à celle qu'il combat. Raisonnement que Merleau-Ponty condamnait en le qualifiant de théologique : le jugement dernier de l'Histoire déterminera les mérites et démérites des acteurs d'aujourd'hui.

La deuxième partie du livre portait sur « L'idolâtrie de l'Histoire ». Dans un premier chapitre, j'analysai les rapports entre les « hommes d'Église » et les « hommes de foi », en d'autres termes entre les communistes qui, eux, acceptent l'orthodoxie du parti, et les paracommunistes, tel Merleau-Ponty dans *Humanisme et terreur*, ou les chrétiens progressistes (les prêtres-ouvriers), qui conservent les principaux articles de la foi (la mission du prolétariat, le salut par le prolétariat) sans souscrire à la lettre de l'orthodoxie du parti. Les deux chapitres suivants, inspirés par l'*Introduction à la Philosophie de l'Histoire*, discutaient les deux versions du marxisme, plus généralement les deux modes d'interprétation du passé : d'une part le sens du passé, depuis celui d'une action humaine jusqu'à celui du devenir de l'humanité ; de l'autre le déterminisme qui gouvernerait le cours des événements et qui permettrait de prévoir l'aboutissement inévitable des luttes des classes et des nations.

La dernière partie, essai plus aventureux que les autres, tentait une comparaison entre les intellectuels des différents pays, leurs attitudes à l'égard de la patrie, les débats caractéristiques de chacune de ces *intelli-*

gentsia. Je ne définissais pas, par décret, la catégorie d'intellectuel ; selon les pays et les moments, la catégorie englobe tous ou presque tous les non-manuels ou bien, de manière restrictive, les hommes voués à la création ou à la diffusion de la pensée, de la culture. Dans les pays en voie de développement, tous les diplômés appartiennent à l'intelligentsia (ainsi se répandit ce terme dans la Russie des tsars au siècle dernier). Dans les pays industrialisés, les métiers non manuels se multiplient, mais les employés de statut inférieur, que l'on aurait appelés en d'autres temps des scribes, ne passent plus pour des intellectuels. *Experts* et *lettrés* constituent l'intelligentsia en Union soviétique, par exemple. En Occident, peut-être avons-nous tendance à restreindre encore l'extension de la catégorie ; n'importe quel instituteur ou enseignant de collège mérite-t-il le qualificatif d'intellectuel ? N'exigeons-nous pas de lui qu'il pense son existence et son action ?

En ce qui concerne les intellectuels français, je leur attribuai un penchant à transfigurer les problèmes propres à notre pays en débat universel. Pour des raisons historiques et sociales, une fraction substantielle des ouvriers (entre un tiers et une moitié d'entre eux) vote pour le PC. Du coup, le PC ne se sépare plus du prolétariat et Sartre, Merleau-Ponty, Lefort dissertent indéfiniment sur le lien entre la classe et le parti, le droit de celui-ci de se donner pour le représentant de celle-là. Débat qui risque de glisser vers la scolastique ou la théologie, dès qu'il décolle de la réalité. En Grande-Bretagne, de toute évidence, les quelques milliers de militants du PC ne représentent pas la classe ouvrière anglaise ; en France, le PC représente une fraction de la classe ouvrière française sans que l'adversaire du parti soit pour autant celui des ouvriers. L'expérience de l'Europe orientale aurait dû dissiper les nuées et ramener les philosophes à la banale réalité : les cadres du parti deviennent, après la prise du pouvoir, l'élite politique du régime dit prolétarien. Merleau-Ponty viola un tabou quand il poussa l'audace jusqu'à se demander si les ouvriers tchèques ne regrettaient pas leur « servitude » sous le capitalisme et leurs syndicats.

L'Opium des Intellectuels, un des nombreux livres consacrés par un intellectuel à la condition de la catégorie à laquelle il appartient, fit quelque bruit. Le rapprochement avec *la Trahison des Clercs* vint sous la plume de plusieurs critiques soit pour l'écraser sous le monument de Julien Benda, soit, tout au contraire, pour l'honorer en lui donnant sa place dans une glorieuse lignée.

La critique, d'une certaine manière, révéla la permanence des deux blocs. Avec peu d'exceptions, ceux qui se voulaient de gauche me traitèrent sans ménagement ; ceux qui s'acceptaient de droite louèrent la polémique contre les « mandarins ». Entre les deux blocs, *l'Express* s'abstint de prendre parti ; il résuma en une page les idées majeures du livre. Le chapeau était rédigé en ces termes : « Par l'actualité des problèmes soulevés, le brillant de certaines analyses et la personnalité de l'auteur, le nouveau livre de Raymond Aron, *l'Opium des Intellectuels*, constitue une œuvre politique qu'il est nécessaire de signaler à l'attention de nos lecteurs. Nous donnons donc ici une synthèse des thèmes essentiels du livre que nous exposons avec une rigoureuse objectivité. Nous ne sommes pas en accord avec l'auteur sur bien des points. Par exemple en ce qui concerne ce qu'il appelle " le mythe de la gauche ", Raymond Aron fait une critique intéressante des intellectuels progressistes, mais en quoi justifie-t-il son procès de la gauche ? L'impossibilité où il se trouve de définir d'ailleurs cette notion de gauche nous paraît révélatrice. » L'objection de *l'Express* me paraît encore aujourd'hui dérisoire. Comment définir la gauche tant que Staline et le PC en font partie ? Les quelques phrases tirées du livre étaient bien choisies : « La mythologie de la gauche est la compensation fictive des échecs successifs de 1789 et de 1848... Gauche, révolution, prolétariat, concepts à la mode, sont des répliques tardives des grands mythes qui animaient naguère l'optimisme politique, progrès, raison, peuple... L'unité de la gauche est moins le reflet que le camouflage de la réalité politique. »

Parmi les « neutres » figuraient aussi des catholiques. Lucien Guissard, dans *la Croix*, écrivit : « Nous comptons les coups ; nous n'avons pas à prendre parti, mais bien plutôt à discerner chrétiennement des valeurs qui ne pourront s'exprimer que dans une pratique plus tard. L'essai de Raymond Aron est plus qu'une œuvre de polémique, bien qu'il n'évacue pas toujours les faiblesses de la polémique. C'est un des livres importants de l'année. »

L'article publié par mon ami Dubarle, dans *la Vie intellectuelle* (août-septembre 1955), ne se bornait pas à compter les coups : le Père se sentit interpellé par le livre, par les quelques pages consacrées aux prêtres-ouvriers, aux catholiques progressistes. Le critique de *la Croix* avait préféré ne pas entendre la question que j'adressais aux chrétiens. Le Père Dubarle, lui, saisit l'essentiel ou, du moins, l'essentiel pour lui et les catholiques.

En un article nuancé, il me donnait raison dans une première partie et donnait ensuite, dans une deuxième partie, partiellement raison à ceux auxquels je donnais tort. Citons d'abord le jugement généreux : « Essai de critique, *l'Opium des Intellectuels* est, n'en déplaise à ceux qu'il irrite, un essai réussi. Il faut donner gain de cause à son auteur quand celui-ci montre qu'analysées de son point de vue — d'ailleurs parfaitement raisonnable et certainement trop négligé par beaucoup d'intellectuels de ces derniers temps —, les idéologies dites " de gauche " s'avèrent révéler beaucoup de mythologie et passablement de mystification... A coup sûr encore, " prolétariat ", " révolution " (encore que tant que de réels écrasements humains, tant qu'une pratique de " réaction " subsistent, ce mot est un terme authentique qu'il serait trop commode en vérité de laisser prescrire) sont devenus les symboles d'une chanson de geste idéologique bien plus qu'ils ne sont restés les catégories d'une pragmatique européenne sérieuse. A coup sûr enfin l'histoire, la réelle et concrète histoire qui se laisse reconnaître à hauteur d'expérience et de raison humaines, n'est pas ce substitut séculier de la divinité qui a fasciné de son rêve tant d'âmes contemporaines... »

Deux remarques sur le texte : « ... les idéologies dites " de gauche " recèlent-elles beaucoup de mythologie et de mystification », à mon point de vue ou bien en soi et donc aussi au point de vue du Père Dubarle ? En introduisant *« à son point de vue »* (même en le qualifiant de raisonnable), il laisse le doute (inutile) sur sa propre pensée alors que le mot *s'avèrent*, pour un homme qui maîtrise la langue, suggère la vérité des analyses et des critiques qui résultent de *« son point de vue »*. La parenthèse sur le prolétariat et la révolution témoigne d'une curieuse prudence, sinon d'une insinuation : je n'ai évidemment pas nié « les réels écrasements humains » mais, pour reprendre l'expression excellente du Père Dubarle, montré la métamorphose de ces mots en « symboles d'une chanson de geste idéologique ».

Plus intéressante, ambiguë, obscure me paraît l'interpellation du Père Dubarle à l'auteur de *l'Opium des Intellectuels* après la réponse des chrétiens à son interpellation. Il admet que l'histoire n'est pas le substitut de la divinité, qu'il y a incompatibilité entre la foi chrétienne et la foi marxiste. La liberté du prolétariat telle que la conçoivent les marxistes ne se confond pas — ou plutôt n'a rien de commun — avec la Cité de Dieu. Rien de commun ? A ce point commence le dialogue. La séparation radicale que j'établissais entre l'histoire profane et l'histoire sacrée, au premier abord à ce point évidente que la démonstration en paraissait triviale, ne fausse-t-elle pas, en dernière analyse, la complexité de la condition historique d'un chrétien ? « Pour la conscience croyante, l'histoire chrétienne est faite d'un réel commerce entre l'éternel et le temporel. » De ce commerce que l'incroyant ignore mais dont il ne nie pas l'importance au point de vue chrétien, le Père Dubarle ne déduit pas l'autorité supérieure de l'Église dans les affaires humaines, mais le chrétien « rappelle sans cesse l'urgence d'un certain consentement à voir l'éternité et le divin exercer quelque emprise sur la pâte temporelle ». « On entrevoit ainsi la part vraisemblablement inéluctable de polémique qui s'attache au destin humain d'un fait spirituel comme l'est le christianisme... La reconnaissance de l'inévitable complexion, ambiguë si l'on préfère, du divin et du temporel que le christianisme introduit dans l'histoire peut y aider mieux que des discriminations raides, soucieuses de donner une logique à toute chose et même au scepticisme. »

La conclusion du Père Dubarle comporte alors une interrogation et une rectification : « Un chrétien pourrait donc poser à M. Aron la question de savoir s'il peut accepter qu'une prédication religieuse de l'éternité veuille conférer du même coup, bien entendu de façon subalterne et relative, une signification humainement importante au devenir temporel du genre humain ? » A cette question, je ne vois pas de difficulté à répondre : de toute évidence, le chrétien ne se désintéresse pas du devenir temporel du genre humain. Il ne manque pas, depuis deux mille ans, de théologies de l'histoire et je ne sais quelle théologie de l'histoire retient le Père Dubarle. Le pape, l'Église, les orthodoxes, les protestants ne se désintéressent pas du devenir temporel ; leur prédication s'inspire des principes moraux de la doctrine chrétienne, mais elle ne s'identifie à aucun parti, surtout pas à une philosophie du devenir temporel qui prétend enseigner la vérité suprême d'un destin humain privé de tout commerce avec l'éternel.

J'appelle rectification la mise en question de la critique, quelques pages auparavant appelée presque triviale, du chrétien progressiste : « Le christianisme n'est pas religion séculière, il comporte un certain effort séculier et, à ce niveau, l'acceptation d'une partie historique. » Partie historique ? Qu'est-ce à dire ? La phrase suivante élucide la formule : la partie historique est-elle compatible avec le refus de la fin de l'Histoire ? Par l'intermédiaire du concept de partie historique, le Père Dubarle réintroduit la fin de l'Histoire sans que l'on sache si cette fin relève du profane ou du sacré.

La réhabilitation du chrétien progressiste suit : « M. Aron voit dans le chrétien progressiste un homme de l'éternel suborné par la religion séculière. Il n'a pas complètement tort. Mais le chrétien progressiste a été aussi le chrétien qui a pris comme il a pu, mal, nous en conviendrons volontiers, le risque d'une partie temporelle qu'il lui semblait devoir engager... (je passe une phrase encore plus obscure)... Une demande est ainsi faite à l'esprit humain, dont le marxisme a tiré parti et que trop rapidement, certes, mais sans s'y méprendre tout à fait, le christianisme du chrétien progressiste a cru pouvoir assimiler et satisfaire. » La demande est celle d'une fin de l'Histoire, à la fois temporelle et sacrée, celle aussi d'un projet de sens qui s'impose à notre conscience.

La discussion du Père Dubarle, elle, ne pèche pas par une excessive « raideur » des discriminations. Les chrétiens progressistes se sont trompés, mais ils avaient raison dans leur quête. Ils se sont engagés à la légère dans une partie historique, mais le chrétien doit jouer une partie historique. Quand je songe que cette « partie historique » faisait des chrétiens progressistes les alliés ou les agents d'un des despotismes les plus cruels de l'histoire, je me souviens d'une formule de Julien Benda que je cite de mémoire : la pire trahison du clerc, c'est la bêtise. Disons : l'aveuglement.

La conclusion du Père Dubarle se rapproche de celle d'un de mes interlocuteurs [1], à la discussion sur *l'Opium des Intellectuels* organisée par les Intellectuels catholiques : la croyance au royaume de Dieu sur la terre appartient, selon lui, au christianisme. Il ne reste qu'un pas à franchir pour retourner à la position des prêtres-ouvriers ou de certains d'entre eux. Je citai dans *l'Opium des Intellectuels* un texte du livre *les*

1. Le Père Lenoble.

Événements et la Foi 1940-1952 : « Si des ouvriers venaient un jour nous parler de religion, voire solliciter le baptême, nous commencerions, je crois, par leur demander s'ils ont réfléchi aux causes de la misère ouvrière et s'ils participent au combat que leurs camarades mènent pour le bien de tous. » Je commentai ce texte par les mots suivants : « Le dernier pas est franchi : on subordonne l'évangélisation à la révolution. Les progressistes ont été " marxisés " alors qu'ils croyaient christianiser les ouvriers. »

Toute la gauche, au-delà de *l'Express*, tira à boulets rouges contre *l'Opium*, au premier rang Maurice Duverger. Son article dans *le Monde* tranche sur ses comptes rendus de mes deux livres précédents que j'ai commentés dans un autre chapitre. Cette fois, il s'exprime en adversaire et ne se contente pas de discuter les idées, il s'en prend à l'auteur dès le titre même de son article : « Opium des Intellectuels ou trahison des Clercs ».

Prenons d'abord la partie analytique ou polémique du texte. Elle use de deux arguments majeurs, au reste contradictoires. Le premier compare les croyances des marxistes ou des progressistes à celles d'un chrétien. Du même coup, la réfutation des mythes de la gauche ne mord pas sur les esprits parce que la foi résiste, invulnérable aux objections de la raison : « La réfutation aronienne du marxisme ressemble un peu aux réfutations rationalistes de la religion, si prisées aux alentours de 1900 : M. Aron serait-il un Loisy du communisme ? Sa puissance dialectique impressionne mais ne convainc pas. Cette admirable machine intellectuelle tourne parfaitement rond, mais elle tourne à vide, sans embrayer sur le réel. Pas plus que Loisy n'atteignait l'essentiel de la religion, M. Aron ne touche à l'essentiel du marxisme. » En forgeant le concept de religion séculière, j'avouai implicitement que les adhésions d'intellectuels de haut niveau au marxisme ou au fascisme relèvent des sentiments plus que de la pensée rationnelle. Je ne me suis jamais abandonné à l'illusion que ma « puissance dialectique » ébranlerait la foi des croyants. Mais les croyants rationalisent leur foi, ils la présentent comme rationnelle, voire scientifique. Comme le disait Pareto, la réfutation des *dérivations* ne frappe pas à mort les *résidus*, elle peut, à la longue, les affaiblir[1].

Au reste, immédiatement après, M. Duverger découvre le fondement *rationnel* du progressisme des intellectuels : « Ce que M. Aron démolit — fort justement d'ailleurs —, c'est une sorte d'intégrisme marxiste ; mais on n'en a pas fini avec le christianisme parce qu'on a réfuté le *Syllabus* ou dénoncé l'Inquisition. » L'attaque de M. Duverger change de terrain : j'aurais manqué la véritable cible, non plus tant les émotions ou les passions des intellectuels que « la signification permanente du marxisme... Le marxisme fournit à l'heure actuelle la seule théorie d'ensemble de cette injustice. L'inégalité des conditions qui repose

1. Quelques intellectuels ex-communistes affirment que *l'Opium* les avait ébranlés.

moins sur l'inégalité des aptitudes ou des efforts que sur des privilèges héréditaires résultant de la propriété privée des moyens de production. »

Nous voici donc sur le terrain des faits et des raisonnements. Il ne s'agit plus de reprocher au critique des dogmes et du Syllabus la futilité des controverses théologiques. Si les intellectuels penchent vers le progressisme ou le marxisme, c'est que « l'intellectuel — et spécialement l'intellectuel français — n'estime pas que son métier consiste seulement à comprendre, il doit juger et agir dans le sens de son jugement. Il se croit toujours plus ou moins investi sinon d'une mission, du moins de responsabilités. Constatant le fait de l'injustice sociale, il pense que son devoir est de combattre cette injustice. Sa tendance naturelle le porte du côté des faibles contre les forts, des victimes contre les bourreaux, des opprimés contre les oppresseurs. Là réside l'explication fondamentale de l'attirance à gauche : car la gauche est le parti des faibles, des opprimés et des victimes. » Malheureusement, continue M. Duverger, « l'oppression n'est pas à sens unique », « la police politique, les systèmes totalitaires, les camps de déportation existent mais l'injustice sociale, la domination capitaliste, le colonialisme existent aussi ». Que faire ?

Quelle démarche recommande le professeur de morale aux intellectuels désireux d'accomplir leur mission ? En simplifiant, il leur recommande de balayer devant leur porte. Il s'agit, dans chaque cas, de déterminer l'attitude la plus efficace. Dénoncer à longueur de journée les camps de concentration « ne hâte pas d'une seule minute la libération des déportés (mais peut, dans un certain contexte, aggraver la tension entre les blocs qui tend à perpétuer l'existence des camps et les souffrances des déportés). Dénoncer au contraire sans relâche l'injustice sociale et la domination capitaliste en France peut aider dans une certaine mesure à y mettre fin ». Cette fois, M. Duverger se trompe, à supposer qu'il ne mente pas. Les protestations de l'Occident ont sauvé nombre de Soviétiques persécutés. Dans la compétition entre les deux régimes, telle qu'elle se déroulait à l'époque, il y a un quart de siècle, et telle qu'elle se prolonge, à peine différente aujourd'hui, les intellectuels de l'Occident ne doivent pas taire les défauts des démocraties libérales, mais moins encore taire la perversité intrinsèque des régimes totalitaires.

L'article se terminait sur « le pathétique profond du livre de M. Aron », à savoir ma propre trahison de clerc. Je détesterais les intellectuels de gauche parce que je ne suis plus des leurs : « En accablant ceux qui n'ont pas suivi la même évolution, c'est lui qu'il cherche à justifier : il faut qu'ils soient pécheurs pour qu'il soit innocent. Mais c'est d'abord à ses propres yeux qu'il tente cette justification. Plus que ses lecteurs, c'est lui-même qu'il voudrait convaincre. S'il ne réussit pas à leur égard, c'est essentiellement parce qu'il a échoué à son propre égard... » Avant de discuter cette psychanalyse je ne résiste pas à la tentation de citer le billet de *Rayon Z*, à savoir André Frossard, qui aimait mon livre : « Plutôt que de tenter une analyse et une réfutation de *l'Opium des Intellectuels*, M. Duverger dans *le Monde* se contente de faire à l'auteur un procès d'intention : sous la dialectique de ce livre magistral, Raymond Aron n'aura fait que dissimuler son dépit de ne pas appartenir à la cohorte para-céleste de ces intellectuels de gauche que l'on trouve toujours, paraît-il, du côté des faibles, des victimes et des opprimés. Cela fut vrai durant la demi-terreur de 1945, où les intellectuels de gauche se jetèrent par dizaines sous les roues des charrettes de l'épuration afin d'arrêter le cours des représailles du résistant prétendu sur le vichyste présumé. Ce fut vrai encore sous le régime de Staline dont les Russes d'aujourd'hui vomissent le souvenir avec un visible soulagement et que nos intellectuels de gauche n'entouraient de feinte vénération que par le noble souci de ne point compromettre les dernières chances des innombrables opprimés politiques enchaînés par l'Ogre dans ses garde-manger concentrationnaires. Car M. Duverger enseigne avec Jean-Paul Sartre que le service des *victimes* et des *opprimés* exige que l'on se taise sur les camps russes et que l'on dénonce au contraire sans relâche la domination du capitalisme sur la France ; l'amour de la vérité requiert, on le voit, la pratique du mensonge par omission. Ainsi, au café du Commerce, le Machiavel de la belote hebdomadaire défausse sa dame pour sauver son valet. C'est follement intelligent, moral et le reste. Malheureusement, l'homme de gauche authentique se reconnaît, ou se reconnaissait, du moins avant que M. Duverger ne s'en fît le député, à ce signe qu'il était incapable de ce genre d'habileté tactique. Ou je me trompe fort, ou M. Duverger arrive de l'extrême droite ; mais il est bien seul à croire qu'il touche enfin à la gauche ; il n'a pas fait le quart du chemin. »

Avais-je mauvaise conscience, en 1954, lorsque j'écrivis *l'Opium des Intellectuels*? L'autopsychanalyse n'emporte pas plus la conviction que la psychanalyse pratiquée par un critique malveillant. Le lecteur, librement, me croira ou ne me croira pas : les attaques de cet ordre ne me touchaient pas, en dépit de ma susceptibilité. Pour une raison simple : je ne tirais aucun profit de mes prises de position intellectuelles ou politiques. Au contraire : les louanges mêlées d'excommunication de *Rivarol* ou d'*Aspects de la France*, même les compliments de Gabriel Marcel ou de Pierre-Henri Simon, n'équilibraient pas, dans le monde intellectuel, les philippiques de Maurice Nadeau, de Jean Pouillon (dans *les Temps modernes*), d'un quelconque rédacteur de *France-Observateur.* Mon évolution avait été déterminée par les événements et par ma réflexion. Je me sentais fidèle à moi-même et à ma jeunesse.

Je citerai encore un passage de l'article de J. Pouillon dans *les Temps modernes.* A en croire ce critique, la voie réformiste pour laquelle je plaidais n'existait pas en France ; les réformes nécessaires pour transformer la condition des Français, les dirigeants du pays les refuseraient : « Il (Aron) peut opposer la " libération réelle " à la libération " idéelle ", la réalité au mirage mais où est le mirage ? Ces réformes, qui les propose et les entreprend ? Où voit-on cette action pacifique qui devrait transformer notre condition ? Le problème est sans doute de savoir comment la mener, mais s'il se pose, c'est bien parce que les dirigeants de ce pays dont Aron aimerait être la conscience ne veulent pas le résoudre. Il est leur bouffon, non leur conseiller, et il ne se meut que dans l'imaginaire. En fait, une entreprise sérieuse de renouvellement économique aurait des conséquences, sociales et politiques, d'une telle ampleur que seuls les partisans d'un changement révolutionnaire pourraient les accepter. C'est pourquoi travailler pour l'unité de la gauche, ce n'est pas s'évader dans le rêve, c'est revenir à la réalité. »

A cette date, le relèvement de l'économie française était déjà visible aux observateurs de bonne foi. Jean Pouillon reprenait la thèse favorite de J.-P. Sartre[1] : le malthusianisme des capitalistes français, leur refus de la croissance parce que celle-ci mettrait en péril leur pouvoir et leurs privilèges. Nous savons aujourd'hui ce qu'il en fut. Il suffit de comparer honnêtement la condition de l'ouvrier soviétique à celle de l'ouvrier français pour savoir ce que signifie la « libération idéelle » et la « libération réelle ». Je ne pense pas que, pour autant, Jean Pouillon et *les Temps modernes* consentiraient à reconnaître leurs erreurs, leur ignorance et leur mauvaise foi d'hier, à la différence des vrais communistes qui, dégrisés, firent amende honorable et, pour la plupart, comprirent qu'ils devaient combattre le parti dès lors qu'ils le voyaient tel qu'il est. Face à une doctrine totale, à une religion séculière à prétention universelle, deux attitudes et deux seulement me paraissent décentes : l'adhésion ou le refus ; la participation sans adhésion, le compagnonnage sans les contraintes du militantisme, en bref la conduite du compagnon de route me répugnait intellectuellement. Les ex-communistes, en grand nombre, tirèrent les leçons de leur aveuglement ; les progressistes, dans le style de J.-P. Sartre ou de Jean Pouillon, oscillèrent entre diverses positions plus ou moins proches du PC, sans jamais aucune chance de penser droit et de regretter leurs insanités.

De tous mes livres, c'est le seul dont l'accueil, dans la presse, obéit rigidement à des considérations politiques ou plutôt partisanes. *L'Express,* par sa quasi-neutralité, marquait la ligne de séparation. P. H. Simon, démocrate-chrétien plutôt de gauche (selon le vocabulaire consacré), m'approuva, dans *Carrefour* (22 juin 1955) : « Si Aron, pour sa part, incline au réformisme, c'est sans doute par réalisme, mais davantage, m'a-t-il semblé, par scrupule d'humanité — comme Camus aux derniers chapitres de *l'Homme révolté,* et nul doute que l'intelligentsia ne développe contre lui les mêmes griefs que contre Camus : inefficacité, collaboration honteuse à la défense capitaliste. A ce point, la question devient technique : il s'agit de savoir si, oui ou non, les voies de la libération réelle peuvent émanciper les masses, bloquer leur paupérisation, créer un ordre juste à moindres frais que le mythe de la dictature du prolétariat. En tout cas, au plan de la morale, impossible de ne pas approuver Raymond Aron quand il écrit : " La politique n'a pas encore décou-

1. Il l'avait empruntée à Alfred Sauvy sans bien comprendre la pensée de celui-ci.

vert le secret d'éviter la violence. Mais la violence devient plus inhumaine encore quand elle se croit au service de la vérité à la fois historique et absolue. " »

L'accusation la plus courante, même parmi les critiques favorables, portait sur mon « scepticisme », sur le caractère totalement négatif du livre. Pour une part, il s'agit d'un malentendu, imputable à la conclusion du livre que je me risque à reproduire : « La critique du fanatisme enseigne-t-elle la foi raisonnable ou le scepticisme ? On ne cesse pas d'aimer Dieu quand on renonce à convertir les païens et les Juifs par les armes et qu'on ne répète plus : " Hors de l'Église point de salut. " Cessera-t-on de vouloir une société moins injuste et un sort commun moins cruel si l'on refuse de transfigurer une classe, une technique d'action, un système idéologique ? La comparaison, il est vrai, ne vaut pas sans réserves. L'expérience religieuse gagne en authenticité à mesure que l'on distingue mieux entre vertu morale et obéissance à l'Église. Les religions séculières se dissolvent en opinions, dès que l'on renonce au dogme. Pourtant l'homme qui n'attend de changement miraculeux ni d'une Révolution ni d'un plan n'est pas tenu de se résigner à l'injustifiable. Il ne donne pas son âme à une humanité abstraite, à un parti tyrannique, à une scolastique absurde, parce qu'il aime des personnes, participe à des communautés vivantes, respecte la vérité.

« Peut-être en sera-t-il autrement. Peut-être l'intellectuel se désintéressera-t-il de la politique le jour où il en découvrira les limites. Acceptons avec joie cette promesse incertaine. Nous ne sommes pas menacés par l'indifférence. Les hommes ne sont pas sur le point de manquer d'occasions et de motifs de s'entre-tuer. Si la tolérance naît du doute, qu'on enseigne à douter des modèles et des utopies, à récuser les prophètes de salut, les annonciateurs de catastrophes. Appelons de nos vœux la venue des sceptiques s'ils doivent éteindre le fanatisme. »

La dernière phrase fut séparée du contexte. Or, à mes yeux, le scepticisme ne signifiait pas la perte de toute foi ou l'indifférence à la chose publique : je souhaitais que les hommes de pensée, une fois libérés de la religion séculière, ne fussent plus enclins à justifier l'injustifiable. J'avouais que, peut-être, ils se désintéresseraient de la politique s'ils en discernaient les limites. Dans notre monde, où pullulent les occasions ou les motifs de s'entre-tuer, le doute sur les modèles ou les utopies promet au moins de réduire le nombre des hommes impatients de tuer leurs semblables au nom de leur foi.

Même une fois dissipé le malentendu, le livre ne tombait-il pas sous la critique banale : vous détruisez, qu'est-ce que vous construisez ?

Je suis tenté de revenir au dialogue avec le Père Dubarle. Voici, selon lui, ce que j'appellerais de mes vœux : « Une fin de l'âge idéologique, un usage raisonnable du progrès technique en vue de constituer un monde humain présentement viable, où la liberté soit aussi universellement réelle que possible, quitte à se montrer passablement prosaïque. A ses yeux, c'est probablement l'homme en qui les passions de l'esprit se sont amorties qui est le mieux à même de bien user de l'histoire et d'engager heureusement l'action politique. Par là même, la critique avait abouti à supprimer quelque chose de valable sous couleur d'en redresser les accomplissements déraisonnables. »

Je pense, en effet, que l'organisation de la vie sociale sur cette terre se révèle, à l'expérience, passablement prosaïque. Cauchemardesque dans la version soviétique, imparfaite et vulgaire dans la version américaine, la société industrielle demeure le type dominant de notre civilisation. Ceux qui attendent ou espèrent le royaume de Dieu sur la terre transfigurent les hommes et les institutions, ils ne les voient plus tels que l'histoire nous les fait connaître. La petite bourgeoisie satisfaite, la peine des travailleurs allégée par les machines, une fiscalité qui abaisse les glorieux et donne le minimum nécessaire aux misérables, tout cela, en effet, passe pour prosaïque. La réalité soviétique est-elle moins prosaïque pour être monstrueuse ?

TROISIÈME PARTIE

UN PROFESSEUR DANS LA TOURMENTE (1955-1969)

XIII

RETOUR A LA VIEILLE SORBONNE

En juin 1955, je désirai être élu à la Sorbonne et je me dissimulai mal à moi-même la force de mon désir. Pourquoi ? L'ambition universitaire, endormie au lendemain de la guerre par la drogue politique, s'était-elle réveillée ? Je supposai, à tort peut-être, que tout ce que le journalisme pouvait me donner, je l'avais déjà reçu ou acquis. Des inquiétudes de jeunesse me revenaient à la conscience : n'étais-je pas, à mon tour, guetté par la facilité, entraîné dans une voie qui n'était pas ou qui, du moins, ne devait pas être exclusivement la mienne ? Mes livres d'avant-guerre n'annonçaient pas un chroniqueur du *Figaro*. Je me souvins de la prévision sarcastique de Célestin Bouglé, quand mes jugements sur le gouvernement Léon Blum exaspéraient l'homme de gauche.

J'attendis de la Sorbonne la discipline que j'avais perdue. La naissance d'une petite fille mongolienne, en juillet 1950, la mort d'Emmanuelle, quelques mois plus tard, emportée par une leucémie foudroyante, m'avaient meurtri plus que je ne saurais dire. Il n'existe pas d'apprentissage du malheur. Quand il nous frappe, nous avons encore tout à apprendre. Je fus un mauvais élève, lent et révolté. Je cherchai un refuge dans le travail. Plus je m'enfonçais dans ce refuge illusoire, plus je me perdais moi-même. Conscient de me perdre, je souffrais davantage, au-delà du malheur lui-même, des blessures que le temps ne cicatrisait pas. J'espérai de la Sorbonne un secours et je ne fus pas trompé dans mes espérances. Elle ne me rendit pas ce que l'année 1950 m'avait à tout jamais enlevé, elle m'aida à me réconcilier avec la vie, avec les autres et avec moi.

L'élection comportait deux étapes : la section élisait son candidat, l'assemblée de tous les professeurs titulaires de la faculté élisait à la majorité absolue (ou relative au troisième tour) un des candidats. La faculté ne suivait pas toujours le choix de la section. Dans la Sorbonne de ma jeunesse qui ne comptait qu'une cinquantaine de professeurs, donc de votants, le système se justifiait à la rigueur. La séparation entre les disciplines, moins marquée qu'aujourd'hui, n'empêchait pas la plupart des professeurs de se connaître, d'appartenir à un milieu étroit. En majorité venus de la rue d'Ulm, ils obéissaient la plupart du temps, en dernière analyse, à l'opinion dominante du Landerneau scientifique. (Peut-être suis-je en train d'attribuer à la Sorbonne que je n'ai pas connue des mérites qu'elle ne possédait pas ou, du moins, pas à un tel degré.) Quoi qu'il en soit, au fur et à mesure que l'assemblée des professeurs se gonflait et se muait en foule, l'élection d'un spécialiste par des votants qui, en majorité, ne savaient rien ou presque des titres et des œuvres des divers candidats devenait de plus en plus aléatoire. Des incidents de séance, le départ de professeurs impatients de déjeuner, la qualité des plaidoyers déterminaient parfois le vote plus que les considérations scientifiques.

Les débats des grands jours — autrement dit les jours de grandes élections — attiraient le public. Le nombre des professeurs présents aux séances de la faculté augmentait avec celui des élections prévues ce jour-là, avec la signification attribuée aux candidats et à la chaire. A l'assemblée de la Faculté comme au Palais-Bourbon, certains orateurs se faisaient écouter et obtenaient immédiatement le silence. Les propos de certains autres se perdaient dans le bourdonnement des conversations privées. Le style des présentations et des éloges aurait stupéfié un auditeur non prévenu. Vanter les qualités d'enseignant d'un candidat à la Sorbonne, c'était le précipiter dans les oubliettes. Par convention, en vantant le professeur, on suggérait l'infirmité du savant. Les tournois d'éloquence, auxquels je participai plusieurs fois, m'irritèrent sourdement : les discours ressemblaient à des éloges nécrologiques et je ne cessais d'admirer que l'Université française comptât tant de génies.

Dennis Brogan, dans un article que je n'ai pas retrouvé, commenta la campagne électorale qui aboutit à mon élection, campagne inconcevable en Grande-Bretagne, écrivit-il. De toute évidence, les professeurs membres ou proches du parti communiste ne me voulaient pas du bien. Des non-communistes, attachés à la gauche, me tenaient rigueur de *l'Opium des Intellectuels*, paru quelques semaines plus tôt. Georges Gurvitch, qui, entre autres qualités, possédait celle de « l'activisme universitaire » (les coups de téléphone et le porte-à-porte électoral), suscita la candidature de G. Balandier et affirma à qui voulait l'entendre que mes livres et mes articles me destinaient à un portefeuille de ministre plutôt qu'à une chaire de sociologie.

Je dois mon succès final à des circonstances indépendantes de ma volonté et de mes mérites. Je ne fis pas campagne au sens que l'expression avait pris dans l'Université. Je rendis visite aux collègues de la section de philosophie et aux directeurs des autres sections. Mes camarades d'école ou de promotion peuplaient la Sorbonne ; ils me connaissaient mieux que Balandier, d'une quinzaine d'années plus jeune que moi, et nombre d'entre eux ne tinrent pas compte de mes opinions politiques et votèrent pour un camarade. « Peut-être, me dit plus tard Mlle Bonnefoy, admirable secrétaire de la faculté, l'avez-vous emporté à l'âge. » Le journaliste l'emporta aux points sur le « jeunot ». Pour ne pas noircir le tableau et ne pas oublier le rôle de mes amis, je citerai, outre mes partisans à la section de philosophie (H. Gouhier, M. de Gandillac, René Poirier, F. Alquié, D. Lagache), H.I. Marrou qui, me dit-on, rappela à l'assemblée l'élection récente d'un communiste dans un plaidoyer pour l'auteur non de *l'Opium des Intellectuels*, mais de l'*Introduction à la Philosophie de l'Histoire*.

Dans la vieille Sorbonne, on affectait d'ignorer — et l'on oubliait en certaines circonstances — les opinions que les enseignants professaient en dehors de leur chaire. A vrai dire, l'hostilité à mon égard de quelques professeurs ne tenait pas tant à mes idées politiques. Tel, moraliste de son état, déclarait avec passion qu'il voterait pour le diable plutôt que pour moi. Ma faute ? Je n'avais pas joué le jeu, j'avais refusé « l'exil » de quelques années dans une université de province, je m'étais détaché du travail académique et lancé dans une carrière journalistique. Réactions compréhensibles ; après tout, G. Balandier n'avait contre lui que sa jeunesse — défaut qui disparaîtrait plus vite que les miens. G. Balandier est resté fidèle à Gurvitch — ce qui ne nous interdit pas des relations cordiales. L'élection, précédée par les visites, constitue l'équivalent d'un rite d'initiation. Une fois l'épreuve subie et surmontée, l'élu est accepté par tous, ceux qui l'ont combattu comme ceux qui l'ont appuyé. D'autres querelles, d'autres liaisons souterraines se substituent aux alliances qui s'étaient nouées avant et pour l'élection.

Je me suis demandé, dans un autre chapitre, si et comment les « confrères » de la presse m'accueillirent ; je dois me poser la même question à propos des collègues de l'Université. Enfant prodigue qui retourne dans sa famille ? Transfuge qui prétend cumuler les deux activités ? Journaliste qui cherche à la Sorbonne un surcroît de prestige et compromet l'illustre maison dans des polémiques peu compatibles avec la dignité de l'*alma mater ?* J'éprouvai, de temps à autre, chez tel ou tel de mes collègues, des sentiments comparables à ceux de certains de mes confrères du journalisme ; j'échappais à la norme et toutes les corporations se méfient du marginal. Soupçons ou ressentiments dont ma susceptibilité exagérait peut-être la force et que le temps finit par apaiser.

Je n'eus aucune peine à m'adapter à ce métier, en apparence nouveau, puisque je n'avais occupé une chaire de sociologie que six mois, à Bordeaux, en 1938, quand je remplaçai Max Bonnafous, directeur de cabinet en quelque ministère. Mes cours à l'ENA et à l'Institut d'Études politiques, mes nombreuses conférences en français, en anglais, en allemand m'avaient pour ainsi dire maintenu en forme. La facilité d'élocution qui avait impressionné mes maîtres aux concours ne m'avait pas encore déserté. Ma connaissance du marxisme me permettait de tenir tête aisément aux étudiants communistes. Le bibliothécaire de la section de philosophie, M. Romeu, connu par tant de générations, m'assura que même les étudiants communistes respectaient mon enseignement.

La Sorbonne que je retrouvai après vingt-sept années d'absence ne me surprit pas ; elle n'avait pas encore changé du tout au tout, elle le fit au cours des années 1955-1968 pendant que j'y professais. La section de philosophie comptait une douzaine de professeurs (qui s'étaient divisés en deux blocs égaux aux deux premiers tours de mon élection ; au troisième l'un des douze avait changé de camp et m'avait donné une courte majorité). Le nombre des étudiants avait augmenté, mais pas encore au point de faire éclater les cadres. Chaque professeur disposait d'un assistant qui corrigeait les dissertations, dirigeait les travaux d'étudiants et faisait, lui aussi, des cours.

Ce qui me frappa le plus, ce fut la vétusté du bâtiment et de l'institution. Les fauteuils, dans les bureaux exigus attenants aux amphithéâtres, relevaient du marché aux Puces. Les pièces, les salles étaient grises, sales, tristes. Je ne pouvais m'empêcher d'évoquer les universités américaines et anglaises dont j'avais une certaine expérience. La pauvreté du bâtiment illustrait, à mes yeux, la décrépitude du système.

Rien ou presque n'avait changé depuis les années 30. Les meilleurs étudiants continuaient à passer les examens des certificats d'études supérieures sans mettre les pieds à la Sorbonne. Les autres étaient abandonnés à eux-mêmes, l'aide de l'assistant mise à part. Le professeur, pour l'essentiel, faisait les cours dits magistraux. Mon service hebdomadaire s'élevait à trois heures — charge lourde ou légère selon la manière dont chacun entend son enseignement. Au Collège de France, les cours doivent être chaque année originaux. A la Sorbonne, le professeur n'obéissait qu'à lui-même, au désir de renouveler son enseignement ou, tout au contraire, de réserver son temps en vue de ses propres recherches. Auprès des grandes universités des États-Unis et de Grande-Bretagne, la Sorbonne me semblait une survivance du XIXe siècle ; le titulaire, maître après Dieu de sa chaire, connaît personnellement les candidats qui rédigent sous sa direction, après la licence, le mémoire pour le diplôme d'études supérieures ou préparent une thèse d'État ; il ne reçoit guère, et n'en a pas le temps, les étudiants de licence.

Déjà en 1955, la plupart des étudiants devaient se débrouiller tout seuls dans un univers différent de celui des lycées. A mesure que, chaque année, augmentait le nombre des garçons et des filles qui entreprenaient des études supérieures, sans but précis, sans vocation particulière, la pratique ancienne devenait de plus en plus anachronique. Nombre de cours des professeurs méritaient d'être conservés dans des publications. Soustrait à toute obligation et sanction, le professeur ployait sous le faix du travail ou bien, tout au contraire, respectait la règle des trois heures sans consacrer à la préparation des cours ou des soutenances de thèses ses forces et ses veilles.

La Faculté des Lettres de l'université de Paris ou, comme on l'appelait encore, la Sorbonne, conservait une position dominante. La plupart des thèses d'État étaient soutenues à Paris ; le professeur qui, à tort ou à raison, passait pour le doyen ou le maître d'une discipline exerçait sur le choix des sujets, voire sur l'orientation des recherches, une influence toujours excessive et plus d'une fois stérilisante. Les mandarins, dénoncés en mai 1968, ne relevaient pas tous de la légende. Ernest Labrousse, en histoire économique, Mme Durry, en littérature française, détenaient un pouvoir sur les jeunes et leur carrière dont ils usaient résolument. Parfois un grand maître de la Sorbonne dirigeait, sur le papier, plusieurs dizaines de thèses d'État, sans compter les thèses d'université, puis de IIIe cycle. La concentration du pouvoir plutôt que des talents me scandalisa bien avant que les étudiants descendissent dans la rue.

J'ai critiqué, à plusieurs reprises, le régime français de l'enseignement supérieur, dans *le Figaro* et dans des revues sociologiques (en particulier dans *Minerva* et dans les *Archives européennes de sociologie*). La critique portait d'abord et avant tout sur l'agrégation (critique si vive que je devins, comme me l'assura un ministre responsable de la fonction publique, la bête noire de la Société des Agrégés). L'agrégation, disais-je, garde en théorie la fonction qui lui avait été attribuée : le recrutement des enseignants du deuxième degré, des professeurs de lycée. A la différence de ce qui se passe en Allemagne et en Angleterre, le même mot, *professeur*, s'applique aux mandarins de la Sorbonne et aux agrégés (ou capésiens) qui, parfois dans le premier cycle de l'enseignement secondaire, enseignent aux bambins et aux adolescents la grammaire, l'arithmétique ou l'histoire. Cette particularité de vocabulaire s'expliquait aisément : nombre des « professeurs » de lycée n'avaient rien à envier à leurs collègues des facultés. En philosophie, H. Bergson, L. Brunschvicg enseignèrent durant des années dans des lycées ; J. Hyppolite aussi, Alain ne songea pas à quitter la khâgne de Henri IV. Avant la dernière guerre, seule une faible minorité des jeunes fréquentait les lycées. En 1938, l'Université recevait une quinzaine de milliers de bacheliers par an, sur une classe d'âge de 600 à 700 000 personnes. Les élèves des lycées ne représentaient qu'une minorité privilégiée et celle-ci bénéficiait d'un corps professoral d'une qualité intellectuelle sans équivalent à l'étranger. Il semblait que le système tout entier fût axé sur le deuxième degré, aux dépens du troisième, à savoir l'enseignement dit supérieur, celui des facultés. L'agrégation symbolisait la subordination des facultés aux lycées ; les agrégés devaient leur formation à celles-là ; ils serviraient pour la plupart dans ceux-ci.

Je connaissais de première main certaines agrégations (philosophie, langues) et, de manière moins directe, certaines autres (lettres classiques, histoire). En tout cas, j'en savais assez pour apprécier les concours, leurs avantages et leurs inconvénients. Toutes les agrégations, à un degré ou à un autre, exigent les mêmes qualités de rhétorique qui, depuis le baccalauréat, assurent le succès. Les dissertations — de philosophie, de littérature, en français ou dans la langue étrangère — demeurent encore l'épreuve reine. Bien entendu, selon les agrégations, le savoir à utiliser varie, la culture philosophique dans l'une, le goût ou le sens littéraire dans d'autres. Toutes ces épreuves traditionnelles portent plutôt sur les qualités formelles que sur les capacités scientifiques ou pédagogiques des candidats. Thèmes et versions, il est vrai, exigeaient et mesuraient la connaissance des langues, aussi bien anciennes que modernes.

Les futurs historiens tireraient de l'étude de l'économie et des statistiques plus de profit que de l'entraînement aux dissertations. De même, les germanistes ou les anglicistes « décrochaient » (ou décrochent encore ?) l'agrégation sans études de linguistique, sans une familiarité vraie avec la culture dont ils apprenaient la langue. S'il existe, dans nos universités, tant de professeurs d'allemand, d'anglais ou d'espagnol et si peu d'authentiques germanistes, anglicistes ou hispanisants, la faute en est, pour une large part, à l'agrégation, au contenu des programmes, aux sujets de thèses (l'homme, l'œuvre).

Je déplorais que, dans toutes les disciplines qui comportent une agrégation, la préparation de ce concours absorbât tant des forces des étudiants et des enseignants, sans que pour autant le succès au concours garantît les qualités pédagogiques. A cette mise en question du système s'ajouta une analyse de la conjoncture. Les réformes déjà en cours à la fin des années 50 tendaient à éliminer la dualité du primaire et du secondaire ; il subsistait, de toute évidence, la distinction des degrés mais l'enseignement de chaque degré était ramené à l'unité : tous les enfants, de toutes les classes sociales, entreraient dans les mêmes écoles maternelles, puis primaires, ils passeraient ensuite dans les mêmes établissements du second degré. De même que les classes primaires des lycées avaient disparu, les classes du premier cycle du second degré disparaîtraient des lycées (elles disparaissent peu à peu à l'heure présente).

L'école unique — si l'on peut reprendre aujourd'hui la formule chère à Edouard Herriot, il y a un demi-siècle — allait bouleverser le système que j'avais connu et que les ministres de Vichy avaient condamné à mort pour des motifs tout différents de ceux des réformateurs d'après-guerre. Au temps de Vichy, les ministres voulaient mettre fin à l'isolement, à la fermeture de l'enseignement primaire (soupçonné de mal penser) ; d'où l'exigence du baccalauréat pour les élèves de l'École Normale ; d'où la fusion des deux personnels primaire et secondaire. A partir de là, le gonflement des effectifs dans les collèges et les lycées devenait prévisible et, du même coup, le changement de caractère de ces établissements.

L'enseignant du second degré perdrait peu à peu le prestige du professeur agrégé de lycée (qui, au Havre, en 1933, appartenait encore au nombre des notables). L'agrégé se sentirait perdu en un univers étranger, frustré, victime de la disparité entre les diplômes acquis et l'emploi occupé. Dans les années 50 et 60, l'expansion de tous les enseignements, de tous les degrés, facilita à nombre d'agrégés l'accession immédiate aux facultés. Mais l'expansion ne pouvait pas se poursuivre indéfiniment à la même allure. Les effectifs de chaque classe d'âge tombèrent de quelque cent mille et plus par an ; le coefficient de scolarisation après le baccalauréat cessa de monter. Le corps enseignant du second degré est exceptionnellement jeune. Pour un poste d'assistant à l'Université, cinquante agrégés se portent candidats. De même, les candidats à la plupart des agrégations se comptent par centaines, alors que les listes fixées par le ministère se limitent souvent à quelques dizaines.

Ma critique de l'agrégation, au début des années 60, portait avant tout sur la déviation de l'enseignement supérieur qui en résultait. Les facultés des lettres se donnaient pour tâche principale de former les enseignants du second degré et non pas des chercheurs. Subsidiairement, la distinction des diplômes, agrégation, CAPES, licence, créait à l'intérieur des établissements un corps professoral hétérogène, obligations et rétributions étant déterminées non par les mérites actuels, mais par les examens ou concours passés avant d'entrer dans la carrière.

Qu'en est-il aujourd'hui ? Les agrégations subsistent, peu modifiées autant que j'en puisse juger. Peut-être n'exercent-elles plus la même influence tyrannique en raison de la multiplicité des UER, groupes relativement étroits, tentés par les initiatives, moins prisonniers que jadis des programmes et des concours, mais elles appellent les mêmes réserves : ce sont des concours ne portant ni sur la capacité scientifique, ni sur la capacité pédagogique. En raison de la disproportion entre le nombre des candidats et celui des élus, l'agrégation se ramène à un mode de sélection, ni meilleur ni pire qu'un autre. En revanche, le refus de la sélection à l'entrée des facultés développe ses conséquences logiques et prévisibles.

Avec beaucoup d'autres, je dénonçai l'équivoque du baccalauréat, à la fois certificat de fin d'études secondaires et premier grade de l'Université. Progressivement, au cours de mes années à la Sorbonne, le baccalauréat, plusieurs fois révisé, se rapprocha du simple certificat de fin d'études secondaires sans perdre pour autant la valeur d'un premier grade de l'Université ; en d'autres termes, tout bachelier garde le droit d'accéder à l'enseignement supérieur. Mais, curieuse conséquence du système, tous les établissements d'enseignement supérieur, à l'exception des facultés, imposèrent une sélection à l'entrée. Qu'il s'agisse d'une école commerciale ou de l'Institut d'Études politiques, le bachelier quelconque n'y entre pas sans un autre titre ou sans examen. Même les IUT, enseignement supérieur court, en deux années, font un choix entre les candidats et ouvrent la voie des carrières. Seules les facultés des lettres ou de droit font exception : à défaut de mieux, elles abritent des milliers de jeunes sans emploi.

Cet aboutissement du refus de la sélection, chacun pouvait l'annoncer et, personnellement, je plaidai en faveur de la « sélection », ce mot tabou qui désignait seulement le refus de l'accès libre des bacheliers aux facultés, en fait essentiellement aux facultés de lettres et, à un moindre degré, aux facultés de droit et de science économique (divisées depuis 1969 en une pluralité d'UER). Parmi les centaines de milliers d'étudiants inscrits selon les statistiques, combien tentent leur chance ou bénéficient des avantages accordés aux étudiants, sans projet défini, sans même toujours la volonté d'aller jusqu'au bout de leurs études ?

A l'origine, quand ce procès commença, j'étais indigné par l'irrationalité du régime, le gaspillage de ressources rares consacrées à des pseudo-étudiants, qui ne décrochent aucun diplôme et ne tirent guère de profit de cet essai hésitant. Je n'ai pas changé d'opinion, mais je me sens porté à plus d'indulgence. Bien sûr, maintenir un encadrement proportionné au nombre de ces demi-étudiants, n'est-ce pas réduire indirectement les fonds d'État à la disposition du véritable enseignement supérieur ou de l'authentique recherche ? Déjà, au début de ma présence à la Sorbonne, tous les professeurs observaient une baisse du nombre des auditeurs, de 20 à 25 % dans les cas les plus favorables, entre le début et la fin de l'année. Les étudiants ne disparaissaient pas seulement de la vue des professeurs, ils ne se manifestaient plus au cours ou aux travaux dirigés, ils ne s'inscrivaient pas aux examens de fin d'année. Les enquêtes sociologiques ne retrouvent pas toujours la trace de ces « déserteurs ».

Entre 1955 et 1968, j'assistai, dans un poste abrité, à la transformation de la vieille Sorbonne. Les thèses d'Université furent supprimées, les thèses de IIIe cycle introduites. Un seul assistant m'aidait en 1955 ; une dizaine s'occupaient des étudiants dix ans plus tard. Le gonflement des effectifs, aussi bien d'enseignés que d'enseignants, s'observait d'année en année. L'amphithéâtre Descartes était plein quand je donnais mon cours ; je m'adressais à des centaines d'auditeurs que je ne connaissais pas. Si je pris la décision, à la fin de l'année 1967, de quitter la Sorbonne et de devenir directeur d'études non cumulant à la VIe section de l'École pratique des Hautes Études, c'est que j'avais le sentiment que le bâtiment craquait, que nous étions paralysés, stérilisés par un régime à bout de souffle.

Pour la sociologie, les années 1955-1968 furent à beaucoup d'égards fastes. A ma connaissance, il n'existait guère plus de chaires de sociologie dans les universités en 1955 qu'en 1939 (l'année où je fus nommé à Toulouse). Une chaire de psychologie sociale fut créée à la Sorbonne la même année 1955, ce qui facilita mon élection. Faute de cette chaire de psychologie sociale, Stoetzel se serait porté candidat à la succession de Georges Davy et son succès était assuré à l'avance. Comme G. Davy exerçait le décanat de la faculté des lettres, Georges Gurvitch occupait la position clé, celle du mandarin potentiel ; c'est par lui que passaient la plupart des thèses. Son vocabulaire s'imposait aux étudiants, sinon aux chercheurs. Il terrorisait, de temps à autre, les candidats par des accès soudains, mal contrôlés, de colère. En dépit de son activité, du nombre de ses publications, de son goût de l'autorité intellectuelle, Georges Gurvitch n'atteignit jamais (aucun de ses successeurs non plus) à une autorité qui lui aurait mérité le titre de mandarin. La sociologie demeurait une discipline de deuxième ordre, comparée aux disciplines traditionnelles dont le statut était garanti par une agrégation. La sociologie, depuis la guerre, sous l'influence de quelques pionniers (Georges Friedmann par exemple) s'était développée en dehors de l'Université, dans le cadre du CNRS et plus spécialement dans le laboratoire propre du CNRS, le Centre d'Études sociologiques. L'enseignement de la sociologie, à Paris, Toulouse, Bordeaux, Strasbourg n'avait guère changé par rapport à celui que j'ai connu et reçu (si je puis dire : je n'avais pas fréquenté les cours) un quart de siècle plus tôt. Les cours portaient sur les grands auteurs, sur les théories des professeurs eux-mêmes ou enfin sur quelques grands thèmes : les classes ou la lutte de classes, le suicide, la division du travail, etc. Les sociologues faisaient ailleurs l'apprentissage de la recherche empirique et ne se sentaient pas engagés par les spéculations ou la rivalité des professeurs de la Sorbonne.

C'est au cours de la période où j'enseignai à la Sorbonne que s'amorça le rapprochement des chercheurs et de l'Université. Simple coïncidence et non pas rapport de cause à effet. Le nombre des étudiants en sociologie, la popularité des sciences sociales, le déclin des humanités, toutes les circonstances favorisèrent l'ascension de la sociologie dans les facultés — ascension qui apparut après coup comme une des causes des événements de mai 1968. Personnellement je revendique la responsabilité — mérite ou démérite selon les jugements des uns ou des autres — d'avoir créé en deux ans (exceptionnelle rapidité pour une réforme institutionnelle) la licence de sociologie.

La sociologie figurait dans les programmes des facultés des lettres : moitié d'un certificat de la licence de philosophie (morale et sociologie), certificat d'une licence libre. La licence de sociologie ne fut pas une licence d'enseignement (la sociologie ne figurait pas dans les programmes des lycées), mais elle représentait un progrès par rapport à l'état antérieur. J'obtins que cette licence comportât trois certificats obligatoires (sociologie générale, psychologie sociale, économie politique). Le quatrième certificat était choisi par les étudiants dans une liste assez longue (histoire économique, ethnologie, etc.). J'insistai sur les trois certificats obligatoires dont chacun se définissait par une conceptualisation propre. Il ne manqua pas d'objections, à l'assemblée des professeurs, contre le certificat d'économie politique. Gurvitch, évidemment, lui était hostile. Certains se souvenaient de Durkheim et de sa critique de l'économie. Je parvins à convaincre, sans trop de peine, une majorité. Fut-ce par la valeur de mes arguments ou par la supériorité (trop naturelle) de mon français sur celui de Gurvitch ? Je ne sais.

Mon penchant à garder le dernier mot m'entraîna à un échange avec Etiemble que j'aime bien et que j'estime. Nous discutions du programme du certificat de sociologie générale, nous avions repris l'expression qui figurait dans le programme du certificat de morale et sociologie : les « précurseurs », les « fondateurs » et quelques noms : J.-J. Rousseau, Montesquieu... Etiemble s'écria : « Et la sociologie arabe, et la sociologie chinoise ? Toujours cette étroitesse hexagonale comme si la France contenait la culture entière... » Légèrement irrité par cette tirade, je répondis dans un style peu conforme aux habitudes universitaires : « Je suis complètement d'accord avec mon ami Etiemble, mais je propose de différer l'enseignement de la sociologie arabe ou de la sociologie chinoise jusqu'au moment où les élèves de mon collègue seront capables de les enseigner. » Un éclat de rire termina le débat. Etiemble, qui ne déteste pas se moquer des autres mais supporte mal qu'on se moque de lui, m'envoya deux de ses livres avec des dédicaces douces-amères... Je ne doute pas qu'il m'ait pardonné depuis longtemps cet épisode de notre collaboration universitaire.

La licence de sociologie ne subsista pas longtemps puisqu'elle disparut avec la réforme Fouchet, appliquée pour la première fois en 1968. Cette dernière fut emportée elle aussi immédiatement par la tempête des événements. En tout état de cause, la sociologie, en tant que discipline universitaire, est désormais reconnue, elle continue d'attirer des étudiants nombreux, bien que la vague des années 60 ait cessé heureusement de monter.

En 1955, quand je pris pour sujet de mon premier cours public la société industrielle, je rompis avec les coutumes : les plans quinquennaux, la collectivisation agraire, les procès de Moscou trouvaient place dans mon étude. Comment pouvait-il en être autrement puisque l'Union soviétique incarnait le type-idéal d'un régime de notre temps — un régime qui se donnait pour but de rattraper les États-Unis, de développer les forces de production dans un système socialiste ? L'évocation, dans un amphithéâtre de la Sorbonne, des camps de concentration ou des aveux des compagnons de Lénine rapprochait la sociologie dite académique des rumeurs de la place publique. Les cours de G. Gurvitch, reflets de ses livres, riches de classifications et de définitions, présentaient les mérites contraires ; ils arrachaient les étudiants à leur mode quotidien et les introduisaient dans un univers étranger, quelque peu mystérieux, peuplé de « petits groupes », animé de multiples formes de sociabilité, divisé en multiples « paliers de profondeur ».

Qui de nous deux avait raison ? La question n'a probablement pas de sens. Il est bon que la sociologie détache l'étudiant de ses préjugés, de sa conscience spontanée, vécue de la réalité. Il n'est pas inutile non plus que le professeur traite aussi objectivement que possible des problèmes réservés d'ordinaire au journalisme et aux discours de propagande. Les premiers cours, les *18 Leçons sur la société industrielle, la Lutte des classes, Démocratie et totalitarisme,* en 1955-1956, 1956-1957, 1957-1958, n'attirèrent pas la foule, quelques dizaines d'étudiants la première année ; le nombre augmenta d'année en année, signe moins de succès que de l'augmentation du nombre des inscrits. Au reste, ces cours, à défaut d'auditeurs, eurent immédiatement des milliers de lecteurs (dans la publication des cours de la Sorbonne).

Ce choix des sujets n'allait pas sans péril. Désireux de m'écarter du journalisme, je risquais d'y retomber. Mais, d'autre part, je voulus préparer par mes cours le *magnum opus,* Marx-Pareto, sur lequel je réfléchissais et même écrivais depuis des années. Je souhaitais démontrer en acte la possibilité d'une synthèse de la théorie de la croissance (Colin Clark, Jean Fourastié), de la théorie des régimes (capitalisme-socialisme), de la théorie des classes sociales et enfin de la théorie des élites sur les trois plans de l'économique, du social, du politique. Je ne suis pas sûr d'avoir conçu clairement à l'avance ces trois petits volumes. La première année, je me laissai porter d'une leçon à l'autre, sans disposer d'un plan d'ensemble. Le miracle, c'est que le résultat ne fût pas pire.

Je reviendrai, dans un autre chapitre, sur le contenu de ces livres. Mon état d'esprit à l'époque, mon souci de l'auditoire appellent quelques remarques. Nombre d'étudiants, marxistes ou marxisants, m'attendaient au tournant de la rue. J'arrivais, précédé ou entouré d'une réputation d'homme de droite et journaliste ; il me fallait apprivoiser les marxistes, les convaincre de mon savoir, me faire reconnaître par tous comme un enseignant de plein exercice. Dans les *18 Leçons,* je restai plus d'une fois en deçà de mes jugements sur l'Union soviétique. Pour témoigner de mon objectivité, je dus laisser au régime que je combattais le privilège du doute, témoigner à son égard d'indulgence. Je crois sincèrement avoir atteint mon but. N'oublions pas non plus que le rapport de N. S. Khrouchtchev au XXe Congrès date de 1956, l'année même de mon premier cours. Les faits que je rappelais dans mes cours, le premier secrétaire du parti communiste de l'Union soviétique les authentifiait.

Il m'est difficile de parler de mes rapports avec les étudiants, tout au moins les étudiants de premier cycle (les deux premières années). Ils venaient rarement me voir ; ils demandaient conseil aux assistants. Au début, leur nombre me permettait encore de leur confier des exposés, donc de leur imposer l'épreuve de parler en public devant leurs camarades et le professeur. J'y renonçai rapidement. Les étudiants n'écoutaient guère leur camarade et comptaient sur la critique du professeur. Je m'efforçais de ne pas humilier l'étudiant, même si celui-ci s'était mal tiré d'affaire. Je jugeais indigne de faire rire les étudiants aux dépens d'un des leurs. Je ne suis pas sûr de n'avoir jamais commis cette faute dont j'ai horreur ; au moins puis-je dire que je ne le fis jamais délibérément.

Dans je ne sais quelles circonstances, Pierre Hassner, qui fréquentait parfois mes cours, fit un exposé brillant, étourdissant sur Thucydide. Je le comblai d'éloges qui ne dépassaient pas ses mérites. Je lui dis que jamais, étudiant ou enseignant, je n'avais entendu un discours de qualité comparable (Pierre, à cette date, était déjà agrégé [1]). Un étudiant vint me parler à la fin de la séance et me dit : « Je vous aurais détesté si vous n'aviez pas reconnu que ce que nous avons entendu aujourd'hui était exceptionnel. » La semaine suivante, je dissertai, moi aussi, de Thucydide, avec la prétention de ne pas rester trop au-dessous de Pierre.

Avec les étudiants qui préparaient leur diplôme d'études supérieures ou leur thèse d'État, mes relations ne posaient pas de problème. De préférence, je les laissais choisir leur sujet, en particulier quand il s'agissait d'une thèse d'État : « Si vous n'avez pas dans l'esprit un sujet ou, du moins, une certaine idée de vos intérêts intellectuels, pourquoi voulez-vous faire une thèse d'État ? Celle-ci n'est pas, ne doit pas être un exercice scolaire ; vous lui donnerez des années de votre vie, ne les donnez pas au mandarin, aux considérations de carrière. » Attitude qui me paraît aujourd'hui encore convenable ; peut-être les étudiants, face à certains maîtres et dans certaines circonstances, s'inclinent-ils devant des ukases ou les nécessités de la carrière. En ce cas, les responsabilités sont partagées.

Autrement difficiles furent mes relations avec les assistants dans les séminaires ou avec les anciens qui soutenaient leur thèse. Ma fille Dominique me reprocha plusieurs fois de mettre les assistants dans une position fausse devant les étudiants. Aussi bien Pierre Bourdieu, qui était mon assistant au début des années 60, ne parlait-il pour ainsi dire jamais quand il assistait à mes séminaires. Plusieurs fois, je blessai Pierre Hassner (ou le peinai) quand nous étions censés diriger ensemble un séminaire de relations internationales. En fait, une direction de séminaire à deux, qui se déroula harmonieusement avec J.-B. Duroselle, ne convenait pas au couple Aron-Hassner. Dans les années 60, j'avais suffisamment surmonté mon intempérance de parole et ma volonté d'avoir toujours raison pour coopérer avec un codirecteur, mais Pierre Hassner est à son meilleur quand il s'exprime en toute liberté, quand son monologue embrasse, à lui seul, ses arguments et les objections possibles de ses interlocuteurs. Sa subtilité, son sens des nuances l'emportent à tel point sur ceux des autres — moi inclus bien entendu — que le dialogue avec lui devient malaisé. Il faut le laisser conduire seul l'entretien à sa manière ; chacun des auditeurs saisira au passage la nourriture qui lui convient (ou les perles jetées au hasard par une inépuisable richesse d'invention et d'analyse).

Cela dit, je garde de mes séminaires, en particulier de ceux de la VIe section où je fus élu directeur d'études cumulant en 1960, un souvenir de libres discussions, de recherches en commun, sans joutes verbales.

1. Jean-Claude Casanova me rappelle que je dis : « Je n'ai pas entendu d'exposé aussi brillant depuis celui de J.-P. Sartre devant Léon Brunschvicg. » Je crois le souvenir de Casanova exact. En fait, l'exposé de Sartre était porteur d'avenir, il n'était pas éblouissant ; je voulais souligner l'éloge, manifester mon enthousiasme.

Bien entendu, les séances étaient inégales, en fonction de l'intérêt des exposés introductifs et du dialogue qui s'ensuivait. Des personnes qui aujourd'hui sont classées par leurs pairs dans l'élite de la communauté scientifique y prenaient plaisir et en tiraient quelque chose (je songe, par exemple, à Jon Elster qui soutint une thèse d'État à la Sorbonne, le premier Norvégien à solliciter et à obtenir le grade cinquante ans après un de ses compatriotes). Je reçus d'une des habituées du séminaire d'opinion proche du gauchisme une lettre touchante de reconnaissance pour le style de ces entretiens.

Des soutenances de thèse, je garde un souvenir plus mélangé. Je dirai d'abord qu'à la différence de certains de mes collègues je lisais attentivement, entièrement les thèses. Précisément parce que mes collègues me soupçonnèrent d'abord de ne pas me soumettre à toutes les obligations du métier, je me fis un point d'honneur de rivaliser avec les plus consciencieux. Mais cette conscience professionnelle se traduisit aussi par une franchise d'expression qui passait à juste titre pour sévérité — sans compter que d'autres juges m'accusaient de saisir l'occasion de briller aux dépens de celui qui demeurait encore, pour une demi-journée, du mauvais côté de la barricade. Le membre du jury use et abuse des avantages que lui assure sa position.

Chacun, à la Sorbonne, choisit son style. Tel se plaît à relever les fautes d'orthographe, les erreurs de détail ou les anglicismes, tel autre, quand la thèse s'y prête, se lance dans des discours plus d'une fois brillants, mais qui ne permettent ni à l'auditeur de connaître les mérites de la thèse, ni à celui qui défend le fruit de longues années de travail de plaider sa cause. J'adoptai, une fois pour toutes, un style direct : je m'efforçai de discuter les idées centrales de l'ouvrage et, de ce fait, j'acquis une réputation de rigueur ou même de cruauté. Cette réputation, je l'ai en quelque mesure méritée. Le tournoi d'éloquence se déroule entre les membres du jury tout autant qu'entre le jury et « l'impétrant ». Celui-ci risque d'être la victime de rivalités entre « chers collègues ».

Alain Touraine a déjà raconté dans un de ses livres l'épreuve que lui infligèrent Georges Friedmann, Jean Stoetzel et moi. J'éprouvais et j'éprouve toujours pour lui une véritable sympathie. Dans la communauté des sociologues parisiens, il tranche par son élégance, sa noblesse naturelle et son authenticité. Je ne nourrissais à son égard nul grief, nul ressentiment. Il me demanda d'être le directeur de sa thèse alors qu'elle était déjà terminée. Il souhaita être jugé par moi, soit qu'il me mît au-dessus des autres, soit que ma présence ajoutât à l'éclat de la cérémonie. Après la discussion de la thèse secondaire (étude empirique de la conscience de classe) par E. Labrousse et G. Gurvitch — discussion prolongée par le goût de l'éloquence dont témoigna, comme d'habitude, le premier des deux —, A. Touraine présenta sa thèse avec un élan de conquistador qu'il conclut par un poème en espagnol. Le président me donna la parole et je commençai : « Revenons sur la terre. »

Pendant la suspension entre les deux thèses, il avait tenu des propos — qui me furent rapportés plus tard — d'un fleurettiste sur le point de croiser le fer : « Je ne crains qu'Aron. » Je fis sentir à l'auditoire (la salle Louis Liard était pleine à craquer) mes sentiments amicaux pour lui ; mes jugements sur la thèse le blessèrent d'autant plus. Je ne réglai pas de vieux comptes, je reprochai à Touraine de se lancer dans des analyses plus philosophiques que sociologiques sans la maîtrise des concepts, sans la formation du philosophe. Avais-je tort ou raison ? Il n'y a pas, en pareille matière, de preuve. Tout ce que je puis dire, pour ma défense, c'est que j'avais lu et relu l'ouvrage, demandé l'opinion d'un spécialiste indiscuté. Peut-être mon intervention n'aurait-elle pas été aussi dévastatrice, si elle n'avait encouragé Friedmann et Stoetzel à une surenchère de sévérité. Décontenancé, Touraine renonça presque à se défendre. L'atmosphère se fit irrespirable ; Labrousse me murmurait : « C'est trop, ce n'est pas possible. » J. Le Goff s'agitait sur son banc, tenté de prendre la parole pour interpeller les juges : G. Friedmann, le maître et le protecteur tout d'un coup si dur, et J. Stoetzel, venu d'un univers étranger à la VIe section. Alain Touraine revécut pendant des semaines, en rêve ou plutôt en cauchemar, cet après-midi. Le soir, il recevait le Tout-Paris intellectuel ou mondain qu'il avait invité à l'avance. Une dame me confia que cette cérémonie d'initiation avait été horrible. P. Lazarsfeld apprécia la discussion publique de la thèse. On pourrait publier presque telle quelle votre improvisation, me dit-il (ce n'était pas vrai).

Bien que je me sois exprimé avec la même franchise en d'autres circonstances, aucune soutenance de thèse n'atteignit à la même intensité presque dramatique. Je discutai avec Michel Crozier ; mes objections n'étaient pas toujours pertinentes et les applaudissements saluèrent plus d'une fois ses reparties. Mes dialogues avec François Bourricaud et Henri Mendras demeurèrent pacifiques et amicaux.

Je me souviens en particulier de deux thèses dont je mis en question les idées directrices sans troubler outre mesure les auteurs. P. Naville, directeur de recherches au CNRS, souhaita obtenir le grade de docteur d'État avec un ouvrage sur la pensée de Marx, intitulé *De l'aliénation à la jouissance.* G. Gurvitch discuta plus de deux heures avec Naville sur la jeunesse de Marx, sur les étapes de sa pensée et les influences subies entre 1837 et 1848. Gurvitch tenait à Saint-Simon et Fichte, Naville à Hegel et aux matérialistes. Je pris la parole alors que l'horloge indiquait plus de sept heures et demie. Je n'avais qu'une remarque à faire, mais elle portait sur l'essentiel. Selon Naville, K. Marx avait introduit la quantité dans l'analyse économique. Là était sa contribution décisive dans l'histoire de la science économique. Or, comme le concept de plus-value tient une place essentielle dans l'analyse marxiste, je lui posai la question : « A-t-on, depuis un siècle, calculé la plus-value ? » De toute évidence, on ne l'a pas caculée bien que, par ses exemples numériques, K. Marx ait suggéré, sans l'affirmer, que le capitaliste accumule une plus-value considérable. (D'ordinaire, il suppose un taux d'exploitation de 100 % ; autrement dit le surtravail — la durée du travail au-delà du travail nécessaire pour produire une valeur égale à celle du salaire — représente la moitié de la journée.) Naville, si mes souvenirs sont exacts, ne sut trop quoi répondre sinon que, par ailleurs, Marx cherchait à déterminer les quantités. E. Labrousse vint à son secours, mais par un argument pauvre ou, pour mieux dire, dénué de sens. « On n'a pas encore calculé la plus-value, me dit-il, cela ne prouve pas que l'on n'y parviendra pas au cours du siècle à venir. » Il me fut facile de préciser les raisons pour lesquelles le concept de plus-value échappe à la quantification. La seule réplique valable eût été celle de mon ami Jon Elster : il existe d'autres concepts, dans d'autres théories, qui ne sont pas quantifiables, sans être dénués de signification pour autant (le coût d'opportunité, par exemple). J'aurais souscrit à cette réplique, mais la thèse de Naville s'en trouvait de toute façon ébranlée. K. Marx, à coup sûr, étudiait les statistiques disponibles à l'époque ; il se serait précipité sur les comptabilités nationales, si celles-ci avaient déjà existé. En ce qui concerne sa contribution majeure, le premier tome du *Capital* par exemple, le calcul n'y intervient que sous la forme d'illustrations chiffrées des raisonnements ; et, par là même, il contribua à créer des illusions presque délirantes. Si le taux d'exploitation s'élève à 100 %, quelle réserve de revenus pour les salariés le jour où l'exploitation de l'homme par l'homme aura été définitivement supprimée !

Une autre soutenance de thèse me reste à l'esprit : celle d'un Grec, K. Axelos, marxiste et heideggerien tout à la fois. Le travail portait sur « Marx, penseur de la technique ». Il lui avait été suggéré probablement par un essai de Heidegger qui met en relation la pensée de Marx avec la diffusion planétaire de la technique. Mon camarade, Patronier de Gandillac, ami de Kostas Axelos, n'ignorait pas les réserves que je formulais sur le travail et souhaitait retarder le moment où je prendrais la parole. Je lui posai pour ainsi dire une seule question : qu'est-ce que Marx a écrit sur la technique ? Quelle fut sa philosophie de la technique ? « Finalement, me répondit-il, il se peut qu'un auteur manque l'objet majeur de sa pensée. » Le dialogue n'alla pas plus loin.

Décidé à remplir pleinement mes obligations de sociologue, je créai, dans le cadre de la VIe section, un centre de recherches, intitulé *Centre européen de sociologie historique*. Pierre Bourdieu en fut le secrétaire général et l'animateur, en vérité le directeur effectif jusqu'à la rupture provoquée par les événements de 1968. J'appartiens à une génération intermédiaire entre celle des disciples directs de Durkheim et la génération pour laquelle la conversion de la philosophie à la sociologie implique les recherches empiriques. Professeur à Bordeaux en 1945, aurais-je entrepris des enquêtes, fait mon apprentissage sur le tas avec les étudiants ? Il se peut, mais je n'en suis pas sûr. G. Friedmann n'est pas allé jusqu'au bout de la conversion. Pour moi, le retour à la Sorbonne intervint trop tard ; j'avais cinquante ans, je ne voulus pas renoncer au journalisme et à l'action dans la politique française ; les relations internationales (qui ne suscitent guère d'enquêtes empiriques) retenaient la moitié de mon attention et de mon temps. Pierre Bourdieu, au retour de son service militaire, avait déjà travaillé sur le terrain. A l'époque, il promettait tout ce qu'il a tenu, un des « grands » de sa génération ; il n'annonçait pas ce qu'il est devenu, un chef de secte, sûr de soi et dominateur, expert aux intrigues universitaires, impitoyable à ceux qui pourraient lui faire ombrage. Humainement, j'espérais autre chose de lui.

Mon poste à la Sorbonne m'amena aux commissions du CNRS. J'y fis l'expérience à la fois de la bureaucratie et des luttes entre groupes de pression. La commission devait examiner les candidatures et aussi les travaux des chercheurs dont le renouvellement ou la promotion étaient en question. Les sociologues, qui pour la plupart avaient fait carrière au CNRS, ne tenaient pas grand compte des diplômes (l'agrégation par exemple) qu'ils ne possédaient pas eux-mêmes. En dehors des diplômes, les projets rédigés par les candidats déterminaient, en principe au moins, la sélection. Les membres de la commission ne se seraient pas accordés même si tous, de bonne foi, avaient cherché les meilleurs. Les opinions politiques, les solidarités d'équipes, l'intérêt porté à tel domaine plutôt qu'à tel autre se mêlaient ou s'opposaient. L'arbitraire d'une gestion démocratique éclatait aux yeux.

Président de la Commission de sociologie pendant quatre années, je réussis dans quelque mesure à influer sur notre travail et à l'améliorer. Quand les membres de la commission, même communistes, se convainquirent de ma volonté sincère d'honnêteté, ils suivirent souvent mes suggestions. Ce qui me frappa le plus, c'est que les membres de la commission, presque tous, manifestaient quelque satisfaction quand ils avaient pris ensemble la décision équitable. Confirmation mineure de mon optimisme indéracinable sur la nature humaine : ces sociologues préféraient la justice à leurs passions et à leurs affiliations, quand l'occasion s'offrait à eux.

Les années 1955-1968, les plus universitaires de mon existence, furent aussi marquées par trois prises de position retentissantes sur l'Algérie, sur la conférence de presse du Général en 1967, sur les événements de mai 1968. Pendant ces treize années, je publiai cinq de mes cours d'après les notes [1] ; j'avais professé une partie de *Paix et Guerre* en cours mais je récrivis ceux-ci entièrement ; je donnai à l'Institut d'Études politiques le premier cours jamais professé en France sur la stratégie nucléaire et je rédigeai en trois semaines, après coup, *le Grand Débat*. En 1957, sous le titre *Espoir et peur du siècle*, je réunis trois essais sur *la Droite, la Déca-*

1. *18 Leçons sur la société industrielle, la Lutte des classes, Démocratie et totalitarisme, les Étapes de la pensée sociologique* (le titre du cours était : *les Grandes Doctrines de sociologie historique*).

dance, la Guerre; en 1965, pour l'Encyclopædia Britannica, j'écrivis un *roof article*, un *article plafond*, en fait un livre qui ne parut en France qu'en 1968, *les Désillusions du Progrès*. En revanche, je n'ai pas utilisé un cours d'une année sur la pensée politique de Montesquieu, un autre sur celle de Spinoza, un cours d'une année (deux heures par semaine) sur Marx, un autre encore (deux heures par semaine) sur l'égalité. Cet enseignement sortait pour une part de l'actualité, des problèmes que l'époque nous posait.

Pour moi, cet enseignement, je le répète, fut une bénédiction. Il m'aida à retrouver un équilibre intérieur, non dans l'oubli, mais dans l'acceptation. Fut-il aussi une bonne chance pour les étudiants, pour la Sorbonne, pour le développement de la pensée sociologique en France ? Il n'est pas facile pour moi de répondre. Voici, malgré tout, quelques remarques que la plupart de mes collègues accepteront.

Par mes cours et mes écrits, j'ai contribué à donner à la communauté des sociologues une autre ascendance. Durkheim, dans sa thèse secondaire, présentait Montesquieu et Rousseau en précurseurs de la sociologie. J'ai interprété *l'Esprit des Lois* comme un ouvrage déjà inspiré par l'authentique problématique de la sociologie. Thèse au reste presque triviale, si l'on y réfléchit, mais qui était tombée dans l'oubli. De même et plus encore, j'ai rappelé à mes étudiants et à mes collègues que Tocqueville leur appartenait, que l'auteur de la *Démocratie en Amérique* n'était pas un précurseur mais un pionnier de la pensée sociologique. Tocqueville, négligé par les philosophes et par les historiens de la littérature qui ne s'étaient pas avisés qu'il était un grand écrivain, appartient désormais aux sociologues, aux américanistes et enfin aux historiens. François Furet rend hommage à *l'Ancien Régime et la Révolution* et insère ce livre magistral dans l'historiographie de la Révolution française. Bien sûr, cet enrichissement de la conscience historique des sociologues français, je n'en revendique pas la responsabilité, ce qui serait ridicule et, par-dessus le marché, peu compatible avec la pensée sociologique. J'ai contribué à cet enrichissement, comme j'avais contribué, avant la guerre, à la compréhension de la grandeur de Max Weber.

Certes, en faisant figurer Montesquieu et Tocqueville parmi les sept Grands dont j'esquissais les portraits, je rompis avec l'orthodoxie durkheimienne, et Georges Davy, fidèle épigone, me le fit savoir dans un compte rendu critique. Un sociologue anglais, plus indulgent, ne manqua pas de me rappeler, au milieu de ses compliments, que Durkheim est le sociologue *par excellence*. Soit, mais il est aussi le *sociologiste* par excellence ; j'entends par là que son œuvre contient potentiellement toutes les erreurs du sociologisme : l'autorité suprême reconnue à l'interprétation sociologique par rapport à d'autres interprétations, l'usage du concept *société* comme si celui-ci désignait une réalité englobante, concrète, nettement délimitée, la confusion, dans ce concept, de la valeur et du réel au point qu'il en vient à dire qu'entre la société et Dieu, objet de la foi religieuse, il ne voit guère de différence. Le génie de Durkheim ne prête pas au doute, une certaine sorte d'étroitesse, de fanatisme non plus.

G. Davy me reprocha de glisser de la sociologie à la science politique. La distinction entre ces deux disciplines a-t-elle une signification en dehors du cloisonnement des disciplines académiques ? Ce qui reste valable, dans l'objection de Davy, c'est que Montesquieu et Tocqueville ne rompent pas avec la tradition de la philosophie classique, même si l'un et l'autre accentuent le lien entre l'état social et le régime politique, donc mettent en lumière les conditions et les conséquences sociales du régime politique. A la différence de Comte et de Durkheim, ils ne postulent pas la suprématie du social sur le politique, à la limite l'insignifiance du politique par rapport au social. Ce n'est pas un accident si ni Auguste Comte, ni Émile Durkheim [1] n'ont rien écrit d'important sur la politique, en particulier sur le régime qu'ils auraient jugé conforme à l'esprit ou aux exigences de la société moderne. Tocqueville, parce qu'il visait en dernière analyse le politique, a encore quelque chose à nous dire.

Faut-il opposer Montesquieu-Tocqueville qui cherchent les conditions et conséquences sociales du politique à Comte-Durkheim qui partent de la totalité sociale et n'accordent qu'une place modeste au politique ? Il se peut, mais pourquoi la sociologie devrait-elle se fonder sur des propositions érigées en postulats, faute desquels elle ne serait pas possible comme science ? Mon mérite, à mes yeux, était de soutenir que la sociologie n'implique pas une philosophie sociologiste. Mon erreur a été de ne pas pousser plus loin l'analyse et de ne pas prendre parti dans le débat sur les types d'explication ou les modèles de société. Ce que j'écrivis sur l'explication et la compréhension historiques, sur les relations internationales, sur la société française ou sur les modes de développement excluait les formes extrêmes du déterminisme ou du fonctionnalisme. J'aurais dû, à la Sorbonne et au Collège, m'exprimer sur ces controverses de principe.

Je m'accorde, avec un peu plus d'hésitation, le mérite d'avoir fait écho, sous les hautes voûtes de la Sorbonne, aux rumeurs de la ville ; je rappelai, en citant le rapport de Khrouchtchev, la collectivisation agraire, les procès de Moscou. Les trois cours sur *la Société industrielle,* qui, malheureusement, éveillent en moi la nostalgie du livre qui aurait pu être écrit, fournirent à « l'idéologie dominante » un instrument. Ils ne dépaysaient pas ceux qui venaient du marxisme-léninisme. Ils dessinaient le cadre à l'intérieur duquel se déroulait la compétition idéologique. Ils posaient plus de questions qu'ils ne donnaient de réponses. Malgré tout, ils offraient aux étudiants et aux hommes cultivés une vision moins grossière, moins caricaturale que le marxisme-léninisme, des

1. Le jugement sur E. Durkheim est probablement trop sévère. Dans les *Leçons de Sociologie,* il développe sur des corps intermédiaires des idées très tocquevilliennes.

sociétés développées, des régimes dits socialistes et des démocraties libérales.

En dehors de ces deux mérites, l'essentiel m'échappe. Ai-je éveillé des esprits ? Ai-je aidé des étudiants à vivre leur jeunesse et à surmonter leurs angoisses ? Combien d'entre eux ont gardé le souvenir de mes cours et ont encore le sentiment d'en avoir tiré davantage que le moyen d'obtenir un diplôme, passablement dévalué ? Je n'en sais rien et je n'en saurai jamais rien. Bien sûr, les familiers, Pierre Manent, Raymonde Moulin, Jean Baechler, pour ne citer que quelques-uns parmi les plus intimes, tous différents les uns des autres et de moi, ne nieraient certes pas qu'ils gardent quelque chose de la fréquentation de mes séminaires et de nos conversations. En dehors du petit groupe, comment savoir ? Le professeur français parle à un auditoire muet, sur ses gardes. Il se demande parfois si les auditeurs ne suivent pas les exercices de l'orateur comme, au cirque, ceux du funambule sur la corde raide. Le public français, en particulier celui des étudiants, m'a toujours paru le plus difficile, le plus ingrat que j'aie rencontré dans le monde.

J'ai fait des dizaines de cours ou de conférences en anglais, en allemand. Quelques cas exceptionnels mis à part, je n'ai jamais eu de peine à conquérir mon auditoire, à le sentir physiquement, pour ainsi dire. Quand on s'adresse aux auditeurs — ce que je fis toujours — au lieu de lire ou de réciter un texte préparé, on devine leur réaction, le moment où un sujet les fatigue, où leur curiosité s'éveille, où ils perdent le fil. Les étudiants anglais, américains, allemands, je les ai presque toujours trouvés sympathiques et, par-dessus tout, reconnaissants. Ils manifestent leur gratitude avec une gentillesse, une spontanéité qui m'ont toujours comblé, moi qui venais de la Sorbonne.

A Harvard, je fis une allocution, plus ou moins improvisée, à un groupe d'étudiants d'élite. Quelques minutes après la sortie, l'un d'eux vint me voir et me dit : « Je viens de téléphoner à mon amie pour lui faire part de ma joie de cette soirée passée avec vous. » De l'autre côté, je n'ai à mettre en parallèle qu'une lettre d'un étudiant qui, à la suite d'un cours où j'avais laissé percer ma solitude face à ces centaines d'étudiants murés dans leurs certitudes ou leur silence, m'écrivit une lettre émouvante, en quelque sorte pour me consoler ou me rassurer.

Pourquoi les étudiants français n'expriment-ils jamais ou presque la gaieté ou l'amitié des étudiants anglais, américains ou allemands ? Le système des examens ou concours y est probablement pour quelque chose. Peut-être les étudiants de la Sorbonne formaient-ils déjà une foule solitaire. Ils connaissaient les assistants, à peine les professeurs. Ils ne manifestaient pas leurs sentiments, peut-être éprouvaient-ils les mêmes que leurs camarades des autres pays. Quelques années plus tard, un étudiant, aujourd'hui recteur, me parla de mon cours sur Montesquieu comme s'il avait été un événement pour sa vie intellectuelle. Cela dit, la résistance de l'auditoire français lance un défi au professeur, conscient de sa mission et désireux de l'accomplir. Jusqu'au bout, à la

Sorbonne, j'attaquais mes cours avec le ferme propos de conquérir ces centaines de visages, ces centaines de jeunes esprits, les uns certes gagnés d'avance, mais les autres rebelles, que je rêvais d'unir, par la parole, en une communauté accueillante.

Au cours de la période 1955-1968, ma situation dans l'intelligentsia parisienne et dans le monde académique, en France et à l'étranger, changea peu à peu. La période 1945-1955 aboutit à *l'Opium des Intellectuels,* qui me valut la peine capitale pour trahison de clerc, mais ne m'empêcha pas d'être élu à la Sorbonne. La période 1955-1968 aboutit au scandale de *la Révolution introuvable,* elle m'apporta aussi de multiples témoignages de reconnaissance, à l'étranger peut-être plus qu'en France. La gauche non ou ex-marxiste lut les *18 Leçons sur la société industrielle* ; les *Annales* organisèrent une sorte de table ronde par écrit autour de *Paix et Guerre.* Les doctorats d'honneur, à Harvard, Bâle, Bruxelles, Oxford... me confirmèrent l'accueil des universités étrangères. En Grande-Bretagne, je fus invité à donner des conférences, dites prestigieuses, *Gifford Lectures* en Écosse (Aberdeen), *Basil Zaharoff Lecture* à Oxford, *Alfred Marshall Lectures* à Cambridge, *Chichele Lectures* à Oxford, de même aux États-Unis, à Princeton, à Harvard, à Chicago, à Berkeley. Les *Thomas Jefferson Lectures* en 1963 devinrent l'*Essai sur les libertés* en 1965, etc.

Journaliste et enseignant, je n'avais pas lieu d'accuser l'injustice du public et des institutions. Le jour de mon élection au Collège de France et plus encore au soir de la Leçon inaugurale, j'évoquai mon père, ma mère qui terminèrent leur vie dans le malheur. Ils auraient été consolés par le succès — ce qu'ils auraient appelé ainsi — de leur fils. Personnellement, je n'étais pas sûr de m'être accompli. En 1970, je me sentais encore jeune ou, pour mieux dire, je ne sentais pas encore le poids de l'âge ; je ne calculai pas le meilleur usage du temps qui, selon la probabilité, me restait encore. Peut-être, ainsi que l'écrivent si souvent mes critiques, suis-je un écrivain raisonnable ; je doute que j'aie conduit ma carrière et mes travaux raisonnablement.

XIV

LA TRAGÉDIE ALGÉRIENNE

En 1956, trois événements ébranlèrent l'Europe et troublèrent le monde intellectuel en France : le discours de Khrouchtchev au XXe Congrès du parti communiste d'URSS, la nationalisation du canal de Suez par Nasser et, presque simultanées, la révolution hongroise et l'expédition franco-anglaise.

Le discours de Khrouchtchev frappa de stupeur l'opinion publique en Occident, les intellectuels, les communistes et les progressistes. Le choc fut d'autant plus brutal dans notre pays que les Français refusèrent le plus longtemps, le plus obstinément d'admettre la réalité du Goulag et la nature du régime soviétique.

En un sens, on aurait pu dire que ce fameux discours ne révélait aucun secret. Ni la grande purge, ni le Goulag, ni les déportations de populations entières, ni les procès de Moscou n'étaient ignorés par ceux qui souhaitaient s'informer. Après tout, même J.-P. Sartre et Maurice Merleau-Ponty dans *les Temps modernes* (mai 1949) reconnaissaient qu' « il n'y a pas de socialisme quand un citoyen sur vingt est dans un camp ». Mais ils l'écrivirent une seule fois, non sans atténuer cette concession à la réalité par des commentaires soi-disant philosophiques, que je reproduis tels quels : « Si nos communistes acceptent les camps et l'oppression, c'est parce qu'ils en attendent la société sans classes par le miracle des infrastructures. Ils se trompent. Mais c'est ce qu'ils pensent. » Le Goulag ne suffisait pas à convaincre les existentialistes que l'URSS se trouve du mauvais côté de la barricade. « Quelle que soit la nature de la présente société soviétique, l'URSS se trouve *grosso modo* située, dans l'équilibre des forces, du côté de celles qui luttent contre les formes d'exploitation de nous connues... » Et la conclusion (si l'on peut dire) : « Les colonies sont les camps de travail des démocraties... »

Les livres ne manquaient pas dans lesquels les Français auraient découvert la plus grande partie des « révélations » apportées par le discours, livres d'ex-communistes (Boris Souvarine, Anton Ciliga, Victor

Serge, Kravchenko) ou de sociologues (David Rousset, Michel Collinet). D'un coup, le secrétaire général du parti communiste authentifia la « propagande » des « anticommunistes » primaires ou systématiques.

A dire vrai, N. S. Khrouchtchev ne disait pas « la vérité, toute la vérité, rien que la vérité ». Sur les procès et la grande purge, il présenta une version, pour l'essentiel véridique. Sur Staline lui-même, il ne se démarqua pas du stalinisme, il ne se refusa pas les facilités du mensonge. Il ne se contenta pas d'abattre le maréchal de son socle, il le ridiculisa, il le présenta comme un pauvre diable, incapable de diriger le pays en guerre et les armées.

Les communistes et paracommunistes, voire des non-communistes durent choisir entre deux attitudes ; ou bien proclamer tout haut : nous ne savions rien ; ou bien, tout au contraire, revendiquer avec retard une clairvoyance que démentaient leurs écrits antérieurs. Les communistes français adoptèrent, contraints et forcés, la première attitude ; les hommes de gauche plus ou moins proches du parti choisirent plutôt la seconde. La plupart des uns et des autres prirent des libertés avec la vérité. En Union soviétique, je demandai à un intellectuel communiste, d'origine turque d'après son nom, Orab-Oglou, avec lequel j'avais noué des relations presque personnelles : « Le discours de Khrouchtchev vous a-t-il appris quelque chose ? » Après quelques secondes d'hésitation, il me répondit : « Rien ou presque. » Il appartenait à la deuxième génération des apparatchiks du parti : son père dirigeait un kolkhoze.

Les circonstances m'incitèrent à quelques polémiques. Sous le titre « Ils l'avaient toujours dit », je pris à partie Isaac Deutscher et Maurice Duverger. Dans *France-Observateur,* le premier avait écrit : « Pour l'historien rien n'est surprenant dans les révélations de Khrouchtchev sur le rôle de Staline au cours de la dernière guerre, sur ses mauvais calculs et sur ses erreurs. » J'opposai à cette affirmation un extrait de sa biographie de Staline : « Il fut en fait son propre commandant en chef, son propre ministre de la Défense, son propre quartier-maître, son propre chef du ravitaillement, son propre ministre des Affaires étrangères et même son propre chef du protocole... Il fit ensuite cette opération étonnante qui consista dans l'évacuation de treize cent soixante usines de la Russie occidentale et de l'Ukraine vers la Volga, l'Oural et la Sibérie. Il continua jour après jour, pendant quatre années de guerre, un prodige de patience, de ténacité et de vigilance, omniprésent ou presque. » Je commentai : « Ainsi s'exprimait I. Deutscher à l'époque du culte de la personnalité. Aujourd'hui, rien ne le surprend dans les révélations de N. S Khrouchtchev selon lesquelles Staline suivait les opérations militaires sur une mappemonde. Je ne crois pas que N. S. Khrouchtchev donne une idée exacte du rôle de Staline pendant la guerre ; il exagère, I. Deutscher aussi. » Il s'ensuivit une longue polémique entre ce dernier et moi ; mon interlocuteur en vint à suggérer que ses jugements sur le rôle de Staline pendant la guerre ne devaient pas être pris au sens strict : c'étaient des jugements ironiques qui signifiaient le contraire de ce qu'ils voulaient dire. La polémique s'étendit aux perspectives d'avenir. I. Deutscher envisageait divers scénarios, y compris un Bonaparte, à l'exception du scénario le plus probable, celui qui se déroula : le maintien du régime dans ses traits constitutifs, dépouillé des excès pathologiques liés à Staline lui-même.

A Maurice Duverger, je reprochai une formule de son article sur le discours de Khrouchtchev : « Staline, ni meilleur ni pire que la majorité des tyrans qui l'ont précédé. » Je lui rappelai la comparaison qu'il avait esquissée entre le parti unique fasciste et le parti unique communiste : « Dans le parti communiste russe, le caractère de caste disparaît : la circulation régulière des élites devient possible ; le contact avec la masse est établi. » Et un peu plus loin, à propos des purges : « Le parti unique russe apparaît comme un organisme vivant, dont les cellules se renouvellent perpétuellement. La crainte des purges maintient les militants en haleine, réveille constamment leur zèle. » Je commentai de la manière suivante : « N. S. Khrouchtchev, comme un vulgaire "anticommuniste systématique", est scandalisé par les purges qui décapitèrent l'armée, l'administration, le parti communiste. M. Duverger est au-dessus de ces indignations vulgaires. La liquidation des militants est aussi favorable à la vitalité du parti que le "renouvellement des cellules" à la santé de l'organisme vivant. »

Je signerais encore, dans les mêmes termes, la conclusion de l'article du 10 juillet 1956 : « Le discours de N. S. Khrouchtchev ne constitue pas plus un bilan définitif de la période stalinienne que ne le faisait l'exaltation du grand homme. Mais on n'était pas équitable non plus en prenant position à égale distance des communistes et des anticommunistes ; quand il s'agissait des purges, des déportations de populations entières ou des aveux inventés de toutes pièces, les anticommunistes avaient entièrement raison. La vérité ne se situe pas toujours dans la juste mesure, les horreurs des tyrannies du XXe siècle sont démesurées. »

Je ne relis malheureusement pas avec la même satisfaction les articles que j'écrivis dans *le Figaro* à propos de la nationalisation du canal de Suez et de l'expédition franco-anglaise. Je fus, pour une part, intoxiqué par le climat belliciste, par l'obsession du recours à la force qui se répandit à Paris, dans les rédactions des journaux. Je ne fus jamais favorable à une action militaire ; au moment de la révolution hongroise, l'opération combinée d'Israël, de la France et de la Grande-Bretagne me parut insensée et m'indigna. Mais je me laissai aller à prendre des positions ambiguës, la menace d'une réoccupation du canal de Suez devant à mes yeux inciter le colonel Nasser à négocier un accord avec les usagers.

Après coup, je me reproche de n'être pas allé immédiatement jusqu'au bout de ma pensée. Oui, le colonel Nasser procéda à la nationalisation dans un style provocant ; mais la nationalisation ne risquait pas sérieusement d'interdire aux pétroliers anglais ou français le libre passage à travers le Canal. Les commentaires sur le rôle « indispensable » des pilotes, j'aurais dû les dénoncer immédiatement, bien que j'ignorasse tout de la navigation dans le Canal[1]. André Siegfried fut, pour une grande part, responsable du mythe.

Heureusement, mon intoxication ne me fit pas délirer ; je n'acceptai jamais la comparaison entre mars 1936 et juillet 1956 ou la thèse de l'effet décisif qu'exerceraient les événements du Proche-Orient sur la guerre d'Algérie : « La comparaison avec mars 1936... est heureusement erronée à beaucoup d'égards ; une fois les troupes allemandes installées en Rhénanie, rien sinon la guerre ne les en pouvait chasser et le rapport des forces européennes était définitivement modifié. Le colonel Nasser ne possède pas encore définitivement le Canal et, même s'il remportait un succès au cours des prochaines négociations, ce qui est improbable, il ne serait pas encore devenu le chef d'une grande puissance militaire » (4-5 août 1956).

Le 2 novembre 1956, alors que l'expédition franco-anglaise était déclenchée, je mis en garde contre les illusions : « La force n'est qu'un moyen. En Algérie, depuis des mois, on connaît mal au service de quel objectif la force est employée. Il faut que, demain, les objectifs ne prêtent à aucun doute, qu'ils soient clairs dans l'esprit de nos dirigeants ; clairs aux yeux de l'opinion mondiale. Il serait fou de combattre le nationalisme que l'on appelle arabe ou musulman, fou de remettre en question l'indépendance de la Tunisie ou du Maroc qui ont été proclamées et qui sont définitivement acquises. En Afrique du Nord, la France ne peut avoir d'autre but que de renforcer les modérés qui, aspirant à l'indépendance nationale, n'en sont pas moins désireux de maintenir des liens de coopération et d'amitié avec la France... Nous ne trouverons pas à Suez la solution des problèmes de Tunisie, du Maroc ou d'Algérie. Notre seul espoir, notre seule chance, c'est que le coup porté à l'homme qui incarnait le fanatisme panislamique donne à nos interlocuteurs le suprême courage de la mesure... »

Aujourd'hui, nous avons tous peine à comprendre les raisons pour lesquelles Anglais et Français, au milieu d'un procès historique de décolonisation, se jetèrent dans une pareille aventure. Le Royaume-Uni avait gracieusement abandonné ses possessions d'Asie. Quelle importance conservait la voie de l'Inde, une fois celle-ci devenue indépendante ? Pourquoi l'Égypte, responsable du Canal, ne s'ingénierait-elle pas à satisfaire les usagers, afin d'accroître ses recettes ? En fait, comme je l'écrivis plusieurs fois à l'époque, l'affaire de Suez comportait un double enjeu : la liberté de passage d'un côté, les conséquences à travers le monde islamique tout entier d'un succès de prestige remporté par le colonel Nasser défiant les Occidentaux. La réaction émotionnelle au défi nassérien influa davantage sur les délibérations du cabinet britannique et sur celles du gouvernement Guy Mollet que le calcul politique. Anglais et Français ne voulaient pas, ne devaient pas souffrir un tel

1. Je me souviens d'une lettre d'un capitaine au long cours qui dénonçait ce mythe : la navigation dans le Canal ne comportait aucune difficulté.

camouflet. Du coup, à Paris comme à Londres, les mots volèrent et les préparatifs militaires commencèrent. Personnellement, surtout à l'automne, plusieurs mois après la nationalisation, j'avais cessé de croire que les Franco-Anglais passeraient à l'action ; la menace servirait à la négociation. Dans cet esprit, je m'abstins de condamner à l'avance une occupation du canal de Suez. J'avais tort, sans aucun doute ; la passion qui régnait au Rond-Point des Champs-Élysées sur ce sujet, la passion de P. Brisson en particulier, ne m'excuse pas, elle explique les ambiguïtés de mes articles.

Il en alla autrement le jour où les troupes israéliennes attaquèrent dans le Sinaï, cependant que les gouvernements de Londres et de Paris envoyaient un ultimatum au Caire sous prétexte de séparer les belligérants. La collusion entre la France et Israël ne prêtait pas au doute ; la réplique à la nationalisation du canal de Suez, accomplie depuis plusieurs mois, n'apparaissait plus guère que comme un prétexte pour abattre le colonel Nasser. Le scénario, moralement injustifiable, ne valait pas mieux sur le plan militaire. Tout le monde savait que l'opération, pour avoir quelque chance de succès, devait aboutir en un bref délai ; plusieurs jours s'écoulèrent entre l'ultimatum et le débarquement franco-anglais. Les diplomaties européennes ne s'étaient pas assuré de la tolérance du gouvernement américain. Le général Eisenhower, au milieu de sa campagne pour la réélection, éclata de fureur. A Londres, l'opinion se révolta contre le cynisme de cette diplomatie des canonnières. La livre ne résista pas aux attaques, spontanées ou inspirées de Washington. Le Premier britannique céda plutôt aux pressions américaines qu'à la lettre menaçante de Boulganine qui évoqua les missiles soviétiques.

Au cours de ces semaines, mes articles manquèrent eux aussi d'indulgence à l'égard de la diplomatie américaine. Celle-ci avait provoqué le colonel Nasser, non pas tant par le refus de financer le barrage d'Assouan que par le style du refus. J. F. Dulles avait manœuvré, de conférence en conférence, afin de dissuader les Anglo-Français d'intervenir. Finalement, aux Nations unies, il se trouva dans le même camp que l'Union soviétique pour condamner ses alliés, tout en rameutant une majorité à l'Assemblée pour condamner l'intervention soviétique en Hongrie.

La crise simultanée du Proche-Orient et de l'Europe orientale m'impressionna et m'instruisit. La connivence des Grands m'apparut pour ainsi dire évidente. Chacun des deux avait rappelé à l'ordre ses satellites ou alliés ; bien entendu, l'aspiration de la Hongrie à la liberté différait en essence de la volonté vaine de la Grande-Bretagne de conserver ses positions impériales ou de la France d'abattre les rebelles algériens en humiliant Nasser. Une similitude formelle subsistait : les « démocraties populaires » de l'Est européen ne pouvaient compter sur aucune aide extérieure ; les démocraties européennes, ex-grandes puissances, ne gardaient plus les moyens de recourir à la force sans l'agrément des États-Unis.

Durant ces mois, entre juillet et novembre, je manquais d'informations sur les négociations, les querelles entre Londres et Washington, les préparatifs militaires. Je n'imaginais pas que les Américains, connaissant les concentrations de troupes franco-anglaises, n'avaient pas fait savoir quelle serait leur réplique à une opération militaire. J'imaginais encore moins que le plan franco-anglais fût à ce point politiquement absurde : le débarquement, pour être tant soit peu sensé, devait suivre immédiatement l'ultimatum et créer un fait accompli. En tout état de cause, l'issue eût été la même. Anglais et Français, pour des raisons différentes, voulaient provoquer la chute de Nasser. Soutenu par les Soviétiques, celui-ci tint tête à l'attaque. Finalement, les Français et les Anglais auraient dû se retirer sans rien obtenir. Du moins, s'ils avaient occupé la zone du Canal, auraient-ils évité le ridicule ou l'humiliation d'un scénario machiavélique, monté par des enfants de chœur, aboutissant à une capitulation.

Après cette consternante défaite, j'éprouvai le besoin de m'exprimer sans aucune retenue ; je donnai un article, que *le Figaro* n'aurait pas publié, à l'hebdomadaire *Demain.* Les Franco-Anglais avaient détourné l'opinion mondiale de la tragédie hongroise et encouragé peut-être les oligarques de Moscou à la répression. « Puisque les Alliés avaient voulu manifester leur indépendance, les États-Unis allaient mettre leurs principes au-dessus de leurs amitiés. Ils transformaient en victoire pour eux-mêmes la défaite de leurs plus proches alliés. » Un peu plus loin, je rappelai que les hommes d'État qui tirent l'épée se soumettent au tribunal du succès : « Ils auraient bénéficié de circonstances atténuantes s'ils avaient réussi. Ils ont échoué. »

Le gouvernement Guy Mollet s'était jeté dans l'aventure de Suez, parce que les Égyptiens soutenaient les rebelles algériens et menaient une propagande passionnée contre la France. La politique française en Algérie se révélait d'autant plus dangereuse ; nous devenions la cible n° 1 du nationalisme arabe. Je demandai une audience au président de la République — je ne l'ai pas fait plus de deux ou trois fois dans toute mon existence — dans l'espoir de l'éclairer sur l'inévitable échec de la « pacification ». René Coty me reçut amicalement, il prit la parole et ne me laissa guère plus de cinq à dix minutes sur les soixante-cinq ou soixante-dix de notre entretien. Quand je le quittai et qu'il se tut, il sembla très satisfait de moi.

La Tragédie algérienne parut au début du mois de juin 1957, deux années après mon retour à l'Université ; d'un coup, je fus emporté par un tourbillon politique. A ce moment-là, même les adversaires de la politique de Guy Mollet ou de Bourgès-Maunoury (le plus oublié des présidents du Conseil de la IVe République), les « libéraux », n'employaient pas le mot *indépendance,* ils condamnaient la répression, la torture, ils recommandaient des négociations. Ni *le Monde* ni *l'Express,* les bêtes noires du pouvoir, ne précisaient la solution qu'ils jugeaient à la fois souhaitable et possible. Je violai donc les règles du clair-obscur ou du cache-cache diplomatique. Ou, pour passer d'une image à une autre, je mis les pieds dans le plat. Négociations bien sûr, mais ayons le courage de notre pensée et de notre action : il n'y aura pas de négociations sans la reconnaissance du droit des Algériens à l'indépendance ; et celle-ci impliquera le départ d'au moins une fraction des Français d'Algérie.

Durant quelques semaines, le texte, dans sa brièveté et sa brutalité, fit scandale, d'autant plus que j'en étais l'auteur : le commentateur du *Figaro* changeait de camp. Pourquoi ? Il ne manqua pas de confrères qui s'employèrent à me disqualifier, ou bien en me refusant tout mérite (on savait déjà tout cela), ou bien en me prêtant des motifs tout autres que ceux de la « gauche », donc peu honorables.

Ma prise de position surprit à bon droit ceux qui ne me connaissaient pas, et même ceux qui croyaient me connaître. Elle ne marquait pas une rupture dans ma pensée, mais elle en donna l'impression peut-être par ma faute. En fait, dans les conversations avec des amis à Londres, en 1943-1944, alors que la victoire ne faisait plus de doute, je soutenais la thèse que la France, après la guerre, ne posséderait pas les moyens nécessaires pour garder son empire [1] ; la guerre, menée au nom de la liberté, devait insuffler aux peuples colonisés l'esprit de révolte, enlever aux esclaves le respect de leurs maîtres, aux maîtres le prestige de la force. L'abandon immédiat de l'Indochine ou, plus précisément, l'offre immédiate aux trois États de l'Indochine de l'indépendance dans le cadre de la communauté française me semblait la décision première, indispensable. Du coup, nous pourrions consacrer l'essentiel de nos ressources à l'Afrique du Nord et à l'Afrique noire pour mener à bien, en une génération, l'émancipation progressive de nos colonies et protectorats. Ces idées me valaient auprès des gaullistes de stricte observance une réputation douteuse, pour ne pas dire l'accusation de trahison à laquelle se plaisent ceux qui prétendent au monopole du patriotisme.

Un épisode de l'année 1945, dont j'ai gardé un souvenir précis, illustre à la fois l'état d'esprit dans les milieux de la Résistance et mes propres opinions. J'avais publié, dans la revue *International Affairs* (numéro d'octobre 1945), un article intitulé « Reflections on the Foreign Policy of France ». J'y rappelai que le maintien de l'intégrité de l'empire français constituait un des objectifs majeurs de la politique extérieure de la France. Et je continuai [2] : « Les colonies de la France ne sont pas toutes situées dans la zone ouverte à l'action de notre force limitée. Les colonies les plus éloignées ne représentent pas un avantage matériel. La région où nous occupons une place importante, qui nous laisse la possibilité d'un rôle de puissance, est la Méditerranée et, en particulier, la Méditerranée occidentale. La seule part de l'empire français qui ajoute effectivement à nos ressources est l'Afrique du Nord et, à un moindre

1. Si j'avais utilisé des arguments idéologiques, je n'aurais convaincu personne.
2. Le texte est retraduit de l'anglais. Je n'ai pas conservé l'original français.

degré, l'Afrique noire. L'Afrique a été, depuis la fin de 1942, le berceau de la renaissance française et tient une position d'importance décisive pour notre avenir. Des concessions ailleurs peuvent être envisagées afin de tenir les positions principales. Il faut ajouter que la préservation de l'empire ne signifie en aucun cas le maintien pur et simple du régime colonial en vigueur aujourd'hui. Tout au contraire, des réformes de caractère libéral sont probablement une condition indispensable de la survie de l'empire. » Avec quelle prudence l'idée était-elle exprimée ! Léo Hamon, directeur à l'époque d'une revue, trimestrielle je crois, qui publiait les travaux du *Comité de recherches de la Résistance,* refusa cet article, que je lui avais offert sur sa demande, à cause de la phrase sur « les concessions ailleurs ». Le lecteur a lu, dans un chapitre précédent, les quelques lignes consacrées à la guerre d'Indochine dans *les Guerres en chaîne.* Dans la préface de *l'Opium des Intellectuels,* j'écrivis : « Personnellement, keynésien avec quelque regret du libéralisme, favorable à un accord avec les nationalismes tunisien et marocain, convaincu que la solidité de l'Alliance atlantique est la meilleure garantie de la paix, je serai, selon qu'on se réfère à la politique économique, à l'Afrique du Nord ou aux rapports Est-Ouest, classé à gauche ou à droite. »

Il reste que je n'avais pas pris part au débat sur le Vietnam entre 1947 et 1954. J. L. Missika et Dominique Wolton, dans nos entretiens, me reprochèrent mon demi-silence. Je leur donne raison ; après coup, je regrette de n'avoir pas consigné, noir sur blanc, les propos que je tenais, en privé. J'aurais dû parler et surtout écrire davantage. Mais, quand je me reporte à cette période, je ne me sens pas aussi coupable que le voudraient mes jeunes inquisiteurs. Au cours des premières années du conflit, de 1947 à 1950, la guerre froide, avec ses multiples péripéties, blocus de Berlin, grèves et émeutes en France, reconstruction économique de l'Europe, occupait le devant de la scène. En 1947-1948, le nationalisme français s'en prenait aux Américains hostiles aux empires européens. Les socialistes siégeaient au gouvernement et ne défendaient pas l'Union française avec moins de résolution que les autres partis. Le général de Gaulle et les gaullistes tiraient à boulets rouges contre toute velléité d'un accord avec Hô Chi Minh. Mon autorité politique et morale, faible lorsque je commençai ma collaboration au *Figaro,* ne grandit que peu à peu. En 1949, la France avait réussi à entraîner les États-Unis dans la défense des États associés. Après l'installation d'un pouvoir communiste à Pékin, en 1949, les défaites aux frontières de 1950, les ministres de la IVe République n'avaient plus besoin d'être éclairés : ils souhaitaient mettre fin à une guerre sans issue ; ils ne savaient pas comment sortir du piège dans lequel ils étaient tombés. Les Américains craignaient que la France n'abandonnât la partie : je leur répondais, avec une ironie triste : *the French government is to weak even to retreat,* j'aurais dû dire non pas « même » *(even)* mais « surtout ». La retraite est l'opération militaire la plus difficile ; elle exige beaucoup de force.

Au retour du Japon, en 1953, j'avais passé une semaine au Vietnam. Le général Navarre m'avait esquissé son plan ; en offrant aux Viets une bataille dans des circonstances apparemment défavorables pour notre corps expéditionnaire, il comptait éprouver, user quelques-unes des divisions que le Vietminh avait mises sur pied avec le concours des Chinois. Les troupes françaises, même « jaunies », conservaient une certaine supériorité sur celles des Viets, en rase campagne ou en une bataille classique. Une fois l'armée du Vietminh affaiblie, peut-être hors de combat, il resterait la guérilla. Mais celle-ci, l'armée ne pourrait en aucun cas l'éliminer ; à la politique d'en triompher ou de s'en accommoder.

Le général Navarre parlait avec clarté, avec une intelligence convaincante. Je n'étais pas en mesure de vérifier ses arguments, que démentirent les événements : la prétendue supériorité de l'artillerie française, le coût pour les divisions régulières du Vietminh de l'assaut contre le camp fortifié défendu par nos meilleurs bataillons, le fer de lance du corps expéditionnaire. Giap, fidèle disciple de Mao et de Lénine, avait fixé la date de l'assaut quelques semaines avant la conférence de Genève afin que la victoire fût remportée à la veille des négociations ou pendant celles-ci. La position de Dien Bien Phu, choisie pour défendre le Laos, représentait, au printemps de 1953, un risque politiquement déraisonnable. Quand la conférence de Genève fut connue, il était trop tard pour évacuer la position.

Quoi qu'il en soit, à partir de 1954, je me suis bien juré de ne pas renouveler ma discrétion des années précédentes. En 1954, P. Mendès France, en une démarche spectaculaire, accorda à la Tunisie l'autonomie interne qui, de toute évidence, conduirait à l'indépendance. P. Brisson lui-même approuva une décision historique d'où résulta l'évolution de l'ensemble de l'Afrique du Nord. Je n'écrivis rien ou presque sur le Maroc, mais j'aidai de mon mieux Edgar Faure qui s'employait à ramener le sultan de Madagascar à Rabat, retour qui entraînerait presque à coup sûr l'indépendance de l'empire marocain. J'assistai au déjeuner durant lequel Edgar Faure, alors président du Conseil, « essaya », si je puis dire, sur Pierre Brisson l'idée du retour du sultan Mohammed. Edgar Faure présidait un ministère hétérogène dans lequel les gaullistes, le général Kœnig en tête, s'opposaient à une politique imitée de celle que Mendès France avait inaugurée en Tunisie. Pierre Brisson était soumis à des influences de sens contraire. Je plaidai auprès de lui le caractère inévitable de la décolonisation, d'ailleurs conforme aux idées démocratiques. De l'autre côté, les vieux « Africains » lui répétaient — et ils avaient raison — que le retour de Mohammed impliquait l'indépendance du Maroc et mettrait un point final à l'entreprise française en Afrique, y compris peut-être en Algérie. P. Brisson écrivit un éditorial contre le retour de Mohammed sous le titre « Jamais ». Je lui fis valoir le péril de ces professions de foi, que la postérité citerait en exemple de l'aveuglement des acteurs et des commentateurs. Je n'ai jamais oublié le

« jamais » d'Albert Sarraut, en mars 1936 : la France n'acceptera jamais que la cathédrale de Strasbourg soit sous le feu des canons allemands. Combien de gouvernants de la France ont refusé par des mots des événements qu'au fond d'eux-mêmes ils prévoyaient !

La révolte algérienne commença en novembre 1954, quelques mois après la défaite française en Indochine, quelques mois aussi après la visite de Mendès France au Bardo. Ces deux épisodes ne créèrent pas les forces qui emportèrent l'empire français, ils les libérèrent, ils ouvrirent les écluses par lesquelles s'engouffrèrent les révoltes nationales, soutenues par les Arabes, les musulmans, les Soviétiques et, à l'intérieur même des pays occidentaux, les innombrables adversaires du colonialisme.

Après la victoire — limitée d'ailleurs — du Front républicain, le gouvernement, présidé par Guy Mollet et non par Mendès France, ne remit pas en question les indépendances de la Tunisie et du Maroc, mais succomba aux pressions des Français d'Algérie et des partisans de « l'Algérie française » en métropole. Bien loin de choisir une autre ligne, il suivit celle de ses prédécesseurs et, comme il représentait en théorie la gauche, il osa envoyer les hommes du contingent servir en Algérie et, du même coup, ranima le vieux patriotisme en vue de sauvegarder le dernier fragment de l'empire. Ou, pour mieux dire, pour conserver français trois départements, partie intégrante — légalement — du territoire national.

Je n'avais pas une connaissance directe de l'Algérie où je n'étais pas allé. Les quelques semaines passées en Tunisie chez mon ami Couitéas ne m'avaient pas réconcilié avec « la colonisation », bien que l'atmosphère y fût encore, en 1949, relativement détendue. J'avais détesté Saigon, surpeuplée, dont les soldats du corps expéditionnaire remplissaient les rues, les bars ou les hôtels ; des gouvernants « nationaux », faibles, ne dissimulaient pas la permanence du pouvoir français. L'occupation militaire en Allemagne, en 1946, me répugna.

Ce que j'avais lu, ce que je savais de l'Algérie française ne m'inspirait aucune sympathie, mais mon jugement, mes convictions me furent dictés avant tout par la réflexion. Pourquoi les Algériens accepteraient-ils un statut inférieur, à leurs yeux, à celui de la Tunisie et du Maroc ? Pourquoi les « évolués », les « francisés », ne désireraient-ils pas l'indépendance, que les élites de tous les pays colonisés avaient déjà obtenue ou étaient en voie d'obtenir ?

Certes, le « problème algérien », comme on disait, différait de celui des deux protectorats, à l'ouest ou à l'est, à cause du statut départemental de l'Algérie d'abord, à cause de la présence d'un million de citoyens français ensuite. Il n'existait pas, en Algérie, l'ébauche ou le résidu d'un État, qui avait survécu sous les deux protectorats voisins. Quant à la société française établie au milieu et surtout en marge de la société algérienne, elle se maintiendrait malaisément telle quelle, le jour où un gouvernement algérien remplacerait le gouverneur général et son administration. Le départ, partiel ou total, de la minorité française semblait la conséquence inévitable d'une Algérie algérienne.

Mon seul mérite (ou mon tort) fut d'aller jusqu'au bout de l'analyse et de mettre noir sur blanc ce que beaucoup de libéraux hésitaient à s'avouer à eux-mêmes et, *a fortiori*, à écrire. *Le Figaro* avait toléré, en 1955, plusieurs de mes articles qui décrivaient la situation et insistaient sur les périls. J'avais rédigé, au début de 1956, une note pour le gouvernement du Front républicain. Au printemps de 1957, j'écrivis en hâte une brochure, hanté par la crainte que la France ne se jetât une deuxième fois dans une aventure sans issue, comparable à celle de l'Indochine et plus grave encore. Le régime ne résisterait pas à la prolongation de la guerre, des années durant, et une guerre civile absurde pointait à l'horizon. Je délibérai longuement, je ne craignais pas les attaques prévisibles mais je me demandais quel était mon devoir ; Éric de Dampierre, Charles Orengo m'arrachèrent cette brochure faite de pièces et de morceaux où se trouvait malgré tout l'essentiel.

Que contenait *la Tragédie algérienne*? Deux textes, l'un écrit en avril 1956 que je destinais au président du Conseil du Front républicain, le second écrit une année plus tard, daté du 6 mai 1957. En laissant de côté les précautions de langage, les répliques aux arguments de droite et de gauche, voici, me semble-t-il, les idées maîtresses.

La France d'aujourd'hui n'est plus, ne peut pas demeurer impériale au sens du siècle passé : « Les révolutionnaires français avaient bonne conscience quand ils multipliaient les exactions dans l'Europe conquise au nom de la liberté. Les communistes russes ont bonne conscience quand ils imposent leur régime par la force en Europe orientale au nom de la libération des peuples. Nous n'avons plus bonne conscience quand nous usons de la force en Afrique, alors que, pourtant, nous y investissons, chaque année, des dizaines, parfois des centaines de milliards. »

Tandis que la France ou, tout au moins, une partie importante de l'opinion refuse les rigueurs et les servitudes de la domination impériale, l'Algérie, ou, tout au moins, une fraction importante du peuple algérien aspire à l'indépendance : « L'Algérie, bien qu'elle n'ait pas la même tradition nationale que les deux ex-protectorats, ne peut pas ne pas prendre conscience d'elle-même... Elle ne peut plus être partie intégrante de la France. La constitution d'une unité politique algérienne est inévitable... L'intégration, quelque sens que l'on donne à ce mot, n'est plus praticable. Une représentation algérienne à l'Assemblée nationale, proportionnelle à la population, est le moyen le plus sûr d'achever la ruine du régime. Le taux de croissance démographique est trop différent des deux côtés de la Méditerranée pour que ces peuples, de race et de religion différentes, puissent être fractions d'une même communauté. Dire que l'Algérie n'est pas la France, reconnaître la personnalité politique algérienne, c'est, au fond, avouer qu'il y aura demain un État algérien. Et, s'il doit y avoir demain un État algérien, celui-ci, après-demain sinon demain, sera en théorie indépendant... En renonçant à l'intégration, on met en train le processus qui finira par l'indépendance... »

Intégration ou indépendance : Jacques Soustelle, lui aussi, partait de cette alternative pour conclure à l'intégration puisqu'il sacrifiait à la formule, conventionnelle à l'époque, des « liens indissolubles » entre l'Algérie et la France. Pour moi, je conclus en faveur de l'autre branche de l'alternative, mais je ne suggérais pas au gouvernement Guy Mollet d'abandonner, du jour au lendemain, l'Algérie — ce qui du reste était, pour de multiples motifs, exclu. Je conseillai à ce ministère de gauche de penser clairement sa propre politique : « Les seuls buts de guerre que la France puisse raisonnablement se proposer sont ainsi définis : laisser l'Algérie accéder à l'indépendance, sans qu'une politique, jugée par les Français eux-mêmes déshonorante, leur laisse une insupportable humiliation... » En bref, j'invitai Guy Mollet à reconnaître aux Algériens le droit de constituer un État qui deviendrait indépendant. La première note se terminait par une phrase, paradoxale et scandaleuse : « Si les Français ne consentent à se battre que pour maintenir leur domination... alors mieux vaudrait encore la solution héroïque de l'abandon et du rapatriement qu'une guerre menée à contrecœur, sans résolution et sans chance de succès. » L'héroïsme de l'abandon, combien de gaullistes firent gorge chaude de l'expression qu'ils reprirent volontiers, quelques années plus tard, pour chanter la grandeur du général de Gaulle !

La deuxième note critiquait la politique Guy Mollet et prévoyait l'échec. Le FLN n'accepterait jamais la triade *cessez-le-feu, élections, négociations.* La pacification ne créerait pas les conditions nécessaires à des élections libres et le FLN ne tiendrait pas pour libres des élections menées sous la protection de l'armée française. Enfin, je réfutais les arguments économiques invoqués par certains partisans de l'Algérie française ; l'Algérie constituait désormais pour la métropole une charge plutôt qu'une richesse. La charge deviendrait d'autant plus lourde que, sous prétexte d'intégration, nous nous efforcerions de réduire la disparité entre les niveaux de vie français et algérien.

Une citation de Montesquieu éclairait la préface : « Être vrai partout, même sur sa patrie. Tout citoyen est obligé de mourir pour sa patrie ; personne n'est obligé de mentir pour elle. » Une citation de Renan, empruntée à *la Réforme intellectuelle et morale de la France*, rappelait la cause de la défaite de 1870 : « Ce qui nous a manqué, ce n'est pas le cœur, c'est la tête. »

De tous les commentaires de ma brochure, le plus frappant, peut-être, me vint d'un anonyme, une carte non signée, quelques lignes d'une écriture caractéristique plutôt d'un homme simple que d'un intellectuel : « Analyses objectives, lucides et pénétrantes, belles et respectables partout mais parfaitement inefficaces en toutes affaires qui sont de cœur, d'instinct et de réflexes. »

Parmi les lettres les plus intéressantes figure celle d'Yves Bouthillier, ministre des Finances de Paul Reynaud, puis du maréchal Pétain, en

1940, que je ne connaissais pas et qui répondit non à ma brochure sur l'Algérie, mais au livre *Espoir et peur du siècle*, paru quelques semaines plus tôt ; dans le deuxième essai du recueil, consacré à la décadence, j'exposais mes thèses sur la décolonisation. Je tire de cette lettre quelques fragments :

« Le nationalisme de l'Occidental européen — et le nationalisme français en est l'archétype — est une grave affection, mélange subtil d'orgueil dans l'esprit de la guerre et d'une vanité monstrueuse, mère de méchanceté et de violence. C'est, hélas, ce nationalisme que nous avons inoculé aux Algériens et aux autres populations musulmanes d'Afrique du Nord. Est-il possible de faire comprendre aux Américains que le nationalisme révolutionnaire qui se développe ainsi dans les pays arabes est l'ennemi des "droits de l'homme ", chers au moralisme puritain... L'Amérique parviendra-t-elle à partager pacifiquement le monde arabe avec les Russes ? Si elle s'imagine naïvement conserver une zone d'influence indiscutée, par exemple de l'Arabie à Casablanca, elle renouvelle la faute de Roosevelt prenant, sous l'influence de Benes, Staline pour un démocrate... Une fédération de la France, des territoires sahariens et de l'Algérie, laquelle s'unirait, en même temps, au Maroc et à la Tunisie, et à l'Europe des Six économiquement et au Nato militairement, fixerait sans retour le Maghreb tout entier dans le camp occidental... Les Français doivent-ils abandonner tout espoir d'améliorer leur régime politique ? Dans l'affirmative, il est évidemment inutile de faire couler le sang en Algérie... Vous l'écrivez très bien, il est absurde de se maintenir par la force au nom d'idées libérales et stupide de se réclamer de principes donnant raison à l'adversaire... Une défaite définitive en Afrique du Nord aboutirait, on doit le croire, à une Ve République, sinon de front populaire, du moins fortement progressiste, laquelle se jetterait, tôt ou tard, dans une dictature collectiviste... Ainsi les buts de guerre se trouvent clairement définis. Ils sont conjoints, indissociables. Aucun n'a le pas sur l'autre, mais l'un ne va pas sans l'autre. Maintien du Maghreb dans le camp occidental et rénovation du régime politique intérieur, telle est la tâche immense mais que les circonstances rendent possible. Elle répond au vœu de la jeunesse et au rôle joué par l'armée. »

La lettre se termine sur des réflexions philosophiques : « Les révolutionnaires français, écrivez-vous, avaient bonne conscience quand ils multipliaient les exactions au nom de la liberté. Si rien n'est plus juste, rien n'est plus caché et rien n'est moins reconnu. Nous devons même aller plus loin et avouer que le propre des grands principes, qui introduisent l'universel et l'absolu dans la politique sans se soucier des données historiques, concrètes, particulières, est de fournir la paix de la conscience dans le mal... Ces vues sont-elles fascistes ? Il serait trop facile de condamner les philosophes politiques au silence en nommant ainsi leur pensée. Heureusement, les ouvrages de Simone Weil existent et les vôtres, et ceux de Jouvenel, de Jeanne Hersch, et le traité de philosophie politique d'Eric Weil. Cette pensée qui prend corps montre que le temps de la plus grande entreprise du siècle est venu : le passage de la démocratie formelle à la démocratie réelle, j'entends à la démocratie pratiquée de telle sorte que ceux qui trahissent les intérêts et les aspirations du peuple ne pourront le faire en son nom... Doctrinaire de l'Europe, vous préconisez une solution qui l'abandonne aux entreprises de l'URSS. Philosophe politique, vous choisissez, pour venir au secours des adversaires de votre pensée, l'affaire qui, précisément, vous les livre. »

D'autres correspondants évoquèrent « la solution européenne » et l'hostilité probable du monde islamique aux Occidentaux. Je reviendrai plus loin sur les possibles qui ne sont pas devenus réels. Pour l'instant, je m'en tiens à quelques remarques : aucun de nos partenaires européens ne voulait se mêler de l'Algérie ; les partisans de l'Algérie française, aveuglément nationalistes, voulaient déterminer seuls l'avenir de nos départements d'Afrique du Nord. La pensée concrète, la politique réaliste prévoyait la contradiction probable entre la liberté de l'Algérie et celle des Algériens dans leur pays indépendant, mais elle ne pouvait pas ne pas reconnaître la priorité de l'indépendance de l'Algérie pour la simple raison que, dans une Algérie en guerre, il n'y aurait de liberté ni pour le pays, ni pour les personnes.

Parmi les lettres hostiles et absurdes — il serait injuste d'y inclure celle d'Yves Bouthillier — je n'eus que l'embarras du choix. Celle d'un médecin, professeur à la faculté de médecine d'Alger : « Les Algériens ont beaucoup apprécié le conseil — le savant conseil que vous voulez bien leur donner — d'abandonner ce pays. Ils espèrent que dans un prochain ouvrage vous étendrez vos suggestions jusqu'à l'État d'Israël dont les terres ne sont pas plus généreuses que celles de l'Algérie. Si vous croyez pouvoir vous dispenser d'envisager cette question si importante, vous nous ferez croire que vous êtes aujourd'hui guidé beaucoup moins par l'intérêt de la France et des Français que par celui de vos coreligionnaires : nous savons en effet qu'il était dans l'intention de Mendès d'offrir l'Afrique du Nord tout entière à l'Orient pour y accueillir tous les réfugiés arabes de Palestine et débarrasser ainsi l'État d'Israël d'un souci permanent. » Écrite par un professeur de médecine s'adressant à un « cher collègue », cette lettre permet d'imaginer les autres, venant de correspondants moins cultivés.

Robert Lacoste, ministre résidant en Algérie, qui n'avait lu que les extraits de la brochure publiés dans *le Monde,* me suggéra certaines de « ses pensées secrètes » : « Qui vous dit que la politique de pacification telle qu'elle est menée à l'heure actuelle est mon unique pensée ? Ai-je le droit, en pleine action, alors que chaque mot exerce une influence directe sur nos antagonistes, de livrer toute ma pensée ? Vous savez bien que mon devoir est de préparer ici les meilleures conditions possibles pour un règlement politique équitable du problème algérien. Vous savez bien que la force et la terreur font partie du système politique de la rébellion et de ceux qui la soutiennent à travers le monde. Il ne m'est pas ni ne sera possible à personne de s'abstraire de ces réalités, à moins de penser à des négociations honteuses où notre pays se trouverait dans la situation dérisoire d'une descente de lit foulée aux pieds par nos adversaires. »

Les lettres hostiles furent peu nombreuses ; les lettres d'approbation ou de félicitations affluèrent, de collègues et d'amis de l'Université bien entendu, mais aussi de fonctionnaires ou de personnalités de l'économie ou de la politique. A la suite de cette brochure, pour la première et peut-être aussi la seule fois de ma vie, je fus plongé dans le milieu politique. Même entre 1946 et 1955, alors que je n'avais pas repris mon métier d'universitaire, je continuais de vivre en universitaire plutôt qu'en journaliste. Je ne figurais pas sur les listes d'invitation des ministères, encore moins de l'Élysée (il en fut de même sous la Ve République). Au cours des derniers mois de 1957, un groupe de hauts fonctionnaires qui avaient rédigé un rapport sur l'Algérie se mit en relation avec moi. Le porte-parole du président Giscard d'Estaing, Pierre Hunt, me rappela, en 1979, que nous nous étions rencontrés à cette occasion. Ce qui me frappa, en cette période, c'était le décalage entre les convictions des hommes qui gouvernaient la France et les propos publics qu'ils tenaient par souci de « l'opinion » dont ils se croyaient prisonniers. Georges Bidault, Jacques Soustelle et Michel Debré mis à part, dont la sincérité ne prêtait pas au doute, je me demande si un seul des ténors de la IVe République croyait à l'Algérie française.

Peut-être dois-je ajouter Jacques Chaban-Delmas, avec lequel j'eus une discussion quelque peu vive au cours d'un déjeuner chez Marcel Bleustein. Edgar Faure, qui avait « fait » l'indépendance du Maroc, laissait à d'autres la mission ingrate d'accomplir le même exploit pour l'Algérie. A la même époque, je répétais à Pierre Brisson que « tout le monde » pensait comme moi, bien que, parmi les responsables, je cherchasse vainement des volontaires pour la mission de salubrité mentale et nationale. Pour l'ébranler, faute de le convaincre, je le mis au défi : « Demandez donc à Louis Gabriel-Robinet ce qu'il prévoit lui-même. » Robinet vint nous rejoindre et P. Brisson entama le dialogue : « Comment voyez-vous la fin de l'affaire algérienne ? » Robinet répondit, en toute simplicité : « Tout cela finira par l'indépendance. » Après tant d'expériences, il devenait difficile de s'accrocher à des illusions. Soyons juste : André François-Poncet recommandait aux gouvernants de « s'accrocher » à la dernière position, de tenir la dernière tranchée. Son fils, plus tard ministre des Affaires étrangères, partageait mon scepticisme plutôt que la volonté de son père.

La presse — *le Monde* de Beuve-Méry mis à part — ne m'épargna pas. Je ne reviens pas sur l'article de Pascal Pia qui m'imputait le projet de ramener les Français d'Algérie dans la métropole et de les installer dans des camps. Les journaux de gauche ne me reconnurent aucun mérite.

Dans le numéro du 5 avril 1957, *l'Express* consacra une page entière à des extraits du livre *Espoir et Peur du siècle,* qui venait de paraître. Un des trois essais, le deuxième, *De la décadence,* traitait brièvement de « l'impasse algérienne ». Le chapeau reproduisait les interrogations classiques : « Homme de gauche pour ceux qui ont conservé le souvenir de ses brillants éditoriaux de *Combat,* homme de droite pour les lecteurs de ses actuelles chroniques du *Figaro,* universitaire échappant à toute classification politique pour les auditeurs des cours de sociologie qu'il donne en Sorbonne, qui est réellement Raymond Aron ? Un homme de droite lu avec prédilection par la gauche ? Ou, au contraire, un homme de gauche qui a choisi de s'adresser à la droite ? » Le rédacteur ajoutait immédiatement que je jugerais un tel débat puéril — en quoi il ne se trompait pas.

Les sous-titres par lesquels la rédaction de *l'Express* avait découpé les extraits empruntés à l'essai *De la décadence* étaient les suivants : I. *La perte de l'empire est inéluctable dans un avenir proche. Elle était déjà en germe dans la fausse victoire de 1945.* II. *L'expansion française ne peut plus être liée à la souveraineté et particulièrement en Algérie.* III. *L'empire est une mauvaise affaire.* IV. *La France peut vivre sans l'Union française.* V. *Pourquoi ne pas traiter avec le FLN?* Aujourd'hui, ces propositions seraient acceptées par l'immense majorité des Français. Les commentaires, rédigés par Jean Daniel probablement, contestaient en quelque manière les reproches que j'adressais aux « libéraux », aux critiques de la politique gouvernementale qui refusaient d'aller jusqu'au bout de leur pensée.

Tout d'abord, *l'Express* me taxait de « défaitisme économique » et de « résignation historique ». La formule « empire, mauvaise affaire », n'était ni acceptée, ni réfutée ; fausse au temps du pacte colonial (je ne parlais pas du XVIIIe siècle), mais « sans aucun doute vraie dans la mesure où la disparition de ce pacte ne débouche pas sur une conversion ». (Je suis incapable de trouver un sens quelconque à cette phrase.) En tout cas, le calcul économique ne doit pas dicter la décision politique. Venait la conclusion : « Quant à l'inéluctabilité de la perte de l'Algérie, avec tout ce qu'elle comporterait aujourd'hui de dramatiques conséquences, elle semble être davantage le résultat de la politique algérienne pratiquée par la France depuis dix ans qu'un événement inscrit depuis toujours dans les faits. »

Cette phrase illustre avec éclat la naïveté de l'esprit partisan face à un drame historique. Bien sûr, la « perte » de l'Algérie n'était pas inscrite « depuis toujours » dans les faits, mais, en 1957, la politique suivie par la France depuis dix ans (il aurait mieux valu écrire depuis plus d'un siècle) créait une situation que les gouvernants devaient prendre en charge. Dans cette situation, il n'y avait de choix qu'entre deux décisions : ou bien négocier avec le FLN, ou bien refuser ce dialogue. La première décision exigeait la reconnaissance au moins du droit à l'indépendance, la deuxième impliquait la poursuite de la pacification ; le reste était bavardage. Jean Daniel, deux mois plus tard, dans *l'Express* du 21 juin, fidèle à lui-même, me prit à partie dans un article signé. Une fois de plus, entre les deux décisions possibles, il n'en adoptait aucune et cherchait refuge dans la polémique. Il commençait, selon un procédé courant, par me prêter un projet que je n'avais jamais envisagé, à savoir le rapatriement immédiat des Français d'Algérie. Qu'avais-je écrit dans *Espoir et peur du siècle*? « Selon toute probabilité, la victoire du Front national entraînerait le départ d'une fraction des Français établis de l'autre côté de la Méditerranée. » Vrai ou faux? Jean Daniel ne répondait pas. Il préféra l'attaque personnelle : « Le passage du conservatisme au défaitisme est décidément toujours le même. Car, enfin, si en 1955 *le Figaro* avait fait campagne en faveur du plan proposé par M. Ferhat Abbas avec l'accord du FLN et qui prévoyait l'autonomie interne de l'Algérie, M. Aron ne serait sans doute pas contraint de préconiser le rapatriement massif des Français d'Algérie. » Je n'étais pas directeur du *Figaro*; l'autonomie interne de l'Algérie, à supposer que le FLN l'eût acceptée, aurait conduit à l'indépendance, en d'autres termes à ce que Jean Daniel appelait lui-même la « perte » de l'Algérie.

Quelle solution proposait ce « libéral », pour ne pas s'abandonner comme moi au « défaitisme »? Prendre l'initiative d'une « confédération franco-nord-africaine dynamique ». Profonde idée, en vérité, mais une confédération suppose des États souverains. Pour que l'Algérie entre dans une telle confédération, il faut qu'elle bénéficie d'un statut semblable à celui des autres partenaires, Tunisie, Maroc, France, en d'autres termes de la souveraineté ou de l'indépendance. Cette évidence échappait à mon contradicteur, qui envisageait une négociation avec les chefs du FLN en vue d'une « vraie loi-cadre ». Quant au défaitisme économique, il est « aussi grave dans le cas de l'Algérie que le pire colonialisme ». Au milieu de cet article, la phrase-résumé : « Le drame de l'Algérie, ce n'est plus qu'on ne sache pas la vérité, c'est qu'on ne veuille pas la dire. » Je me demandais à l'époque et je me demande encore aujourd'hui : Jean Daniel ne savait-il pas la vérité ou ne voulait-il pas la dire?

Dans le même numéro de *l'Express*, François Mauriac m'attaquait par un autre biais : « ... Je vous[1] vois déjà acculés au ridicule d'inculper M. Raymond Aron qui met de l'ordre dans les pensées des autres (je veux dire que d'autres ont exprimées avant lui) et qui déduit logiquement, dans une clarté glacée, ce que des esprits plus légers avaient vu du premier coup d'œil. » L'inévitable « clarté glacée », l' « ordre dans les pensées des autres » : ni lui ni ses confrères de *l'Express* n'avaient présenté la même analyse que moi ; aussi bien, par la plume d'un des leurs, originaire d'Afrique du Nord, ils la rejetaient[2].

L'attaque de mon camarade Étienne Borne, si souvent proche de moi au long des années, me surprit et me déçut. A la différence de Jean Daniel, il commença par résumer honnêtement ma pensée telle qu'elle

1. Il s'adresse aux gouvernants.
2. Plusieurs fois François Mauriac me traita tout autrement.

s'exprimait dans *Espoir et peur du siècle* (non dans *la Tragédie algérienne*). Il me reconnaît « une certaine sorte de courage qui n'hésite pas à dire tout haut et à écrire tout clair certaines conclusions que quelques-uns n'osaient tirer de leurs propres prémisses et que quelques autres considéraient comme une tentation à écarter par volonté mais vers laquelle ils se sentaient invinciblement pencher. » L'attaque vient ensuite : « Positivisme, sécheresse intellectuelle abstraite qui l'empêchent de considérer tous les aspects du réel, ceux qui touchent à la mission, au témoignage qui, pour être de l'esprit, ne sont cependant pas sans efficacité. » Le morceau de bravoure, c'est la conclusion qui vise ma personne. Je suis partisan d'accorder aux Algériens le droit à l'indépendance, donc je suis un homme de droite, comparable à ceux qui acceptèrent Munich, l'armistice, la défaite.

« Raymond Aron, qui est l'ennemi de toutes les idéologies, professe que les notions de droite et de gauche sont des manières puériles de penser les réalités politiques. Pourtant cette sorte de réalisme qui se hâte de donner de nouveaux avantages à ceux qui sont prospères et d'ôter précipitamment leurs chances à ceux qui paraissent céder, ce positivisme qui ne veut connaître que le verdict des balances et des machines à calculer, cette sorte de fatalisme stoïcien si préoccupé à donner raison au fait accompli et jusqu'à cette intelligence analytique habile à décomposer pour comprendre, je ne puis m'empêcher d'y déchiffrer les traits caractéristiques d'une mentalité de droite et qui est probablement constante dans l'histoire des idées. Cette droite qui parfois mène au défaitisme, par les voies raisonnables de la résignation. » Contre « cette apologie du destin », Étienne Borne préfère, selon la formule de P. H. Simon, « corriger le destin ». Il oubliait — simple détail — qu'en 1938, 1939, 1940, la France se battait pour sa liberté et qu'en 1957 elle se battait contre la liberté des Algériens. Étrange oubli de la part d'un chrétien.

Jacques Soustelle me répondit par une brochure, de même caractère que la mienne. *Le Drame algérien et la décadence française, Réponse à Raymond Aron.* Donnons un exemple, un des meilleurs, de sa polémique *ad hominem*: « Si *l'Express* est *l'Humanité* de la rive gauche, M. Aron est le Servan-Schreiber du riche, le Mauriac de la sidérurgie et le Claude Bourdet de la finance. » Un reproche sur lequel Soustelle revenait plusieurs fois visait, en effet, un point sensible : dans une guerre psychologique gagnée finalement par celui qui tient le dernier quart d'heure, celui qui annonce, inévitable, la lassitude de son propre camp apporte un concours à l'ennemi. A n'en pas douter, le FLN tira profit de mon texte.

Pour le fond, l'ancien gouverneur de l'Algérie soutenait la thèse que l'Algérie ne posait pas un problème de colonisation : « Les Français d'Algérie ont le droit d'être là-bas autant que tout autre. » Venaient les arguments économiques : « ... l'intérêt du Sahara est de nous offrir une chance ; la seule qui soit en vue pour aujourd'hui et pour un avenir prévisible de combler notre déficit énergétique sans dépendre pour cela ni des Arabes ni des États-Unis... L'indépendance économique de la France est maintenant à notre portée... Ce qui, aujourd'hui, coûterait le plus cher, ce serait à coup sûr d'abandonner l'Algérie qui signifierait la perte du Sahara. » Il reprenait aussi du livre de Germaine Tillion la conclusion : « La France représente pour l'Algérie simplement la différence entre la vie et la mort. »

Quant au « transfert de populations » — le retour des Français d'Algérie —, il le décrète impraticable, du moins sous un régime démocratique : « *On ne renonce pas à l'Algérie.* Cela n'est ni honorable, ni possible. » En dehors des controverses, les arguments de Soustelle sur les points essentiels (quel régime politique en Algérie ?) demeuraient étrangement vagues. J. Soustelle affirmait que le renoncement à l'empire équivalait à l'acceptation de la décadence. La France hexagonale cesserait d'être la France. Les événements n'ont pas encore, au bout de vingt-cinq années, tranché entre lui et moi. Mais comment la France aurait-elle pu maintenir sa souveraineté sur vingt millions de musulmans ?

Je laisse de côté les agressions normales et prévisibles venant d'*Aspects de la France*, avatar de *l'Action française.* Je citerai E. Beau de Loménie, qui, prisonnier de ses obsessions, titre son article « L'Algérie trahie par l'argent » : « On voit, dans l'attitude de Raymond Aron et de ses amis, grands capitalistes, l'amorce d'une manœuvre d'abandon et de transfert de certains intérêts des rives algériennes vers des pays plus heureux... » Je retiendrai le numéro de *Carrefour* (26 juin), dans lequel deux articles, l'un d'André Stibio et l'autre de Louis Terrenoire, me sont consacrés. Du premier, j'extrais la conclusion : « C'est l'opération d'un homme qui préfère une France " petite-européenne ", américaine à une France puissance mondiale, riche de ses communautés d'outre-mer. Et qui sacrifie l'Algérie au continent, nos fidélités musulmanes aux liens interalliés. Toute thèse se discute. Venant d'un écrivain qui, lorsqu'il considère sa propre personne, n'a que le mot de courage à la plume et, lorsqu'il fait allusion aux autres, que le mot de conformisme ou de lâcheté, cette thèse-ci aurait gagné à montrer audacieusement sa vraie couleur pro-européenne et pro-américaine. Parce qu'alors tout s'expliquerait, tout s'alignerait sur la *pax americana* dont de Gaulle à coup sûr ne veut pas plus aujourd'hui qu'il n'en voulait hier. » A. Stibio se trompait : le général de Gaulle jugea, lui aussi, que la France, pour reprendre une politique mondiale, devait se libérer de la guerre algérienne ; ma prise de position se fondait sur la réalité algérienne dans le contexte mondial, nullement sur la politique de la petite Europe ou les intérêts de la *pax americana.*

L'article de Louis Terrenoire mérite une mention particulière parce que le même Terrenoire devint le président de l'association des amitiés franco-musulmanes. Parmi les gentillesses qu'il me prodigue, une me paraît aujourd'hui encore croustillante : « On regrette, vu son passé, que M. Raymond Aron rappelle irrésistiblement l'homme " Pierre Laval " qui pensait que les jeux étaient faits en 1940. » A l'exemple de la Hollande, il réplique : « S'imagine-t-on que les Français dont le moindre gabelou a du sang proconsulaire dans les veines réagiraient comme les hommes des polders ? L'Indonésie n'était qu'une colonie : l'Algérie, avec le Sahara et l'Afrique noire derrière, c'est bien autre chose. » Louis Terrenoire, gaulliste, tombait d'accord avec moi que « le régime, tel qu'il est, est incapable de relever le défi ; mais la société française le peut encore si elle le veut ». Quand le Général revint au pouvoir, appelé par ceux qui pensaient comme Louis Terrenoire, il ne voulut ou ne put pas négocier immédiatement avec le FLN ni promettre l'indépendance. Il le fit trois ans plus tard ; peut-être par la faute de l'OAS, les Français d'Algérie refluèrent en masse, en catastrophe vers la métropole. Cette issue que j'avais annoncée dans la brochure de juin 1957, au cas où le gouvernement français poursuivrait la même politique, se produisit cinq années après, vérifiant une prévision dont je ne tire aucune fierté. De la Tunisie ou du Maroc, la plupart des Français sont partis mais peu à peu ; peut-être un exode comparable était-il possible en Algérie ? Je n'en suis pas sûr. Les « pieds-noirs » et les officiers perdus ont joint au drame inévitable une guerre civile qui ne l'était pas.

Je n'ai jamais jugé que la publication de *la Tragédie algérienne* exigeât un courage exceptionnel. Risque physique ? Très faible, en dépit d'une ou deux lettres anonymes qui m'annonçaient ma condamnation par des tribunaux clandestins « de salut public ». Risque moral ou politique ? Il n'existait pas puisque, dans les milieux intellectuels ou politiques, la plupart souscrivaient aux arguments et aux conclusions que j'explicitais noir sur blanc.

Le danger auquel je m'exposai, j'en eus l'expérience rue Madame, dans la salle réservée aux débats des intellectuels catholiques. Maurice Schumann, Edmond Michelet devaient parler après moi. Pendant quelques minutes, je pus m'exprimer dans un relatif silence. Puis, peu à peu, les interruptions fusèrent de tous côtés. Parlez-moi de Mélouza (un village algérien dont les habitants furent massacrés par le FLN), répétait d'un ton doucereux un des interrupteurs. J'eus le tort, excédé, de lui répondre : « Il y a aussi, de notre côté, des actes dont nous ne sommes pas fiers. » Ce mot mit le feu aux poudres. Debout, M. Schumann hurla : « Je ne laisserai pas insulter les officiers français. » Il remporta un triomphe, soutenu par les acclamations d'une majorité de l'auditoire. E. Michelet ne passa guère mieux que moi l'épreuve. A la fin de la réunion, les gardiens de la paix me conseillèrent d'attendre dix minutes avant de sortir ; une bande d'enragés s'était massée, probablement non pour me maltraiter mais pour m'infliger une humiliation supplémentaire, pour donner libre cours à leur colère. Jean-Luc Parodi resta avec Suzanne et moi pour nous protéger. Jacques et Laurence de Bourbon-Busset exprimèrent avec discrétion leur regret du ton adopté par M. Schumann. Amrouche, présent dans la salle, m'envoya le lendemain une carte qui jugeait sévèrement ce dernier et qui m'approuvait sans réserve :

« Comment ne pas approuver votre argumentation ? Et vous pensez que je ne parle pas en tant qu'Algérien mais comme un intellectuel soucieux de rigueur et de vérité : les seules vertus que l'on doive exiger d'un intellectuel. Dans votre cas, s'y ajoute aussi le courage. Ce qui me donne l'occasion de vous faire part à nouveau d'une sympathie et d'une admiration très anciennes. L'équité est la charité de l'intelligence. »

Bien des années plus tard, *Gaullo regnante,* l'Algérie indépendante, je rappelai à Maurice Schumann la soirée de la rue Madame. J'avais été, au fond de moi-même, moins sévère pour lui qu'Amrouche. Je le savais incapable de résister à la tentation de l'orateur, enivré par un auditoire qui l'asservit alors même qu'il éprouve l'ivresse illusoire de le maîtriser. Il me répondit : « Pourquoi aurais-je parlé de l'indépendance algérienne puisque la IVe République était incapable de l'accomplir ? » Décidément, je n'étais pas doué pour la politique. Il voulut bien admettre que, pour rendre possible l'Algérie algérienne, il fallait que quelques-uns prissent l'initiative de briser le silence. Ceux qui écrivent et bénéficient d'une certaine notoriété assument une responsabilité. Leurs propos exercent une influence sur les événements, si faible soit-elle. C'est pour cette raison même que je m'étais demandé si je devais parler ou me taire. Annoncer que les Français se lasseraient les premiers d'une guerre sans issue, c'était renforcer le moral de l'adversaire et affaiblir le nôtre. Si j'avais cru que l'Algérie française répondît à l'intérêt national, qu'elle pût satisfaire les Algériens patriotes, et, enfin, qu'elle fût réalisable, je n'aurais pas publié *la Tragédie algérienne.* Les conclusions de mon analyse me paraissaient aussi proches de la certitude qu'aucun jugement politique, en ce bas monde, peut l'être. Un Algérien, lieutenant de l'armée française, trouva les mots les mieux choisis pour m'aller au cœur : « D'aucuns prétendent que vos arguments, inspirés de votre lucidité et de votre intégrité morale, renforcent notre cause algérienne. Qu'en conséquence vous n'avez pas le droit de le faire. Quelle erreur ! Qu'il est regrettable que les Français comme vous soient en minorité... J'aimerais que vous ne me fassiez pas l'affront de croire que je puisse vous imaginer complice de notre nationalisme. »

La brochure fit un certain bruit ; la thèse de « l'abandon » ne fut plus bannie des salons et de la salle des colonnes. Dans son amical enthousiasme, notre chère amie Jeanne Alexandre se trompa : « Je me suis dit tout de suite : c'est comparable au *J'accuse* de Zola. Ceux à qui j'ai eu l'occasion de proposer ce rapprochement ont toujours convenu qu'il s'imposait. » Non, la comparaison ne vaut pas. Zola se dressait contre des passions, déchaînées et aveugles. La passion pour l'Algérie française était traversée de doutes. Les officiers dans les popotes discutèrent de *la Tragédie algérienne.* Les colonels ne suivaient pas tous les doctrinaires de la guerre subversive, tous ne croyaient pas qu'une technique psychologique pût convertir les Algériens au patriotisme français. Jeanne Alexandre elle-même constata que, quelques mois plus tard, le bruit s'était éteint. Sur le moment, ma brochure ne passa pas inaperçue au-dehors.

J.F. Kennedy me cita au Sénat ; un éditorial de *The Economist* vit dans ma prise de position un symptôme d'un changement de l'opinion. Avec le recul, je m'interroge. La brochure m'a disculpé de l'accusation, absurde mais courante, de conformisme. En revanche, elle ne m'a pas lavé d'une autre tache ; j'étais toujours le calculateur sans entrailles et le penseur glacé. Je n'ai jamais jugé convenable de répondre à de tels propos. Au lendemain de la soirée rue Madame, Henri Birault m'écrivit une lettre admirable dont quelques phrases, je l'espère, ne sont pas tout à fait fausses : « Sobre fraternité qui cherche par-dessus tout à éviter de trop grands malheurs à ceux que l'on aime... écrire *la Tragédie algérienne* afin qu'il n'y eût point trop de Français et de musulmans qui meurent pour rien dans cette guerre sans victoire possible... » Ainsi je me justifiais à moi-même cette action : avec le recul, je me demande si j'ai réussi. Frustration de celui qui voudrait agir par la plume.

A l'été de 1958, au lendemain du retour du général de Gaulle au pouvoir, je reçus un doctorat *honoris causa* de l'université de Harvard et je fus invité à prononcer un des deux discours du *Commencement Day* (l'autre revint au secrétaire américain à la Défense, Neil H. Mac Elroy). La chute de la IVe République avait été, apparemment au moins, provoquée par la crainte d'un Dien Bien Phu diplomatique. Les foules qui avaient pris d'assaut le bâtiment de la Résidence, les locaux du gouvernement français à Alger, hurlaient à tous les échos « Algérie française » ; des manifestations de fraternité franco-musulmane, certaines authentiques, créèrent, quelques jours ou quelques semaines durant, l'illusion que les croyants l'emportaient sur les calculateurs. Personnellement, je n'ai, à aucun instant, vacillé. Mais, à Harvard, je ne jugeai pas convenable de reproduire l'argumentation de ma brochure et de dénoncer devant un public étranger, peu favorable à la France, l'aveuglement de mes compatriotes, leur penchant à mettre exclusivement au compte de la IVe République l'insurrection algérienne, inséparable d'un mouvement historique, qui n'épargnait aucune des colonies d'aucune métropole européenne. Les extraits de mon discours transmis par l'AFP firent croire que je changeais d'opinion et que je me ralliais — ou me soumettais — au sursaut, populaire et national, de 1958. Pour mettre les choses au point, et pour éviter que se répande la légende d'une conversion, inspirée par l'opportunisme, je fis paraître dans une « Tribune libre » du *Monde* de longs passages de mon discours et surtout je publiai une autre brochure, plus élaborée, *l'Algérie et la République.*

En 1957, invité par l'Institut canadien (français) des affaires publiques, je rencontrai toute la génération des hommes politiques qui, pour la plupart, tiennent encore les premiers rôles : J. Lesage (l'homme de la révolution tranquille), R. Levesque, P.E. Trudeau, alors dans tout l'éclat du play-boy, au volant de sa Jaguar, si mes souvenirs sont exacts. Après le Canada, je répondis à une invitation de l'université de Harvard et prononçai trois conférences qui, développées, devinrent *Immuable et changeante,* livre paru en 1958, après la fin de la IVe République. Au cours même de l'année 1957-1958, mon cours public portait sur les régimes politiques des sociétés industrielles. Publié près de dix ans plus tard, le cours garda la marque — je ne voulus pas l'effacer — des événements de 1958. Le titre d'un chapitre, « Fil de soie et fil de l'épée », renvoyait à des expressions respectivement de Guglielmo Ferrero et du général de Gaulle.

La légalité avait été formellement respectée, mais la IVe République avait cédé à une rébellion de l'armée et des Français d'Algérie, rébellion à laquelle le général de Gaulle n'était pas entièrement étranger (pour dire le moins). Lui-même, avant le 15 mai, n'avait rien dit, mais il n'avait pas non plus désavoué la propagande délirante du plus fidèle de ses compagnons.

Dans *le Courrier de la Colère,* Michel Debré allait jusqu'à proclamer le droit, que dis-je, le devoir de révolte contre le gouvernement qui laisserait mettre en cause la souveraineté de la France en Algérie ; il participa peut-être à l'obscur complot dit du bazooka qui coûta la vie au commandant Rodier et visait le général Salan ; tout cela me séparait des gaullistes de 1958. Je ne confondis pas pour autant le Général avec les siens ; lui-même s'était le moins possible sali les mains, bien qu'il n'ignorât ni les intentions ni les actes de certains des comploteurs. Selon les préférences des commentateurs, c'est lui qui sauva les députés de la défenestration ou c'est lui qui alluma une des bombes du 13 mai. En vérité, il joua les deux rôles.

Par ailleurs, des rumeurs rapportaient des propos du général de Gaulle et le présentaient comme plus proche des libéraux que des ultras. Quelqu'un m'assura que le Général lui-même, dans une conversation, m'avait donné raison contre J. Soustelle, en particulier sur le problème démographique. En tout état de cause, il était loisible de plaider que le Général, grâce à son autorité et à son prestige, avait une meilleure chance que tout autre de trouver une issue ou de faire supporter aux Français la prolongation du conflit. En 1957-1958, je m'efforçais de convaincre ; à partir de juin 1958, je fus renvoyé au rôle du spectateur ou du commentateur. Comment aurais-je pu rejoindre le parti gaulliste UDR, improvisé pour les élections, défenseur de l'Algérie française, animé par Michel Debré et Jacques Soustelle ? Mais, en sens contraire, pourquoi prendre une attitude d'opposant alors que le sens de l'événement demeurait ambigu ? André Malraux n'hésita pas à s'engager au service du Général, quelle que fût, à chaque moment, la doctrine officielle. Il me parut inconvenant, pour un intellectuel qui se pique d'être un écrivain politique, de participer aux équivoques, aux détours et aux ruses, peut-être nécessaires, du chef du gouvernement. Puisque j'avais affirmé ma propre doctrine, en toute clarté, je devais ne pas sortir de ma solitude, interpréter l'itinéraire du Général sans le transfigurer par le verbe.

La deuxième brochure, *l'Algérie et la République*, ne fit guère de bruit, bien qu'elle fût argumentée avec une tout autre rigueur que *la Tragédie algérienne*. Dans le premier chapitre, je démontrai, chiffres à l'appui, pourquoi l'intégration — l'Algérie devenant, comme l'Ile-de-France ou la Lorraine, une province de la France — était impossible. Les deux populations, algérienne et française, n'appartiennent ni à la même culture ni au même régime démographique ou économique. Comment appliquer à l'une et à l'autre les mêmes lois sociales ? La richesse pétrolière ne suffirait pas à combler le fossé entre les conditions de vie au sud et au nord de la Méditerranée. (Vingt années plus tard, en dépit de la multiplication par vingt du prix du pétrole, la proposition demeure vraie.) De ce fait, je pris position dans l'étrange débat ouvert à la suite du livre publié par Germaine Tillion, *l'Algérie en 1957*, quelques semaines avant *la Tragédie algérienne*. Thierry Maulnier, partisan inconditionnel de l'Algérie française, invoqua Germaine Tillion pour conclure : « La France ou la famine. » Il tira du livre de l'ethnologue bien plus que celle-ci n'y affirmait. Elle n'en avait pas moins écrit cette formule : « L'anticolonialisme est-il en train de devenir l'alibi de la clochardisation ? »

Je reconnus que « l'apparent libéralisme peut être le camouflage de l'égoïsme. Dans le cas de l'Algérie, les deux interprétations sont possibles : celui qui propose un dialogue avec les nationalistes algériens peut être un idéaliste, qui invoque le droit des peuples à disposer d'eux-mêmes ou qui rêve de l'amitié avec les musulmans. Il peut être aussi un capitaliste, soucieux de réduire les frais et indifférent à la misère de l'Algérie indépendante. (Il va sans dire que tout homme de gauche appartient à la première et noble catégorie, tout homme de droite à la deuxième et sordide catégorie...) C'est par amour pour Ali et Mohammed, par amour pour le plus déshérité des Kabyles et des Arabes que l'ancien gouverneur de l'Algérie dont le cœur est inépuisable se trouve miraculeusement d'accord avec ces esprits supérieurs et ces âmes d'élite que sont M. Roger Duchet, M. de Sérigny et d'autres rédacteurs de *l'Echo d'Alger*. Si M. Le Brun Keris et M. Étienne Borne condamnent mon cynisme, c'est que les sentiments chrétiens leur imposent de soustraire les Algériens à la misère et à la tyrannie du FLN ».

Dans le deuxième chapitre intitulé « La crise de la conscience française », je tentai de persuader mes compatriotes que la perte de l'empire ne condamnait pas notre patrie à la décadence. « Le défaitisme, c'est de désespérer de la réconciliation avec les nationalistes. L'abandon, c'est de rejeter la coopération avec les pays promus à l'indépendance... Qui bouche l'avenir, sinon celui qui affirme que l'aspiration des peuples à l'autogouvernement est incompatible avec la vocation africaine de la France ? Les nations décadentes sont celles qui refusent de s'adapter à un monde changeant. Fossoyeurs de la patrie ceux qui, sous prétexte de prévenir la décadence, orientent le patriotisme dans une voie sans issue. »

Le troisième chapitre, intitulé « La révolution de mai », esquissait une analyse des événements de mai 1958, le retour au pouvoir du général de Gaulle et la chute de la IVe République. Je discutai en passant les idées d'Albert Camus, exposées dans un article[1] : « En dépit de sa volonté de justice, de sa générosité, M. Albert Camus n'arrive pas à s'élever au-dessus de l'attitude du colonisateur de bonne volonté. » Il refusait la légitimité de la revendication arabe : « On doit cependant reconnaître que, en ce qui concerne l'Algérie, l'indépendance nationale est une formule purement passionnelle. Il n'y a jamais eu encore de nation algérienne. Les Juifs, les Turcs, les Grecs, les Italiens, les Berbères auraient autant de droit à réclamer la direction de cette nation virtuelle. » A quoi je répliquai : « Ces musulmans n'ont pas été une nation dans le passé, mais les plus jeunes parmi eux veulent en créer une. Revendication passionnelle ? Bien sûr, comme toutes les revendications révolutionnaires. » A. Camus recommandait les mesures mêmes que prônaient les défenseurs de l'Algérie française : relèvement du niveau de vie, « fédéralisme personnel » (autrement dit égalité civile et politique des musulmans et des Français). Il voulait que le gouvernement « ne cédât en rien sur les droits des Français d'Algérie », il présentait « la revendication nationale algérienne en partie comme une des manifestations de ce nouvel impérialisme arabe dont l'Égypte, présumant de ses forces, prétend prendre la tête et que, pour le moment, la Russie utilise à ses fins de stratégie anti-occidentale ».

Ces textes ont été oubliés ; en revanche, on se souvient de la déclaration faite à Stockholm ou plutôt de la réponse donnée à un journaliste : « Je crois à la justice mais je défendrai ma mère avant la justice[2] ». Formule au fond dénuée de sens. La révolte algérienne posait à tous les Français, plus spécialement aux Français d'Algérie, une question de conscience. Pourquoi Albert Camus trouvait-il dans son amour pour sa mère la réponse à cette question de conscience ? Nous comprenions qu'il fût déchiré entre son attachement à l'Algérie, son amour filial et le souci de la justice, qu'il refusât de prendre parti entre les deux camps aux prises. Mais la confrontation entre la « mère » et la « justice » me semblait un mot d'auteur, non un jugement sur un conflit tragique. Loin de moi toute intention de porter atteinte à la juste gloire de Camus ; je ne mets en doute ni sa noblesse d'âme, ni sa bonne volonté. Ce qui reste instructif, pour ceux qui n'ont pas vécu ces années, c'est le refus, même chez un Albert Camus, du « nationalisme » algérien, de la volonté d'indépendance qui animait une minorité active et que soutenait probablement une majorité de la population.

Sur les projets constitutionnels du général de Gaulle, je ne me trompai

1. Reproduit dans *Actuelles III,* Gallimard, 1958.
2. Dans *les Illusions retrouvées,* 1982, Claudie et Jacques Broyelle remettent cette phrase dans le contexte et éclairent les prises de position de Camus.

guère : « Le général de Gaulle, sans aucun doute, veut sincèrement restaurer la République et même une République parlementaire... La Constitution de la Ve République risque d'être moins un compromis entre le gouvernement présidentiel et le gouvernement parlementaire qu'un retour à une monarchie semi-parlementaire. Le ministère sera responsable devant l'Assemblée, mais le Premier ministre sera choisi par le président de la République et celui-ci, tel un monarque, détiendra certaines prérogatives que les rois eux-mêmes ont perdues dans les régimes parlementaires de notre siècle. Le retour en arrière peut n'être pas sans utilité. La Constitution, inspirée du discours de Bayeux, n'apporte pas une réponse durable aux problèmes français, mais elle offre un cadre institutionnel dans lequel le général de Gaulle pourra exercer un pouvoir, absolu et limité... » (« absolu et limité » : l'expression vient de Maurras).

Bien que j'aie été heurté par les conditions dans lesquelles le général de Gaulle était revenu au pouvoir (le 15 mai il avait donné sa caution morale aux « insurgés » d'Alger), je lui accordai, en juillet 1958, quelques semaines après la révolution de mai, des chances qu'aucun autre n'aurait possédées : « Plus qu'aucun autre, le général de Gaulle a les moyens de rétablir la paix parce qu'il est capable de faire la guerre et qu'il a une réputation de générosité. » Je décrivis le Général non pas comme le représentant ou le chef des colonels ou des conspirateurs de mai, mais, tout au contraire, comme l'homme d'État qui ramènerait l'armée à l'obéissance et qui peut-être entamerait le dialogue avec les nationalistes algériens : « Ce que veulent les ultras et les conspirateurs va en sens contraire des nécessités historiques et des espérances durables du plus grand nombre des Français. La révolution de mai peut être le début de la rénovation politique de la France à condition qu'elle se hâte de dévorer ses enfants. »

Après cette brochure, j'écrivis régulièrement dans *Preuves* des articles sur la Ve République et en particulier sur la politique algérienne du Général. Dans le premier article que je publiai, en novembre 1958, je me référai à l'article de 1943 de *la France libre,* dans lequel j'avais analysé la conjoncture bonapartiste : « Un climat de crise nationale, le discrédit du Parlement et des parlementaires, la popularité d'un homme. » Je ne méconnaissais ni les différences entre les causes de la crise nationale (conflits sociaux en 1848, défaite militaire en 1940, perte de l'empire en 1958) ni les différences entre les hommes autour desquels cristallisaient les émotions populaires : « Le bénéficiaire de la conjoncture bonapartiste, qu'il s'appelle Louis-Napoléon, Boulanger, Pétain ou de Gaulle, qu'il soit un aventurier, un velléitaire, un vieillard ou un authentique grand homme, doit présenter une vertu propre : transcender les querelles françaises, être à la fois de droite et de gauche, unir la France d'avant à celle d'après 1789. »

Je relis sans trop d'embarras l'analyse de la Constitution de 1958 — peut-être pas très éloignée de celle que le maréchal Pétain avait préparée. Georges Vedel me félicita, dans une lettre amicale, pour l'analyse de la conjoncture et de la Constitution, et il me donna des précisions qui ne manquent pas de saveur : « La Constitution de Pétain que vous imaginez, m'écrivait-il, a existé au moins virtuellement. Vous trouverez le texte et les indications d'origine dans la 7e édition (par Berlia) du recueil des Constitutions de Duguit et Monnier (p. 386). Vous y lirez page 10 : " Le chef de l'État tient ses pouvoirs d'un Congrès groupant les élus de la nation et les délégués des collectivités territoriales qui la composent. Il personnifie la nation et a la charge de ses destinées. Arbitre des intérêts supérieurs du pays, il assure le fonctionnement des institutions en maintenant, s'il est nécessaire, par l'exercice du droit de dissolution, le circuit de confiance entre le gouvernement et la nation. " » G. Vedel ajoutait que cette rencontre involontaire entre les projets avortés du Maréchal et la conception du Général ne prouve rien ni pour ni contre la Constitution de 1958.

Mon diagnostic sur la IVe République et la situation de 1958 reste le même aujourd'hui, bien souvent repris par les historiens actuels : « L'hostilité à la IVe République ressemblait à celle que l'on observait en 1940 contre la IIIe. Cette sévérité, qui ne va pas sans injustice, traduit au moins un sentiment sain : les Français en avaient assez de devenir, par le fait de l'instabilité ministérielle, la risée du monde. Quelles qu'aient été les conséquences de cette instabilité, même si celles-ci étaient moindres qu'on ne le pense d'ordinaire, la fréquence des crises ministérielles discréditait le régime aux yeux des Français et des étrangers. A la longue, un pays ne peut obéir à ceux qu'il méprise. »

En sens contraire, je jugeai favorablement le bilan diplomatique (Alliance atlantique, réconciliation avec l'Allemagne, organisation européenne) et le bilan économique qui dépassaient les espoirs nourris par les optimistes à la Libération. Les Français reprochaient-ils à la IVe de perdre l'empire ou d'avoir voulu le sauver ? D'assimiler la perte de l'empire à un désastre national ou bien d'en méconnaître la signification ? « La IVe République a buté sur l'obstacle de la guerre d'Algérie, incapable de poursuivre la guerre, de la gagner ou de la terminer par négociations ; elle a passé la main. »

A cette date, je présentai la Constitution comme celle d'un empire parlementaire — diagnostic que les événements postérieurs n'ont pas démenti — et je ne trouve guère, dans cet article, de l'antigaullisme systématique que l'on m'a, depuis lors, avec de meilleurs arguments, attribué : « Faute d'intégrer au régime démocratique l'élément plébiscitaire comme le font les régimes anglais et américain, la France oscille entre l'anonymat de parlementaires de deuxième ordre et l'éclat du chef charismatique. Le général de Gaulle est par excellence un chef charismatique, mais avec des ambitions historiques comparables à celles d'un Washington. » A l'automne de 1958, Boris Souvarine, ami de Jacques Chevalier, me mit au courant des négociations tentées par le général de

Gaulle, par l'intermédiaire de Farès et d'Amrouche, avec le FLN. Les négociations échouèrent.

J'écrivis aussi, en mai 1959, un article sur la politique économique du gouvernement. J. M. Jeanneney, ministre à l'époque, m'adressa une carte : « Je viens de lire votre article de *Preuves* sur notre politique économique. C'est le meilleur — le seul bon — exposé qui en ait été fait. Merci et merci d'avoir marqué que je ne suis pas un " libéral ". »

A l'occasion du premier anniversaire du nouveau régime, je publiai un autre article dans *Preuves* intitulé : « Un an après. Charles de Gaulle entre les Ultras et les Libéraux. » Là encore, fidèle à moi-même, j'analysai avec indulgence la politique algérienne du Général : « ... ceux qui jugeaient juste la reconnaissance du droit de l'Algérie à l'autodétermination, ceux qui jugeaient contraire à la vocation de la France au XXe siècle la volonté de maintenir par la force la domination coloniale n'ont aucune raison de se renier. Que, dans la conjoncture présente, le président de la République ne puisse faire autre chose que ce qu'il fait n'implique pas encore que l'on doive approuver ce que l'on critiquait la veille. Ou alors, il faut faire amende honorable et regretter les attaques dont Guy Mollet a été l'objet. » Quant à mon attitude à l'égard du Général lui-même, elle s'exprime dans des formules inévitablement nuancées, voire équivoques. Je déplorai la tentation de l'émigration intérieure (celle de Mendès France par exemple) : « La Ve République existe et, dans la France telle qu'elle est, le général de Gaulle est le meilleur des monarques possibles dans le moins mauvais des régimes possibles... Il détient un pouvoir personnel mais il a restauré la République en 1945. Il a canalisé la révolution de 1958 pour en faire sortir une République autoritaire, non un fascisme ou un despotisme militaire. Il veut sauver les restes de l'empire français, mais il a concédé aux territoires d'Afrique noire le droit à l'indépendance. Il fait la guerre en Algérie, mais il n'exclut pas une évolution. » Conclusion : nous voudrions l'aider mais nous continuons de croire irrésistible le mouvement vers l'indépendance de l'Algérie. En attendant, laissons-le agir.

La suite des articles publiés dans *Preuves* jusqu'au dernier, terminé le 20 avril 1962, reflète les hésitations de mon jugement ou peut-être, plus encore, les oscillations de mon humeur. A l'automne de 1959, après le discours du 16 septembre sur l'autodétermination, je prévis, sans risque de me tromper, que le FLN ou le GPRA refuseraient l'invitation à cesser le combat et à prendre part à la bataille électorale. Le Général proposait une voie intermédiaire entre « l'Algérie française » et « l'abandon », au bout de laquelle l'Algérie serait étroitement associée à la France, autonome dans un cadre français. Mais cette voie intermédiaire existait-elle ?

En mars 1960, après la crise des barricades, j'admirai l'action du Général, dans un article intitulé : « Un seul homme, un homme seul », non sans rappeler que la proclamation du principe de l'autodétermination ne suffirait pas à mettre fin aux hostilités. Les combattants du FLN ne rangeraient pas leurs armes au vestiaire tant que le gouvernement n'aurait pas précisé les conditions dans lesquelles le principe serait mis en application. En l'absence d'une négociation avec le FLN ou le GPRA, on ne sortirait guère du cadre fixé par le fameux triptyque de Guy Mollet (cessez-le-feu, élections, négociations). En même temps, le titre de l'article écrit à la gloire « d'un seul homme, un homme seul » illustrait mon doute, mon inquiétude : convient-il de substituer à la légitimité démocratique la légitimité d'un homme élu par l'Histoire ? « Plus le Général insiste sur le caractère personnel de la légitimité qu'il détient, plus il affaiblit l'édifice constitutionnel qu'il a lui-même établi... Le général de Gaulle a été amené presque constamment à faire le contraire de ce qu'il aimerait faire. Il a horreur de la rébellion et il a commencé sa carrière politique comme un rebelle. Il a horreur des coups d'État militaires et il est revenu au pouvoir, en mai 1958, à la faveur d'un coup d'État militaire dont le pouvoir légal était menacé. Il a le désir passionné d'unir les Français et il n'y parvient jamais parce que cette unité est contraire à la nature des tâches à accomplir depuis vingt ans. » D'où son dessein d'une légitimité nationale, incarnée en un homme, à travers les plus étranges péripéties.

A l'automne 1960, je penchai vers plus de sévérité et j'intitulai un article « Présomption », comparant les prétentions du Général quand il revint au pouvoir et la situation deux ans plus tard : « Le général de Gaulle est un libéral si l'on entend par là un homme qui tient l'évolution de l'Algérie vers un statut d'État pour inévitable, conforme aux idées du siècle, compatible avec la sauvegarde des intérêts français. Mais c'est un ultra, si l'on entend par là un homme qui refuse de traiter avec ceux qui se battent. Seuls ont droit à l'indépendance ceux qui la demandent poliment. » Article injuste, rédigé aux États-Unis, pendant mon séjour à l'université Harvard. Georges Friedmann m'en reprocha — à juste titre — le ton : « Je ne vois dans la conjoncture actuelle personne d'autre que de Gaulle pour préserver l'essentiel des libertés que tu as passé ta vie à défendre. Il a encore une chance d'y parvenir. Je m'étonne que tu paraisses (car c'est ainsi que beaucoup l'ont compris, en se réjouissant) donner la caution de ton nom, de ton autorité à ceux qui vivent pour lui casser les reins... Te connaissant, je suis persuadé que, si tu étais en France, tu aurais rectifié ton tir depuis que tu as écrit *Présomption.* » Dans l'article suivant, après avoir cité la lettre de Georges Friedmann, je m'expliquai : « Je n'ai jamais mis en doute que le général de Gaulle fût, de tous les Français, le plus capable d'opérer l'abcès algérien. Un seul homme et un homme seul préserve nos libertés et s'interpose entre le désordre des esprits et le chaos. » Le discours de novembre 1960 du Général franchissait un pas de plus : « La " République algérienne " est venue après " l'Algérie algérienne " et cette République aura une diplomatie indépendante. » Le Général offrait donc à l'Algérie un statut semblable à celui des États de la communauté, mais il laissait dans l'ombre le point crucial : qui prendra en charge la République algérienne ?

Mon inquiétude portait toujours sur le même point : « Tout se ramène finalement à la question que les observateurs se posent infatigablement depuis deux ans : étant admis que le général de Gaulle, philosophe de l'histoire, tient l'Algérie française pour morte et l'Algérie indépendante pour inévitable, combien de temps le général de Gaulle, chef de l'État, refusera-t-il le dialogue faute duquel se prolongera la contradiction tragique entre sa stratégie et sa tactique, entre l'aboutissement qu'il prévoit et le refus qu'il maintient ? » Et, à la fin de l'article écrit à Cambridge, en réponse à G. Friedmann, je conclus : « Probablement pouvons-nous fort peu de chose. Nous risquons de le compromettre en l'approuvant et de l'affaiblir en le critiquant... Il n'est pas entièrement inutile de proclamer très haut que le général de Gaulle porte nos espoirs, nos derniers espoirs d'une paix honorable — c'est-à-dire d'une paix qui réconcilierait la France avec les nationalistes algériens sans dresser les Français en armes les uns contre les autres. »

Après le complot d'un « quarteron » de généraux et la conférence de presse du 11 avril 1961, je ne doutai plus que le chef de l'État appartînt au parti de l'« abandon », résolu à négocier avec le FLN sur la base de la reconnaissance préalable de l'indépendance algérienne : « Au bout de trois ans d'hésitations ou d'illusions, au terme de travaux d'approche lents et tortueux, le général de Gaulle se résignait ou se décidait à négocier avec le FLN de l'avenir de l'Algérie, contre ses promesses multipliées, sans tenir compte des sentiments de l'armée... N'est-ce pas " gouverner à la florentine ", comme on disait jadis, que de prendre pour Premier ministre, chargé de recevoir M. Bourguiba, le directeur du *Courrier de la Colère*? N'est-ce pas " gouverner à la florentine " que de mettre au compte de la IVe République, le 15 mai 1958, " le trouble de l'armée au combat " alors que l'on a soi-même l'intention de faire ce que le trouble de l'armée (vulgairement appelé sédition) a pour objet d'empêcher ? » Et, un peu plus loin, je me mettais à la place des « dupes » : « Les vainqueurs du 13 mai, quand l'autodétermination a été proclamée en janvier 1960, et en avril 1961 l'indépendance accordée, ont eu le sentiment d'avoir été joués. Ils ont été privés de la révolution que les gaullistes leur ont subtilisée. Si le droit à l'insurrection était sacré contre le parti de l'abandon de la IVe République, si, comme le disait jadis le Premier ministre, le devoir d'obéissance cesse du jour où un gouvernement envisage d'aliéner une partie du territoire national, pourquoi les quatre généraux seraient-ils des criminels et non des héros malheureux ? Personnellement, je ne doute pas qu'ils aient été des criminels... »

Nouveau renversement de l'humeur que je m'explique mal, avec un titre déplacé, « Adieu au gaullisme ». Pourquoi cette violence verbale ? L'épisode de Bizerte m'avait indigné ; peut-être avais-je tort d'en rejeter la responsabilité exclusive sur le gouvernement français, mais cette sanglante leçon donnée à un chef d'État musulman, sincèrement ami de la France, me parut injuste, cruelle, contraire à notre intérêt national. Simultanément, la stratégie du Général, consistant à octroyer peu à peu, par des concessions unilatérales, l'enjeu même du conflit, me parut finalement déraisonnable. D'où les traits, percutants peut-être, mais à coup sûr désobligeants : « On ne décolonise pas dans le style de Louis XIV... Bidault aurait fait jusqu'au bout la guerre pour sauver l'empire français. Le général de Gaulle fait la guerre pour sauver le style de l'abandon. » Je critiquai, à ce moment-là, l'ensemble de la stratégie gaulliste : « Le Général n'a consenti à s'asseoir à la table des négociations qu'après s'être minutieusement dépouillé de toutes ses cartes, rien dans les mains, rien dans les poches... Alors que faire si le GPRA exige le Sahara ? »

Le FLN négocie en vainqueur : « Les nationalistes algériens ont peut-être perdu toutes les batailles sur le terrain, ils ont gagné la guerre, puisque le gouvernement français a reconnu que leur revendication était juste, s'est déclaré prêt à la satisfaire et souhaite " le dégagement "... » Aboutissement prévisible que j'avais annoncé dès 1957. « Si l'ALN parvenait à retenir 400 000 soldats français en Algérie, elle donnait au GPRA la " victoire militaire " dont ce dernier avait besoin. Car il était prévisible qu'à la longue le peuple français se lasserait d'une guerre dont la durée même démontrait l'injustice ou la vanité. »

Quant aux dernières lignes de l'article, dont je ne relis pas sans gêne la virulence polémique, elles contiennent malgré tout un passage valable : « Le Général a parlé de dégagement et non plus seulement de décolonisation, suggérant que l'abandon total — regroupement, puis rapatriement des Français d'Algérie et des musulmans qui veulent demeurer français — serait, en dehors d'un accord avec le GPRA, la solution inévitable. Que cet accord intervienne ou non, il est clair que rien ou presque ne sera sauvé de ce qui aurait pu être sauvé, il y a deux ou trois ans. » Aujourd'hui, le lecteur est tenté de répliquer : aurait-il pu sauver quelque chose ?

L'article suivant qui conclut la série, je le signerais encore puisqu'il constitue pour ainsi dire l'autocritique des précédents. « Ceux qui ont suivi dans cette revue des chroniques consacrées à la Ve République n'ignorent pas les hésitations de mes jugements. C'est la nécessité de mettre fin à la guerre d'Algérie qui me paraissait seule justifier la monarchie paternaliste introduite sous le couvert de la Constitution de 1958. Seule une négociation avec le GPRA offrait, à mes yeux, une chance d'y parvenir, la formule d'autodétermination n'ayant d'autre fonction que de camoufler la prédétermination du sort de l'Algérie, fixé en fait par l'accord entre le gouvernement français et le GPRA. Quand la présomption gaulliste semblait fermer la voie des négociations, l'exaspération l'emportait sur l'espoir. L'espoir renaissait avec le référendum de janvier 1961. Il cédait de nouveau la place à l'exaspération l'été dernier, après le drame absurde de Bizerte. » Je ne lésinai pas sur l'hommage dû à l'homme qui, « convaincu que le dégagement répondait à l'intérêt et à la vocation de la France, a risqué et sa vie et sa gloire pour aller jusqu'au bout de la décolonisation (naguère baptisée abandon par les siens) ».

Mais « “ gouverner à la florentine ” au XXe siècle comporte aussi un passif. Accuser l'homme d'action d'avoir payé trop cher le succès obtenu est facile. Dissimuler le coût de la ruse et de la duplicité serait plus facile encore ».

Position intermédiaire qui se voulait équitable. Je reproduisis les réquisitoires et des ultras et des libéraux, sans accepter ou rejeter aucun d'eux. D'un côté, « était-il nécessaire de prolonger de trois ans et demi “ la pacification ” pour en venir à la négociation politique, inévitable et indispensable ? Etait-il nécessaire de rompre les premières négociations d'Évian sur la question du Sahara pour proclamer soudain, au cours d'une conférence de presse, qu'aucun gouvernement algérien ne renoncerait à la souveraineté sur les sables et le pétrole ? ». D'un autre côté, « pourquoi la tournée des popotes ? Pourquoi avoir laissé les officiers s'engager solennellement vis-à-vis des populations si l'on était décidé à ne pas leur permettre de tenir leur serment ? Du “ je vous ai compris ” au référendum d'avril 1962, un Terrenoire n'aperçoit qu'une ligne droite sans courbe ni détour — *sancta simplicitas.* Les Français d'Algérie, les officiers y voient une suite de reniements odieux ou de ruses cyniques ».

A ce réquisitoire que je n'écartais pas purement et simplement, j'objectai un argument primaire mais décisif : la réussite, la réalité : « Tant que le Prince s'embarrasse dans ses propres filets, les critiques ont beau jeu. Du jour où il s'en est dégagé, il dispose d'un argument irréfutable : la route était peut-être longue, mais, du moins, elle m'a mené au but. Si j'avais pris une route plus courte, aurais-je réussi ? Le machiavélien qui a réussi *invoque* le *réel* contre des adversaires qui *évoquent* des *possibles.* La guerre civile, la révolte des OAS, a-t-on le droit de les reprocher au gouvernement si elles constituaient le prix à payer pour la fin de la guerre entre les Français et les nationalistes algériens ? »

Une fois de plus, je me définis moi-même face aux ultras d'un camp et de l'autre : « Les inconditionnels acclament les événements, même quand ceux-ci tournent en dérision leurs serments d'hier. Les adversaires dénoncent le général de Gaulle, même quand les événements accomplissent leurs espoirs d'hier. Est-ce être gaulliste ou antigaulliste de ne ressembler ni aux uns ni aux autres ? Dans la brochure intitulée *la Tragédie algérienne* qui souleva la colère de MM. L. Terrenoire, J. Soustelle et M. Schumann, j'avais employé l'expression “ l'héroïsme de l'abandon ”... Et pourtant... le général de Gaulle a poussé jusqu'à l'héroïsme la volonté d'abandon. La facilité était de poursuivre “ la pacification ”, l'intérêt supérieur de la France était de ne pas s'accrocher vainement aux derniers lambeaux de l'empire... Le général de Gaulle garde, et il gardera, à juste titre, le mérite historique d'avoir convaincu le pays que la décolonisation signifiait mutation et non défaite. Il n'a pas eu l'initiative de cette œuvre que les siens avaient longtemps paralysée. Il l'a menée à son terme en Algérie où elle risquait d'être tragique. »

Près de vingt ans se sont écoulés depuis les accords d'Évian et le départ en catastrophe des Français d'Algérie. La population d'Algérie compte vingt millions d'âmes, ce qui confirme, s'il en était besoin, l'argument qu'avançaient les adversaires de l'intégration. L'augmentation massive du prix des hydrocarbures modifie substantiellement les données du calcul que j'utilisai dans *l'Algérie et la République*. Si la France avait conservé la souveraineté sur le Sahara, elle paierait en francs une partie de son pétrole ou compenserait les achats de pétrole en devises étrangères par les ventes de ses excédents d'autres sortes d'hydrocarbures. Quoi qu'en aient écrit quelques historiens ou polémistes, l'anticolonialisme ou la prise de position en faveur de l'indépendance algérienne m'étaient dictés non par des considérations d'économie, mais par des convictions que l'on appellera indifféremment morales, politiques, historiques ou même, si l'on veut, d'intérêt national.

Je ne sais si nous devons condamner moralement, au bout de deux mille années, la conquête de la Gaule celtique par les Romains. Pour le moins, les conquérants devraient se référer chaque jour à la maxime de Montesquieu : « C'est à un conquérant de réparer une partie des maux qu'il fait. Je définis ainsi le droit de conquête : un droit nécessaire, légitime et malheureux qui laisse toujours à payer une dette immense, pour s'acquitter envers la nature humaine. » La conquête de l'Algérie, au siècle dernier, exigea au moins vingt années et quelques-uns des esprits éclairés de l'époque la jugèrent anachronique, vouée à l'échec. Ce que la conquête apporte éventuellement de bien disparaît nécessairement à partir du moment où les conquérants, plus d'un siècle après leur apparente victoire, doivent reprendre les armes pour perpétuer leur précaire domination. Les Algériens, en dépit de leur hétérogénéité (Arabes et Berbères), en dépit de l'absence d'une tradition étatique comparable à celle du Maroc, revendiquaient légitimement le droit de se bâtir un État et d'affirmer leur identité. Leur revendication s'accordait avec le mouvement historique des idées et l'intérêt bien compris de la France : la politique d'intégration, seule alternative à l'indépendance, la démographie et l'économie la rendaient impossible.

Quelques-uns des « libéraux », qui me reprochèrent *la Tragédie algérienne*, me disent aujourd'hui amicalement : les événements vous ont donné raison, mais étaient-ils déjà, en 1957, aussi déterminés à l'avance que vous l'affirmiez ? Étienne Borne auquel je rappelai son article sur *Espoir et Peur du siècle* m'écrivit : « En ce qui concerne l'affaire algérienne, sur laquelle j'ai en effet beaucoup écrit en son temps, il convient de se souvenir que j'ai appartenu à cette aile du MRP qui a souhaité et espéré une évolution de l'Algérie dans un sens libéral. Et je ne parle pas de tout ce que j'ai écrit dans *Terre humaine* touchant l'évolution de la Tunisie et du Maroc vers une autonomie d'abord interne... et contre la colonisation. C'était peut-être l'une de ces illusions de « troisième force » pour lesquelles tu as ton jugement si sévère, non sans quelques fortes raisons. Et il ne s'agissait pas seulement de vœux pieux. J'appartenais à la Commission exécutive du MRP qui, en 1958, à une courte majorité, a refusé la confiance à Bidault et l'a empêché de constituer un ministère Algérie française. Et c'est parce qu'il avait parlé d' « armistice » dans un article d'un journal alsacien qu'une fois président du Conseil, Pflimlin a déclenché l'insurrection de l'armée qui a eu raison de la IVe République. Il me semblait donc à cette époque qu'en concluant à l'indépendance pure et simple alors que tout n'était pas encore joué, tu n'étais pas à ta vraie place, disons pour faire court et sommaire, c'est-à-dire centriste. Tu avais sans doute raison selon un certain réalisme qui pesait les forces et les masses, et c'est ce que je voulais dire par le méchant raccourci polémique « pensée typiquement de droite ». Le rêve d'une fédération franco-algérienne permettant coexistence et coopération entre les communautés était sans doute utopique. Tu as été un des premiers à l'apercevoir et je te rends volontiers les armes à ce sujet... »

Jean Daniel, lui aussi, dans une conversation récente, soutint que l'affaire algérienne ne devait pas inévitablement suivre le cours qu'elle prit. Les dirigeants de la rébellion ne souhaitaient pas la fuite massive de tous les Français. Ils se querellèrent avec passion et violence ; certains d'entre eux envisagèrent de traiter sans obtenir immédiatement l'indépendance à laquelle ils aspiraient. Pour ma part, je ne rejette pas ces légitimes regrets, je n'affirme pas que le cours des événements ne pouvait pas être dans le détail autre qu'il a été. Moi aussi, dans ma discussion avec Chaban-Delmas, j'évoquai la confédération France-Maghreb proclamée au palais de Versailles. Je n'ai pas recommandé, en 1957, l'indépendance immédiate et le rapatriement des Français : je plaidai pour le droit à l'indépendance des Algériens. Or ce droit, les pieds-noirs n'étaient pas disposés à le reconnaître.

Je ne pense pas que l'importante littérature sur la guerre d'Algérie publiée depuis vingt ans m'amène à réviser les jugements prononcés il y a une génération. Nous en savons davantage sur les discordes à l'intérieur du FLN et du GPRA, sur la visite secrète à l'Élysée des dirigeants d'une wilaya, sur l'épuisement de la guérilla à l'intérieur. L'OAS et les attentats contre les pieds-noirs, dès que l'armée française cessa de sauvegarder la vie des personnes, ont précipité l'exode en catastrophe des Français d'Algérie — aboutissement que préparaient les décisions de 1955-1956. En 1957, j'annonçai qu'un jour, après des années de guerre, le pays abandonnerait la partie sans rien sauver. Il en fut ainsi ; peut-être devait-il en être ainsi. Les tragédies se déroulent, inexorables, jusqu'au bout. Les harkis, pour la plupart, furent livrés à la vengeance des vainqueurs sur l'ordre peut-être du Général lui-même qui, par le verbe, transfigura la défaite et camoufla les horreurs.

En ce qui me concerne, je ne regrette ni les deux brochures, ni les prises de position entre 1958 et 1962. Une fois de plus, comme entre 1940 et 1944, les Français s'accusèrent les uns les autres de trahison. Dans leur majorité, ils acceptèrent la politique du gouvernement et obéirent aux ordres de mobilisation. J.J. Servan-Schreiber, hostile à la guerre d'Algérie, répondit à l'appel et servit en « lieutenant en Algérie ». D'autres Français, comme Francis Jeanson, servirent dans les rangs du FLN ou, plus précisément, créèrent des réseaux clandestins de soutien au FLN. De nombreux intellectuels, les 121, parmi lesquels J.-P. Sartre, signèrent une motion qui invitait ou encourageait les jeunes Français à déserter.

Je me trouvais à Harvard quand la motion des 121 fut connue ; immédiatement, quelques professeurs américains s'employèrent à faire signer une motion approuvant les 121 et dénonçant les poursuites judiciaires ouvertes contre eux. Pendant quelques jours, je discutai avec des dizaines de professeurs américains et je dissuadai beaucoup d'entre eux de signer un texte pareil : « Inviter les jeunes à déserter, leur disais-je, ce n'est pas dangereux pour les intellectuels et J.-P. Sartre, c'est dangereux pour ceux qui suivront leur conseil. Je comprends le jeune qui refuse de combattre les Algériens, mais je déteste l'intellectuel en chaise longue qui se substitue à la conscience des appelés. A eux de choisir et à nous de leur laisser le choix. Si vous, vous intervenez dans ce débat, vous prenez une responsabilité supplémentaire : vous poussez les Français un peu plus loin dans la direction de la guerre civile, car le refus de la mobilisation équivaut à la rupture du pacte national. Que penseriez-vous, vous Américains, si demain, nous, Français, nous invitions vos jeunes gens à déserter le jour où nous jugerions injuste une guerre que votre gouvernement mènerait ? » L'argument impressionna mes interlocuteurs. La motion d'appui aux 121 fut retirée ou ne récolta pas toutes les signatures escomptées (mon souvenir est vague sur ce point).

En octobre 1960, alors que la « guerre des motions » faisait rage, je rédigeai un article sur *la Trahison* où je repris et mis au point la préface écrite pour un livre d'André Thérive. Article qui, une fois de plus, constituait une plaidoirie passionnée contre la guerre civile. Le débat portait avant tout sur les réseaux créés par Francis Jeanson. Qu'écrivait Jeanson ? « Je sais bien qu'on nous accuse de trahison. Mais je me demande : qui et quoi trahissons-nous ? *Juridiquement*, nous sommes plongés dans la guerre civile, puisque les Algériens sont officiellement considérés comme des citoyens français à part entière, donc nous ne trahissons pas la France. *En fait*, la communauté nationale n'existe plus : où sont ses grands axes, où sont ses lignes de force, où sont les points fixes de sa structure ?... Aucun civisme de pure forme ne me fera admettre qu'il existe encore des " conduites légales " et des devoirs communs quand le président de la République lui-même — le sauveur de la France — se fait le champion de l'illégalité en prenant le pouvoir grâce à un coup de force et en n'appliquant pas une Constitution qu'il a lui-même fait voter dans ces conditions-là. »

Laissons le premier argument : la guerre d'Algérie est juridiquement une guerre civile puisque les Algériens bénéficient, sur le papier, de la citoyenneté française. F. Jeanson se conduirait donc en rebelle, non en agent d'une puissance étrangère. (En fait les Algériens n'interprétaient pas leur combat comme une guerre civile.) Reste l'argument essentiel : la désertion ; les réseaux de soutien au FLN ne font qu'entériner et symboliser la rupture de la communauté. Fallait-il, en 1960, se résigner à prendre acte de cette rupture et en tirer ces conséquences ? Je répondis *non* : « Je suis de ceux qui n'approuvent pas la politique des derniers gouvernements de la IVe République et celui de la Ve. Pourtant, je ne me sens ni tenu ni même tenté de combattre avec et pour le FLN, si l'on préfère avec et pour ceux des Algériens qui réclament l'indépendance. »

Une comparaison entre les régimes totalitaires et les régimes démocratiques éclairait le cas de conscience. « L'État totalitaire, en rejetant ses adversaires hors de la communauté, en assimilant les opposants à des traîtres, innocente pour ainsi dire ceux des opposants qui se jugent libérés de toute obligation. » Il n'en va pas de même dans les démocraties : le citoyen a juré d'obéir à la loi de la majorité : serment politique et non pas national. Pour violer son serment, il doit avoir des raisons irrésistibles.

Je poussai l'hérésie jusqu'à plaider que la rupture de juin 1940 n'avait pas ce caractère radical. Dans la mesure où le gouvernement de Vichy, encore à demi autonome, jugeait conforme à l'intérêt de la France une neutralité temporaire, les gaullistes, qui se dressaient contre lui, opposaient non une France à une autre, mais une politique à une autre. Tel était pour moi — jusqu'à novembre 1942 — le sens que je donnais au conflit que symbolisèrent les deux noms du maréchal Pétain et du général de Gaulle : « J'étais à l'époque, et je le suis resté, convaincu qu'un peuple aussi porté aux factions que le peuple français n'a une chance de sauver sa propre unité et de survivre que par un effort incessant contre ses démons, contre la tentation de chacun des partis de revendiquer le monopole du patriotisme, de prétendre seul incarner la nation. »

J'énumérais toutes les raisons pour lesquelles, en 1961, le citoyen n'avait pas de motif irrésistible de rompre le pacte national : pour l'essentiel les libertés personnelles et politiques subsistaient ; le gouvernement n'ignorait pas la volonté du peuple ; certes, la guerre me paraissait plutôt injuste que juste, mais la minorité française en Algérie ne devait pas être oubliée. Le respect des minorités appartient aussi à l'héritage démocratique. On ne peut pas appliquer mécaniquement, abstraction faite des circonstances, le principe d'autodétermination : « L'homme de droite qui se déclare en faveur des négociations avec le FLN et d'une évolution vers l'indépendance contribue à susciter, d'un côté et de l'autre, l'esprit de compromis faute duquel la catastrophe d'une guerre interminable ou d'une sécession tragique est fatale. Le Français qui s'engage dans les troupes du FLN exerce-t-il une influence de même sorte ? »

Je ne me dissimulai pas les équivoques de ce débat : « On ne combat pas avec des nationalistes étrangers, même si l'on juge leur cause plus juste que celle de son propre pays. En sens contraire, on dirait : est-ce assez de désapprouver passivement une politique que l'on estime injuste ? » L'article me valut une lettre d'approbation de M. Merleau-Ponty, qui rédigea une autre motion que je signai, en opposition à celle des 121. A la Sorbonne, au paroxysme des attentats OAS, en une réunion organisée par l'ensemble des professeurs, en présence du doyen, je plaidai pour l'unité nationale par-delà une crise qui ne menaçait pas la démocratie (je ne prenais pas au tragique l'OAS, désavouée par la masse des Français).

Dans les jours qui suivirent le 13 mai 1958, les orateurs, en Algérie, ne manquaient pas de mentionner mon nom pour soulever des hurlements d'indignation, voire de haine. Mon homonyme, Robert Aron, en 1960, me désigna parmi ceux qui, faute de croire à la France, voulaient sacrifier l'Algérie. Dans une série d'articles sur la révolution de mai 1958, un énarque, avec lequel j'ai repris depuis lors des relations cordiales, faisait figurer ma brochure parmi les « hontes » qui avaient suscité la révolte.

La plupart des injures qui, de tous les côtés, convergèrent vers moi, par leur caractère public, me semblaient presque anonymes ; elles me touchèrent rarement. Vers la fin des années 60, je rencontrai plusieurs fois une dame réfugiée d'Algérie. Finalement, mise en confiance, elle me dit franchement : « Comme nous vous avons détesté quand vous avez publié votre *Tragédie algérienne* ; aujourd'hui, nous nous demandons comment nous avons pu être aussi aveugles. Au fond, vous seul vous êtes soucié de nous. Vous nous l'avez dit : " Quand la France abandonnera l'Algérie, elle ne trouvera pas pour vous l'argent qu'elle dépense vainement pour mener la guerre. " »

XV

LA SOCIÉTÉ INDUSTRIELLE

Je pris pour thème de mon premier cours à la Sorbonne en 1955-1956 *la Société industrielle.* A Tübingen, en allemand, j'avais traité le même sujet, mais plus brièvement.

L'idée première remontait à plusieurs années en arrière, en fait au lendemain de la guerre. J'avais été frappé par le contraste (et la similarité) entre les théories de la classe dirigeante et celles des classes sociales. Le fascisme italien utilisait volontiers la conception Mosca-Pareto de la classe dirigeante, cependant que les marxistes ne connaissaient que les classes sociales ; ils confondaient la classe socialement dominante avec la classe dirigeante. Or le parti bolchevique, maître du pouvoir, représentait non la classe ouvrière, mais une classe dirigeante, montée au premier rang après l'élimination de l'ancienne classe dirigeante.

Certes, la révolution soviétique, à la différence du fascisme et même du national-socialisme, avait bouleversé les rapports de production, dans l'industrie et l'agriculture, éliminé les propriétaires des usines, puis, par la collectivisation agraire, les propriétaires du sol. Cependant cette révolution d'inspiration marxiste n'aboutissait pas, selon la prophétie marxiste, à la dictature du prolétariat mais, conformément au pessimisme parétien, à l'accession d'une nouvelle classe dirigeante. De ce fait, les parétiens interprètent aisément, selon leur schéma, l'aventure des bolcheviks. De leur côté, les marxistes interprètent le fascisme selon leur schéma : pseudo-révolution puisqu'elle ne bouleverse pas les rapports de production et que les « puissances d'argent » se contentent de déléguer à l'État d'autres chargés de pouvoir et exercent leur domination par l'intermédiaire d'un autre mode de gouvernement.

J'avais entamé, dès les années 40, un ouvrage sur la confrontation Marx-Pareto, confrontation qui conduisait à une analyse comparative des révolutions du XXe siècle, de droite et de gauche, des fascismes et du communisme. Il subsiste, dans une armoire, quelques centaines de pages de ce manuscrit. Je le laissai dormir, quand, à la Sorbonne, après

Tübingen, j'entrepris de remettre en circulation le concept de société industrielle.

Là encore, plusieurs idées se retrouvaient dans mon projet. J'avais été impressionné, comme bien d'autres, par le livre de Colin Clark, *The Conditions of economic Progress.* Le calcul du produit national permettait de situer sur une même ligne ascendante les économies nationales, aussi bien soviétiques que capitalistes. Les économies modernes, en dépit de la diversité des régimes et des idéologies, comportent certains traits communs, en particulier la potentialité de croissance. L'Union soviétique, par les plans quinquennaux et la publication triomphante des taux de croissance du produit national, avait pour ainsi dire lancé un défi aux Occidentaux. Elle entendait démontrer en acte la supériorité de son régime ; elle l'emporterait sur le capitalisme par l'irrésistible ascension de son produit national et de sa productivité.

La théorie de la croissance, que je retrouvai en France sous la plume de Jean Fourastié, suggérait d'elle-même la théorie — ou peut-être, plus modestement, le concept — de société industrielle. La croissance se caractérisait, des deux côtés de l'Europe, par le déplacement de la main-d'œuvre du secteur primaire vers les secteurs secondaire et tertiaire ; par l'accumulation du capital, par l'élévation de la productivité du travailleur. Il était donc légitime et nécessaire d'analyser les traits communs aux économies modernes, de type soviétique ou de type occidental, qui comportent, les unes et les autres, la caractéristique, historiquement originale, d'une expansion fondée sur le progrès de la productivité du travail alors qu'à travers les siècles la reproduction des alternances de progrès et de déclin semble avoir été la règle (du moins l'expansion était-elle lente).

Les trois cours qui devinrent sept années plus tard les *18 Leçons sur la société industrielle, la Lutte des classes* et *Démocratie et totalitarisme*[1] englobaient les thèmes qui mobilisaient mes intérêts depuis une dizaine d'années ; comparaison des économies et sociétés des deux côtés de l'Europe, la diversité des régimes et des modalités de la croissance, les diverses époques de la croissance, la structure sociale selon les régimes et les moments de la croissance, la relative autonomie du régime politique, l'influence de celui-ci sur le mode de vie et les relations entre les classes, etc.

Je m'en voudrais de lasser le lecteur par le résumé des idées de ces livres qui, pour la plupart, valent par les études précises qu'elles exploitent ou inspirent, et non pas en tant que telles. Mieux vaut s'en tenir aux idées directrices des trois cours.

Commençons par la notion même de société industrielle. L'expression vient, on le sait, de Saint-Simon et d'Auguste Comte. Au début du siècle dernier, les esprits portés à la philosophie de l'histoire — et celle-ci était

1. Il en existe un quatrième, consacré aux pays du tiers monde, que je n'ai pas jugé digne de la publication. J'en conserve la dactylographie.

à la mode — s'interrogeaient sur le sens, l'originalité de la société sortie de la Révolution française. Saint-Simon et les saint-simoniens donnèrent une interprétation des temps nouveaux, interprétation qui parcourut l'Europe et qui exerça une influence durable. Ce qui caractérise la société moderne, c'est désormais l'industrialisme, système de travail ou de production. Les gestionnaires de l'industrialisme, les banquiers, les ingénieurs forment la classe dirigeante alors que les légistes, les fonctionnaires, les diplomates, les militaires apparaissent sinon parasitaires, du moins dépourvus d'une compétence irremplaçable. Issu du saint-simonisme, Auguste Comte élabora un système global. Le type industriel de société s'oppose au type militaire du passé ; l'exploitation des ressources naturelles se substitue à l'enrichissement par la conquête et le butin. Au-delà de la phase transitoire, le travail pacifique mettra fin aux guerres, héritage de l'âge théologique et militaire.

Il n'est pas illégitime de présenter Marx dans la suite des saint-simoniens, en dépit du langage hégélien qu'il emploie. Lui aussi pose la société civile, équivalent du système industriel, comme la réalité substantielle, dont l'État n'est qu'une expression. Les conflits à l'intérieur de la société civile deviennent, sous le nom de lutte de classes, le moteur du mouvement historique mais, de même que dans le saint-simonisme, c'est le système industriel qui constitue l'anatomie ou la structure de la collectivité tout entière. Seule la transformation radicale du système industriel accomplira une véritable révolution, à la différence d'une crise, violente ou non, qui affecterait exclusivement les détenteurs ou l'exercice du pouvoir étatique.

Les circonstances m'incitèrent à reprendre le concept de société industrielle. Bien entendu, les Soviétiques appellent socialiste leur formation sociale et capitaliste celle des Occidentaux. Mais cette antithèse se fonde sur un postulat : le régime économico-social se définirait ou se caractériserait par le type de propriété des moyens de production et par la modalité du prélèvement de la plus-value, par la modalité de régulation, planification ou marché. Sans mettre en cause la légitimité de l'antithèse propriété étatique-propriété privée, une comparaison entre les systèmes industriels respectifs des économies dites socialistes et capitalistes me semblait également légitime. La notion de société industrielle servait d'idée directrice ou de conclusion à cette étude comparative.

Bien que l'emploi du terme « société industrielle » soit devenu courant, la notion elle-même, telle que j'en usais dans les cours et telle qu'elle est entrée dans le discours de tous les jours, prête à controverse. L'expression de société industrielle désigne une abstraction, un concept ou encore un type-idéal. Il convient de dégager les traits qui définissent une société industrielle et qui se trouvent dans les sociétés dites capitalistes aussi bien que socialistes. C'est la définition de la société industrielle en tant que telle, qui justifie ou non l'emploi de la notion.

J'esquissai une définition à partir de l'unité de production : industrielle serait la société dans laquelle les grandes entreprises constituent la forme caractéristique de l'organisation du travail. De la nature de ces entreprises se déduit la séparation de la famille et du lieu (de l'unité) de travail. L'entreprise introduit un type non pas radicalement nouveau mais plus accentué de division du travail. La division technique du travail s'ajoute à la division traditionnelle des personnes entre des emplois distincts. L'entreprise suppose une certaine accumulation du capital, imposée par les exigences de la compétition. La nécessité du calcul économique se déduit de l'organisation et de la compétition. Enfin l'extension des entreprises entraîne une concentration ouvrière qui, à son tour, entraîne, presque inévitablement, une tension entre employeurs et employés, l'existence de syndicats capables, grâce au nombre de leurs membres, de discuter avec les dirigeants.

Dans tous les systèmes économiques, certaines fonctions doivent être remplies : la répartition des ressources collectives entre les divers emplois, la régulation des rapports entre les producteurs. Les cinq caractères que j'avais mentionnés pour définir la société industrielle laissent de côté les deux traits qui différencient socialisme et capitalisme, à savoir la propriété des instruments de production et la régulation, par le plan ou par le marché, des rapports entre les entreprises.

Les historiens retracent les étapes principales de ce qu'ils appellent la révolution industrielle ; les sociologues du début du XIXe siècle se plaçaient au-dessus des événements. Personnellement, je suivis la ligne d'Auguste Comte et, le plus souvent, je fus tenté de retenir l'application de la science à la production (et la croissance qui en résulte) en tant que trait distinctif de notre époque (bien que, dans la cinquième leçon, je ne misse pas l'accent sur le lien entre la science et la production, celui-ci était implicite à partir de l'entreprise, de la concentration et du calcul rationnel). J'insistai aussi, en de multiples circonstances, sur la prédominance de l'esprit industriel, qui ne se manifeste pas seulement dans ce que l'on appelle désormais le secteur secondaire (sidérurgie, automobiles, en gros la production des biens manufacturés). Auguste Comte avait prévu que l'agriculture deviendrait aussi industrialisée que l'industrie au sens étroit du terme.

Les Soviétiques tirèrent à boulets rouges contre la notion elle-même, qui leur paraissait incompatible avec leur marxisme. Marx lui-même aurait-il rejeté le principe de l'analyse comparative ? Nul n'en décidera avec certitude. En fait, Marx, en un texte célèbre [1], suggéra la valeur exemplaire du devenir anglais et, dans d'autres textes, suggéra, en sens contraire, que le processus capitaliste, en lui-même inévitable pour l'humanité tout entière, pourrait revêtir des formes différentes selon le passé des diverses sociétés précapitalistes. De plus, la révolution soi-disant socialiste ayant eu lieu dans un pays faiblement capitaliste, il ne me semble pas contraire à l'esprit du marxisme de comparer des phases homologues des développements soviétique et américain, les phases

1. Préface du *Capital*.

étant déterminées par la production par tête ou par la répartition de la main-d'œuvre entre les divers secteurs.

Les Soviétiques ne l'entendaient pas de cette oreille. Mettre socialisme et capitalisme dans une même catégorie ou les rattacher à un même type, c'est commettre un crime de lèse-marxisme. Entre le capitalisme et le socialisme, il doit, avec évidence, se creuser un abîme. Les deux régimes ne doivent pas se situer sur le même plan, l'un et l'autre avec ses mérites et ses démérites. Le socialisme, selon le marxisme-léninisme, surmonte les contradictions du capitalisme et conduit l'humanité vers la fin de la préhistoire, bien que le socialisme soviétique d'aujourd'hui coure après les États-Unis, en tête du peloton des pays industrialisés.

Professés durant l'année 1955-1956, les *18 Leçons sur la société industrielle* parurent en 1962 dans la collection *Idées* dirigée par François Erval. Les sténotypies des *Cours de la Sorbonne*, qui reproduisaient ma parole sans correction ou presque, avaient été vendues à plusieurs milliers d'exemplaires [1] ; je me refusai à publier ces cours tels quels en livre. J'y voyais l'ébauche du vrai livre qui traiterait simultanément ces deux thèmes, historique et théorique, soviétisme-capitalisme, Marx-Pareto. La naissance de la collection *Idées* m'offrit une solution que je tins encore pour provisoire : publiés dans une collection bon marché, les cours pourraient être repris, élaborés, mis au point pour le véritable ouvrage dont je continuai de rêver.

Comme toujours en pareil cas, le succès inespéré résulta d'un concours de circonstances. A la suite de la révolution hongroise et du discours de Khrouchtchev, une vague de défections laissa bon nombre de communistes déçus sur le rivage, en mal d'une idéologie de remplacement. Les *18 Leçons* apaisèrent de quelque manière ce besoin. Non qu'elles fussent de nature à donner un objet de foi ou une vision globale ; elles éclairaient notre monde, à la fois homogène et divisé. A ma grande surprise, il m'arrive encore de rencontrer des personnalités intellectuelles, parfois des savants, qui m'assurent que cette brochure, à la limite de la vulgarisation, leur servit grandement et les a instruits.

Le deuxième cours, celui que je juge scientifiquement le meilleur des trois (d'accord en cela avec la plupart des lecteurs compétents), analyse les rapports de production, si je recours au vocabulaire marxiste, les classes sociales, si j'use d'un vocabulaire neutre. Il répond à une interrogation majeure : en quel sens y a-t-il une lutte de classes dans les sociétés industrielles de type occidental ? Dans les sociétés de type soviétique ? Pour donner une réponse à cette interrogation, il me fallait parcourir les étapes de la théorie — de l'inépuisable théorie — des classes. Toutes les sociétés modernes industrialisées sont complexes ; d'où la constatation évidente : les millions d'hommes et de femmes au travail occupent des emplois différents, les uns dans les usines, les autres sur le sol, les autres

1. Ma fille Dominique Schnapper corrigea et améliora le texte du *Cours* de la Sorbonne.

encore dans les magasins ou les administrations. La majorité d'entre eux, majorité d'autant plus grande que se poursuit la croissance du produit national, se compose de salariés ; en d'autres termes, ils sont intégrés dans des entreprises, organisés hiérarchiquement. Dans la France d'aujourd'hui, un peu plus de 83% de la main-d'œuvre est faite de salariés. Il en résulte une pluralité de critères de différenciation sociale : manuels et non-manuels, salariés et indépendants, chefs d'entreprise (ou personnel de direction) et salariés, agriculteurs et ouvriers, etc. De toutes les différenciations possibles, l'une domine encore l'esprit de la plupart des observateurs : les propriétaires ou gestionnaires des instruments de production d'un côté, les prolétaires de l'autre, ces derniers étant les salariés qui travaillent sur des moyens de production qui ne leur appartiennent pas [1].

Entre les employés et les employeurs se développe, plus ou moins vive, une opposition qui, en réalité, porte sur la répartition des revenus (ou de la plus-value) de l'entreprise. Plus généralement, une lutte ouverte ou masquée pour la distribution du produit national agite les sociétés industrielles de type occidental. La lutte entre les salariés et les employeurs (éventuellement l'État) se manifeste de la manière la plus visible et ressemble, au premier abord, à la lutte de classes conçue par Marx. En fait, il en va autrement.

Pour que la rivalité des groupes sociaux pour la répartition du revenu national devienne une authentique lutte de classes, il faut deux conditions nécessaires : une conscience de classe des salariés ou prolétaires d'abord, des revendications de ces derniers allant au-delà des améliorations matérielles ou morales de leur condition ensuite ; ou encore, pour illustrer ces deux conditions en un langage direct : les ouvriers ont-ils conscience de former une collectivité propre, distincte des autres collectivités à l'intérieur de cette société ? Cette conscience de séparation (ou d'identité propre) s'accompagne-t-elle d'une hostilité à l'égard d'autres collectivités ou de la société tout entière ? Est-il vrai que les ouvriers n'aient pas de patrie ? Enfin, cette classe, réelle par la conscience de ceux qui en font partie, est-elle animée par la volonté de révolte ? Se dresse-t-elle non pas contre tel ou tel trait de l'ordre actuel, mais contre le régime lui-même ?

Dans toutes les sociétés de type occidental, la lutte de classes pour la répartition du produit national constitue une donnée normale. La syndicalisation généralisée entraîne le chaos des protestations et des revendications ; au choc vertical des employés et des employeurs s'ajoutent les heurts horizontaux entre les différentes catégories de producteurs. Cette sorte de lutte de classes, surface de la démocratie moderne, n'apparaît pas dans les sociétés de l'Est européen. Non que la société de type soviétique atteigne à une telle homogénéité que les conflits d'intérêts en dis-

1. Les sociologues d'aujourd'hui utilisent plus volontiers une distinction ternaire : la classe supérieure ou dominante, les classes moyennes, les classes inférieures.

paraissent. L'apparente homogénéité résulte du régime politique et social lui-même. Les groupes de pression n'existent pas ou, tout au moins, n'ont pas d'existence légale. Les syndicats ouvriers encadrent les masses plus qu'ils n'en expriment les revendications. Le socialisme à la sauce tartare élimine, en effet, cette sorte de lutte de classes, non par la réconciliation mais par la réduction au silence des groupes eux-mêmes. Quant à la forme verticale de la lutte de classes, employés contre les employeurs, elle est, elle aussi, étouffée par le pouvoir et l'idéologie. Les grèves, qui équivalent à des révoltes en Europe orientale puisqu'elles y sont interdites (la Pologne constitue un cas à part), témoignent d'une banale vérité : il ne suffit pas que l'État prenne en charge la propriété et la gestion des entreprises pour que la tension entre les ouvriers et les directeurs s'évanouisse. La lutte verticale des classes disparaît en apparence dans les sociétés de type soviétique, non grâce à l'harmonie restaurée ou à la disparition des classes mais par la toute-puissance de l'État et la suppression des libertés, en particulier de la liberté d'association. Le surgissement des syndicats polonais *Solidarité* fit éclater aux yeux la réalité secrète des sociétés soi-disant sans classes.

L'idée dominante et peut-être la moins banale du deuxième cours, c'était la mise en relation de la structure sociale et du régime politique — idée issue de la réflexion sur Marx-Pareto. Dans la mesure où la lutte de classes implique la conscience et l'organisation des classes, il dépend de l'État, de la législation, que cette lutte se manifeste ou non et même, dans une certaine mesure, qu'elle existe ou non. Probablement les ouvriers soviétiques font-ils, eux aussi, la distinction entre « nous » et « ils », ces « ils » étant les dirigeants, les privilégiés qui vivent autrement que les ouvriers et en contrôlent le travail, mais il se peut que, faute de liberté de presse et d'organisation, les prolétaires ne passent pas de la conscience d'identité à la conscience d'opposition, de revendication ou de révolte.

Certes, beaucoup dépend de la représentation que les « nous » se font des « ils ». Dans les sociétés occidentales, les « ils » sont les « patrons », les chefs d'entreprise qui passent pour les détenteurs des moyens de production, même s'ils ne sont légalement que des salariés. Si le régime soviétique accomplissait son idéal, les « ils » différeraient en nature des chefs d'entreprise ou des patrons occidentaux. Tout indique qu'il n'en est rien : les dirigeants apparaissent aux ouvriers comme des dirigeants, des chefs d'entreprise et des privilégiés. Mais, à la différence des patrons occidentaux, ces chefs d'entreprise soviétiques ne se séparent guère de l'ensemble du pouvoir, de l'État et du parti. Membres de la Nomenklatura, ils ne sont guère moins éloignés des ouvriers que le sont les patrons de Renault ou de l'Air Liquide.

Rien n'empêche d'interpréter le régime soviétique à l'aide des concepts marxistes. Les personnes privées ou morales, les patrons en chair et en os ou les sociétés anonymes y ont perdu la propriété des moyens de production, mais les ouvriers ne l'ont pas acquise sinon par l'intermédiaire symbolique du parti qui se confond en idée avec eux. L'État lui-même, accaparé par le parti, devient le propriétaire quasi exclusif des moyens de production ; la bureaucratie du parti et de l'État « exploite » les travailleurs comme le faisaient auparavant les propriétaires privés. Mais cette interprétation suggère que l'État n'est pas toujours l'expression des détenteurs des moyens de production ; ici, en sens inverse, c'est l'État, ou plutôt la minorité maîtresse du pouvoir politique qui détient les moyens de production.

Les révolutions marxistes-léninistes illustrent la conception parétienne de la classe dirigeante et des révolutions. Une minorité s'empare du pouvoir par les armes ou, plus rarement, par un procès paralégal et réorganise la société selon son idéologie. Les révolutions fascistes n'en diffèrent pas, pour l'essentiel, en ce qui concerne la phase de la prise du pouvoir. Une fois la nouvelle élite installée, elle n'applique pas les mêmes conceptions. Il va sans dire que les marxistes-léninistes détestent la théorie de Mosca-Pareto sur les classes dirigeantes, de même qu'ils refusent la notion même de société industrielle. Le régime marxiste-léniniste, selon ses fidèles, ne doit pas constituer une espèce d'un genre, une modalité d'un type, mais un achèvement historique, une œuvre unique de l'humanité, ce qu'il est, en effet, mais dans le royaume des ténèbres.

Comparer les régimes en fonction de la minorité maîtresse de l'État, c'est commettre aussi un crime de lèse-marxisme-léninisme : c'est remettre les régimes fondés sur la toute-puissance du parti dans le rang, leur enlever leur originalité absolue, les rapprocher de tous les autres tout en mettant en lumière leurs traits propres. La synthèse de Marx et de Pareto s'opère sans difficulté majeure. En toute société moderne industrialisée, il existe des catégories dirigeantes, j'entends par là des minorités qui occupent des positions stratégiques, exercent une influence sur les esprits des autres hommes et sur la gestion de la société. J'énumérai, en tant que catégories dirigeantes, les propriétaires ou gestionnaires des forces de production, la classe politique au sens étroit du terme, les grands fonctionnaires, les meneurs de masses (les chefs des syndicats et ceux des partis de masses), les intellectuels et les dignitaires de l'Église, les chefs de l'armée. Dans les régimes communistes, les hommes du parti se veulent à la fois classe politique, gestionnaires de l'économie nationale et prêtres de la religion séculière. En d'autres termes, ils tendent à unir dans leurs mains pouvoir temporel et pouvoir spirituel, l'exercice du pouvoir proprement politique et celui du pouvoir administratif. Dans les pays de l'Est européen, une sorte de pluralisme, surtout en Pologne et en Hongrie, s'affirme progressivement. En revanche, en Union soviétique, le règne du parti se maintient sans modifications sensibles.

Dans les régimes de type occidental, les différentes catégories dirigeantes ne s'unissent pas en un parti ; selon les pays, les relations entre les gestionnaires des moyens de production et les meneurs des masses sont plus ou moins conflictuelles. De mêmc, selon les pays, les relations entre les gestionnaires des moyens de production et la classe politique sont plus ou moins intimes. Au temps dc la république radicale, les hommes politiques ne venaient pas des mêmes milieux sociaux que les industriels ou les banquiers. Sous la Ve République, avant 1981, la classe politique se distingue peu de la haute administration et celle-ci, à son tour, se distingue peu des milieux dirigeants de l'économie. En un sens, ces catégories dirigeantes tendent à s'unir en une classe dirigeante au sens banal du terme. Les diverses catégories dirigeantes, en raison d'une origine commune, d'une coopération permanente, prennent une certaine conscience de leur identité, de leur intérêt commun. L'autonomie des meneurs de masses et les règles constitutionnelles sauvegardent les libertés individuelles.

L'alternative parti unique ou pluralité des partis en tant que critère de classification prête à contestation, mais elle me paraît aujourd'hui encore acceptable. La compétition légalement organisée pour l'exercice du pouvoir constitue effectivement la réalité de la démocratie moderne. Celle-ci n'exige pas seulement que des partis multiples existent, il faut aussi que le parti vainqueur tolère à l'avance sa défaite éventuelle à la prochaine consultation populaire. Il faut encore que le parti, maître provisoire du pouvoir, exerce celui-ci conformément à la loi constitutionnelle et aux lois ordinaires. C'est pourquoi j'ai appelé d'un terme peut-être barbare les régimes de type occidental « constitutionnels-pluralistes », par opposition aux régimes de parti unique, dont le régime soviétique représente la forme parfaite, le parti unique accaparant l'autorité suprême, séculière et spirituelle ou idéologique.

Il ne manque pas de régimes, qui ne relèvent ni du pluralisme constitutionnel ni du monoparti totalitaire. Mais l'opposition que je dressais, centrale, dans la théorie des régimes politiques des sociétés industrialisées n'exprime pas seulement un fait d'expérience : c'est à partir de la monopolisation du pouvoir par un parti qui se déclare lui-même le maître exclusif de l'État que se sont développées les aventures de Hitler et de Staline. De plus, le pluralisme partisan symbolise une des valeurs démocratiques par excellence, le dialogue. Le parti unique de type marxiste-léniniste se réserve le droit de la parole légitime. En revanche, la pluralité des partis légaux légitime la diversité des langages et le dialogue permanent des citoyens entre eux et avec les détenteurs du pouvoir.

Les trois petits livres, parlés plutôt qu'écrits, n'auraient pas remplacé le livre auquel je songeais depuis des années, même si je les avais publiés en un seul volume. En raison de l'auditoire auquel je m'adressais, je négligeai de quelque manière les problèmes scientifiquement les plus difficiles, par exemple la distinction entre l'analyse des *régimes singuliers*, historiques, dans leurs traits concrets, et l'analyse de *types-idéaux* ; de même, j'utilisai le concept de société industrielle sans trop me soucier d'en préciser le statut et la nature. Le découpage des cours n'alla pas sans inconvénients : les relations entre les élites, les partis et les gouvernements sont traitées brièvement, non pas en un seul cours mais en plusieurs. Dans les *18 Leçons*, la croissance est constatée, décrite sans que le mécanisme ou les facteurs en soient clairement dégagés. Dans *Démocratie et totalitarisme*, les régimes dont j'ai traité dans le quatrième cours (non publié) manquent. La conceptualisation du troisième cours (en particulier le recours aux deux notions de Montesquieu, la *nature* et le *principe* des régimes) tranche sur la conceptualisation des deux premiers tomes.

Je professai le troisième cours pendant l'année universitaire 1957-1958. Je cédai à la tentation de faire allusion, de temps à autre, aux événements de la politique française, à la crise de la IVe République. Le principe du régime constitutionnel-pluraliste, disais-je, se définit par deux sentiments, ou principes au sens de Montesquieu : le respect de la loi et le sens du compromis. Les régimes que nous appelons démocratiques inclinent donc au compromis, ne serait-ce que sous la contrainte de trouver une majorité. Or les compromis, dans les affaires intérieures, entraînent des pertes mais ruinent rarement la collectivité ; en politique étrangère, le refus du choix entraîne le plus souvent les inconvénients cumulés des décisions possibles. La IIIe République face à Hitler, la IVe République face à la crise algérienne glissèrent de demi-mesures en demi-mesures. Au début de l'année 1958, je consacrai une leçon à la corruption de la IVe République et je la terminai par les paroles suivantes : « En quel sens la réforme constitutionnelle est-elle réellement, comme on le dit tous les jours, la question vitale pour la France ? La France traverse une crise politique dont la cause spécifique est connue, la guerre d'Algérie. L'obsession de la réforme constitutionnelle est une manière soit d'oublier le problème à résoudre, soit de chercher un gouvernement essentiellement autre, capable de la résoudre. »

Dans la leçon suivante, intitulée « Fil de soie et fil de l'épée », je m'interrogeai sur les solutions possibles. Je pris pour point de départ la politique telle que la IVe République la menait : « Je doute que, dans l'immédiat, une autre politique que celle qui est menée soit possible, politique qui est un reflet du pays, du Parlement et du régime. » Politique qui reflète les divisions du pays mais est vouée à l'échec. Quelles sont les solutions ? J'en énumérai trois : la première est la tyrannie, la deuxième la dictature au sens romain du terme, la troisième l'attente que les événements, d'une façon ou d'une autre, tranchent le débat.

« La solution tyrannique, disais-je, est celle dont chacun de nous rêve dans les nuits d'insomnie, à condition qu'elle donne le pouvoir à ceux qui pensent comme nous... » Je mentionnai ensuite la solution de la dictature, en fait l'appel au général de Gaulle : « La deuxième solution qui est évoquée fréquemment, c'est l'appel au *sauveur légal* ou, si l'on préfère, au dictateur romain. Tout le monde sait comme il s'appelle aujourd'hui. Des organes de presse, de toutes opinions, préconisent ce suprême recours, mais tant de gens d'opinions contradictoires songent à lui que l'on est obligé d'évoquer deux éventualités. L'arbitrage de ce sauveur légal, inévitablement, décevrait les uns ou les autres, puisque les représentants de tous les camps font appel à lui. » J'évoquai une solution miraculeuse, improbable, qui réconcilierait les groupes opposés, chacun obstinément convaincu d'avoir raison. Et je terminai par une remarque, confirmée par les événements : « Les partis opposés se seraient-ils accordés sur le nom du sauveur, nos adversaires ne se rallieraient pas à lui pour autant. » Je m'interdis, dans ce cours diffusé par la radio, d'exposer mes propres opinions, je plaidai pour le *fil de soie*, expression employée par G. Ferrero pour désigner la légalité, la fragile barrière qui protège la cité de la guerre civile.

La dernière leçon, cette année-là, fut prononcée le 19 mai 1958, quelques jours avant l'accession officielle au pouvoir du général de Gaulle dont je ne prononçai pas le nom mais que j'évoquai clairement, à la fin du cours : « Est-ce que la légalité constitutionnelle survivra ? Est-ce que la transition de ce régime à un autre sera légale ? La France, au XXe siècle, a eu l'art des coups d'État légaux. Ou, si je puis dire, a eu l'art de donner une apparence légale à des coups d'État. La situation actuelle est caractérisée par un mélange inextricable de légalité et d'illégalité. Elle est compliquée par l'existence d'une personnalité unique, à laquelle on attribue, selon les moments et les préférences de chacun, des significations contradictoires. La République romaine avait une institution qui correspond aux besoins français, la *dictature*... Ce candidat à la dictature, c'est-à-dire à la toute-puissance légale, ne voudrait pas prolonger le régime actuel mais le transformer ; il faudrait donc qu'il fût non seulement un dictateur mais, pour employer à nouveau les concepts antiques, un législateur. »

Je rappelai, une fois de plus, que « le *dictateur*, souhaité par le peuple, ne garderait pas le soutien de tous ceux qui, aujourd'hui, le 19 mai 1958, l'acclament. Mais l'aventure qu'ouvre le règne du dictateur-législateur répond à une nécessité. Comment les hommes du régime en place pourraient-ils poursuivre en Algérie une politique à laquelle ils ne croient pas ? Un seul vœu, pour conclure. Il n'y a qu'une seule protection contre la violence civile : cette protection unique, je l'ai appelée il y a quelques mois le fil de soie ou la légalité. Ce fil de soie n'a pas été rompu : fasse le ciel qu'il ne le soit jamais. »

Il n'est plus question d'écrire le livre que j'aurais peut-être écrit à la place de ces cours. A quoi bon mentionner les erreurs ou combler les vides ? Mieux vaut reprendre les idées qui s'y rapportent à l'interprétation de la conjoncture française, soviétique ou mondiale, et les soumettre à la critique, d'ordinaire la plus sévère, celle du temps. Quels démentis, quelles confirmations m'apportèrent les événements des vingt-cinq dernières années ?

La comparaison entre le régime soviétique et les régimes de type occidental n'impliquait nullement leur *convergence*, pour employer le mot qui résume une théorie qui eut son heure de popularité. En dépit des légendes, je n'ai jamais souscrit à cette thèse. Quelques passages des *18 Leçons* pouvaient induire en erreur : les planificateurs soviétiques à l'avenir useraient davantage des mécanismes du marché ; la part des revenus qui transite par l'État, dans les économies occidentales, constitue déjà une part considérable du total des revenus ; le secteur étatisé de l'appareil de production pourrait s'élargir dans les pays occidentaux. En ce sens, certains contrastes économiques pourraient s'atténuer. Je ne déduisais pas de ces évolutions structurelles la probabilité ou l'inévitabilité de la convergence ; dans les *18 Leçons* et encore plus dans les deux volumes suivants, j'affirmai que ces rapprochements économiques possibles (qui du reste n'ont pas eu lieu jusqu'à présent) réduiraient à peine la distance entre deux types de société essentiellement différents.

Je puis relire sans honte ces trois volumes, vingt-cinq ans après avoir professé les cours : je ne tombai dans aucun des pièges que nous tendit l'Histoire. Après la mort de Staline, et les premiers symptômes du « dégel », des commentateurs, parmi les plus réputés, Isaac Deutscher ou Maurice Duverger, se précipitèrent d'enthousiasme dans le piège, armés d'un marxisme vulgaire. Le dégel suscita une littérature de futurologie rose : le socialisme, détourné de sa voie naturelle par les exigences de l'accumulation primitive ou par le milieu historique d'une Russie encore barbare, allait reprendre son cours, réaliser progressivement ses aspirations profondes. Isaac Deutscher, biographe de Staline et de Trotsky, fut un des premiers soviétologues à prévoir la « régénération démocratique » du parti et du régime[1]. Il envisageait trois évolutions possibles après la disparition du chef suprême divinisé : rechute dans le stalinisme, dictature militaire, régénération démocratique. La dernière lui apparaissait la plus probable. Que le régime du parti unique, une fois les excès staliniens éliminés, se stabiliserait peu à peu, sans beaucoup progresser vers la démocratie, cette perspective, la plus probable, échappait à I. Deutscher, imprégné par l'utopie socialiste et convaincu jusqu'au bout que l'économie planifiée, la propriété collective s'accompagnent normalement des libertés que les marxistes appellent bourgeoises.

Près de dix ans plus tard, en 1964, M. Duverger, dans son *Introduction à la Politique*, adoptait sous sa forme la plus primitive la thèse de la convergence. « L'URSS et les démocraties populaires ne deviendront jamais capitalistes ; les USA et l'Europe occidentale ne deviendront jamais communistes. Mais les uns et les autres semblent marcher vers le socialisme par un double mouvement ; de libéralisation à l'Est, de socialisation à l'Ouest. Que ce double mouvement se heurte à d'énormes obstacles, qu'il soit très long, qu'il comporte beaucoup de retours en arrière, c'est probable. Mais il semble irrésistible. »

1. *Russia after Staline*, Londres, 1953.

Sur quoi se fonde cette prévision ou plutôt cette prophétie ? Le bien-être entraîne avec lui la liberté.

En 1972, dans son livre, *Janus, les deux faces de l'Occident*, M. Duverger revenait sur la théorie de la convergence : « L'idée d'une convergence des systèmes est aujourd'hui passée de mode. Elle n'en reste pas moins valable dans une perspective globale dont on ne peut préciser ni le rythme, ni l'échéance. L'interpénétration des technostructures privées et publiques renforce l'évolution dans ce sens... D'une façon plus essentielle, l'Occident a besoin d'une socialisation et les pays socialistes industrialisés d'une libéralisation, le terme " besoin " n'exprimant pas une exigence morale subjective mais une nécessité matérielle objective. » La théorie de la convergence demeurerait « valable » dans une « perspective globale sans que l'on puisse préciser le rythme ou l'échéance ». Il ne s'agit plus d'une prévision, puisque l'on ignore si la convergence s'accomplira au terme d'années, de décennies ou de siècles ; nous sommes en face d'une prophétie, elle-même fondée sur des idées fausses. Idées paramarxistes ; puisque les technostructures privées et publiques s'interpénétreraient et que, soviétiques ou occidentales, elles se ressembleraient, de ce fait, elles renforceraient la tendance à la convergence. La détermination des sociétés par les technostructures est supposée, non pas démontrée. La symétrie — le soviétisme a besoin de liberté et l'Occident de socialisation — satisfait le lecteur superficiel. A coup sûr, le progrès scientifique est freiné, à l'Est, par l'organisation hiérarchique et despotique des laboratoires et de la société tout entière. Mais la liberté ne peut pas pour autant être qualifiée de « nécessité rationnelle » du régime soviétique. Pour que le régime subsiste, pour que la Nomenklatura y règne, il faut, tout au contraire, restreindre les libertés, quitte à consentir au freinage du progrès scientifique. Quant à la socialisation de l'Occident, elle signifie tout ce que l'on veut.

Je ne jugeais pas improbable l'adoucissement du stalinisme : pour ne prendre que les aspects les plus frappants de ce dernier, les successeurs ne renouvelèrent pas la grande purge ; des charlatans, tel Lyssenko, ne s'emparèrent plus du pouvoir idéologique au point de mettre la génétique hors la loi et les généticiens dans les camps de concentration. Ce que j'écrivis à l'époque — selon les moments, le domaine de l'idéologie officielle s'élargit ou se rétrécit — me semble encore vrai un quart de siècle plus tard. Mais surtout je maintiens la thèse d'une limite que la libéralisation ne pourrait franchir en Union soviétique sans mettre en question l'existencc même du régime. Le parti règne au nom de son idéologie : équivalence du prolétariat et du parti, rôle dominant du parti, mission historique du socialisme. Les simples Soviétiques, les dirigeants, croient-ils encore à cette idéologie ou non ? Sur ce point, les dissidents eux-mêmes discutent sans s'accorder : mais — croyance ou scepticisme, peu importe — les oligarques doivent soustraire à la controverse les principes d'une orthodoxie sur laquelle repose un régime différent des autres en essence, voué à la diffusion universelle.

Aujourd'hui les critiques viendraient de l'autre côté : une fois écartée la thèse de la convergence, la comparaison même des deux types de société demeure-t-elle légitime ? La société soviétique, telle que la décrivent aujourd'hui A. Zinoviev ou A. Besançon, tolère-t-elle une comparaison avec les sociétés occidentales, fût-ce pour les opposer ? Du coup, la notion de société industrielle, menacée par la notion de société post-industrielle d'un côté, par l'insistance sur l'originalité totale de la société soviétique de l'autre, ne perd-elle pas sa signification ?

Je ne nie pas que le regain de ce concept saint-simonien coïncida avec la compétition Est-Ouest sur le taux de croissance, avec l'expansion économique de l'après-guerre, avec le succès des thèses sur les étapes de la croissance issues de Colin Clark dans le monde anglo-saxon, de Jean Fourastié en France. Mais je ne me tenais pas à une analyse économique, aux statistiques des croissances respectives de l'Est et de l'Ouest ; je tentais de mettre en rapport les classes et le régime politique avec le développement économique. De même que Tocqueville, tout en acceptant la fatalité de la démocratie, laissa aux hommes la responsabilité de choisir entre la liberté et la servitude, j'affirmai que la société industrielle n'imposait ni le régime de parti unique dont l'Union soviétique constitue le modèle, ni le pluralisme partisan et idéologique dont s'enorgueillit l'Occident. La seule question qui se pose dès lors se ramène à ceci : subsiste-t-il entre les sociétés soviétiques et les sociétés occidentales assez de traits communs pour justifier la comparaison et, du même coup, le concept lui-même ? Je pense que la réponse positive demeure valable.

La répartition de la main-d'œuvre entre les divers métiers ne diffère pas fondamentalement à l'Est et à l'Ouest, bien qu'à une phase homologue de leur développement les États-Unis et l'Union soviétique n'aient pas besoin de la même quantité de commerçants, d'employés de banques, de juristes. L'Union soviétique achète les usines occidentales clés en main et se donna longtemps pour objet de rattraper, de dépasser les États-Unis (L. Brejnev n'a pas, sur ce point, assumé l'héritage de N. S. Khrouchtchev : l'ambition s'est déplacée vers le rapport des forces militaires — non sans succès). Les deux parties de l'Europe appartiennent à un même type, et, en même temps, elles représentent deux versions du type, très éloignées l'une de l'autre.

Les saint-simoniens avaient raison de prévoir la montée de l'ordre industriel qui s'étendrait à l'agriculture et aux services. En ce sens, ils prenaient une vision plus large, plus profonde de la société moderne que Marx qui, obsédé par le conflit employeurs-employés, formé par les économistes anglais, aboutit finalement à une utopie pauvre (sous prétexte de remplacer le gouvernement des hommes par l'administration des choses, le socialisme administre les hommes, leurs esprits inclus). Le plus grand des saint-simoniens, Auguste Comte, affirma l'expansion irrésistible de l'industrialisme (au sens large), mais il ne tomba pas dans l'illusion que l'industrialisme suffirait à fonder l'harmonie de la vie des hommes en société.

Pour revenir à un niveau plus prosaïque, n'est-il pas évident, éclatant, que tous les gouvernements de l'Est et de l'Ouest acceptent la responsabilité de la gestion économique ? Au jour des élections, à l'Ouest les candidats se jettent à la figure des statistiques de production et de fiscalité ; à Moscou le premier secrétaire du parti ne se lasse pas de citer des chiffres dans son rapport, rejetant sur tel ou tel les retards ici, les insuffisances là. L'économie tient dans les discours politiques, des deux côtés, une place dominante, bien que les oligarques de Moscou démontrent par leurs actes qu'ils préfèrent les canons au beurre et la force militaire à la prospérité de leurs peuples.

Par rapport au passé, à toutes les sociétés complexes que nous connaissons, je continue de croire que les saint-simoniens avaient vu juste et que Marx a faussé leur philosophie en substituant le capital (ou le capitalisme) à l'industrialisme et que la société dite aujourd'hui post-industrielle devrait être interprétée comme une phase originale de l'application de la science à la production et, plus largement, à la vie même des hommes.

Peu importe, au reste, cette discussion conceptuelle ; ce qui importe, c'est la vision de l'histoire, la théorie suggérée par les concepts ; je pensai, il y a un quart de siècle, que le développement de l'Union soviétique appartenait à la grande vague de l'industrialisme mondial et qu'il offrait l'exemple d'une autre modalité d'industrialisme — autre modalité destinée à subsister en ses traits distinctifs, même le jour où le niveau de vie à l'Est se rapprocherait du niveau de vie à l'Ouest. En d'autres termes, j'admis — ce qui allait de soi — que les bolcheviks avaient accompli à leur manière l'accumulation primitive du capital, mais qu'ils ne jugeraient pas leur tâche accomplie lorsque le produit par tête atteindrait quelques milliers de dollars. Je ne me trompais pas mais, peut-être, je restai en deçà de la vérité sur un point essentiel : certes, la théorie de la paupérisation, absolue ou relative, ne s'applique pas non plus au régime soviétique (vaille que vaille, le niveau de vie en Union soviétique, au cours des vingt-cinq dernières années, s'est élevé), mais je sous-estimai les implications du surarmement et l'inefficacité de l'économie soviétique.

Les derniers chapitres de *Démocratie et totalitarisme,* influencés par le dégel (le cours date de 1957-1958), témoignent d'un optimisme qui, vingt-cinq années plus tard, apparaît malheureusement excessif. Je passai en revue les transformations intervenues depuis la mort de Staline : la forme extrême du terrorisme, celle de la grande purge, a disparu ; la vie intellectuelle a profité du dégel ; la police n'exerce plus son activité aux dépens des membres du parti. En contrepartie de ces changements, j'indiquai les éléments de permanence. Le style de la déstalinisation est resté stalinien ; Staline ne ressemblait pas à cet être grotesque et débile, incapable de suivre sur la carte les opérations militaires. « C'est créer une nouvelle mythologie que de réduire celui que l'on divinisait il y a quelques années à un niveau sous-humain. » Il n'y a plus de grande purge, mais une épuration permanente. Le régime d'orthodoxie idéologique et de monopole politique du parti est toujours là. On a éliminé les bizarreries et les excès imputables au secrétaire général d'hier. Je résumai ma pensée dans la formule : « Jusqu'à présent, il y a eu des changements dans ce régime, il n'y a pas eu de changement fondamental du régime lui-même. »

Pour résumer ma pensée à l'époque, ou plutôt l'expression atténuée que j'en présentai aux étudiants, je citerai ces quelques lignes du chapitre XVII de *Démocratie et totalitarisme :* « Les changements prévisibles, liés à l'édification industrielle, à l'élévation du niveau de vie et de culture, n'impliquent pas l'élimination du parti unique et de l'orthodoxie idéologique, pas plus qu'ils n'impliquent la disparition de la hiérarchie bureaucratique commune à la société et à l'État. Perspectives de stabilisation bourgeoise ? Pourquoi pas. Rationalisation économique ? Pourquoi pas. Atténuation de la terreur ? Probablement. Abandon des formes pathologiques de violence ? C'est vraisemblable. Introduction de partis multiples et d'institutions libérales comme en Occident ? C'est possible, mais il n'y a ni nécessité démontrable, ni même probabilité que l'évolution de la société industrielle entraîne ces conséquences que nous souhaitons. »

Dans ces lignes, je modifierais aujourd'hui avant tout la réponse « c'est possible » à l'éventualité d'une libéralisation de style occidental en Union soviétique. Non que je sois tenté maintenant de remplacer « possible » par « impossible » (il y a plus de choses sous le ciel que dans notre philosophie...), je répondrais qu'une telle libéralisation entraînerait la chute, pacifique ou non, du régime lui-même. Celui-ci, tel qu'il s'est stabilisé, ne tolère pas la mise en question de son principe idéologique, le marxisme-léninisme, même si la plupart des Soviétiques n'y croient plus. Le régime ne tolère pas ce que j'appelais la rationalisation économique : les tentatives comme celles du Pr Libermann ont tourné court. En revanche, les démocraties populaires, la Hongrie en particulier, se sont largement inspirées des conceptions économiques occidentales.

Au printemps de 1958, lorsque je spéculais sur l'avenir de l'Union soviétique, nous nous trouvions au début de la période Khrouchtchev, les oligarques de Moscou se posaient encore en rivaux des États-Unis, se vantaient de leur taux de croissance et indiquaient la date de l'inévitable victoire du PIB soviétique sur celui des États-Unis. Je ne me laissai jamais prendre par ces vantardises et je ne craignis jamais la supériorité économique de l'Union soviétique. C'est dans ce cadre que se situent les analyses de 1958 dont je viens de reproduire quelques éléments.

Si l'analyse de la société soviétique péchait par optimisme, le même reproche ne peut-il être adressé à l'analyse des sociétés de type occidental ? N'ai-je pas confondu les « trente glorieuses » avec le déroulement normal de l'économie dite capitaliste ? La formule, tant de fois discutée, de la « fin des idéologies » n'a-t-elle pas pour origine une surestimation de la croissance économique, une perspective en rose de l'avenir des pays industrialisés, optimisme démenti lui aussi par la crise dans laquelle se débat depuis 1974 le monde entier ? Le reproche comporte une part de vérité, mais une part limitée.

Dans les années 50 et 60, je fus comme bien d'autres frappé par les taux de croissance des pays européens (5 à 6 % du PNB), taux double environ de celui qui, sur le long terme, avait amené les États-Unis au premier rang. Aussi je jugeai que ces taux anormaux ne se maintiendraient pas indéfiniment.

La commission « 1985 » supposait que jusqu'à cette date les taux de croissance d'après-guerre ne diminueraient pas. Le plus éminent des économistes français, M. Malinvaud, inclinait vers la thèse qu'une mutation s'était produite entre l'avant et l'après-guerre grâce à divers facteurs (entre autres le progrès des gestionnaires de l'économie) et que les nouveaux taux (5 à 6 %) pouvaient représenter la nouvelle norme. Quand je fus invité à « plancher » devant la commission « 1985 », j'exprimai immédiatement mon doute sur la perpétuation de ce taux annuel de croissance, admis par hypothèse, jusqu'à l'échéance 1985. Je ne disposai, à l'époque, d'aucun argument décisif pour fonder mon scepticisme ; celui-ci fut accueilli avec politesse et indifférence.

Si je ne convainquis pas la commission, la faute m'en incombe. Pas plus que la commission, je ne mentionnai le bas prix de l'énergie comme une des circonstances qui favorisaient la rapidité du développement des pays industrialisés. Je mis l'accent sur d'autres données qui expliquaient les « miracles » : l'introduction des techniques de production et d'organisation observées aux États-Unis et l'avantage de suivre l'exemple du pays pionnier, la formation en Europe occidentale d'un grand marché, la chance de rattraper le retard imputable aux guerres et aux bouleversements de l'entre-deux-guerres. Il ne m'en paraissait pas moins plausible que la croissance européenne se ralentît au fur et à mesure que la productivité, dans le Vieux Continent, se rapprocherait de celle du Nouveau Monde.

Pourquoi la commission pas plus que moi (autant que je m'en souvienne) n'a mentionné le pétrole et son prix ? Nous savions tous que la consommation des produits pétroliers augmentait de quelque 12 % par an. Il était facile de prévoir que, bien avant 1985, la consommation mondiale annuelle dépasserait trois milliards de tonnes. La prolongation de cette courbe se heurtait à des obstacles infranchissables avant 1985 ; du moins l'augmentation inévitable du prix des produits pétroliers devait, bien avant 1985, modifier d'une manière ou d'une autre les conditions du miracle européen. En 1956, à la suite de la crise du canal de Suez, dans l'introduction de l'ouvrage *Espoir et Peur du siècle,* je constatai que, pour la première fois, l'Europe ne contrôlait plus les voies de ravitaillement de son industrie : « Comparée à l'Union soviétique et aux États-Unis, l'Europe occidentale, troisième concentration d'industrie de la planète, présente une infériorité radicale : elle fait venir du dehors une partie substantielle de sa nourriture (la Grande-Bretagne en achète la moitié), de ses matières premières (métaux non ferreux, coton, laine) ; enfin, depuis la dernière guerre, elle est dépendante du dehors pour son ravitaillement en énergie... Étant donné les importations indispensables d'énergie et de matières premières, la crise de Suez ne marque-t-elle pas une étape supplémentaire de la vassalisation, de la satellisation de l'Europe ? » J'annonçai — ce qui allait de soi — qu'au cours des prochaines décennies la dépendance de l'Europe en fait d'énergie et de matières premières allait croître. Les États-Unis achèteraient de plus en plus de matières premières, soit que leurs propres mines s'épuisent (fer et cuivre), soit qu'ils souhaitent épargner leurs réserves (pétrole). Sans prévoir une pénurie absolue, je voyais « une compétition âpre pour le contrôle politique des sources d'énergie ou des matières premières [1] ». Je maintenais, malgré les péripéties dramatiques de 1956, la thèse centrale : « Métropoles déchues, France, Grande-Bretagne, Allemagne, à l'image de la Hollande, peuvent vivre dans la prospérité leur déclin impérial [2]. »

Non sans corriger l'affirmation précédente par une autre : « En perdant leurs empires, leur capacité d'action au-dehors, les Européens se sont livrés à la discrétion et de l'État puissant dont les citoyens sont riches, et de l'État puissant dont les sujets sont pauvres, et des États faibles dont les masses sont misérables. »

Mon optimisme sur la croissance économique n'alla jamais jusqu'à suggérer la disparition de la lutte des classes, au sens non marxiste, à savoir le conflit entre les classes ou les catégories sociales pour la répartition du produit national ou pour l'amélioration de conditions de travail ; ce que je niai, c'était la thèse d'une classe ouvrière, consciente d'elle-même et de sa volonté révolutionnaire, aspirant à une autre société dans laquelle le règne du prolétariat succéderait à celui de la bourgeoisie. En un sens, je ne pense pas m'être trompé sur l'essentiel : l'économie progressive, même en l'absence d'une répartition radicalement autre des revenus, tend plutôt vers la satisfaction querelleuse que vers la révolte et la violence [3]. Le livre intitulé *les Désillusions du progrès,* je l'écrivis en 1964-1965, avant l'explosion des étudiants, bien avant la crise pétrolière de 1974. Ce livre, lui aussi de circonstance, répondait à une demande de l'Encyclopædia Britannica, devenue américaine. A l'occasion du

1. P. 384-384.
2. P. 362.
3. Au fond, cette analyse reprend celle de Lénine un demi-siècle plus tôt.

deuxième centenaire de cette célèbre encyclopédie, les responsables, en particulier le professeur R.M. Hutchins, ex-président de l'université de Chicago, décidèrent de faire précéder les volumes ordinaires, organisés par mots, de longs articles — appelés *roof articles*, en fait des livres de quelques centaines de pages.

Je saisis cette occasion pour mettre en lumière le côté noir de la société dite développée que j'avais, dans les trois cours, laissé de côté. Utilisant trois concepts — égalité, socialisation, universalisation —, je présentai les trois *projets* de la civilisation moderne, chacun de ces projets comportant en lui-même une dialectique ou, en langage plus simple, des contradictions. L'aspiration à l'égalité se heurte à des réalités indestructibles, la stratification sociale, identifiée ou non à une société de classes ; l'aspiration de chacun à une personnalité unique, irremplaçable, s'accorde mal avec la socialisation des individus par les instances sociales, famille, école, groupes de pairs ; elle ne s'accorde guère mieux avec la hiérarchie inévitable de l'ordre industriel ou plus généralement avec l'ordre de la production. Le rêve d'une humanité unie, l'idéologie d'une réconciliation des peuples et des États, n'a pas encore transformé le système an-archique, traditionnel des États, système fondé sur la puissance, non sur le droit.

En bref, *les Désillusions du progrès* ne contredisent pas l'optimisme apparent de la théorie de la croissance, elles en limitent la portée. Ce que les « trente glorieuses » nous ont appris, c'est que le progrès économique, l'augmentation de la productivité du travail peuvent améliorer la condition de tous ; que les ressources communes, gonflées d'année en année, permettent de donner à Pierre sans prendre à Paul. Mais elles ne nous ont pas appris que la croissance élimine ni même nécessairement réduit les inégalités, qu'elle réconcilie les hommes et moins encore les peuples et les idéologies entre eux. L'Union soviétique déstalinisée demeurait l'ennemi de l'Occident. L'ouvrier syndiqué, protégé par la Sécurité sociale, ne cesse pas d'être soumis aux aléas de la conjoncture, souvent réduit à une tâche répétitive.

Les hommes manipulent par la technique les forces naturelles, mais non les forces sociales. L'Histoire continue ; elle accentue le contraste entre la maîtrise — partielle — acquise grâce à la science sur la nature et l'impuissance des planificateurs, à l'Est comme à l'Ouest.

En quel sens les analyses de la société industrielle ont-elles suggéré la formule de « la fin des idéologies » ou, plus précisément, « la fin de l'âge idéologique » (avec un point d'interrogation) ? Tel était le titre de la conclusion de *l'Opium des Intellectuels.* Mon ami E. Shils intitula « Fin des idéologies » le compte rendu, publié dans l'*International Herald Tribune,* de la grande réunion organisée à Milan par le Congrès pour la Liberté de la culture en 1955. Daniel Bell titra aussi un recueil d'articles par la même expression. Un débat se développa pendant quelques années sur ce thème aux États-Unis. Un auteur consacra à ce débat un recueil de textes [1]. L'explosion, au cours des années 60, des étudiants et de leurs idéologies ridiculisa, en apparence, l'interprétation irénique de la vie politico-intellectuelle.

La discussion aurait exigé un accord sur le sens donné au mot idéologie. Quand on entend par idéologie ce que Pareto appelle dérivation, autrement dit les divers modes de justification dont usent les orateurs, les militants, les gouvernants, il va de soi que les idéologies changent de style ou de contenu, mais ne disparaissent pas. Une idéologie chasse l'autre, les idéologies ne meurent pas. Je pris le concept d'idéologie en une acception plus précise, plus limitée : on baptiserait idéologie une représentation globale de la société et de son passé, représentation annonçant le salut et prescrivant l'action libératrice. Le déclin du marxisme-léninisme, que je pressentis au milieu des années 50, s'accusa au cours des années 60 et 70, en France du moins, en dépit d'un apparent regain autour de 1968. Je ne voyais pas d'idéologie de remplacement, qui fût aussi englobante que le marxisme-léninisme. La critique de la société industrielle, telle qu'elle s'amplifia au cours des années 60, démontrait que la passion des hommes se passe aisément de la mise en forme systématique du réquisitoire. Aux États-Unis, au Japon, en Allemagne, en France, les étudiants se révoltèrent non pas tant au nom du marxisme-léninisme qu'au nom des exigences originelles de l'être humain ; peut-être même faut-il dire par réaction passionnelle contre l'aliénation du travailleur, l'anomie de l'individu, par dégoût de la société de consommation. Les étudiants des années 60, parfois proches d'un paramarxisme (Marx, Mao, Marcuse), incarnaient la révolte romantique contre la rationalité industrielle — révolte qui, selon Marx, accompagnera le développement de la société capitaliste. Je rectifierais : le développement de la société moderne ou industrielle.

Avec le sens que je donnai au terme idéologie, mon analyse me paraît, aujourd'hui encore, plutôt vraie que fausse. Mais la définition limitative de l'idéologie prête justement à la critique. Le nationalisme ou même le libéralisme ne s'organisent pas en un système total du monde, même pas du monde historique, mais ils ne diffèrent pas radicalement du socialisme ou du marxisme-léninisme, bien que les deux derniers prétendent à la scientificité et, pour ainsi dire, à la totalité. S'il faut redouter les fureurs des vrais croyants, prêts à tout pour sauver l'humanité, c'est leur foi plutôt que leurs idées qu'il convient d'incriminer. Le parti communiste transforme les jeunes révoltés en militants ou bureaucrates du parti ; échappant à la discipline du parti, certains d'entre eux sont tentés par le terrorisme.

Pourquoi ai-je évoqué, dès 1955, la fin de l'âge idéologique ? Deux raisons déterminaient mon jugement : le marxisme-léninisme, confondu

1. Chaim I. Waxman, *The « End of Ideology » Debate*, New York, 1968.

avec le régime soviétique, devait dépérir avec ce dernier. Les Occidentaux finiraient bien par perdre simultanément leurs illusions et sur la doctrine et sur le parti qui se réclamait d'elle. Il ne pouvait pas y avoir une autre idéologie, au même degré totale. Max Scheler l'a justement écrit : il n'existe, dans l'empyrée intellectuel, qu'un petit nombre d'idéologies. Le marxisme accapare la plupart des thèmes mobilisateurs de notre époque, le rôle sotériologique du prolétariat, l'abondance grâce à la technique, les contradictions insolubles qui conduisent le capitalisme à la rupture et à la mort. Faute de cette systématisation, les autres versions du socialisme perdent leur aura et se dégradent en un ensemble de réformes. Pourquoi l'enthousiasme pour la propriété collective, pour la planification, dès lors que ces mesures prosaïques, réduites à elles-mêmes, ne s'unissent plus en un ensemble que la raison historique transfigure? Une fois le marxisme-léninisme compromis par l'échec du soviétisme, il ne manque certes pas de critiques valables de l'Occident industrialisé: la pollution des lacs et des esprits, la perte de l'être au profit de l'avoir, la diffusion de l'esprit mercantile, la persistance ou le renouvellement des inégalités, etc. ; ces thèmes suffisent à nourrir l'indignation de la jeunesse, elles ne s'unissent pas en une idéologie capable de rivaliser avec le marxisme-léninisme.

Au cours des dix années qui suivirent la parution de *l'Opium*, je me défendis contre mes critiques dans trois articles, réunis dans un petit volume, *Trois essais sur l'âge industriel*[1]. Tous trois mettaient en relation l'interprétation du devenir socio-économique de notre temps avec le thème de l'érosion idéologique, en bref les cours de la Sorbonne (qui ne furent publiés qu'en 1962, 1963, 1964) avec *l'Opium*.

Je rappelai l'idée banale que les problèmes posés aux sociétés changent avec les phases de la croissance et que les mêmes méthodes ne répondent pas nécessairement aux besoins de toutes les phases. Le dialogue entre l'Est et l'Ouest, écrivis-je à cette date (1964), se déroule sur quatre plans. Tout d'abord, les controverses traditionnelles se poursuivent sur les mérites ou démérites respectifs des économies de marché et des économies de planification centralisée. La propagande soviétique continue rituellement de dénoncer le capitalisme des monopoles mais, s'il ne s'agit que de produire et de consommer, on se demande pourquoi les Occidentaux sacrifieraient leurs libertés à seule fin d'accélérer peut-

1. Le premier intitulé « Théorie du développement et idéologies de notre temps » a été écrit en 1962, au retour d'un voyage au Brésil. Le deuxième, « Théorie du développement et philosophie évolutionniste », a été écrit en 1962 pour un colloque organisé par l'Unesco et l'École pratique des Hautes Études. Le troisième, « Fin des idéologies et renaissance des idées », date de 1964. Il prolonge la controverse sur la société industrielle et la fin des idéologies.

être la croissance (bien loin de noircir l'adversaire, je le traitai avec une indulgence excessive).

Sur un plan plus élevé, Occidentaux et Soviétiques discutent des conséquences politico-sociales ou humaines, de chaque régime. Je donnai pour exemple la mobilité sociale. Le soviétisme favorise-t-il plus que la démocratie occidentale la promotion des enfants des classes défavorisées ? A supposer qu'il en soit ainsi, quelle importance convient-il d'attribuer à la mobilité ? La continuité des familles à travers les générations, faut-il la mettre au crédit ou au passif d'un ordre social ?

Sur un autre plan s'opposent deux schémas, que l'on pourrait appeler l'un et l'autre paramarxistes, du devenir historique : le schéma marxiste, plus ou moins corrigé, du capitalisme au socialisme, le schéma Colin Clark-W. W. Rostow des étapes de la croissance économique, voire la thèse plus primitive de la convergence vers le « socialisme démocratique » de Maurice Duverger.

Les Soviétiques ont beau jeu à réfuter une certaine version de l'évolutionnisme occidental, selon laquelle le développement des forces productives (mesuré par le produit national par tête) déterminerait le régime économico-social. La thèse de la convergence se fonde sur un déterminisme de la technique ou de la production. Mais le théoricien occidental peut et doit s'en tenir à un *évolutionnisme probabiliste.* Chaque étape de la croissance *favorise* un certain régime ; le soviétisme a plus de chances de s'instaurer au cours de la phase de décollage que dans une société déjà industrialisée ; l'élévation du niveau technique, du niveau de vie de la population réduit les risques des formes extrêmes du stalinisme. Mais ces relations aléatoires ne présentent qu'un intérêt limité ; elles ne permettent pas de saisir l'ensemble des sociétés. La comparaison entre l'industrialisation de la Grande-Bretagne à la fin du XVIIIe siècle et au début du XIXe d'un côté, l'industrialisation du Japon dans le dernier tiers du XIXe et au début du XXe, de l'autre, dégage moins de similitudes — et des similitudes moins significatives — que de dissemblances.

La théorie soviétique du devenir historique parvient plus malaisément à se réconcilier avec la réalité. L'Union soviétique doit « rattraper » les États-Unis, bien que son socialisme « succède » au capitalisme ; il n'existe donc pas de parallélisme entre les phases de la croissance économique et la succession des régimes. Pourquoi les pays sous-développés doivent-ils emprunter la voie soviétique ? Puisque la conversion au marxisme-léninisme ne répond pas à une nécessité historique, les Soviétiques doivent désormais démontrer qu'un régime socialiste, réduit à son essence, purifié de toute trace du culte de la personnalité, l'emporte sur les régimes occidentaux, qu'il s'agisse de l'efficacité économique ou des valeurs humaines.

Du même coup, nous arrivons au quatrième plan : les sociétés du type industriel tendent-elles à une seule et même fin ? Dans une *Auguste Comte lecture, War and industrial society,* j'évoquai le naïf optimisme du fondateur de l'école positiviste. L'exploitation scientifique de la nature rendra inutile, anachronique l'exploitation de l'homme par l'homme ; les guerres disparaîtront avec le régime théologico-militaire. Aujourd'hui, nous nous interrogeons : en vue de quelle fin produire ? Et, partant, le dogmatisme idéologique laisse place aux idées.

La référence aux dialogues entre Soviétiques et Occidentaux me paraissait nécessaire pour marquer la différence entre le débat américain et le débat européen sur la fin des idéologies : « L'anti-idéologie des auteurs américains avait, dès l'origine, un caractère différent de l'anti-idéologie d'un Camus, communiste dans sa jeunesse, ou de moi-même qui n'ai jamais cessé de dialoguer avec la pensée hégéliano-marxiste. Aux États-Unis, " le libéralisme " (c'est-à-dire la pensée de gauche) n'a guère été influencé par le marxisme, il a rarement été mis en forme systématique, élaboré en une philosophie de l'Histoire. Les " libéraux ", après 1945, ont été, à peu d'exceptions près, fermement anticommunistes. Les Américains n'ont eu l'équivalent ni d'un conservatisme à la Burke, ni d'un marxisme à la Kautsky ou à la Lénine, ni même d'un *progressisme* à la Sartre. Leur doctrine de la libre entreprise s'est rarement exprimée en une théorie dans le style de Mises ou de Hayek. En revenant de l'idéologie, les anti-idéologues américains ne revenaient pas de loin ; certains revenaient seulement de l'Europe [1]... »

La plupart de mes contradicteurs ne niaient pas le relatif apaisement des passions idéologiques ou politiques dans les nations développées, mais, m'objectait Georges Lichtheim, il est douteux que les pays sous-développés puissent progresser en adoptant nos méthodes réformistes. Les techniques de l'ingénieur social ne répondent en aucune façon à leur problème. Une « interprétation globale de l'histoire du monde » constitue pour eux une nécessité pratique, urgente, s'ils veulent briser avec le passé et remodeler leur culture ; leur progrès matériel est à ce prix. J'avais en effet écrit, dans le même article [2], un éloge de l'ingénieur social, le *social engineering* de Sir Karl Popper : « Le cours actuel de l'histoire illustre à la fois la puissance de la technique appliquée au milieu et la résistance que la nature humaine et sociale oppose à ceux qui ont l'ambition de " reconstruire " l'ordre des sociétés. Bien plus, tout se passe comme si les hommes subissaient d'autant plus leur histoire qu'ils nourrissent davantage l'illusion prométhéenne de la faire. En revanche, les gouvernants qui abordent leurs problèmes l'un après l'autre, modestement, tels qu'ils se présentent en chaque cas, ont plus de chances d'obtenir des résultats conformes à leurs intentions. C'est le pragmatisme de l'ingénieur social qui s'accorde le mieux avec l'esprit du rationalisme et qui donne la meilleure chance aux hommes non de devenir maîtres et possesseurs de la nature sociale, mais de l'améliorer en lui obéissant. »

1. *Trois essais sur l'âge industriel,* p. 200-201.
2. « Fin des idéologies et renaissance des idées ».

L'objection de G. Lichtheim comporte une part de vérité bien qu'elle ne me vise guère personnellement. A la dernière page de *l'Opium,* souvent citée par ceux qui me reprochent mon scepticisme, j'écrivis : « Peut-être les Occidentaux rêvent-ils de tolérance politique, comme ils se lassèrent, il y a trois siècles, de vaines tueries au nom du même Dieu, pour le choix de la véritable Église. Mais ils ont communiqué aux autres peuples la foi en un avenir radieux. Nulle part, en Asie ou en Afrique, l'État-providence n'a répandu assez de bienfaits pour étouffer les élans de la déraisonnable espérance. » Je n'appliquais donc pas aux pays en voie de développement le diagnostic de l'apaisement idéologique.

G. Lichtheim a-t-il raison d'aller plus loin et de juger une interprétation globale de l'Histoire nécessaire à la modernisation, à la rupture avec les traditions nationales séculaires ? Les modernisations les plus réussies, celle du Japon, celle de Taiwan, n'ont pas eu recours à une interprétation globale de l'Histoire et, du même coup, à une révolution. Peut-être un mythe aidera-t-il une minorité combattante à prendre le pouvoir et à bouleverser la société. Régis Debray ne croit plus à la vision marxiste de l'Histoire, mais il la juge utile aux révolutionnaires. Georges Sorel l'a expliqué avant lui. Pour mon compte, je signerais encore les lignes suivantes : « Avec ou sans notre approbation, les pays en voie de développement feront des révolutions. Laissons aux élites nouvelles la responsabilité de l'indépendance qu'ils ont conquise, sans nous ériger en juges, sans jouer aux professeurs de démocratie ou de révolution. En vérité, les gouvernants des jeunes États ont, pour la plupart, appris rapidement l'art du pouvoir absolu et la nécessité des potences. A quoi bon les aider à se convaincre eux-mêmes qu'ils sont les exécuteurs des hautes œuvres de la raison historique, à seule fin qu'ils ignorent le doute et les scrupules ? »

Même au sujet de l'Occident, je ne m'abandonnais pas à l'optimisme ambiant : « Je ne prétends certes pas que la situation actuelle de l'Occident soit caractéristique de la condition politique de l'homme ou simplement caractéristique des temps modernes, je tendrais plutôt à croire le contraire. Les situations extrêmes sont, à maints égards, plus typiques, au moins durant les périodes où, selon la formule de Toynbee, l'Histoire est en mouvement. » Je ne pensai jamais que les hommes se satisferaient durablement des biens qu'ils jugeaient, un quart de siècle plus tôt, presque inaccessibles : « Nous avons la chance que n'avaient pas les générations précédentes de n'être pas pour autant acculés au choix entre conservatisme et fanatisme, l'un replié sur l'acquis, l'autre aveugle et, de ce fait, tour à tour humanitaire et sanglant. Les objectifs que libéraux et socialistes des siècles précédents rêvaient d'atteindre, nous savons que la modernité — le progrès technique et scientifique, l'organisation rationnelle du travail — permet de les atteindre. Les pays développés d'Occident ont ou auront les ressources nécessaires pour assurer à tous un niveau de vie décent, et ils ne seront pas contraints de sacrifier les libertés personnelles à seule fin de répandre le bien-être. Il est entendu que cette opulence déçoit. En laissant même de côté les deux tiers de l'humanité pour lesquels cette opulence paraît encore hors d'atteinte, en ignorant les zones d'ombre des nations les plus fortunées, la société rationalisée demeure hiérarchique, elle est déchirée par les passions tantôt nationales, tantôt raciales. Quand ces passions s'apaisent, elle risque de s'assoupir en un confort bourgeois. Les intellectuels portés à la critique, c'est-à-dire presque tous les intellectuels, dénonceront tour à tour la menace d'une guerre atomique et la passivité du téléspectateur manipulé par les industries du loisir ou l'État totalitaire... Ils ont raison de ne pas être satisfaits d'une réalité imparfaite, de critiquer l'injustice de certaines institutions et la médiocrité de la plupart des existences. Mais, qu'ils le veuillent ou non, ils sont incapables d'opposer à la société existante l'image d'une société radicalement autre... »

Quelques années avant 1968, j'ébauchai un dialogue avec Herbert Marcuse [1] ; j'opposai ma pensée *Critique dans l'Histoire* à la *Théorie critique* qui aboutit au *Grand Refus.* Le diagnostic de H. Marcuse se résume dans les lignes suivantes : « La théorie critique de la société a été, à l'époque de ses origines, confrontée à des forces réelles (objectives et subjectives) dont le mouvement, à l'intérieur de la société établie, pouvait être orienté vers des institutions plus rationnelles et plus libres en détruisant les institutions existantes qui étaient devenues des obstacles au progrès. Tels étaient les fondements empiriques sur lesquels la théorie était élaborée, et de ces fondements empiriques dérivait l'idée de la libération de possibilités inhérentes au développement, autrement bloqué, faussé de la productivité, des facultés et des besoins matériels et intellectuels [2]. » Or, selon H. Marcuse, la formule « *libération* de possibilités *inhérentes* » n'exprime plus adéquatement l'alternative historique. Les deux sociétés, américaine et soviétique, sont l'une et l'autre irrationnelles en leur profondeur, mais elles sont acceptées ; Marcuse ne discernait pas à l'œuvre la Raison qui dégagerait « les potentialités, inhérentes à la réalité », ni l'arme de la critique, ni la critique des armes ; la théorie critique en est réduite au *Grand Refus :* refus total des deux sociétés saisies globalement ; l'une, par la nationalisation des forces de production, a créé l'infrastructure nécessaire de la libération humaine, mais elle paralyse l'éclosion de cette libération ; l'autre assure de meilleures garanties à l'individu, mais elle le livre à l'irrationalité des besoins artificiels, de la persuasion clandestine, de la bureaucratie omnipotente ; ces deux sociétés s'encouragent l'une l'autre dans la course démente aux armements nucléaires et à une guerre apocalyptique.

Je souscrirais à telle ou telle des critiques par lesquelles H. Marcuse censure les sociétés occidentales, mais à la condition de ne pas « totaliser » la critique et de ne pas opposer à la société un refus total. Que reste-t-il de la critique hégéliano-marxiste quand la négation de la réa-

1. Dans le même essai, le troisième dans le livre *Trois essais sur l'âge industriel.*
2. *On dimensional man,* p. 48, Boston, 1964.

lité, loin d'émaner de la réalité elle-même, semble l'expression d'un intellectuel isolé, déçu par le cours de l'histoire, attaché à des valeurs mal définies, l' « autodétermination » par exemple ?

La théorie critique de la société, sous sa forme ultime, souffre d'une contradiction interne : « Elle déplore l'absence d'une négation radicale et simultanément elle se donne pour suprême idéal la pacification des relations humaines. Le *Grand Refus* n'a jamais passé pour un appel à la paix. Si, dans les circonstances actuelles, le *Grand Refus* n'a pas de caractère belliqueux, c'est qu'en fait il se situe hors de l'histoire. » Pendant les semaines chaudes de mai 1968, les étudiants se réclamèrent souvent de Marcuse que, pour la plupart, ils n'avaient pas lu. Les terroristes allemands et italiens incarnent un Grand Refus que l'ancien assistant de Martin Heidegger n'avait pas prévu et qu'il n'approuva jamais.

XVI

LE GRAND DESSEIN DU GÉNÉRAL

André Siegfried disait volontiers à Pierre Brisson : « Le retour du Général au pouvoir, c'est la fin de l'Alliance atlantique. » A quoi je répondais : « Non, le Général est trop intelligent, trop soucieux du rapport des forces pour rompre avec l'Alliance ou avec les États-Unis, pour rejeter ces derniers hors de l'Europe. Il sait bien que Moscou a pour objet de séparer les Européens des Américains ; peut-il se donner le même but ? » Telle fut, la plupart du temps, ma conviction durant ces années 1958-1968, surtout 1962-1968, alors qu'il ébranlait, par son verbe plus encore que par ses actes, les piliers de l'édifice diplomatique construit à partir de 1947, après la décomposition de la grande alliance contre le IIIe Reich.

Avant même la fin de la guerre d'Algérie, un problème majeur se posait à la diplomatie française : quelle attitude adopter à l'égard de la candidature de la Grande-Bretagne au Marché commun ? De 1960 à 1963, j'écrivis sur la querelle anglo-française maints articles qui témoignaient moins d'incertitude intellectuelle que de sentiments mêlés et contraires. Je me souvenais de l'Angleterre, seule, héroïque, en 1940, du service rendu à la cause commune de l'Occident ; je constatais l'abaissement de l'orgueilleuse Albion, contrainte de frapper à la porte d'une Communauté dont elle aurait pu prendre la tête quelque quinze ans plus tôt. Dans *le Figaro* du 22-23 décembre 1962, je choisis pour titre de l'un de mes articles « L'injustice de l'Histoire ». Les lecteurs réagirent vivement : les uns jugeaient l'Histoire injuste et les autres la jugeaient juste. Les premiers évoquaient l'Angleterre qui en 1940 résistait seule à Hitler, les autres dénonçaient la diplomatie de la perfide Albion entre les deux guerres.

Dans le style enseigné depuis des siècles aux élèves de rhétorique, je commençai par un parallèle entre les deux pays. D'un côté, le Royaume-Uni « ... comprit les aspirations des peuples colonisés et consentit au retrait impérial. Le retrait fut aussi gracieux que l'empire avait été glorieux. Unanime durant les hostilités, la nation britannique ne connut jamais le déchirement au cours des années de reconstruction... Toutes les vertus que vantent les sages depuis des siècles ou des millénaires, les Britanniques en témoignèrent. Et les voilà, aujourd'hui, humiliés par le jeune président des États-Unis [1], frappant à la porte de la Communauté européenne, incertains d'eux-mêmes et de leur avenir ».

En contrepartie, la France : « Désastre de 1940, déchirement du vichysme et du gaullisme, instabilité ministérielle, enlisement dans les guerres coloniales, quasi-rébellion de l'armée, conflits non encore résolus entre le Guide et les partis, aucun des malheurs qu'évoque la chronique des siècles maudits ne nous a été épargné... Et pourtant, c'est le franc qui est solide et la livre contestée, c'est la France qui pose ses conditions à Bruxelles, c'est la France qui, la décolonisation achevée et l'unité européenne en voie de réalisation, paraît maîtriser son destin. »

A l'origine de cet apparent paradoxe, le refus britannique de comprendre pleinement les suites inévitables de la guerre : « ... la Grande-Bretagne a été victime de sa victoire de 1945, comme la France a été, entre les deux guerres, victime de sa victoire de 1918, car ces deux victoires avaient un trait commun : elles étaient militaires et non politiques, illusoires et non authentiques ». Les continentaux, tous défaits, arrachés à leurs habitudes, à leurs traditions, partirent vers un nouvel avenir. La Grande-Bretagne ne crut pas nécessaire de se renouveler : d'abord l'alliance avec les États-Unis, puis la sauvegarde du Commonwealth, en troisième ligne la coopération avec les Européens. Churchill et les conservateurs plaidèrent pour la réconciliation franco-allemande, mais tous les dirigeants, travaillistes ou tories, prirent ombrage de la mise en application du traité de Rome. Ils n'avaient pas pris au sérieux les plans d'unification européenne. Quand ils comprirent leur erreur, ils lancèrent l'idée d'une zone de libre-échange, initiative manifestement de nature à paralyser la formation du Marché commun. Après le rejet de la zone de libre-échange, vint la candidature que nous pouvions interpréter moins comme une conversion à la Communauté que comme une méthode subtile pour la détruire, au moins pour la réviser conformément à leurs conceptions et à leurs intérêts.

Vers la fin de l'année 1961, je passai deux semaines à Londres pour prendre le pouls de la classe dirigeante, de l'opinion britannique. Je rencontrai le Premier Harold Macmillan dont j'admirai l'art de ne rien dire et de faire parler son interlocuteur ; E. Heath, responsable des négociations avec Bruxelles, appartenait sans aucun doute aux convertis, aux « Européens » (je trouvai, ici et là, des « Européens » mais peu nombreux). Harold Wilson ne dissimula pas son hostilité à l'adhésion britan-

1. J. F. Kennedy avait liquidé le projet *Skybolt* (missile air-terre) sur lequel comptaient les Britanniques pour maintenir leur force de dissuasion, composée à l'époque de bombardiers.

nique. Il usa d'arguments proches de ceux qu'avait avancés Mendès France contre l'adhésion française : l'économie britannique n'est pas capable de résister à la concurrence des continentaux, elle doit se réformer d'abord pour tirer profit ensuite de la compétition. A une troisième école appartenait mon ami Hugh Gaitskell, avec lequel je déjeunai à Paris, quelques semaines avant sa mort lamentable et prématurée. Ce chef du parti travailliste dont j'aimais la simplicité, l'évidente honnêteté, la franchise — toutes qualités relativement rares chez les professionnels de la politique — n'attachait au Marché commun qu'une importance secondaire. Adhésion, oui, si nous obtenons de bonnes conditions ; restons en dehors, si les Six nous imposent des sacrifices disproportionnés aux avantages prévisibles. En tout état de cause, me disait-il, c'est ailleurs que se joue la grande partie de l'avenir, loin du Vieux Continent, en Inde ou, pour mieux dire, en Asie et en Afrique où les peuples ex-colonisés font entendre leur voix et défient leurs anciens maîtres.

Je revins de cette enquête pour le moins incertain. Les Britanniques ne souhaitaient pas de tout cœur participer à la Communauté européenne, ils détestaient d'en être exclus. Le Marché commun me semblait encore trop fragile pour accepter immédiatement un nouveau membre dont les objectifs et les intérêts ne s'accordaient certes pas avec ceux de la France. Le 4 septembre 1962, je m'exprimai avec brutalité : « ... ceux pour qui l'Europe doit être une patrie ne peuvent pas ignorer qu'aux yeux des Britanniques (une faible minorité mise à part), elle ne sera jamais qu'un moyen... Avec un petit coup de pouce, on en vient, comme l'a fait un de nos confrères anglais, à prêter aux continentaux l'opinion que la Grande-Bretagne serait dans le Marché commun le cheval de Troie des États-Unis... On sait approximativement ce que sera l'Europe des Six (laquelle, après l'entrée de la Grande-Bretagne, est vouée à s'élargir)... Toutes les transformations qu'entraîne l'entrée de la Grande-Bretagne iront en sens contraire des conceptions françaises, je dirais même en sens contraire des conceptions de tous les partis français. Quoi d'étonnant si nos représentants paraissent souvent intransigeants à nos amis britanniques ? » Simultanément, je m'efforçai de dédramatiser le conflit. « Si la Grande-Bretagne n'entre pas dans le Marché commun, l'Alliance atlantique ne sera pas condamnée pour autant. Au bout du compte, il ne manque pas d'hommes politiques, en Grande-Bretagne, en Australie ou dans d'autres pays du Commonwealth, qui se réjouiraient de l'échec des négociations de Bruxelles. Comment baptiser le général de Gaulle anti-anglais sous le seul prétexte qu'il partage peut-être les espoirs de Lord Attlee ? »

La dernière phrase, astucieuse ou politicienne, mettait malgré tout en lumière un fait incontestable : la candidature britannique n'exprimait pas un sentiment commun de la classe politique, une volonté claire et résolue de la nation. Beaucoup de Britanniques, hostiles à l'adhésion, trouvaient des alliés objectifs parmi des fonctionnaires français qui, selon un mot répandu à l'époque, inversaient la formule américaine : « *When there is a problem, there is a solution* » et disaient en plaisantant : « *When there is a solution, there is a problem*[1]. »

Sur le fond, le général de Gaulle avait raison, bien que le style adopté dans la fameuse conférence de presse du 8 janvier 1963 ajoutât aux ressentiments de nos partenaires du Marché commun, à la colère des Britanniques, à l'irritation de l'équipe Kennedy. Au cours des années 1961 et 1962, l'Alliance atlantique était agitée par deux querelles : le Marché commun doit-il s'ouvrir à la Grande-Bretagne ? que résultera-t-il de la constitution par la France d'une force stratégique nucléaire ? La conférence de presse de janvier 1963 contenait deux *non* spectaculaires adressés simultanément à Londres et à Washington.

L'équipe Kennedy nourrissait un grand dessein. Économiquement, le Marché commun, élargi par l'entrée de la Grande-Bretagne, se rapprocherait de la zone atlantique, réduirait les droits de douane instaurés aux frontières des Six devenus Sept, en même temps que seraient réduits les droits qui protégeaient les États-Unis. Politiquement, l'Europe unie et la République américaine constitueraient les deux piliers de la construction atlantique. Kennedy avait commis l'erreur d'intervenir dans un débat qui ne concernait que les Européens. Il avait commis une deuxième erreur en offrant à la Grande-Bretagne, en contrepartie du *Skybolt* (missile air-terre), les missiles *Polaris* qui équiperaient les sous-marins à propulsion nucléaire, construits par les Britanniques. Il offrit au gouvernement français un accord identique à celui qu'il conclut avec le gouvernement Macmillan. Le général de Gaulle ne manqua pas l'occasion d'amplifier l'écho de ce double veto par la mise en scène et l'éclat du verbe. En dehors même des arguments politiques, le refus du général de Gaulle d'offre faite à la conférence de Nassau[2] fut dicté aussi par des considérations techniques. Les Français avaient établi un programme d'armements nucléaires ; les *Polaris*, en 1963, ne pouvaient pas s'insérer dans ce programme. De plus, tant qu'à dépenser des milliards de francs pour la mise au point des armes nucléaires et des vecteurs, mieux valait que la force française fût totalement française, conçue par des ingénieurs français, fabriquée par des ouvriers français. L'équipe Kennedy tenait, par passion et par théorie, au monopole américain moins des armes que de la stratégie nucléaire à l'intérieur de l'Alliance. Ce monopole, le général de Gaulle n'entendait pas le lui concéder. L'accord franco-américain était donc impossible. André Malraux, qui vint à Washington entre la conférence de Nassau et le veto du Général, laissa entendre au président Kennedy que le dialogue franco-américain

1. En mai 1971, encore à la veille de l'entretien décisif Pompidou-Heath, j'écrivis un article qui se terminait sur les lignes suivantes : « L'entrée probable de la Grande-Bretagne dans le Marché commun offre la chance d'un nouveau départ, mais à la condition que nos hommes d'État ne se fassent pas d'illusion sur les intérêts de nos futurs partenaires britanniques, plus éloignés encore que ceux de nos partenaires allemands des thèses que défendent jusqu'à maintenant les négociateurs français. »
2. La conférence anglo-américaine où fut conclu l'accord sur les *Polaris*.

allait s'engager. Ainsi du moins Kennedy comprit-il les propos de Malraux. (Le président américain me le dit en passant et en conclut que les plus proches du Général ne connaissaient pas toujours ses intentions.)

Au cours des semaines et des mois qui suivirent le *non* du général, j'eus l'occasion d'expliquer et de commenter sa politique ; dans *le Figaro,* mes commentaires étaient nuancés et quelquefois « désobligeants », pour reprendre l'expression du Général lui-même.

Au lendemain de la fameuse conférence de presse de janvier 1963, j'écrivis deux articles (19 et 25 janvier 1963) ; dans le premier, j'expliquai les décisions du Général et, pour l'essentiel, je m'abstins de les critiquer, la politique gaulliste étant « un fait aussi inébranlable que la personne même du général de Gaulle ». Les deux *non* découlaient logiquement des conceptions bien connues du chef de l'État : « Hostile à l'intégration des armes classiques, le président de la République ne pouvait manquer d'être hostile *a fortiori* à l'intégration des armes atomiques. Comme de plus la France ne possède ni bombes thermonucléaires, ni ogives pour fusées *Polaris,* ni sous-marins susceptibles de transporter ces fusées, l'accord de Nassau ne présente pour elle aucun intérêt actuel. Et le général de Gaulle n'est pas homme à envisager une négociation dans laquelle, en contrepartie d'une aide technique des États-Unis, il aurait promis une participation à une force multilatérale. » Après avoir expliqué pourquoi le refus du général de Gaulle aurait dû être prévu par tous, je formulai mes réserves sur la diplomatie du coup du poing sur la table, du scandale. Était-il indispensable de suggérer que « l'adhésion de nouveaux membres tendait vers une Communauté atlantique, c'est-à-dire vers la reconstitution de l'hégémonie américaine et de la satellisation européenne » ? Un peu plus loin, j'écrivis : « Il nous reste à espérer que l'efficacité d'une politique est exactement mesurée par le nombre des alliés qu'elle froisse, heurte ou humilie... » Sans critiquer la création d'une force nucléaire française, je déplorai les arguments que le Général lui-même invoquait : « En attendant que la force française existe, peut-être n'est-il pas indispensable que la résolution américaine soit mise en doute par ceux mêmes qui en ont le plus besoin... Dans l'affaire de Berlin, c'est sur la force américaine de dissuasion que le général de Gaulle compte pour assurer sa propre diplomatie de fermeté sans faille... »

Quelques jours plus tard, je répondis à des questions de lecteurs dans un article sous le titre « Le secret du Général ». Je ne critiquai ni le veto à la candidature de la Grande-Bretagne, ni le veto au grand dessein de J. F. Kennedy. Je déplorai le style adopté, qui s'accordait mal avec une alliance permanente entre des États démocratiques et je spéculai sur les intentions ultimes du Général. Je crois utile de reproduire quelques extraits de cet article, assez typiques de mon attitude à l'égard de la diplomatie du Général, attitude passablement irritante pour les gaullistes inconditionnels et pourtant, à mes yeux, raisonnable : « L'exercice de haute voltige politico-historique que l'on baptise conférence de presse sous la Ve République ne ressemble guère à ce que journalistes et président appellent ainsi aux États-Unis. Une conférence de presse du général de Gaulle est une œuvre d'art : l'orateur survole la planète, rappelle le passé et jette des rayons de lumière sur l'avenir, il distribue blâmes ou éloges aux uns et aux autres, il couvre de mépris ses adversaires et il ne dissimule pas la satisfaction que lui inspire la France qu'il façonne. Mais cette œuvre d'art est aussi un acte politique. Au tournant d'une phrase, le ministre de l'Algérie lui-même apprend que le Sahara fera partie de l'héritage que recueillera le FLN. Cet acte politique est, enfin, élément d'une stratégie et d'une biographie. La portée exacte des propos demeure incertaine. L'objectif visé dans l'immédiat n'est pas toujours visible, les intentions à long terme sont soigneusement maintenues dans une équivoque, enveloppée de mystère et transformée en énigme (pour citer Winston Churchill). Quel que soit l'événement, le général de Gaulle l'aura prévu et voulu. Dans le troisième tome des *Mémoires*, ayant tout à la fois recommandé la reconstitution *des* Allemagnes (comme au temps de Richelieu et de la marine à voile) et l'unification de l'Europe par la réconciliation avec les Allemands, il avait pris des assurances contre l'avenir. De même, à l'égard de l'Union soviétique (d'ordinaire appelée Russie), il envisage à la fois une fermeté sans défaillance et, le jour où le temps aurait fait son œuvre, la main tendue. La prescience ne risque guère d'être prise en défaut si l'itinéraire de l'orateur n'omet aucune des perspectives concevables... »

J'évoquai ensuite, dans mon article, le long passage de la conférence de presse consacré à la force de frappe française. La France peut-elle compter davantage sur quelques dizaines de *Mirage IV* que sur l'énorme puissance des États-Unis ? Je rappelai qu'il fallait toujours interpréter les propos du Général, deviner sa pensée véritable. Ainsi « que pensait-il vraiment quand il affirmait souhaiter la solution la plus française [pour l'Algérie] » ? Je relevai deux petites phrases qui réservaient les droits du bon sens et préparaient éventuellement l'avenir : « Naturellement, les armements nucléaires américains demeurent la garantie de la paix mondiale... Bien entendu, la France n'est pas opposée du tout au tout à ce que soit combinée l'action de cette force avec l'action d'une force analogue ou du même genre de ses alliés. »

Sur les problèmes concrets en discussion, l'entrée de la Grande-Bretagne dans le Marché commun et l'accord anglo-américain des Bahamas, je rappelai les raisons valables de la décision du Général : « Un accord du Marché commun avec la Grande-Bretagne, le Commonwealth et les États-Unis, tout indispensable qu'il est, n'implique pas l'élargissement immédiat de la Communauté européenne avec les risques de désagrégation que comporte cet élargissement. De même, la France qui avait mis en train des fabrications nucléaires peut difficilement abandonner le programme établi avant même que celui-ci ait donné ses premiers résultats. »

Cette approbation sur le fond occupait moins de place dans l'article, et retint moins l'attention, que les remarques, plus ou moins ironiques, sur le style ou la manière : « La Grande-Bretagne est déclarée insulaire, donc non européenne (était-elle non européenne en 1940 ?) et invitée, après un premier échec à l'examen d'européanisme, à se représenter dans quelques années, quand elle aura fait des progrès... Finalement, tout le monde s'interroge parce que le Général, appliquant à la diplomatie mondiale la méthode qui lui a si bien réussi dans l'affaire algérienne, dissimule ses arrière-pensées et laisse à chacun le soin de les deviner... » Et la conclusion : « Je crois l'Alliance atlantique assez solide pour s'offrir le luxe d'un grand homme, soucieux de sa stature et de son secret. Mais s'il trouvait, par malheur, des disciples, l'Alliance n'y résisterait pas. »

Je me souviens de deux réunions dans lesquelles je défendis les thèses du gouvernement français. La première fut une conférence, annuelle je crois, des chefs militaires de tous les pays de l'Alliance atlantique. Jamais je n'embrassai du regard autant de généraux et d'amiraux, autant de poitrines constellées d'autant de décorations. Après mon plaidoyer, si mes souvenirs ne m'abusent pas, l'ambassadeur britannique, Sir William Goodenough Hayter, homme charmant que je vis de temps en temps à Paris et que je revis à Oxford, *master* d'un collège, décrivit sous un jour sinistre les conséquences de la crise : la Grande-Bretagne, mise à l'écart de l'unité européenne, vouée au déclin économique, finirait par se replier sur elle-même et par quitter l'Alliance atlantique (le raisonnement me parut, sur le moment, plus émotionnel que convaincant).

Les passions éclatèrent avec plus de violence encore à un dîner au Club anglo-américain, aux Champs-Élysées. A la fin du dîner, invité d'honneur, je pris la parole et m'efforçai d'exposer les raisons et les intentions du Général. Contre toutes les coutumes, je fus interrompu plusieurs fois par des membres de ce club, des Hollandais en particulier, et je ne parvins pas sans peine jusqu'au bout de mon propos. A mon tour, j'oubliai les règles de la politesse et j'interrompis plusieurs fois le secrétaire général de l'Alliance, Dirk Stikker, qui n'acheva pas son discours. Le général Stockwell qui présidait la table se leva et m'entraîna vers un salon où les alcools et les cigares nous attendaient. Quelques jours plus tard, l'ambassadeur des États-Unis, Thomas Finletter, me convia à déjeuner en tête à tête pour s'excuser du traitement infligé à un invité d'honneur, victime d'une « agression » sans exemple. A vrai dire, la crise des missiles de Cuba nous retint plus longuement que les querelles intra-européennes ou intra-atlantiques.

Le veto français à la candidature anglaise aurait-il suscité moins de ressentiments s'il n'avait pas été prononcé par le Général, parlant seul, devant le monde, comme si nos partenaires de la Communauté n'avaient pas droit de participer au dialogue ? Quoi qu'il en soit, le Général ne se trompa pas sur l'essentiel : les Cinq ne rompirent pas avec Paris, parce que notre président les avait traités cavalièrement. Au fond d'eux-mêmes, ils n'ignoraient pas que la candidature de Londres n'était pas soutenue par un fort mouvement d'opinion ; les Britanniques, au long des années, avaient changé de langage, mais non de sentiments à l'égard du Marché commun. Ils avaient dénoncé d'abord la « discrimination », à savoir la création, aux frontières des Six, d'un système douanier dont les avantages ne seraient pas accordés aux autres Européens, aux autres partenaires de l'Alliance atlantique. La polémique contre la discrimination me parut dérisoire : le Marché commun, par essence, impliquait la distinction, toute légale, entre les *in* et les *out.* Après les invectives contre la discrimination vint le projet d'une zone de libre-échange qui aurait étouffé dans l'œuf la Communauté européenne. La candidature de la Grande-Bretagne témoignait-elle d'un autre esprit ou seulement d'une autre méthode ? En tout état de cause, les négociateurs de Londres se dissimulèrent à eux-mêmes la faiblesse de leur position. Ce n'était pas à eux de poser les conditions. Les partisans de la Grande-Bretagne dans la Communauté ne pouvaient pas forcer la main aux Français ; l'échec des pourparlers, sans l'éclat de la conférence de presse, n'aurait pas soulevé de grandes vagues, mais le Général goûtait les tempêtes.

Le refus de l'offre de Nassau multiplia le retentissement du refus opposé à Londres. Le Général s'adressait à J.F. Kennedy autant qu'à Harold Macmillan. Il ne rejetait pas seulement l'accord anglo-américain, improvisé à Nassau, il s'attaquait, bille en tête, au grand dessein de J. F. Kennedy et au dogme que les universitaires, venus de Harvard ou de la Rand Corporation, avaient amené avec eux à la Maison Blanche et inculqué au président : à l'âge atomique, un seul homme devait tenir le doigt sur la gâchette. A l'intérieur d'une alliance, donc aussi de l'Alliance atlantique, la possession des armes et plus encore la décision d'emploi devaient revenir à un seul, donc au président des États-Unis.

Au mois de mai 1962, j'avais écrit un article dans lequel je critiquais la position américaine qui maintenait, en matière nucléaire, des « relations spéciales » avec la Grande-Bretagne, mais refusait toute coopération avec l'Agence française de l'énergie atomique. J'employai une expression frappante qui fut plus d'une fois citée : pourquoi les secrets peuvent-ils traverser sans péril l'océan Atlantique jusqu'à Londres, mais non la Manche jusqu'à Paris ? Cet article, je le souligne, date du mois de mai 1962, alors que se déroulaient les pourparlers de Bruxelles et que l'administration Kennedy s'efforçait de faire comprendre et accepter par les Européens la doctrine baptisée McNamara. J'envoyai à McGeorge Bundy, qui détenait à l'époque le poste confié plus tard à H. Kissinger, celui du conseiller spécial du président pour la défense et président du Conseil de sécurité nationale, une lettre datée du 16 mai. Il me répondit par une longue lettre, que j'ai gardée pour moi-même pendant vingt ans mais qui ne dévoile aujourd'hui aucun secret : « Vous avez raison de dire que, pour une grande part, nos sentiments découlent de notre conviction que la défense nucléaire de l'Occident est *fundamentally indi-*

visible. Sur ce point, en fait, notre estimation de la capacité nucléaire britannique n'est pas différente de notre estimation de la capacité nucléaire française. » Venait ensuite un passage dans lequel McGeorge Bundy expliquait les circonstances dans lesquelles fut reprise la coopération nucléaire entre Américains et Britanniques ; en 1957-1958 le choc du *Spoutnik* incita les Américains à chercher des bases avancées ; aussi bien, à l'époque, les Américains ne pensaient pas encore ce qu'ils pensent aujourd'hui : « J'apprécie la force de votre argument que les Français ne peuvent pas être satisfaits de la différence de traitement qui résulte de l'évolution de notre pensée. »

Sa thèse centrale s'exprimait dans la formule suivante : « Comme nous pensons que la maîtrise centralisée et la réplique indivisible sont de loin les moyens les moins dangereux d'édifier la défense nucléaire de l'Occident, nous pensons que nous ne pourrions infléchir notre politique actuelle que pour des raisons d'une gravité exceptionnelle. Nous n'apercevons pas cette sorte d'exigence contraignante dans le cas de l'effort nucléaire français indépendant. A coup sûr la France a le droit d'entreprendre cet effort, et j'espère que vous ne croirez pas que l'administration Kennedy est encline à regarder cette décision avec hostilité ; nous pouvons la regretter, mais ce n'est pas à nous de nous y opposer. » Après quelques phrases sur une évolution possible vers un rapprochement européen des efforts nucléaires nationaux, McGeorge Bundy examine deux cas, celui de l'Allemagne et celui de la Grande-Bretagne. Pour l'instant, il concédait que « la République fédérale allemande n'est pas intéressée par les armes nucléaires et ne se sentirait pas humiliée par la coopération franco-américaine. Mais en ira-t-il de même d'ici à une génération ? ».

Vient ensuite l'opposition essentielle entre l'attitude de la Grande-Bretagne et celle de la France : « Dans le domaine nucléaire, l'objectif particulier de la Grande-Bretagne n'a pas été tant d'établir son autonomie que de garder un droit de conseiller de prudence *(cautionary counsel)* à l'égard des États-Unis. La politique de la Grande-Bretagne a pour objectif l'intimité avec les États-Unis, une relation consultative avec le cran de sûreté *(advisory relation to the safety-catch).* Est-il totalement injuste de dire que la politique française, en sens contraire, tend à une indépendance accrue par rapport aux États-Unis et à la maîtrise immédiate de la gâchette ? » L'opposition entre les intentions respectives de Londres et de Paris touchait à l'essentiel. L'aide à un pays qui se propose de sauvegarder une alliance intime ne se heurte pas aux mêmes objections que l'aide à un pays soucieux avant tout d'élargir sa marge d'autonomie.

McGeorge Bundy terminait sur une remarque de fait qui, de quelque manière, liquidait la question. Jamais le général de Gaulle n'avait approché les Américains sur le sujet d'une coopération franco-américaine en fait d'armements nucléaires, jamais les représentants du gouvernement français n'avaient été autorisés par lui à aborder le problème. Il concluait par une question : « Je vous demande ce que vous-même seriez désireux de dire au sujet des termes possibles de cette entente. » Je n'ai malheureusement pas retrouvé ma réponse. Probablement lui ai-je écrit ce que je ne cessais de dire à mes amis de Washington : puisque vous ne pouvez pas empêcher la création de la force nucléaire stratégique française — et vous en tombez d'accord —, abstenez-vous d'en dénoncer tout à la fois l'inefficacité et les périls (arguments, au reste, plus ou moins contradictoires). C'est en cette même année 1962, avant la fameuse conférence de presse de janvier 1963, que Walter Lippmann, au retour d'un voyage en Europe, écrivit une brochure intitulée *l'Unité occidentale et le Marché commun*[1], prise de position plutôt surprenante tant il avait le plus souvent manifesté son accord avec le Général qu'il admirait.

W. Lippmann s'efforçait de comprendre la thèse du Général. Celui-ci, d'après le commentateur, bien loin de mettre en doute la valeur de la dissuasion américaine, avait en elle une pleine confiance. Aux yeux du Général, l'équilibre Est-Ouest était établi et la guerre inconcevable. A quoi pourrait servir la « petite force » capable en 1963 de tuer vingt millions de Russes ? « A ne pas se laisser entraîner dans une guerre nucléaire en Asie, c'est-à-dire en dehors de la zone des intérêts nationaux français. » En deuxième lieu, « la force de frappe est un stratagème qui engagerait les États-Unis, tout en réservant à l'Europe continentale, au tout premier chef, l'initiative nucléaire ». W. Lippmann voyait dans le fractionnement des forces nucléaires occidentales la fin du monopole américain et, du même coup, un danger mortel pour les États-Unis.

L'Angleterre s'était déjà retirée de la course aux fusées en raison de leur prix extrêmement élevé ; ses bombardiers seraient démodés d'ici à dix ans. L'effort britannique avait été une erreur dès le début. Pas question donc de renouveler l'erreur pour la France : « La responsabilité finale des affaires nucléaires au sein de l'Alliance occidentale doit n'appartenir qu'à une seule capitale et non pas à deux ou trois. La situation serait intenable pour les États-Unis si le levier de commande de nos forces nucléaires ne se trouvait plus à Washington. » Et, un peu plus loin : « Une autre force nucléaire au sein de l'Alliance occidentale, assez autonome pour déclencher une guerre mondiale et trop faible pour la gagner, serait un danger pour la paix universelle et pour notre propre sécurité. »

W. Lippmann, auparavant gaulliste, et il le redevint après, dénonçait à cette époque « les rêves de grandeur du gaullisme », contradictoires en profondeur avec les intérêts véritables de l'Allemagne[2]. Bien plus, il joignait à la défense du monopole atomique des États-Unis la grande idée, le grand dessein de l'administration Kennedy : « ... Kennedy prévoit l'admission de la Grande-Bretagne et de quelques autres États européens dans le Marché commun, l'association à ce dernier des pays neutres d'Europe, un arrangement à l'amiable avec les pays du Common-

1. *L'Unité occidentale et le Marché commun*, Paris, Julliard, 1962.
2. Il mettait en garde la RFA de se laisser entraîner dans l'entreprise gaulliste.

wealth, et, enfin, la participation des États-Unis à une vaste zone d'échanges à tarifs douaniers réduits. »

Je savais que « le grand dessein » du général de Gaulle n'était d'aucune manière compatible avec celui de J. F. Kennedy et, quel que fût mon attachement à la Communauté atlantique, je ne souscrivis ni à la thèse Lippmann du monopole nucléaire des États-Unis, ni à l'ouverture immédiate du Marché commun à la Grande-Bretagne et aux autres pays européens, membres ou non de l'Alliance atlantique.

Au déjeuner organisé à l'occasion du 75e anniversaire de l'édition publiée en France du *New York Herald Tribune*, W. Lippmann tint un discours retentissant sur le dialogue franco-américain au sujet des armes nucléaires. Je lui répondis dans un article du 3 décembre 1962, à la veille du veto du Général de janvier 1963, article qui fut utilisé par l'ambassade de France à Washington. W. Lippmann, disais-je, avait comparé « l'Alliance atlantique à une automobile qui roule sur des routes de montagne ; le président des États-Unis conduit l'automobile atlantique, les voyageurs — c'est-à-dire les pays d'Europe — devant faire confiance au conducteur. C'est beaucoup leur demander ». Le commentateur s'était efforcé ensuite de préciser, d'une manière générale, en quelles circonstances les États-Unis prendraient le risque d'une guerre thermonucléaire, à savoir « la mise en danger de l'équilibre de la puissance stratégique ». La formule s'appliquait à la rigueur au cas de Cuba, on voit mal comment elle s'appliquait au cas de Berlin. Walter Lippmann cherchait vainement une équivalence entre les missiles soviétiques établis à Cuba et la liberté physique de Berlin-Ouest. En vérité, le seul point commun entre Cuba et Berlin-Ouest, c'était l'engagement solennel du président Kennedy, ici de ne pas tolérer des armes offensives à Cuba, là de sauvegarder le statut de Berlin-Ouest.

Je ne niais pas que les Européens eussent besoin de longues années pour se donner une force de dissuasion digne de ce nom. Mais, si les Américains invitent les Européens à faire une confiance totale au conducteur, « les Européens feront à coup sûr ce dont Walter Lippmann veut les détourner et à quoi, en fait, il les accule ; ils consentiront les plus grands sacrifices en vue d'acquérir une force de dissuasion, peut-être inefficace ».

Au rebours des légendes, je ne me suis jamais exprimé contre la décision française de fabriquer des armes atomiques, pas plus sous la IVe que sous la Ve République. Avant même la première explosion atomique française au Sahara, en février 1960, j'énumérai les arguments en faveur de la doctrine gouvernementale dans un article du 26 novembre 1959 : « Quoi qu'on en dise, la France n'est pas incapable d'ici à 1965-1970 de constituer une " petite force de frappe atomique ", avec ses seules ressources scientifiques et techniques. En dépensant quelques centaines de milliards par an[1] à cette fin, la France disposerait d'ici à 1965 de plu-

1. Je calculai en francs légers.

sieurs dizaines de bombes atomiques et de bombardiers supersoniques. D'ici à 1970, il se peut que des engins balistiques de moyenne portée (IRBM), éventuellement fabriqués en coopération avec les brevets américains, puissent remplacer les bombardiers Dassault. » Il aurait été préférable d'omettre la référence aux brevets américains et de substituer au mot « remplacer » celui de compléter.

A cette date — novembre 1959 — je ne condamnai pas la « petite force de frappe atomique » qui « prépare peut-être une grande force d'ici à vingt-cinq ans » — effectivement, bien avant 1985, la France a mis en service des sous-marins nucléaires équipés de missiles capables de frapper la plupart des centres soviétiques —, mais j'énumérai des raisons étrangères aux calculs rigoureux de la sécurité : « La force de frappe a une certaine valeur de prestige... Elle a une incontestable valeur diplomatique dans les négociations avec les États-Unis sur la communication des secrets. Elle représente une sorte de recours suprême. A supposer que cette force de frappe soit à l'abri d'une attaque soudaine et d'une destruction au sol, elle ferait peser sur un agresseur éventuel des risques hors de proportion avec les bénéfices de la mise hors de combat de la France. Enfin, peut-être donnerait-elle une autorité supplémentaire à la voix de notre pays dans les conseils de l'Alliance, quand celle-ci devra déterminer la ligne de résistance face à l'Union soviétique. »

Quelques années plus tard, dans *le Grand Débat*, je repris le dossier de la force française et le présentai à ma manière : « L'analyse en termes exclusifs de sécurité fausserait les données exactes de la délibération. Il y faut joindre au moins trois autres dimensions : l'*influence sur l'allié* ou l'autonomie à l'intérieur de l'alliance, *le prestige sur la scène mondiale* et enfin l'*action exercée par le programme choisi* sur le *développement de l'économie* et, en particulier, le progrès de la science. » Et, à la fin du même chapitre, je présente et justifie le programme français : « La France ne voulait pas être exclue de la technique nucléaire. Elle ne voulait pas que le continent tout entier demeurât définitivement sous la protection des Anglo-Américains. Elle envisageait des perspectives à plus ou moins long terme, des renversements possibles de la conjoncture mondiale, elle prenait une assurance contre l'imprévu. Et, de toute manière, une force, même limitée, apporte quelques cartes diplomatiques, donne une chance d'influencer la stratégie de l'allié, responsable pour l'essentiel de la dissuasion. Même si l'on ne croit guère que, dans l'ordre de la dissuasion, la force française puisse acquérir une influence sur l'esprit des dirigeants soviétiques en menaçant de faire fonction de détonateur, on ne saurait non plus, en ces matières qui relèvent de la psychologie plus que de la logique, nier catégoriquement que cette force ajoute un élément à ceux dont un commandant soviétique, désireux par hypothèse de lancer une agression, serait obligé de tenir compte... Le programme vaut mieux que ses avocats. »

Mes arguments en faveur de la force dite à l'époque « de frappe » échappaient à la plupart des lecteurs parce que je mentionnais aussi les objections. Je ne participai pas à l'enthousiasme, spontané ou de commande, qui accueillit la première explosion d'une bombe française. Je jugeai que les *Mirage IV*, la force de la première génération, ne représentaient guère une force de deuxième frappe ; ils me semblaient vulnérables au sol, vulnérables aussi dans l'air. Je ne souscrivis jamais à la doctrine, désormais officielle, de la dissuasion du faible au fort et, plus généralement, de la « sanctuarisation » : l'État qui possède une force nucléaire assurerait à son territoire le caractère d'un « sanctuaire » ; ce territoire jouirait désormais d'une sécurité sans faille et sans risque. Mais comme la petite force ne peut agir que contre les villes adverses, autrement dit implique les représailles massives, la crédibilité de la menace du faible au fort prête pour le moins au doute : la France prendrait-elle l'initiative de recourir la première aux armes nucléaires contre l'Union soviétique ?

Je devins ainsi, entre 1960 et 1963, la bête noire des officiers responsables des relations publiques. Un de mes étudiants, qui faisait son service militaire dans ce service, reçut la mission particulière de lire mes articles et d'en rédiger les réfutations. Que reste-t-il de ces débats ? Peu de chose, bien que le même débat renaisse aujourd'hui, plus actuel en fait qu'il ne l'était il y a vingt ans. Au début des années 60, avec des bombes A et des *Mirage IV*, la France possédait à peine une capacité de seconde frappe et la dissuasion américaine pesait beaucoup plus lourd que la nôtre. Le général de Gaulle le reconnaissait volontiers au détour d'une phrase, je m'efforçais, dans mes articles, de le convaincre de ne pas opposer notre force stratégique nucléaire à l'OTAN, d'insérer, tout au contraire, cette force dans l'appareil atlantique. Je ne croyais guère à l'idée, à l'époque courante, du « détonateur » : la force nationale obligerait les États-Unis à user, eux aussi, des armes nucléaires. En fait, le Général voulait symboliser l'indépendance militaire de la France alors même que la nouvelle administration, celle de Kennedy, en 1961, révisait la doctrine officielle des États-Unis. La nouvelle doctrine américaine de la réplique graduée ne s'accordait pas avec les conceptions françaises : une petite force est condamnée aux représailles massives tant que les vecteurs, à demi vulnérables, ne peuvent frapper que de vastes cibles, en d'autres termes, sont destinés à l'action antivilles et non antiforce.

Les deux grands desseins de Kennedy et du général de Gaulle, nulle concertation, si subtile fût-elle, n'aurait accompli le miracle de les réconcilier. Sans illusion, je disais à mes amis de l'administration Kennedy : cessez votre propagande contre les forces nationales et en particulier la force française ; n'aggravez pas les malentendus transatlantiques par des reproches stériles. Sans davantage de succès, je rappelais en France à chaque occasion que la force française ne remplaçait pas celle des États-Unis ; mieux valait ne pas discréditer la force américaine sans laquelle la force française des années 60 ne pesait pas lourd.

Le débat stratégique des années 61-63 s'apaisa peu à peu, non pas faute d'interlocuteurs mais par suite de leur lassitude. Des deux grands desseins, c'est plutôt celui du Général qui l'emporta ; il interdit à la Grande-Bretagne l'entrée dans le Marché commun et il mit en œuvre le programme de la force de frappe nationale, en dépit des critiques américaines. Ces deux décisions ne dépendaient que de lui et de lui seul. Mais le grand dessein gaulliste allait-il au-delà de l'objectif immédiatement atteint, l'entrée dans le club atomique et la fermeture du Marché commun à la puissance insulaire, inséparable de la République américaine ?

Walter Lippmann s'interrogeait, lui aussi, sur le grand dessein gaulliste, aussi mystérieux que la formule « de l'Atlantique à l'Oural ». Il suspectait le Général de vouloir créer une Europe franco-allemande : « Le président Kennedy a raison de prévenir les Français et les Allemands que les États-Unis, s'ils n'ont pas l'intention de quitter l'Europe, pourraient bien y être contraints ; semblable événement se produirait si les Américains se trouvaient acculés à devoir défendre l'Europe alors que les décisions critiques menant à la guerre seraient prises non plus à Washington, mais à Paris ou à Bonn. Les États-Unis pourraient être écartés de l'Europe si le général de Gaulle et le docteur Adenauer s'obstinaient à créer la soi-disant Europe de leurs songes, une Europe excluant la Grande-Bretagne, ignorant les petits pays du Marché commun, décourageant les neutres et rejetant dédaigneusement l'offre d'association des États-Unis. »

La situation appelait-elle une analyse aussi dramatique ? Soulevait-elle des émotions aussi vives ? Le traité franco-allemand, conçu et conclu par le général de Gaulle et le chancelier Adenauer, consacrait la réconciliation des deux pays ; préparait-il un condominium franco-allemand sur l'Europe occidentale tout entière, soustraite au leadership américain ? Certes, le général de Gaulle considérait le traité de l'Atlantique Nord et l'OTAN comme l'instrument ou l'aboutissement de la vassalisation de l'Europe. Mais je doute qu'il ait jamais souhaité le retrait des troupes américaines ; il a souvent répété que la puissance nucléaire des États-Unis constituait la garantie de la paix mondiale. Mais peu importe l'intention ultime du Général : dès juillet 1964, dans une conférence de presse, il prit acte de l'échec du traité franco-allemand ou, tout au moins, de la déception qu'il éprouvait quand il évoquait les espoirs de la veille.

« Cependant, il faut bien constater que si le traité franco-allemand a permis dans quelques domaines des résultats de détail, s'il a amené les deux gouvernements et leurs administrations à pratiquer des contacts dont, de notre côté, et à tout prendre, nous jugeons qu'ils peuvent être utiles et sont, en tout cas, fort agréables, il n'en est pas sorti jusqu'à présent une ligne de conduite commune. Assurément, il n'y a pas et il ne peut y avoir d'opposition proprement dite entre Bonn et Paris, mais qu'il s'agisse de la solidarité effective de la France et de l'Allemagne quant à leur défense, ou bien de l'organisation nouvelle à donner à l'Alliance atlantique ; ou bien de l'attitude à prendre et de l'action à exercer vis-à-vis de l'Est, avant tout des satellites de Moscou ; ou bien, corrélativement, de la question des frontières ou des nationalités en Europe centrale et orientale ; ou bien de la reconnaissance de la Chine et de l'œuvre diplomatique et économique qui peut s'offrir à l'Europe par rapport à ce grand peuple ; ou bien de la paix en Asie et, notamment, en Indochine et en Indonésie ; ou bien de l'aide à apporter aux pays en voie de développement, en Afrique, en Asie, en Amérique latine ; ou bien de la mise sur pied du Marché commun agricole et, par conséquent, de l'avenir de la Communauté des Six, on ne saurait dire que l'Allemagne et la France se soient encore accordées pour faire ensemble une politique, et on ne saurait contester que cela vient du fait que Bonn n'a pas cru, jusqu'à présent, que cette politique devrait être européenne et indépendante. »

Texte parfaitement clair et pourtant de quelque manière mystérieux. Le Général avait-il jamais cru que la République fédérale allemande s'engagerait sans réserve dans l'alliance française aux dépens de l'alliance américaine ? Quelle forme aurait revêtue la coopération franco-allemande en fait de défense ? En quoi aurait consisté la nouvelle organisation de l'Alliance atlantique ? Quoi qu'il en soit, la diplomatie gaulliste, après l'échec du traité franco-allemand, demeuré *cordiale virtualité*, prit un autre tour. Elle se tourna vers l'Union soviétique et ses satellites. Dans ses conférences de presse, le Général suggéra un tout autre dessein.

Les années 64-68 — ensuite les troubles de Mai et leurs séquelles ne laissèrent plus au Général le loisir de consacrer ses forces et son temps à la grande politique — ne marquent pas une rupture ou un tournant de la politique extérieure du Général, mais la lune de miel franco-allemande appartient au passé. Le traité signé par le Général et le chancelier Adenauer subsiste mais, dans la mesure où de Gaulle s'efforce d'arracher l'Europe à la « vassalisation », il ne compte plus sur Bonn. A en juger d'après ses conférences de presse, il mise désormais sur l'Union soviétique, sur la réconciliation des deux parties de l'Europe.

Le 9 septembre 1965, dans sa conférence de presse, le général de Gaulle esquissa une autre voie de l'indépendance européenne. Après avoir rappelé la visite récente du président roumain Maurer, salué la prochaine visite du Premier polonais Cyrankiewicz, il déclara : « Nous n'hésitons pas à envisager qu'un jour vienne où, pour aboutir à une entente constructive depuis l'Atlantique jusqu'à l'Oural, l'Europe tout entière veuille régler ses propres problèmes et, avant tout, celui de l'Allemagne par la seule voie qui permette de le faire, celle d'un accord général. Ce jour-là, notre continent pourrait reprendre dans le monde, pour le bien de tous les hommes, un rôle digne de ses ressources et de ses capacités. »

Le 28 octobre 1966, le Général s'exprimait avec plus de brutalité encore. D'abord sur le traité franco-allemand : « Nous avons même été, il y aura bientôt quatre ans, jusqu'à conclure avec la République fédérale, et à sa demande, un traité qui aurait pu servir de base à une coopération particulière des deux pays dans les domaines de la politique, de l'économie, de l'agriculture et de la défense. Ce n'est pas notre fait si les liens préférentiels, contractés en dehors de nous et sans cesse resserrés par Bonn avec Washington, ont privé d'inspiration et de substance cet accord franco-allemand. Il est bien possible que, de ce fait, nos voisins d'outre-Rhin aient perdu quelques occasions quant à ce qu'aurait pu être l'action commune des deux nations, parce que, pendant qu'ils appliquaient non pas notre traité bilatéral, mais le préambule unilatéral qui en changeait tout le sens et qu'eux-mêmes y avaient ajouté, les événements marchaient ailleurs, et notamment à l'Est et peut-être même à Washington, brouillant les données de l'affaire telles qu'elles étaient au point de départ. »

Dans la même conférence de presse, revenant sur la candidature britannique au Marché commun, il soulignait la contradiction entre les liens atlantiques et l'unité européenne : « C'est ainsi qu'en 1963, nous avons été amenés à mettre un terme aux négociations engagées à Bruxelles par l'Angleterre en vue d'entrer dans l'organisation, non point certes que nous désespérions de voir jamais ce grand peuple insulaire unir vraiment son destin à celui du continent, mais le fait est qu'il n'était pas alors en mesure d'appliquer les règles communes et qu'il venait, à Nassau, d'attester une allégeance extérieure à une Europe qui en serait une... » Recevoir des armes des États-Unis (ou plus exactement en acheter) équivalait pour le général de Gaulle à une allégeance extérieure. Comment nos partenaires de la Communauté auraient-ils suivi un guide qui, apparemment, distinguait à peine entre les deux géants et identifiait tout accord avec les États-Unis à une inféodation, pour ne pas employer un mot plus fort ?

En 1966, le général de Gaulle regardait plus loin qu'une Europe occidentale unifiée, soustraite à la domination des États-Unis. La libération de l'Europe ne s'accomplirait que par l'accord des deux parties de l'Europe : « Au reste, même si un jour le groupement économique des Six est complété par leur concert politique, rien encore ne sera fait de valable ni de solide pour ce qui est de l'Europe, tant que ses peuples de l'Ouest et ses peuples de l'Est ne se seront pas accordés. En particulier, la solution d'un problème aussi grave que celui du destin de l'Allemagne n'est pas concevable autrement. » Un peu plus loin, il ajoutait : « On sait quelle rapidité et quelle étendue marquent les progrès accomplis, on sait quelles perspectives vraiment amples et vraiment fécondes ouvrent les accords économiques, culturels, scientifiques et techniques qu'ont conclus ces deux pays [la France et l'Union soviétique]... »

Après l'échec du traité franco-allemand, le Général revint plusieurs fois sur les problèmes allemands, par exemple dans la conférence de presse du 4 février 1965 : « Pour la France, tout se ramène aujourd'hui à trois questions étroitement liées. Faire en sorte que l'Allemagne soit désormais un élément certain du progrès et de la paix. Sous cette condition, aider à sa réunification. Prendre la voie et choisir le cadre qui permettrait d'y parvenir. » Après le rappel des étapes franchies depuis l'écrasement du IIIe Reich, le Général résumait son analyse : « Une pareille indétermination, en une pareille région du monde et à une pareille époque, ne saurait, évidemment, être tenue pour définitive. Oh ! sans doute, on peut imaginer que les choses continuent longtemps encore comme elles sont et qu'il n'en résulte demain, pas plus qu'il n'en est sorti hier, une conflagration générale, la dissuasion atomique réciproque réussissant à empêcher le pire. Mais il est clair qu'une paix réelle, *a fortiori* des rapports féconds entre l'Est et l'Ouest, ne seront pas établis tant que subsisteront les anomalies allemandes, les inquiétudes qu'elles suscitent et les épreuves qu'elles entraînent... Ce qu'il faut faire ne pourra être fait, un jour, que par l'entente et l'action conjuguée des peuples qui ont toujours été, qui sont et qui resteront principalement intéressés au sort du voisin germanique, bref, les peuples européens. Que ceux-ci envisagent d'abord d'examiner ensemble, ensuite de régler en commun, enfin de garantir conjointement la solution d'une question qui est essentiellement celle de leur continent, telle est la seule voie qui puisse faire renaître, tel est le seul lien qui puisse maintenir en Europe un état d'équilibre, de paix et de coopération d'un bout à l'autre du territoire que lui attribue la nature. »

Cette paix européenne, le général de Gaulle l'imaginait-il proche ou lointaine ? Il énumérait les multiples conditions nécessaires à l'unification de l'Allemagne avec le consentement de tous ses voisins. Parmi les conditions, il mentionnait : « Il s'agit que la Russie évolue de telle façon qu'elle voie son avenir non plus dans la contrainte totalitaire imposée chez elle et chez les autres, mais dans le progrès accompli en commun par des hommes et par des peuples libres. Il s'agit que les nations dont elle a fait ses satellites puissent jouer leur rôle dans une Europe renouvelée... » L'équilibre ou la concorde de l'Atlantique à l'Oural exigeait, selon le Général lui-même, la conversion du régime soviétique. Croyait-il à cette conversion et dans quel délai ? Sur ces deux points, « le secret du Général », expression que j'ai plusieurs fois employée, demeure entier.

L'ensemble de cette politique, équivoque et spectaculaire, je ne l'approuvai jamais. (Aussi bien, quand j'appartins au RPF, le Général professait sur le problème allemand des thèses qui me paraissaient à la fois anachroniques et irréalistes.) Le Général présentait le plus souvent les deux Grands sur le même plan, alors que, dans le même discours, il rappelait en une phrase le totalitarisme soviétique et l'amitié américaine. Il se donnait apparemment pour objectif la désagrégation des blocs et le rapprochement des deux parties de l'Europe, comme si l'hégémonie américaine ne différait pas en nature de l'impérialisme soviétique ; par là même il répandit dans le pays une image mensongère du monde, il excita l'anti-américanisme latent du peuple français et lui fit oublier que l'Union soviétique, militairement établie au centre de l'Europe, constituait pour notre indépendance nationale la seule menace véritable. La vision d'une Europe pacifiée, de l'Atlantique à l'Oural, relevait des rêves ou des objectifs à long terme, sans aucune chance de réalisation prochaine ; elle insinuait une idée fausse et dangereuse : l'opposition radicale entre les « Européens » et les « Atlantiques ». C'est du général de Gaulle que dérive et date l'acception péjorative du terme « atlantiste ».

Je commentai, sans passion et sans indulgence, les mesures par lesquelles la France sortit peu à peu du commandement intégré de l'OTAN et témoigna de son indépendance. La rupture finale avec le commandement unifié marqua le terme d'une politique annoncée peu de temps après l'arrivée du général de Gaulle au pouvoir, et tout de suite symbolisée par des actes : la flotte de Méditerranée fut la première soustraite au commandement unifié de l'OTAN, ensuite la marine de l'Atlantique ; par définition pour ainsi dire, la force nucléaire stratégique fut immédiatement mise sous les ordres du seul gouvernement français. La demande d'évacuation des bases OTAN ou américaines, la liquidation de ces bases consacrèrent logiquement une politique, décidée dès le point de départ, mise en œuvre progressivement.

Une précision, souvent ignorée par le public, mérite d'être rappelée. Avant le retour du Général au pouvoir, les troupes françaises, en temps de paix, demeuraient sous un commandement français lors même qu'elles étaient mises à la disposition de l'OTAN. Cette mise à la disposition, expression courante à l'époque, n'intervenait en fait qu'en cas de conflit. Le gouvernement français n'eut aucune peine à transférer les divisions du continent en Afrique du Nord, quand la guerre d'Algérie l'y contraignit. Le retrait de l'OTAN n'en prenait pas moins une signification immédiate et retentissante, même s'il changeait moins que les observateurs ne le pensaient, les données militaires.

Le Général et les siens donnaient ou suggéraient de multiples arguments : il ne convient pas de confier à un général étranger la charge de diriger des opérations militaires impliquant la participation de troupes françaises ; le général Eisenhower envisagea d'un cœur léger l'évacuation de Strasbourg en 1944, sans mesurer les suites politiques d'un retour, même de courte durée, des nazis dans la ville. C'est grâce à l'intervention du général de Gaulle que le désastre fut évité. A un niveau plus élevé, le Général répéta plusieurs fois, en particulier dans son discours à l'Institut des Hautes Études militaires, que la guerre, si elle devait par malheur survenir, devrait être française, livrée pour des intérêts français, conduite par les autorités françaises. Ce principe devenait d'autant plus impératif que le risque de guerre surgissait moins en Europe même que dans le reste du monde : la France ne voulait pas être entraînée par des conflits lointains, en Asie du Sud-Est ou au Moyen-Orient, dans une guerre qui ne la concernerait pas directement. Dernière raison enfin : dès lors que la France possédait désormais une force nucléaire stratégique, strictement nationale, elle concevait nécessairement une doctrine propre de défense, non pas incompatible avec les doctrines de l'OTAN, mais non subordonnée ou intégrée à celles-ci.

La rupture avec l'atlantisme, de 1962 à 1966, ne déclencha pas un grand débat en France. La substitution par l'administration Kennedy de la « réplique graduée » aux « représailles massives » touchait à l'essence même de la sécurité européenne, à la valeur de la garantie américaine. La formule de l'indépendance nationale, de la défense autonome flattait l'amour-propre des Français. Ces derniers n'ignoraient pas que les Américains maintenaient leurs troupes sur le Vieux Continent ; de ce fait, ils camouflaient à leurs propres yeux la protection américaine sous l'illusion de ne devoir rien à personne.

Que pensait le Général lui-même ? Je posai plusieurs fois la question au cours de ces années. Il me paraissait évident que « l'indépendance », au sens de liberté de manœuvre de l'État souverain, constituait pour lui, plus encore qu'un moyen, un but en soi. Dans la mesure où la participation à l'OTAN portait ou semblait porter atteinte à cette indépendance, il n'avait nul besoin d'un autre motif de rupture. La France devait retrouver son « in-dépendance », quels qu'en fussent les objectifs ultérieurs. Sur ces objectifs ultérieurs, chacun s'abandonnait librement à son imagination.

En 1966, le général de Gaulle déploya à plein son offensive diplomatique à l'adresse de l'Europe de l'Est, il évoqua l'accord et l'équilibre de l'Europe de l'Atlantique à l'Oural sans mentionner les États-Unis ; aussi les commentateurs spéculèrent-ils sur le grand dessein : liquider les séquelles de la dernière guerre, à savoir le partage du Vieux Continent en deux parties, l'une et l'autre, formées en blocs militaires, confrontant leurs armes et leur résolution ? Le Général insista, à chaque occasion, sur la distinction radicale entre les liens entre Européens et les liens des Européens avec les Américains. Le problème allemand serait résolu par les Européens, en particulier par les voisins du « pays du milieu ». Le Général se donnait-il pour objet, en dernière analyse, d'éliminer les États-Unis du Vieux Continent et d'élargir l'indépendance de la France en indépendance européenne, fondée sur la « bonne et vieille alliance » avec la Russie ? Après avoir tenté de secouer le « joug américain » par l'alliance avec Bonn, le Général visait-il le même but par une tout autre voie, celle de l'alliance russe ?

Que telle ait été, à long terme, la représentation gaulliste de l'Europe pacifiée et soustraite au corset de fer des deux blocs, il se peut. Mais, comme je l'ai rappelé plus haut, en réplique à André Siegfried, je ne parvins jamais à me convaincre que le Général ait souhaité, au moins dans l'immédiat, la dissolution de l'Alliance atlantique ou de l'OTAN. Certes, il déclara plusieurs fois que la dissuasion réciproque des deux Grands, substituée à la dissuasion unilatérale de l'Union soviétique par les États-Unis, modifiait du tout au tout la conjoncture mondiale. Désormais, nul ne pouvait savoir si et quand les armes nucléaires des États-Unis serviraient à la protection de l'Europe. Il évoqua l'éventualité d'une guerre que se livreraient les deux Grands sur des territoires de pays tiers, l'Europe par exemple, en respectant mutuellement leur propre sol. Mais j'avais peine à croire que la force nucléaire stratégique de la première génération, les *Mirage IV*, vulnérables au sol et vulnérables en l'air, comblaient les trous du « parapluie nucléaire » des États-Unis. Je pensais que le général de Gaulle voulait enlever aux États-Unis les privilèges acquis dans les années qui suivirent la guerre, supprimer toute forme ou apparence d'inféodation au protecteur, affirmer de manière ostentatoire l'indépendance de la France, tout en conservant la sécurité que lui assurait la présence d'une armée germano-américaine entre l'imperium soviétique et les frontières françaises.

Ces commentaires sur la diplomatie gaulliste irritaient grandement l'artiste. Je n'adoptai pas une position systématiquement favorable ou défavorable ; j'approuvai plusieurs fois la politique, tout en critiquant les arguments avancés par les porte-parole du pouvoir. Je prends pour exemple un article du 1er décembre 1964, à la suite du débat parlementaire sur la deuxième loi-programme militaire : je constatai que l'effort prioritaire portait sur les armes nucléaires et qu'en 1970 « deux ou trois divisions tout au plus pourront être modernisées ». Je ne critiquai pas cette répartition des dépenses militaires, mais j'en dégageai la signification authentique, en dehors des justifications officielles.

« Entre la seule puissance dotée d'armements nucléaires, dont l'agression pourrait être redoutée, et les frontières françaises s'étend le territoire de la République fédérale allemande sur lequel des divisions américaines et allemandes sont stationnées. Ce qui permet à la France de se passer des divisions équipées d'armes classiques, ce n'est pas, comme l'a dit tel député de la majorité, que l'absence de moyens classiques rend plus crédible la menace de recours aux armes atomiques, c'est que nos alliés fournissent le “ bouclier ”. Même si la France sortait demain officiellement de l'Alliance atlantique, elle ne cesserait pas pour autant d'être protégée par l'armée américano-allemande. » Ensuite venait le débat sur la dissuasion propre de la force française : « Quand M. Messmer déclare qu'à la moindre agression un gouvernement français digne de ce nom n'hésiterait pas à déclencher des représailles atomiques, il ne terrifie personne, pas même les Français dont le gouvernement digne de ce nom précipiterait la mort, si l'ordre fatal était donné... Les dirigeants soviétiques seront encore dissuadés demain par l'appareil thermonucléaire des États-Unis, tant du moins que la présence des troupes américaines sur le Vieux Continent donnera la preuve d'un engagement que des “ experts ” français peuvent affecter de mettre en doute, mais que les hommes du Kremlin, fort sagement, prennent au sérieux. »

En ce qui concerne l'action de la force nucléaire stratégique, je me demandai quelles initiatives soviétiques pourraient être dissuadées par la menace française sans l'être par la puissance américaine. Sans nier que la force française créât une incertitude supplémentaire, j'affirmai que « de longues années s'écouleront avant que la force française puisse se substituer à la force américaine. Dès lors, il est conforme à l'intérêt français que la République fédérale allemande s'efforce de resserrer les liens de certains Européens avec les États-Unis au moment où la diplomatie française pourrait, à tort bien entendu, donner l'impression qu'elle veut les desserrer ».

Cette remarque prenait un ton ironique, puisque, à l'époque, la France tonnait contre la force multilatérale et toute participation allemande aux affaires nucléaires. Je justifiai la formule *à tort* en prêtant au Général des opinions qui me semblaient évidentes : « Je dis bien *à tort.* Que la sécurité française soit fondée sur la puissance américaine est un fait que le général de Gaulle n'ignore pas ; mais dans la conception qu'il se fait des rapports entre les États, il n'a aucun motif de payer ce que les circonstances amènent les États-Unis à lui accorder gratuitement. » Je terminai par une conclusion qui devait passer, *à tort bien entendu,* pour agressive : « Une fois admis qu'il n'y a aucun danger de guerre et que nos alliés possèdent les uns les armes classiques et les autres l'essentiel de la force de dissuasion, la politique militaire de la France, interprétée en termes strictement diplomatiques, peut parfaitement se justifier » (3 décembre 1964).

N'oublions pas que cette analyse date de l'année 1964 et qu'à l'époque la force nucléaire stratégique se composait exclusivement des *Mirage IV.* Attribuer à cette force une valeur surtout diplomatique, au moins provisoirement, ce n'était pas un crime contre la patrie. Quand je prêtais au Général une interprétation proche de la mienne, ce n'était pas non plus un crime de lèse-majesté. Plus de deux années plus tard, Alfred Fabre-Luce me reprocha amicalement, dans une « Tribune libre » du *Monde,* de prendre trop de libertés avec les paroles mêmes du Général : « Si l'on comprend bien, l'interprète authentique de la pensée la plus profonde du chef de l'État serait M. Raymond Aron lui-même. A travers lui, le général de Gaulle nous dirait : “ Que ma propagande ne vous inquiète pas : c'est du décor. ” »

Je répondis (15 septembre 1966) : dans l'affaire algérienne, qui se trompait le moins sur les intentions du Général sinon le commentateur qui ne prenait pas au pied de la lettre telle ou telle déclaration ? Pourquoi n'en irait-il pas de même dans le cas de la force nucléaire stratégique ? Le général de Gaulle écarte les spéculations auxquelles se plaisent les analystes américains sur la première frappe et la deuxième frappe, sur l'action antiforce et l'action antivilles. « Du moment que les grandes puissances possèdent des armements nucléaires, la France doit en posséder elle aussi. Autrement, elle cesserait d'être la France, elle aurait perdu l'indépendance militaire qui est, aux yeux du général de Gaulle, l'essence même de la nation et de l'État. La résolution gaulliste d'acquérir un armement atomique a pour origine moins une analyse de la conjoncture présente, moins une réflexion sur les dangers de la prolifération qu'une doctrine proprement philosophique et, pour ainsi dire, une vision historique. »

A partir de cette décision de principe et non de circonstance, chacun peut imaginer des arguments ou des rationalisations. La capacité de mettre à mort quelques millions, voire quelques dizaines de millions de personnes ne peut pas ne pas exercer une certaine action de dissuasion. Personne ne peut être assuré de la protection américaine à tout jamais, d'autant moins que le territoire américain est désormais lui aussi vulnérable. Argument valable même si, dans l'immédiat, on doute que la force française puisse dissuader les Soviétiques de certaines initiatives, dont la force américaine ne les dissuaderait pas. Mais la forme nucléaire stratégique, instrument diplomatique en tout cas, peut devenir effectivement une arme de dissuasion le jour où les missiles à moyenne portée et surtout les missiles des sous-marins nucléaires deviendront opérationnels.

Durant les années 1965-1967, la diplomatie gaulliste confondit, au moins en apparence, la reprise de l'indépendance française (dans le vocabulaire gaulliste, la France avait été « inféodée » aux États-Unis par l'intermédiaire de l'Alliance atlantique) avec l'anti-américanisme. Sur la guerre du Vietnam, le général de Gaulle, à Pnom Penh et à Paris, s'exprima sans retenue. Il rejeta sur l'intervention des États-Unis la responsabilité de cette « guerre odieuse ». Dans le même article du 15 septembre 1966, je commentai le discours de Pnom Penh : « L'équivoque et, par suite, la nécessité de l'interprétation surgissent à chaque instant. Presse et radio ont exalté le discours de Pnom Penh comme un des instants suprêmes de l'épopée gaulliste. Je ne reviendrai pas sur l'historique, pour le moins partial, du conflit, ni sur la comparaison avec la guerre d'Algérie. Je m'en tiendrai à un seul point. Le général de Gaulle peut-il nourrir l'illusion qu'un pareil discours, en un pareil lieu, soit de nature à exercer une influence sur le président Johnson ou sur l'opinion des États-Unis dans le sens de la paix ? De toute évidence, la réponse à une pareille question ne peut être que négative. Ce discours devrait exaspérer même les dirigeants les moins favorables à la guerre du Vietnam. Or, si le général de Gaulle redoutait l'extension du conflit, comme une campagne d'intoxication tend à nous le faire croire, ne serait-il pas soucieux avant tout d'empêcher le pire, et non de prendre date et de parler pour l'Histoire ? »

En 1966, c'est la décision de retirer les troupes françaises du commandement intégré de l'OTAN, qui symbolisa la diplomatie gaulliste et frappa l'opinion. En 1967, c'est la prise de position à l'égard de la guerre des Six Jours, qui scandalisa une fraction de l'opinion ; le voyage au Québec aussi suscita des mouvements divers.

La décision de 1966 découlait si logiquement de la pensée gaulliste que je la commentai à peine. Des accords militaires entre le commandement des troupes françaises et l'état-major de l'OTAN se substituaient à l'intégration sans trop d'inconvénients. La rédaction relativement vague du traité de l'Atlantique Nord — que le général de Gaulle avait sévèrement critiquée — servit le dessein du président de la Ve République. La France déciderait seule de l'aide qu'elle apporterait à un de ses alliés, victime d'une agression. Si des hostilités risquaient, venant d'Afrique ou d'Asie, de gagner l'Europe, la France garderait une meilleure chance de ne pas être entraînée dans une guerre, qui ne serait pas la sienne.

Je m'abstins de commenter le voyage du général de Gaulle à Québec, en particulier le cri : « Vive le Québec libre ! » L'événement ne me prit pas au dépourvu. Comme je l'ai déjà indiqué, invité à la réunion annuelle de l'Institut des Affaires publiques en 1957, j'y rencontrai tous ceux qui, au cours des années suivantes, tinrent les premiers rôles à Québec et au Canada. Jean Lesage, l'homme de la révolution tranquille, René Levesque, Pierre Elliott Trudeau, étaient là, bien d'autres encore qui ont disparu de la scène politique. La mutation des Québécois, le rejet du régime Duplessis, machine électorale de style nord-américain, pointaient à l'horizon. Le nationalisme passait de la défensive à l'offensive ; les francophones ne se contentaient plus de sauvegarder leur langue et leurs lois, ils ambitionnaient de prendre en main leur destin. Les anglophones de la « belle province » tenaient l'économie, les grandes entreprises, les postes élevés de l'administration. Le renouvellement du système d'éducation, élément majeur de la « révolution tranquille », multiplia dans les années 60 le nombre des diplômés ou, si l'on veut, des « intellectuels ». Et ceux-ci devinrent à la fois les porte-parole et les militants du parti indépendantiste.

Après mon séjour à Sainte-Adèle, en 1957, je continuai d'observer le mouvement politique au Canada. J'acceptai une invitation de l'Institut anglais des Affaires publiques sur le modèle duquel s'était formé l'Institut français. Je fus frappé par l'absence de communauté entre les anglophones et les francophones, par la précarité de l'unité canadienne en tant que telle. A l'occasion des attentats indépendantistes, j'écrivis dans *le Figaro* (le 24 avril 1964) un article sous le titre : « L'État du Québec sera-t-il indépendant ? » « Les Français se garderont de décider s'il est souhaitable ou non que l'État du Québec accède à l'indépendance... En un certain sens, les Canadiens français ont toujours été nationalistes, si l'on entend par ce terme équivoque la volonté de sauvegarder l'originalité de leur culture et de gérer leurs propres affaires. Mais aussi longtemps que les Canadiens français demeuraient une population paysanne, étroitement encadrée par l'Église, fermée à la civilisation urbaine et industrielle, le nationalisme était défensif et la formule fédérale, dont le centenaire va être célébré, permettait la coexistence pacifique, sinon l'unité morale, des deux ethnies. » Aujourd'hui, les Canadiens francophones sont en voie rapide d'urbanisation et de développement. Ils découvrent que, dans la province où ils dominent électoralement par le nombre, les anglophones dominent l'économie et même l'administration : « Les Anglais... ont pour la plupart " bonne conscience " : ne leur ont-ils pas laissé leur religion, leurs lois, leurs coutumes, leur langage, une large autonomie même depuis un siècle ? Ils regardent les indépendantistes comme des exaltés ou des démagogues, plus ridicules encore que dangereux. Mais je crains qu'ils n'oublient l'essentiel. Ils n'ont pas donné à leurs concitoyens francophones ce dont les hommes se passent le moins : le sentiment d'être reconnus... Les Canadiens anglais, qui ont été les plus orthodoxes des Britanniques dans l'anticolonialisme, sont incapables d'imaginer même que les Canadiens français se sentent victimes du " colonialisme ". Et pourtant, si toute ethnie, même autonome, se trouve ou se juge victime du colonialisme lorsqu'elle occupe une position inférieure dans un État binational, comment les Canadiens français n'auraient-ils pas quelque peu une conscience de colonisés ? » Sentiment d'infériorité d'autant plus douloureux qu'ils participent davantage à la vie moderne. Mes amis, Éric de Dampierre en particulier, se moquèrent de moi et de l'indépendance du Québec. De l'autre côté de l'Océan, l'article eut un grand retentissement et déclencha un débat. Le grand quotidien de langue anglaise, le *Montreal Star*, me consacra un éditorial de deux colonnes, du haut au bas de la première page. Il jugea sans importance les attentats des « indépendantistes » (les journaux de langue française firent de même) auxquels j'avais fait allusion. Il me présenta comme une personnalité à ce point célèbre que le président Kennedy m'avait fait venir pour une consultation (ce qui n'était pas vrai) et il me reprocha de conférer quelque probabilité ou du moins quelque plausibilité à une entreprise déraisonnable. Puisque Raymond Aron prend au sérieux les indépendantistes, ces derniers atteignent un de leurs objectifs prioritaires ; ils sortent du ghetto et deviennent respectables. Je reçus aussi bon nombre de lettres de Canadiens anglophones, tous indignés, tous plus ou moins violents, contre mon article (qui avait été reproduit intégralement dans un journal de langue française, *le Devoir*, si ma mémoire ne m'abuse pas).

Si un simple article avait ému les Anglais du Canada, chacun comprend le retentissement du voyage du Général et le scandale soulevé par l'appel final lancé du haut de l'Hôtel de Ville de Montréal : « Vive le Québec libre ! », mot d'ordre d'un parti indépendantiste extrême. Dans sa conférence de presse du 21 novembre 1967, il retraça l'épopée des Canadiens français, 60 000 au moment du traité de Paris « qui, paysans d'origine, petites gens cultivant les terres, se sont magnifiquement multipliés pour tenir tête au flot montant des envahisseurs ». Le Général rappela aussi la première période, celle de la défense passive pour conserver leur langue, leurs traditions, leur religion, leur solidarité française. Les voici qui prétendent, comme tout autre peuple, devenir maîtres de leur destin : « L'industrialisation s'est faite, pour ainsi dire, pardessus eux. » Les Anglo-Saxons disposaient des ressources du pays et « mettaient les Français dans une situation de plus en plus inférieure ». D'où un mouvement d'affranchissement tout à fait compréhensible.

Le Général raconta ensuite, dans son meilleur style, son voyage, ses entretiens avec ses hôtes et le moment suprême : « A Montréal, la deuxième ville française du monde, le déferlement de passion libératrice était tel que la France avait, en ma personne, le devoir sacré d'y répondre sans ambages et solennellement. » Le Général, lui, n'hésitait pas à préciser les conditions nécessaires à la solution du problème canadien. « Le changement de l'actuelle structure du Canada aboutira à l'avènement du Québec au rang d'un État souverain, maître de son existence nationale... » La deuxième condition, « c'est que la solidarité de la Communauté française de part et d'autre de l'Atlantique s'organise ».

J'avais été moi aussi ému par la persistance, puis le réveil du Canada français, mais je n'étais pas assuré que l'indépendance, la souveraineté du Québec fussent la solution. Mon ami P. Dupuy, qui faisait l'aller et le retour entre Vichy et Londres de 1940 à 1942, me dit : « Je me refuserais à vivre dans un Québec indépendant, je rentrerais en France. » La conversation date de l'année 1967 : j'étais venu à Montréal pour y donner une conférence à l'occasion de l'Exposition universelle. Au retour, j'écrivis une série d'articles, aussi objectifs que possible, présentant les arguments des différents partis.

D'abord et avant tout, je constatai l'effet du voyage présidentiel : « Celui-ci n'a créé ni le nationalisme québécois, ni les partis indépendantistes... Les deux grands partis, Union nationale et Parti libéral, envisagent désormais sérieusement " l'option indépendantiste " (je reproduis l'expression lue et entendue en de multiples circonstances)... Étranges relations entre Québécois et Français ! Les descendants des Français " abandonnés " au traité de Paris en 1763, six millions aujourd'hui, saluent avec ferveur leur patrie d'origine dans l'homme qui symbolise à la fois l'ancienne France et la France moderne. La synthèse de la tradition et de la modernité que " la révolution tranquille " de Lesage voulait accomplir, le général de Gaulle, catholique et républicain, l'incarne à leurs yeux. Aussi la réaction des Français au voyage du chef de l'État paraît incompréhensible à la plupart des Québécois. » Que le voyage du Général, « triomphal aux yeux des Québécois », ait été durement critiqué par la presse en France même, l'épisode devait nous mettre en garde contre de possibles malentendus.

Il ne s'est pas formé, au Canada, une nationalité comparable à celle des Américains aux États-Unis. Les deux peuples fondateurs, comme on dit là-bas, ont vécu ensemble sans se mêler. « Les catholiques français, concentrés dans le Québec, voulaient rester eux-mêmes. Ils ignoraient la France qui les ignorait... L'Église favorisait la résistance à la pression du monde anglo-saxon ; elle freinait en même temps l'adaptation à la modernité et, depuis une génération, les Canadiens français ont connu une mutation à la fois rapide et profonde ; urbanisés eux aussi, ils découvrent leur infériorité dans leur propre province et l'infériorité de cette dernière parmi les provinces du Canada. »

Je posai ensuite la grande question : « Quels objectifs se donnent les Canadiens français après la " révolution tranquille " de Lesage, après la victoire surprenante de l'Union nationale de M. Johnson sur les libéraux de Lesage ? Objectifs économiques : accélérer et diriger le progrès économique de la province. Objectifs culturels : sauvegarder la langue française au Québec, favoriser le bilinguisme à Ottawa et dans les autres provinces. Quant à l'objectif politique, il constitue l'enjeu même du débat... Longtemps le parler des Québécois a été tenu pour un patois, réservé à une population inférieure : mis en compétition avec une langue universelle, il ne peut résister qu'avec l'aide des pouvoirs publics. » Je mentionnai un autre aspect de la situation : « Les Canadiens français se définissent désormais par rapport aux Américains et aux néo-Canadiens autant que par rapport aux anciens maîtres, les Britanniques. Ainsi s'explique l'hésitation entre " le statut spécial " et " le séparatisme ", le sentiment que ni l'une ni l'autre formule ne suffisent peut-être à préserver l'avenir. Le Québec gardera-t-il son identité nationale dans la fédération canadienne si celle-ci ne la garde pas elle-même, si les néo-Canadiens ne sont assimilés ni par les Britanniques, ni par les Français mais par les Américains ? »

Dans le troisième article, j'exposai les chances et les risques de chacune des deux solutions : « Ou bien le séparatisme qui implique l'abandon d'un million de Canadiens français établis en dehors du Québec, avec le péril de la décadence économique ou d'une " interdépendance ", plus effective que l'indépendance théorique, ou bien un suprême effort pour donner un contenu à la nationalité canadienne, pour accélérer le mouvement vers le bilinguisme, ou le " biculturalisme " pour protéger le caractère français du Québec. » Ou R. Levesque ou P. E. Trudeau. Ni l'un ni l'autre n'ont encore réussi en 1982.

La France devait soutenir de son mieux les Québécois dans leur volonté de rester des Français nord-américains. Elle ne devait pas travailler activement à la désagrégation de la Fédération canadienne ; la dissidence du Québec entraînerait probablement d'autres dissidences. En tout cas, la décision appartenait aux Québécois, non aux Français d'Europe.

En 1967, le Général heurta la communauté juive et les Israéliens par ses propos. Il déclara à l'avance qu'il condamnerait celle des deux parties qui, la première, userait des armes, il condamna donc les Israéliens sans leur accorder les circonstances atténuantes. Bien plus, pour des raisons qui m'échappent encore, il rejeta sur les États-Unis une part de responsabilité dans la guerre des Six Jours. Après avoir esquissé les grandes lignes de la solution qu'il envisageait, il conclut sur un ton pessimiste : « On ne voit pas comment un accord quelconque pourrait naître, non point fictivement sur quelque formule, mais effectivement pour une action commune, tant que l'un des plus grands des Quatre ne se serait pas dégagé de la guerre odieuse qu'il mène ailleurs. Car tout se tient dans le monde d'aujourd'hui. Sans le drame du Vietnam, le conflit entre Israël et les Arabes ne serait pas devenu ce qu'il est ; et si demain l'Asie du Sud-Est voyait renaître la paix, le Moyen-Orient l'aurait bientôt reconquise à la faveur de la détente générale qui suivrait un pareil événement. »

Tout, dans cette analyse, me semblait artificiel, arbitraire, tout simplement faux. Quels rapports entre la concentration de troupes égyptiennes dans le Sinaï ou la fermeture du détroit de Tiran et la guerre du Vietnam ? Nous savons aujourd'hui que le retrait des Américains de la péninsule indochinoise ne suffit pas à ramener la paix au Proche-Orient. Le conflit israélo-arabe commença avant l'intervention américaine au Sud-Vietnam, et il lui survécut. Après la guerre des Six Jours et la victoire israélienne que le général de Gaulle lui-même, d'après sa conférence de presse, avait prévue, la France joignit sa voix, aux Nations unies, à celles de l'Union soviétique et des pays arabes. J'écrivis à cette occasion un article qui, sous le titre « Pourquoi ? », critiquait sans retenue la diplomatie du Général.

Première critique : l'action française contribue-t-elle à la pacification de la région ? « Si le but de la diplomatie française est de favoriser une solution durable, le moins que l'on puisse dire est que le ralliement français aux thèses soviéto-arabes ne semble pas de nature à conduire au but. »

Deuxième critique : « Parlons le langage du pur réalisme. Les États d'Afrique noire dont les dirigeants sont modérés s'inquiètent ou s'indignent. Les envois d'armes soviétiques à l'Algérie, la politique dite révolutionnaire de M. Boumediene suscitent l'angoisse à Tunis et à Rabat où les gouvernants, qui comprenaient la neutralité de la France, ne comprennent pas le militantisme prosoviétique, l'appui donné, consciemment et volontairement, à tous ceux, dans le tiers monde, qui font profession des sentiments les plus hostiles aux Américains et aux Occidentaux. »

Je discutai le glissement de la diplomatie française : « En 1960, le général de Gaulle reçut M. Ben Gourion comme le représentant d'un pays " ami et allié ". En 1967, Israël, qui doit ses armes à la France, a le sentiment d'être traité en ennemi par le même général de Gaulle. Les amis des États-Unis sont-ils les ennemis de la France ? Les ennemis des révolutionnaires soviétiques ou arabes sont-ils en même temps les ennemis de la France ? La France se sépare de ses partenaires du Marché commun et des autres pays de la zone atlantique, elle se détache de ceux auxquels elle est le plus étroitement liée par son économie, sa culture, son idéal... »

Je terminai sur la phrase suivante : « Depuis le début de la crise au Moyen-Orient, j'avais le sentiment que le président de la République serait entraîné par la logique de sa diplomatie à rallier le camp soviétique. Mais je me demande aujourd'hui avec angoisse : s'agit-il encore d'une logique de la raison ou seulement d'une logique des passions ? » Bien plus, je poussai la malice jusqu'à citer une phrase du général de Gaulle de 1949 : « Je sais bien que de pauvres gens prétendent, comme ils disent, remplacer la force par la politique. On n'a jamais fait aucune politique, même et surtout une politique de grande générosité, si l'on renonce à être fort. En Indochine, certains préconisent ce qu'ils appellent la solution Hô Chi Minh, c'est-à-dire, en réalité, la capitulation. »

Bien entendu, il pouvait répondre que la situation avait changé du tout au tout. En 1949-1951, il avait cru à une prochaine troisième guerre : il l'avait en tout cas jugée possible, voire probable. En 1967, l'endiguement du communisme ne l'intéressait plus. Mais avait-il raison de penser que l'expansionnisme communiste ne constituait plus la menace durable, l'origine de la crise planétaire de la deuxième moitié de ce siècle et peut-être au-delà ?

A cet article « Pourquoi ? » Jean Paulhan répondit par une courte carte, datée du 8 juillet 1967, dans son inimitable écriture : « J'ai eu souvent envie de vous écrire. Mais que dire que vous ne sachiez mieux que moi ? Votre dernier article du *Figaro* était enchantement à force de clarté, de cohérence, d'intelligence. Pourquoi notre ami Groethuysen n'était-il pas là pour le lire... » Il ajoutait en post-scriptum : « Que veut de Gaulle ? J'ai le sentiment qu'après avoir été Maurras (et un M. qui a réussi), il rêve d'être un Lénine — un Lénine, s'il est possible, sans trop de massacres. Malraux ne m'a jamais parlé des confidences qu'il a pu recevoir. Mais son amitié (si paradoxale) pour Malraux n'était-elle pas une sorte de confidence ? »

Quelles remarques sur la diplomatie gaulliste nous suggèrent les pages précédentes ?

Laissons d'abord de côté les années de guerre. Tant qu'il ne fut pas reconnu chef du gouvernement provisoire de la République, son action relève tout à la fois de la politique intérieure et de la politique extérieure. Il atteignit son but puisqu'il voulait avant tout que la France libre devînt officiellement la France. Dans ses opérations militaires contre les positions tenues par les autorités fidèles à Vichy, Dakar, Syrie, Madagascar, il ne fut pas heureux. Les militaires et fonctionnaires résistèrent contre les Français libres plus obstinément que contre les Anglais ou les Américains. Une autre propagande, une moindre agressivité à l'égard des hommes qui obéissaient au Maréchal auraient-elles atténué, sinon éliminé la guerre civile entre Français ? Nul ne pourra le dire. Les événements autorisent tout au moins l'hypothèse que l'interprétation manichéenne de l'armistice, affirmée dès les premiers jours et maintenue contre vents et marées, relève de la légende ou de la chanson de geste. Ni les magistrats, à la Libération, ni la masse des Français n'ont souscrit à cette vision épique. L'appel du 18 Juin conserve sa signification morale et politique, mais les discours qui suivirent immédiatement l'appel relevaient déjà d'un chef de parti, et non plus d'un porte-parole du pays bâillonné.

Passons sur les querelles avec les Anglais et les Américains, surtout avec ces derniers — querelles qui, au début de l'année 1943, risquèrent de provoquer une rupture entre les Alliés occidentaux et le chef de la France libre. Considérons le début de la diplomatie du Général, revenu en France et responsable de sa patrie. Son premier geste, symbolique et effectif à la fois, fut le traité avec l'Union soviétique, traité dirigé contre l'Allemagne, à un moment où personne ne pouvait guère ignorer les conséquences de la guerre : la présence durable de l'Union soviétique au centre de l'Europe, l'affaiblissement définitif de l'Allemagne. Que signifiait, dans ces conditions, ce traité franco-russe contre le IIIe Reich ou le (ou les) pays qui lui succéderaient ? Les défenseurs du Général répliqueront que, par ce traité, le président du gouvernement provisoire de la République manifestait son indépendance par rapport à ses puissants alliés de l'Ouest ? Admettons cette réplique, mais rappelons-nous les autres épisodes.

En Syrie et au Liban, pays auxquels il avait promis l'indépendance au moment où ses troupes entreprirent la campagne contre celles de Vichy, le Général se trouva impliqué dans une âpre querelle avec la Grande-Bretagne au point que, selon ses *Mémoires*, il déclara à l'ambassadeur Duff Cooper : « Vous avez manqué à la France ; si je disposais des moyens, je vous ferais la guerre. » Une guerre avec la Grande-Bretagne à propos de territoires qui, en tout état de cause, devaient accéder à l'indépendance ? Je préfère ne pas prendre au sérieux cette formule martiale, pour ne pas dire belliciste. Les épisodes de Brigue et Tende heureusement conclus, les revendications sur la vallée d'Aoste, qui se heurtèrent au veto américain, révèlent une dimension traditionnelle de la pensée gaulliste : la priorité des frontières sur toutes autres considérations.

Ce qui me paraît le plus frappant, c'est l'attitude à l'égard de l'Allemagne. Attitude ambiguë dont il ne saisit peut-être même pas l'ambiguïté. D'un côté, il invite l'Allemagne rénovée à entrer dans l'Europe nouvelle et il dessine à grands traits le plan d'une Europe occidentale rassemblée, sous la direction de la France. Mais quelle Allemagne ? Car le général de Gaulle, qui évoque la réconciliation franco-allemande, reprend, en une conjoncture radicalement transformée, les thèses de Bainville sur « les Allemagnes ».

A Berlin, où siégeait la Commission tripartite, le représentant français opposa son veto à toutes les mesures susceptibles de favoriser la reconstitution de l'unité allemande. Les trois Grands avaient prévu une administration des quatre zones par des fonctionnaires ou des services choisis en commun par les quatre occupants. Le veto français, dicté par la vieille hostilité au Reich, fit le jeu des Soviétiques [1] qui, dès septembre 1945, annoncèrent par des mesures qu'inspirait leur idéologie (collectivisation agraire) leur volonté de rester. Il y a plus encore. Alors

1. Ce jugement prête à contestation. Une autre politique aurait favorisé aussi l'influence soviétique dans l'Allemagne de l'Ouest.

même que la doctrine française des Allemagnes est dépassée, alors que se pose le dilemme : *une ou deux Allemagnes* (l'une soviétique et l'autre occidentale), le Général et André Malraux continuent de répéter la vieille rengaine « jamais plus de Reich », comme si le Reich signifiait, en 1945, autre chose que l'État. Face à une Allemagne amputée de la zone soviétique d'occupation, le Général continue de tonner contre le Reich et, du même coup, contre la formation de la trizone, de la République fédérale allemande. Le contrôle international de la Ruhr, dans lequel l'Union soviétique exigeait une place, le détachement de la Rhénanie, toutes ces précautions contre l'Allemagne du passé constituent des thèmes majeurs de la pensée du Général, comme s'il n'avait pas pleinement compris l'évidente révolution. Le perturbateur, le pays qui menace le Vieux Continent de la monarchie universelle, c'est désormais, pour l'avenir prévisible, non plus l'Allemagne mais l'Union soviétique.

Quand le Général revient au pouvoir, après avoir combattu de son mieux la politique anglo-américaine de la « reconstruction allemande », il constate qu'il ne reste rien de ses projets de 1945. Il prend acte de la conjoncture, accepte les faits accomplis mais revient à une autre de ses idées majeures, plus vitale encore que l'hostilité historique au Reich, à savoir le refus de situer la France dans un des deux blocs, dirigé par les États-Unis. Une fois terminée la guerre d'Algérie, affaire tragique mais au fond provinciale (la décolonisation ou, du moins, la décomposition des empires européens arrive à son terme), le Général s'engage dans ce que les Allemands appelaient jadis *Die grosse Politik.* C'est avec les Grands de ce monde que la France doit se mesurer; non avec le GPRA ou avec la Tunisie de Bourguiba. L'alliance étroite avec l'Allemagne d'Adenauer, la fabrication d'armes nucléaires (à laquelle la RFA participera peut-être financièrement), créeront le fondement d'une Europe autonome, et non plus réduite à la condition inférieure d'un fragment du bloc occidental. Au service de son grand dessein, le Général remporte des succès, il s'oppose à l'entrée de la Grande-Bretagne dans le Marché commun sans que celui-ci éclate en morceaux ; il met en place une force stratégique nucléaire qui permettra, dans l'avenir, une dissuasion « tous azimuts » et, du même coup, une totale indépendance par rapport aux blocs. Les Allemands ne suivent pas le dessein gaulliste tel qu'ils le devinent. Le Bundestag ajoute au traité éternel franco-allemand un préambule, qui rappelle la priorité de l'Alliance atlantique. Dès lors, le Général ne s'intéresse plus au « traité éternel », bien que celui-ci existe et que la collaboration franco-allemande se poursuive.

De 1963 à 1967, le grand dessein change de moyens. Pour échapper à l'étau atlantique, à la « domination » des États-Unis, il se tourne vers l'Union soviétique. Certes, lors des crises de Berlin, de Cuba, il manifeste sa solidarité avec les Occidentaux, mais il change de langage à partir de 1963. Peut-être faudrait-il dire : il reprend un langage qu'il conservait en réserve : « l'Europe de l'Atlantique à l'Oural », « la détente que suivront l'entente et la coopération ». La normalisation des rapports avec l'Union soviétique et les pays soviétisés de l'Est européen se justifie, aux yeux de la plupart des Français, sans aucune référence au « grand dessein » gaulliste. En fait, le trait commun entre « l'alliance éternelle » avec l'Allemagne et les « relations privilégiées » avec Moscou relève plus de la psychologie du Général que d'une analyse politique. Avec l'Allemagne et les autres pays continentaux de la Communauté, la France accède potentiellement au statut d'un Grand. Grâce à un dialogue permanent avec Moscou, sans sortir dc l'Alliance atlantique, elle s'élève à un rang mondial.

En sortant du commandement intégré de l'OTAN, la France prend ses distances par rapport à la RFA sur la question, toujours décisive, de la défense. Le Général ne signe à Moscou aucun accord compromettant. Il n'obtient pas non plus d'avantages, matériels ou moraux. Les échanges commerciaux se développent, mais la France n'en possède pas le monopole. S'il visite l'année suivante Varsovie après Moscou et encourage ses hôtes à tourner leurs regards au-delà du monde soviétique, il se heurte à un refus brutal de Gomulka. Le général de Gaulle, partout acclamé, héros historique et presque de légende, n'ébranle pas le bloc soviétique, il ébranle le bloc occidental, par nature plus friable que le bloc soviétique.

Le chancelier Adenauer avait dit à un ministre de la IVe République : « Si vous faites le pèlerinage de Moscou, ne vous faites pas d'illusion : les Allemands le feront aussi, le lendemain sinon la veille de votre venue. » La détente dans le style du Général impliquait la résignation définitive des Occidentaux aux conséquences de la Seconde Guerre mondiale, selon l'expression des Soviétiques — résignation qui s'exprima dans les accords d'Helsinki plusieurs années après la mort du Général. Et les successeurs du Général n'ont pas tort de rappeler en chaque occasion que la France gaulliste prit une part décisive à la détente Est-Ouest et, donc, incita la RFA à ce qu'on appelle l'*Ostpolitik*, en d'autres termes le rapprochement avec l'Est. La France a-t-elle des raisons de s'en féliciter ?

La force nucléaire stratégique, l'alliance franco-allemande, la non-participation au commandement intégré de l'OTAN, ces trois décisions, dont seule la dernière était exclue sous la IVe République, appartiennent à l'héritage du Général et échappent aujourd'hui encore à la discussion, pour des raisons qui d'ailleurs sautent aux yeux : aucun gouvernement ne peut jeter à la ferraille des armes si coûteuses et si prestigieuses ; tout gouvernement veut moderniser la force nucléaire afin d'en sauvegarder la crédibilité ; l'alliance franco-allemande fait désormais partie intégrante de la diplomatie normale de la France, même si les rapports entre Georges Pompidou et Willy Brandt manquèrent de chaleur. Enfin, la rentrée dans le commandement intégré est hors de question, dans l'avenir prévisible ; elle déclencherait un grand débat dans la classe politique et donc dans la nation elle-même.

L'héritage du Général ne se limite pas à ces trois mesures que l'opinion, dans sa majorité, approuva et approuve encore. C'est le général de

Gaulle qui donna ses lettres de noblesse à l'anti-américanisme. Dans les moments de crise, il manifesta sa solidarité occidentale, mais le plus souvent il présenta la France également menacée par les deux Grands. Il attribua la responsabilité de la guerre des Six Jours à l'action menée par les États-Unis au Vietnam. Il habitua les Français à se tromper d'ennemi, à prendre l'Union soviétique pour l'allié et la République américaine pour le Grand qui met en péril l'indépendance de la France. Aujourd'hui, douze années après la mort du Général, la diplomatie française reste à demi paralysée par cette inversion des rôles, par une représentation du monde que je juge contraire à la réalité.

Avec le recul, pouvons-nous préciser le grand dessein du Général ou décrypter son secret ? Existait-il un grand dessein ou un secret ? Je n'ai jamais adopté l'hypothèse de Jean Paulhan, je n'ai jamais imaginé le général de Gaulle rêvant de jouer le rôle de Lénine, après avoir réalisé quelques-unes des idées de Maurras. Ce que l'on peut affirmer, c'est que le Général, après l'échec du traité franco-allemand, se donna pour objet majeur de se dégager, dans toute la mesure du possible, de l'Alliance atlantique sans la rompre et sans l'abandonner : il usa contre les blocs d'un langage imité de celui des Soviétiques. D'où les interrogations légitimes : souhaitait-il le retrait des Américains ? Croyait-il que l'évolution de la détente à l'entente et à la coopération serait favorisée par le départ des troupes américaines ? Nourrissait-il l'illusion que la force nucléaire stratégique française suffirait à remplacer la force américaine ? Je n'arrive pas à répondre catégoriquement à ces interrogations.

Qu'à long terme le Général comptât sur le changement de l'Union soviétique, je l'admets volontiers. Formé avant la guerre 1914-1918, il répétait volontiers la formule employée par Staline : le nazisme passe, le peuple allemand dure. Il parlait plus volontiers de la Russie que de l'Union soviétique. Il ne saisissait probablement pas la spécificité du régime soviétique, à ses yeux un régime despotique comme il y en avait eu d'autres et qui, lui aussi, passerait. Mais cet accord entre les Latins, les Gaulois, les Germains et les Slaves, de l'Atlantique à l'Oural, cet équilibre retrouvé du Vieux Continent, était-ce une vision lointaine, ou un objectif proprement politique ? Le rêve d'une Europe unifiée, soustraite à toute dépendance à l'égard d'une puissance non européenne (les États-Unis), le Général le nourrissait-il sérieusement ou bien voulait-il seulement transfigurer une politique plus prosaïque ? Comment aurait-il ignoré que l'Europe occidentale ne pouvait pas équilibrer l'imperium soviétique sans le concours des États-Unis ? Dissoudre les blocs pour revenir au jeu diplomatique des nations souveraines, était-ce marcher vers un avenir neuf ou revenir au passé ?

Éliminons par la pensée les conférences de presse et retenons de la diplomatie gaulliste de 1962-1969, après la fin de la guerre d'Algérie, les seules dates majeures. Après la tentative avortée d'entraîner dans une étroite alliance avec la France une République fédérale allemande qui relâcherait ses liens avec les États-Unis, le Général veut apparaître non en partenaire du bloc occidental, mais en grande puissance, qui traite avec les plus grands sur un pied d'égalité. En même temps, il garde les avantages de l'Alliance atlantique, puisque l'armée germano-américaine s'interpose entre les armées soviétiques et les frontières françaises. Il se peut que le Général se soit proposé de quitter l'Alliance atlantique elle-même. Il se peut qu'il ait songé à une « dissuasion tous azimuts », thèse du général Ailleret qui conduisait à la neutralité et qui fut bientôt abandonnée. Ce qui demeure du jeu gaulliste, c'est, d'un côté, la défense autonome de la France grâce à sa force stratégique nucléaire, de l'autre le dialogue avec l'Union soviétique : le Général, G. Pompidou encore, se croyaient assurés d'un rôle d'intermédiaires entre l'Union soviétique et l'Occident, rôle que personne d'autre ne pouvait jouer à leur place. Au lendemain de la démission du Général, le gouvernement socialiste-libéral de la RFA inaugura l'*Ostpolitik* qui, douze ans plus tard, compromet l'alliance germano-américaine et contribue à une transformation profonde de la diplomatie et du sentiment public du peuple allemand. La sauvegarde de la détente apparaît à l'opinion publique comme l'impératif premier. L'agressivité du Général à l'égard des États-Unis, plus verbale qu'active, s'explique-t-elle par la surpuissance que le Général prêtait à la République américaine ? Faisait-il mine de se ranger du côté soviétique pour rétablir l'équilibre ? Je ne me crois pas en mesure de répondre à ces questions.

Je ne rejetai pas globalement la politique du Général, j'approuvai la constitution d'une force nucléaire stratégique, je mis en doute la conviction européenne du gouvernement et du peuple de la Grande-Bretagne ; l'alliance franco-israélienne perdit son fondement avec la fin de la guerre d'Algérie. Ce qui me poussa à des critiques peut-être excessives, c'est le style même du Général ; or, c'est le style qui faisait son succès. Les résultats positifs auraient pu être acquis sans scandale, sans exaspérer nos partenaires et alliés.

Style et contenu finirent par se confondre. Le général de Gaulle apparut aux yeux du monde, en particulier aux yeux des pays du tiers monde, le représentant d'un pays qui tient tête à « l'impérialisme américain ». Je pensais à l'époque, et je continue à penser, que l'Alliance atlantique demeure la condition de la sécurité européenne tant que les Européens refusent la charge de leur propre défense.

J'ai toujours redouté moins l'excès de puissance des États-Unis que l'instabilité d'un pays-continent, projeté par les hasards des guerres dans la politique planétaire, et dont les gouvernants, la plupart peu conscients du destin historique de la République, sont ballottés par les courants changeants de l'opinion publique. Le Général craindrait-il encore aujourd'hui la surpuissance des États-Unis ?

Quand le Général se retira des affaires, il se représentait peut-être encore la République américaine, embourbée au Vietnam, comme le seul super-Grand.

XVII

PAIX ET GUERRE

Je commençai à m'intéresser en sociologue à la guerre au cours des années de Londres. Comme en bien d'autres circonstances, le remords ou, tout au moins, le regret fut à l'origine de ma décision. De quel droit avions-nous exprimé avant la guerre des jugements catégoriques sur la diplomatie, alors que nous ne savions rien ou presque de la chose militaire, de la relation des forces, des chances de victoire ou des risques de défaite ? J'avais étudié l'économie afin de fonder en raison mes jugements sur le capitalisme et le socialisme. Pourquoi avoir négligé ce que les Allemands appellent la *Wehrwissenschaft ?*

Au lendemain des hostilités, l'apparition de la bombe atomique frappa tous les esprits de peur et de stupeur ; la question s'imposait aux civils aussi bien qu'aux militaires : comment insérer, dans le jeu traditionnel des États, cet instrument de destruction, d'une puissance sans commune mesure avec celle des armes baptisées du même coup classiques ou conventionnelles ? Commentateur des événements internationaux au *Figaro,* j'éprouvai le besoin d'étudier le contexte tant militaire qu'historique des décisions que, journaliste, je devais comprendre et interpréter. La dissuasion, le *deterrent* américain, entra dans le langage courant. Avec cette notion se développa aux États-Unis une problématique qui fit surgir des instituts de recherche, qui suscita des dizaines et des dizaines de livres : qui peut dissuader qui, de quoi, par quelles menaces, en quelles conjonctures ?

Dans la période 1945-1955, j'avais repensé la suite des deux guerres du siècle, et, dans *les Guerres en chaîne,* posé la question à propos de la guerre froide : substitut ou préparation de la guerre totale ? Les particularités de la scène internationale sautaient aux yeux de tous : concert mondial au lieu du concert européen, déclassement des puissances ex-grandes en particulier européennes, distinction entre les super-Grands et tous les autres, rivalité à la fois idéologique et politique entre les deux super-Grands et les deux moitiés de l'Europe, improbabilité d'une guerre globale en raison des armes nucléaires.

Dans un chapitre précédent, j'ai évoqué mes premiers essais conceptuels sur les rapports interétatiques. Je songeais déjà au livre qui devint *Paix et guerre entre les nations,* pas encore au petit livre *le Grand Débat* mais, dans des articles, je participais, en quelque mesure, à ce que l'on appelait outre-Atlantique le débat sur la *stratégie nucléaire* — désignation inexacte puisque l'on discutait moins de stratégie que de l'utilisation potentielle ou effective d'une arme. Or, si une arme aussi révolutionnaire que l'arme nucléaire modifie l'ensemble des relations interétatiques, isolément elle n'épuise pas la pensée stratégique : la réflexion sur les armes nucléaires ne constitue qu'une partie de la pensée stratégique.

A la Sorbonne, après les trois cours publics sur la société industrielle, je consacrai les deux suivants aux relations internationales. Ces deux cours qui ont été enregistrés et dactylographiés correspondent aux deux premières parties de *Paix et Guerre,* à savoir la *théorie* et la *sociologie.* Je pris ensuite une année de congé de la Sorbonne et passai un semestre en tant que *research professor* à Harvard. A mon retour, je rédigeai les deux dernières parties intitulées *Histoire* et *Praxéologie.* (Ce dernier mot existe aussi bien en français qu'en anglais, aussi rare dans une langue que dans l'autre et critiqué par bon nombre de commentateurs.)

Livre ambitieux, peut-être trop ambitieux. La distinction de quatre parties — théorie, sociologie, histoire, praxéologie — m'amena à étudier la plupart des problèmes que soulèvent les rapports entre les États souverains.

Dans la première partie, Clausewitz m'apporta l'idée germinale de toute théorie des rapports interétatiques : la continuité de ces rapports à travers l'alternance de la paix et de la guerre, la complémentarité de la diplomatie et de la stratégie, des moyens violents et non violents qu'utilisent les États afin d'atteindre leurs objectifs ou de défendre leurs intérêts. A partir de là, l'analyse se développait en un essai ou une typologie des buts que se fixent les États, des moyens dont ils disposent. Des unités, je passai aux systèmes, à savoir les ensembles que constituent les États, dans une région du monde ou dans la planète entière. Les systèmes interétatiques par rapport aux autres systèmes sociaux sont caractérisés par l'absence d'une instance supérieure de contrôle ou de réglementation. Aussi sont-ils caractérisés avant tout par la répartition de la puissance : si plusieurs États de puissance de même ordre s'affrontent, s'allient ou s'opposent, le système tend vers le concert européen du siècle dernier. Si, en revanche, deux États surclassent tous les autres, on dira le système bipolaire. Systèmes pluripolaires et systèmes bipolaires fonctionnent autrement. Une autre caractéristique différencie les systèmes : la parenté ou, tout au contraire, l'hostilité des régimes établis dans les États. Dans la République européenne du XVIIIe siècle, les monarques n'oubliaient pas entièrement leur fraternité. Ils ne favorisaient pas, le plus souvent, les révolutionnaires qui se dressaient contre le pouvoir légitime, même dans un État momentanément ennemi. En revanche, dans un système hétérogène, chaque État tend à soutenir les rebelles, les dissidents de l'État adverse. La Sainte-Alliance illustre le premier type de système, la guerre froide le second. Du type de systèmes, je passai aux types de paix, équilibre, terreur ou satisfaction, afin d'éclairer la conjoncture actuelle et d'insérer le concept de paix belliqueuse, terme par lequel j'ai désigné le système dans lequel nous vivons depuis la fin de la Seconde Guerre.

La deuxième partie, baptisée *Sociologie*, s'organisait en deux sections. Le chapitre « Espace » m'amenait à reprendre les études de la géopolitique, les schèmes de H. J. MacKinder et des théoriciens allemands. Le chapitre consacré au « Nombre » m'entraînait vers deux controverses : l'influence du nombre sur l'issue des conflits militaires et des rivalités pacifiques. De même, le chapitre consacré aux « Ressources » portait sur les différentes théories relatives aux rapports entre les différents régimes économiques et la guerre (ou l'impérialisme). Dans la deuxième section je cherchais, sans en trouver, des corrélations entre les régimes politiques et la conduite de l'action extérieure ; je me demandai si l'historien parvient à discerner un ordre nécessaire du devenir propre aux nations et aux civilisations.

La troisième partie était intitulée *Histoire* parce qu'elle analysait une conjoncture singulière, l'état du système interétatique au début des années 60. J'hésitai longuement : cette partie d'actualité, celle que Fernand Braudel préféra aux trois autres, réduisit la portée du livre tout entier. Inévitablement, bien des analyses de situations contemporaines vieillissent rapidement alors que celles des trois autres parties prétendaient à une vérité moins fugitive. De plus, la notion d'*Histoire* était prise en un sens précis, à savoir la visée d'une conjoncture *einmalig* et *einzigartig,* unique dans le temps et unique en ses particularités, mais l'étude pouvait passer pour sociologique plutôt qu'historique (au sens des professionnels des universités). Elle ne retraçait pas une suite d'événements mais, tout au contraire, elle s'efforçait de fixer les traits majeurs d'une constellation, destinée à des changements plus ou moins rapides, plus ou moins radicaux.

Cette partie historique mettait en lumière des données non pas permanentes, mais durables de l'âge atomique. Les deux États dominants, en dépit de leur hostilité, ont un intérêt commun, celui de ne pas s'entre-détruire. D'où le chapitre sur les Frères ennemis, d'où la tension entre les États-Unis et les États européens protégés ; ces derniers redoutent tour à tour d'être entraînés dans une guerre à mort par les deux Grands ou d'être privés de leur autonomie par la connivence de Moscou et de Washington. Dissuasion, persuasion, subversion, ces trois mots évoquent trois des aspects majeurs de la conjoncture : l'arme nucléaire, la rivalité des propagandes, la révolte des masses ou des minorités.

La quatrième partie, intitulée *Praxéologie,* tirait les conséquences des trois parties antérieures : en quête d'une morale, en quête d'une stratégie, en quête de la paix.

L'introduction, intitulée *Les niveaux conceptuels de la compréhension*, s'efforce de justifier la division du livre en ses quatre parties et procède par une comparaison avec un sport, le *football*, et avec l'économie. Mais plutôt que de reprendre ces comparaisons qui me servirent à la télévision, mieux vaut citer les quelques passages où s'expriment le plus clairement les idées directrices : « Le centre des relations internationales, ce sont les relations que nous avons appelées interétatiques, celles qui mettent aux prises les unités en tant que telles. Les relations interétatiques s'expriment dans et par des conduites spécifiques, celles des personnages que j'appellerai symboliques, le *diplomate* et le *soldat*. Deux hommes et deux seulement agissent pleinement non plus comme des membres quelconques, mais en tant que *représentants* des collectivités auxquelles ils appartiennent : *l'ambassadeur* dans l'exercice de ses fonctions *est* l'unité politique au nom de laquelle il parle ; le *soldat* sur le champ de bataille *est* l'unité politique au nom de laquelle il donne la mort à son semblable... L'ambassadeur et le soldat vivent et *symbolisent* les relations internationales qui, en tant qu'interétatiques, se ramènent à la diplomatie et à la guerre. Les relations interétatiques présentent un trait original qui les distingue de toutes les autres relations sociales ; elles se déroulent à l'ombre de la guerre ou, pour employer une expression plus rigoureuse, les relations entre États comportent, par essence, l'alternative de la guerre et de la paix. »

Cette conception ne présente aucune originalité, elle prolonge la tradition de la philosophie classique. Tant que l'humanité n'aura pas accompli son unification dans un État universel, il subsistera une différence essentielle entre politique intérieure et politique étrangère. Celle-là tend à réserver le monopole de la violence aux détenteurs de l'autorité légitime, elle n'accepte pas la pluralité des centres de forces armées. La politique, en tant qu'elle concerne l'organisation intérieure des collectivités, a pour fin immanente la soumission des hommes à l'empire de la loi. La politique, dans la mesure où elle concerne les relations entre États, semble avoir pour signification — idéal et objectif à la fois — la survie des États face à la menace virtuelle que crée l'existence des autres États. D'où l'opposition courante dans la philosophie classique : l'art politique enseigne aux hommes à vivre en paix à l'intérieur des collectivités, il enseigne aux collectivités à vivre soit en paix, soit en guerre.

De cette définition des rapports interétatiques découle une conséquence, à mes yeux essentielle : la conduite du diplomate (au sens du responsable de l'action extérieure d'un d'État) n'a pas de fin immanente, comparable à celle du joueur dans un sport ou de l'acteur économique. Il n'y a pas pour celui qui gouverne un État d'équivalent de la maximisation de l'utilité visée par l'acteur économique et supposée par les schèmes de la théorie économique. « La théorie des relations internationales part de la pluralité des centres autonomes de décision, donc du risque de guerre dont elle déduit la nécessité du calcul des moyens. »

Ces propositions, au premier abord évidentes, contiennent malgré tout une leçon ou une vérité, souvent refusée : la conduite des États ou des unités politiques militairement indépendantes, même si on la suppose rationnelle, ne se réfère pas à un seul objectif. Dire que les États agissent en fonction de leur intérêt national, c'est ne rien dire tant qu'on n'a pas défini le contenu de cet intérêt. Hitler concevait l'intérêt national de la nation allemande autrement que ses prédécesseurs et ses successeurs. Mais l'alternative de la paix et de la guerre permet d'élaborer les concepts fondamentaux des relations internationales (stratégie et diplomatie, moyens et fins, puissance et force, gloire et idée, etc.).

En termes plus concrets, je rappelais le problème éternel des relations interétatiques. Chaque collectivité doit compter avant tout sur elle-même pour survivre, elle doit ou devrait aussi apporter une contribution à la tâche commune des cités, menacées de périr ensemble à force de se combattre. A notre époque, ce n'est pas seulement une cité mais l'humanité tout entière qui serait menacée par une guerre hyperbolique. La prévention d'une telle guerre devient pour tous les acteurs du jeu diplomatique un objectif aussi impérieux que la défense des intérêts purement nationaux.

J'avais médité ce livre pendant une dizaine d'années. C'est pour l'écrire que j'avais passé un semestre à Harvard. Quand il parut, je lui attachai du prix et j'en surestimai probablement la valeur.

Aussi j'accueillis sans surprise une presse très élogieuse. « Étude magistrale » titra *le Monde diplomatique* ; « un grand livre de Raymond Aron », *le Monde,* sous la signature d'Alfred Grosser. Étienne Borne évoqua « cet exercice magistral de la lucidité intellectuelle et de l'éducation politique ». Jacques Julliard, dans *Esprit,* peu indulgent à mes ouvrages précédents, écrivit un article d'une extrême bienveillance. Il me fallut quelques mois pour sortir de cette euphorie et prendre conscience des défauts de ce « traité » ou « somme », comme disaient quelques critiques.

Paix et Guerre consacra la réconciliation — au-delà de l'élection à la Sorbonne — de l'Université avec le journaliste. Les *Annales* organisèrent une sorte de colloque par écrit : P. Renouvin, A. Touraine, d'autres encore écrivirent des articles sur le livre ou le sujet. Vous soutenez votre deuxième thèse, me dit amicalement Pierre Nora. En un sens il avait raison ; tant de livres de circonstance passaient aux yeux des grands universitaires, Alexandre Koyré par exemple, pour déplorablement proches du journalisme. Même *Paix et Guerre* n'aurait jamais été écrit si je n'avais commenté la politique internationale, semaine après semaine, depuis

1947 ; cette fois cependant l'ouvrage dépassait le journalisme, même si celui-ci le nourrissait.

Je reçus une lettre de Carl Schmitt auquel, par l'intermédiaire de mon ami Julien Freund, j'avais envoyé un exemplaire de *Paix et Guerre.* J'emprunte à sa lettre quelques lignes :

« J'admire la dialectique supérieure par laquelle vous faites paraître au jour le paradoxe insurmontable, le paradoxe qui conduit les deux puissances mondiales ennemies à une solidarité à l'égard de leurs propres alliés et je trouve que le déroulement de la crise de Cuba confirme brillamment votre analyse.

« Si Lénine avait lu votre phrase : “ Nous ne voulons pas détruire mais convertir ” (p. 686), il l'aurait probablement notée par une remarque spontanée en marge, comme de son côté, en 1915, il le fit pour une phrase de Clausewitz, p. 167. Clausewitz écrit : “ Le conquérant aime toujours la paix ; il entre volontiers tranquillement dans notre pays ”, et Lénine note en marge : grandiose, aha ! »

La phrase à laquelle fait allusion Carl Schmitt est exactement celle-ci : « Nous ne voulons pas détruire celui qui veut nous détruire, mais le convertir à la tolérance et à la paix. » Cette phrase fait suite à l'argumentation suivante : « Dire que nous devons suivre l'ennemi sur tous les terrains ne signifie pas que nous devions prendre modèle sur lui. Au contraire, qu'il s'agisse de stratégie ou de tactique, de persuasion ou de subversion, l'asymétrie est fatale. » Exprimons l'idée en d'autres termes : les Occidentaux ne peuvent ni ne veulent imposer leur régime à tous les pays à la manière dont les Soviétiques le font : imposer leur révolution, en tant que voie unique de salut, leur régime en tant que seul humain. Avais-je raison d'en conclure que nous ne voulions pas détruire celui qui veut nous détruire ? Lénine, probablement, aurait ri, mais il n'aurait pas compris la pensée : si nous avions « converti » les Soviétiques à notre philosophie, nous aurions, en fait, « détruit » l'essence du communisme.

Parmi les articles étrangers qui comptèrent pour moi, je me souviens de celui de Golo Mann, dans l'hebdomadaire *Die Zeit,* qui comparait mon livre à *Vom Kriege* de Clausewitz, de celui du Pr Martin Wight, professeur de relations internationales qui passait pour quelque peu sceptique sur sa propre discipline.

Dans un article de l'*Observer* (23 avril 1967), il me présentait d'abord comme un chevalier européen qui entre dans la lice, pour enlever aux Américains le monopole de l'étude des relations internationales et qui, tel Du Guesclin au tournoi du Prince noir, remporte le prix. L'article se terminait sur les lignes suivantes : « Sur la première page, Aron remarque que les ouvrages classiques de la pensée politique ont été le fruit de méditation pendant un temps de crise politique... J'ai été tenté parfois d'user de cet argument contre l'étude des relations internationales en tant que discipline distincte... Le livre d'Aron, noble, modéré, magistral, rend impossible d'employer encore cet argument. »

Le compte rendu dans le *New York Times* fut confié à Henry Kissinger, qui qualifia le livre de « profond, civilisé, brillant et difficile ». L'adjectif difficile ne me surprit pas, mais je ne le crois pas fondé, à moins qu'un livre de huit cents pages soit en tant que tel difficile. Dans une lettre personnelle, Léo Strauss, que j'admirais profondément et que j'avais aperçu à Berlin en 1933 mais que je n'avais pas revu depuis lors, m'écrivit, après avoir lu *Paix et Guerre,* que, à sa connaissance, ce livre était le meilleur existant sur le sujet.

Ces témoignages, si précieux, ne reflètent pas l'accueil que ce livre reçut aux États-Unis. En laissant de côté un article-exécution d'un professeur de Princeton (A. Young), les recensions, pour la plupart, mêlèrent éloges et critiques, comme il convient à propos de n'importe quel livre. Dans les journaux, le volume et la difficulté de l'ouvrage furent soulignés. Dans les revues professionnelles, les commentateurs semblaient plutôt irrités ou portés à l'ironie par le caractère de « somme » ou la prétention d'apporter une « théorie ». Rien de « théorique », dirent-ils, dans cette « sociologie » des relations internationales, surchargée d'analyses de l'actualité qui étouffent la part ou l'ambition d'étude fondamentale.

La traduction en anglais exigea plusieurs années ; l'éditeur dut faire corriger par trois fois le travail entrepris d'abord par un excellent écrivain, traducteur réputé. Le décalage entre la conjoncture que je décrivais dans la troisième partie et la situation quatre ou cinq ans plus tard offrit aux critiques des cibles faciles. Les conclusions, plus négatives que positives, de plusieurs chapitres (en particulier dans la deuxième partie), l'équivoque apparente de la « praxéologie » indisposèrent maints lecteurs. Le livre tout entier était marqué, comme le fit observer le Pr Fox dans son compte rendu, par l'influence des Allemands, de Weber en particulier, par l'école américaine des relations internationales ; et un Français, dans son style propre, synthétisait à sa manière ces deux influences. Œuvre donc complexe et difficile.

Tout cela dit, je me suis convaincu peu à peu que le relatif [1] échec de *Paix et Guerre* aux États-Unis devait autant aux déficiences du livre qu'à des circonstances accidentelles et à la rivalité normale des spécialistes. Je lasserais le lecteur si, vingt ans après la parution du livre, je répondais aux critiques de commentateurs, certains élogieux (je me borne à citer, parmi les Français, J. B. Duroselle, Stanley Hoffmann — franco-américain — et J. D. Reynaud). Je voudrais dire les raisons pour lesquelles j'incline à croire que j'ai à moitié manqué mon but. Le sens que je donnai — et que je donne encore — à la « théorie » (et j'abandonnerais volontiers le terme lui-même) me semble valable ; en revanche, la distinction entre la première partie (« concepts et systèmes ») et la deuxième (« déterminants et régularités ») est mal élaborée. Certains chapitres de la deuxième partie sont faibles.

1. Je dis relatif parce que ce livre fut lu et l'est encore aux États-Unis ; plus encore dans les universités d'Amérique latine ou d'Asie qui subissent l'influence américaine.

Bien que j'aie mis l'accent sur les nouveautés qu'apportent les armes nucléaires, bien que je me sois donné pour objet d'insérer ces armes dans la conduite diplomatique coutumière, ai-je réussi à établir l'équilibre nécessaire entre la monstruosité des armes et la banalité des rapports interétatiques ? La formule, *survivre, c'est vaincre,* me paraît plus équivoque aujourd'hui qu'hier, bien que, probablement, je sois encore enclin à la justifier, partiellement au moins.

On peut me reprocher — et on l'a fait — de ramener le monde d'aujourd'hui à celui du passé et de me concentrer sur l'interétatique aux dépens du transnational ou international ou supranational. Certes, j'ai de quelque manière contribué à ces distinctions, mais je n'en ai guère tiré parti. Le transnational — la société économique, idéologique, religieuse, qui ignore les frontières et, bien souvent, les dévalorise —, je l'ai identifié conceptuellement et mentionné ici ou là, je ne l'ai pas analysé en profondeur. Ne pourrait-on pas dire (mais à tort) que la conduite diplomatico-stratégique qui constitue le thème central de mon livre devient un secteur d'importance moindre dans l'ensemble des relations internationales ? J'ai inséré l'arme nucléaire dans la diplomatie *as usual,* je n'ai pas précisé la place de cette diplomatie par rapport au transnational, par rapport à l'économie mondiale. Je voulais écrire un traité sur la guerre et la paix au sens ordinaire de ces mots, la guerre sanglante, livrée avec des armes. Je n'ai nié ni la guerre des ondes, ni celle des échanges ou des monnaies, ni celle des idéologies ; j'ai même abordé certains aspects de ces guerres ou plutôt de ces rivalités, mais, en 1961-1962, la confrontation Est-Ouest constituait à mes yeux le centre des relations interétatiques. Je maintiendrais cette proposition aujourd'hui, mais j'aurais dû justifier mon choix, raccourcir d'autres développements de manière à conjuguer l'analyse du système interétatique avec l'analyse du marché mondial (ou des deux systèmes économiques, capitaliste et socialiste).

J'ai sacrifié aussi un aspect de plus en plus important de la réalité diplomatique, à savoir la dépendance du diplomate (au sens que je donnai à ce terme, le décideur de l'action extérieure) par rapport aux diverses influences à l'intérieur de la classe politique ou dans la société elle-même. Dans son livre, G. A. Allisson affirme que finalement, en dépit de réserves et de nuances, je conserve la notion de « l'acteur rationnel », ou, en d'autres termes, que j'admets l'identification d'une collectivité à un « acteur individuel ». Or les recherches si répandues aux États-Unis sur la *decision-making,* sur les prises de décision, démontrent que le président des États-Unis ne ressemble pas à un stratège qui, soustrait à toute contrainte ou pression, calcule souverainement ses moyens en vue du but qu'il se donne. Les présidents américains — et c'était vrai aussi en quelque façon même pour Staline ou Hitler — doivent leurs informations à des services plus ou moins autonomes, ils délibèrent avec des conseillers, en particulier des chefs militaires, avant de prendre la décision. Or ces conseillers, à leur tour, ou ces informateurs ne sont pas des acteurs rationnels remplissant leur mission sans autre motivation que la vérité ou l'intérêt national. Ils appartiennent à une organisation, serviteurs de la CIA ou de l'Air Force et non pas directement des États-Unis. Ils prodiguent des conseils opposés parce qu'ils agissent, partiellement au moins, en fonction de l'intérêt propre à leur organisation. Peut-être la bagarre entre les organisations ne soulève-t-elle nulle part en dehors des États-Unis autant de passion et ne prend-elle pas ailleurs un caractère presque institutionnel. Mais l'équivalent, plus ou moins atténué, se retrouve dans d'autres pays à notre époque ou dans le passé. Qui étudie, si peu que ce soit, les journées qui précédèrent la guerre de 1914 ne se fait plus d'illusion sur le chaos des opinions, des intérêts et des passions d'où sortent finalement quelques décisions, lourdes de millions de morts.

Bien entendu, je n'ignorais pas à l'époque l'écart entre « l'acteur rationnel », France, Russie, Allemagne, Autriche-Hongrie, et les responsables qui, dans ces pays, concrètement firent l'Histoire. J'aurais dû, en particulier dans la deuxième partie, consacrer une étude approfondie à cet aspect, non pas inédit mais accentué à notre époque, de la diplomatie. Du même coup, j'aurais illustré au moins une tâche qui relève de la sociologie — non pas de la macrosociologie telle que la pratiqua P. A. Sorokine —, mais de l'analyse sociologique empirique telle qu'elle s'applique à tous les secteurs de la société, à toutes les conduites des hommes sociaux.

Je me reproche aussi l'insuffisance de certains chapitres de la deuxième partie, en particulier du chapitre intitulé « Les racines de l'institution belliqueuse ». Ma connaissance de la littérature sur les guerres dans les sociétés dites archaïques était à coup sûr insuffisante.

Je m'en tiendrai à cette esquisse d'autocritique. En France, dans d'autres pays, ce livre apporta sinon une « somme » ou un « monument », au moins une analyse systématisée non pas de tous, mais de beaucoup des problèmes et aspects des relations internationales (en particulier de notre époque). Les professeurs américains, pour la plupart, ne jugèrent pas qu'ils tiraient profit de cette tentative de synthèse ; nombre d'entre eux n'en notèrent que les défauts ou les lacunes. Ailleurs, les professeurs et les étudiants apprécièrent et apprécient encore la tentative avec moins de sévérité. Pour cette vue rétrospective, les conclusions praxéologiques importent plus que le jugement sur les mérites ou les démérites scientifiques de l'ouvrage.

Il me faut ici considérer simultanément l'essai *De la guerre* qui figurait dans *Espoir et peur du siècle* et *le Grand Débat, initiation à la stratégie nucléaire.* Les chapitres sur la « Dissuasion » et sur la « Partie nulle » en Europe dans *Paix et Guerre* me satisfont moins que *le Grand Débat.*

J'avais participé, avec beaucoup d'autres, à l'élaboration conceptuelle de ce que les Américains appellent *stratégie nucléaire.* Première phase : *dissuasion unilatérale* : les États-Unis possèdent seuls l'appareil joint des vecteurs (des bombardiers lourds du *Strategic Air Command*) et des bombes atomiques. Deuxième phase : les Soviétiques possèdent eux aussi des bombes atomiques et des bombardiers qui, grâce à leur rayon d'action, peuvent atteindre le territoire américain. Troisième phase : des deux côtés, les armes thermonucléaires complètent ou remplacent les armes atomiques et les fusées s'ajoutent aux bombardiers. Nous arrivons à la fin des années 50 et au début des années 60, au moment où j'écrivis *Paix et Guerre* et *le Grand Débat.* Depuis lors, le nombre des têtes nucléaires (*warhead*, en anglais, traduit souvent par ogive ; je réserve le mot ogive à l'ensemble des têtes nucléaires transportées par un missile) a augmenté massivement, grâce à la technique du MIRV *(Multiple independently targetable vehicles)*, et la précision des missiles, restaure la vulnérabilité des missiles terrestres (ICBM). Le fameux article d'Albert Wohlstetter « The delicate balance of terror » [1] redevient d'actualité.

Le grand débat, à l'intérieur de l'Alliance atlantique, commença vers la fin des années 50 : dès lors que les Soviétiques possèdent une capacité de détruire l'ennemi plus ou moins égale à celle des États-Unis, la menace de répondre à une agression en Europe par le bombardement du territoire soviétique est-elle encore crédible ? La dissuasion, concept clé de la pensée américaine en fait de stratégie nucléaire, relève, en dernière analyse, de la psychologie. Pour donner une apparente rigueur aux spéculations sur la crédibilité ou la non-crédibilité de la dissuasion, tous les auteurs employèrent les termes de rationnel ou de rationalité. En faisant décoller le *Strategic Air Command* en réplique au franchissement d'une ligne de démarcation par les troupes soviétiques, le président des États-Unis agirait-il rationnellement ? Serait-il prêt à sacrifier New York et Washington pour sauver Hambourg et Paris ? Discussion indéfinie : pour discréditer la dissuasion américaine, certains stratèges commencent par supposer l'échec de la dissuasion, à savoir une agression soviétique en Europe ; les autres se mettent par la pensée avant l'agression et jugent irrationnelle l'éventuelle décision prise par les Soviétiques d'attaquer l'Europe sans recourir à des armes nucléaires, en laissant ainsi aux Américains l'avantage de frapper les premiers.

J'avais assisté et participé à Harvard, en 1960, au séminaire joint de la Harvard University et du MIT, dans lequel furent élaborées les idées qui devinrent celles de l'administration Kennedy. A la lumière de l'expérience des années 50, ces professeurs avaient conclu que les États-Unis ne pouvaient pas et ne devaient pas essayer de dissuader toutes les agressions éventuelles de l'Union soviétique ou de ses alliés ou satellites par la menace du recours aux armes nucléaires. En ce sens, ils abandonnèrent la doctrine dite des représailles massives et ils cherchèrent une autre doctrine, qui fut baptisée *flexible response* ou réplique graduée. Cette doc-

1. *Foreign Affairs*, 1959.

trine s'appliquait spécifiquement à la situation européenne ; en un sens large, elle s'étendait à l'ensemble de la stratégie américaine ; les armes nucléaires devenaient, dans l'arsenal américain, les armes d'ultime recours. Du même coup, les Américains renonçaient implicitement à la conception possible selon laquelle les armes nucléaires seraient décisives et non pas seulement dissuasives, destinées à conclure et non seulement à prévenir les guerres. Sur ce point, je suivis les Américains ; aujourd'hui je m'interroge.

A l'époque, la discussion portait sur trois points principaux :

1) Ayant posé que la guerre nucléaire constituait le danger suprême, les Américains élaborèrent une stratégie qui, en cas d'hostilités, réduirait au minimum le risque de l'escalade. Ils affirmèrent et démontrèrent, par raisonnements et par expérience, que la distinction majeure que les ennemis respecteraient d'eux-mêmes, sans accord explicite, serait celle des armes classiques et des armes nucléaires. A partir de cette thèse générale, la doctrine dite McNamara prévoyait, en Europe, un renforcement de la défense classique de manière à différer le plus possible l'emploi des armes nucléaires. Sous l'impulsion du président Eisenhower, l'armée américaine avait organisé une première division, entraînée au combat avec ou sans armes nucléaires. Cette tentative fut abandonnée lorsque J. F. Kennedy fit siennes les idées des professeurs : les armes nucléaires tactiques furent stockées et la décision d'emploi de ces armes appartiendrait désormais au président des États-Unis seul[1]. Selon les Américains, une fois le seuil nucléaire franchi, il ne subsisterait aucun cran d'arrêt. L'ascension aux extrêmes deviendrait non inévitable mais très probable.

2) La doctrine de réplique flexible affaiblirait-elle l'efficacité de la dissuasion américaine ? Les Soviétiques y liraient-ils un symptôme d'une moindre résolution de sauvegarder l'Europe, fût-ce au prix d'une guerre nucléaire ? Ou bien, tout au contraire, en se donnant une défense classique, les Occidentaux ne multiplieraient-ils pas une dissuasion par une autre ? Proclamer à l'avance que l'on déclenchera immédiatement l'apocalypse, c'est bluffer ; se préparer à la fois au combat et à l'ultime recours des armes nucléaires, c'est adopter une attitude rationnelle qui sera prise au sérieux de l'autre côté plus que le bluff (« arrêtez ou je fais un malheur »).

3) Les Français firent exploser en 1960 leur première bombe atomique et le général de Gaulle accorda la priorité à la constitution d'une force dite de frappe ou, selon la formule officielle, d'une force stratégique nucléaire. Les stratèges et les militaires furent contraints d'élaborer une doctrine qui justifiât une petite force nucléaire contre une grande. D'où la dissuasion du faible au fort qui demeure la doctrine officielle de la France.

1. Ou bien, dans le système des « deux clés », au président des États-Unis et au chef de l'Exécutif du pays européen où se trouveraient des armes nucléaires tactiques.

Le lecteur curieux de ce que fut le grand débat trouvera dans le livre qui porte ce titre les arguments échangés à l'époque. En ce qui concerne mes prises de position, voici, me semble-t-il, celles qui se dégageaient de mes livres et articles. J'adoptai, sur le premier point, la doctrine McNamara ou, plus généralement, j'abandonnai la doctrine des représailles massives. La campagne de Corée avait démontré que le super-Grand, possesseur d'un arsenal formidable, ne terrifiait pas pour autant la Corée du Nord ou la Chine populaire. Les propos de J.F. Dulles qui, après l'armistice en Corée, semblaient ranimer la doctrine initiale des représailles massives ne convainquirent personne. Ce qui demeure objet de controverse, c'est l'efficacité relative des deux doctrines en tant que messages de dissuasion, dans le cas particulier de l'Europe.

De la doctrine de McNamara ou, du moins, de son application à l'Europe, je n'acceptai jamais le dogmatisme au sujet des armes nucléaires tactiques. Certes, l'accord implicite des ennemis sur la limitation des hostilités exige des messages intelligibles aux deux parties : le seuil atomique constitue un cran d'arrêt immédiatement compréhensible à tous. Au-delà, il n'en existe pas d'autres aussi clairement visibles. De ces propositions, il ne me paraissait pas légitime de conclure que l'emploi d'armes nucléaires tactiques conduirait *nécessairement* à l'extrême, au pire, en d'autres termes, à la destruction réciproque des villes par les belligérants.

Sur la question : quelle est l'efficacité respective des deux doctrines, je ne pris jamais une attitude dogmatique pour des raisons qui me parurent de plus en plus fortes. Toute la théorie ou rhétorique de la dissuasion ne repose que sur des spéculations, qui ne deviennent pas scientifiques du simple fait qu'elles sont illustrées par des modèles. La disproportion entre les gains et les pertes d'un conflit diplomatique d'un côté, le coût d'échanges nucléaires de l'autre est telle que les modèles numériques perdent toute valeur. De plus, j'éprouve presque toujours une sorte de répugnance à l'égard des théories de la dissuasion dans l'abstrait.

Dans un de ses livres [1], Herman Kahn citait une de mes phrases : « Il ne faut pas discuter dans l'abstrait de la dissuasion mais savoir qui dissuade qui, de quoi, par quelles menaces, dans quelles circonstances. » Qui raisonne dans l'abstrait conclurait évidemment que les États-Unis ne peuvent pas sauver Berlin-Ouest en menaçant l'Union soviétique de bombardements nucléaires. La défense locale étant de toute évidence exclue, l'Occident devait-il conclure qu'il avait perdu la partie à l'avance ? Les Berlinois eux-mêmes n'ont jamais réellement craint une prise militaire de Berlin-Ouest par les troupes soviétiques. La dissuasion a joué sans que pour autant les Soviétiques aient cru que les Américains répliqueraient à l'occupation de Berlin-Ouest par une orgie de violence. Berlin-Ouest signifie pour les Américains bien plus que deux millions d'Allemands et un fragment de la capitale de l'ancien Reich. Berlin-

1. *On Escalation,* 1965, Hudson Institute, p. 23.

Ouest, symboliquement, représente un intérêt vital de la République américaine. Un des Grands ne peut pas porter atteinte à un des intérêts vitaux de l'autre Grand, à moins qu'il accepte le risque d'une grande guerre ou d'une période prolongée de tension extrême.

Revenons à la défense de l'Europe occidentale tout entière. Une attaque frontale contre les armées de l'OTAN m'apparaissait à l'époque, en tout état de cause, improbable. Une telle attaque n'était concevable — et ne l'est encore aujourd'hui — que dans le cadre d'une guerre impliquant les États-Unis, donc générale. La passion du débat transatlantique entre 1961 et 1963 présentait de ce fait un caractère artificiel. Aussi bien, à partir de 1963, après la crise des fusées à Cuba et la liquidation du pseudo-ultimatum de Khrouchtchev, le débat s'éteignit de lui-même pour reprendre une quinzaine d'années plus tard.

En fait, la doctrine américaine de la réplique flexible fut officiellement acceptée par l'OTAN ; le projet bizarre de force multilatérale fut abandonné ; un comité spécial dans lequel siégeaient les représentants des principaux alliés reçut la charge d'établir les plans de stratégie nucléaire ou, au moins, d'en informer les Européens. De chaque côté, les réserves mentales subsistent : le scénario d'une réplique graduée constitue-t-il la meilleure dissuasion ? Les Occidentaux possèdent-ils des forces classiques suffisantes pour une défense prolongée sans usage d'armes nucléaires tactiques ? Ces armes, stockées dans quelques dépôts, ne seraient-elles pas détruites avant de servir ? L'attaque soviétique se déroulerait-elle conformément aux prévisions de l'OTAN ?

Le Grand Débat fut bien accueilli aux États-Unis, utilisé dans plusieurs universités. R. McNamara avait mis mon livre sur son bureau quand il me reçut au Pentagone. Il me déclara qu'entre les innombrables livres sur le sujet sa préférence allait au mien (flatterie à un journaliste ? H. Kissinger m'assura qu'il lui avait dit la même chose). Peu importe. Ce petit livre, rédigé en trois semaines, à la campagne, immédiatement après le cours que j'avais donné à l'Institut d'Études politiques, n'apportait guère d'idées originales (était-ce possible ?), mais il éclairait sans dogmatisme une controverse qui aboutit finalement à des spéculations psychologiques. Dans le détail, quelques traits relevaient les analyses : les Soviétiques, en refusant l'hypothèse des guerres limitées, ne jouaient-ils pas au poker, eux, les grands maîtres des échecs ? Les Américains, en multipliant sur le papier les intermédiaires entre le tout et le rien, entre l'apocalypse et la capitulation, ne rêvaient-ils pas d'un jeu d'échecs stratégique ? Les Américains souhaitaient-ils trouver en face d'eux un adversaire rompu aux subtilités de la réflexion stratégique ou bien, tout au contraire, un adversaire ignorant de la pensée américaine ? En bref, inviteraient-ils un membre du Politburo à suivre des cours à la Rand Corporation ?

R. S. McNamara discuta une de mes phrases qui l'avait frappé : entre alliés, avais-je écrit, il est souhaitable d'éviter les malentendus et de favoriser la compréhension réciproque ; en revanche, l'incertitude, sinon le malentendu, doit subsister entre ennemis. Le secrétaire à la Défense, porté à la pensée rationnelle, acceptait malaisément l'ambiguïté des rapports entre ennemis. Un élément de bluff me paraît pourtant inévitable dans les crises diplomatiques. Certes, considérant l'histoire, on peut attribuer au manque de communication une part de responsabilité dans le déclenchement des guerres, par exemple de celle de 1914. Si les Autrichiens avaient su que les Russes prendraient le risque ou l'initiative d'une grande guerre pour soutenir la Serbie, peut-être auraient-ils agi autrement. Mais, en fait, dès le point de départ, les Autrichiens jouèrent le grand jeu : punir la Serbie comme ils entendaient le faire et, forts de l'appui total de Berlin, intimider la Russie et la contraindre à la passivité. Ils n'ignoraient pas la possibilité de la guerre générale, mais pouvaient-ils atteindre leur objectif sans assumer ce péril ? Il reste que, dans les crises actuelles, à l'ombre de l'apocalypse nucléaire, les acteurs tireront de l'incertitude, de l'imprévisibilité de la réplique de l'ennemi, des conclusions plus favorables à la paix. Tant que les puissances s'opposent, se donnent des objectifs incompatibles et échangent des menaces de recours à la force pour accomplir leurs desseins, le dialogue ne se ramène pas à un débat, pas davantage à un jeu : il demeure un conflit qui ne dégénère pas nécessairement en guerre à mort, mais qui échappe à la totale rationalisation et exclut la transparence des intentions des acteurs.

Pourquoi la bouffée de passion de 1961-1963 et, au bout de deux ou trois années, la quasi-indifférence ? Les hommes d'État, les journalistes européens ignoraient pour la plupart le développement des idées américaines dans les universités et les *think tanks.* J.F. Kennedy introduisit ces idées avec ses conseillers universitaires. Comme la plupart des ministres ou des commentateurs s'en tenaient encore à la doctrine primitive des représailles massives et du *casus belli* simple (le franchissement de la ligne de démarcation), les subtilités apparentes de la nouvelle doctrine furent mal comprises ou, tout au moins, interprétées de la manière la moins indulgente pour les Américains. Les Allemands comprirent que la nouvelle doctrine supposait, et donc acceptait, l'occupation d'une partie de leur territoire ; les Français mirent en question la valeur de la dissuasion américaine. La thèse du général Gallois — aucun État ne peut en protéger un autre — devint populaire : les États-Unis ne sacrifieraient pas leurs villes pour sauver celles de leurs alliés.

Cette thèse constitua le dernier sujet du *Grand Débat* : la force française de dissuasion et son efficacité. J'en ai déjà discuté, dans le chapitre précédent, à la lumière des articles du *Figaro.* Dans *le Grand Débat,* la discussion était plus abstraite.

La nature des armes nucléaires justifie-t-elle la notion même de la dissuasion du faible au fort ? A coup sûr, quand il s'agit d'armes dont chacune provoque une catastrophe, le concept d'égalité ou d'équilibre change de sens. Un Petit peut, dans certaines circonstances, dissuader un Grand en dépit de la disproportion entre les dégâts qu'il causerait et ceux qu'il subirait. Encore ne faut-il pas pousser cette idée plausible jusqu'à l'absurde. Il faut aussi que le faible convainque son ennemi qu'il est prêt réellement à accepter la mort en contrepartie de la blessure qu'il infligerait. La mise en forme rationnelle de cette possible dissuasion ne présente pas de difficulté : l'enjeu que représente le Petit ne vaut pas le risque que prendrait l'agresseur. Mais quelle est la « valeur » du Petit ? Quel est le « risque », apprécié par le Grand ? Ou encore : quel président français lancerait les *Mirage IV* vers Moscou, sans que la France ait été nucléairement attaquée ?

Une fois admise la plausibilité, dans l'abstrait, de la dissuasion du faible au fort, il convenait, en 1961-1963, d'examiner la conjoncture historique, non à travers un schème ou un calcul fictif du coût et de l'enjeu, mais dans ses données concrètes. Géographiquement, la France n'a pas de frontière commune avec l'Union soviétique ; politiquement, elle appartient à l'Alliance atlantique. Au début des années 60, la force nucléaire stratégique de la France devait-elle dissuader l'Union soviétique d'une agression contre notre seul pays ? Une telle agression était en tant que telle inconcevable et elle le reste aujourd'hui.

Nous voici en 1982 et non plus en 1962 ; arrêtons-nous un instant pour rappeler les changements intervenus au cours des vingt dernières années.

Pendant sa campagne électorale, J. F. Kennedy avait dénoncé le *missile gap*, l'avance prise par les Soviétiques en fait de missiles. Une fois élu, il découvrit que cette « brèche » n'était pas à combler puisqu'elle n'existait pas. Les Soviétiques, bien loin de produire le plus vite possible le plus grand nombre possible de missiles intercontinentaux, avaient déployé — nous étions en 1962 — plusieurs centaines de missiles de portée moyenne ou intermédiaire et un petit nombre (une centaine peut-être ou un peu plus) de missiles intercontinentaux : « L'Union soviétique n'a pas fabriqué en grande série des bombardiers stratégiques, capables d'atteindre les objectifs situés aux États-Unis, elle n'a pas non plus produit les centaines d'engins intercontinentaux, redoutés par les experts américains en 1957-1958. Soit par manque de ressources, soit pour reporter l'effort sur la génération suivante des fusées, les Soviétiques se contentent d'équilibrer l'immense appareil américain par une certaine capacité de réplique (capacité de représailles dont ils se déclarent assurés, quelles que soient les circonstances) et par leur supériorité, en armes classiques et en engins à portée intermédiaire, sur les moyens de défense ou de réplique de l'Europe occidentale. » [1]

La doctrine américaine de réplique graduée se fondait sur la supériorité américaine au niveau supérieur des missiles intercontinentaux, plus

1. *Le Grand Débat*, p. 163.

généralement sur la « maîtrise de l'escalade ». Si la supériorité américaine s'accentuait au fur et à mesure de l'escalade, les stratèges, responsables de la gestion des crises du côté des États-Unis, se croyaient maîtres de déterminer le niveau auquel se joueraient les hostilités.

La situation, en Europe et dans le monde, a profondément changé pour deux ensembles de raisons, les unes politiques, les autres techniques. Les doctrines américaines supposaient, dans leurs scénarios, que l'agression viendrait de l'Union soviétique et que celle-ci devrait rationnellement user de sa supériorité, à savoir des armes classiques. Les Américains, par hypothèse, possédaient la maîtrise de l'escalade. Dans leurs ouvrages militaires, les Soviétiques n'envisageaient pas explicitement les scénarios préférés des Américains. Ils traitaient les discriminations américaines, leurs analyses stratégiques de ruses de l'impérialisme. Ils soutenaient la thèse que la guerre, si un jour elle devait avoir lieu, serait totale, que les armes nucléaires, employées, exerceraient une influence décisive sur l'issue des hostilités.

En 1981, l'Union soviétique n'a pas seulement conservé, mais encore accru sa supériorité en armes classiques ; ses divisions sont accompagnées de bataillons spécialisés dans les armes chimiques et nucléaires. Au niveau supérieur des missiles intercontinentaux, elle atteint au moins à l'égalité ; peut-être même à une supériorité « théorique » en ce sens que, sur le papier, les têtes nucléaires des gros missiles soviétiques, les SS 18 et les SS 19, pourraient mettre hors d'état de fonctionner les ICBM américains. Le *missile gap*, en 1960 ou 1961, n'existait pas ; il en existerait un en 1982, en faveur de l'URSS.

A la modification du rapport des forces américano-soviétiques s'est ajouté un progrès, sinon une révolution technique : la précision du tir des missiles, même intercontinentaux. Les missiles de la première génération visaient des cibles étendues, parce que l'écart moyen par rapport à l'objectif se comptait en kilomètres. Cet écart se compte maintenant en centaines de mètres. De ce fait, les missiles, même à longue portée, redeviennent des armes de combat et non plus exclusivement des armes de dissuasion. En 1961, je commentai déjà l'asymétrie des doctrines soviétique et américaine : les Soviétiques, à les prendre au mot, s'en tenaient à l'alternative de la guerre totale ou de la non-guerre ; les Américains multipliaient les distinctions entre les divers scénarios de crises et d'hostilités.

Vingt ans plus tard, l'asymétrie des doctrines subsiste, mais elle est devenue autre. Les livres militaires d'Union soviétiquc, traduits par les soins de l'Aviation américaine, maintiennent la formule clausewitzienne, sacralisée par l'approbation de Lénine, selon laquelle la guerre est la continuation de la politique par d'autres moyens. La guerre nucléaire, catastrophe pour l'humanité, n'en serait pas moins conforme à ce principe, elle marquerait la phase suprême et décisive de la lutte à mort entre les deux régimes sociaux ; elle se terminerait par la victoire du camp socialiste. Les Soviétiques, qui ne mettent pas au centre de leur pensée le concept de dissuasion, affirment que la guerre nucléaire peut et doit être gagnée, et non pas seulement prévenue. Les Américains de leur côté ont beaucoup pensé et écrit sur les moyens d'éviter la guerre nucléaire, relativement peu sur ce qu'ils feraient si une guerre avec emploi des armes nucléaires survenait.

Bien entendu, les livres militaires soviétiques mêlent toujours la théorie et la propagande (selon nos concepts tout au moins). Rien ne prouve que les membres du Politburo ou les écrivains militaires jugent sincèrement qu'une guerre nucléaire puisse être gagnée. Mais tout dépend du sens que l'on donne à la notion de « guerre nucléaire ». Chacun des deux Grands possède les moyens de ravager les villes de l'autre, même si l'évacuation des villes et la défense civile réduisaient les pertes humaines. La capacité de destruction mutuelle affaiblit grandement la rationalité, donc la crédibilité de la menace nucléaire. Mais la précision du tir des missiles permet de mettre hors d'état les missiles de l'adversaire ou, sur le théâtre européen, de frapper les centres vitaux de la défense de l'OTAN sans réduire l'Europe occidentale en ruines radioactives. Chacun peut imaginer des scénarios qui se terminent non par la destruction mutuelle, mais par la capitulation d'un des camps ou par une négociation avant l'orgie apocalyptique de violence.

Il faudrait récrire *le Grand Débat* ou lui ajouter plusieurs chapitres. La France détient aujourd'hui les sous-marins nucléaires armés de missiles, qui me semblaient, il y a vingt ans, la substance d'une authentique force nucléaire stratégique. Mais les missiles, d'après les déclarations officielles, prennent encore pour cibles des agglomérations importantes, faute de la précision nécessaire au choix de cibles proprement militaires. De plus, le destin politique de la France ne se sépare pas de celui du reste de l'Europe occidentale. La menace de recourir aux armes nucléaires préserve peut-être notre pays de l'invasion, mais comment imaginer que la France demeure libre dans une Europe soviétisée ? La force de dissuasion nous donnerait au moins un sursis pour nous adapter à la conjoncture.

Invité par la Société britannique positiviste à donner la deuxième *Auguste Comte Memorial Lecture*, je choisis pour thème *La société industrielle et la guerre.* Entreprise redoutable puisque je m'attachai à une des thèses comtistes apparemment les plus faibles, réfutées par les événements : la thèse d'une opposition radicale de deux types de société, l'une militaire et l'autre industrielle. Le deuxième type serait destiné, par essence, à la paix : l'exploitation des ressources naturelles par le travail, éclairé par la science, rendrait inutile l'enrichissement par la violence et le butin.

Un peu par défi, un peu par expérience mentale, je tentai de sauver quelque chose de la thèse comtiste. J'avais plusieurs fois discuté la thèse léniniste selon laquelle les guerres de notre époque sortaient du capitalisme ; je trouvai quelque plaisir à chercher dans une société vouée au travail l'espoir d'une pacification des rapports entre les États. Avant de prononcer la conférence dans le théâtre, au sous-sol de la *London School of Economics and Political Studies*, j'avais rédigé un manuscrit de quatre-vingts pages environ ; je corrigeai et complétai le manuscrit après la conférence dont je garde un souvenir plaisant. L'amphithéâtre était rempli et l'auditoire m'écouta jusqu'au bout, bien que j'aie dépassé, contre toutes les règles, la limite de l'heure (je parlai soixante-quinze minutes). L'opuscule *La société industrielle et la guerre* a été reproduit plusieurs fois, dans des recueils d'essais ou indépendamment.

Je laisserai au lecteur curieux le soin de se reporter aux premières parties de cet opuscule, l'interprétation des idées de Comte à la lumière de l'histoire guerrière du XXe siècle, l'analyse des deux moitiés du siècle, le rappel des théories de T. Veblen et de J. Schumpeter, et j'en viens à la conclusion ou plutôt à la quatrième partie, dans laquelle j'énumérais les trois conditions majeures, indispensables à la pacification des relations interétatiques sous l'influence de la civilisation industrielle : la réduction de l'écart entre la minorité privilégiée et la masse de l'espèce humaine qui n'est pas sortie de la pauvreté, la constitution de nations prêtes à s'accepter mutuellement à l'intérieur d'une communauté internationale, la fin de l'antagonisme entre les deux grandes puissances et les deux idéologies dominantes.

La première condition, je ne la jugeai pas irréalisable *essentiellement*, bien qu'à l'échéance de quelques dizaines d'années les perspectives ne fussent pas favorables. La deuxième condition, qui équivaut à l'élimination de la politique de puissance, me paraissait difficile à préciser en termes d'institutions. Une paix durable ne se fonde ni sur l'équilibre des forces, ni sur la terreur de tous, ni sur l'ordre des empires ; il faut imaginer que la prospérité de tous est conçue comme nécessaire à la prospérité de chacun, que la collectivité admette le caractère supranational de l'ordre économique. Quant à la troisième condition — l'atténuation du conflit entre le monde soviétique et le monde occidental —, je l'estimai à la fois théoriquement possible mais historiquement pour le moins lointaine. « La doctrine qui, d'après les Soviétiques, doit présider à la réorganisation de la société n'est pas le positivisme, qui prêchait la coopération des classes, mais le marxisme, qui proclame inévitable la lutte entre prolétaires et capitalistes et ne voit d'autre espoir de paix que la victoire totale des premiers. Une telle doctrine divise l'humanité, exalte les régimes qui se réclament d'elle, condamne impitoyablement les autres, bref, elle entretient ce qu'Auguste Comte appelait les guerres de principe. »

Dans cette analyse, je discutais les diverses doctrines de paix que les auteurs du XIXe siècle avaient défendues, sous une forme ou sous une autre, les libéraux rêvant de la République des échanges, les socialistes de l'internationale du prolétariat triomphant, les économistes misant sur l'élimination de la classe militaire. Je ne souscrivais à aucune de ces visions optimistes ou utopiques. A supposer que la civilisation industrielle rende la guerre déraisonnable, il s'en faut qu'elle supprime les motifs de querelles. La domination, le plus souvent, ne rapporte plus économiquement, mais la possession des sables qui recèlent l'or noir paie généreusement. La colonie idéale du XXe siècle, c'est un désert avec du pétrole. Mais, au-delà de ces cas marginaux, se dresse la vraie question : la sociabilité industrielle, telle que la définissait Auguste Comte, comporte une manière de penser, une organisation sociale, un système de gouvernement dont l'ensemble serait incompatible avec l'esprit de guerre. Il en va tout autrement : la sociabilité industriellc s'accompagne d'idéologies contraires, de préjugés ancestraux, de rivalités nationales. Les despotismes passent à tort pour des survivances des siècles passés. La société industrielle n'exclut aucune tyrannie, elle n'implique aucun régime politique déterminé. Enfin, même dans ce texte qui, plus que tout autre, interprétait sociologiquement les guerres modernes, je rappelai, en passant, les bornes de l'interprétation sociologique : « Les hommes trouvent dans la participation à la puissance collective des satisfactions qui balaient les calculs économiques et donnent un sens à l'acceptation des sacrifices. L'ambition du pouvoir, l'orgueil de l'emporter sur les autres n'est pas moins profond que le désir des biens de ce monde. Cette volonté de puissance peut être assouvie dans et par la collectivité. Si la puissance est fin en elle-même et non moyen, l'industrie suffira-t-elle à faire la paix entre les hommes, moins soucieux de vivre que de régner ? »

Le texte se terminait-il sur un ton optimiste ou pessimiste ? A le relire, je trouve l'optimisme quelque peu forcé, le pessimisme découlant de l'analyse elle-même.

Sur un point et un seul, l'optimisme dominait : pour les grands États possesseurs des armes nucléaires, l'intérêt commun de ne pas se combattre l'emporte de loin sur les intérêts qui les opposent ici ou là. A défaut d'un règne commun, les deux Grands doivent raisonnablement préférer les aléas limités de la paix belliqueuse aux risques démesurés de la guerre chaude. La phase transitoire, selon l'expression d'Auguste Comte, suscite d'innombrables conflits entre les nations, les idéologies, les religions, elle ne condamne pas l'espoir d'éviter les guerres illimitées.

Au-delà de la phase transitoire qui durera probablement des siècles, quelle vision ? Durant cette phase transitoire, la diffusion de la sociabilité industrielle se heurte aux résistances des traditions séculaires, bouleverse l'ordre stable du passé, répand sa misère dans des foules innombrables, multiplie les causes de conflits. A supposer qu'il y ait un au-delà de la phase transitoire, « rien ne me paraît prouver que l'*homo sapiens* doive finir sa carrière terrestre dans une catastrophe démente... Auguste Comte avait tort de croire que les guerres n'auraient plus lieu parce qu'elles ne serviraient plus à rien. Avons-nous raison, passant à l'autre extrême, de ne plus voir de différence entre sensé et insensé, raisonnable et absurde ? » La dernière phrase, je ne l'avais pas préparée, elle me vint à l'esprit en improvisant la conférence : « Nous avons perdu le goût des prophéties, n'oublions pas le devoir de l'espérance. » *Devoir de l'espérance :* le journaliste du *Times Literary Supplement* qui rédigea l'éditorial consacré à la brochure publiée par la London School commenta avec quelque ironie cette formule — non sans bonne raison. L'espérance ne se commande pas. L'opinion du journaliste — les guerres appartiennent au train des sociétés humaines — manque d'originalité, mais non de bon sens. Elle nous laisse malgré tout sur notre faim. Certes, ce sont des hommes, non des machines qui font les guerres. Malgré tout, les machines, quand ce sont des bombes à hydrogène, ne devraient-elles pas influer sur l'esprit des hommes ?

XVIII

« IL NE NOUS A PAS COMPRIS »
ou MAI 1968

Les événements de mai 1968, comme toutes les journées révolutionnaires de la France, ne se perdent pas dans la brume du passé, ils restent présents, héroïques ou burlesques selon l'humeur des hommes, ils continuent de soulever des passions, même ou surtout celles des sociologues. Ceux-ci ont offert tant d'idées et de mots aux discours des étudiants en révolte que leur corporation se sentit directement concernée et, de ce fait, plus que d'autres, déchirée. Que signifiait ce tremblement de terre qui, pendant quelques jours, menaça d'abattre l'imposant édifice élevé par dix années de gaullisme ? Aujourd'hui encore, même les étrangers continuent d'en discuter. Dans une revue anglaise, un compte rendu de quelques livres consacrés au Mai français s'interrogeait encore sur les mérites de mon opuscule [1] ; le meilleur ou le pire de la littérature ? En 1979 encore, à l'occasion du prix Goethe, R. Dahrendorf s'exprima sur mon attitude à l'égard des « événements » avec tant de circonspection que l'on devinait ses sentiments : sous le coup de l'émotion, j'aurais été inférieur et peut-être infidèle à moi-même. A mots couverts, il invita à l'indulgence et m'accorda des circonstances atténuantes.

Je n'étais pas désigné, en apparence tout au moins, pour prendre la défense de la vieille Sorbonne et des mandarins. J'avais toujours, dans les journaux et les revues, critiqué l'organisation française de l'enseignement supérieur ; critiqué le baccalauréat, trop difficile en tant qu'examen de fin d'études secondaires, sélection insuffisante pour l'entrée à l'Université ; critiqué l'agrégation qui ne garantit pas la qualité de l'enseignement et qui ne forme pas à la recherche ; critiqué la totale autonomie du professeur, maître après Dieu dans sa chaire, qui ignore souvent ce que font ses collègues.

En revanche, je me situais plutôt à « droite » sur la « sélection », mot

1. *La Révolution introuvable*, Fayard.

qui, à partir de 1968, se chargea d'un incroyable potentiel de passions aveugles et de ressentiments. Le système d'enseignement sélectionne, en permanence, de l'école primaire à l'agrégation et aux grandes écoles ; les garçons et les filles qui y entrent au même âge (à un an ou deux près) et en sortent les uns à 16 ans (peut-être même à 14), les autres à 19, d'autres encore à 25. Ce mot de sélection fut réservé au passage de l'enseignement du second degré à l'Université. Je plaidai en faveur d'une sélection à l'entrée de l'Université, avec, en contrepartie, un baccalauréat réduit à un examen de fin d'études secondaires. Mes arguments demeurent aujourd'hui valables : ni les IUT ni les écoles commerciales n'acceptent tous les bacheliers ; seules les facultés des lettres acceptent tous les bacheliers qui veulent, même sans perspective nette, continuer leurs études et acceptent de s'entasser dans ces garderies ; les diplômes des universités sont dévalués et ceux des grandes écoles valorisés ; la sélection s'opère après une année à l'Université. De ce fait, des ressources considérables sont consacrées aux dizaines ou centaines de milliers d'étudiants qui ne dépasseront pas la première année et ne se présenteront même pas aux examens de la fin de la première année.

Durant le premier trimestre de l'année 1967-1968, j'avais été chargé, par mes collègues, des fonctions de directeur de la section de sociologie. J'avais été amené à converser avec les étudiants et à mieux connaître les conséquences entraînées par l'application immédiate du nouveau régime des études. L'ancien régime n'était pas maintenu pour les étudiants en cours d'études. Certains risquaient de perdre une année ou, plus précisément, d'avoir besoin d'une année de plus pour obtenir la licence et la maîtrise (ou l'équivalent de celles-ci dans l'ancien régime).

Rien ne m'obligeait à intervenir dans cette crise qui secouait la Sorbonne (que j'avais quittée au 1er janvier) et n'épargnait pas la VIe section de l'École pratique des Hautes Études ; cependant, les directeurs d'études pouvaient la regarder de loin, paisiblement, de leur bureau. Pendant la première semaine de Mai, après l'entrée des forces de l'ordre dans la cour de la Sorbonne, le samedi 4, j'observai, sans surprise mais avec inquiétude, l'escalade de la violence, les manifestations, les chocs entre les étudiants et les policiers. Je parlai une fois à Radio-Luxembourg, plutôt pour expliquer les troubles que pour les condamner ou les approuver. Le samedi matin, après la nuit des barricades, l'émotion avait gagné des personnalités d'ordinaire concentrées sur leurs travaux et en marge de l'agitation politico-universitaire. Je participai à une réunion avec C. Lévi-Strauss, Ch. Morazé, J.-P. Vernant et beaucoup d'autres. Je signai sans enthousiasme une motion qui, selon mes souvenirs, condamnait surtout la violence.

Le même samedi, je fus approché par les officiels de la radio-télévision ; Yves Mourousi en fut, je crois, le représentant, à moins qu'il ait pris lui-même l'initiative. On souhaitait de moi, je crois, des propos raisonnables qui contribueraient à la détente. Le secrétaire général de l'Élysée, M. Tricot, aurait dit — ses propos me furent ainsi rapportés : « On n'impose pas de règles ou de limites à Raymond Aron. » Après quelques heures de réflexion, je refusai la tribune qui m'était offerte. Étant donné l'état des esprits, ce samedi 11, je ne savais trop quoi dire. Mon refus fut-il aussi déterminé par quelques épisodes déplaisants ? En raison des mauvais sentiments que le Général me portait, au moins selon la rumeur publique, les gaullistes et la télévision me tenaient à distance, comme on évite d'approcher un dangereux hors-la-loi. Refuser de parler pour un tel motif eût été peu honorable : gaulliste ou non, je devais contribuer de mon mieux à éteindre l'incendie. Mais quel impact aurait eu mon intervention à la télévision ?

Le mardi de la semaine suivante, ma place était réservée sur un vol Paris-New York. Trois rendez-vous : le premier, dans une université de l'État de New York, une conférence sur les droits de l'homme, ensuite, à Porto Rico, la conférence annuelle des Banques où je devais tenir un discours sur les problèmes monétaires en m'adressant, moi amateur, aux meilleurs spécialistes du monde ; enfin, la conférence de l'American Jewish Committee où j'avais accepté de parler du Vietnam. Je partis effectivement le mardi, le lendemain de la grève générale et du défilé monstre, le lendemain de la réouverture de la Sorbonne. De loin, je suivis avec anxiété la multiplication des grèves, des manifestations et des émeutes. Le 20 mai, je n'y tins plus et décidai de revenir en France, en m'excusant de ne pas honorer l'engagement pris à l'égard de l'American Jewish Committee. L'avion atterrit à Bruxelles puisque les aérodromes français étaient fermés. Par bonne chance, un membre de l'état-major d'une grande société voyageait dans le même appareil que moi. L'automobile qui l'attendait à Bruxelles me ramena à Paris.

Je me promenai dans le Quartier latin, je poussai une fois ou deux jusqu'à l'amphithéâtre Richelieu où les discours se succédaient sans interruption dans un climat de kermesse révolutionnaire ; je discutai, rue Saint-Guillaume, avec des étudiants de bonne famille, touchés par la grâce. Comme à tout un chacun, le discours du Général le 24 mai, à la télévision, me parut « à côté de la plaque ». Vieilli, le Général se lança dans des considérations pseudo-philosophiques, de la même famille que les palabres qui mobilisaient des centaines de milliers de Français. Les imprimeurs commencèrent à censurer *le Figaro.* J'écrivis un article ironique en juxtaposant des citations de Tocqueville.

Après les négociations de Grenelle, l'accord promettait la liquidation progressive des grèves, donc de la crise sociale, sinon de la crise estudiantine. Les délégués communistes de la CGT furent chahutés par les ouvriers à Billancourt ; le lundi 27, tout fut remis en question et le régime lui-même semblait vaciller. Moi aussi, les 29 et 30, je craignis que la révolte ne glissât vers la révolution. Avec des amis, nous écoutâmes à la maison l'allocution du Général. Je crois que je criai : vive de Gaulle ! Nous eûmes tous le sentiment que cette fois il avait visé juste et qu'il avait gagné. Nous allâmes, Kostas Papaioannou et moi, vers les Champs-Élysées où la foule commençait de se rassembler. Au journal, j'appris la déclaration du chef du groupe parlementaire communiste à l'Assemblée nationale, M. Ballanger : « nous irons aux élections ». Le samedi, 1er juin, invité du *Journal inattendu* de Radio-Luxembourg, j'employai l'expression de « psychodrame » qui souleva l'indignation des syndicalistes présents.

La semaine suivante, je commençai une série d'articles sur la crise universitaire. Des lecteurs, peu nombreux, me reprochèrent d'aller au secours de la victoire. Reproche injuste : avant la dissolution de l'Assemblée et la fin de la crise politique, ces articles auraient peut-être été refusés par les ouvriers de l'imprimerie ; en tout cas, ils n'auraient pas intéressé l'opinion. Il fallait remettre la France au travail, lui rendre un gouvernement pour que la reconstruction, en particulier celle de l'Université, fût à l'ordre du jour. De plus, l'annonce d'élections, que les jeunes révoltés avaient fait rimer avec « trahison », n'avait ni apaisé les « enragés », ni vidé la Sorbonne. Les professeurs n'enseignaient pas, les étudiants n'étudiaient pas. Même les recteurs, fonctionnaires d'autorité, n'exerçaient pas tous leurs fonctions, excipant de ce qu'ils n'en avaient plus les moyens.

L'appel que j'adressai « au nom des silencieux » aux enseignants de tous les degrés contribua à modifier le climat. Le secrétaire général du ministère, Pierre Laurent, m'affirma — mais quelle était la part de la politesse ? — que, sans ma campagne au *Figaro*, il n'aurait pas pu organiser les examens du baccalauréat. L'adresse que j'avais donnée au *Figaro*, celle du Centre européen de sociologie, provoqua ma rupture avec Pierre Bourdieu. Ses fidèles s'étaient répandus à la Sorbonne, distribuant des tracts conformes à l'évangile Bourdieu-Passeron, lançant la formule des « États Généraux de l'enseignement » ; les étudiants, de leur côté, usaient et abusaient des idées du livre *les Héritiers*. Quelques-uns des sociologues interprétèrent sur-le-champ les événements ou y prirent une part active. C. Lefort fut à Caen un « enragé », à en croire les rumeurs. Nombre d'enseignants sortirent d'eux-mêmes, comme si, d'un coup, en un carnaval organisé, chacun rejetait son personnage social, sa défroque conventionnelle, se libérait pour un temps de ses obligations, des règles de son métier, et laissait libre cours aux rêves que chacun de nous enfouit au fond de lui-même. Dans une assemblée générale de la VIe section, j'observai avec un mélange de sympathie et d'ironie ces conversions soudaines et temporaires.

Mes articles, avant même *la Révolution introuvable*, firent de moi, plus encore qu'au lendemain de la brochure sur l'Algérie, un acteur et non pas seulement un spectateur. *Le Nouvel Observateur*, au-dessous de ma photographie, écrivit *le Versaillais* « égaré par la raison ». Jean-Paul Sartre publia un texte d'une violence incroyable à la fois contre le général de Gaulle et contre moi.

Je n'eus qu'un seul contact avec les acteurs officiels de ce mois : une conversation avec Pierre Mendès France, chez Marcel Bleustein, le matin de la réunion à Charlety. Je tentai de le convaincre que le mouvement estudiantin représentait un détonateur et non pas une force. Il n'existe, lui disais-je, que deux camps, d'un côté la République, le gouvernement, les assemblées, les élections éventuelles, de l'autre côté, le parti communiste qui ne semble pas impatient de franchir le Rubicon. Les intellectuels, les révolutionnaires du stylo reprochent au parti communiste de ne pas emboîter le pas aux Cohn-Bendit, Geismar et autres Barjonet. A supposer que la légalité républicaine s'effondre sous la pression des jets de pierres et des foules, seul le PC comblera le vide — à son corps défendant. Je garde le souvenir que P. Mendès France accepta mon analyse. L'après-midi, deux heures plus tard, il se faisait acclamer par les étudiants. Le seul argument qu'il me présenta, pour justifier son attitude, se ramenait à peu près à la formule : ne pas désespérer le Quartier latin. Demain l'élite de la nation, les étudiants d'aujourd'hui ne doivent pas sortir de cette crise frustrés de leurs espoirs, amers, résignés malgré eux à un monde qu'ils auront pris en horreur.

Avant d'évoquer les polémiques que suscitèrent mes articles du *Figaro* et *la Révolution introuvable*, je voudrais m'arrêter un instant sur les événements eux-mêmes et distinguer l'histoire et la sociologie de la crise, expliquer la diversité des appréciations dont elle a été et demeure l'objet, en raison même de l'hétérogénéité de l'ensemble baptisé « événements de Mai ».

Commençons par l'histoire ou le récit. Les « événements » se divisent en quatre phases. La première commence avec l'entrée de la police dans la cour de la Sorbonne et dure jusqu'au lundi 13 mai, jour de la grève générale et de la réouverture de la Sorbonne ; la deuxième est marquée par l'extension des grèves, sauvages d'abord, déclenchées ou accompagnées par le parti communiste ensuite, aboutissant aux négociations de Grenelle et aux accords entre patronat et syndicats sous l'égide du gouvernement ; la troisième phase ne comporte que quelques jours, le refus apparent des accords de Grenelle par les grévistes de Billancourt, la mise en question du Président et du Premier ministre, l'annonce par François Mitterrand de sa candidature à l'Élysée au cas où le Général se retirerait, le tout dramatisé par la disparition pendant quelques heures du Président de la République et couronné par l'allocution prononcée par ce dernier le jeudi 30, suivie par la manifestation monstre aux Champs-Élysées ; la dernière phase dura quelques semaines, le retour à l'ordre, la liquidation des poches de révolte, à la Sorbonne ou à l'Odéon, les élections législatives, qui donnèrent à la majorité une victoire retentissante — plus retentissante au reste par le nombre des sièges à l'Assemblée que par celui des voix dans le pays.

Pour chacune de ces phases, l'historien est amené à poser deux sortes de questions : les unes « événementielles », les autres « sociologiques ». Par exemple, au cours de la première semaine, alors que le Premier ministre voyageait en Asie, des décisions furent prises qui mirent le feu aux poudres : l'appel à la police le samedi 4, le transport dans les cars de police de dizaines d'étudiants, les condamnations de quelques étudiants, enfin, et surtout, le retour de Georges Pompidou, le samedi 11, après la nuit des barricades, et le renversement de politique. Au lieu d'appliquer l'accord négocié par L. Joxe et A. Peyrefitte avec des représentants des syndicats d'étudiants, le Premier ministre, qui se situait pour ainsi dire au-dessus des factions puisqu'il était absent de Paris pendant la semaine précédente, donna satisfaction à toutes les demandes des « étudiants » (qu'il conviendrait de mettre entre guillemets : une fraction seulement des étudiants participa à ces mouvements dont des groupuscules révolutionnaires prirent la tête).

De ces décisions qui développèrent des suites considérables, celle de Georges Pompidou, le 11 mai, me paraît la plus grave, la plus chargée, aujourd'hui encore, d'incertitudes. Le carnaval estudiantin commença le lundi 13 ; il offrit un modèle aux ouvriers. La formule gaulliste : « L'État ne recule pas » était tournée en ridicule par les hésitations, les marches et contre-marches du gouvernement. La lettre que m'envoya Georges Pompidou quelques semaines plus tard — document historique, me semble-t-il — éclaire la pensée du Premier ministre et le déroulement même de la crise.

« Mon cher Ami,

« J'ai lu avec intérêt et beaucoup apprécié vos articles sur la crise de Mai et les problèmes de l'Université. Toutefois une affirmation qui apparaît dans votre article sur le discours d'E. Faure m'incite à vous écrire pour rectifier, non pas à l'usage de vos lecteurs mais *à votre usage strictement personnel.* Vous écrivez : G. Pompidou a joué et perdu le pari de l'apaisement. Permettez-moi de vous dire que vous vous trompez. Je n'ai fait aucun pari. Il n'y avait pas une chance sur 100 à mes yeux pour que mes décisions du 11 mai arrêtent le processus. Alors, direz-vous ? Alors j'ai fait ce que fait un général qui ne peut plus tenir une position. Je me suis retiré sur une position défendable. Et j'ai donné à cette retraite un caractère “ volontaire ” à la fois par souci de sauver les apparences et à cause de l'opinion. Je m'explique. Quand je suis rentré d'Afghanistan, j'ai trouvé une situation qui m'est apparue désespérée — l'opinion parisienne était entièrement derrière les étudiants. La manifestation du 13 mai était annoncée. J'ai pensé alors (et aujourd'hui j'en suis sûr) que faute de rendre la Sorbonne, cette manifestation entraînerait peut-être la chute du gouvernement (et du régime), mais qu'à tout le moins elle s'emparerait de la Sorbonne. Pouvez-vous imaginer qu'un cortège de quelque 500 000 personnes allant de la République à Denfert (et encore l'itinéraire ne fut-il accepté par les dirigeants de la manifestation que le dimanche *après* mes décisions) ne ferait pas un détour vers cette Sorbonne gardée par les CRS ? Et qui a jamais empêché une foule de cette importance de pénétrer dans un local comme la Sorbonne ?

Même l'armée n'y aurait pas suffi et, au surplus, qui aurait commandé à des soldats de tirer sur une foule pareille ?

« A partir de là, avec une Sorbonne réoccupée par les étudiants en dépit des décisions gouvernementales, la situation était sans issue et nous condamnait à une capitulation ou à une guerre que l'opinion n'aurait pas acceptée.

« Car, et vous le savez bien, tout dans une affaire de cet ordre se joue sur l'opinion ; leur rendant la Sorbonne, j'enlevais à la manifestation son objectif stratégique, elle cessait de pouvoir devenir une émeute pour rester une " démonstration ". Mais surtout, ayant fait ce que l'opinion attendait, je renversais les responsabilités. Désormais, c'était les " étudiants " qui se mettaient dans leur tort, qui devenaient des provocateurs, au lieu que ce fussent des innocents se défendant contre les provocations gouvernementales et policières. Je n'avais plus qu'à gagner du temps, à circonscrire le mal, puis à prendre l'offensive sans douleur lorsque l'opinion en aurait assez. Telle fut ma ligne de conduite depuis le début jusqu'à la fin.

« Dans une affaire de cet ordre, il n'y a que deux issues — ou bien, dès le départ, se fier à la répression la plus brutale et la plus déterminée. Je n'en avais pas le goût ni les moyens. Les aurais-je eus que la révolte de l'opinion aurait obligé à reculer, c'est-à-dire à disparaître. Une démocratie ne peut user de la force que si elle a l'opinion pour elle et nous ne l'avions pas.

« Ou bien alors il faut céder du terrain, faire la part du feu et gagner du temps. Les étudiants pouvaient se lasser et venir à composition. Ils pouvaient aussi s'entêter, ce qu'ils ont fait. Dans ce cas ils étaient de moins en moins nombreux et de plus en plus impopulaires. C'est ce qui s'est passé. Et, le moment venu, je prenais l'offensive sans douleur.

« Ne vous y trompez pas, j'ai gagné la partie politique le 11 mai au soir. Il pourrait y avoir eu une autre partie à gagner ou à perdre si le parti communiste avait décidé de passer à la révolution violente. Mais là, contrairement à ce qui se passait pour les étudiants, le gouvernement avait la possibilité d'user de la force parce que l'opinion aurait été avec lui et l'armée fidèle sans hésitation. De toute manière, c'est le PC qui a reculé devant l'aventure.

« Gardez, je vous prie, ces réflexions rapides pour vous seul, mais je tenais à vous éclairer sur ce que fut ma tactique.

« Je serais heureux de vous voir à la rentrée pour parler Université. Beaucoup de choses me préoccupent dans ce qu'a dit E. Faure et, naturellement, je ne puis pas prendre position publiquement. »

« Croyez, mon cher ami, à mes sentiments les meilleurs. »

Cette lettre, écrite à la fin du mois de juillet 1968, ne justifie pas seulement les décisions du 11 mai, elle explique la « gestion » de la crise, dont la responsabilité incombe à Georges Pompidou bien plus qu'au Général. Le départ secret du Général, le 29 mai, et le dissentiment des deux hommes, sortent indirectement du choc entre le Président et le Premier ministre le soir du 11 mai, le soir où ce dernier prit la direction des manœuvres et prépara la victoire — la sienne.

L'historien, en lisant la lettre de Georges Pomidou, ne peut pas s'empêcher de poser une question : que se serait-il passé si le gouvernement, au lieu de capituler le 11 mai, avait tenu bon ? Personne ne connaîtra jamais avec certitude la réponse, mais personne ne discutera la proposition suivante : c'est la décision de Georges Pompidou qui est à l'origine de la prolongation des troubles et du succès final.

Des questions du même ordre pourraient être posées à propos d'autres « événements ». Quelle aurait été la réaction du public si quelques jeunes gens avaient été tués par des balles de CRS ? La disparition du Général pendant quelques heures, son bref discours à la radio le 30 mai, ont-ils créé l'atmosphère dans laquelle la liquidation de la crise devint facile, sans violence ? En fait, au cours des semaines de Mai, il y a eu quelques « événements clés », peu nombreux, à propos desquels on s'interroge : que se serait-il passé si...

Le sociologue s'intéresse davantage aux antécédents des événements, à la conjoncture globale qui amplifia les répercussions de troubles à l'origine mineurs. Quelles causes rendirent la situation explosive ? Les réponses divergent selon qu'on observe des données matérielles ou que l'on prenne à la lettre les propos des révoltés.

Considérons un thème qui donna lieu, dans les palabres d'étudiants, à des variations indéfinies : la démocratisation ou la non-démocratisation de l'Université. Le livre de Bourdieu et de Passeron, *les Héritiers*, devint, pour ainsi dire, un livre de chevet des étudiants de Mai. Mais que déduire de ce fait ? Que les étudiants, eux-mêmes héritiers, aspiraient à une Nuit du 4 août, désireux de renoncer à leurs privilèges ? Ou bien, n'étant pas héritiers, quelques-uns se jugeaient-ils injustement refoulés dans des disciplines de deuxième ordre, sans perspective de carrières à la mesure de leurs ambitions ? Ou bien, héritiers incapables de suivre les filières prestigieuses, se révoltaient-ils contre le système d'où leur médiocrité personnelle les avait refoulés ? Des cas individuels soutiennent ces différentes hypothèses : enfants de petite bourgeoisie ou des classes populaires qui accèdent à l'enseignement supérieur pour la première fois et s'y sentent perdus ; fils de famille qui se dressent eux-mêmes contre les formes extrêmes d'élitisme à l'ENA ou à l'École Polytechnique ; fils de famille qui, faute de mieux, cherchent refuge dans la psychologie ou la sociologie et transmuent leur ressentiment en idéologie. Des différents cas, lesquels furent les plus nombreux ? Quelle signification accorder aux idéologies ?

Des enquêtes sociologiques parmi les plus sérieuses mettent en lumière un phénomène de génération : les étudiants issus de familles sans expérience de l'enseignement supérieur, désorientés dans ce milieu nouveau, incertains de leur choix, craignaient de ne pas trouver d'emploi après avoir arraché un diplôme. Ils vivaient, dans l'angoisse et la solitude, une condition précaire. Éventuellement, ils se joignaient à des camarades plus fortunés pour crier avec eux : à bas la société de consommation !

Les invectives contre les examens et les concours firent partie intégrante de la révolution vécue. Elles ne furent pas nécessairement les causes de l'explosion, elles illustraient la forme prise par ces « grandes vacances ». Des groupes d'étudiants, de tendances politiques diverses, élaborèrent des plans de rénovation de l'Université ; professeurs et étudiants qui d'ordinaire se parlaient rarement se tutoyèrent, éventuellement intervertirent leurs rôles puisque les enseignés souhaitaient désormais participer aux jurys des examens, voire à la nomination des enseignants. Ce carnaval ne fut pas exclusivement français, il s'en manifesta quelques signes dans les révoltes estudiantines d'autres pays, mais il prit chez nous une forme typiquement française.

La distance entre les professeurs et les étudiants est plus grande en France que dans les universités anglo-américaines ; l'autorité qu'un professeur de la Sorbonne exerçait parfois sur l'ensemble d'une discipline n'a guère d'équivalent dans d'autres pays puisqu'il n'existe pas ailleurs d'équivalent de la centralisation parisienne. Les grands patrons de la médecine n'ont pas été inventés pour les besoins de la démagogie et de la révolte. Les circonstances favorisèrent l'explosion, parfois légitime, contre les abus, contre les expressions aberrantes de la hiérarchie.

Si l'on passe des étudiants aux ouvriers, les analyses distinguent là aussi des causes, des motifs et des idéologies. Parmi les causes des grèves initiales, on mentionne la politique relativement rigoureuse menée par Michel Debré au cours de l'année qui précéda les événements. Les salaires les plus faibles avaient pris du retard sur le niveau moyen des salaires. Le salaire minimum garanti n'avait pas été réévalué en fonction de la croissance de toutes les rémunérations. Les accords de Grenelle provoquèrent à terme une dévaluation du franc en 1969 mais, encore aujourd'hui, d'aucuns, Raymond Barre par exemple, plaideraient que l'économie française aurait pu digérer sans dévaluation la hausse de 20 à 25 % des salaires — ce qui suggère au moins que ceux-ci avaient été exagérément comprimés dans la phase antérieure. Mais, quelle qu'ait été la responsabilité du niveau des salaires au point de départ, dans les grèves sauvages, une fois des millions de travailleurs au chômage, les discours s'étendirent bien au-delà des revendications ordinaires : la structure de l'entreprise, le style du commandement, l'autogestion, la société de consommation, la lutte contre la pollution, la convivialité devinrent les thèmes des débats auxquels participèrent des centaines de milliers de Français libérés du travail, défini justement par Marx comme le « règne de la nécessité ».

Cette soudaine diversion à l'ennui quotidien, la quasi-révolution jouée plutôt que faite éveillent la sympathie, voire l'enthousiasme. Les bagarres de rue qui dégénèrent en émeutes, les chocs entre les manifestants et la police toujours accusée de violence comblent de plaisir les éternels amateurs du guignol, friands des infortunes du gendarme ; la joyeuse équipée des jeunes qui repartent chaque soir aux « manif » rafraîchit le cœur des adultes — tant que ces derniers ne découvrent pas leur voiture hors d'usage. La foule colorée qui peuple les amphithéâtres et les couloirs des bâtiments universitaires, les réunions publiques *non stop*, les orateurs improvisés qui reproduisent à peine consciemment les gestes et les propos des grands ancêtres, amusent et attirent les curieux. Dans les universités, et même dans les lycées, les professeurs se heurtent avec plus ou moins de passion, les uns suivant et parfois même courant devant les étudiants en colère, les autres élevant un barrage devant le flot de démagogie, d'utopie ou de rêve, gonflé par l'illusion de vivre des journées historiques.

Entre le 15 et le 30 mai, la vie nationale est pour ainsi dire paralysée, la plupart des usines ne tournent pas, les ouvriers occupent leur lieu de travail et entretiennent avec soin leurs machines ; la grève s'est étendue même à des services publics ; ici ou là s'improvisent des sortes de communes que gèrent les ouvriers ou les dirigeants syndicaux. Jusqu'aux derniers jours de liberté, la bonne humeur l'emporte sur la violence propre à ces sortes d'explosion sociale. Rien de tout cela n'est tout à fait sérieux. On joue, ce n'est pas tout à fait « pour de bon ». Vers la fin du mois, la révulsion devant la « chienlit » se substitue peu à peu à la sympathie pour cette « admirable jeunesse » : la crainte d'une véritable révolution gâte le plaisir du spectacle.

A ce moment, une nouvelle question surgit. Que s'est-il passé effectivement ? Pendant les derniers jours, entre le lundi 27 et le vendredi 31, le régime vacille ou semble vaciller. Carnaval estudiantin, peut-être. Mais qui ne se rappelle la séance à l'Assemblée nationale ? E. Pisani doit prendre la parole pour le gouvernement, en tant que représentant de la majorité ; il prononce un discours d'opposition, à la stupéfaction indignée de Georges Pompidou. Valéry Giscard d'Estaing, dans une conférence de presse, suggère le retrait du Premier ministre. Le 27 mai, F. Mitterrand, dans une conférence de presse, déclare que le départ du général de Gaulle au lendemain du 16 juin (date supposée du référendum), s'il ne se produit pas avant, provoquera naturellement la disparition du Premier ministre et de son gouvernement. « Dans cette hypothèse, je propose qu'un gouvernement provisoire de gestion soit aussitôt mis en place. [...] » Un peu plus loin, il s'interrogeait sur le président de la République. « Qui sera président de la République ? Le suffrage universel le dira. Mais d'ores et déjà, je vous l'annonce, parce que le terme éventuel n'est que de dix-huit jours et qu'il s'agit du même combat : je suis candidat. » Ces propos impliquaient une violation de la Constitution qui prévoit que, dans l'hypothèse de la démission du président de la République, le Premier ministre reste en fonction et que le président du Sénat exerce les pouvoirs du président de la République jusqu'à l'élection du successeur. En affirmant que la démission du général de Gaulle entraînerait celle du Premier ministre, F. Mitterrand envisageait et recommandait une solution inconstitutionnelle, révolutionnaire si l'on veut.

Pour présider le gouvernement provisoire, il suggérait Pierre Mendès France qui se laissa entraîner dans cette aventure. Le mercredi 29, à vingt et une heures, alors que le Général était arrivé à Colombey et se préparait à revenir à Paris, P. Mendès France « ne refusait pas les responsabilités qui pourraient m'être confiées par la gauche, par toute la gauche réunie ». « En ce qui concerne le gouvernement de transition, il s'agira non pas d'un gouvernement neutre mais d'un gouvernement de mouvement, orienté vers une société plus juste et plus socialiste. Il devra prendre des décisions immédiates, dont nous avons parlé cet après-midi et dont nous continuerons à parler dans les prochains jours pour réaliser un accord complet. » Le républicain sourcilleux travaillait déjà à la composition d'un cabinet issu des émeutes, président et Premier ministre se retirant ou étant chassés. En retard sur l'événement, il croyait encore à un dénouement révolutionnaire alors que le Général préparait sa contre-offensive et que ses fidèles organisaient le défilé du 30. Alfred Fabre-Luce publia dans *le Monde* un article intitulé « Mendès à l'Élysée ».

Il y eut donc bien, en dehors des grèves, en dehors des palabres estudiantines, une crise proprement politique dont j'observai les multiples symptômes. Les fonctionnaires désertaient les ministères, les députés de la majorité s'en prenaient les uns au président, les autres au Premier ministre, ils réclamaient la démission de l'un ou de l'autre. La classe politique craignait un bouleversement : une allocution de quelques minutes apaisa l'angoisse des hommes au pouvoir et ruina les espoirs de ceux qui, comme en 1830 et en 1848, voulaient prendre la place d'un pouvoir renversé par la rue.

Le 29 mai, A. Kojève m'appela au téléphone ; nous causâmes plus d'une demi-heure : il était plus assuré que je ne l'étais moi-même qu'il s'agissait non d'une révolution mais d'un *à la manière de.* Il n'y a pas de révolution, me dit-il, puisque personne ne tue ou ne veut tuer. Les troubles lui inspiraient un profond mépris (réaction d'un Russe blanc). Je lui racontai qu'aux États-Unis je ne pouvais pas tenir en place, impatient de revenir, pour voir ou agir. Il me répondit : « Vous étiez pressé de regarder de plus près les pitreries de cette sordide " connerie "? » Vingt-quatre heures plus tard, je ne doutai plus que les événements eussent singé la grande Histoire ; méritent-ils de ce fait l'honneur ou l'indignité qui aujourd'hui encore les élève ou les abaisse ?

Pourquoi, aujourd'hui encore, tant de passion pour ou contre les « événements de Mai » ? La réponse à cette interrogation me paraît aujourd'hui relativement simple. L'historien ou le sociologue construit un objet, « les événements de Mai », à ce point hétérogène que, selon les éléments de cet objet pris en compte, le problème et l'explication changent.

Toute interprétation tend à se concentrer sur un seul aspect des événements, ou bien sur la révolte des étudiants, ou bien sur la généralisation des grèves, ou bien sur l'originalité du Mai français par rapport à des phénomènes comparables dans d'autres pays, ou bien sur le discours idéologique des étudiants ou des salariés.

Les révoltes d'étudiants qui, au cours des années 60, parcourent le monde, du Japon à Paris en passant par Berkeley et Harvard, s'expliquent, exclusion faite de la contagion ou de l'imitation, en chaque cas par des causes proprement nationales. Il n'y avait pas en France de « guerre du Vietnam », pas plus qu'aux États-Unis de concentration parisienne, ou de centaines de milliers d'étudiants entassés à l'intérieur de cadres désuets. Il est loisible de chercher les causes, communes à tous les pays industrialisés, de ce sursaut des jeunes, d'établir l'origine sociale des militants les plus actifs dans ces mouvements, par exemple aux États-Unis des dirigeants des SDS *(Students for a Democratic Society).* Si les enfants de parents libéraux (au sens américain) de bonne bourgeoisie représentent un pourcentage relativement élevé des SDS, on en tire la conclusion que la rébellion venait plutôt des milieux favorisés que des milieux défavorisés. De même, des enquêtes sociologiques établissent les pourcentages des diverses disciplines dans le recrutement des SDS aux États-Unis et des mouvements similaires en Allemagne, en France. Chez nous, en particulier, les sociologues ont acquis une réputation de protestataires, soit que la sociologie, par essence critique, incline les étudiants à la révolte, soit que les étudiants portés à la révolte choisissent ces sortes d'études.

Certes, les émeutes universitaires qui se sont multipliées d'un bout à l'autre du monde non communiste révèlent ou signifient quelque chose, bien que les causes varient substantiellement à Dakar et à Berkeley, à Harvard et à la Sorbonne. Elles révèlent au moins l'affaiblissement de l'autorité des adultes, des enseignants, de l'institution en tant que telle. La contestation de l'autorité dans l'Église catholique, du commandement dans l'armée émane du même état d'esprit. La révolution culturelle, qui atteint son apogée pendant les années 60, forme le contexte, la toile de fond des troubles. Après tout, à la cité universitaire d'Antony, la revendication de libre communication entre garçons et filles, jour et nuit, fut un des incidents prémonitoires.

L'idéologie de 1968, d'inspiration libertaire, suscita beaucoup de sympathie parmi les étudiants ; si René Rémond cite *les Héritiers* parmi les livres responsables ou symboliques des événements, *Epistémon* (D. Anzieu), lui, cite la *Critique de la Raison dialectique*, avec la notion du « groupe en fusion », par exemple la foule qui prend d'assaut la Bastille. 1968 : révolte intellectuelle du *nous* contre la structure, de Sartre contre Lévi-Strauss (la politique française demeure obstinément littéraire), de la « praxis » contre les institutions, du gauchisme contre le parti communiste. L'action des étudiants aux États-Unis était aussi d'inspiration libertaire (toute révolte qui veut ébranler le pouvoir et non pas le remplacer relève de l'esprit libertaire). Mais, dans la plupart des universités, elle se donnait des objectifs précis, pour la plupart accessibles.

Le discours idéologique de Mai, que ce soit celui des étudiants ou des ouvriers, tranchait sur les programmes des partis. Il reprenait et popularisait des thèmes qui traînaient dans des livres de critique culturelle, *Kulturkritik*, comme on dit en Allemagne. Le livre de H. Marcuse, *l'Homme unidimensionnel*, contenait la plupart des thèmes d'indignation : la société mercantile, la consommation forcée indispensable à l'appareil de production, la pollution, la répression sociale, le gaspillage en présence de la misère, etc. Là encore, les révolutionnaires se sont fait des amis en popularisant une idéologie qui ne se confondait avec celle d'aucun des partis : la qualité contre la quantité, l'aménité de la vie de préférence au niveau de vie. Le culte du taux de croissance sombra dans le mépris public.

Les ouvriers français se sont mis en grève massivement, à la suite des troubles parisiens déclenchés par les étudiants, alors que dans aucun autre pays les ouvriers n'ont appuyé, fût-ce moralement, les étudiants. Aux États-Unis en particulier, les cols bleus, les syndicats ouvriers n'ont pas mené le combat contre la guerre du Vietnam. En France même, les efforts des étudiants pour mobiliser les ouvriers en vue d'une action commune ont, dans l'ensemble, échoué. Les communistes ont réussi à soustraire le mouvement ouvrier à la contagion libertaire, bien que les accords de Grenelle aient déçu la base précisément parce que ces accords voulaient mettre fin à des grèves et à des revendications « pas comme les autres » par des moyens « comme les autres ».

Si l'on s'attache aux grèves, ce qui frappe, c'est qu'elles traduisent moins l'exaspération des damnés de la terre, le ras-le-bol des ouvriers polonais dans des villes où manquent tour à tour la viande, les fruits ou les légumes, que l'insatisfaction de travailleurs, dont les conditions de travail et de vie se sont sensiblement améliorées en une génération et qui élisent librement leurs dirigeants syndicaux. D'où les interprétations classiques : on invoque ou bien la « loi de Tocqueville » — c'est quand les maux s'atténuent que les griefs se multiplient et que l'explosion se produit —, ou bien le développement des revendications qualitatives à mesure que les besoins primaires sont mieux satisfaits ; ou bien encore la persistance, dans la société française, d'une hiérarchie rigide, d'un style de commandement de moins en moins accepté. Toutes ces interprétations se fondent sur des faits et des discours ; aucune ne peut se donner pour exclusive et totale ; elles peuvent se combiner.

Le Mai français présente des traits proprement nationaux, bien souvent observés : ailleurs, des années de troubles dispersés, ici des troubles concentrés sur quelques semaines ; toutes les universités ensemble et non pas l'une après l'autre ; plus de palabres que de revendications précises. Explication banale : il n'existait qu'une Université. Paris donne le ton. Des intellectuels ont pris part à la fête et les étudiants ont puisé dans les écrits des maîtres à penser.

Étudiants et ouvriers, en même temps mais séparément, en rupture de ban ; des affrontements entre policiers et manifestants, jour après jour, sans que des balles partent, d'un côté ou de l'autre ; un officier de police, victime d'un accident plutôt que d'une intention de tuer, un garçon qui, poursuivi par les forces de l'ordre, se noie, voilà les deux morts de ces semaines d'émeutes presque quotidiennes ; enfin, en dehors des bagarres, souvent un climat de gaieté, de fête. Les graffiti reflètent une humeur très différente du climat *tot ernst* des étudiants berlinois gauchistes que je rencontrai quelques années avant Mai. « Il est interdit d'interdire », formule en elle-même contradictoire, illustre la plaisante absurdité de l'idéologie de 1968.

Cette idéologie ne diffère pas en profondeur de celle des SDS aux États-Unis et en Allemagne : à une extrémité les trois M (Marx, Mao, Marcuse) risquent d'entraîner des fils de bourgeois jusqu'à la bande à Baader-Meinhof et à la guérilla urbaine ; à l'autre extrémité, ils conduisent à l'écologie, au retour à la terre, aux hippies. Certains des fidèles des trois M furent tentés par la violence. André Glucksmann rêvait, dans sa brochure sur la stratégie révolutionnaire, de l'embrasement de l'Europe entière de Lisbonne à Moscou. Après Mai, les partis ou groupuscules trotskystes poursuivirent leur action, mais la plupart des intellectuels qui professaient et vivaient le gauchisme en 1968 se sont arrêtés d'eux-mêmes sur la pente. Ils ont pris conscience du péril : l'action directe, l'intimidation dans les assemblées générales, la guérilla urbaine, était-ce la démocratie réalisée ou le début du fascisme ? Les témoignages des dissidents soviétiques, celui d'Alexandre Soljenitsyne avant tout, impressionnèrent bientôt la gauche du « groupe en fusion ». Pendant les semaines de Mai, les gauchistes s'en prenaient aux communistes qui se soumettaient aux élections-trahison et qui paralysaient l'élan révolutionnaire des masses. Quelques années plus tard, les communistes leur apparurent non plus seulement comme des fonctionnaires nichés dans des organisations mortes, mais aussi comme des geôliers d'un possible Goulag, les gardes-chiourme des hommes libres : du gauchisme à la défense des Droits de l'Homme.

Quelle conclusion ? Il n'y a pas *une* interprétation sociologique de mai 1968, pas plus que Karl Marx ou Alexis de Tocqueville n'élaborèrent *une* interprétation de la révolution de 1848 et de ses suites. L'un et l'autre écrivirent une histoire-récit, éclairée, approfondie par des analyses de classes. Le récit sociologique de mai 1968 me semble tout à la fois plus facile et plus difficile que celui des événements du siècle dernier. Plus facile parce que les mouvements estudiantins et ouvriers furent distincts et qu'il n'y eut pas de révolution ; plus difficile parce que les étudiants, les meneurs ne renvoient à aucune classe, bien qu'en paroles ils se réclament de la classe ouvrière qui ne les reconnaît pas pour autant. Quant aux ouvriers, leur conduite dépend pour une part de la tactique du parti communiste, pour une part de leurs propres sentiments. Les ouvriers de Billancourt qui chahutèrent les porte-parole de la

CGT et du PC obéissaient-ils à eux-mêmes ou à certains communistes enclins à franchir le Rubicon ?

Parmi les sociologues français, un seul risqua le saut des enquêtes empiriques à une interprétation d'ensemble qu'il présenta dans deux livres *le Mouvement de Mai ou le Communisme utopique* (1968) et, l'année suivante, *la Société post-industrielle.* Les citations suivantes résument la pensée d'A. Touraine, acteur à Nanterre et sur les barricades du 11 mai et bientôt philosophe de l'Histoire plutôt que sociologue des événements : « Malgré l'opposition des attitudes, l'analyse est en fait la même, qu'on admire la libération soudaine des forces et des besoins réprimés par la civilisation technique et la société capitaliste, ou qu'on enrage de voir à l'œuvre la déraison et l'irresponsabilité qui font fi des besoins de l'économie et de la vie intellectuelle. Dans l'un et l'autre cas la crise apparaît comme le heurt d'une société et de ce qu'elle réprime et que les uns jugent stupide et les autres admirable. Comme le mouvement, surtout étudiant, a lui-même proclamé dans ses assemblées et sur les murs des facultés sa volonté de rupture et n'a eu ni programme ni organisation, il est plus tentant encore d'en rester à la fascination ou à l'indignation [1]. »

Alain Touraine s'oppose et à cette fascination et à cette indignation : le mouvement de Mai n'est pas un refus de la société industrielle et de sa culture, mais la révélation des contradictions et des nouveaux conflits sociaux qui sont au cœur de cette société. Ou encore il se dresse à la fois contre les archaïsmes de la société française et contre les technocrates de la société post-industrielle en train de naître. Deux sortes de contradictions travaillent notre société : celles qui opposent les technocrates aux opérateurs-consommateurs de la société présente ; celles qui opposent des réalités techniques et culturelles de cette société à des formes d'organisation et à des institutions héritées du passé.

Chacun peut illustrer par des exemples ces deux sortes de contradictions : d'un côté l'organisation universitaire, qui datait de la fin du XIXe siècle ; elle a éclaté sous la pression du nombre et de la révolte des étudiants parqués en marge de la société, lancés à l'aveugle dans des études sans issue, sans promesse de carrière ; de l'autre côté, la protestation des ouvriers ou des simples électeurs contre les technocrates qui décident souverainement de la construction et de l'implantation des centrales nucléaires. A. Touraine se juge en droit de condamner, à la lumière des « événements », l'utopie dominante, « celle des maîtres de la société, proclamant que les problèmes sociaux consistent seulement à moderniser, adapter, intégrer. Le mouvement de Mai a donc créé lui-même, en même temps qu'une force de combat contre la classe dominante, une contre-utopie libertaire et anti-autoritaire, communautaire et spontanéiste ».

Je ne vois pas de motif sérieux de refuser cette interprétation : les étu-

1. *Le Mouvement de Mai ou le Communisme utopique,* Paris, 1968, p. 9.

diants ont « porté » une contre-utopie libertaire. Mais, lisons encore Touraine : « Le mouvement de Mai eut plus d'occasions de s'exprimer que de combattre après le 13 mai. [...] L'utopie s'est dégradée en rêve éveillé ou en plans de modernisation. [...] Les étudiants sont encore très éloignés, par leur origine et par leur expérience universitaire, du type de société où se situent les problèmes que leur action révèle. [...] Les étudiants découvrent les luttes de l'avenir sans en prendre conscience et ils les confondent avec les luttes de classes du passé ». Ainsi le mouvement de Mai a cru retrouver, au cœur d'une crise de mutation sociale, la vieille lutte de classes ! Il me paraît aussi malaisé de réfuter que de vérifier ce diagnostic historique, lié à une théorie du passage de la société industrielle à la société post-industrielle. Puisque les acteurs, selon Touraine les plus importants, à savoir les étudiants, vivaient en un monde très éloigné de la société professionnelle et programmée, c'est le sociologue ou le philosophe de l'histoire qui décrypte leurs paroles et prête à leur utopie un sens annonciateur. De cette hauteur, les décisions du 11 mai, les discours du Général, la tactique du PC sombrent dans la grisaille. Les détails disparaissent : il ne reste plus que le sens projeté par l'interprète sur les acteurs, inconscients de leur action, et sur le chaos des troubles, ordonné après coup par l'ex-spectateur engagé.

J'ai relu, avant d'écrire les pages suivantes, les articles que je publiai dans *le Figaro* entre le 15 mai 1968 et le lendemain de la victoire de la droite aux élections, au début de juillet. Après coup, à froid, ces textes de circonstance ne paraissent certes pas volcaniques, ils mettent en garde contre les techniques de subversion, ils tracent les limites de la participation des étudiants à la gestion des universités, ils s'efforcent malgré tout de plaider la cause de l'Université libérale de la veille, celle que j'avais tant critiquée. Des attaques dont je fus l'objet à la suite de mes prises de position, je ne garde que peu de souvenirs [1]. Je me souviens d'une déclaration d'un étudiant, citée dans *le Monde*, qui m'interdisait de reprendre jamais la parole à la Sorbonne ou plutôt m'annonçait que jamais plus je ne parlerais à la Sorbonne.

Une attaque personnelle d'un ton extrême me reste dans l'esprit ; il s'agit évidemment de l'article publié par J.-P. Sartre dans *le Nouvel Observateur*. Je crois nécessaire d'en citer les passages essentiels et de les discuter. L'article avait pour titre « Les Bastilles de Raymond Aron », il parut le 19 juin 1968 et fustigeait le pouvoir : « Au sommet, donc, c'est la politique de la lâcheté. Mais, en même temps, on lance à la base un appel au meurtre. Car l'appel de De Gaulle à la création de comités d'action civique, c'est exactement cela. C'est une façon de dire aux gens : groupez-vous dans votre quartier pour rouer de coups ceux qui, à votre

1. Je ne me souviens guère de mes ennemis. Et pourtant...

avis, expriment des opinions subversives, ou ont une conduite dangereuse pour le gouvernement. » L' « appel au meurtre » lancé par le président de la République : pas même un démagogue de bas étage n'aurait usé d'une pareille expression à l'égard du général de Gaulle, à l'égard d'un gouvernement qui avait toléré les « manif », les quasi-émeutes, renouvelées jour après jour.

Venons maintenant au cas des étudiants et de moi-même ; « Les étudiants sont devenus tellement nombreux qu'ils ne peuvent plus avoir, avec les professeurs, les rapports directs — déjà difficiles — que nous avions autrefois. Il y a beaucoup d'étudiants qui ne voient même pas le professeur. Ils entendent seulement, par l'intermédiaire d'un haut-parleur, un personnage, totalement inhumain et inaccessible, qui leur débite un cours dont ils ne comprennent absolument pas l'intérêt qu'il peut avoir pour eux. Le professeur de faculté, c'est presque toujours — ce l'était aussi de mon temps — un monsieur qui a fait une thèse et qui la récite tout le reste de sa vie. [...] Quand Aron vieillissant répète indéfiniment à ses étudiants des idées de sa thèse, écrite avant la guerre de 1939, sans que ceux qui l'écoutent puissent exercer sur lui le moindre contrôle critique, il exerce un pouvoir réel, mais qui n'est certainement pas fondé sur un savoir digne de ce nom. »

La difficulté de communication entre le professeur et les étudiants trop nombreux, d'accord. Que la plupart des professeurs récitent leur thèse toute leur vie, la proposition, dans l'ensemble, n'est pas vraie. Elle ne s'applique absolument pas à Léon Brunschvicg : nous connaissions à peine sa thèse. Que personnellement j'aie récité indéfiniment ma thèse à la Sorbonne, c'est là purement et simplement un mensonge délibéré. Rien, dans ma thèse, ne contenait les livres sur *la Société industrielle, les Étapes de la pensée sociologique* ou *Paix et Guerre.* De même, la phrase « cela suppose qu'on ne considère plus, comme Aron, que penser seul derrière son bureau et penser la même chose depuis trente ans, représente l'exercice de l'intelligence » se veut injurieuse ; elle témoigne surtout de l'indifférence de Sartre à la vérité, au moins lorsque la colère l'emporte.

Dans le même article, Sartre discute la question que j'avais posée dans mes articles sur l'élection des « enseignants » par les « enseignés » ou la participation des enseignés aux jurys d'examen. En théorie, dans un monde différent du nôtre, on conçoit, en effet, que les étudiants aient voix à la nomination des professeurs. Dans le monde réel, celui de 1968, les étudiants contestataires auraient choisi non en fonction de la valeur scientifique ou pédagogique, mais en fonction des opinions politiques des candidats. Ce que voulaient obtenir les plus activistes des militants, c'était l'expulsion des professeurs réputés réactionnaires ou fascistes. De même, on conçoit, dans d'autres circonstances, que les étudiants participent aux jurys d'examens. Dans le climat de Mai, des jurys truffés de représentants des étudiants, donc des syndicats, auraient achevé de « politiser » la vie académique et de discréditer les parchemins. Sur ce point encore, Sartre parlait en démagogue, ou bien pour flatter les jeunes ou bien par totale ignorance de la réalité.

Viennent enfin les phrases les plus connues : « Je mets ma main à couper que Raymond Aron ne s'est jamais contesté et c'est pour cela qu'il est, à mes yeux, indigne d'être professeur [...]. » Puis en conclusion : « Cela suppose surtout que chaque enseignant accepte d'être jugé et contesté par ceux auxquels il enseigne et qu'il se dise : " Ils me voient tout nu. " C'est gênant pour lui, mais il faut qu'il en passe par là s'il veut redevenir digne d'enseigner. Il faut, maintenant que la France entière a vu de Gaulle tout nu, que les étudiants puissent regarder Raymond Aron tout nu. On ne lui rendra ses vêtements que s'il accepte la contestation. » Les propos me parurent à la fois grossiers et arrogants. Au nom de quoi Sartre s'accorde-t-il le droit de juger si tel homme est digne ou indigne d'enseigner ?

Dans son entretien avec Contat, à l'occasion de son soixante-dixième anniversaire, il justifie ces articles de 1968 par les remarques suivantes : « Quand j'ai vu ce qu'il pensait des étudiants qu'il avait eus et qui contestaient le système universitaire tout entier, j'ai pensé qu'il n'avait jamais rien compris à ses élèves. C'est le professeur que j'attaquais, le professeur hostile à ses propres étudiants. [...] » La justification ne vaut pas mieux que ses injures. Que sait-il du professeur ? Tant qu'à l'attaquer, pourquoi l'injurier à coup de mensonges ?

Mais venons à l'essentiel, la nécessité de se contester soi-même. Quiconque a enseigné, que ce soit dans une classe de lycée ou dans un amphithéâtre d'université, sait qu'il est « jugé et contesté » par ses élèves ou étudiants — comme un conférencier ou un comédien l'est par son auditoire. Nulle épreuve plus dure pour un enseignant que l'hostilité des auditeurs. Si tant de professeurs, en 1968, capitulèrent devant des contestataires, la raison majeure en fut la crainte de subir plus tard l'ostracisme des étudiants ou, du moins, des plus activistes d'entre eux. En ce sens, aucun professeur ne refuse d'être contesté parce qu'il ne dépend point de lui de ne l'être pas. Quant à se contester soi-même, c'est là une autre affaire. Nous sommes tous menacés par la sclérose et nous risquons tous de nous fermer aux autres et à leurs critiques afin de nous assurer une sorte de confort intellectuel. Je ne pense pas que je me sois établi sur des positions fortifiées, pour méconnaître le progrès de la connaissance et le dépassement, inévitable et rapide, de nos quelques pauvres idées.

Ce qui me frappait en 1968 et me frappe aujourd'hui encore, c'est le cas même de Sartre, homme du monologue, bien qu'il se réclamât de la dialectique. Il a répondu lui-même à Albert Camus, mais avec l'habileté et la perfidie du polémiste. Je ne méritai pas mieux que la philippique de Jean Pouillon. Les objections de Lévi-Strauss ont été écartées d'un mot, absurde ou stupide : l'ethnologue s'est cru à tort philosophe. Quant à Sartre, il n'a certes pas, sur la politique, exprimé toujours les mêmes opinions ou jugements, mais il ne s'est jamais critiqué lui-même. Sa doctrine de la liberté — la liberté neuve à chaque instant — le soulageait pour ainsi dire de toute responsabilité pour son passé. En 1968, il évoque les cours d'été pour les ouvriers et les stages en usine pour les étudiants et il ajoute : « Cela existe déjà dans les pays, comme la Chine et Cuba, où l'on a commencé à comprendre ce que c'est que le vrai socialisme. » 1968 : les ruines de la Révolution culturelle chinoise étaient encore fumantes. Il n'a jamais contesté aucun moment de son propre passé. (Avant les dialogues avec Benny Lévy.)

Pourquoi n'avez-vous pas répondu à l'article du *Nouvel Observateur* en 1968 ? me reproche un lecteur. Vous attendez qu'il ne soit plus là pour régler vos comptes avec lui? Je ne règle aucun compte, je réfléchis sur l'homme Jean-Paul Sartre en laissant de côté son génie. Sur le moment, je n'éprouvai aucune colère et, pour une fois, ma susceptibilité ne fut même pas froissée. Me défendre, comme je viens de le faire, répliquer que je n'avais jamais répété, moins encore « récité », l'*Introduction*, que Sartre mentait sciemment, que les cours du professeur « indigne d'enseigner » étaient traduits dans une demi-douzaine de pays et utilisés par des milliers et des milliers d'étudiants ? Que je dialoguais avec mes auditeurs dans toute la mesure des possibilités matérielles, que mon séminaire des Hautes Études s'ouvrait à toutes les contestations ? Je n'entendais pas jouer le rôle de l'accusé, comme si je reconnaissais à Sartre le droit de me juger ; je n'entendais pas davantage descendre au niveau de bassesse et de grossièreté auquel il était lui-même tombé. A mes amis de me défendre, s'ils le jugeaient nécessaire : aux amis de Sartre, s'ils se souciaient de sa dignité, de le mettre en garde contre ses passions.

Aujourd'hui Sartre, l'auteur aussi bien que l'homme, demeure présent parmi nous, à Paris et aussi dans le monde entier. Nous avons le droit, j'imagine, de parler et d'écrire librement sur lui. Pourquoi, lui en quête d'une éthique toute sa vie, accuse-t-il le général de Gaulle de lancer un appel au meurtre ? Pourquoi injurie-t-il en moi le symbole détesté d'une Université qu'il ne connaît plus ? Qu'on lui accorde le privilège du génie, soit. Mais lui n'a pas revendiqué un tel privilège, il a écrit — ce sont ses derniers *Mots* : « Tout un homme, fait de tous les hommes et qui les vaut tous et que vaut n'importe qui » ; pourquoi refuser au général de Gaulle ou à Raymond Aron (que l'on me pardonne le rapprochement : il vient de lui) la considération qu'il accorde à tous ?

Pour essayer de comprendre, rappelons-nous un mot de Simone et de Jean-Paul qu'Arthur Koestler a cité. Plutôt les communistes que le Général, disaient-ils tous deux. En ce cas, il faut bien recourir à l'explication la moins satisfaisante : l'ignorance, qui conduit à la sottise pure et simple. Jamais, le philosophe de la liberté n'a réussi, ou ne s'est résigné à voir le communisme tel qu'il est. Le totalitarisme soviétique, le cancer du siècle, il ne l'a jamais diagnostiqué, il ne l'a jamais condamné en tant que tel. Il réserva ses pires invectives à ceux qui ne participaient pas à son aberration. Il tourne en dérision dans *Nekrassov* les dissidents du soviétisme, non les fonctionnaires de la culture, asservis à un Staline ou à un Khrouchtchev.

Quant à sa colère contre moi, pourquoi ? Soit, Sartre est resté toute sa vie un « sale gosse ». A l'École, il me choqua plus d'une fois par sa dureté (en paroles) à l'égard des camarades ou des « caïmans ». Il parlait parfois de son grand-père avec une apparente indifférence : « Il se requinque, le " vieux " », dit-il un jour, avec un ton sardonique, comme s'il attendait la mort du « vieux » ou s'étonnait du sursis. Immédiatement après la parution de *la Nausée*, il écrivit une série d'études littéraires, publiées dans la *NRF*, sur quelques-uns des romanciers de la génération précédente, Giraudoux, Mauriac. Études éclatantes de talent, mais aussi impitoyables exécutions. Il faisait place nette. On se souvient de l'article sur François Mauriac : « Dieu n'est pas un artiste, François Mauriac non plus. » Armé de sa théorie du roman, il décréta que le romancier du *Désert de l'amour* violait les règles du genre. A Dos Passos, perdu dans la lointaine Amérique, allaient tous les éloges, refusés à ses pairs ou ses rivaux.

A supposer que l'on retienne les interprétations par en bas (que je n'aime guère), en quoi pouvais-je lui porter ombrage [1] ? Vers la fin des années 40, J.-J. Servan-Schreiber avait voulu intituler un de ses articles « J.-P. Sartre et Raymond Aron ». Lazareff lui objecta que les deux ne se situaient pas au même niveau — en quoi il ne se trompait pas. En 1968, la comparaison des deux anciens camarades était devenue moins insolite ; mais je ne songeais pas à comparer mes œuvres aux siennes. Nous nous étions rencontrés une fois par hasard, en 1960, après mes prises de position sur l'Algérie. Il vint vers moi : « Bonjour, mon petit camarade. » D'un coup, des souvenirs refluèrent à ma conscience ou plutôt dictèrent mes paroles : « Nous avons beaucoup déconné » (ou quelque chose de ce genre). « Il faudra que nous déjeunions ensemble. » Ce fut sa conclusion. Le déjeuner n'eut pas lieu. Pendant les années 60, nous n'étions pas « réconciliés » mais nous n'étions pas en polémique. Pourquoi, encore une fois, en 1968, cette explosion de rage froide ou de colère rouge ?

Sartre n'était violent que devant sa page blanche. Il n'aimait pas le face à face, il n'accepta jamais, à la radio ou à la télévision, un dialogue public avec moi (pas davantage avec aucun autre). Le dialecticien du monologue ne s'abaissa pas jusqu'à répondre lui-même au livre de M. Merleau-Ponty *les Aventures de la dialectique* : Simone de Beauvoir fut chargée de la mission. Mais le ton de l'article « Les Bastilles de Raymond Aron » nous ramenait à l'avant-guerre, aux hebdomadaires de l'extrême droite, *Gringoire* ou *Je suis partout*. De sa générosité, authentique à l'égard de ses familiers, Albert Camus et Maurice Merleau-Ponty ne bénéficièrent qu'après leur mort.

1. Des amis me disent : parce qu'il savait que vous aviez raison. En toute franchise, je ne crois pas à cette explication que des Polonais aussi me proposèrent.

J'écrivis *la Révolution introuvable* un peu par hasard. Alfred Max, si mes souvenirs sont exacts, me demanda, au début du mois de juillet, un article pour *Réalité*. Je lui répondis que je ne pouvais pas l'écrire mais peut-être le dicter. Pour des raisons matérielles — le délai pour le prochain numéro était trop court —, le projet tomba. De l'article je vins à la brochure. Charles Orengo avait publié *la Tragédie algérienne* dans une collection, « En toute liberté ». Alain Duhamel vint me voir. Je lui suggérai les quatre thèmes des chapitres (« Psychodrame ou fin d'une civilisation », « La révolution dans la révolution », « Mort et résurrection du gaullisme », « Gaullistes et intellectuels en mal d'une révolution »). Je dictai en une matinée chacun de ces chapitres, j'écrivis l'introduction et la conclusion (« Explication sommaire de l'absurde »), je corrigeai rapidement l'improvisation. Au bout de deux semaines et demie, *la Révolution introuvable* était prêt pour l'imprimerie ; le livre parut au début du mois d'août. Orengo avait retardé la publication pour obtenir des « bonnes feuilles » dans *l'Express*.

En laissant de côté le succès de public, prévisible dans les circonstances de l'été 1968, que penser de cette brochure, parlée à chaud ? Quelles furent les réactions typiques ? Voici d'abord, parmi les adversaires, des extraits d'une lettre que m'adresssa une jeune bourgeoise révoltée contre la société mais non contre sa famille :

« [...] Votre point de vue me révolte et m'afflige. Quand je pense au nombre de livres intéressants, intelligents, justes et objectifs que vous avez écrits, la lecture de cette *Révolution introuvable* me donne envie de pleurer. Vous traînez cette révolution dans la boue en la considérant comme une comédie burlesque, un épisode attristant, un événement secondaire et inintéressant. Des milliers et des milliers d'hommes blessés, emprisonnés et tués [sic] ne sauraient être les acteurs d'une comédie burlesque. Si la rédaction de votre livre n'est peut-être qu'un épisode attristant, la révolution ne saurait être qu'une tragédie. Quant au mépris avec lequel vous traitez aussi bien les étudiants bourgeois (dont je fais partie) qui se sont engagés et qui ont pris des risques, que les professeurs actifs et dynamiques qui ont su nous aider à reconstruire une véritable Université moderne, il prouve soit que vos habitudes de pensée et vos références historiques vous font déraisonner, soit que vous vous faites le héraut prestigieux d'une contre-révolution plus réactionnaire encore que celle menée par le général de Gaulle. » Sur deux pages encore cette étudiante plaide pour les utopies, sources de changement, dénonce mon machiavélisme, mon mépris des classes populaires, « crime contre l'homme », évoque le déchirement de ceux qui combattent sur les barricades contre la société qu'incarnent leurs parents qu'ils aiment. « Si la révolution est introuvable pour vous, c'est que vous ne l'avez pas cherchée là où elle était. » Et des « sentiments respectueux » pour conclure. J'éprouvai, au fond de moi-même, de la sympathie pour cette jeune fille, blessée par les sentiments qu'elle m'attribue et surtout par une vision dépoétisée de la réalité.

Les félicitations ne manquèrent pas non plus. *La Révolution introuvable* ne fut pas goûtée seulement par les mandarins ou par des collègues de ma génération, donc au sommet de leur carrière, et, pour la plupart, de la hiérarchie. André Malraux m'envoya un petit mot : « Bravo pour *la Révolution introuvable* (bien que vous me citiez curieusement). Et sachez qu'il y a beaucoup plus de gens avec vous que le laisserait supposer la presse. » Francis Ponge, qui n'appartient nullement à l'Université, m'écrivit : « Il me faut bien vous assurer que vous (non plus) n'êtes pas si seul parmi les intellectuels qu'il vous semble et que le " moins grand " (du moins que je peux me flatter d'être) approuve entièrement votre analyse de la comédie révolutionnaire de mai-juin dernier. » L'approbation de Jean Guitton me surprit par son excès. « M. Orengo m'a envoyé votre livre. C'est un chef-d'œuvre, un κτῆμα εις ἀεὶ, et cependant écrit à chaud. Et je vous redis toute mon amitié. »

Plus intéressantes me paraissent les lettres qui n'expriment pas une réaction extrême à un jugement qui passa pour extrême. Parmi elles, je prendrai celle d'Alfred Fabre-Luce dont je reproduis quelques extraits : « [...] Vous savez aussi combien j'admire votre talent et j'ai eu plaisir à constater en lisant *la Révolution introuvable* que vous restez en pleine forme. [...] *La Révolution introuvable*, où il y a tant d'idées justes, tant d'analyses de détail et une réaction si légitime contre des simplifications déplorables, me paraît souffrir d'une équivoque. Vous montrez sans peine que la révolution de Mai ne pouvait conduire à un bouleversement de la société. Qui en doute et fallait-il tout votre talent pour enfoncer cette porte ouverte ? Comme vous le dites très bien dans votre livre, elle aurait pu seulement mener, en cas de découragement du Général ou d'échec du référendum, à un retour de Mendès France qui ne serait pas sorti du capitalisme et qui se serait bientôt appuyé sur une coalition de concentration à l'Assemblée nationale. [...] Par ailleurs, notre malentendu consiste exactement en ceci : la révolution de Mai vous apparaît comme une réponse (ou tentative de réponse) alors qu'elle m'apparaît seulement comme une question. C'est à nous de donner la réponse — ce qui ne sera possible que si nous écoutons attentivement la question. Vous abordez les discussions qui s'ouvrent avec ce préjugé (mitigé de quelques précautions oratoires) : rien de bon ne pourra sortir de ce printemps funeste. Cela me paraît insoutenable et je suis persuadé que votre suprême intelligence vous amènera bientôt à sortir de cette position. J'emprunterai un exemple à la médecine, parce que cet exemple est déjà acquis. La suppression de l'externat et la fin de la dictature des grands patrons sont, je crois, d'excellentes nouvelles. [...] Évidemment, il eût été préférable que ces réformes arrivent autrement, mais nous savons bien que " autrement " elles ne seraient pas arrivées du tout. Il y a des moments où il faut savoir s'installer dans le paradoxe avec un certain humour et en tirer les meilleurs effets possibles. J'ajoute que, plus généralement, le " marcusisme " ne doit pas être à mon sens traité seulement par le mépris. [...] Ce qui m'avait désolé au printemps, c'est d'entendre des étudiants qui étaient de vos admirateurs et nullement des enragés dire : Raymond Aron ne nous a pas compris. Il ne faut pas que s'élargisse ce malentendu. Rien ne le justifie. »

Je n'ai pas gardé le double de ma réponse. Voici ce que je répondrais aujourd'hui : une rupture de la légalité républicaine, dix ans après le coup d'État légal de 1958, m'apparaissait déplorable. Je n'étais certes pas un gaulliste inconditionnel mais la victoire de Cohn-Bendit sur le Général m'aurait blessé en profondeur. Je l'aurais ressentie comme une humiliation nationale. L'article de Fabre-Luce dans *le Monde*, « Mendès France à l'Élysée », m'avait retourné les ongles.

Je n'ai jamais exclu que le choc de Mai entraînât des réformes en tant que telles souhaitables. J'avais du reste répondu à ce reproche, mais Fabre-Luce n'y voit que des « précautions oratoires ». Et pourtant j'avais raconté un épisode auquel j'ai fait déjà allusion dans un autre chapitre : « Dans une conférence que présidait le général de Gaulle, j'avais dit : " La France fait de temps en temps une révolution, jamais de réformes. " Or, en commentant ma conférence, le général de Gaulle m'avait rectifié, fort bien : " La France ne fait jamais de réformes que dans la foulée d'une révolution. " Bien entendu, il peut sortir des réformes utiles, nécessaires, de la crise actuelle. [...] »

J'admets que mes articles du *Figaro* et *la Révolution introuvable*, à l'époque, ont été le plus souvent lus à la façon de Fabre-Luce. D'où le malentendu. De tous les côtés, les passions flambaient. Bien sûr, mes articles et la brochure, ici et là, flambaient eux aussi. Mais si je relis, si des « anciens » jeunes de 1968 relisent ces textes, je et eux ensemble, nous nous demanderons pourquoi ils firent scandale, tour à tour acclamés et traînés dans la boue. Une fois les passions éteintes reste probablement l'essentiel : la sympathie, voire l'enthousiasme des uns face aux événements et l'antipathie, le dégoût des autres. De toute évidence, j'appartenais à la deuxième catégorie. La vieille Sorbonne devait mourir, elle ne méritait pas d'être mise à mort comme elle le fut en mai 1968. Au bout du compte chacun a vécu ces semaines avec tout son être : il n'y a guère de véritable dialogue entre des expériences vécues.

Soit, par exemple, la lettre d'Edgar Morin : « En ce qui me concerne, l'étiquette de trotskyste ou d'anarchiste n'a rien de déshonorant. Mais elle ne s'applique pas à moi et ce n'est pas parce que les idéologues du PC me l'attribuent de temps en temps qu'elle peut prendre force de vérité. J'ai fait, au cours des événements, une tentative d'analyse sociogénétique : je ne vois pas ce qu'il y a d' " utopique " de les caractériser dès cette époque (mi-mai), alors que l'issue était incertaine, comme une " commune " et une " utopie vécue" ; je ne vois pas ce qu'il y a de " mythologique " de définir l'expression de Mai comme une " révolution sans visage ", c'est-à-dire comme un phénomène largement indéterminé. Du reste, la lecture de mes articles indique constamment que je ne vois pas dans cette commune et dans cette révolution sans visage la solution tarte à la crème à tous les problèmes. Par contre, j'y vois un diagnostic des carences profondes dans notre société et l'annonce de développements futurs, c'est-à-dire les " mutations du XXe au XXIe siècle " et la préparation du " dépassement de la civilisation bourgeoise ", " si toutefois l'humanité arrive à cette date sous une forme quelque peu civile ", formule qui vous montre que là aussi je prends mes précautions historiques. »

De la lettre que Claude Lévi-Strauss m'écrivit, en octobre 1968, j'extrais ce passage : « Je me trouve pourtant dans une situation paradoxale, ayant depuis quatre ans environ mis dans mon laboratoire une trentaine de personnes, sans distinction de grade ou de fonction. Et cela marche fort bien ainsi, mais c'est, me semble-t-il, qu'il n'y a de démocratie véritable et possible que dans les très petites formations (Rousseau et Comte l'avaient déjà dit) où les divergences idéologiques sont bridées par l'authenticité des rapports entre les personnes. Pour tenter la cogestion avec quelque chance de succès, il eût fallu d'abord la sélection pour que la qualité d'étudiant résultât d'une chance à quoi l'on tient et non d'un droit qui se galvaude, et c'est ensuite l'organiser à la base, c'est-à-dire au niveau d'équipes restreintes d'enseignement et de recherche, quitte à la généraliser ultérieurement. Au lieu de cela, on livre l'Université à la coalition inévitable qui se nouera entre l'infantilisme des masses étudiantes et le poujadisme des assistants. »

Laissons ces citations que je pourrais multiplier à propos des « réactions aux événements », des « expériences vécues ». Je voudrais revenir à l'interpellation d'Alfred Fabre-Luce : « Vous n'avez pas joué le rôle qui vous revenait, non pas d'acclamer cette " admirable jeunesse ", non pas de se joindre aux révolutionnaires, mais de les comprendre afin de les conseiller, afin d'aider l'opinion à les comprendre. Vous vous êtes retrouvé dans le camp des mandarins et des conservateurs que vous aviez durement critiqués auparavant. » J'avais moi-même posé la question dans un article du *Figaro* (14 juin 1968) : « Des amis qui souscrivent à la plupart des idées que j'exprime me reprochent les conséquences éventuelles de cette action : " Vous qui avez, me disaient-ils, depuis des années, critiqué le conservatisme de tant de vos collègues, vous allez être 'utilisé', 'récupéré' par les conservateurs. Vous auriez dû vous joindre aux 'révolutionnaires' pour les guider au lieu de dénombrer les excès, déplorables mais épisodiques. " » La réponse que je donnai à ces amis, avec une velléité d'autocritique, ne me satisfait pas aujourd'hui. Elle se ramenait à la formule : à qui la faute ? « Qui risque de favoriser la " restauration " et d'empêcher les réformes sinon ceux qui, en acceptant des structures à l'avance condamnées, finiront par convaincre les administrateurs, le ministère, le gouvernement que les universitaires sont incapables et indignes de la liberté ? »

Encore aujourd'hui, je ne parviens pas à un jugement catégorique.

Mon action (si l'on peut dire) en mai 1968 fut approuvée par mon frère Adrien (qui n'écrivait jamais) : « Puisse cet éclatant succès t'inciter à quitter plus souvent l'olympe de la sereine objectivité pour utiliser tes talents de polémiste dans les luttes de la Cité. Le vieux professeur s'est mis en rage. Bravo. A quand le tour du jeune citoyen ? » Le secrétaire de la rédaction de *la Nation française*, journal royaliste, m'assura de sa « respectueuse admiration qu'une fois de plus [mon] courage civique et intellectuel [lui] inspire ». Mais je suis sensible aussi à une lettre d'un lecteur du *Figaro*: « Je ne connais que très imparfaitement les thèmes des révoltés et je me sens absolument incapable de porter un jugement valable sur le sujet même de leur action. Il est assez probable que je me trouverais en désaccord avec eux sur de nombreux points. Cependant, selon moi, ce n'est pas cela qui est essentiel. Le grand fait de nos jours est qu'il y a une jeunesse qui s'intéresse sérieusement aux choses publiques, aux questions sociales et, surtout, elle est désireuse de se libérer de cette vie mécanisée et sans perspectives pour l'esprit, qu'on est en train de nous imposer aussi bien à l'Est qu'à l'Ouest. Cette jeunesse qu'on a accusée de ne s'intéresser qu'aux futilités et aux extravagances morbides, cette jeunesse qui, encore entre les deux guerres, ne représentait que les forces de la pire réaction : n'est-ce pas un fait qui aurait mérité sous votre plume une tout autre mention, même si vous n'êtes pas d'accord avec elle ? Et vous êtes incapable de l'être, comme moi-même, je l'avoue humblement, car nous n'avons pas leur âge, leur dynamisme et, pourquoi pas, leurs illusions. On n'a jamais fait une révolution sans intellectuels, sans fils à papa et surtout avec la majorité. La majorité est entraînée par cette minorité active. On a le droit de ne pas vouloir la révolution et de s'opposer à de tels mouvements. Mais il est profondément injuste de traiter des gens qui sont prêts à sacrifier leur bien-être, leur vie même, de groupuscules, d'enragés, etc. Je crois fortement que ce " peuple léger " se montre réellement grand en ces moments critiques de son histoire, et non dans l'apathie de la servitude, quelle qu'en soit la couleur. » Mon correspondant demandait une réponse que je ne crois pas lui avoir donnée. Il y a une part de vérité dans ses propos, mais mêlée à tant d'« illusions ».

L'auteur du compte rendu de *la Révolution introuvable* dans le *New York Times* écrivait que Raymond Aron est de ces hommes insupportables qui gardent leur sang-froid dans les moments où tous les autres se laissent emporter par leurs émotions [1]. Claude Roy, un an plus tard, en réponse à une lettre où je faisais allusion à l'article désagréable mais pas injurieux qu'il avait consacré à *la Révolution introuvable*, écrivit : « Je crois avoir exprimé assez clairement dans mon article irrespectueux et amical la reconnaissance que nous vous gardons, et que vos *Désillusions du progrès*, croyez-le, n'altèrent pas, au contraire. Je ressens comme vous

1. « Raymond Aron is that ultimate inconvenience : the man who stays sober at your saturnalia and who will afterward give everybody else an intellectual hang-over. » John Leonard in *New York Times*, 11-12-69.

souvent la joie antique de se “ purifier de ses colères ”. Mais si je me reproche précisément, souvent des colères, c'est justement, aux lendemains de Mai, votre colère qui m'encolérait. D'être, j'ai envie de dire : une trop noire colère. Quand la colère des jeunes “ rebelles ” était, sans doute, une trop blanche colère. Et que l'opposition de votre rage et de la leur apparaisse, quand vous êtes si peu manichéen, comme manichéenne. »

La France fit-elle bon usage de sa révolution ou de sa pseudo-révolution ? Je risque de perdre le fil de mon récit si je tente une analyse des conséquences des événements. A coup sûr, l'économie se releva rapidement du choc. Des thèmes de *Kulturkritik* furent popularisés ; la société tout entière prit conscience des bas salaires, du scandale du SMIG (qui devint le SMIC) ; des technocrates s'ouvrirent aux aspirations humaines et mirent soudainement en question la vulgate de la croissance (quitte à verser dans l'autre extrême et à dénoncer la société de consommation). Peut-être les responsables des entreprises tirèrent-ils quelques leçons des journées ou des semaines de contestation. L'ordre se rétablit dans les entreprises comme ailleurs ; probablement cet ordre diffère-t-il en mieux de l'ordre ancien.

En ce qui concerne l'Université, la crise se poursuivit ; le débat reprit à l'occasion de la loi d'orientation d'Edgar Faure. Le jour où l'Assemblée se saisit du dossier, *le Figaro* publia en première page un article de moi sous le titre « L'Illusionniste ». Le ministre me le reprocha dans une lettre personnelle : « En me qualifiant d'illusionniste, en caractères gras, sur plusieurs colonnes de la première page du plus grand quotidien français, et cela à la veille d'un débat décisif, vous avez manqué, sinon à l'amitié car vous n'êtes pas tenu d'en éprouver à mon égard, du moins à l'équité (car, quoi que l'on pense sur le fond, mon effort ne méritait pas cette offense) et à la mesure, chère aux dieux. »

Des propos désobligeants, prêtés tantôt au ministre, tantôt à moi-même par *le Nouvel Observateur*, ajoutèrent à l'âpreté de ces « débats de princes ». Quand, à la rentrée de la Sorbonne, des étudiants cassèrent les vitres de la salle Louis-Liard où je participais à un jury de thèse et me huèrent dans la cour à grand renfort de « fasciste, fasciste », Edgar Faure m'appela au téléphone pour m'assurer de sa désapprobation de ces excès intolérables. Le temps passa et, si je puis dire, passa vite et nos relations cordiales survécurent à la tempête de la Loi d'orientation.

Je n'appréciai guère cette Loi, votée à une quasi-unanimité. L'autonomie des universités répondait à mes préférences mais, inévitablement limitée puisque le ministère gardait le contrôle des fonds, elle s'accompagnait d'un système électoral qui me semblait déraisonnable. La participation des étudiants aux élections fut faible ; les syndicats d'étudiants les mieux organisés, les plus actifs, donc les syndicats de tendance communiste, s'assurèrent une influence disproportionnée au nombre de leurs membres. Aux querelles universitaires de personnes, de générations, d'écoles scientifiques, s'ajoutèrent les conflits proprement politiques. Les UER et les universités se formèrent en fonction d'affinités politiques. La politisation tout à la fois accrue et avouée du monde universitaire me sembla un des legs des événements de Mai ; un des moins douteux et des moins plaisants. Telle université de Paris a poussé la « réaction » au point de revenir bien en deçà d'avril ; les « réactionnaires », qui se réclament du libéralisme, manifestent parfois la même partialité qu'ils reprochent à juste titre aux militants du SNE-Sup. Au moins dans les facultés des lettres, les vertus de l'ancienne Université n'ont pas été restaurées.

Par ailleurs, le découpage des universités constitue un progrès par rapport à la situation d'avant 1968. Les enseignants disposent de quelque liberté d'action grâce aux UER. Vu de l'extérieur, l'enseignement, supérieur, au moins dans les universités, a beaucoup profité en même temps que souffert du tremblement de terre qui a jeté à terre l'édifice vermoulu. Des centaines de milliers de garçons et de filles entrent dans les UER qui remplacent les anciennes facultés des lettres sans projet défini ; un pourcentage toujours très élevé (plus de la moitié) en sortent sans aucun diplôme.

Au reste, les séquelles de Mai affectent les universités moins que le fait la crise du recrutement. Il n'y a presque plus de places pour les meilleurs étudiants des nouvelles générations. Jusque vers 1972, l'augmentation simultanée du nombre des étudiants et des enseignants, la faiblesse des pouvoirs publics ont facilité les carrières de tous, bons ou mauvais. Aujourd'hui, les meilleurs des normaliens décrochent l'agrégation et cherchent vainement des postes d'assistants. La culture des humanités se meurt : presque tous les bons élèves choisissent la section C. La section littéraire de l'ENS s'enfonce dans la médiocrité : condamnée par l'absence de débouchés pour ses élèves, elle s'interroge sur sa fonction, sa raison d'être. Quelques années encore après 1968, les normaliens ont fait parler d'eux. Je renonçai à y faire une conférence à laquelle j'avais été invité par un certain nombre d'entre eux. Un groupe d'extrême gauche avait fait savoir qu'il m'empêcherait de parler (ce qui ne présente aucune difficulté). Des livres de la bibliothèque avaient été jetés par les fenêtres à l'issue de je ne sais quelle manifestation. Progressivement le calme revint — ce qui n'y est pas revenu, c'est la vie. Comparés à l'ENS de ma jeunesse, les bâtiments, les laboratoires, les conditions de vie d'aujourd'hui mesurent le progrès économique. Mais Normale Lettres n'est plus.

XIX

« SÛR DE SOI ET DOMINATEUR »

Au printemps de 1967, je fus au nombre des « Français d'origine juive » qu'émurent profondément les événements du Proche-Orient : la menace sur l'État d'Israël, puis la guerre des Six Jours, l'enthousiasme de la victoire israélienne qui souleva la plupart des Juifs et nombre de Français aussi, enfin, la conférence de presse du général de Gaulle : « peuple d'élite, sûr de soi et dominateur ».

Dans le petit livre [1] que je publiai au début de l'année 1968, je reproduisis les articles que j'avais rédigés pour *le Figaro* avant, pendant et après la guerre. Les analyses diplomatiques résistent, me semble-t-il, à la relecture. Au 21 mai, je pensai que, logiquement, aucun des acteurs ne devrait vouloir la guerre. L'Égypte de Nasser, avec une fraction de son armée enlisée au Sud-Yémen, se trouvait en position de faiblesse. La Syrie seule manquait des moyens nécessaires pour défier Israël. Mais je rectifiai cet optimisme dans la conclusion : « Ainsi, une fois admis que personne n'a intérêt à provoquer une crise de première grandeur dans la conjoncture actuelle, l'incertitude n'en subsiste pas moins pour deux raisons majeures : les gouvernements arabes ne commandent pas souverainement aux activités terroristes ; la dialectique de l'intimidation réciproque semblerait moins imprévisible si la rivalité des grandes puissances ne risquait pas de bouleverser la logique du rapport local des forces. »

Quatre jours plus tard, après la fermeture du golfe d'Akaba, le ton de l'article publié dans *le Figaro* le jour suivant s'assombrit : « Au matin du 25 mai, la partie de poker est encore diplomatique. Israël n'acceptera pas la fermeture du golfe d'Akaba et les États-Unis et la Grande-Bretagne, sur ce point, soutiennent sans réserves le gouvernement de Jérusalem. [...] Mais il faudrait un robuste optimisme pour croire que les négociations entre ambassadeurs ou ministres permettront de trouver une issue. Le président Nasser ne reviendra pas sur le minage du golfe d'Akaba

1. *De Gaulle, Israël et les Juifs*, Plon.

sans avoir obtenu des compensations. Moscou, à moins qu'on ne lui offre quelque chose, n'a aucun motif de faire pression sur lui. En bref, ou bien une confrontation militaire entre Israël et les pays arabes, ou bien une confrontation stratégico-diplomatique entre l'Union soviétique et les États-Unis semble nécessaire à un règlement. La première est déjà inscrite sur le terrain où les armées mobilisées se font face, la seconde ne dépasse pas encore la phase verbale. »

Le 28 mai, le doute disparaissait : « En provoquant le retrait des Casques bleus et en fermant le détroit d'Akaba, Nasser lançait un défi à la fois aux États-Unis, qui s'étaient solennellement engagés à ne pas tolérer un blocus d'Elath, et à Israël, qui avait déclaré que ce blocus constituerait un *casus belli.* Il rejetait sur l'ennemi — Israël et ses protecteurs — la responsabilité éventuelle des hostilités. [...] Si l'agresseur est celui qui tire le premier coup de canon, l'opération égyptienne, favorisée par l'éclatante impéritie du secrétaire général de l'ONU, condamne Israël au rôle d'agresseur. [...] Jamais les gouvernants n'ont eu, depuis 1948, à prendre une décision aussi lourde de conséquences, aussi chargée " de sueur, de sang et de larmes ". Ils ne peuvent maintenir leur armée — 10 % de la population totale — mobilisée pendant des semaines, même pendant beaucoup de jours. Or ce que veulent l'Union soviétique, l'Égypte, la France, c'est qu'Israël se résigne diplomatiquement. » J'intitulai l'article « L'heure de vérité ». Les dernières lignes de l'article laissaient pressentir la guerre : « Voici donc les quelques hommes responsables de deux millions et demi de Juifs qui ont bâti l'État d'Israël, face à leur destin et à leur conscience. Ils sont seuls. Par la voix du président Nasser, la menace d'extermination retentit de nouveau. Ce qui est en jeu, ce n'est plus le golfe d'Akaba, c'est l'existence de l'État d'Israël, cet État que tous les pays arabes tiennent pour un corps étranger qu'il faudra tôt ou tard éliminer. » Je pesai ensuite les arguments pour et contre la guerre : « Même des combats victorieux ne résoudraient rien, ils donneraient seulement un répit comme celui de ces onze dernières années. En sens contraire, la capitulation préparerait pour un avenir proche une autre confrontation en des circonstances peut-être encore plus défavorables. » Et je ne laissai guère de doute aux lecteurs : « Tous ceux qui connaissent les gouvernants d'Israël pressentent la conclusion probable d'une pareille délibération. »

Ces analyses diplomatiques ne différaient guère des analyses consacrées à d'autres crises. Par instants, l'émotion perçait mais sans troubler, me semble-t-il, l'interprétation. Le 4 juin, à la veille des hostilités, dans ma vieille ferme de Brannay, j'écrivis pour *le Figaro littéraire* un article qui rompait avec le style ordinaire de mes textes. Un passage, en particulier, fut depuis lors répété d'innombrables fois : « Que le président Nasser veuille ouvertement détruire un État membre des Nations Unies ne trouble pas la conscience délicate de Mme Nehru. Étacide, bien sûr, n'est pas génocide. Et les Juifs français qui ont donné leur âme à tous les révolutionnaires noirs, bruns ou jaunes hurlent maintenant de douleur pendant que leurs amis hurlent à la mort. Je souffre comme eux, avec eux, quoi qu'ils aient dit ou fait, non parce que nous sommes devenus sionistes ou israéliens, mais parce que monte en nous un mouvement irrésistible de solidarité. Peu importe d'où il vient. Si les grandes puissances, selon le calcul froid de leurs intérêts, laissent détruire le petit État qui n'est pas le mien, ce crime, modeste à l'échelle du nombre, m'enlèverait la force de vivre et je crois que des millions et des millions d'hommes auraient honte de l'humanité. »

Ce que je reproche le plus à cet article, ce n'est pas le passage cité que précédait d'ailleurs une sorte de confession d'un Juif « déjudaïsé » et passionnément français, c'est l'oubli ou la méconnaissance du rapport des forces. Israël demeurait le plus fort ; s'il attaquait le premier, il devait l'emporter sans aucun doute. J'aurais dû le savoir et, d'une certaine manière, inconsciemment, je le savais puisque, dans un article précédent, je suggérai l'irrationalité d'une nouvelle guerre au point de vue de l'Égypte de Nasser elle-même. Entre 1956 et 1968, les ennemis d'Israël n'avaient pas assez progressé pour miser sur la fortune des armes. Pierre Hassner n'aima pas le pathos de l'article du *Figaro littéraire* et probablement avait-il raison. J'aurais dû, même en cet instant, garder la tête froide. Émotif, passionné de nature, il m'arrive, de temps à autre, de ne pas laisser à mon intellect le monopole de la parole.

Laissons — j'y reviendrai plus loin — cette bouffée de judéité, qui fit irruption dans ma conscience de Français. Et revenons sur le passé.

Je l'ai dit déjà : je ne reçus aucune éducation religieuse. Les leçons que le rabbin de Versailles nous donna — nous, mes frères et moi, étions les trois élèves ; c'est Adrien qui en avait manifesté le désir — n'en furent pas un substitut. L'antisémitisme occasionnel que je rencontrai au lycée ne me marqua d'aucune manière. Je me passionnai à la lecture des textes relatifs à l'affaire Dreyfus, mais l'affaire m'apparaissait, rétrospectivement, une histoire édifiante : la vérité l'avait emporté et les Français s'étaient déchirés au sujet d'un homme et d'un principe. A l'École Normale, l'antisémitisme n'existait guère, il était souterrain en tout cas, presque clandestin. Le choc hitlérien ranima ma conscience juive, la conscience que j'appartenais à un groupe (ou à un peuple ou à une internationale) que l'on appelle les Juifs.

Dès le début des années 1930, l'influence de l'historisme allemand, celle de K. Mannheim, dissipa en moi les illusions de l'universalisme abstrait ; je me sentis déjà très éloigné de la génération précédente, celle de mon père ou de Léon Brunschvicg qui refusaient de rien savoir de leur judéité. Je n'allai pas jusqu'à réfléchir sur le judaïsme ou sur ma judéité. Bien plus, la naissance de l'État d'Israël en 1948 ne souleva en moi aucune émotion. Je comprenais l'aspiration de certains Juifs à créer un État dans lequel ils ne constitueraient pas une minorité toujours menacée ; mais, sans avoir une connaissance particulière du Proche-Orient, je pressentis la suite inévitable : une guerre prolongée entre les Juifs, devenus Israéliens, et le milieu musulman. Quand, au cours de mon premier séjour en Israël, je vis, dans un bureau militaire, la série des cartes du royaume d'Israël, depuis David jusqu'à ce jour (1956), je ne fus pas gagné ; au contraire. Je me souvins des cartes en bas-relief de l'empire italien que Mussolini avait fait construire sur le Forum de Rome, au cours des années 1930 ; la suite historique de David à Ben Gourion et de Trajan à Mussolini me rappela un thème banal : la puissance des mythes dans l'Histoire. Israël appartient à la postérité d'Abraham dans l'imagination des croyants — étranges croyants qui ne croient pas toujours à Dieu mais croient à la Bible, ou au peuple juif, ou à la vocation d'Israël.

J'avais lu *la Question juive* de J.-P. Sartre et j'en avais causé avec lui. Sur deux points fondamentaux, j'élevais des objections. La première touche à la racine même de son analyse : le Juif ne serait désigné comme tel que par le regard de l'autre. Procédé un peu facile que l'on peut appliquer à n'importe quelle relation interpersonnelle. Par exemple, je ne suis arrogant que par le regard de l'autre ; il reste à savoir si je me conduis ou non de manière telle que je mérite cette épithète. Si l'on prend pour modèle un Juif déjudaïsé comme je l'étais, non croyant, non pratiquant, de culture française, sans culture juive, il devient vrai de dire que le Juif est tel pour et par les autres et non pour soi. Mais le Juif à papillotes, qui se balance en disant ses prières devant le Mur des Lamentations, appartient à un groupe historique que l'on appellera à juste titre juif, juif en soi et pour soi.

Ma deuxième objection portait sur le portrait de l'antisémite. Sartre dissolvait l'être du Juif pour le réduire au fantasme des non-Juifs. En revanche, il durcissait celui de l'antisémite au point de lui prêter une essence. Bien sûr, dans sa philosophie, l'existence précède l'essence. L'antisémite n'a point à proprement parler une essence, mais il est traversé de part en part par son antisémitisme ; cette hostilité se rattache intimement à son choix existentiel, à son statut de propriétaire foncier. A mes yeux, il y a bien des manières d'être antisémite et G. Bernanos, qui le fut à sa manière avec son maître Édouard Drumond, ne ressemble pas au portrait dessiné par Sartre ; Bernanos n'a jamais rien possédé.

Le petit livre que je publiai en 1968, recueil d'articles rédigés en diverses circonstances, ne manifeste pas une pensée constante, il prête à des interprétations divergentes, sinon contradictoires. Je laisse de côté les intermittences du cœur, les alternances de ma conscience juive, de mes sentiments à l'égard de l'État d'Israël. Mais je ne pense ni impossible ni inopportun de rassembler quelques idées que l'on retrouve dans tous mes écrits consacrés aux Juifs et dont je ne démordrai pas.

Un Juif de culture française, citoyen français depuis plusieurs générations, n'est tenu par aucune loi humaine ou divine de se déterminer lui-même comme juif. Roger Stéphane, avec lequel je me fâchai pour quelques années, au lendemain de la fameuse conférence de presse de 1967, refuse toute solidarité avec les Israéliens ou avec les Juifs. Au nom de quoi le condamner ? Un catholique qui perd la foi quitte l'Église, et personne ne s'en étonne. *A fortiori*, pourquoi un Juif qui n'a jamais fréquenté le temple, qui ne partage ni les croyances ni les pratiques des Juifs, devrait-il être traité de traître ou de déserteur ? On ne trahit, on ne déserte une communauté qu'à condition d'y avoir appartenu ou d'avoir voulu y appartenir.

De même, je me refuse à me joindre à ceux, trop nombreux, qui accablent de leurs injures ou de leur mépris un intellectuel juif, tel M. Rodinson, qui prend parti, dans le conflit israélo-arabe, contre Israël. Le droit des Israéliens sur la Palestine, seuls les Juifs orthodoxes l'affirment avec intransigeance. Ce droit, fondé sur un livre sacré, n'en impose qu'à ceux qui adhèrent à la même foi. La vieille Jérusalem appartient aux trois religions du Livre. L'antériorité ne consacre pas les droits des Juifs aux yeux des fidèles du Christ ou de Mahomet. En accordant un foyer national aux Juifs de Palestine, les Britanniques, par la plume de lord Balfour, et ensuite les Américains disposèrent d'une partie d'une terre que les Arabes tenaient pour leur. Le « péché originel » de l'État israélien, aux yeux des Arabes, maints patriotes israéliens le reconnaissent. Mon ami le général Harkabi écrivit, dans le numéro spécial des *Temps modernes* consacré au conflit israélo-arabe, que, par malheur, les Israéliens ne purent accomplir leur aspiration nationale qu'aux dépens de la population établie en Palestine ou mieux en faisant tort à cette population. Les controverses sur les culpabilités — les Palestiniens ont été chassés, disent les uns, ils ont fui à l'instigation de leurs chefs, avec l'espoir de revenir en maîtres, disent les autres — importent peu. Toutes les thèses comportent une part de vérité. Le fait est que les Israéliens ont reconquis une terre où vécurent toujours des Juifs, mais où vivaient, au lendemain de la Première Guerre, plus d'Arabes que de Juifs. Un observateur qui se veut impartial, juif ou non, peut plaider le dossier arabe.

Le Juif naît Juif par le fait que ses parents l'étaient mais choisit librement de le rester ou non. Cette liberté diffère-t-elle en nature de celle du Français catholique ou protestant ? Réponse malaisée. Au moins dans nos sociétés sécularisées, l'État se veut séparé de toutes les Églises. Le prêtre réduit à l'état laïc, qui jette sa soutane aux orties, devient un citoyen comme les autres, non sans subir parfois la mise en quarantaine par les membres de la communauté qu'il a quittée. En ce qui concerne la nationalité, le Français peut l'échanger contre une autre en émigrant vers un pays qui lui accordera, plus ou moins facilement, la citoyenneté. Le Juif déjudaïsé, qui rejette tous les liens avec les autres Juifs, ne renie aucune partie de lui-même ; il ne rejette ni sa langue, ni sa morale, ni son mode de vie, puisque tout cela lui vient de ce que l'on appelle son milieu, le pays dans lequel il vit et l'État auquel il obéit. Mais il reste juif aux yeux des autres.

D'où la question abstraite et pourtant essentielle : que signifie le « peuple juif » ? Existe-t-il ? Peut-on parler du peuple juif comme on parle du peuple français ? Ou comme on parle du peuple basque ? La seule réponse valable me paraît celle-ci : si l'on parle du « peuple juif », on emploie la notion de peuple en un sens qui ne vaut que dans ce seul cas.

Ceux que l'on appelle les Juifs ne sont pas biologiquement, pour la plupart, les descendants des tribus sémites dont la Bible consigne les croyances et raconte, transfigurée, l'Histoire. Dans le bassin méditerranéen, à la veille ou dans le premier siècle de l'ère chrétienne, des communautés juives existaient, dispersées, converties au judaïsme et non pas nécessairement composées d'émigrés de la Palestine. Pas davantage les Juifs de la Gaule romanisée ne venaient tous de Palestine. Juifs et chrétiens furent proches les uns des autres avant la victoire des chrétiens et la conversion de Constantin. Les pogroms commencèrent en Rhénanie au XIe siècle, à l'occasion de la première croisade. L'histoire a-t-elle fait des communautés juives — ainsi a-t-on pris l'habitude de les nommer — un peuple et un seul ?

Les concepts que nous utilisons, en histoire et souvent aussi en sociologie, se dérobent aux modes ordinaires de définition. Les Juifs n'ont pas vécu le même destin dans les pays musulmans et dans les pays chrétiens, en Europe orientale et en Europe occidentale, au XIXe et au XXe siècle. Le plus souvent, à travers le temps, les diverses communautés juives entretinrent des relations, par crainte de persécutions toujours menaçantes, pour ne pas oublier leur foi singulière. Mais ces communautés ne possédaient aucun des traits qui font d'ordinaire un peuple : ni une terre, ni une langue, ni une organisation politique. Leur unité se fondait sur leur Livre, leur foi et certaines pratiques. *L'an prochain à Jérusalem,* la formule exprimait une espérance millénariste, non pas une volonté politique. Le sionisme moderne d'où sortit l'État d'Israël est contemporain de l'assimilation et de l'antisémitisme laïc, plus proche du nationalisme de l'Europe moderne que de la foi séculaire des Juifs exilés de leur Jérusalem.

A l'heure présente, un « Comité juif mondial » regroupe des comités nationaux ; toutes les communautés juives de la diaspora maintiennent entre elles des liens plus ou moins étroits, à l'impulsion du Comité américain, de beaucoup le plus puissant et le plus riche de tous. Les représentants du Comité mondial parlent du peuple juif et font figurer, parmi les menaces qui pèsent sur lui, les mariages mixtes, l'assimilation. Première contradiction : si les Juifs affirment qu'ils constituent un peuple et qu'ils veulent sauvegarder leur unité, ils revendiquent à la fois tous les droits des autres citoyens de leur État d'accueil et les droits ou devoirs qu'implique l'appartenance à un peuple distinct de celui de leur État. A partir de là, il ne manque pas de Juifs qui en viennent à craindre la disparition totale de l'antisémitisme, disparition qui favoriserait l'assimilation des Juifs et donc la disparition du peuple lui-même. A la crainte que l'antisémitisme disparaisse, les Allemands répondraient avec ironie : *ich möchte ihre Sorgen haben*[1]. Il est vrai, cependant, que les mariages

1. Expression allemande : j'aimerais avoir vos soucis.

mixtes doivent normalement se multiplier au fur et à mesure que les Juifs, garçons ou filles, fréquentent leurs compatriotes, coreligionnaires ou non, et qu'ils se détachent de leurs pratiques, inséparables de leur foi.

En fait, le renouveau de la conscience juive qu'observent aujourd'hui les sociologues, la curiosité de Juifs « assimilés », en France du moins, pour leurs origines, pour la culture de leurs ascendants, devraient apaiser ces inquiétudes paradoxales. Les Juifs, en aucun pays, ne sont près d'oublier la tragédie d'hier et la précarité du lendemain. Ce qui m'intéresse davantage, c'est l'hostilité aux mariages mixtes et le souci de préserver l'identité — faut-il dire religieuse, culturelle, ethnique ? Je comprends que ceux qui se pensent juifs-en-soi se veulent juifs-pour-soi. Mais, bien que je ne nie pas, en moi, un héritage juif (je ne sais pas en quoi il consiste, mais je consens que d'autres, de l'extérieur, le perçoivent), faute d'une volonté d'être juif, faute de connaître l'originalité juive qu'il convient de sauver, je n'ai aucune raison de condamner les mariages mixtes.

A l'heure présente, le culte (ou le goût) des différences refoule le jacobinisme. Les militants des micronationalismes corse ou breton jouent du plastic ; Alain de Benoist et les siens réhabilitent une certaine droite, hostile à l'uniformité imposée par l'État central ou l'industrie moderne, ils chantent les vieilles mythologies des Celtes ou des Germains. Dans la foulée, ils acceptent, au moins en paroles, d'autres différences, celle des Juifs par exemple, bien que le monothéisme juif, repris par le christianisme, apparaisse, dans cette vision historique, comme le responsable par excellence du fanatisme. Si la diversité des cultures est un bien en soi, une richesse humaine en tant que telle, pourquoi ne pas en tirer la conséquence logique au profit du judaïsme, à savoir l'ensemble des communautés qui se jugent partie intégrante du peuple juif ?

Il se peut que les Juifs profitent, à l'heure présente, en France, de la mode, du culte des différences. Pourquoi la différence juive ne serait-elle pas tolérée ou même affirmée comme celle des autres ethnies, basque, celte ou occitane, qui se révoltent contre le carcan du jacobinisme ? Mais les Juifs, les vrais, ne se mettent pas eux-mêmes sur le même plan que les micronationalismes ou les groupes ethniques dont la culture française n'a pas effacé les traits particuliers. Ils croient à un Dieu unique, qui impose aux Juifs des obligations exceptionnelles mais qui règne sur tous les hommes. Les Juifs nombreux qui ne croient pas en Dieu et qui conservent le mode de vivre de la communauté, inclinent, qu'ils en prennent conscience ou non, à rapprocher leur judaïsme de n'importe quel groupe, qu'il soit corse ou breton, qui revendique son identité dite culturelle. Cette identité fonde-t-elle un peuple ?

Faible fondement en vérité. Admettons que les communautés de la diaspora gardent malgré tout certaines particularités communes, plus ou moins marquées selon la place que chacune d'entre elles occupe dans la société d'accueil. La plupart du temps, les Juifs de la diaspora acceptent ou plutôt veulent vivre en citoyens du pays dans lequel ils ont choisi de vivre ; même croyants, les Juifs, pour la plupart, ne souhaitent pas émigrer vers Israël, pas plus qu'ils ne se pensent citoyens d'une *nation* juive. Les Juifs russes, anglais, allemands, français, lors même qu'ils prononcent les mêmes prières, ne parlent pas la même langue, se comprennent mal, davantage marqués par leurs cultures nationales respectives que par la référence à une ascendance plus mythique qu'authentiquement historique.

Je le répète, la notion de peuple n'est pas univoquement définie et se prête à des usages divers. Tout ce que je n'hésite pas à soutenir, au risque de soulever des protestations passionnées, c'est que, si peuple juif il y a, il n'existe pas d'autre peuple du même type que lui. La religion juive survécut, minoritaire, dans les zones de civilisation gagnées par l'une ou l'autre des deux autres religions dites du Livre. De ce fait, les fidèles de Jehovah et de la Loi, même s'ils ne descendent pas tous des tribus de la Bible, se réclamèrent de leur commune origine, fidèles aux articles majeurs de leur foi et aux pratiques rituelles. Parce qu'ils subirent, dans des pays différents, un sort analogue, ils furent peut-être marqués par certains traits moraux ou sociaux. Il suffit de visiter Israël pour se délivrer de l'image physique du Juif que la littérature popularisa et qui obsède encore certains esprits. Quant au prototype de Shylock, de l'homme du commerce et de l'argent, allergique aux vertus militaires, les soldats d'Israël l'ont balayé ; les voici appelés les Prussiens du Proche-Orient [1].

Objectivement, selon les critères utilisés d'ordinaire pour identifier un peuple, les Juifs de la diaspora n'en constituent pas un ; ils se composent de minorités qui professent une même religion, irritante pour les chrétiens de toutes les Églises, ils continuent d'éprouver un certain sentiment de solidarité les uns avec les autres, pour la plupart attachés à l'État d'Israël, en tant que symbole de leur capacité de constituer une nation et non en métèques des sociétés d'accueil. Des Israélites français, dans les années 1930, traitaient de « boches » leurs coreligionnaires venus d'Allemagne. Les Juifs des États-Unis me semblent des Américains. Certes, le souvenir du génocide a changé, pour un temps, la psychologie des Juifs bien installés dans la bourgeoisie de France ou d'Angleterre. Ils ont acquis ou retrouvé une conscience de leur judaïsme, sinon de leur judéité. A supposer qu'ils acceptent l'appartenance à un peuple juif, cette appartenance ne leur impose presque rien et le « peuple juif » reste pour eux tout abstrait, puisqu'ils n'envisagent pas de partager la terre, la langue, le destin d'Israël — même pas toujours la religion ; dans la jeune génération, il ne manque pas de militants du judaïsme ou d'Israël qui demeurent incroyants.

Mon propre itinéraire m'apparaît aujourd'hui, quand je tourne mon regard vers le passé, divisé en plusieurs phases. La première s'étend

1. Comparaison absurde en tout état de cause : la discipline prussienne, la hiérarchie stricte de l'armée et de l'État prussiens ne ressemblent guère à Tsahal et à la démocratie israélienne. L'armée israélienne est une armée de citoyens.

jusqu'au premier voyage en Allemagne : conscience juive mais faible, peut-être refoulée ; la lecture des écrits de Jaurès et de Zola pendant l'affaire Dreyfus me passionna, mais n'éveilla pas en moi la tentation de Herzl.

Viennent les années de guerre : l'union sacrée règne sur les cœurs et ne laisse plus de place aux réserves des minorités. En classe de seconde, un professeur que je n'ai pas oublié, Ziegler, d'ordinaire chahuté et, cette année, ravi d'avoir des écoliers à la fois tranquilles et studieux, en vint un jour à traiter de la tolérance. J'eus l'impression qu'il se tournait vers moi, qu'il me parlait. Il développa l'idée que le mot de tolérance ne traduit pas le sentiment convenable à l'égard des « différents » : respect vaudrait mieux que tolérance, qui suggère un rapport de haut en bas.

A partir de 1933, afin de ne pas dissimuler par lâcheté mon judaïsme, je l'affirmai, autant que possible sans ostentation. Pendant les années 30, l'Université ne fut pas atteinte par la gangrène. C. Bouglé, E. Halévy, même A. Rivaud (qui fut quelques semaines ministre de l'Éducation nationale à Vichy, probablement parce qu'il avait écrit un livre sur le national-socialisme avant la guerre) ne semblaient pas redouter la diffusion de l'antisémitisme venant d'outre-Rhin. Mais je sentis le climat, j'entendis au cinéma des cris, « juif-juif », quand Léon Blum passait à l'écran. G. Mandel, J. Zay, tous deux assassinés sous l'Occupation, siégeaient au Conseil des ministres ; ils subissaient les attaques des hebdomadaires de droite et d'extrême droite, dénoncés comme bellicistes par solidarité juive plutôt que par souci de l'intérêt français.

Pendant et après la guerre, on ne put guère attribuer mes prises de position à mon judaïsme. Je ne pris aucune part à l'épuration, mes écrits (à l'exception peut-être d'articles sur des écrivains [1]) ne présentaient pas une image manichéenne de la France. Je prêchai, dès le lendemain de la capitulation du IIIe Reich, la réconciliation avec l'Allemagne. L'antisémitisme, en raison des crimes hitlériens, disparut de la scène politique pour se perpétuer peut-être dans l'obscurité ou la clandestinité. Le livre de Bardèche sur les procès de Nuremberg fit peut-être scandale, mais n'eut guère de retentissement.

Je pris acte de la naissance d'Israël, en 1948, sans éprouver un sentiment de victoire ; je n'eus pas conscience d'un événement de l'Histoire universelle, *weltgeschichtlich*, selon le mot des Allemands. Je ne m'identifiai pas à ces pionniers qui défrichaient la terre et bâtissaient un État. La guerre accompagna la naissance d'Israël ou plutôt la rendit possible. Elle ne faisait que commencer. La conjoncture dans laquelle les Israéliens triomphèrent de leurs voisins arabes coalisés, Syriens, Jordaniens, Égyptiens, résultait d'une rencontre improbable d'accidents. Israël serait un État militaire.

Je visitai Israël pour la première fois en 1956. Ce qui me frappa le plus, ce fut le surgissement, au XXe siècle, d'une entité politique presque

1. Henry de Montherlant, Alfred Fabre-Luce, Jacques Chardonne.

oubliée, une République de citoyens-soldats. L'observateur, de loin, voit les deux ou trois millions d'Israéliens perdus dans une mer de dizaines de millions d'Arabes. Il risque d'oublier (moi aussi) que, à l'exception de 1948 peut-être, l'armée israélienne mobilisée bénéficia d'un avantage quantitatif en même temps que qualitatif sur les armées de ses ennemis coalisés. C'est à partir de 1956 plutôt que de 1948[1] que je fus tenu d'analyser et de commenter la politique au Proche-Orient conformément à la déontologie de mon métier : autant que possible objectivité, référence à l'intérêt français et aux règles, si ambiguës soient-elles, de la moralité politique.

L'alliance franco-israélienne, en théorie, assurait mon confort intellectuel. Dans certaines limites seulement : en 1956, je fus troublé par l'expédition franco-anglaise de Suez, la collusion des Français avec les ministres israéliens, cette opération machiavélique qui coïncidait avec la révolution hongroise. P. Brisson me reprocha mes critiques : « Pour une fois que nous faisons ou essayons de faire quelque chose, vous critiquez et plus, vous, juif, vous critiquez l'alliance franco-juive... » Le jour où l'ultimatum fut envoyé à Nasser, Michel Debré et sa femme, les André Frossard dînaient à la maison. Michel Debré doutait du succès « avec un régime pareil ». Nous étions tous sceptiques, perplexes, hostiles. Les Franco-Anglais se donnaient-ils pour objet de renverser Nasser, de le remplacer par un autre militaire ? La radio anglaise parla de Neguib le premier jour de l'expédition. Celui-ci avait été choisi pour chef ou porte-drapeau par les officiers qui organisèrent le complot contre le roi Farouk, il fut écarté quelques mois après la chute de la monarchie.

Les Français, Guy Mollet, Christian Pineau, songeaient probablement peu à l'ouverture du canal de Suez : le cas d'Israël mis à part, pourquoi les Égyptiens se priveraient-ils des ressources qu'ils tiraient du passage des cargos et des pétroliers ? Ils espéraient frapper en plein cœur la rébellion algérienne, effectivement soutenue par Nasser ; même la démission de Nasser et l'accession au pouvoir d'une équipe moins anti-occidentale n'auraient pas interrompu l'appui arabe au FLN.

Durant toutes ces années entre 1954 et 1960, je ne me dissimulais pas la précarité, le porte-à-faux de cette alliance. Accidentellement, la France et Israël se trouvaient tous deux en guerre avec le monde arabe. Celle-là à cause de l'Algérie, celui-ci à cause des Palestiniens et du refus arabe. Mais la guerre d'Algérie se terminerait plus tôt que la seconde ; aucun des deux pays n'assumerait *pour le meilleur et pour le pire* la querelle de l'autre. En 1956, au cours de mon voyage à travers le pays, j'eus la chance de rencontrer Ben Gourion, à ce moment hors du pouvoir, qui vivait dans son marchav. Une pièce blanche, sans aucune décoration, presque la cellule d'un moine ; au mur des rayons de livres, je reconnus au passage les Marx de la traduction Molitor, des philosophes, Spinoza,

1. Pourquoi pas en 1948 ? Je n'étais pas encore chargé des commentaires diplomatiques au *Figaro*. Le conflit israélo-arabe n'était pas encore lié à la rivalité Est-Ouest. En 1948, c'était encore un épisode du retrait britannique.

Kant, et une littérature juive que je ne pus identifier. Nous causons ; la conversation vient sur l'Algérie et il me dit, d'un ton sérieux : « I read the press ; yesterday, 23 died, the day before yesterday 34, today 18. But you will have to go [1]. » Je ne le contredis pas.

La conversation eut lieu au mois de mai 1956, avant la nationalisation du canal de Suez, avant la campagne du Sinaï. Les propos du vieil homme d'État, au visage buriné, avec sa crinière de cheveux blancs, qui parle en philosophe et qui laisse paraître, à l'occasion, son tempérament de combattant, révélaient en toute naïveté le malentendu franco-israélien qui, un jour ou l'autre, devait éclater. Israël achète ses armes à la France, y envoie ses ingénieurs atomiques et, en contrepartie, nous aide de son mieux aux Nations Unies, et se garde de critiquer la politique algérienne de la IVe ou de la Ve République. Beaucoup d'Israéliens, personnes privées ou hommes politiques, ne croient pas à l'Algérie française ou à la pacification. Le jour où la France aura trouvé une solution, probablement l'indépendance, elle reviendra à la politique pro-arabe qui s'était manifestée en 1948 par plusieurs jours d'hésitation avant la reconnaissance de l'État d'Israël. Avant même que le ravitaillement en pétrole devînt une question de vie ou de mort, en fonction de son intérêt national, au sens banal du terme, elle devrait pour le moins suivre une ligne intermédiaire, une sorte de neutralité entre les Israéliens et les Arabes.

Certes, quand Ben Gourion fit une visite officielle en France, en 1960, il fut salué par le général de Gaulle comme « ami et allié ». Au cours des entretiens, le Général demanda avec insistance au président israélien quels projets d'agrandissement il nourrissait. Il ne crut pas aux dénégations de Ben Gourion et, à l'époque, il ne se déclara pas hostile (peut-être ne l'était-il pas) à des conquêtes qui conforteraient la sécurité du petit État hébreu. C'est au cours de cette troisième phase, celle d'une alliance israélo-française, à mes yeux temporaire et précaire, que je publiai un article sur les Juifs et les Israéliens dans *le Figaro littéraire.*

Je n'avais pas écrit cet article pour *le Figaro littéraire* ou pour quelque autre hebdomadaire ; j'avais répondu à la demande d'un groupe américain qui préparait un livre de mélanges en l'honneur du premier président de l'État d'Israël, Chaim Weizmann, l'homme qui avait arraché à lord Balfour la déclaration sur le foyer national pour les Juifs, qui avait négocié avec le roi Faiçal, le chef de la dynastie husseinite, le seul souverain arabe qui n'adopta pas une position d'hostilité immédiate et inflexible à l'installation des Juifs en Palestine. Récemment, Ben Gourion, dans un discours en faveur de l'Alya, du retour en Israël des Juifs de la diaspora, avait déclaré qu'en Palestine seulement les Juifs pourraient vivre une existence pleinement juive. Cette déclaration m'avait irrité et, peut-être en réplique, j'écrivis l'article qui parut dans *le Figaro littéraire*

1. « Je lis la presse; hier 23 morts, le jour d'avant 34, aujourd'hui 18. Mais vous serez obligés de partir. »

(24 février 1962). Il exprimait un des extrêmes de ma pensée sur la question juive et, en tant que contribution à un hommage à Weizmann, il présentait un caractère provocateur.

L'article fit doubler la vente du *Figaro littéraire* à Paris, il me valut une correspondance (malheureusement perdue) fascinante, riche de toutes les nuances de l'approbation et de la condamnation. En ce qui concerne mes prévisions sur l'avenir des relations franco-israéliennes, les uns m'accusaient de pessimisme et les autres me reprochaient d'annoncer à contretemps ce que l'avenir nous réservait. Ce n'était pas le moment, me dit René Mayer sur un ton dénué d'aménité. Je n'ai jamais su pourquoi le moment était mal choisi. Si les Israéliens m'avaient lu avec attention, ils se seraient épargné des surprises déplaisantes en 1967.

Pour le reste, c'est-à-dire l'essentiel, je défendais deux thèses : chacun de nous, en ce monde, n'appartient qu'à une seule nation ; un Juif ne trahit pas sa judéité s'il obéit à la Loi, même s'il ne respecte pas les pratiques, s'il retient dans sa pensée et sa vie le meilleur de l'héritage spirituel d'Israël. L'une et l'autre thèses, je ne les renie pas mais je les formulerais dans un style moins brutal. Au reste, en reproduisant cet article dans le recueil intitulé *De Gaulle, Israël et les Juifs*, je marquai, par des notes, ma propre distance par rapport à ce texte, antérieur de cinq années.

Quelques années plus tard, je fus invité, par la New School for Social Research, à prendre part à un débat sur le thème : *Is multicitizenship possible ?* Une citoyenneté multiple est-elle possible ? Sur le plan du droit positif, un fait ne peut être nié : nombre de personnes jouissent d'une double nationalité. Au moment du service militaire, par exemple, les jeunes Français nés en Angleterre sont obligés de choisir. Ils perdent leur citoyenneté française s'ils ne répondent pas à l'appel. Nombre de Français ont acquis la citoyenneté israélienne sans perdre leur citoyenneté d'origine. Mais ces cas, relativement peu nombreux, ne résolvent pas la question politique et morale.

Je me souviens d'une discussion, quelque part à Paris, entre une douzaine de personnalités juives, à l'occasion de je ne sais plus quelle crise au Proche-Orient. A un moment, un des interlocuteurs s'interrogea et interrogea les autres : que faire si la querelle s'aggrave entre Israël et la France ? Un général en retraite figurait parmi les participants. On lui demanda : « Obéiriez-vous si le gouvernement vous ordonnait de mener des opérations contre Israël ? » Le général répondit, avec bon sens, non sans choquer certains des présents : « Je suis un général français et j'exécute les missions que me confie mon supérieur et, en dernière analyse, mon gouvernement. » Les Juifs ne peuvent pas, s'ils revendiquent l'égalité des droits, servir deux Césars à la fois ; le cas extrême paraît encore improbable, mais, après 1967 et la rupture de l'alliance de fait entre Israël et la France, des officiers ressentirent douloureusement la contradiction entre leurs devoirs de fonctionnaires français et leurs préférences de Juifs. La question de la double allégeance se poserait en effet si un

Français juif voulait être *d'abord* israélien et ensuite seulement un fonctionnaire de l'État français.

D'un autre côté, dans un régime démocratique, l'allégeance nationale ne revêt pas un caractère totalitaire et ne le doit pas. Nombre de Français, même fidèles à la France, ne se défendent pas d'éprouver pour tel ou tel autre État une dilection particulière. Au siècle dernier, des catholiques soutenaient la diplomatie du Pape qui, à ce moment-là, s'affirmait aussi souverain temporel de Rome. Les communistes, en immense majorité, au moins parmi les militants de pointe et les « permanents », ont maintes fois démontré en acte leur attachement prioritaire à leur patrie idéologique. Mais les Juifs ne souhaitent certes pas être assimilés aux communistes, inconditionnels serviteurs d'une puissance étrangère.

Aux États-Unis, les *lobbies* appartiennent au train normal de la vie politique. Le frère du président Carter se fit inscrire comme représentant appointé du gouvernement libyen. L'American Jewish Committee exerce une action permanente sur l'opinion publique et sur les gouvernants des États-Unis en faveur d'Israël et de la diplomatie israélienne. Jusqu'à présent, bien que les Juifs américains, à l'intérieur du Committee, n'approuvent pas tous les thèses et l'action de Menahem Begin, les organisations juives maintiennent un front commun, une façade d'unanimité. On l'a dit partout : la France ne connaît pas l'équivalent des *lobbies*, des votes juif, irlandais ou grec. Le peuple des États-Unis, composé d'immigrants, demeure étrangement hétérogène bien que toutes les ethnies aient été partiellement modelées par le milieu américain. La citoyenneté les transforme en membres de la cité, elle les naturalise légalement, elle n'efface pas la diversité des origines ethniques. En France, les immigrants sont intégrés plus par la langue et la culture que par la citoyenneté. Les divisions entre Français, toujours renouvelées depuis la Révolution et peut-être depuis la Réforme, sont regardées comme normales ou inévitables ; la double allégeance, la double citoyenneté demeurent suspectes. Quand un mouvement juif, le Renouveau, opposé aux organisations officielles, lança l'idée d'un « vote juif », les oppositions se multiplièrent de tous les côtés.

En ce qui concerne mon cas personnel, je me suis efforcé de mon mieux de respecter les règles politico-morales du commentateur politique *français*. Mes commentaires contiennent toujours plus d'analyses que de jugements de valeur, mais ils n'atteignent jamais à la totale objectivité. Ils suggèrent le plus souvent la décision qui me paraît la meilleure ou pour la France ou pour la paix, ou la plus conforme à la moralité. Mes commentaires sur le Proche-Orient supposent le droit d'Israël à l'existence, sans nier que la construction de cet État ait blessé la population palestinienne et la sensibilité du monde arabe tout entier.

Ces affirmations de base posées, je jugeai chacune des crises en elle-même, répartissant les responsabilités, les erreurs et les fautes entre les différents acteurs, aussi équitablement que possible. Je condamnai les

Franco-Anglais en 1956, plus crûment que les Israéliens parce que les premiers prirent l'initiative alors que les Israéliens saisirent seulement l'occasion de régler de vieux comptes avec l'Égypte de Nasser et de s'assurer pour quelques années le calme aux frontières.

En 1967, je donnai tort à l'Égypte, parce que Nasser avait pris consciemment des initiatives qui devaient provoquer l'attaque israélienne (il s'y attendait). Fermeture du détroit de Tiran, formation d'un commandement jordano-égyptien, concentration de divisions égyptiennes dans le Sinaï : trois *casus belli* que les gouvernants de l'État hébreu avaient spécifiés à l'avance. Pour parler vulgairement : *they wanted it, they got it.*

Ni en 1956 ni en 1967 je ne participai sans réserve à l'enthousiasme des Juifs de France et même du monde. Le deuxième jour de l'invasion du Sinaï, en 1956, je parlai dans un groupe d'études, place des Vosges, organisé par le rabbin Feuerwerker. Au cours du débat, j'exprimai mes doutes et mes objections ; un homme jeune — je le vois encore, vingt-cinq ans environ, aussi peu typiquement juif que possible, un pli impeccable au pantalon, une veste claire, un visage avenant — s'écria au terme d'une discussion confuse : « Tout cela dit, la raison du plus fort est toujours la meilleure. » Contre mon habitude, pour une fois, je fis de la morale avec passion, avec colère. Cette formule, trop souvent vraie, digne d'un Machiavel français, un Juif devrait avoir honte de la prendre à son compte. Combien de fois les Juifs ont-ils été les plus forts ? Combien de temps le resteront-ils ?

La politique menée par les Israéliens, de 1967 à 1973, conduisait normalement à une nouvelle bataille. Je le dis à mes amis israéliens à chacun de mes voyages. Ni l'Égypte, ni les autres pays arabes ne toléreraient le grand Israël. Je critiquai l'établissement des troupes israéliennes sur le Canal, à la fois pour des raisons militaires et pour des raisons politiques. Le canal de Suez ne forme pas un barrage solide et obligeait les Israéliens à livrer bataille relativement loin de leurs bases. Politiquement, l'occupation du Sinaï, de la zone de Gaza, de la Cisjordanie fait d'Israël un État régionalement impérial. L'escalade des armes, d'une bataille à l'autre, se déroula inexorablement.

Je jugeai normale l'attaque syro-égyptienne de 1973 comme l'attaque israélienne de 1967 (normale au sens de conforme à la pratique, la coutume ou la « moralité » de la *Machtpolitik*). Après le cessez-le-feu, en dépit des succès israéliens dans la dernière phase de la bataille, je me réjouis des succès remportés par les Égyptiens au cours des premiers jours — succès qui peut-être permettraient au président Sadate, les blessures d'amour-propre cicatrisées, la fierté enfin restaurée, de choisir la voie de la paix.

Je soutins, sans trop d'illusions, la procédure de Camp David, et je critiquai la thèse du grand Israël, les colonies implantées en Cisjordanie, la politique de Begin dans son ensemble. Je critiquai aussi la diplomatie française qui substituait à la procédure de Camp David non une autre procédure mais des déclarations, en théorie irréprochables, mais non susceptibles de mise en application. Bien sûr, si j'avais été diplomate au lieu d'être un commentateur libre, j'aurais dû me conformer à une politique à laquelle je n'aurais pas adhéré. Nombre de diplomates non juifs se sont trouvés dans la déplaisante condition d'exécuter une diplomatie qu'ils déploraient et d'en plaider le bien-fondé.

En bref, je respectai la déontologie que je m'étais imposée, non sans recevoir bien souvent des lettres, irritées ou même injurieuses, qui venaient tantôt de Juifs et tantôt de non-Juifs ; des premiers parce que je formulais des réserves sur la politique d'Israël ; des autres pour des raisons contraires. Les lettres d'antisémites me laissent aussi indifférent que je puis l'être quand une haine aveugle, viscérale vient me frapper ; les lettres de Juifs me touchent davantage sans m'ébranler le moins du monde. Je suis écrivain français ; le Juif qui réagit ou pense d'abord et avant tout en tant qu'Israélien vit en contradiction avec lui-même. Pourquoi ne pas résider dans sa patrie ?

Le passage de la conférence de presse du Général consacré aux événements de juin contenait une phrase, une petite phrase comme on dit, qui avait été remarquée et commentée : « peuple d'élite, sûr de soi et dominateur ». Des hommes que je respecte et admire, le R.P. Riquet par exemple, refusèrent de soupçonner dans les propos du Général d'autres sentiments que l'admiration pour un peuple d'élite, même si, en cette occasion, ce peuple avait abusé de son penchant à la domination. Pour mon compte, je ne doutai pas — et je reste convaincu d'avoir eu raison — que le Général eût voulu donner une leçon aux Juifs de France en même temps qu'aux Israéliens. Aussi bien, en usant de l'expression « peuple » qui englobait les Israéliens et les Juifs de la diaspora, il ne frappait pas les seuls Juifs d'Israël. Ce qui, selon toute probabilité, l'avait irrité, c'était l'attitude des Juifs de France à l'égard de la victoire des Six Jours : manifestations de foules, pro-israélisme de certains organes de presse allant jusqu'à de fausses nouvelles, pro-israélisme de la masse des Français entraînés par la propagande et par des émotions obscures, sympathie pour Israël — David menacé par Goliath —, mais aussi désir à peine conscient de revanche sur les Arabes, après l'abandon de l'Afrique du Nord, identifié à une défaite nationale.

A l'époque, je me demandai longuement si je devais intervenir dans ce débat, de même que je m'étais longuement demandé si je devais publier mes opinions sur l'Algérie. Antisémite, le général de Gaulle ne l'avait jamais été, tout au moins depuis son entrée en politique, en 1940. Pourquoi prendre au tragique quelques mots qui, après tout, n'excluaient pas une interprétation flatteuse ? Dans la pensée du Général, « dominateur », « sûr de soi », autant de compliments. Interprétation d'autant plus improbable que l'adjectif « dominateur » a été constamment employé par les antisémites français, par Xavier Vallat, haut-commissaire aux Affaires juives pendant la dernière guerre. Le *Protocole des Sages de Sion*, le fameux faux fabriqué par la police du tsar, partait de la même inspiration et lançait la même accusation : la volonté de domination des Juifs.

Mon cher ami Gaston Fessard, dans la lettre qu'il m'écrivit à propos de *De Gaulle, Israël et les Juifs,* jugea, en toute amitié, ma réaction excessive : « Un mot d'abord sur ce qui concerne la conférence du général de Gaulle. A mon sens, vous avez fort bien fait de réagir et de publier vos réactions. D'abord parce que vous en avez le droit et qu'elles sont comme toujours extrêmement lucides. Personnellement, bien que presque sans réserves pro-israélien en ce qui concerne le conflit de juin et que je me sois réjoui de la victoire d'Israël, je serais moins sévère que vous pour le " peuple sûr de soi et dominateur " et il ne me semble pas qu'une " demi-douzaine de mots ", si chargés de résonance qu'ils soient, suffisent à solennellement réhabiliter l'antisémitisme ni même à inaugurer un nouveau " temps du soupçon ", mais vous avez eu cent fois raison de le dire, comme vous le ressentiez, et je souhaite que vos pages contribuent au redressement possible (même s'il est peu probable) qu'envisage et appelle la dernière. »

Le petit livre *De Gaulle, Israël et les Juifs* contenait trois parties ; la première, intitulée « Le temps du soupçon », discute la conférence de presse du Général ; la deuxième reproduit les articles parus avant, pendant et après la guerre des Six Jours, la troisième réunit deux articles parus l'un dans *Réalités,* en septembre 1960, l'autre dans *le Figaro littéraire* du 24 février 1962 dont j'ai déjà parlé.

De la deuxième partie je ne dirai que quelques mots ; les analyses à chaud que j'ai rappelées au début de ce chapitre résistent à la relecture, bien que les lecteurs d'aujourd'hui disposent évidemment de plus d'informations que moi à l'époque. Probablement U Thant, le secrétaire général de l'ONU, portait-il une moindre responsabilité que je ne le pensai à l'époque. Nasser avait multiplié les défis ; le président américain, empêtré dans la guerre du Vietnam, se trouvait incapable d'honorer la promesse faite à Israël au sujet de la liberté de navigation dans le golfe de Tiran. « J. F. Dulles avait donné des assurances formelles à Israël en 1957 ; ces assurances n'engageaient pas les Nations unies. Pendant quarante-huit heures, le destin hésita. Il incombait au président Johnson d'honorer les engagements pris dix ans plus tôt par un président des États-Unis ou, pour mieux dire, il devait, par la solennité de ses déclarations, par l'éloquence de ses messages publics ou secrets, ne pas laisser au Caire et à Moscou de doute sur sa résolution. Le président américain, accablé par le poids d'une guerre interminable en Extrême-Orient, soupçonnant à juste titre l'influence soviétique derrière le défi égyptien, promit une aide diplomatique avec tant d'hésitation qu'il provoqua des deux côtés les réactions en chaîne qui aboutissaient infailliblement à l'explosion[1]. »

1. L'article, écrit le 6 juin, fut publié le 7. En note, dans le livre, je m'accusai d'avoir été trop sévère pour le président américain.

Je passai une semaine en Israël au mois d'août et j'écrivis au retour trois articles dont les événements postérieurs n'ont pas démenti les thèses principales. Dans le premier, je rapportai mon dialogue avec le Premier ministre, M. Levi Eskol : « Embarras de richesses, me dit-il, Jérusalem, la zone de Gaza, le Sinaï, la rive occidentale du Jourdain. Cette fois, nous avons les meilleures cartes ; aux autres de s'interroger sur la conduite à tenir. » J'interrompis le Premier ministre : « Mettez-vous l'accent sur l'*embarras* ou sur les *richesses*? S'il s'agit de cartes en vue d'une négociation, vous n'en manquez pas. Si vous gardez vos conquêtes, seront-elles des richesses ? » Je constatai que les Israéliens, divisés sur les moyens autant que les fins, s'accordaient sur une stratégie, non sur une politique. Provisoirement, ils gardaient tout ce qu'ils avaient conquis et laissaient aux Arabes le choix entre le *statu quo* et la négociation, ce qui équivalait à rester sur place et attendre. « Qu'est-ce que chaque Israélien craint le plus ? La corruption spirituelle de la nation par les conquêtes ? L'insécurité militaire par l'évacuation des territoires occupés ? La perte de l'identité juive par le gonflement de la minorité arabe ? Je pourrais dire, si je n'étais pas tenu à la discrétion, quelle hiérarchie chacun de mes interlocuteurs établissait entre les divers périls sans peut-être en avoir lui-même conscience. Mais, politiques ou militaires, ils en reviennent toujours à une formule diplomatiquement impeccable : que les Arabes consentent à un règlement de paix et tout deviendra possible. » Il fallut une guerre de plus, en 1973, les succès militaires initiaux de l'Égypte et un homme d'État au Caire pour qu'une négociation directe entre un pays dit arabe et Israël devînt possible.

Les deux articles de la troisième partie diffèrent moins par leur substance que par le ton, le style, le climat. A la fin du premier article, celui de *Réalités,* figurait une citation de l'essai de J.-P. Sartre, qui cite l'écrivain noir Richard Wright : « Il n'y a donc pas de problème noir aux États-Unis, il n'y a qu'un problème blanc. » Jean-Paul Sartre ajoute : « Nous dirons de la même façon que l'antisémitisme n'est pas un problème juif : c'est notre problème. » Je ne souscris certes plus à cet aphorisme, pour le moins simplificateur. Les Juifs d'aujourd'hui ne sauraient éluder leur problème : se définir eux-mêmes israéliens ou français ; juifs *et* français, oui ; israéliens *et* français, non — ce qui ne leur interdit pas, pour Israël, une dilection particulière. De l'autre côté, je ne disculperais pas aisément Simone Weil de l'accusation d'antisémitisme comme je le fis dans cet article. Sa proposition, fût-elle conditionnelle, d'interdire les mariages non mixtes afin d'éliminer le judaïsme, équivaut à une volonté d'ethnocide. Je retrouve, malgré tout, dans cet article, les deux piliers de ma foi : « Le Français d'origine juive me paraît revendiquer légitimement le droit de conserver sa foi et les éléments de la culture traditionnelle auxquels il est attaché. Pourquoi un Juif ne pourrait-il être un bon Français ou un bon Anglais qu'en perdant, par l'assimilation, les croyances et les pratiques de ses pères ? Seuls exigent cette aliénation comme prix de la citoyenneté les doctrinaires, avoués ou honteux, du totalitarisme. » L'autre pilier, je l'emprunte à Spinoza : « Je relis le *Traité théologico-politique*, je crois que " les nations se distinguent les unes des autres, je veux dire eu égard au régime social et aux lois sous lesquelles elles vivent et se gouvernent ", mais que " tous, tant les Gentils que les Juifs, ont vécu sous la loi, je parle de celle qui concerne seulement la vertu vraie, non de celle qui est établie à l'égard de chaque État ". Je crois plus que jamais que, " à l'égard de l'entendement et de la vertu véritable, aucune nation n'a été faite distincte d'une autre, ainsi il n'y en a pas une que Dieu à cet égard ait élue de préférence aux autres. Aujourd'hui donc, les Juifs n'ont absolument rien à s'attribuer qui doive les mettre au-dessus de toutes les nations. » Rien, ajouterai-je, sinon le malheur, rien non plus qui doive les mettre au-dessous des autres nations.

L'autre article, je l'ai dit, répondait de quelque manière à un propos de Ben Gourion : « Les Juifs ne peuvent s'accomplir pleinement qu'en Israël. » En le relisant, j'éprouvai le besoin de corriger quelques affirmations trop catégoriques, trop simples. Je mis en note ces corrections. J'avais écrit que le sionisme en Europe avait été d'inspiration non religieuse mais politique ; j'écrivis en note : « Cette formule brutale appellerait au moins des nuances. » Rectification importante mais d'ordre historique. Les phrases que je critiquai en 1967 appartiennent toutes à la même catégorie. « Pour les croyants, et même pour les orthodoxes, la meilleure, la seule manière d'être de bons Juifs n'est-elle pas d'obéir aux commandements, selon la lettre et selon l'esprit ? » En note : « Simplification d'un problème complexe. » « L'État israélien est laïc. » Note : « Formule pas entièrement vraie. Les relations entre l'État d'Israël et l'Église appelleraient une longue étude. » « Pour les Israéliens authentiquement religieux, l'État d'Israël n'est pas essentiel. » Note : « Formule trop simple. » « L'entreprise israélienne est, dans le monde du XXe siècle, provinciale. » Note : « Je n'écrirais plus cette phrase aujourd'hui. »

Que le lecteur reprenne la série de ces phrases et mes corrections. Les dernières concernent presque toutes la nature d'Israël, la part du politique et du religieux dans l'État hébreux en son inspiration et sa structure. J'avais péché par excès de simplification ; les premiers sionistes, en particulier le fondateur du mouvement, journaliste autrichien assimilé, réagissaient à l'antisémitisme, suscité par l'entrée des Juifs dans la société, et ne retrouvaient pas au fond d'eux-mêmes la foi de leurs pères. Mais, peu à peu, le sionisme, contre-nationalisme face aux nationalismes européens, s'enrichit des émotions religieuses qu'éveillait la nostalgie millénaire du Temple et de Jérusalem.

Ces repentirs, le lecteur peut donc s'en convaincre, ne touchent pas l'essentiel de ma conscience de Juif, français de nationalité et de culture, soucieux de ne pas arracher ses racines, respectueux des croyances de ses coreligionnaires — croyances qu'il ne partage pas. C'est donc la première partie, intitulée « Le temps du soupçon », polémique contre la conférence de presse du général de Gaulle, qui constitue le cœur, la raison d'être de ce petit livre.

Qu'ai-je voulu dire dans ce texte, unique dans l'ensemble de mes écrits ? D'abord et avant tout démontrer, le texte à l'appui, que la petite phrase, bien loin d'honorer le peuple juif, répercutait les échos d'une vieille tradition d'antisémitisme. Le général de Gaulle avait dit : « Certains même redoutaient que les Juifs, jusqu'alors dispersés, qui étaient restés ce qu'ils avaient été de tout temps, un peuple d'élite, sûr de soi et dominateur, n'en viennent, une fois qu'ils seraient rassemblés, à changer en ambition ardente et conquérante les souhaits très émouvants qu'ils formaient depuis dix-neuf siècles : *L'an prochain à Jérusalem.* » Que les Juifs, dans la diaspora, fussent restés un peuple sûr de soi et dominateur, l'affirmation me sembla si aberrante, si énorme que j'avais peine à croire mes oreilles. Sûrs de soi, les Juifs, pendant des siècles parqués dans les ghettos, exclus de la plupart des professions, toujours menacés de persécutions (qu'ils avaient eux-mêmes « provoquées » ou pour mieux dire « suscitées », pour citer encore le Général) ? Xavier Vallat, commissaire aux Affaires juives pendant la guerre, commentant mon livre, salua le retour des idées qu'il avait toujours soutenues, appliquées. Je n'accusai pas le Général d'antisémitisme, je l'accusai de lui rendre des titres, sinon de noblesse, du moins de légitimité. Je ne lui reprochai pas de détacher la France de l'alliance israélienne : « N'importe quel gouvernement français, après l'indépendance de l'Algérie et l'achèvement de la décolonisation, se serait efforcé de renouer les liens dits traditionnels avec les pays arabes au Moyen-Orient » ; je lui reprochai de condamner Israël seul, alors que les initiatives diplomatiques de caractère agressif furent prises par Nasser (fermeture du golfe de Tiran, occupation de Charm El-Cheihk après le départ des Casques bleus, concentration de troupes dans le Sinaï). Certes, le général de Gaulle avait déclaré à l'avance qu'il condamnerait celui qui tirerait l'épée le premier et qu'il viendrait au secours d'Israël en péril. « Et, nous dit M. Gorse, une promesse du général de Gaulle vaut quelque chose. » Qu'aurait-il envoyé au secours d'Israël, en dehors d'une conférence de presse ?

Le Général en voulut à l'État d'Israël de n'avoir pas suivi ses conseils. Probablement en voulut-il plus encore aux Juifs de France d'avoir manifesté, comme ils le firent, leur joie et leur « solidarité » avec Israël[1]. « “ L'enthousiasme pro-israélien de juin dernier, me dit un ami très cher, n'avait-il pas quelque chose d'équivoque et, en certaines circonstances, de déplaisant ? ” “ Manifestations indécentes ”, décrète un signataire d'une “ Tribune libre ” du *Monde* que l'on n'imaginait pas arbitre de la décence. J'en conviens : je n'aimai ni les bandes de jeunes qui remontaient les Champs-Élysées en criant : “ Israël vaincra ” ni les Juifs devant l'ambassade d'Israël. Je n'aimai pas les ex-partisans de l'Algérie française ou les nostalgiques de l'expédition de Suez qui poursuivaient

1. Ce qui suit reproduit le texte du « Temps du soupçon ».

leur guerre contre les Arabes par Israël interposé. [...] Acceptons la censure des hommes qui, en juin dernier, ont gardé à chaque instant leur sang-froid, qui n'ont jamais éprouvé la moindre inquiétude pour la vie des populations israéliennes. [...] En une civilisation nourrie de christianisme, comment le destin du peuple dont naquit le Christ ne remuerait-il pas en chacun, croyant ou incroyant, des souvenirs d'enfance, des sentiments confus ? Soit, me répond un objecteur de bonne foi. Je comprends que l'Europe chrétienne, qui, depuis vingt ans, a voulu oublier plutôt que comprendre, se soit pour ainsi dire libérée de ses troubles de conscience en dénonçant à l'avance le génocide dont elle a cru, à tort, les Israéliens menacés. Mais les Juifs français, ceux qui, comme vous, nous affirment qu'ils sont et se veulent citoyens français " comme les autres ", ceux aussi qui, rapatriés d'Afrique de Nord, ont préféré la France à Israël n'auraient-ils pas dû se tenir en retrait, éviter les paroles et les gestes qui prêtaient à l'accusation de " double allégeance " ? Ce qui s'est passé, en ces jours de folie, rendait inévitable le renversement dont le général de Gaulle a été moins l'initiateur que l'interprète. Bien sûr, mon frère, si sage comme tous les hommes quand tu parles pour les autres. Il aurait mieux valu que... les Juifs n'auraient pas dû... Tout cela va de soi. Je l'avoue : après le soleil de juin, j'attendais les frimas de novembre. [...] On oublie un fait majeur qui seul explique la quasi-unanimité des Juifs de France : parce que les sympathies de la majorité des Français allaient à Israël, les Juifs vivaient avec une joie émerveillée la réconciliation de leur citoyenneté française et de leur " judéité " : en manifestant leur attachement à Israël, ils ne se séparaient pas des Français, ils se mêlaient à eux. C'était trop beau pour durer : eux aussi croyaient au Père Noël. »

Je rappelai que les Juifs de France n'appartiennent pas tous à la même classe sociale, ne professent pas les mêmes opinions : les uns de droite, les autres de gauche, beaucoup d'entre eux pro-palestiniens, « anti-impérialistes », donc hostiles à Israël, « fait colonial ». « Cela dit, il reste que les Juifs de France ont donné pour la première fois l'impression de former une sorte de communauté. » Moi, non sioniste, d'abord et avant tout parce que je ne m'éprouve pas Juif, « je sais, plus clairement qu'hier, que l'éventualité même de la destruction de l'État d'Israël (qu'accompagnerait le massacre d'une partie de la population) me blesse jusqu'au fond de l'âme ». De nombreux intellectuels de gauche firent la même expérience que moi. Ils oublièrent, pour un temps, l' « impérialisme » et le « fait colonial », ils se souvinrent de leurs origines ou se retrouvèrent, à leur propre surprise, juifs. « Les intellectuels de gauche d'origine juive n'ont pas abandonné le terrain de l'universalisme pour le nationalisme israélien, bien que J.-M. Domenach l'écrive sans beaucoup de charité. Ils ont fait la même expérience que Camus. En certaines circonstances, l'intellectuel tenterait vainement d'aboutir à une prise de position à force de réflexion, en pesant le pour et le contre, en confrontant les dossiers des uns et des autres, en se référant aux règles abstraites de la justice. Il se tait ou il obéit à son démon. Juifs ou non-Juifs, ainsi firent les intellectuels de gauche, en juin dernier. Quitte à revenir, le lendemain, à leur quotidien habituel. » Peut-être une phrase résume-t-elle le mieux ma position : « Citoyen français, je revendique le droit, accordé à tous les citoyens, de joindre allégeance à l'État national et liberté de croyances ou de sympathies. Pour les Juifs croyants, Israël a une tout autre signification que pour moi : mais je me mépriserais si je les laissais défendre seuls une liberté dont je me passerais plus aisément qu'eux. »

En ce qui concerne le général de Gaulle lui-même, je posai des questions sans y répondre : « Pourquoi l'a-t-il fait ? Afin de se donner le plaisir du scandale ? Pour punir les Israéliens de leur désobéissance et les Juifs de leur antigaullisme occasionnel ? Pour interdire solennellement toute velléité de double allégeance ? Pour vendre quelques *Mirage* de plus aux pays arabes ? Visait-il les États-Unis en frappant les Juifs ? Voulait-il soumettre à une nouvelle épreuve l'inconditionnalité de certains de ses fidèles qui ont souffert sous Charles de Gaulle ? Agit-il en descendant de Louis XIV qui ne tolérait pas les protestants ? En héritier des Jacobins qui aimaient tant la liberté qu'ils interdisaient aux citoyens d'éprouver d'autres sentiments ? Je l'ignore. Je sais seulement que tout nationalisme, poussé au-delà d'une certaine mesure, finit par acculer certains Juifs (dont je ne suis pas mais que je ne veux pas déserter) à l'alternative du refus ou du reniement. »

L'année suivante, les événements de Mai, en 1969 le retrait et en 1970 la mort du Général étouffèrent les échos de la conférence de presse. Rétrospectivement, j'avoue que la polémique était inutile ; en tout état de cause le problème « Israël et les Juifs » devait un jour ou l'autre être soulevé. Deux lettres, l'une et l'autre de qualité, expriment en pleine clarté deux attitudes opposées. Un écrivain avec lequel j'ai entretenu des relations intermittentes mais toujours cordiales m'écrivit : « Ma femme qui ne peut supporter qu'on établisse la plus petite nuance entre des Français de confession chrétienne et des Français de confession juive a été horrifiée par le comportement de la *très grande majorité des Juifs de France*. Un fossé s'est pour ainsi dire ouvert sous ses pieds. Ainsi ces gens *faisaient passer* Israël avant la France. Des problèmes qui semblaient être résolus, comme celui de l'antisémitisme, se sont à nouveau immédiatement posés. Vous avez tort d'écrire qu'il vous est égal, vous Raymond Aron, de fournir, en affirmant si fortement votre *spécificité juive*, des arguments aux antisémites. » En dehors de ces lignes qui touchent à l'essentiel, le même correspondant affirmait qu'Israël était décidé avant l'été à casser les reins des pays arabes. « *Les réactions populaires* qui vous ont enthousiasmé [1] au mois de juin m'ont accablé et attristé. J'y ai vu l'éternelle bêtise revancharde des Français. »

Tout aussi typique, dans un autre sens, la lettre d'un Juif croyant de

1. Ce n'est pas exact ; j'ai perçu, moi aussi, l'excès de ces manifestations et l'équivoque des sentiments pro-israéliens.

Strasbourg pratiquant et sioniste, qui avouait « m'avoir souvent lu » et « avoir été rarement d'accord avec moi ». Il me transmettait le double d'une lettre écrite à P. Viansson-Ponté : « Vous mettez entre guillemets " peuple juif ". M'est avis que vous pouvez les supprimer, car il s'agit d'un fait historique. Nombre de mes coreligionnaires le nient parce qu'il leur paraît désagréable à accepter. Cela les concerne, mais ne modifie pas les faits sociologiques et historiques. La fameuse définition de Michelet (" une âme, un principe spirituel ") s'applique au peuple juif aussi bien qu'à tout autre. Loin donc de reprocher au Général l'usage du mot " peuple juif ". Mais il a ajouté " d'élite ", sans parler des adjectifs moins aimables qui ont suivi. Or, je ne crois pas du tout aux peuples d'élite, à ceux qui se prennent pour le sel de la terre. On peut objecter que les Juifs se disent " un peuple élu ". C'est vrai, métaphysiquement, mais le plus petit de nos rabbins de campagne vous expliquera que cette élection n'est qu'un devoir, une lourde charge. [...] La France est ma patrie — mes ancêtres et moi, nous sommes battus pour elle. C'est sa langue que nous parlons, sa civilisation est la nôtre. [...] C'est ici que je suis à l'aise dans mon milieu naturel. Mais cette patrie a-t-elle le droit de vouloir régenter toutes mes pensées, toutes mes affections ? Peut-elle légitimement m'enlever mon originalité de Juif (ou de Basque, ou de Breton...) ? Si le Français juif doit se comporter comme tout Français, je ne pense pas qu'il doive, pour s'assimiler spirituellement, s'appauvrir en renonçant à une originalité juive. Quel service rendrait-il à son pays en singeant subtilement ce qu'il croit être le comportement intime et la pensée même des autres Français ? Si son " élection " est avant tout une charge, un devoir ésotérique, s'il n'a pas à en tirer orgueil parce qu'il s'est donné la peine de naître Juif, il n'a pas non plus à en avoir honte ou à s'en cacher. [...] Seuls les États totalitaires ont obligé leurs Juifs à ce choix anormal et inhumain. La vraie démocratie est toujours pluraliste, elle admet l'altérité. C'est même, me semble-t-il, un des critères essentiels de la démocratie. Elle en est récompensée. Tout pays a les Juifs qu'il mérite. C'est que l'apport humain de tout groupe social est positif s'il est sincère et authentique. [...] Nous sommes donc Français à part entière depuis la Révolution. Mais comme les Irlandais de New York s'inquiètent du sort de tous les Irlandais, ainsi sommes-nous sensibles au destin des Juifs dans le monde. En plus, descendants des patriarches et ayant toujours répété dans nos prières la nostalgie de Jérusalem, le pays d'Israël possède pour nous une particulière attraction, historique et religieuse à la fois. Presque tous, nous pensons aux Israéliens comme à nos frères. Pour beaucoup d'entre nous, cela est même vrai *stricto sensu* lorsque nous y avons de la famille proche. Pour ma part, j'y ai des enfants et des petits-enfants ; ils sont " montés " au kibboutz par idéalisme, comme chez vous l'on entre au couvent. Pourquoi donc l'affection que je porte aux Israéliens serait-elle incompatible avec celle que j'éprouve pour mes pères français ? »

Sur l'attitude des Juifs, en France, pendant le mois de juin 1967, je reçus de Claude Lévi-Strauss une lettre, comme de coutume amicale et indulgente, mais, sur un point décisif, critique. Je laisse de côté les compliments et j'en viens à l'essentiel :

« Tout ce que vous dites est juste, mais il me semble que vous négligez un point d'importance majeure. Dès la première heure, en effet, nous avons assisté à une entreprise systématique pour manipuler l'opinion publique de ce pays. Rappelez-vous *France-Soir* titrant sur toute la page " Les Égyptiens ont attaqué ", et cela a continué bien au-delà de la guerre des Six Jours.

« Que des Français, juifs ou non, aient eu sur les événements une opinion différente de celle de leur gouvernement, qu'ils l'aient défendue publiquement, rien que de très légitime à cela. Mais qu'ils aient profité de positions de force dans la presse (d'où résultait pour eux une obligation spéciale de mesure et de rigueur intellectuelles) pour répandre des contre-vérités et tenter de modifier ainsi la conjoncture, cela fleurait le complot et je dirais presque la trahison. Comme juif, j'en ai eu honte et aussi, par la suite, de cette impudence étalée au grand jour par des notables juifs osant prétendre parler au nom de tous.

« Après des écarts aussi graves, un coup de semonce était sans doute inévitable. Je déplore qu'il ait pris cette forme, tout en reconnaissant qu'hélas, une fois au moins, les épithètes choisies correspondirent à la réalité : car certains éléments juifs de France, en profitant de leur pouvoir sur la presse écrite ou parlée et des positions acquises, et en s'arrogeant le droit de s'exprimer au nom de tous les autres, se sont montrés " sûrs d'eux et dominateurs ". On pouvait cependant le leur dire, sans répondre à l'amalgame qu'ils voulurent opérer par un autre amalgame aussi outrageant que le premier, qui l'était déjà gravement, et de leur fait » (lettre du 9 avril 1968).

Je n'ai pas conservé le texte de ma réponse, mais Claude Lévi-Strauss me répondit une deuxième fois, avec la même franchise et avec la même hauteur morale. Les passages de sa lettre permettent de deviner les faits et arguments que je lui avais soumis :

« Vous avez mille fois raison : il n'y a pas de vérité historique objective au-delà des manières différentes dont les individus ou groupes perçoivent situations et événements. Cela est encore plus vrai pour moi dans le cas qui nous occupe, car ma perception de la conjoncture israélienne reste subordonnée à une autre à laquelle je suis encore plus sensibilisé : celle qui se produisit il y a quelques siècles de l'autre côté du monde, quand d'autres persécutés et opprimés vinrent s'établir dans des terres occupées depuis des millénaires par des peuples plus faibles encore, et qu'ils s'empressèrent d'évincer. Je ne puis évidemment pas ressentir comme une blessure fraîche à mon flanc la destruction des Peaux-Rouges, et réagir à l'inverse quand des Arabes palestiniens sont en cause, même si (comme c'est le cas) les brefs contacts que j'ai eus avec le monde arabe m'ont inspiré une indéracinable antipathie... Donc, j'admets volontiers que, pour des raisons particulières à ma profession et à moi-même, ma perception se trouve déformée dès la racine, à quoi s'ajoute, comme juif, le sentiment que tous ceux de même origine qui détiennent des leviers de commande là où l'on forme l'opinion se devaient et nous devaient d'être plus encore que de coutume attentifs au respect des faits. Or, dès la première minute, nous avons été abreuvés de contre-vérités, et même si ceux auxquels je pense ont seulement, comme vous l'affirmez, emboîté le pas à une opinion déterminée par des mobiles fort impurs, ils ont commis contre nous tous une faute extrêmement grave. Je crains quant à moi (mais je n'en sais évidemment rien dont je puisse avancer des preuves) que même des journaux et des personnalités gaullistes n'aient fait le calcul qu'à condition d'aller suffisamment vite et fort, et avant même que le gouvernement n'ait le temps de réagir, on pouvait amplifier les tendances de l'opinion jusqu'à un point où il deviendrait impossible de faire machine arrière. En quoi, d'ailleurs, on se serait lourdement trompé...

« Au fond, comme vous voyez, notre désaccord porte sur une nuance. Vous estimez émouvant et excusable que des Juifs français aient saisi avec enthousiasme l'occasion qui s'offrait de se proclamer à la fois Français et Juifs. Je crois qu'au contraire ils ne le devaient pas, et moins encore contribuer à fomenter cet enthousiasme en sous-main » (lettre du 19 avril 1968).

Les jeunes Juifs de France, aujourd'hui, sympathisent pour la plupart, je le crois, avec mon correspondant de Strasbourg plutôt qu'avec le grand ethnologue. Le premier, officier dans le maquis, gaulliste, ne représente pas seulement les sionistes et les croyants : la volonté d'affirmation juive, le plaidoyer en faveur de la pluralité, donc de la différence, les jeunes Juifs, même en dehors de toute pratique, les reprennent à leur compte, sourds désormais au reproche qu'ils donnent des arguments à l'antisémitisme.

En ce sens, je me trouvai proche du sioniste de Strasbourg (bien qu'à partir d'une philosophie tout autre). Celui-ci concluait : « Dernier aspect du revirement présidentiel : l'antisémitisme est une maladie contagieuse. Les porteurs du bacille, s'ils se savent ou se croient soutenus par le désordre établi, deviennent vite aussi agressifs qu'ils sont plats lorsqu'ils sont maintenus à la place qu'ils méritent. Or, l'alliance politique de Gaulle-Poujade, la politique pro-arabe, la conférence de presse enfin, peuvent suggérer à tous ces pauvres gens que l'heure est revenue de se défouler, comme sous leurs protecteurs de 1940-1945. » Et je reprendrais la dernière phrase de cette lettre : « Je crois à l'utilité du dialogue entre gens de bonne foi. C'est une vue un peu naïve dont devrait s'abstenir un membre du “ peuple dominateur ” comme moi. »

Comme d'habitude, Henri Gouhier prit la peine de me remercier de mon livre par une lettre non pas aimable et vide comme la plupart des lettres de remerciements que reçoivent les écrivains, mais nourrie de réflexions toujours pertinentes, admirable à force de bonne foi, de justice ou de justesse indiscernables : « Si je fais mon examen de conscience, je constate : 1er temps, j'entends la phrase à la radio : stupéfaction. Aucun doute sur les résonances péjoratives. 2e temps : les protestations, les rapprochements avec le nazisme... oubli du contexte et réaction : " n'exagérons rien ". 3e temps : le temps de souffler, rétablir le contexte, écarter les rapprochements ridicules avec le nazisme, rappeler qu'il y a un antisémitisme mondain qui n'a jamais recommandé les chambres à gaz. » Au-delà de cette analyse personnelle, H. Gouhier saisit dans mon livre, au rebours du correspondant de Strasbourg qui pourtant m'approuve lui aussi, la mise en question de la notion même de « peuple juif ». « Vous faites comprendre que les mots " peuple juif " sont au fond encore plus importants que les épithètes. Là est la vraie question. C'est cette formule qui rend votre situation impossible : en quoi, pourquoi, au nom de quoi pourriez-vous appartenir à un autre peuple que le peuple français ? C'est là créer un " sémitisme " qui est une identité et sous laquelle les Français tels que vous cherchent vainement ce qu'ils pourraient mettre. » Interprétation correcte de ma pensée. A la différence du correspondant de Strasbourg, je ne pense pas que l'on puisse affirmer l'existence *objective* du « peuple juif » comme celle du peuple français. Le peuple juif existe par et pour ceux qui veulent qu'il soit, les uns pour des raisons métahistoriques, les autres pour des raisons politiques.

A ma surprise et à ma joie me vint un papier à lettres des *Temps modernes*; Claude Lanzmann, que je ne connaissais pas, m'envoya quelques lignes que je reproduis, peut-être avec immodestie : « Je termine à l'instant la lecture de *De Gaulle, Israël et les Juifs,* et tiens à vous dire ma reconnaissance. Les " grandes voix ", écrivez-vous, se sont tues. Tant mieux : aucune n'eût parlé avec cette rigueur et ce souci du vrai qui permettent de vous suivre en presque tout et d'estimer toujours totalement. J'ajoute — et ceci est sans doute la conséquence de cela — que les quarante-cinq pages du " Temps du soupçon " sont littérairement très belles. »

Je voudrais terminer ce chapitre par quelques remarques sur le livre posthume du Père Fessard, intitulé *la Philosophie historique de Raymond Aron* — livre émouvant pour moi, unique parmi les ouvrages de mon ami : un essai d'interprétation de ma pensée intime, presque secrète, telle qu'elle se dévoile ici ou là, au détour d'une phrase ou à un moment d'émotion.

Le Père — autant que j'en puisse juger moi-même — ne se trompe pas sur l'essentiel : ma carrière d'enseignant ou de journaliste après la guerre n'implique pas une rupture avec mes essais philosophiques d'avant-guerre. En apparence, il n'existe plus grand-chose de commun entre l'écriture serrée, condensée à l'excès de l'*Introduction*, et l'écriture toujours claire, sinon limpide, dénuée de souci littéraire des articles du *Figaro*. Au-delà de la disparité du style, la critique des événements semble relever d'un autre genre, d'un autre talent que l'interprétation de la neutralité axiologique ou de la lutte entre les dieux (en prose : l'incompatibilité des valeurs). Ces remarques évidentes ne contredisent pas la continuité de mon itinéraire intellectuel. Mes livres — de relations internationales, d'analyse idéologique et sociologique — ne découlaient pas nécessairement de l'*Introduction,* ils n'en constituaient pas moins une des suites possibles ; ils illustrent le mot de Léon Brunschvicg : « Votre thèse contient en germe une vie de travail » (je ne me souviens pas de l'expression exacte : je crois en reproduire une fois de plus le sens).

L'*Introduction,* née d'un examen de conscience politique, contenait, en dehors des recherches épistémologiques, une théorie de l'action dans l'histoire et la recherche du sens dans l'histoire. Or, il va de soi que je me suis efforcé de mettre en pratique cette théorie de l'action que le Père Fessard compare aux *Exercices* d'Ignace de Loyola. J'ai choisi ma prise de position originelle, après 1945, telle que je la suggérai en 1938, non pas au hasard des humeurs mais en fonction d'une étude, aussi scientifique que possible, des types de société entre lesquels nous avons à choisir. En 1945, le grand schisme nous enfermait dans une alternative : choisir la révolution, c'était choisir le modèle et l'empire soviétiques ; refuser la révolution, c'était choisir la démocratie libérale, non pas le modèle américain, non pas l'empire américain, mais une des modalités entre plusieurs des démocraties dites capitalistes ou social-démocrates ou libérales, protégées, au lendemain de la guerre, par la puissance américaine.

Ce choix, tel que je l'exposai dans l'*Introduction,* est chargé de sens, idéologique ou philosophique. Selon la formule tant citée, la lutte pour l'empire du monde se livre au nom de philosophies. Staline invoquait Hegel-Marx, si dégradé que fût son matérialisme dialectique ; les États-Unis demeurent fidèles aux Lumières, au progrès indéfini vers le respect des hommes ou de leurs droits à la liberté, à la propriété et à la recherche du bonheur. Choix politico-philosophique qui, à lui seul, ne dicta pas mes décisions. Chacune des décisions exige, au-delà du choix originel, un pari et une appréciation aléatoire des risques et des chances, du souhaitable et du probable, des avantages et des inconvénients. Et chacun de nous, par ses décisions, se fait lui-même, son être et son existence.

Sur le rejet du marxisme, le Père Fessard et moi tombions aisément d'accord. Nous nous interrogions l'un et l'autre sur la pensée authentique d'Alexandre Kojève. L'Union soviétique préfigurait-elle, à ses yeux, l'empire universel et homogène ? Ni l'un ni l'autre nous ne prenions au sérieux la formule de J.-P. Sartre : le marxisme, la philosophie « indépassable » de notre temps. A aucun de nous deux, le curieux mélange d'insistance sur l'engagement libre et de dogmatisme marxiste dans la pensée de Sartre ne paraissait acceptable. De quel droit appeler les anticommunistes chiens alors que l'avenir, pour l'homme d'action, demeure ouvert et qu'à moins d'adopter un marxisme matérialiste (que Sartre lui-même dénonça plusieurs fois) nous nous engageons dans un « monde incohérent sans autre assurance qu'une science fragmentaire et une réflexion formelle[1] » ?

Le Père Fessard, lui, reprit la critique que m'avait adressée Léon Brunschvicg à la soutenance de thèse : je faisais de l'Histoire « un drame sans unité ». Il voulut à la fois me défendre contre le reproche et me comprendre mieux que je ne me comprends moi-même à la lumière de ma pratique, sinon de ma théorie, me rapprocher de lui sans pour autant me prêter aucune infidélité à moi-même. Dans l'*Introduction,* je distinguai histoire naturelle et histoire humaine ; je n'éliminai pas catégoriquement l'Histoire surnaturelle ou sacrée ; j'en réservai la possibilité ou, si l'on veut, le vide. Le Père Fessard, lui, remplit le vide par sa foi au Christ.

A la fois naturelle et humaine, l'histoire demeure, en effet, un drame sans unité. L'histoire devient humaine parce que l'homme se cherche une vocation, parce qu'il oppose sa destination à sa destinée. Mais, en même temps, il n'ignore pas la particularité du peuple auquel il se sent attaché, l'incertitude des objectifs ou des valeurs auxquels il doit se sacrifier. D'une fin de l'Histoire, il conçoit la notion, idée de la Raison au sens kantien, il en élabore vaguement le contenu. Idéal ou illusion ? Je ne sais. De l'historisme, j'esquissai le dépassement tout à la fois par l'absolu de la décision et l'universalisme de la raison. Or le Père Fessard cherche l'unité du drame sur le plan surnaturel ; le destin du peuple juif, aux yeux du chrétien, appartient à l'Histoire surnaturelle. Avant le Christ, le peuple juif, par l'Alliance, tint une place unique dans la sotériologie ; après le Christ, il devient Juif incrédule, celui qui n'a pas reconnu le Sauveur. Le païen idolâtre, converti au Christ, risque toujours de succomber aux pesanteurs de la superstition. Juifs incrédules et païens convertis ne désignent pas des groupes en tant que tels, dans leur matérialité, mais des catégories de l'Histoire universelle, celle qui trouve à chaque instant sa fin et son unité dans le Christ.

Il ne se trouvait pas trace dans l'*Introduction* d'une « affectivité médiatrice » entre la particularité et l'universel. Bien entendu, la succession des cités et des empires, l'ascension et le déclin des peuples et des États remplissent la chronique des siècles. A chaque époque les hommes ont donné leur sang et leur vie pour les édifices fragiles qu'élèvent et abattent tour à tour les mêmes artisans. Aucun de ces édifices ne figure dans l'Histoire sacrée, bien qu'ils aient tous semblé aux contemporains presque immortels, capables de résister à l'usure du temps. Je me sens français, sans réserve et sans condition, et j'éprouvai, en juin 1967, un sentiment de solidarité avec Israël. Ce « sentiment de solidarité » implique-t-il une avance de ma pratique sur ma théorie ?

J'aimerais poursuivre le dialogue avec le Père Fessard sans donner rai-

1. Ce sont les derniers mots de mon *Introduction à la philosophie de l'histoire.*

son à Léon Brunschvicg. Certes, j'emploie plusieurs fois l'adjectif *paradoxal* pour qualifier le sort des Juifs ; je médite sur la construction d'un État hébreu au XXe siècle, animé plus par le nationalisme européen du siècle passé que par la prière millénaire « l'an prochain à Jérusalem ». État à demi laïc, à demi théologique, Israël reste aussi paradoxal que le « peuple juif » dispersé. Aux yeux du sociologue, il rassemble une population de pionniers, dirigée par les immigrants venus d'Europe et des pays dits développés — élite de plus en plus minoritaire (les Juifs venus du Proche-Orient et d'Afrique du Nord ont davantage d'enfants).

Rien dans la formation de l'État d'Israël et dans la persistance de la diaspora juive ne défie les modes ordinaires d'explication historique. Proches des chrétiens pendant les premiers siècles de notre ère, progressivement refoulés dans des ghettos, victimes de pogroms qui commencèrent à la veille de la première croisade, « libérés » par la Révolution en France et peu à peu à travers l'Europe, peuple déicide pendant des siècles et peuple paria, les Juifs perdirent, dans les charniers de Buchenwald et les chambres à gaz d'Auschwitz, l'illusion qu'ils pourraient devenir, au moins dans l'avenir prévisible, des citoyens comme les autres des nations parmi lesquelles ils vivent et auxquelles ils appartiennent. C'est en réplique à l'antisémitisme moderne — non plus à l'antisémitisme d'origine religieuse mais à l'antisémitisme nourri de passions obscures, drapé en une idéologie pseudo-scientifique — que des Juifs, en majorité d'Europe orientale, désespérèrent de l' « assimilation » et rêvèrent d'un État qui serait le leur. Quand Arthur Koestler intitula le livre dans lequel il raconte la naissance d'Israël *Anatomie d'un miracle,* il ne suggéra pas que seule la Providence ou la volonté de Dieu rendait intelligible l'événement ; il chercha et trouva la conjonction improbable d'accidents qui permit aux troupes israéliennes, issues d'une population de 600 000 personnes, de l'emporter sur les pays arabes coalisés contre l'État hébreu.

Que la plupart des Juifs éprouvent un sentiment de « parenté » avec Israël, même s'ils rejettent le sionisme, même s'ils se veulent sans condition ou réserve citoyens d'un autre pays, le fait n'implique d'aucune manière l'unité « mystique » des Juifs à travers le monde. Ce que j'ai écrit en mai-juin 1967, à la veille de la guerre des Six Jours, reste écrit. Chacun peut interpréter à sa manière le surgissement des émotions refoulées aux temps tranquilles. Je n'interdis pas au Père Fessard d'en tirer la preuve ou, du moins, le symptôme de mon « sémitisme ».

Je crois qu'il se trompe. Je maintiens seulement : « Le sentiment de parenté ne dépasse pas l'histoire profane, humaine. Des millénaires d'histoire ont laissé dans les profondeurs de l'âme juive des traces indélébiles : parmi elles, l'intuition que tous les Juifs, en dépit de leur dispersion, connaissent le même sort ; toutes les communautés juives se sentent concernées, menacées lorsque l'une d'entre elles est persécutée. Quand cette communauté s'appelle Israël, comment cette " parenté " n'éclaterait-elle pas, irrésistible, emportant les barrages, mystérieuse si l'on veut, allant de soi à nos yeux ? »

Sur un point, non secondaire, je rends les armes à mon cher Père. Quand j'écrivis sur les Juifs et ma judéité, j'eus tendance à jouer d'une alternative simplifiée : ou bien l'universalisme de la Loi et du message d'Israël, ou bien le nationalisme implicite dans l'Alliance, quel que soit le sens moral, subtil, authentique de la destination d'Israël. Entre les finalités universelles de l'humanité et les « superstitions » des groupes humains se situent des peuples, chacun convaincu de porter et d'apporter un trésor irremplaçable à la richesse commune de l'humanité. Les Juifs détiennent, eux aussi, leur trésor mais, en dehors de la Bible, de leur foi, ils ne participent pas d'une seule et même culture. Encore une fois, s'ils se veulent un peuple, ce peuple ne ressemble à aucun autre.

Je reviendrai, en conclusion, sur l'antinomie, que je n'ai jamais résolue, entre la diversité historique des valeurs et des manières d'être d'une part, et de l'autre la vocation que j'attribue, de temps à autre, à l'humanité. Je ne renonce pas à la destination unique du genre humain, je ne renonce pas non plus à la pluralité des cultures dont chacune se croit — à juste titre pour ceux qui en vivent — irremplaçable. Mon attachement à la langue, à la littérature française ne se justifie pas, il est, je le vis, parce qu'il se confond avec mon être. Ma « solidarité » avec Israël, dois-je la dire plus intellectuelle ou plus organique ? Peut-être l'une et l'autre à la fois. En tout état de cause, cette « solidarité » ne s'élève pas au niveau de l'Histoire sacrée, surnaturelle, dont je réserve la place pour les croyants mais auquel je n'accède pas.

QUATRIÈME PARTIE

LES ANNÉES DU MANDARIN
(1969-1977)

XX

DE PIERRE BRISSON À ROBERT HERSANT

L'année 1969 marque une rupture dans la politique française et dans l'histoire agitée du *Figaro.* Le général de Gaulle se retire de la vie publique à la suite de la victoire des *non* au référendum qu'il avait voulu organiser en 1968 et auquel il avait renoncé sur les instances de Georges Pompidou. *Le Figaro* cessa de paraître, pendant deux semaines, à la suite d'une grève de la rédaction — grève elle-même provoquée par le désaccord entre un des actionnaires, Jean Prouvost, et les héritiers moraux de Pierre Brisson.

Une première crise avait secoué *le Figaro,* au moment de la mort de Pierre Brisson. L'accord conclu en 1949 entre les propriétaires, Mme Cotnaréanu, Jean Prouvost et Ferdinand Beghin, et l'équipe Brisson se terminait en 1969. Le journal rentrerait-il dans le droit commun ou bien la rédaction conserverait-elle tout ou partie des libertés que lui assurait l'accord de 1949 ?

Personnellement, je jugeai inévitable et, au reste, normal le désir de J. Prouvost de ne pas être exclu de la rédaction du *Figaro.* Je le dis à plusieurs reprises à P. Brisson qui me répondit chaque fois : « Vous vous trompez, il ne s'intéresse pas au *Figaro* et acceptera le renouvellement de l'accord actuel. » A la fin de l'année 1965, terrassé par une attaque, P. Brisson mourut au bout de quelques jours. Il n'avait rien prévu pour sa succession. Il avait écrit à J. Prouvost, quand il avait nommé Louis Gabriel-Robinet sous-directeur, que celui-ci ne devrait pas monter plus haut. Or, à moins de faire venir de l'extérieur une personnalité, L. Gabriel-Robinet apparut comme le seul candidat à la direction.

Je le sais aujourd'hui, P. Brisson envisageait un autre successeur. Il ne m'en avait jamais rien dit et moi-même je n'avais pas envisagé sérieusement cette éventualité. L'enseignement, les livres comptaient pour moi autant que le journal. Je n'aurais pas entrepris sans effroi une carrière, en fin de compte nouvelle, à soixante ans. La rédaction en chef d'un mensuel, *la France libre*, n'a rien de commun avec la direction d'un quotidien.

Quelqu'un — peut-être Jean d'Ormesson — me dit que P. Brisson me jugeait le plus qualifié pour prendre la direction du journal après lui. Pour en avoir le cœur net, j'écrivis à Wladimir d'Ormesson, l'oncle de Jean, et voici l'essentiel de sa réponse : « [...] Il est parfaitement exact que j'ai eu avec P. Brisson une conversation, dans son bureau du Rond-Point, qui doit se situer en 1963, voire au printemps 1964, je retrouverais la date exacte dans le journal quotidien que je tiens depuis cinquante ans ; mais je ne l'ai pas ici. Si vous y teniez, je pourrais faire les recherches nécessaires. Au cours de cet entretien, P. Brisson m'a parlé de son avenir et de celui du *Figaro*. Il a dit à peu près ceci : quand expirera le bail de la Société fermière, j'aurai tel âge. Raisonnablement, je devrais prendre ma retraite à ce moment-là, car j'ai des moments de grande fatigue. Il est cependant possible que je puisse continuer encore quelques années à assurer la direction du *Figaro*. En tout cas, quand je l'abandonnerai, c'est Raymond Aron qui me paraît le plus désigné pour prendre ma succession. Il ne m'a cité *aucun* autre nom [...] » (1er avril 1971).

Dans un de ses livres de souvenirs, Michel Droit raconte la réunion que je provoquai avec quelques amis de P. Brisson, actionnaires de la Société fermière : « Tout ce que le journal compte comme académiciens, membres du conseil de la Société fermière, éditorialistes ou signatures prestigieuses, rédacteurs en chef a été convoqué. [...] Autour de la table nous sommes treize. » Je me souviens de quelques-uns de ces treize : François Mauriac, Jean Schlumberger, Georges Duhamel, Jacques de Lacretelle, Louis Gabriel-Robinet, Thierry Maulnier, Jean-François Brisson, Michel Droit et moi. Il en manque quatre, probablement Henri Masson-Forestier, René Collard, Marcel Gabilly, Maurice Noël.

« Chacun ayant parlé, Raymond Aron fait la synthèse de ce que les autres ont exprimé et de ce que chacun a dit. Si l'on cherchait de tous les hommes qualifiés et disponibles pour succéder à P. Brisson celui ayant la plus forte autorité morale, son nom ne tarderait pas à s'imposer. Mais son caractère ferait-il merveille à un tel poste ? Voilà qui n'est pas aussi évident. N'importe comment, telle n'est pas la question qui se pose aujourd'hui. Résultat de cette réunion : une motion rédigée elle aussi par Raymond Aron, signée par les présents et que devront en principe contresigner les chefs de service, membres du comité d'entreprise, délégués du personnel, etc. Que dit ce texte ? Pour l'essentiel, qu'une confusion du capital et de la direction ruinerait l'œuvre de Pierre Brisson. Une grande fermeté, mais rien d'agressif dans le ton. »

J'ai gardé de cette réunion un souvenir quelque peu différent. J'étais arrivé à la réunion avec le texte de la motion. L'état-major, à ce moment, me semblait flottant. L. Gabriel-Robinet se sentait peut-être paralysé par la lettre de P. Brisson à Jean Prouvost.

Les présents ont-ils tous exprimé leur opinion ? D'après mes souvenirs, j'en doute. Georges Duhamel et Jean Schlumberger ne sortaient plus guère de chez eux. F. Mauriac ne se passionnait pas pour le destin du *Figaro* qu'il avait quitté pour y revenir à demi. J'avais défendu immédiatement la thèse la plus solide : l'accord de 1949 devait être appliqué jusqu'en 1969. P. Brisson avait confié à son ami Prouvost la mission de préserver l'indépendance du *Figaro* tel que, lui, l'avait conçu. « La sauvegarde du *Figaro* après moi, après vous, sera liée au maintien d'une Société fermière avec tous ses pouvoirs, en dehors du capitalisme et en accord avec lui. » Nous ne pouvions faire moins que nous en tenir au testament : au *Figaro,* J. Prouvost représentait le capital, quelles que fussent ses capacités de journaliste. La motion rédigée à l'avance, corrigée quelque peu (Mauriac approuva la suppression d'un « solennellement » inutile), fut votée par l'état-major. Elle le fut aussi par l'assemblée des rédacteurs.

Les réserves de Michel Droit sur mon caractère faisaient probablement écho à des propos de couloir. Je ne suis pas qualifié pour porter un jugement sur mon caractère. En fait, j'eus peu l'occasion de le manifester au *Figaro.* Je garde le souvenir de quelques incidents, l'un avec J. Martin-Chauffier à propos d'un texte relatif à l'affaire Oppenheimer, transmis par Jeanne Hersch ; un autre avec Roger Massip, à propos d'un « doublon ». Dans l'un et l'autre cas, je témoignai de violence (verbale). Je me contrôle d'ordinaire, peut-être avec excès, mais de temps à autre j'explose. Pour le reste, je ne travaillais régulièrement qu'avec des rédacteurs de la section d'économie et, à ma connaissance, ils ne se plaignirent pas de mon caractère.

Les objections à ma candidature venaient à la fois du milieu et de moi-même. Je crois l'avoir écrit : j'entretins des relations cordiales, voire amicales avec quelques-uns des journalistes du *Figaro,* mais je restai un canard dans le poulailler. F. Mauriac, Jean Schlumberger, J. de Lacretelle, G. Duhamel appartenaient à la maison mais ils n'en faisaient pas partie. Écrivains renommés ou glorieux, ils apportaient leurs « papiers » et leur prestige. Ils ne se trouvaient pas en compétition avec les professionnels. Déjà André François-Poncet se rapprochait des professionnels, sans se mettre en compétition avec eux. Telle était, de manière plus marquée encore, ma situation.

En 1965, l'opposition venait-elle de la rédaction ? A coup sûr, quelques-uns éprouvaient à mon égard une antipathie toute personnelle : M. Gabilly, me dit-on, faisait le compte des commentaires ou des citations honorés respectivement par ses articles et par les miens ; Jean Griot, dont l'étoile montait avec l'ascension de L. Gabriel-Robinet et que je ne fréquentais guère, se déclarait, paraît-il, dépourvu d'« atomes crochus » avec moi. L. Gabriel-Robinet manifesta toujours à mon endroit des sentiments « affectueux et admiratifs ». Il aurait échappé à l'humaine condition s'il n'avait pas été tenté par l'occasion que lui offrirent les circonstances. En fait, je contribuai à le faire roi et il ne m'en voulut point. J'en fus content et à peine surpris. Pendant deux ou trois ans, il ne me fit pas mystère de sa gratitude.

Le détail de la longue querelle n'intéresserait guère le lecteur ; aussi bien je l'ai oublié. Disons qu'après le texte signé par les « grandes signatures » les négociations se poursuivirent entre Jean Prouvost et l'équipe Brisson, le plus souvent par l'intermédiaire de Georges Izard. L'équipe P. Brisson possédait un dossier juridique, à mes yeux solide ; l'accord, conclu pour vingt ans, restait valable jusqu'en 1969, en dépit de la mort de Brisson.

Le compromis, finalement négocié, ne conféra pas à L. Gabriel-Robinet la totalité des pouvoirs et des avantages dont jouissait P. Brisson. La présidence de la Société fermière revint à J. de Lacretelle. P. Brisson recevait — si mes souvenirs ne m'abusent pas — 5 % des profits de la Société (les 95 % allaient aux propriétaires). Les 5 % furent partagés, une fraction vint à J. de Lacretelle, aucune à L. Gabriel-Robinet. Ce dernier me rappela le mot de Jean Prouvost : il faut bien récompenser ceux qui travaillent (Lacretelle ne faisait rien).

Depuis lors, je me suis interrogé sur ma conduite au lendemain de la mort de Brisson. Ai-je eu raison de m'opposer à l'entrée de Jean Prouvost dans la maison ? Je plaidai pour le maintien, durant quelques années, du statut particulier du *Figaro* — statut qui laissait aux propriétaires les responsabilités financières, mais leur interdisait la moindre intervention dans la rédaction du journal. En théorie, je reste favorable à un pareil arrangement, mais celui-ci exige deux conditions, l'une nécessaire dans tous les pays, l'autre particulière à la France.

Que faire quand l'exploitation du journal devient déficitaire ? Le *Times* connaît, depuis des années, cette infortune. Encore l'illustre quotidien de Londres, institution mondiale et non pas seulement anglaise ou londonienne, a-t-il finalement trouvé, dans le vaste monde anglo-américain, un Australien qui accepte de combler le déficit. *Le Figaro,* institution parisienne, à peine nationale, devait rapporter de l'argent à ses propriétaires, non leur en demander. Une autre difficulté, non matérielle, plus grave en profondeur, me paraît propre à la France. L'*editor,* en Angleterre, le responsable de la rédaction du journal, dispose normalement d'une liberté par rapport aux propriétaires dont ne jouissent pas, le plus souvent, les directeurs ou rédacteurs en chef en France. Chez nous, le propriétaire, même s'il n'intervient pas quotidiennement dans la gestion ou la rédaction, attend ou exige une conformité entre ses préférences et les opinions de son journal. Le dialogue entre le propriétaire et le directeur de la rédaction, délicat par lui-même, ne se sépare pas de la double nature du journal, entreprise commerciale et instrument d'information ou d'opinion.

Le dialogue avec Jean Prouvost prit un caractère quelque peu différent. Le propriétaire ne se tenait pas lui-même pour un capitaliste, mais pour un directeur ou un *editor* de journal. De fait, il avait créé, animé, dirigé la rédaction de plusieurs publications plutôt que géré l'administration ou les finances des entreprises. Journaliste ou directeur de rédaction, il supportait mal d'être réduit au rôle de capitaliste. Aujourd'hui, quand j'embrasse du regard le déclin du *Figaro* de 1965 à 1982, je me demande si je ne me suis pas trompé. En tout cas, l'issue n'aurait pas été pire, elle aurait peut-être été meilleure si J. Prouvost était entré dans le journal en 1965.

Pourquoi me suis-je engagé aussi résolument, le lendemain de la mort de P. Brisson, contre les revendications de J. Prouvost ? Il ne me connaissait pas et je ne le connaissais pas. Je le savais un « patron » cordial et fidèle. Je n'avais rien à craindre de sa « censure ». J'avais atteint une notoriété suffisante pour échapper aux risques de cette sorte. Ce qui me détermina, ce fut le souvenir de P. Brisson. Quand J. Prouvost, quarante-huit heures après la mort de P. Brisson, offrit ses services pour diriger, je réagis immédiatement et je répétai : « non et non ». Ce que P. Brisson avait refusé, combattu toute sa vie, n'allait pas s'accomplir du jour au lendemain, par le fait même d'un homme auquel il avait fait une totale confiance.

Je ne songeai nullement à m'asseoir dans le fauteuil de P. Brisson et je ne vis aucun remplaçant possible, en dehors de L. Gabriel-Robinet, à moins de chercher une personnalité extérieure. Quelques noms furent mentionnés dont je ne me souviens même pas. Ni Thierry Maulnier ni moi-même, que la presse tenait pour des « possibles », nous ne nous opposâmes au « probable » ou mieux à l'« inévitable », celui que P. Brisson jugeait incapable de remplir des fonctions supérieures à celles que lui-même lui avait confiées. Numéro deux : oui, numéro un : non, disait P. Brisson. Malheureusement, il avait raison.

Je ne m'exprime pas sans hésitation, sans mauvaise conscience, sur L. Gabriel-Robinet. L'homme valait mieux que sa réputation ou ses articles. En privé, il ne manquait pas d'humour, en dépit d'un goût immodéré pour le calembour. Sa culture ne perçait guère dans ses « papiers » qui, pour la plupart, tendaient à une sorte de sens commun, proche de la sagesse des nations, aussi souvent fausse que vraie. Les journalistes ne le respectaient pas et parfois ses proches devaient le convaincre de ne pas publier un de ses « éditoriaux » trop primitifs, trop naïvement anticommunistes. Ceux-ci n'ajoutaient rien ni au *Figaro* ni à son autorité personnelle. Enfin, quand il s'éleva au poste suprême dont il n'avait probablement même pas rêvé, son état de santé ne lui permit plus une présence régulière, une activité comparable à celle de son prédécesseur. De 1965 à 1969, le tirage continua à augmenter, mais P. Brisson avait emporté l'esprit et l'âme du journal avec lui. La rédaction se divisa en plusieurs groupes, ou féodalités, ou équipes. Il ne subsistait au sommet ni une pensée inspiratrice ni même une ligne politique. Bien entendu, *le Figaro* demeurait le porte-parole du centre droit et d'une bourgeoisie, plus traditionnelle que moderne.

Au-dessous de L. Gabriel-Robinet, deux rédacteurs en chef se trouvaient, théoriquement, sur le même pied, Jean Griot et Jean-François

Brisson. Le premier l'emporta peu à peu sur le second et, pendant les absences fréquentes de L. Gabriel-Robinet, il exerça les fonctions de directeur dans la mesure où ces fonctions furent effectivement remplies par l'un ou par l'autre. J'entends par là que chaque service, parfois même chaque rédacteur, travaillait à sa guise. Qu'il s'agisse de politique étrangère ou de politique économique, je ne pense pas que jamais la direction ait donné des directives. De ce fait, des oppositions trop visibles d'un article à un autre se multiplièrent. Le recrutement des nouveaux rédacteurs s'opérait un peu au hasard, sans que le sang nouveau donnât une jeunesse au vieux *Figaro*. Il gagnait en incohérence plutôt qu'en fraîcheur.

En 1969, la crise de 1964-1965 se renouvela : la rédaction refusa la suppression de la Société fermière demandée par J. Prouvost. Il s'ensuivit une grève qui dura deux semaines, à la veille de la campagne pour l'élection présidentielle. À cette crise, je ne participai pour ainsi dire pas. Mon expérience des dernières années ne me laissait pas beaucoup d'illusions sur la fortune du journal dans l'hypothèse de la continuation du régime Robinet. Je m'étais éloigné des « militants » qui menaient la bataille.

En 1965, après qu'un accord provisoire entre l'équipe Brisson et J. Prouvost eut été conclu, la rédaction m'élut président de la Société des rédacteurs. Élection à l'époque intelligible et presque logique puisque, parmi les « grandes signatures », j'avais eu le mérite (peut-être douteux) de prendre la tête des « résistants ». Cette élection, favorisée ou plutôt fortement encouragée par la « hiérarchie », reposait sur un malentendu ; je pris position contre les exigences de J. Prouvost par réflexe de fidélité à l'œuvre de P. Brisson. Il avait cru, pour ainsi dire par naïveté, à la permanence d'une rédaction responsable du journal et dont l'indépendance serait garantie par Prouvost lui-même. Je jugeai utile, normale, une « Société des rédacteurs », mais je n'y attachai pas la même importance que le faisaient ses animateurs, en particulier Denis Perier-Daville. Ceux-ci visaient deux objectifs à la fois : préserver le statut du *Figaro*, faire reconnaître légalement la Société des rédacteurs, non pas seulement pour eux-mêmes mais pour tous les journaux.

Dès le point de départ, bien que mes relations avec les membres du Conseil d'administration de la Société fussent cordiales et faciles, je sentis le décalage entre les états d'esprit, les finalités, les affections. Au fond, sans exercer aucune fonction d'autorité, j'apparaissais, aux yeux de mes collègues du Conseil d'administration, plus proche de la hiérarchie que des rédacteurs moyens. Conscient de ce malentendu mais non désireux de me retirer, je m'attendis à un incident qui m'imposerait la démission. L'incident vint rapidement, en 1967.

La Société des rédacteurs, en tant que corps, souhaitait, je l'ai dit, être reconnue, en justice et en pratique. Elle cherchait à conquérir des signes de reconnaissance. Il fut question de faire figurer mon nom dans l'« ours » (désignation du tableau qui rappelle, chaque jour, les noms des principaux responsables de la publication). J. Prouvost accepta que mon nom fût ajouté à ceux des autres membres du Conseil d'administration de la Société fermière, mais sans que mon titre de *président du Conseil d'administration de la Société des rédacteurs* fût indiqué. Je devais entrer en tant que personnalité, non ès qualités. Je plaidai que ce précédent ferait jurisprudence. Raymond Aron entrait, mais du même coup le président du Conseil d'administration de la Société des rédacteurs. Je ne parvins pas à convaincre la majorité du Conseil d'administration et je démissionnai, sans regret et sans amertume : les rédacteurs souhaitaient, au fond d'eux-mêmes, être représentés par un des leurs.

Pendant les deux semaines de grève, je vins de temps en temps au journal ; j'y visitai tantôt les dirigeants de la Société des rédacteurs, tantôt L. Gabriel-Robinet et son état-major. Une fois, j'omis une des deux visites ; du coup Robinet me soupçonna de comploter avec la Société des rédacteurs contre lui. Je ne prêtai guère de signification à la rumeur selon laquelle les propriétaires et l'équipe Brisson s'accorderaient pour me confier la direction. *Le Figaro,* état-major et Société des rédacteurs joints, proposa, en effet, à F. Beghin et J. Prouvost de me nommer directeur. En fait, ils ne doutaient guère de la réponse négative de ce dernier. La proposition leur donnait le beau rôle et personne ne savait si j'accepterais la tâche. Deux membres du Conseil d'administration de la Société des rédacteurs me rendirent visite et me firent part de leur intention. Je fis les réserves les plus expresses sur ma réponse, mais j'ajoutai que le refus de J. Prouvost me semblait probable. Si L. Gabriel-Robinet avait prévu une réponse positive, se serait-il joint à cette démarche ? Et Gabilly et Griot ? Au reste, personnellement, j'écrivis une lettre à J. Prouvost dans laquelle je lui précisai que je n'accepterais éventuellement un rôle de direction qu'à une condition : bénéficier de l'appui simultané de lui-même et de la rédaction. Le redressement du journal me paraissait impossible dans le climat actuel de conflit, sans le retour d'une authentique harmonie entre les propriétaires du titre et ceux qui détenaient le droit de l'exploiter.

Là encore, je ne fatiguerai pas les lecteurs par le récit des péripéties de la crise. Jean Griot passait pour un favori de J. Prouvost. A cette occasion ou à une autre, il cessa de jouir des faveurs du « patron ». J. Hamelin, qui présidait le Conseil d'administration de la Société anonyme, sembla à un moment sur le point d'accéder au fameux fauteuil de la Rotonde. Homme de J. Prouvost, il donnait au « patron » toutes les assurances et, directeur du journal en tant que président de la Société de gestion, il rassurait les journalistes [1]. Dans la nuit du 22 au 23 mai, le compromis laborieusement élaboré par toutes les parties achoppa sur les exigences de J. Prouvost. Celui-ci demanda à J. Hamelin un « engagement complémentaire » : « Le président de la Société propriétaire Jean Prouvost et le président de la Société de gestion, Jean Hamelin,

1. Il dirigeait le service de la publicité.

devraient se consulter et se mettre d'accord sur trois décisions engageant à ses yeux la vie du journal : 1. Fixation du budget des dépenses de tous les services du journal. 2. Décision d'engagement ou de licenciement des collaborateurs. 3. Fixation de tous les émoluments. Accepter le refus qui m'a été opposé sur les trois points, c'était consentir non seulement au désaisissement de la propriété mais à ma propre interdiction de séjour au *Figaro* en tant que journaliste. »

Cet extrait de la lettre de Jean Prouvost, publiée dans le journal du mardi 27 mai, éclaire une fois de plus le conflit : Jean Prouvost se sentait exclu du journal, non en tant que capitaliste mais en tant que journaliste. F. Beghin, pur capitaliste, acceptait, sans plaisir mais sans indignation, la revendication majeure des journalistes : le droit de blocage accordé, dans le Conseil de la Société de gestion, aux trois représentants des journalistes. Le Conseil, formé de six représentants des propriétaires, deux de l'administration du journal et trois des journalistes, ne pouvait prendre des décisions majeures (par exemple, l'élection du président-directeur de la Société de gestion) qu'à la majorité de 9 membres sur 11 — ce qui équivalait à subordonner la nomination du président-directeur général à l'accord des représentants des journalistes. De longues négociations se poursuivirent sur l'arbitrage souhaitable en cas de désaccord à l'intérieur du Conseil de la Société de gestion. Mais l'échec final tint aux demandes de J. Prouvost dont F. Beghin se désolidarisa. Capitalisme de presse, disait le créateur de *Paris-Match*, et, au magnat du papier et du sucre avec lequel il avait longtemps coopéré, il jeta à la figure : presse du capitalisme. F. Beghin avait fait paraître dans *le Figaro* un article sur l'industrie sucrière.

La discorde entre les deux propriétaires du journal prolongea la grève et accula F. Beghin à demander un administrateur judiciaire provisoire qui dirigea en théorie le journal jusqu'à la conclusion de l'accord final. Entre-temps, l'équipe Brisson introduisit un procès contre la Société propriétaire et le gagna : la loi Brisson demeurait valable après la mort de Brisson, tant que quelques-uns des survivants de l'équipe se réclameraient légalement de la loi du 28 février 1947.

Deux ans plus tard, J. Prouvost finit par se résigner à un statut très proche de celui qu'il avait refusé en 1969. La distinction entre la Société anonyme propriétaire et une Société de gestion subsistait. La Société de gestion comportait un Conseil de surveillance et un directoire. Le président du directoire, élu par le Conseil de surveillance, exerce les fonctions de directeur. Dans le Conseil de surveillance, les représentants de la rédaction possèdent un droit de blocage sur la désignation du président du directoire.

En février 1974, L. Gabriel-Robinet mourut et Jean d'Ormesson entra en scène. J. Prouvost proposa Jean d'Ormesson comme président du directoire. Surpris d'abord par ce choix — Jean manquait d'expérience journalistique et de culture politique —, je lui fis bon accueil quand il me rendit visite. Il me demanda, lui aussi, si j'ambitionnais cette direction. Je lui répondis, une fois de plus, que je ne nourrissais pas cette ambition, d'autant moins que j'enseignais au Collège de France et que j'assistais, depuis quelques années, au déclin d'un journal naguère prestigieux. Là-dessus, je lui promis mon soutien et je défendis sa cause dans les assemblées de journalistes. Peut-être aurait-il souhaité des arguments différents de ceux que j'avançai ? Je rassurais la rédaction sur le futur directeur en faisant valoir que personne ne lui connaissait d'opinions, arrêtées ou originales, en politique ou en économie. Conservateur et libéral, académicien, son profil s'accordait avec celui du *Figaro.*

Pendant nos années de collaboration presque quotidienne, je ne garde aucun souvenir d'une querelle sérieuse, en dépit des efforts déployés par quelques journalistes pour provoquer une crise dont ils avaient annoncé la venue fatale. « Vous ne pourrez pas travailler avec R. Aron à cause de son " caractère ". » Jean compte des centaines d'amis à Paris et je ne lui connais pas de véritable ennemi. Bien dans sa peau, gaiement extraverti, conscient de ses origines et capable de les oublier face à ceux que son illustre famille irriterait, heureux d'être et heureux d'avoir, comblé par une série de succès retentissants (*la Gloire de l'Empire,* l'Académie française, *le Figaro*), il dirigea *le Figaro* dans le style de Robinet plutôt que dans celui de Brisson. Il ne lisait pas le journal, devenu comme les autres, monstrueux par son volume, par la disproportion entre la quantité de papier et la quantité (parfois la qualité) des informations. Il écrivait de temps en temps des éditoriaux politiques qui souffraient, à mes yeux, d'abondance verbale, mais qui témoignaient de son talent d'écriture. Il affichait une modestie apparemment authentique, il me témoignait de l'admiration, au-delà du respect dû au vieil archicube. Une génération nous séparait ; à supposer qu'il me jugeât parfois arrogant, il n'en éprouvait aucun déplaisir. Peut-être en souriait-il. Il possédait, par rapport à moi, tant d'avantages dus à l'histoire et à la nature qu'il ne s'offusqua pas de la supériorité que je m'attribuai en effet par rapport à lui, en tant que philosophe ou écrivain politique. Pourquoi ne pas ajouter qu'il me porte une véritable amitié, non pas exceptionnelle peut-être parmi les nombreuses amitiés qu'il cultive, mais authentique ?

Une fois ou deux, je fus irrité — énervé plutôt — par des épisodes à certains égards typiques. Quand il s'agit de rendre compte du livre de Michel Legris sur et contre *le Monde,* c'est à moi, bien entendu, que revint la tâche ; à moi d'affronter la censure de la rue des Italiens — et les conséquences prévisibles le jour où un livre de moi paraîtrait. Peu de temps avant ou après ce compte rendu, Jean d'Ormesson écrivit un long article à la louange d'un livre de P. Viansson-Ponté. Il se peut, en effet, qu'il aimât ce livre et son auteur. Il n'adoptait pas la querelle des deux journaux. Il dirigeait *le Figaro* mais n'affrontait pas l'ire du *Monde.* A moi qui ne dirigeais pas *le Figaro* de mener le débat ou le combat. Ajoutons, pour être juste, qu'en politique celui qui n'a pas d'adversaire se dévalorise lui-même.

Les efforts déployés par quelques journalistes pour susciter entre nous de mauvaises querelles à force de ragots me parurent infantiles et s'avérèrent vains. Si j'écrivais un long article sur Soljcnitsyne et Sakharov alors que Jean avait déjà mentionné, voire commenté, ces deux dissidents, l'intention crevait les yeux, « je tirais la couverture à moi, je lui enlevais un bon sujet ou je voulais l'humilier ». Les rédactions, plus encore que les *common rooms* des professeurs dans les universités anglaises, sont peuplées de vipères. Les journalistes, incertains de leur statut, obsédés d'amour-propre comme tous les hommes d'écriture, suspendus aux jugements des autres, résistent moins que d'autres aux petites blessures. Le climat, il faut le dire, s'était peu à peu dégradé dans la maison ; l'unité qui se manifesta encore pendant la grève de 1969 dissimulait des batailles de clans et surtout un dissentiment profond entre le directeur et les militants de la Société des rédacteurs.

Ces derniers s'inspiraient d'une idéologie qui dépassait le cas singulier du *Figaro.* Bien entendu, ils voulaient sauvegarder le statut que le journal avait acquis à la faveur des circonstances exceptionnelles de l'après-guerre ; mais ils n'attachaient pas moins de prix au rôle des sociétés de rédacteurs. Soutenus par un excellent avocat, ils s'efforcèrent avec succès d'obtenir le droit d'ester en justice en tant que partie dans le procès que l'équipe Brisson intenta aux propriétaires. L. Gabriel-Robinet ne se souciait guère de la Société des rédacteurs ; après l'avoir utilisée, il la jugea plus d'une fois encombrante. Elle, de son côté, n'éprouvait pas de sympathie pour leur directeur qui apparaissait aux jeunes, issus des écoles de journalisme, vieux jeu, réactionnaire.

Les journalistes souffraient aussi de la comparaison avec *le Monde.* A la fin des années 50 et au début des années 60, *le Figaro* l'emportait encore en tirage sur le quotidien du soir, mais déjà il ne tenait plus la compétition dans le milieu des intellectuels et des enseignants, au-delà même dans la classe politique et l'élite sociale. Ceux qui passaient à l'époque pour les maîtres à penser, Sartre en tête, excluaient pour ainsi dire de l'intelligentsia ceux qui n'étaient pas à gauche, *a fortiori* les rédacteurs du *Figaro,* condamnés et méprisables en tant que tels.

En 1975, pressé par les banques, Jean Prouvost se résigna à vendre *le Figaro* dont il était devenu le seul propriétaire puisqu'il avait racheté à F. Beghin l'autre moitié du capital. *Le Figaro* avait, disait-on, perdu de l'argent en 1973 et 1974, en raison surtout de l'augmentation massive du prix du papier. Le journal, en fait, demeurait une bonne affaire, j'en suis convaincu aujourd'hui ; je ne le savais pas en 1975. Il perdait à Paris quelques milliers de lecteurs tous les ans. Depuis 1977, le tirage a continué de baisser. Quand je quittai le journal, la vente sur Paris-surface oscillait encore entre 90 000 et 100 000. La fourchette se situe désormais à quelque 10 000 exemplaires au-dessous.

Trois acheteurs possibles se présentèrent successivement et me rendirent visite l'un après l'autre. André Bettencourt, Jean-Jacques Servan-Schreiber, finalement Robert Hersant. Le premier, poussé par les hommes au pouvoir, me donna l'impression qu'il craignait et détestait à la fois la tâche que d'aucuns voulaient lui imposer. Il ne connaissait guère la presse, ne se croyait pas capable de diriger une rédaction, moins encore de licencier des journalistes ou de réviser les traitements que ces derniers s'étaient à eux-mêmes accordés. Une agréable conversation me laissa la certitude qu'il n'engagerait ni sa fortune, ni son activité, dans une entreprise à ses yeux aventureuse.

Je conversai ensuite avec J.-J. Servan-Schreiber avec lequel j'avais entretenu, au long des années, des rapports tantôt cordiaux, tantôt tendus. Tout jeune, à l'époque où il écrivait des articles brillants au *Monde,* il vint me voir de lui-même et j'éprouvai de la sympathie pour cet agitateur d'idées, cet homme sûr de soi et résolu à devenir quelqu'un en faisant quelque chose. Quand il fonda *l'Express,* il m'informa de ses projets et suggéra une possible collaboration. Selon les événements et les humeurs du directeur, *l'Express* me traita avec bienveillance ou sévérité. En 1975, il déploya pour moi son charme. Il y a vingt ans, me dit-il, il n'existait dans la presse que deux analystes qui comptaient, Maurice Duverger et vous ; aujourd'hui, il ne reste que vous (à l'époque, M. Duverger écrivait rarement dans *le Monde).* Je lui fis bon accueil et je lui donnai l'assurance que je ne m'opposerais nullement à son entrée dans la maison en tant que propriétaire et directeur. Je doutais de son succès mais, en lui promettant au moins ma neutralité, peut-être un soutien actif, je ne manquais nullement à la franchise. Quels qu'eussent dû être les tumultes de nos relations, J.-J. Servan-Schreiber me sembla un des rares hommes de presse capable de ranimer *le Figaro* assoupi, capable aussi de scandaliser nos lecteurs et de perdre d'un coup quelques milliers d'entre eux pour le plaisir d'une provocation. Jean Prouvost, qui n'avait ni oublié ni pardonné une négociation avortée avec J.-J. S.-S., refusa net l'offre du directeur de *l'Express.*

Robert Hersant vint, lui aussi, me rendre visite ; l'entretien dura une heure environ et me laissa un sentiment mêlé. L'homme, au rebours de l'image répandue dans le public de ce capitaliste de presse, possède deux armes, l'une que personne ne devrait lui refuser, et l'autre que personne ne lui prête, l'intelligence et le charme. Robert Hersant sait jouer d'un charme qu'il doit avant tout à sa voix (du moins quand il contrôle sa volonté de puissance). Son visage rond, son teint rose et blanc de bébé en bonne santé, ses cheveux blonds, ses yeux bleus, inspirent d'abord une sorte de confiance : voici un bon compagnon avec lequel j'aurais plaisir à travailler et plus encore à trinquer. Mais non, pas d'illusion : d'un coup éclatent, au hasard d'un mot ou d'un geste, sa sensualité et sa brutalité, les deux traits les plus visibles de sa personnalité.

Bien évidemment, sur son activité pendant la guerre, sur ses démêlés avec la justice et à l'Assemblée (il fut invalidé une fois mais réélu triomphalement par ses électeurs de l'Oise), il fut évasif. Il me laissa entendre qu'il avait beaucoup à dire sur ces sujets et qu'il me le dirait un jour (il ne le fit pas) mais, en cette première rencontre, le positif l'emporta dans mon esprit sur le négatif. *Le Figaro,* depuis quelques années, n'était pas dirigé. L. Gabriel-Robinet, épuisé par la maladie, ne dirigeait pas la rédaction et j'avais le sentiment que l'administration ne valait guère mieux que la rédaction. R. Hersant avait édifié un empire de presse : le succès ne doit jamais tout au hasard et à la chance. Peut-être arrêterait-il le déclin de ce journal qui conservait encore une richesse : le titre.

Avant de prendre ma décision, je demandai une audience au président de la République et au ministre de l'Intérieur. Valéry Giscard d'Estaing m'informa, sous le sceau du secret, de l'origine des fonds mis à la disposition de R. Hersant (je ne crois pas que son information ait été complète). La conversation me confirma, une fois de plus, le décalage entre les discours publics que tiennent les hommes politiques et leurs réactions spontanées. Le Président me fit sentir que *le Figaro* ne méritait guère son actuelle autonomie. Manifestement sensible aux critiques dont il y était parfois l'objet, il me parut tout à fait indifférent à la fonction de contre-pouvoir de la presse, fonction sur laquelle il disserta plus d'une fois avec talent. Que l'autorité morale, le prestige du *Figaro* importent davantage que le conformisme ou l'impertinence de tel ou tel article, même V. Giscard d'Estaing, en privé, ne parvenait pas à le comprendre. Que l'acquisition du *Figaro* par Robert Hersant portât un coup au capital immatériel, symbolique du journal, il ne voulait pas le savoir.

Michel Poniatowski m'autorisa à lire une note qui résumait la documentation du ministère de l'Intérieur sur R. Hersant. Les informations sur les années de guerre ne m'instruisirent pas beaucoup. Au reste, R. Hersant n'avait pas encore vingt ans à la déclaration de guerre ; ses « erreurs » de jeunesse ne le condamnaient pas à jamais. Les délits commis, effacés par l'amnistie, ne déshonoraient pas le coupable.

Finalement, j'approuvai la position de Jean d'Ormesson et je citerai une partie de son article du 3 juin 1975 : « Dans cette conjoncture compliquée et brièvement résumée, je défendrais volontiers l'idée qu'à côté de nombreux inconvénients Robert Hersant présente au moins deux atouts. D'abord, à la différence de la fameuse jument des philosophes qui avait toutes les qualités sauf l'existence, je veux bien croire que M. Robert Hersant cumule beaucoup de défauts, mais au moins il existe. Il est seul capable à l'heure actuelle de prendre en charge l'administration du *Figaro.* En face de l'absence et des aventures du néant, la présence est un avantage. Ensuite, il faut bien constater que les fameux statuts qui sont la bible du *Figaro* reconnaissent beaucoup de droits aux rédacteurs. Ils peuvent notamment s'opposer à la désignation du directeur. Mais le sens même des statuts est d'assurer une coupure entre le capital et la rédaction. Accorder à la rédaction un droit de regard sur la propriété, n'est-ce pas accorder, du même coup, à un futur propriétaire, un droit de regard sur la rédaction [...] ? M. Robert Hersant est ce qu'il est. Je le dis tout net ; je ne me suis pas livré à une enquête sur ses activités. Je suis inondé, comme beaucoup, de brochures qui le dénoncent. Il est toujours difficile, dans ce genre de littérature écrite ou orale, de faire la part de la vérité, de la propagande et des calomnies. [...] Couvert par l'amnistie, Robert Hersant est un élu du peuple. Faut-il se montrer plus exigeant que les lois de la République et que la volonté populaire ? »

Cent dix-huit voix sur deux cent quatre-vingt-quinze se déclarèrent pour une grève si Jean Prouvost ne renonçait pas à son intention de vendre les actions du *Figaro* à Robert Hersant — minorité donc, mais substantielle et qui serait devenue peut-être majorité si Jean d'Ormesson et moi-même nous nous étions joints aux grévistes potentiels. De l'Élysée et de Matignon venait une discrète pression en faveur du magnat qui avait assis sa fortune sur *l'Autojournal*, puis acquis une dizaine de petits journaux de province, créé quelques magazines spécialisés (*la Voile*, etc.), enfin cherchait au *Figaro* la consécration de sa réussite et l'entrée dans les salons. *Paris-Normandie*, acheté récemment, constituait la dernière étape avant la conquête de Paris.

Ma propre décision entraîna celle de Jean d'Ormesson (à moins que ce fût l'inverse) et, du même coup, celle de la rédaction tout entière. Je ne puis l'affirmer, mais je ne voudrais pas éluder ma responsabilité : au fond de moi-même, je ne pouvais pas apaiser mes troubles de conscience en me comptant l'un des 118 pro-grévistes ou l'un des 177 non-grévistes. Mon *non* aurait ébranlé le *oui* de Jean d'Ormesson ; en vérité, nous prîmes la même décision et nous la prîmes ensemble. Comme en d'autres circonstances, les souvenirs de ma précédente décision pesèrent sur moi. En 1965, j'avais pris la tête des amis de P. Brisson qui imposèrent la prolongation, en faveur de L. Gabriel-Robinet, sous réserve de modifications mineures, de l'accord de 1949, autrement dit le maintien de la Société fermière jusqu'à la date prévue. Durant la crise et la grève de 1969, je m'étais solidarisé avec la rédaction, mais sans enthousiasme, sans jouer un rôle actif. Je ne pense pas que j'aurais assumé la direction du journal, même si Jean Prouvost avait accepté la proposition du *Figaro* unanime. En 1975, le problème, en apparence au moins, avait changé du tout au tout : Robert Hersant s'engageait à respecter le statut du *Figaro*. Les journalistes s'arrogeaient un droit de regard sur les décisions du propriétaire alors qu'ils ne possédaient, sur le papier, d'autre droit que de bloquer certaines décisions du Conseil de surveillance de la Société de gestion, en particulier la nomination du président du directoire, en fait directeur du journal. Jean d'Ormesson leur donnait formellement tort, mais ni lui, ni moi ne poussions la naïveté jusqu'à croire sur parole les promesses de Robert Hersant de respecter la lettre et l'esprit du compromis de 1971. Un « entrepreneur de presse », député par-dessus le marché, se résignerait-il longtemps à ne pas influer sur la rédaction en même temps que sur l'administration du journal ?

Pourquoi ai-je pensé, en 1975, que je ne devais pas reprendre la bataille de 1965 ? Je n'étais plus sûr d'avoir eu raison dix ans plus tôt ; seule la fidélité à P. Brisson avait inspiré et justifié la bataille contre J. Prouvost. La rédaction s'était peu à peu décomposée, matériellement et moralement ; l'aile marchante, dirigée par D. Perier-Daville, président du Conseil d'administration de la Société des rédacteurs, se réclamait moins de l'héritage de P. Brisson que de leur doctrine : une entreprise de presse ne doit pas être mise en vente comme une entreprise commerciale. Un Robert Hersant ne devait pas acheter *le Figaro,* un capital immatériel, comme on achète des valeurs mobilières de la sidérurgie ou de l'électronique. Doctrine sympathique mais malaisée à traduire dans la réalité. A moins que les journalistes possèdent eux-mêmes le capital, il faut bien un propriétaire. Si la propriété vient à un syndicat ou à un parti, la marge de liberté se rétrécira encore. La moins mauvaise solution demeure, finalement, celle des pays anglo-américains : un propriétaire choisit un *editor* auquel la coutume, l'opinion, la convenance accordent une large autonomie.

En 1975, d'autres raisons m'incitèrent à soutenir la « candidature » Hersant. En dépit des rumeurs de dernière heure, nulle autre candidature ne se présenta. Une grève suivie par une fraction des journalistes n'aurait pas nécessairement empêché la vente du journal. Elle aurait surtout révélé la situation réelle : il ne restait de l'équipe Brisson que des survivants plus ou moins dignes de préserver l'héritage ; l'unité de la rédaction appartenait au passé et au mythe. Bagarres pour les places, rivalités d'amour-propre, combats d'opinions, toutes les causes de désunion à l'intérieur du journal multipliaient leurs effets les uns par les autres. Humiliés collectivement par l'ascension du *Monde* et la chute du *Figaro,* divisés sur la route à suivre (centre droit, droite résolue, centre gauche ?), les journalistes se dressaient les uns contre un homme, les autres contre un acte qui symbolisait une faillite autant morale que financière. Avec lesquels aurais-je dû m'allier ? Avec Denis Perier-Daville et les militants de la Société des rédacteurs ? Avec les partisans d'un *Figaro*-centre gauche ? Avec les derniers de l'équipe Brisson, aussi soucieux de quelques prébendes que des vieux principes d'une maison qui n'existait plus ? *Le Figaro* continuait à tenir une place, limitée peut-être mais indispensable, dans la politique nationale. Tout compte fait, Jean et moi, nous n'avons pas eu tort de risquer la tentative Hersant.

Le directoire, dont je faisais dorénavant partie, se réunit une fois par semaine. Je fréquentai donc régulièrement Robert Hersant et je fus frappé, je dois le dire franchement, par son intelligence naturelle ; quel que fût le sujet, je ne l'ai jamais entendu dire de sottise. Le directoire tout entier assuma la responsabilité ingrate des licenciements (moins nécessaires que nous le jugions à l'époque). Les délibérations du directoire ressemblaient souvent à des conversations à bâtons rompus (il ne manquait que les alcools sur la table, en dehors des quarts Évian, pour avoir l'impression de se trouver au café). R. Hersant ne prenait pas très au sérieux ces séances rituelles, bien que des décisions importantes (à l'échelle du journal) y fussent prises. Qui envoyer à Washington ? A Rome ? A Bonn ?

Durant cette période, R. Hersant n'intervint guère dans la rédaction bien qu'il y eût introduit immédiatement son « homme de confiance » ou plutôt sa « plume » (à moins qu'il eût pour fonction de signer les papiers qu'il écrivait lui-même) : Charles Rebois. Il introduisit certaines questions dans les sondages que *le Figaro* commandait ; il interpréta à sa manière, discutable pour le moins, certaines réponses fournies par les sondages. Naïveté d'amateur ou manipulation délibérée ? La première crise éclata à propos d'un article rédigé par R. Hersant lui-même sur la politique planétaire. Il développait la thèse que l'Union soviétique, menacée par la Chine populaire, voulait désormais assurer sa sécurité à l'ouest, donc renforcer son contrôle sur les pays européens, en particulier la France, par l'arrivée au pouvoir de la coalition socialiste-communiste. L'article, ni meilleur ni pire que beaucoup d'autres, relevait quelque peu du café du commerce. En 1974, l'Union soviétique avait montré quelque préférence pour V. Giscard d'Estaing et non pour F. Mitterrand. Mais peu importe la qualité de l'article, le tabou était violé : le propriétaire se comportait en journaliste.

Là encore, je plaidai pour la tolérance. Nous avions parié sur R. Hersant avec l'espoir que, pour l'essentiel, il jouerait le jeu. Pouvions-nous refuser un article que nous aurions peut-être publié s'il n'avait pas été signé par le propriétaire du journal ? Au reste, il me paraissait improbable qu'il répétât souvent son expérience d'éditorialiste (j'ajoute qu'il reçut une cinquantaine de lettres, pour la plupart d'approbation). Après une agitation de quelques jours, J.-F. Brisson quitta le journal. Modèle d'honnêteté et de rigueur, il tenta jusqu'au bout de défendre et illustrer l'héritage de son père. Il s'était battu contre l'intrusion de J. Prouvost. Dans l'état-major du journal, il fut le seul à souhaiter que la direction me revînt. Avait-il entendu les mêmes propos de son père que Wladimir d'Ormesson ? Je ne le pense pas ; s'il les avait entendus, il en aurait fait état. Je tentai vainement de le retenir : j'avais tort puisque, deux ans à peine plus tard, je suivis son exemple.

Une nouvelle crise surgit, en 1976, quand Robert Hersant demanda la présidence du directoire de la Société de gestion, donc la direction du journal. Même s'il respectait la lettre en obtenant un vote du Conseil de surveillance, il violait à coup sûr l'esprit de l'accord de 1971. Celui-ci exigea même que le président du directoire fût un journaliste. (En 1981, après la victoire des socialistes, le tribunal, sur une action intentée par le syndicat des journalistes, enjoignit à R. Hersant de faire la preuve de sa qualité de journaliste et le condamna à une amende de 2 000 F par jour tant qu'il n'aurait pas apporté cette preuve, mais l'affaire n'est pas encore venue en appel.)

La rédaction, épurée, incohérente, renouvelée, aurait peut-être malgré tout suivi Jean d'Ormesson et moi-même si nous avions convoqué la Société des rédacteurs et mis en valeur l'enjeu du débat. L'assentiment des représentants de la rédaction au Conseil de surveillance à la nomination de Hersant comme président du directoire accordait, en fait, au propriétaire des pouvoirs que la séparation de la Société anonyme et de la Société de gestion devait lui interdire. C'était donc, au moins en théorie, le moment, le dernier, où la résistance à la toute-puissance du propriétaire devait se manifester. Jean d'Ormesson pencha vers la résistance, dans la mesure où, en perdant la présidence du directoire, il perdait la direction qu'il détenait sur le papier. Là encore, j'aurais pu incliner le fléau de la balance d'un côté ou de l'autre. Une nouvelle bataille à l'intérieur du *Figaro* me sembla anachronique et, au bout du compte, vide de signification.

Pour quoi, pour qui livrer une bataille afin d'empêcher le propriétaire (ou le capital) d'exercer une certaine influence sur le contenu du journal ? Afin de sauvegarder les droits moraux de l'équipe Brisson ? Que représentaient encore les survivants de l'équipe, tous à la retraite ? J. de Lacretelle, M. Hamelet, M. Gabilly, L. Chauvet n'exerçaient plus aucune activité au journal, ils n'incarnaient pas les valeurs dont se réclamait P. Brisson, ils n'apportaient plus depuis longtemps aucune caution morale à notre maison. J. d'Ormesson, de son côté, ne dirigeait qu'à moitié la rédaction et moins encore la gestion. Si nous avions refusé à R. Hersant la présidence du directoire, il ne se serait pas tenu pour battu ; la tension aurait persisté et compromis les dernières chances du journal. Personnellement, je refusai de m'engager dans un nouveau conflit à seule fin de sauvegarder les droits des quatre de l'équipe Brisson et le pouvoir théorique de Jean d'Ormesson.

Pour dire le vrai, je songeais plus à me retirer, quand la situation deviendrait intolérable, qu'à livrer un combat en retraite, mètre par mètre, pour tenir nos positions. Il me parut probable, dès ce point de départ, qu'il ne s'accommoderait pas de la quasi-exclusion que souffrit J. Prouvost. Comme il avait peu à peu conquis *Paris-Normandie,* il s'efforcerait de conquérir *le Figaro* par la même et simple tactique. Il s'assurerait des alliés dans la place, achèterait la coopération de tels ou tels, séduirait les uns, soudoierait les autres et convaincrait tous que lui, et lui seul, non les supérieurs immédiats et officiels, déterminerait leur sort.

Jean d'Ormesson, dans un de ses livres, raconta le dénouement, les derniers mois de ma présence au *Figaro,* mais, curieusement, son récit passe sous silence le début de la fin ou la première scène de ma révolte contre R. Hersant. Nous avions déjeuné à trois, à Neuilly, chez Jean d'Ormesson et nous avions discuté raisonnablement sur les perspectives aux élections législatives de 1978. R. Hersant exposa les mesures qu'il envisageait en cas de victoire de la gauche pour assurer la survie de ses différentes publications. Puis nous en vînmes aux mois qui nous séparaient des élections et je lui proposai — nullement sur un ton agressif ou revendicatif — d'exercer effectivement mes fonctions de directeur politique. Pendant les neuf mois qui iront de la rentrée de septembre aux élections de mars, j'aimerais, lui dis-je, prendre au sérieux mon titre, passer chaque jour au journal et orienter effectivement la ligne du *Figaro.* Jean d'Ormesson aurait pu prendre ombrage de ma demande puisqu'elle semblait pour ainsi dire empiéter sur l'autorité du directeur général. Je ne crois pas que telle fut sa réaction : il me consentait le privilège de l'âge et peut-être l'avantage d'écrire sur la politique en « professionnel ». C'est en tant qu'écrivain ou romancier qu'il se voulait « professionnel ». Bien sûr, *le Figaro* l'amusait, la direction lui donnait quelques satisfactions d'amour-propre ; si j'avais participé à la rédaction quotidienne, il aurait coopéré volontiers avec moi, quitte à trancher si quelque désaccord surgissait.

Cette proposition déclencha une réplique de R. Hersant qui me stupéfia : « Je veux assumer moi-même cette direction politique et j'écrirai régulièrement des éditoriaux. » Je répondis assez vivement (je ne me souviens pas exactement de mes propos) et je partis quelques instants plus tard ; j'avais un rendez-vous à l'autre bout de Paris, à la Maison des Sciences de l'Homme. Un détonateur s'était déclenché en moi : s'il me refuse sa confiance et surtout s'il entend devenir lui-même l'éditorialiste du *Figaro,* cette fois les arguments de politique et d'efficacité ne tiennent plus. Il ne me reste plus d'autre issue que de me retirer.

Pendant les quelques semaines suivantes, je demandai une audience au président de la République ; je rencontrai Jacques Chirac, je visitai plusieurs personnalités. Je tins devant chacun d'eux le même discours ou à peu près : Robert Hersant m'affirme qu'il entend désormais écrire des éditoriaux. S'il n'en démord pas, je quitterai *le Figaro,* avec Jean d'Ormesson qui m'a toujours assuré qu'il ne resterait pas si je m'en allais. Or, *le Figaro,* en dépit de son déclin, demeure, dans la bataille politique, une tribune irremplaçable. Il a déjà perdu une part de son crédit, le jour où il entra dans l'empire Hersant ; s'il devient l'organe du député de l'Oise, il glisse dans le néant : mon départ, celui de Jean d'Ormesson et d'autres qui suivront nos exemples, ne laisseront pas grand-chose à l'organe du rond-point des Champs-Élysées.

Je le répète : cet épisode — le déjeuner où Hersant affirma son intention d'écrire lui-même des éditoriaux — ne figure pas dans le récit de J. d'Ormesson. Encore aujourd'hui, je me demande pourquoi il l'a oublié ou omis. En revanche, il invente un drame parisien à trois — aucun des trois n'y étant tout à fait sain d'esprit : « Raymond Aron et Robert Hersant n'avaient qu'un point commun, ils croyaient l'un et l'autre que les choses iraient sûrement mieux si on les écoutait davantage. Ils avaient l'un et l'autre — avec il faut bien le dire des apparences de raison — des traits de mégalomanie et de paranoïa. J'étais plutôt schizophrène et, en tout cas, cyclothymique. Rien ne m'ôtera l'idée que Robert Hersant n'avait qu'un but : c'était d'être président de la République. Raymond Aron, moins fou, s'étonnait volontiers de n'avoir pas été le Kissinger français. Que je le dise tout de suite, j'aurais été de Gaulle, Pompidou ou Giscard, j'aurais choisi Aron pour conseiller du Prince. Je ne suis pas tout à fait sûr que j'aurais élu Hersant à la tête de l'État si j'étais le peuple français. »

Le morceau est plaisant mais il ne garde avec la réalité que de lointaines relations. « Mégalomanie et paranoïa » : personne ne se connaît soi-même, mais Jean d'Ormesson n'était ni schizophrène ni cyclothymique. A l'en croire, il n'avait d'autre ambition que de faire travailler ensemble Robert Hersant et Raymond Aron. Mais la question ne se posait que depuis la conversation de Neuilly qui s'est mystérieusement évaporée de sa mémoire. Je demandai d'exercer une influence politique sur *le Figaro* pour quelques mois, sans la moindre intention de m'imposer en permanence. Je n'avais jamais réclamé, comme il l'écrit, le fauteuil de président du directoire. Pourquoi l'aurais-je demandé à soixante-douze ans ? J'aurais été effectivement mégalomane si j'avais souhaité ou cru obtenir ce fauteuil. Ce que je voulais, c'était au moins une promesse de Robert Hersant qu'il ne rédigerait pas des éditoriaux politiques en alternance avec Jean et avec moi.

Cette réaction, toute personnelle, se manifestait-elle trop tard ou trop tôt ? Comme Jean me le laissa entendre, et comme son frère, son directeur de conscience, le lui dit : c'est contre l'accession de R. Hersant à la présidence du directoire que nous aurions dû nous dresser. Puisque nous lui avions laissé le fauteuil de P. Brisson et de L. Gabriel-Robinet, de quel droit lui disputer les privilèges attachés au fauteuil ? Argument valable légalement. Mais, en laissant à Jean et à moi les titres respectifs de directeur général et de directeur politique, il renonçait pour ainsi dire à exercer certains des privilèges de ses prédécesseurs. R. Hersant, en dépit de son mandat législatif (il n'allait presque jamais à l'Assemblée nationale), passait d'abord pour un entrepreneur de la presse, un magnat du capitalisme ; on ne le connaissait pas comme un éditorialiste. Jean Prouvost n'écrivait jamais d'éditoriaux. L'intention ou le projet d'Hersant constituait donc, pour le journal ou pour moi-même, un coup, légalement moins important que sa nomination à la présidence du directoire, mais moralement plus grave encore.

Les grands personnages auxquels je confiai mes inquiétudes ne manifestèrent qu'un médiocre intérêt pour cette crise à répétition du *Figaro* (à l'exception de Jacques Chirac). Valéry Giscard d'Estaing connaissait l'accord conclu entre Robert Hersant, Edgar Faure et Achille Peretti. Le député de Neuilly laissait sa circonscription à Hersant et serait nommé membre du Conseil constitutionnel. Le président de la République me déconseilla, si mes souvenirs ne m'abusent pas, de quitter *le Figaro,* mais il me parut insensible à l'essentiel, à savoir la perte d'autorité intellectuelle et morale qu'entraînerait pour le journal le départ de quelques noms symboliques. Seul Jacques Chirac reconnut la force de l'argument et il menaça R. Hersant de lui refuser le soutien du RPR s'il acculait au départ les « intellectuels » du *Figaro.* En fait, R. Hersant reçut l'investiture officielle du RPR. Mme Marie-France Garaud me tança rudement au téléphone, quand je lui dis que je soutenais Mme d'Harcourt, remplaçante de Peretti, qui refusa d'obéir aux ordres de l'état-major du RPR et qui battit le candidat de son parti sans aucune peine. La technique des « paquets aux vieux » ne réussit pas dans une circonscription aussi opulente.

Quant aux conséquences de mon départ sur l'avenir du *Figaro,* en dépit de ma mégalomanie, je ne me fis jamais d'illusion. L'exemple de François Mauriac m'aurait instruit si j'en avais eu besoin : aucun collaborateur d'un journal, si prestigieux soit-il, n'entraîne avec lui un nombre substantiel de lecteurs. Mon départ entamait le capital politique du *Figaro ;* depuis 1977, ce capital a continué, lentement, régulièrement, de se dévaluer. Une douzaine de journalistes [1] partirent en même temps que moi. Jean d'Ormesson m'accompagna pour quelques semaines. Convoqué et mis en accusation par ceux qui conseillaient à l'époque Jacques Chirac, Pierre Juillet et Marie-France Garaud, il revint comme éditorialiste.

Après le déjeuner à Neuilly, je n'eus avec Hersant qu'une seule conversation, chez moi, boulevard Saint-Michel, alors que mon interlocuteur savait mon intention de quitter le journal à moins qu'il ne revînt sur ses projets. Il me dit — ce détail s'est gravé dans ma mémoire : « Je serais honoré d'écrire des éditoriaux en alternance avec vous, mais vous ne voulez pas d'une alternance avec moi. » Je répondis de mon mieux, sans contredire cette formule, strictement exacte ; je m'efforçai d'enlever toute agressivité à mon attitude. Ce qui me semblait inacceptable, ce n'était pas seulement l'alternance avec Robert Hersant, mais aussi l'alternance avec le propriétaire, avec le candidat aux élections. Je n'ai jamais revu Robert Hersant. Il n'écrivit, pendant la campagne électorale de 1978, aucun éditorial. Pourquoi m'avoir « remis à ma place » avec tant de brutalité, quand j'exprimai le « désir de participer effectivement à la direction du journal au cours de quelques mois » ?

Encore aujourd'hui, je m'interroge sur ses mobiles. Lui-même continue de dire, à mon ami Bernard Bonilauri en particulier, qu'il ne comprend pas pourquoi je me suis retiré du *Figaro.* Il s'était fait une certaine idée de moi, il avait laissé entendre, dans une réunion du directoire, qu'à ses yeux j'appartenais à la même famille que lui : tout d'une pièce, incapable de céder ou de composer si j'avais pris une décision, en bref difficile à manœuvrer. Jean d'Ormesson ne l'embarrassait, ni ne l'inquiétait. Dès le premier jour, R. Hersant le comprit : Jean tenait au *Figaro ;* il aimait à y écrire, il s'accordait merveilleusement avec son public ; nulle part ailleurs il ne trouverait une pareille tribune en harmonie préétablie depuis toujours avec son talent. Bien que Jean d'Ormesson eût répété plusieurs fois et devant les rédacteurs qu'il partirait avec moi, R. Hersant comptait sans inquiétude sur le retour de l'enfant prodigue.

Sur moi-même, Hersant se trompait, non en me mésestimant mais, tout au contraire, en me surestimant. Je doute que j'eusse été capable de

1. Ils invoquèrent la clause de conscience et le tribunal, en appel, leur donna raison.

venir au *Figaro,* six jours par semaine, pour inspirer ou orienter les journalistes. De même qu'il n'a pas écrit d'éditoriaux, peut-être ma direction politique aurait-elle avorté au bout de quelques semaines. R. Hersant avait supporté — ce qui constituait pour lui une humiliation — une situation ambiguë. Propriétaire du capital, il se contentait de siéger dans le directoire, à titre de membre, un entre cinq, et il ne pouvait pas prendre seul les décisions pour licencier et recruter. Il pensait à coup sûr que la volonté de puissance dictait mes revendications et qu'une fois en place je limiterais sa souveraineté. Je le comprenais, il ne pouvait pas me comprendre. Je déteste l'exercice de l'autorité — en dehors de l'autorité intellectuelle qui résulte de la controverse ou des raisons. Peut-être ne voulait-il pas aliéner son droit d'écrire des éditoriaux, même s'il n'envisageait pas de l'exercer. Je ne pensais pas qu'il écrirait souvent des éditoriaux, mais je n'acceptais pas le risque de partager avec lui la fonction d'éditorialiste (je la partageais volontiers, de toute évidence, avec Jean qui gardait pour lui seul le fameux F avec la plume qui le consacrait porte-parole de la direction).

Après mon entretien avec R. Hersant, après mes conversations avec les grands du pouvoir, il ne me resta d'autre issue que la démission. Un lundi du mois d'avril — je devais rejoindre mes enfants à Joucas le lendemain —, je reçus le matin Joseph Fontanet, ancien ministre de l'Éducation nationale, qui créait un quotidien, *J'informe.* Je n'exclus pas à ce moment de collaborer avec cet homme sincère, bienveillant, d'une honnêteté insoupçonnable, catholique sans ombre de cléricalisme ou de dogmatisme. L'après-midi, à trois heures moins vingt exactement, je fus foudroyé : mon bras droit tomba mort le long de mon corps et ma voix, paralysée, n'émettait plus de son.

Quelques semaines plus tard, revenu chez moi, j'écrivis ma lettre de démission à R. Hersant et je préparai les derniers articles pour *le Figaro.* Voici la lettre de démission que je n'ai jamais publiée :

« Quand vous avez voulu et obtenu la présidence du directoire, ni Jean d'Ormesson ni moi-même ne nous sommes opposés à votre demande. Certes, la confusion entre le propriétaire de la Société anonyme et le président-directeur de la Société de gestion contredit l'esprit et la lettre du statut du journal tel que les tribunaux eux-mêmes l'ont confirmé. Mais les quatre représentants de l'équipe Brisson ne tiennent, depuis des années, aucun rôle effectif dans le journal ; or, seuls les quatre ou la Société des rédacteurs étaient habilités à introduire une action en justice qui, en tout état de cause, aurait achevé la ruine de l'entreprise. Nous étions résolus de ne pas provoquer de nouvelles querelles entre propriétaire et rédacteurs.

« En donnant à Jean d'Ormesson le titre de directeur général et à moi-même celui de directeur politique, vous reconnaissiez implicitement que *le Figaro,* pour conserver une autorité intellectuelle et politique, doit être dirigé quotidiennement par un journaliste ou un écrivain, non par le propriétaire d'un groupe de presse ou un député.

« A aucun moment, je n'ai pu accomplir la fonction de directeur politique. Vous recrutez les collaborateurs vous-même sans nous informer à l'avance ; vous choisissez sans consultation tel chef de service. Vos instructions passent par l'intermédiaire d'un journaliste acquis à vous sans tenir compte de la hiérarchie existante dans la rédaction. Par là même vous enlevez tout pouvoir à ceux qui devraient l'exercer. La rédaction attend une volonté venant de loin, mais non pas de ceux qui devraient diriger la rédaction. Aux critiques de la situation actuelle et à mon désir de remplir ma tâche de directeur, vous m'avez répondu qu'à partir de septembre vous avez l'intention d'assumer vous-même cette tâche, y compris la rédaction d'éditoriaux. La confusion en une seule personne du propriétaire, du gestionnaire d'un groupe de presse, du directeur de la rédaction et d'éditorialiste, d'un candidat à la députation, me paraît inacceptable à l'opinion d'aujourd'hui, funeste au rayonnement et au prestige moral du journal. Vous ne serez donc pas surpris que je tire les conclusions de nos entretiens de février et de mars. Je ne juge pas convenable de servir de caution ou de couverture par des titres, peut-être honorifiques mais certainement fictifs. Le cœur lourd, je quitterai donc le journal auquel je collabore depuis trente ans. »

Les commentaires des autres journaux, ni passionnés, ni nombreux, répondirent à mon attente. Dans *le Monde,* J. Sauvageot constata que la conquête du *Figaro* aboutissait à son terme prévisible ; j'avais commis l'erreur ou nourri l'illusion de sauvegarder quelque chose de l'autonomie du *Figaro.* Face à un homme tel que Hersant, l'illusion se confondait avec l'erreur. Au *Figaro* comme à *Paris-Normandie,* le propriétaire irait jusqu'au bout avec la méthode bien éprouvée par tous les « boss », diviser pour régner.

Des commentaires étrangers, je ne connais que la note de *The Economist* (1er juin 1977) intitulée « Le Figaro dépouillé » *(shorn).* Le représentant à Paris de l'hebdomadaire londonien ne connaissait de l'affaire que les deux articles parus en première page du *Figaro,* le premier de Jean d'Ormesson, le deuxième de R. Hersant, et l'interview que je donnai au *Point.* Aussi le journaliste présentait-il le départ de Jean d'Ormesson comme l'événement majeur ; mon départ suivait le sien. En fait, J. d'Ormesson partit en même temps que moi pour honorer l'engagement pris à mon égard mais, dans son article : « Au revoir et non adieu », il laissait ouverte la chance, ou plutôt la probabilité, de son retour en tant qu'éditorialiste.

Le journaliste anglais m'appelait « France's most respected political columnist, a deity in the intellectual world of french political journalism », il résumait l'analyse que j'avais faite dans *le Point* du cumul auquel aspirait R. Hersant et terminait : « This was too much for Mr. Aron, a writer whose shrewd and stylish analyses have graced *Figaro* for 30 years and shaped the thinking of generations of aspiring moderate politicians. » Bien entendu, nul journal français ne commenta mon départ dans ce style. Aucun collaborateur du *Figaro* ne m'écrivit un mot de sympathie. Une douzaine d'entre eux suivirent Jean d'Ormesson et moi ; ils ne savaient pas tous qu'un des départs ne durerait que l'instant d'une promesse.

Quelques mots encore sur la tentative de coopération avec Robert Hersant et mes relations avec Jean d'Ormesson, avant et après mon retrait. « Il aurait dû quitter *le Figaro* dès l'arrivée du magnat de la presse ! », dirent certains ; encore aujourd'hui, je ne le pense pas. Il dépendait peut-être du Pouvoir de susciter un autre acheteur, pas de moi. Ce qui demeure vrai, c'est que mon refus — ou peut-être la menace de partir au cas de l'arrivée de R. Hersant — aurait probablement entraîné nombre d'autres refus et, du même coup, l'échec de la solution choisie ou tolérée par le gouvernement. Je ne regrette pas d'avoir contribué à la survie du *Figaro*, à l'époque. Il fallait au journal un directeur qui fût un capitaliste de presse. R. Hersant répondait à cette exigence et à cette définition. Nous croyions qu'il possédait toutes les qualités d'un tel personnage, et nous nous trompions.

Je reconnais volontiers que j'aurais pu et peut-être dû m'opposer à l'élection de Hersant à la présidence du directoire si, du moins, l'enjeu demeurait le même : le statut du journal. Mais que restait-il de l'héritage de l'équipe de Brisson ? Entre un homme de pouvoir, impatient de toute entrave, et un académicien distrait, irénique, charmeur, la partie n'était pas égale. Pour empêcher le propriétaire d'empiéter sur les responsabilités des dirigeants de la rédaction, il aurait fallu une vigilance de tous les instants, une volonté de puissance qui manquaient à Jean autant qu'à moi. Qu'ai-je donc tenté, en février-avril 1977 ? Un coup d'arrêt ! Alerter les chefs de la majorité et les convaincre qu'ils pouvaient et devaient empêcher un propriétaire, lourdement endetté, de provoquer le départ des quelques grandes signatures qui adornaient *le Figaro* et en dissimulaient la pauvreté ? Je n'y parvins pas et, du reste, je n'y crus guère, sauf peut-être dans quelques conversations à bâtons rompus. Quant à Jean d'Ormesson, il tenait à la tribune que lui offrait le journal. Je le comprends et je lui garde mon amitié.

J'ai beaucoup rêvé sur les quolibets et les coups moins innocents qui m'auraient frappé si, à la manière de Jean, j'étais revenu au *Figaro* quelques semaines après l'avoir quitté. *Le Monde*, juge impitoyable des êtres et des choses, à l'exception de lui-même, épargna l'académicien. Je tire quelque fierté — sans « mégalomanie » — d'échapper à la bonne fortune de mon ami Jean, qui passe entre les gouttes.

Parmi les folies de ces semaines figure en premier lieu ma velléité — c'est encore trop dire —, la vague idée de collaborer avec Joseph Fontanet et peut-être d'entraîner quelques-uns des collaborateurs du *Figaro*. J'eus donc une longue conversation avec Joseph Fontanet le matin du jour où je fus frappé par une embolie, au moment où j'allais rencontrer Sir James Goldsmith. J. Fontanet forçait la sympathie et sa mort tragique et absurde transfigure un homme et une vie, voués au bien public, inspirés par la foi chrétienne. Mon entretien avec lui ne me laissa malheureusement que peu d'espoir : il ne possédait ni assez d'argent, ni une équipe assez compétente pour réussir. Il voulait diriger la publication et, en même temps, fixer la « ligne » par des éditoriaux. Il n'y avait pas de place pour moi et je n'y entraînerais personne. Quand je quittai l'hôpital et pris mes décisions, il m'écrivit une lettre insistante.

Au *Figaro,* dans son article « A nos lecteurs » du 6 juin 1977, Jean d'Ormesson se déclarait pleinement solidaire avec moi : « Raymond Aron, qui a joué au *Figaro* le rôle que chacun connaît, tire pour sa part, cette semaine dans un hebdomadaire, la leçon de cette crise : il quitte *le Figaro.* Il en a été pendant trente ans le symbole et l'honneur. Il est clair que son départ ébranle profondément le journal avec lequel il se confondait. » Il rendait hommage au libéralisme de R. Hersant qui n'avait jamais exercé la moindre pression sur la liberté d'écrire des journalistes du *Figaro.* Il mentionnait ensuite les nominations à des postes importants, dans la rédaction et l'administration, qui « échappaient à son autorité ». En un certain sens, il faisait allusion à la question pour moi décisive : « Et la question, irritante et plus délicate que ne le pensent, dans un sens ou dans l'autre, les esprits simplistes ou politiques, de la participation effective du propriétaire, sous forme d'éditoriaux ou d'articles, à la rédaction du journal posait à tout le moins des points d'interrogation. » Pour le reste, il insistait sur le motif majeur de son départ — l'incapacité d'exercer pleinement ses tâches de directeur — et il laissait entrevoir son retour afin de poursuivre le combat. « Partout, j'imagine, si l'occasion m'en était fournie. Peut-être ici même, si les moyens m'en sont donnés, si la liberté de m'exprimer m'est pleinement assurée. Mais il ne s'agit là que d'un avenir qui peut s'ouvrir demain. »

Robert Hersant répondit à Jean d'Ormesson par un article qui, soyons juste, ne déparait pas *le Figaro.* Il décrivit d'abord une situation financière déplorable, presque désespérée, quand il acheta le journal. Je souhaiterais, aujourd'hui encore, une analyse exacte de la crise de 1975 et de 1976. Par quelles mesures avait-il rétabli l'équilibre alors que le tirage n'avait pas augmenté ? Il avait effectivement supprimé l'édition de l'après-midi et imaginé la création d'un réseau complet de transmission par télécommunication des « papiers » composés à Paris dans la nuit, permettant à huit imprimeries satellites de tirer, en même temps que dans la capitale, l'édition de dernière heure. Je veux bien croire que cette « réalisation technologique et industrielle sans précédent fit sortir de terre une usine par mois », mais à quoi bon cet exploit si la vente du journal n'augmente pas ? Et avec quels fonds financer ces usines, sinon par de nouvelles avances des banques ?

Je dois ajouter que la critique qu'il formula de la gestion entre 1945 et 1975 portait juste. Effectivement, *le Figaro,* à l'époque où il gagnait beaucoup d'argent, ne se rendit pas propriétaire de ses immeubles, ne modernisa pas ses installations techniques. En revanche, du treizième mois de salaire on passa au quatorzième, au quinzième, au seizième. La dualité de la propriété et de la gestion porte la responsabilité majeure de ces aberrations. L'échelle des salaires que je découvris une fois membre du directoire ne fut pas sans me surprendre.

De l'interview que je donnai au *Point,* à mon ami Georges Suffert, pour expliquer mon départ, je retiens une sorte de mea-culpa. Avais-je eu raison de m'opposer à l'entrée de Jean Prouvost au *Figaro?* Ce jour-là, je me donnai tort : « Son arrivée aurait provoqué des pleurs et des grincements de dents. Mais, très vite, les esprits se seraient calmés et le journal aurait probablement repris un élan. » Je ne suis nullement assuré de la pertinence de cette auto-accusation. *Le Figaro* de 1965 n'aurait pas supporté Prouvost et celui-ci, en raison de son âge, n'aurait pas rajeuni le journal.

Quant aux raisons que je donnai de mon départ, elles coïncident avec le récit des pages précédentes. Je rapportai un dialogue avec R. Hersant qui m'avait dit : « Pourquoi avez-vous accepté ce statut pour le refuser aujourd'hui ? » Je lui ai simplement répondu ceci : « Dans la situation générale, j'excluais une nouvelle bataille. J'ai parié une fois encore sur votre intelligence, c'est-à-dire sur le fait que vous ne franchiriez pas la ligne à partir de laquelle je ne pouvais plus que partir. Or la ligne a été dépassée. » Georges Suffert me faisait remarquer que partout je retrouverais une situation délicate. Je lui répondis : « Tant que j'écrivais dans *le Figaro,* ce journal m'engageait de quelque manière. Où que j'aille désormais, je n'engagerai que moi-même. » Enfin, à l'excellente question de Suffert : pourquoi maintenant ? je répondis par une citation de Bergson : « A force de me considérer comme une mécanique intellectuelle, chacun finit par oublier à quel point je ressemble à tout le monde. Disons qu'il vient un moment où les choses ne paraissent plus acceptables. Bergson a dit cela très bien : “ Nous voulons savoir en vertu de quelle raison nous nous sommes décidés et nous trouvons que nous nous sommes décidés sans raison, peut-être même contre toute raison. Mais c'est là précisément, dans certains cas, la meilleure des raisons. Car l'action accomplie répond à l'ensemble de nos sentiments, de nos pensées et de nos aspirations. [...] Bref à notre idée personnelle du bonheur et de l'honneur. ” » Des amis, Annie Kriegel, me conjurèrent de ne pas abandonner une tribune dont aucune publication ne me donnerait l'équivalent. En avril 1977, avant ou après la semaine passée à l'hôpital, je n'hésitai plus : je ne supportais plus *le Figaro* de Hersant.

Dans ma première conversation avec Olivier Chevrillon et Georges Suffert au *Point,* ils me suggérèrent une collaboration, deux articles par mois. D'un autre côté, J. Goldsmith, qui connaissait mon intention de quitter *le Figaro,* souhaitait ma collaboration à *l'Express* (ses propos m'avaient été rapportés). Je ne connaissais pas Philippe Grumbach, à peine Jean-François Revel et Olivier Todd. Je m'inquiétai des réactions éventuelles d'une rédaction de gauche à l'entrée d'un écrivain qui passait pour de droite. Malgré tout, je n'aurais pas eu à choisir entre les deux hebdomadaires rivaux si Olivier Chevrillon, apprenant les offres de *l'Express,* n'eût repris contact avec moi et fait une offre tout autre que celle qu'il m'avait suggérée le premier jour. Cette fois, il s'agissait d'un article chaque semaine et d'un rôle d'animateur ou d'inspirateur. La deuxième proposition survint pendant les quelques jours de réflexion que j'avais demandés à Goldsmith (je mentionne, pour le bon ordre, l'offre de *Paris-Match,* financièrement la plus généreuse).

Le motif majeur de mon choix tint à l'attitude de mes amis du *Point.* S'ils ne m'ont pas immédiatement offert une place dans leur équipe, ce ne fut pas par manque de sympathie ou de considération ; en profondeur, il n'y avait pas de place pour moi dans un hebdomadaire qui, dans l'ensemble, se veut observateur non engagé. Les journalistes votèrent un blâme à G. Suffert quand ce dernier prit la parole dans une manifestation publique au cours de la campagne avant les élections de mars 1978. Je n'entendais pas me contenter d'un rôle d'analyste ou d'observateur pur. Je pensai que je jouirais d'une plus grande liberté à *l'Express,* que j'y exercerais peut-être une influence et que le propriétaire, normalement soucieux des « grandes signatures », me protégerait d'une possible hostilité des rédacteurs. Peut-être ai-je eu tort de choisir *le Figaro* contre *le Monde* en 1947 (bien que je n'en croie rien) ; je continue de penser que j'ai eu raison de choisir *l'Express* au lieu du *Point,* même après certaines déceptions. Quant à la situation actuelle, en juin 1981, après la crise que provoqua le départ de Jean-François Revel et d'Olivier Todd, elle appartient à un autre chapitre.

XXI
LE POST-GAULLISME

En avril 1969, je m'abstins de tout commentaire sur le référendum organisé par le général de Gaulle tout à la fois sur la décentralisation et sur la réforme du Sénat. Après la réponse négative de la nation, je commentai l'événement, peut-être dans un style exagérément coutumier. « Onze mois après le discours du 30 mai et la manifestation des Champs-Élysées, le général de Gaulle, désavoué par le suffrage universel, quitte l'Élysée et retourne à Colombey-les-deux-Églises, " puissant et solitaire ". » Suivait une analyse des origines de l'événement ; le référendum auquel il avait renoncé sur les instances de Georges Pompidou, la valeur éminente qu'il donnait à cette sorte de question de confiance posée à la nation, le rappel d'idées longuement méditées par le Général, président du RPF : « Il voyait dans la régionalisation un moyen de favoriser la participation des citoyens aux affaires publiques en même temps qu'une première tentative de renverser la tendance séculaire à la centralisation administrative. » Probablement le Général attachait-il plus de signification encore à la question de confiance qu'au contenu des réformes. Les élections de juin, qui les avait gagnées, le président ou le Premier ministre ? « Le référendum-question de confiance devait lever tous les doutes et rendre au Général l'autorité indiscutable faute de laquelle il préfère, à coup sûr, la solitude dans son village aux lambris dorés du palais. [...] Il avait besoin, comme Antée, de reprendre force au contact du sol de la patrie, de la volonté populaire. » J'expliquai l'échec du général de Gaulle, partiellement au moins, par l'évolution inévitable du président, devenu, quoi qu'il en eût, le chef d'une majorité modérée (ou de droite, si l'on préfère). « Il n'en reste pas moins, par une ironie de l'histoire, que le général de Gaulle a été victime, cette fois, de sa philosophie du référendum-plébiscite. Élu pour sept ans, avec une majorité compacte à l'Assemblée, réticente peut-être mais résignée, il n'avait rien d'autre à craindre que les dieux ou la médiocrité des conflits sociaux. Tout autre s'en serait contenté, lui devait effacer l'affront par une victoire personnelle ou par une défaite, apparemment injuste et absurde, de ce fait suprême épreuve du héros. Le retour à Colombey, en mai 1968, aurait été indigne de la France : en avril 1969, il revêt une sorte de grandeur triste, peut-être mystérieusement accordée à la vision gaulliste du monde. »

En un deuxième article, intitulé « La France insaisissable », j'analysai en détail le lien entre les événements de mai 1968 et le retrait définitif du Général : « Les " événements " avaient précipité, sinon déterminé, la séparation entre les deux hommes. Par ce biais encore, la retraite du général de Gaulle apparaît comme une suite, lointaine si l'on veut, de l'incendie allumé à Nanterre par quelques centaines d'étudiants. Depuis le 11 mai 1968, la France est devenue pour le général de Gaulle insaisissable. Les décisions qu'il a prises, toutes intelligibles dans le cadre de sa philosophie et de son personnage, se sont étrangement retournées contre lui. Lui-même ne s'étonnera pas de cette ingratitude du destin et des hommes. Comme tous les hommes d'action, formés à la culture antique, il a médité sur la fortune dont le héros ne domine l'inconstance qu'en l'acceptant avec sérénité. »

J'ai reculé devant la tentation d'un bilan, ou, plus modestement, de quelques remarques sur le rôle historique du général de Gaulle. Je ne l'avais suivi que dans celle de ses entreprises qui échoua, le RPF. Lors même que je m'accordai avec lui sur l'essentiel, je ne souscrivis pas volontiers à son style. Membre du RPF, j'avais continué d'écrire des études conformes à ma propre philosophie, non à la sienne. Durant les dernières années de son régime, je passai pour un des non-gaullistes les plus mal supportés par le Prince.

Les compliments dont il me couvrait en réponse à mes livres ne signifient rien ou presque. Il ne manque pas d'écrivains, petits ou grands, qui possèdent dans leurs tiroirs une collection de lettres élogieuses.

La première, écrite à la main, que je reçus de lui se rapportait aux *Guerres en chaîne,* plus révélatrice de la vision du monde du Général que des sentiments qu'il portait à l'ouvrage et à son auteur (en ce temps membre du Conseil national du RPF) : « Votre livre *les Guerres en chaîne,* que vous m'avez aimablement dédicacé et adressé, est rempli jusqu'au bout d'idées, de faits, de raisons. Je l'ai beaucoup admiré. Il est à la fois satisfaisant et alarmant de considérer les perspectives que vous montrez avec tant de talent, mais peut-être la seule victoire que l'esprit puisse remporter encore sur la matière en fusion consiste-t-elle à regarder en face l'ébullition et ses conséquences et à ne pas consentir à une abdication qui, d'ailleurs, ne servirait à rien. Mais peut-être, au contraire, la lutte, l'effort, la volonté seront-ils finalement les maîtres. Encore faut-il y voir clair. Vous y avez puissamment contribué. [...] »

La matière en fusion, l'effort de maîtriser le chaos, ces expressions suggèrent le bergsonisme du Général en même temps que son nietzschéisme. L'homme d'action se mesure à un désordre qu'il s'efforcera d'ordonner.

Espoir et Peur du siècle, paru en 1957, *la Société industrielle et la Guerre,* paru après le retour au pouvoir, ces livres me valurent les mêmes éloges, peut-être même au superlatif. Dans le premier de ces livres, j'exposai mes thèses sur la décolonisation et l'indépendance de l'Algérie. A coup sûr, il ne s'en formalisa point.

Le livre suivant, *Immuable et Changeante,* qui analysait le passage de la IVe à la Ve République, le touchait plus directement. Sa courtoisie n'allait pas cette fois sans une pointe d'ironie : « Dans votre livre, je retrouve et je savoure votre pensée agile et multiple, votre grand talent d'analyse historique et humaine, votre style vraiment excellent. Je vous admire et envie de pouvoir juger aussitôt des événements que nous vivons et du torrent qui nous entraîne. Quant à moi, je réserve encore ma propre appréciation philosophique. [...] Cela ne vous surprendra pas. [...] » Il va sans dire que les mots « je vous admire et vous envie » donnaient à l'analyste une leçon dépourvue de méchanceté. L'expression « torrent qui nous entraîne » exprime, je crois, une pensée constante du Général ou peut-être, plus précisément, le versant bergsonien de sa vision du monde. Peut-être, au reste, le 19 mai 1959, ne savait-il pas encore vers quelle issue conduirait sa propre politique.

Quand je lui fis hommage de *Paix et Guerre,* il fit allusion dans son meilleur style à mes prises de position : « [...] Il m'arrive de ne pas être convaincu par ce que vous écrivez et je sais que, depuis toujours, vous approuvez rarement ce que je fais. Cependant, j'admire, croyez-le, la façon dont votre esprit s'efforce d'embrasser le grand flot qui nous entraîne tous vers un destin apparemment sans mesure et, en tout cas, sans précédent. » La formule de politesse répétait celle de la lettre précédente. Celle-ci faisait allusion à Londres (« depuis toujours ») et reproduisait la même image : le « flux » remplaçait le « torrent ».

La réponse à *Dimensions de la conscience historique* ne porte aucune trace d'une possible irritation. Au contraire. « Votre philosophie de l'histoire, en particulier quand vous l'appliquez à ce qui est contemporain, porte la lumière dans un abîme et c'en est un, n'est-il pas vrai ? que la vie des peuples. » La lettre est datée du 4 avril 1961, elle ne semble pas affectée par mes articles de *Preuves,* dont certains, déjà parus, critiquaient, pour le moins prématurément, la politique algérienne du Général.

L'avant-dernière lettre que je reçus de lui, toujours aussi policée, répondait au *Grand Débat* et laissait percevoir une ironie qui, cette fois, confinait au dédain : « J'ai lu *le Grand Débat* comme je lis souvent ce que vous écrivez, ici ou là, sur le même sujet. Il me semble que si vous y revenez sans cesse et avec tant de vivacité, c'est peut-être pour cette raison que le parti que vous avez pris ne vous satisfait pas pleinement vous-même. Au fond, tout : " Europe ", " Communauté atlantique ", " OTAN ", " armements ", etc., se ramène à une seule et même querelle : oui ou non, la France doit-elle être la France ? C'était déjà la question à l'époque de la Résistance. Vous savez comment j'ai choisi et moi je sais qu'il n'y a pas de repos pour les théologiens. » (Dans une dernière lettre en réponse à l'*Essai sur les libertés,* il me donna du « cher maître ».)

La lettre de décembre 1963, relative au *Grand Débat,* de toutes celles qu'il m'écrivit, me semble de loin la plus gaullienne. Non pas tant parce qu'elle omit, pour une fois, les compliments de rigueur, mais il attaquait directement le sujet, à savoir la force stratégique de dissuasion. Comme je l'ai rappelé, textes à l'appui, dans un précédent chapitre, je ne pris jamais position contre l'effort français d'armement nucléaire. Mais ma faute impardonnable, aux yeux du Général, c'était l'effort de ne pas séparer la défense par l'arme nucléaire nationale de la défense européenne ou atlantique. Je finis par admettre que je cherchais une solution impossible. Le Général, pour qui l'État se confond avec la défense de la nation, appliquait *a fortiori* sa philosophie aux armes nucléaires qui, moins que toutes les autres, peuvent être mises aux ordres d'une coalition. Alfred Fabre-Luce, dans un article du *Monde* (1er septembre 1966), me reprocha de m'incliner devant les faits accomplis. La conclusion de son article était la suivante : « En attendant, la force de frappe, qui n'a jamais été expressément approuvée par le Parlement, ni par un vote populaire, est et doit rester un sujet de controverse nationale ; ne la faisons pas bénéficier d'une sorte de prescription au terme d'un débat incomplet. »

Ces relations intellectuelles maintenues en dépit de tout avec le Général, je ne les établis jamais avec Georges Pompidou. Certes, en 1955, peu d'années après nos entretiens de la rue de Solferino, je lui envoyai *l'Opium des Intellectuels* et il me remercia par une lettre chaleureuse que je n'ai pas retrouvée. A d'autres livres, il répondit par des lettres de remerciement avec la promesse d'une lecture attentive. Je lui écrivis une lettre personnelle à propos d'un article qui concernait la rencontre des Açores et l'accord conclu entre les présidents français et américain. J'avais commis une erreur de fait et je m'en excusai auprès de lui. Il me répondit cordialement.

En ce qui concerne mes relations avec le pouvoir, le remplacement du général de Gaulle par Georges Pompidou entraîna quelque changement. Les milieux de la politique et des media n'ignoraient pas mon « antigaullisme » et ils attribuaient au Général une hostilité particulière à mon endroit — non sans exagérer. Les responsables de la télévision hésitèrent à m'interroger, fût-ce à propos de mes livres. Cette crainte ne se manifesta qu'au cours des deux ou trois dernières années du règne. Au début des années 60, P. Desgraupes m'invita plusieurs fois à *Lecture pour tous ;* sous la IVe République, j'avais pu, à l'occasion d'*Espoir et Peur du siècle,* développer mes idées sur la décolonisation. Autre épisode : le professeur de Vernejoul m'avait demandé de prononcer le discours d'inauguration d'un congrès sur la responsabilité sociale du médecin. J'acceptai mais lui laissai entendre que le général de Gaulle ne consentirait peut-être pas à me rencontrer sur une tribune. Quelques semaines plus tard, il me demanda un entretien. Je le vis tout embarrassé, je ne lui laissai pas le temps d'exposer l'affaire et lui dis immédiatement : « Le Général ne viendra pas si je prononce le discours. Ne vous excusez pas : je ne suis pas surpris ; il va sans dire que sa présence importe plus que la mienne. » Jean Guitton prit la parole à ma place. Ironie de l'Histoire : prisonnier de guerre, il s'était rallié au Maréchal. Quand il entra à la Sorbonne, les étudiants l'empêchèrent pendant quelques semaines de parler. Je fus de ceux qui combattirent sans réserve pour lui et, plus encore, pour la liberté et la tolérance.

Je passais pour « intouchable » à tel point qu'un ministre, qui se trouvait en juillet 40 dans la même compagnie de chars que moi, refusa un déjeuner qu'un ami commun voulut organiser. Dix années plus tard, sous le règne de Giscard d'Estaing, les souvenirs lui revinrent à la mémoire et il conversa aimablement avec moi. Je n'ai pas oublié non plus une autre scène, pour le moins pénible. J'avais été invité à prononcer une conférence à la séance inaugurale d'une promotion d'ingénieurs d'armements (en 1968). P. Messmer, ministre de la Défense nationale, se trouvait là. M. Blancard, délégué aux armements, lui aussi. Personne ne se risqua à me présenter. Au bout de quelques instants, interminables, d'hésitation entre les deux attitudes — faire scandale en partant ou monter sur la tribune et faire mon discours comme si de rien n'était —, je choisis raisonnablement la deuxième. Je reçus quelques jours plus tard une lettre d'excuses de M. Blancard, alerté par Jean-Claude Casanova.

C'est à l'occasion de l'élection présidentielle de 1969 que, pour la première fois, je pris parti dans une bataille électorale. Sous la IVe République, je me tins à l'écart des rivalités de partis et des crises ministérielles. Le parti communiste, depuis 1947, n'appartenait plus à la communauté politique ou parlementaire. (P. Mendès France déclara en 1954 à l'avance qu'il ne prendrait pas en compte les voix communistes dans le calcul de sa majorité absolue.) A partir de 1958, le général de Gaulle exerça le pouvoir suprême, soutenu par une majorité incontestable de la nation. Pour la première fois, après la démission du Général, un choix significatif s'imposait aux Français : d'un côté Alain Poher, le président du Sénat, homme sympathique, modéré, cordial, mais dépourvu de l'envergure d'un président, de l'autre Georges Pompidou, Premier ministre de 1962 à 1968. Je n'hésitai pas à soutenir ce dernier, je ne jugeai pas conforme à l'intérêt national que la fonction présidentielle fût, dès le lendemain de la mort du Général, dévalorisée.

Au début de la campagne, *le Figaro* ne paraissait pas en raison de la grève décrétée par les rédacteurs. Je reçus de G. Pompidou une lettre datée du 25 mai 1969 : « J'apprends que dans *le Figaro* de mardi vous allez prendre parti pour ma candidature. Votre appui est précieux, il me touche aussi, et m'engage. J'ai fait ce que j'ai pu pour agir sur Jean

Prouvost mais sans succès. Vient un âge où l'on se bute. En tout cas, je me réjouis que votre journal reparaisse car il est nécessaire de faire sentir aux Parisiens à quel point nous sommes menacés par la mini-France dont nous parle le *New York Herald,* je crois. Il faut évoluer, mais ne pas retomber et vous le savez bien. Merci de votre concours. Il donne un sens à ce que je dis et que les uns et les autres déforment en sens divers. Croyez à toute mon amitié fidèle. »

J'avais eu avec lui des relations apparemment cordiales au temps du RPF. Il m'avait invité une fois à un cocktail dans son appartement, rue Charlemagne je crois. Quand il résida à Matignon, j'eus probablement l'occasion de critiquer telle ou telle de ses décisions. Une fois, j'avais pris pour moi un passage d'un de ses discours qui visait les partisans de je ne sais quelle thèse atlantiste et les accusait de compromission avec Washington. Je répondis, dans un style de polémique, avec une allusion à son passage par la Banque Rothschild. La lettre de G. Pompidou et ma prise de position en sa faveur auraient pu rétablir entre le président de la République et moi-même des relations confiantes. En fait, je perdis, dans les milieux dirigeants, la réputation d'un adversaire du pouvoir, sans pour autant acquérir les faveurs des gaullo-pompidoliens — faveurs que je ne quêtai pas.

C'est en 1973 que j'intervins, au fond pour la première fois, dans la bataille entre droite et gauche, entre la majorité issue du parti gaulliste, peu à peu élargie par les centristes, et la coalition du PS et du PC. En 1965, François Mitterrand avait présenté sa candidature à la présidence de la République et, avec l'aide de la candidature de J. Lecanuet, il avait mis le Général en ballottage. Le résultat, au deuxième tour, ne prêtait pas au doute. Je n'avais aucune raison de m'engager, d'autant moins qu'à l'époque l'ancien parti socialiste, la SFIO de Guy Mollet, se mourait. Aux élections présidentielles de 1969, le score de Gaston Defferre tomba à 5 % des suffrages.

En 1971, un nouveau parti socialiste était né à Épinay, dont F. Mitterrand avait été élu le premier secrétaire. L'ancienne direction — Guy Mollet, Alain Savary — avait été mise en minorité, par suite du ralliement du CERES, de Gaston Defferre et de Pierre Mauroy à la candidature de François Mitterrand qui n'apportait avec lui que des clubs de réflexion, les « conventions républicaines ».

L'élection législative de 1973 précédait la guerre du Kippour et le premier choc pétrolier. Mais les troubles, aux États-Unis (Watergate) et dans le Sud-Est asiatique, ébranlaient la République impériale et l'équilibre mondial. Une victoire de la coalition socialiste-communiste en France risquait de mettre notre pays en état d'infériorité à la veille des tempêtes. Je rédigeai, un peu par hasard, à la suggestion d'Alain Vernay et de Jean Griot je crois, un réquisitoire contre le Programme commun ; je poursuivis cette action en 1974 et en 1978 — bataille perdue en 1981 dans des conditions étranges, puisque la mobilisation des hommes et des esprits, si frappante en 1974 et en 1978, avait disparu.

En 1973, le premier article d'une série de trois frappa l'opinion et trouva des échos dans la campagne électorale. *L'Express* reproduisit intégralement le premier article, intitulé « Le cercle carré ». Je m'efforçai de démontrer la contradiction entre les objectifs fixés et les moyens envisagés par le Programme commun de la gauche. J'énumérai les principales réformes que le PS annonçait, la nationalisation du crédit et des assurances et la menace du même sort suspendue sur les entreprises encore privées. « La progressivité des nationalisations sera liée au développement économique et aux exigences de masses dont il est déterminant qu'elles prennent les plus fortes responsabilités. Lorsque les travailleurs de l'entreprise en exprimeront la volonté et lorsque la structure de l'entreprise en indiquera la possibilité, l'intervention des travailleurs dans la gestion et la direction de l'entreprise prendra des formes nouvelles. » Pour le reste, je mettais en lumière l'incohérence du Programme : réduire la durée du travail, augmenter massivement les dépenses sociales de transfert, miser sur l'accélération d'une croissance qui, à l'époque, se situait entre 5 et 6 %, le tout dans le cadre d'une planification centralisée et d'une banque d'investissements qui se substitueraient aux mécanismes actuels. Et je concluais sur les lignes suivantes : « Entre le financement étatique des investissements et un marché des capitaux, entre le plan et la concurrence, entre la croissance dans une économie ouverte sur l'extérieur et l'inflation en une économie contrainte de se fermer, il faudra choisir. L'économie française, pour la première fois en notre siècle, tend à se rapprocher de ses rivales les plus avancées. C'est le moment que saisissent les socialistes de grand-papa, impavides et schizophrènes, pour tenter une expérience qui a partout échoué. »

Autant le premier article, « Le cercle carré », fut commenté, autant le deuxième, « La majorité en question : la carte forcée », fut négligé, en tout cas oublié. Je rappelais d'abord le bilan, quantitativement admirable, de l'économie française ; le taux annuel moyen de croissance (à prix constants) du produit national brut s'élevait à 5,8 en France pour la période 1960-1970 ; à 4,8 en République fédérale allemande ; à 2,8 au Royaume-Uni. Le taux par habitant, pour la même période, s'élevait à 4,7 en France, à 3,7 en RFA et 2,2 au Royaume-Uni. En 1971 et en 1972, la France accentua encore son avance. Or je constatais le malaise de l'opinion et l'inquiétude de la majorité à la veille des élections.

Je rappelais les insatisfactions révélées par les événements de 1968 ; je mentionnais ensuite les erreurs commises, j'insistais sur les limites de la réussite et j'en venais à l'essentiel : le style du parti dominant et l'esprit des institutions. « Le parti gaulliste gâche parfois, aux yeux du public, une œuvre parfaitement honorable par un style hautain et, à la limite, autoritaire. [...] Étrange démocratie dans laquelle, au nom de la règle majoritaire, les députés se font gloire à l'avance non de contrôler le pouvoir mais de " soutenir " le président de la République. Depuis 1968, le paradoxe prend des dimensions proprement " énormes ". M. Edgar

Faure impose aux universités un régime d'assemblée cependant que l'Assemblée nationale se dégrade en un théâtre d'ombres. »

Je montrais ensuite — nous sommes en 1973 — à quel point l'avenir du parti gaulliste et du régime demeurait incertain: « Dans le livre publié par les représentants de la majorité sous le titre *Radiographie des oppositions,* il est beaucoup question de l'esprit des institutions de la Ve République, du principe majoritaire. Les tenants attardés des corps intermédiaires, les disciples de Montesquieu sont, comme il convient, pourfendus: que ces messieurs veuillent bien réfléchir un instant. Les corps intermédiaires de nos sociétés industrielles n'ont pas disparu. [...] Le parti communiste est tout aussi puissant aujourd'hui qu'hier; il l'est même davantage par suite de la diplomatie menée par le général de Gaulle et Georges Pompidou. [...] Depuis dix ans, les communistes jugent " réaliste " la diplomatie de la Ve République — ce qui, dans leur jargon, signifie qu'elle va dans la bonne direction. Gaullistes et communistes sont objectivement unis par une hostilité commune à l'égard de la troisième force, des partis qui avaient pris, il y a vingt ans, la responsabilité de l'Alliance atlantique et de la construction européenne. [...] Bien loin que la majorité ait réussi à éliminer ces corps intermédiaires qu'elle prétend rejeter dans les ténèbres extérieures de la IVe République, elle a, en fait, réintégré le parti communiste dans la communauté nationale, comme s'il était un parti comme les autres. Elle a même créé les conditions dans lesquelles un quasi-miracle est devenu possible: la résurrection d'un parti socialiste qui, selon les sondages, obtiendrait plus de suffrages et de sièges que le parti communiste. » Ces lignes, je le répète, datent de février 1973.

Je discutais ensuite la technique de la « carte forcée ». Une fois le président de la République élu, les candidats de la majorité présidentielle font valoir aux électeurs les implications de leur choix : ou bien une majorité parlementaire en accord avec le président, ou bien la crise constitutionnelle. J'évoquais enfin le rôle joué par le président de la République. « [...] je tiens à la longue le système actuel pour condamné. A répéter en chaque occasion aux Français : " Nous ou le chaos ", on finira par obtenir la réponse : " Voyons un peu à quoi ressemble le chaos. " Aucun homme, à moins de circonstances historiques, ne possède l'envergure nécessaire pour exercer durant sept années les fonctions que s'attribue aujourd'hui le président de la République française, d'autant plus que celui-ci n'a même pas jugé nécessaire de se donner un état-major comparable à celui que se choisit le président des États-Unis. [...] Avec leur programme, ces derniers [les socialistes] peuvent demain ou après-demain gagner des élections, mais le jour où ils les gagneront, la France perdra en même temps les chances que tous les observateurs étrangers lui reconnaissent, de Moscou à Washington. » L'événement que je jugeais inévitable un jour ou l'autre se produisit en mai 1981. Et les conséquences que j'en prévoyais, deux années après l'arrivée au pouvoir du parti socialiste, sont déjà à moitié accomplies.

Nous savions tous que Georges Pompidou n'irait pas jusqu'au bout de son mandat, que Chaban-Delmas présenterait sa candidature. Sur la santé du président, la presse française se montra d'une décence exemplaire ; il n'en fut pas de même de la presse américaine, obéissant, elle aussi, à ses coutumes et à sa conception du devoir. La boursouflure du visage du président révélait le médicament employé (la cortisone) et laissait deviner l'espèce de maladie qui le condamnait à mort. Je me souviens d'un article impitoyable de *Newsweek* : le rapprochement de deux photographies du visage du président à quelques années d'intervalle, le diagnostic (la maladie de Kahler) et la durée du sursis (dix-huit mois tout au plus). Cet article datait de la rencontre Nixon-Pompidou en 1973, à Reykjavik. Pour la première fois, les journalistes étrangers furent frappés par la dégradation physique du président.

Au moment de la mort de G. Pompidou, Jean d'Ormesson venait de prendre la direction du journal et il n'échappait pas aux pressions des diverses « baronnies ». Il s'accorda avec moi pour une relative neutralité jusqu'au premier tour entre J. Chaban-Delmas et V. Giscard d'Estaing, il présenta la campagne entre les deux représentants de la majorité comme l'équivalent des élections primaires aux États-Unis. Il inclina d'abord à dissuader Giscard d'Estaing de diviser la majorité puisque Chaban avait déclaré sa candidature le premier, avec une hâte qui d'ailleurs avait quelque peu choqué le milieu politique et plus encore l'opinion. Pendant les premières semaines de la campagne, *le Figaro* publia chaque jour un article en faveur de la majorité et un autre en faveur de F. Mitterrand. Une fraction de la rédaction penchait pour Mitterrand et souhaitait le glissement du journal vers le centre gauche. Des articles rédigés par les socialistes, un seul, je crois, celui de Pierre Joxe, ne parut pas, article injurieux pour moi, d'après le jugement de Jean d'Ormesson (je ne l'ai jamais lu). Je parvins à convaincre Jean que, durant la dernière semaine, *le Figaro* cesserait de se présenter comme une tribune libre et que nous prendrions position, sans réserves, pour Valéry Giscard d'Estaing.

Avec Chaban-Delmas, j'avais collaboré amicalement au ministère de l'Information pendant deux mois, lui secrétaire général du ministère, moi directeur du cabinet d'André Malraux. Depuis ces temps déjà lointains, nous nous étions rencontrés de temps à autre. J'ai mentionné, dans un autre chapitre, une discussion vive sur l'indépendance algérienne au cours d'un déjeuner chez Bleustein-Blanchet. D'ordinaire, dans ces rencontres, nous retrouvions le ton cordial de nos jeunes années. Je ne croyais pas à ses chances à l'élection primaire contre Giscard d'Estaing. Je citai dans un article les intentions de vote révélées par les sondages et je soulignai la différence du style adopté par François Mitterrand contre Chaban-Delmas d'un côté, contre Giscard d'Estaing de l'autre : « Contre le premier, il a manié le fleuret ; contre le ministre des Finances, il a brandi le sabre d'abordage. Désir d'épargner un ancien collègue du ministère Mendès France ? Effort pour détruire une personnalité qui en impose à tous les Français ? » J'ajoutai une phrase, le 30 avril 1974, qui aurait pu être reproduite avec encore plus de raison sept années plus tard : « Qu'un homme qui gère les finances depuis 1969 garde encore la chance d'être élu à la présidence de la République, voilà, quoi qu'on en ait, une performance rare. »

Bien plus nettement qu'en 1969, je me trouvai, en 1974, engagé dans la bataille d'hommes et de partis. Certes, en dépit de tout, je maintins le style de l'analyste bien plus que celui de combattant. Je n'attaquai personnellement ni Chaban-Delmas ni François Mitterrand. Selon moi, même sans la « trahison » de Jacques Chirac, Chaban n'aurait pas gagné la compétition au premier tour. Je m'abstins de mentionner la faiblesse majeure de Chaban, à savoir sa peine à s'imposer, à « passer » à la télévision. Je m'en tins au jeu des acteurs, aux stratégies, aux discours. « Seul à se réclamer du gaullisme, Chaban-Delmas n'avait jamais été ministre tant que le général de Gaulle résidait à l'Élysée. [...] Pour forcer le ralliement de l'UDR, il se hâta de proclamer sa candidature. La fraction la plus pompidolienne de l'UDR refusa de se prononcer clairement en sa faveur. Lui qui, en tant que Premier ministre, prit des mesures d'inspiration libérale, en particulier à l'ORTF, se trouve rejeté vers les gaullistes historiques, le noyau des barons, qui ne prennent pas tous le risque de se battre pour lui. Le Premier ministre [M. Pierre Messmer], qui a justifié son adhésion par la nécessaire discipline de parti, semble plus soucieux de préserver les chances de la réconciliation de la majorité au deuxième tour contre Mitterrand que d'influer sur le choix populaire entre deux hommes dont les clientèles électorales coïncident en grande partie [...] » (2 mai 1974).

Dans l'article de la veille du premier tour, à propos du duel Chaban-Giscard, je me refusai à reprendre les arguments qui s'entrechoquaient dans les polémiques. Lequel des deux s'affirmera le plus capable ? Toute comparaison risquerait d'être désobligeante à l'égard de l'un des deux. Comment savoir lequel des deux réussirait le mieux à l'Élysée ? « Qui brille au second rang s'éclipse au premier. » De même, je laissai de côté les chances respectives de l'un ou de l'autre au second tour. Un débat qui me paraissait essentiel devient aujourd'hui, à la lumière des événements qui suivirent, dérisoire : lequel des deux hommes mettrait fin à la remise en question, tous les cinq ou sept ans, du régime de la France ? « Les partisans de l'un nous assurent que le thème de la nouvelle société, les idées sociales d'un gaullisme populaire éviteront un affrontement alors qu'un grand bourgeois, polytechnicien, énarque, à l'Élysée ne réconciliera pas les masses populaires avec leur président. Les partisans de l'autre répondent que la campagne électorale a démontré qu'un ministre qui apparaît sérieux, intelligent, trouve le contact avec des milliers et des milliers d'électeurs qui n'appartiennent pas à son milieu et qui pourtant se reconnaissent en lui. » Je choisis finalement la formule « la nouvelle majorité », premier regroupement que d'autres suivront. Ces autres regroupements n'ont pas suivi et je doute que Chaban-Delmas eût fait mieux. L'obstacle demeurait le même : la sacralisation du scrutin majoritaire, part de l'héritage gaulliste.

Les cinq articles que je publiai entre les deux tours (les 7, 9, 10, 15, 17 mai) résumaient les arguments que les partisans de Valéry Giscard d'Estaing pouvaient utiliser sans recours à des attaques personnelles, sans tomber au niveau des polémiques de réunion publique. Je retiens du premier article les lignes suivantes qui expliquent partiellement l'échec de Mitterrand en 1974 et son succès en 1981 : « Si Mitterrand n'est pas élu au second tour, la raison majeure en sera la crainte qu'inspirent, non pas les électeurs communistes, non pas même la participation au gouvernement de quelques communistes, mais l'alliance organique à laquelle F. Mitterrand a consenti avec le parti communiste sur la base du Programme commun. Par cette alliance, il s'est enfermé lui-même dans une alternative : ou bien il trahira ses alliés communistes, ou bien il trahira les promesses qu'il multiplie depuis trois semaines dans ses discours aux Français d'être le président de la paix sociale. » Dans le deuxième article, intitulé : « L'étrange alliance », j'insistai sur la différence entre la campagne de F. Mitterrand et celle du parti communiste. « Il y a eu maintes fois des communistes au gouvernement. Il n'y a eu véritablement de programme commun qu'une seule fois et dans un seul pays : en 1945 et en Tchécoslovaquie. »

Argument bon marché, à coup sûr, qui suggérait un danger qui n'existait guère. A l'Ouest, le Programme commun n'entraînait pas les mêmes périls que dans un pays, non pas occupé par les troupes soviétiques mais inclus dans la zone d'influence soviétique dès 1945. Il restait vrai que le Programme commun, signé par les deux partis, suspendait sur le président Mitterrand et le parti socialiste une menace permanente : ou bien F. Mitterrand céderait aux exigences de son partenaire, ou bien il devrait rompre l'alliance qui l'avait amené au pouvoir [1].

Je rappelai la thèse que j'avais soutenue l'année précédente, à savoir que le Programme commun contenait en germe non un changement de politique mais un changement de société et je mis en garde les « subtils » qui ne croyaient pas à la sincérité des engagements pris par François Mitterrand : « Ceux qui, dans la presse ou les salons, présentent le vote du 19 mai comme s'il s'agissait de l'alternative entre le centre droit et le centre gauche se dissimulent à eux-mêmes ou dissimulent aux autres la vérité. Il s'agit bien d'un choix fondamental. Il se peut que M. Mitterrand, une fois élu, n'accomplisse pas la mutation irréversible qu'implique le Programme commun et qu'exigent ses alliés. Mais il faut

1. Personne n'imaginait en 1974 que le PS pouvait s'assurer à lui seul une majorité absolue à l'Assemblée nationale.

être un radical de gauche pour être assuré à ce point que M. Mitterrand trahira ses alliés avant que ceux-ci ne le trahissent. »

Après une comparaison que je juge encore relativement objective, équitable, pesant les craintes et les espoirs d'un côté et de l'autre, j'attribuai à Giscard d'Estaing les tâches suivantes : « conduire la France au cours d'années difficiles en maintenant la communauté internationale qui permit les progrès du quart de siècle, mettre fin à la possession exclusive du pouvoir par un groupe de la majorité, modifier les règles ou les pratiques politiques qui obligent à jouer l'avenir de la France à la roulette russe tous les sept ans ». De ces trois tâches, il accomplit la première, mais non la deuxième, ni la troisième. L'État gaulliste disparut mais transmit à l'État giscardien certains de ses défauts et l'avenir de la France fut joué, une fois de trop, à la roulette russe.

J'avais maintes fois rencontré Valéry Giscard d'Estaing avant l'élection de 1974, mais je n'entretenais pas avec lui de relations régulières. Nombre de journalistes, j'en suis sûr, le connaissaient mieux que moi ou, du moins, avaient conversé plus souvent avec lui, dans le style ordinaire des hommes de la presse avec les hommes de la politique.

Je garde quelques souvenirs de nos rencontres : par exemple, un débat à la radio à propos d'un de mes livres, *le Grand Schisme*, je crois, débat qui donc se situerait en 1948 ou 1949. Il tenait le livre dans les mains, coupé à la hâte et incomplètement [1]. Il vint une fois ou deux aux débats économiques du *Figaro*, vers la fin des années 40 ou le début des années 50 ; il s'agissait d'un plan quelconque de stabilisation, de lutte contre l'inflation. A l'époque, il se déclarait favorable aux mesures ponctuelles plutôt qu'aux mesures globales (contrôle du crédit ou réduction du déficit budgétaire).

Quelques années plus tard, en 1955, je traversai son bureau en me rendant chez Edgar Faure, président du Conseil, au plein de la crise marocaine. Nous causâmes quelques minutes. A ma surprise, il mit l'accent sur l'insuffisance de l'encadrement administratif français dans le protectorat plutôt que sur le mouvement nationaliste. Quand il devint sous-secrétaire d'État, puis ministre des Finances, j'eus plusieurs fois l'occasion de le rencontrer et de l'écouter puisque j'appartenais, à l'époque, à la Commission des comptes de la nation. Peu de jours avant une séance de la Commission, j'avais critiqué sa politique, un ensemble de mesures ponctuelles. Il répondit à cet article avec tant de vivacité (attaque à laquelle j'avais répliqué de mon mieux) que Michel Rocard, à l'époque secrétaire de cette Commission, m'affirma plusieurs années plus tard qu'il avait eu beaucoup de peine à résumer le dialogue et à en limer ou émousser les aspérités.

Il me reste un dernier souvenir, un dialogue à Europe nº 1 en 1968, à propos des événements ou au sujet de *la Révolution introuvable*. Il vivait

1. Il s'agissait peut-être des *Guerres en chaîne*; en ce cas le dialogue aurait eu lieu en 1951 ou 1952.

encore sa traversée du désert. Nous déplorâmes ensemble la fragilité des institutions françaises, secouées, ébranlées, presque abattues par un vent fort, mais non pas une véritable tempête. Il insista sur la toute-puissance du Général, ou, pour mieux dire, sur le fait que le Général sortait de la crise plus que jamais maître du jeu.

C'est en 1973, au moment des élections législatives, que nos rapports prirent un caractère quelque peu personnel. Il m'appela au téléphone, me complimenta de mon article sur le Programme commun, « Le cercle carré » ; il s'excusa auprès de moi d'user, dans son débat du soir avec François Mitterrand, de nombre de mes arguments ; je ne puis faire autrement, me dit-il, parce que vous avez développé tous les arguments ou les meilleurs. Je le surpris agréablement, ce jour-là, en l'assurant que je le soutiendrais à la prochaine élection présidentielle prévue pour 1976. A la fin du septennat, de fait à la mort de Georges Pompidou, il serait le meilleur candidat de la majorité. Sept années plus tard, en dépit de la victoire de Mitterrand en 1981, je n'ai pas changé d'opinion.

En 1974, il m'invita à assister, dans le studio même, au débat final entre les deux candidats, à la veille du second tour. Le responsable de sa campagne me répéta, avec une apparente sincérité, combien il avait tiré profit des articles du *Figaro*. Cela dit, je ne devins ni un conseiller, ni un familier du président. Et je ne fis rien pour le devenir.

Quelques semaines après son élection, il organisa un déjeuner de travail sur les problèmes de la stratégie nucléaire. Figuraient au déjeuner les trois auteurs qui avaient écrit des livres sur ce sujet, le général P. Gallois, le général A. Beaufre et moi-même, deux journalistes spécialisés dans les affaires militaires, J. Isnard du *Monde* et J.-P. Mithois du *Figaro*, le général Méry, à l'époque le chef de son cabinet militaire, qui devint ensuite le chef d'état-major des trois armes, et deux autres généraux dont j'ai oublié le nom. Le Président déclara, dès le début, qu'il souhaitait écouter, non parler, qu'il n'avait guère étudié, jusqu'à présent, les problèmes de défense et qu'il se proposait de le faire. Ces propos ne furent pas sans me surprendre quelque peu ; en tant que ministre de l'Économie et des Finances, il avait dû prendre part aux séances du Conseil de défense dans lesquelles, nécessairement, certains aspects de la doctrine de défense devaient avoir été évoqués, discutés, sinon analysés rigoureusement.

Pendant le déjeuner, les généraux-écrivains P. Gallois et A. Beaufre prirent le plus souvent la parole. P. Gallois était arrivé le premier, il attendait dans un salon ; mon arrivée contribua à l'énerver en raison de nos polémiques antérieures ; son énervement l'incita à pousser ses thèses encore plus loin que d'ordinaire — ce qui permet à ceux qui le connaissent d'imaginer à quelles extrémités il conduisit sa conception du pouvoir égalisateur de l'atome et de la sanctuarisation du territoire national. Je ne fis rien pour le modérer — au contraire. J'eus le sentiment, à la fin de la conversation, que le président ne choisirait certainement pas le général Gallois pour conseiller, qu'il réagissait avec un scepticisme spontané aux propos du doctrinaire de la sécurité par la menace, exclusive et permanente, de la catastrophe totale, des représailles massives. A un moment donné, le président, avec une ironie visible, nous demanda à tous trois notre opinion sur l'importance des armes nucléaires tactiques : nulle, répondit le général Gallois ; vous allez dire essentielle, reprit avec un sourire le président en se tournant vers le général Beaufre. Il ne me restait qu'à prendre une position moyenne. Le président nous annonça d'autres entretiens qui ne vinrent jamais. Vers la fin du déjeuner, il prononça cette phrase qui me reste gravée dans la mémoire : je ne parviens pas à imaginer, dit-il, dans quelles conditions je devrais appuyer sur le bouton. J. Isnard et J.-P. Mithois sortirent de l'Élysée l'un et l'autre frappés par la démesure des propos du général Gallois.

En une tout autre occasion, j'eus un entretien d'une heure avec le président, vers la fin de l'année 1974 ou au début de 1975. Des rumeurs couraient dans la capitale sur la vie personnelle de Valéry Giscard d'Estaing ; l'accident d'automobile avec la voiture du laitier à cinq heures du matin faisait la joie des dîners parisiens. Un article du *Monde* évoqua cette campagne de dénigrement, sinon de diffamation. Un jour, un journaliste du *Figaro*, Yves Cuau, me raconta qu'à un déjeuner avec des journalistes le Président avait accusé les Israéliens (ou les Juifs, je ne suis pas certain sur ce point) de conduire cette campagne contre lui. Je pris immédiatement ma plume et je lui écrivis une courte lettre : je lui reprochai d'accuser les Israéliens ou les Juifs de conspirer contre lui. Venant de vous, lui écrivis-je, cette accusation risque de déclencher des conséquences que vous serez le premier à déplorer. Ma lettre lui fut portée par une secrétaire qui travaillait au service de presse de l'Élysée et qui était fiancée au frère de l'un de mes amis.

Le Président me téléphona immédiatement et me convia à une conversation sur le sujet. J'insistai sur la gravité de ses accusations, il me répondit que ses propos se fondaient sur des faits, et non sur des hypothèses ou des spéculations. Les faits, tels que je puis les reconstituer, se réduisaient à un coup de téléphone donné par un journaliste israélien au *Canard enchaîné*. L'ambassadeur d'Israël m'assura que ses services ne voulaient avoir aucune relation avec ce journaliste douteux, de nationalité israélienne. Le président m'interrogea ensuite sur les Juifs de France, leur nombre, leurs sentiments à l'égard d'Israël. Il venait de lire la fameuse déclaration Balfour sur le « foyer juif », un des actes créateurs de l'État d'Israël. Selon lui, la situation ne manquerait pas de se dégrader aux dépens de l'État hébreu ; les gouvernants de Jérusalem avaient tort de ne pas accepter la solution qui leur était offerte, une entité palestinienne en Cisjordanie. Un jour, même le territoire à l'intérieur des frontières de 1967 leur serait contesté.

Ce qui me frappa le plus dans cet entretien de ton amical, ce fut l'absence totale de sentiments pro ou anti-juifs, pro ou anti-israéliens de Giscard d'Estaing. Apparemment étranger aux passions qui avaient déchiré la France au temps de l'affaire Dreyfus, pendant et après la guerre, il s'était récemment instruit des origines de l'État d'Israël. Un sens pour ainsi dire lui faisait défaut : le sens qui lui aurait permis de sympathiser avec la sensibilité des Juifs de France, même s'il désapprouvait l'action d'Israël. Dans la dernière partie de son septennat, le secrétaire général de l'Élysée était un Juif dont le père avait disparu dans les camps nazis. S'il lui avait demandé conseil, à la veille de son voyage au Proche-Orient ou au lendemain de l'attentat de la rue Copernic, il n'aurait pas commis les gestes qui lui aliénèrent une fraction de la communauté juive. A la fin de cet entretien, il fit allusion à la stratégie nucléaire ; je ne maîtrise pas encore totalement ces débats, me dit-il, à la porte de son bureau, il faudra que nous ayons encore une discussion sur ce sujet. La discussion n'eut jamais lieu. Je fus invité plusieurs fois à des déjeuners ou dîners officiels, en l'honneur du chancelier Schmidt ou du président Senghor. Je ne lui demandai d'audiences qu'à propos du *Figaro*; il ne m'en offrit aucune. En revanche, il m'appela quelquefois au téléphone.

Pour le reste, dès le lendemain de l'élection, je commentai les décisions du président avec une totale liberté. A quel point sa victoire avait été courte, incertaine jusqu'au dernier moment! « Que le ministre des Finances de Georges Pompidou, en place depuis 1969, ait pu finalement gagner en une phase d'inflation accélérée, sans rien offrir d'autre qu'une collection de promesses et la prolongation de sa propre gestion par collaborateurs interposés, me paraît proprement stupéfiant, admirable. Talent du candidat, sagesse du peuple français ou faiblesses secrètes de l'adversaire? Chacun choisira entre ces interprétations. » Quelques lignes plus loin, je le mis en garde contre les leçons qu'il risquait de tirer de son élection : « De son côté, Giscard d'Estaing devrait se demander si le langage, la manière qui lui ont permis d'accéder à l'Élysée, la combinaison d'intelligence éclatante et de généralités sans contenu défini suffiront pour rassembler et gouverner les Français » (22 mai 1974). Les conseils perçaient entre les lignes. L'accession à l'Élysée d'un homme auquel une fraction du parti dominant de la majorité portait une inimitié particulière devrait entraîner une autre pratique des institutions. « Plus question d'exercice solitaire du pouvoir, fini le temps où les conseillers de Georges Pompidou faisaient trembler les ministres en se vantant d'avoir " chassé " le Premier ministre » (22 mai 1974). Je souhaitai une équipe ministérielle solide qui ne dût pas sa substance, son existence même au choix du président. « Moins l'équipe comptera de personnalités fortes, plus le président, à chaque instant en première ligne, s'exposera aux coups (et Dieu sait qu'il y en aura beaucoup à recevoir). En ce sens l'arrivée au pouvoir soudaine d'une équipe liée au président plus qu'à la majorité parlementaire marquerait le retour à un pseudo-présidentialisme. » On sait que le choix de Jacques Chirac se révéla après coup une erreur ; sur le moment je jugeai l'équipe ministérielle « faible ». « On n'y trouve guère de ministre dont l'autorité propre s'ajouterait à celle du président de la République. » Ce que je craignais, après une victoire presque miraculeuse, c'était la rupture à l'intérieur de la majorité. « Vu de la capitale, un parti giscardien se rattacherait à la tradition orléaniste et un parti gaulliste à la tradition bonapartiste, l'un plus libéral et l'autre plus social. » Au cours du septennat, j'évitai le plus possible de prendre parti pour l'une ou pour l'autre des deux fractions de la majorité. « Tant que le mode de scrutin restera ce qu'il est — et rien n'annonce qu'il doive changer —, l'UDR devra participer sans régner et le président de la République régner sans la provoquer » (19 juin 1974). A l'occasion de la bataille pour la mairie de Paris, je donnai l'impression de choisir Chirac contre Giscard : j'y reviendrai.

C'est sur la politique étrangère du président que j'exprimai immédiatement mes réserves. Dès la fin de 1974, dans un article intitulé : « L'investiture internationale de M. Giscard d'Estaing », je manifestai quelques inquiétudes : « En théorie, vous avez envers M. Brejnev une dette de reconnaissance : n'a-t-il pas envoyé son ambassadeur vous rendre visite entre les deux tours de scrutin ? Mais vous avez montré malheureusement, en diverses circonstances, que le roi de France n'oubliait pas les griefs du duc d'Orléans ; je ne doute pas qu'en revanche vous n'oubliiez aisément l'aide que vous apporta peut-être votre illustre visiteur. Le premier magistrat de la République ne connaît d'autre intérêt que celui de la République. » Une fois de plus je soulignai l'effort soviétique d'armements — effort que le président des États-Unis n'a reconnu que plusieurs années plus tard, surtout après l'invasion de l'Afghanistan. « L'Union soviétique n'a jamais accompli un effort aussi massif d'armements classiques et nucléaires qu'au cours des années de détente » (6 décembre 1974). Enfin, à propos de la signature éventuelle des accords d'Helsinki, je m'adressai encore directement au président : « A vous de juger, Monsieur le Président, si l'Occident peut s'honorer d'avoir obtenu des concessions substantielles et des promesses d'avenir, ou bien s'il risque de se déshonorer en feignant d'avoir obtenu ce que l'honneur lui ordonnait de demander » (26 décembre 1974).

Je pris un ton autrement vif, six mois plus tard (6 juin 1975), dans un article intitulé : « Finlandisation volontaire. » J'avais relevé deux phrases de la conférence de presse du Président : « Nul problème de la défense européenne ne peut être utilement abordé dans les circonstances actuelles. » Il jugeait « explicables les craintes que suscitent pour l'Union soviétique des projets d'organisation de la défense européenne ». J'approuvai la première phrase : tant que nos partenaires demeurent dans le commandement intégré de l'OTAN et que la France n'y participe pas, la discussion d'une défense proprement européenne se heurte, dès le point de départ, à des obstacles insurmontables. En revanche, la crainte des réactions soviétiques à des projets de défense européenne me paraissait injustifiée et inacceptable. « Comment le président de la République, étant donné le rapport actuel des forces, peut-il dire sérieusement que l'Union soviétique voit, au moins à terme, le risque d'une certaine menace ou d'une certaine pression militaire européenne vis-à-vis d'elle-même dans les projets d'organisation de défense européenne ? [...] Je l'écris avec regret, ni le général de Gaulle ni Georges Pompidou n'auraient avoué une telle crainte des dirigeants soviétiques : ceux-ci ne respectent que ceux qui leur résistent. En accordant à Moscou un droit de regard sur l'organisation européenne de défense, le président franchit un premier pas sur la voie de ce que l'on appelle à tort " finlandisation ". L'indépendance nationale, sinon la dissuasion, doit s'affirmer tous azimuts. »

Peut-être l'article « Une jungle sans monstres » (10 janvier 1975), qui ne se voulait pas polémique, exprimait-il le mieux le sentiment que m'inspiraient la personnalité et l'attitude de Giscard d'Estaing, entré, pour la première fois, dans la jungle de la diplomatie internationale. A Brejnev, il avait consenti des concessions verbales que ses prédécesseurs avaient refusées. Il se déclarait déjà disposé à conclure à bref délai la conférence d'Helsinki, avec une réunion au sommet, promesse à laquelle Georges Pompidou s'était toujours refusé. A Harold Wilson aussi il accorda quelques concessions pour favoriser le succès du référendum prévu en Grande-Bretagne. A la Martinique, les entretiens avec le président américain se déroulèrent dans une atmosphère apaisée, sans affrontement. « Où est le temps des conférences de presse olympiennes dans lesquelles un homme, chargé d'âge et d'histoire, esquissait, devant un millier de journalistes fascinés, le tableau d'un monde ravagé ou orageux — ce monde où la France se réservait, en marge des blocs, une place modestement orgueilleuse et solitaire : privée des moyens de force qu'accumulent les Grands, elle refusait toutes les dépendances pour n'accepter d'autres conseils que ceux de la sagesse. » C'est dans cet article que j'employai une expression que F. Mitterrand cita dans un de ses livres et qui fut reprise un peu partout, plus ou moins déformée : « M. Giscard d'Estaing [...], à la différence du général de Gaulle formé par la culture historique d'avant 1914, ne semble pas conscient du tragique propre aux relations entre États. Quand M. André Fontaine lui cita le mot du colonel House, conseiller de M. Wilson, " la diplomatie est la distraction de souverains fatigués ", il prit un plaisir évident à cette dédramatisation, si l'on peut dire, de la diplomatie. [...] V. Giscard d'Estaing traite des affaires extérieures non en Machiavel mais en économiste, voire en naïf par volonté. Ministre des Finances quasi permanent de la Ve République, il a risqué ses premiers pas dans la jungle des États avec sa désinvolture coutumière et il n'y a pas rencontré de monstres froids. Souhaitons pour lui et pour nous qu'il n'y fasse jamais de mauvaises rencontres. »

La première mauvaise rencontre, le président la fit au cours de sa visite à Moscou en octobre 1975. A l'avance, dans un article intitulé : « Les limites de la coopération franco-soviétique », je prévoyais à tort des entretiens sans histoire ou, du moins, sans grande histoire. A cette date, la polémique faisait rage en France à propos de l'Espagne et du Portugal. Même une fraction de la presse modérée reprochait au président (auquel je donnais raison) de ne pas manifester avec assez d'éclat sa désapprobation des exécutions de détenus, ordonnées par le général Franco en représailles à l'attentat qui avait coûté la vie à l'amiral Carrero Blanco, successeur désigné du caudillo. Selon la tradition diplomatique, le président français et le numéro un soviétique, écrivais-je, sépareront l'un de l'autre le dialogue des États et le conflit des idéologies. Au Portugal, la France et l'Union soviétique se trouvaient dans des camps opposés, mais pouvait-il en être autrement puisque la France, aux yeux des Soviétiques, appartient, de toute évidence, au camp « impérialiste » ? Notre pays ne participait ni aux négociations sur la limitation des armements stratégiques nucléaires ni aux négociations sur la limitation des forces classiques en Europe ; que restait-il donc à discuter « dans le cadre bilatéral », pour user du jargon diplomatique ? A Pompidou, les Soviétiques avaient proposé de franchir un pas de plus dans les relations privilégiées franco-soviétiques : la signature d'un traité d'amitié. Pompidou avait poliment refusé cette offre et je prévoyais que Giscard d'Estaing, en dépit des effusions de Rambouillet, la refuserait lui aussi. Aussi bien, il ne restait plus guère de « relations privilégiées » entre Paris et Moscou depuis que W. Brandt avait signé les quasi-traités de paix avec l'Union soviétique.

Le voyage du président français déconcerta les observateurs. Après une journée, L. Brejnev se déclara malade ; les conversations au sommet s'interrompirent ; Giscard d'Estaing fit les déplacements prévus, mais les personnages officiels qui l'accompagnèrent ne se situaient même pas au deuxième échelon de la Nomenklatura. C'était clair, les Soviétiques lui battaient froid et manifestaient leur mécontentement : je ne savais pas exactement pourquoi. J'accordai quelque importance au discours prononcé par Giscard d'Estaing à la fin du dîner du premier jour. Le président français avait prêché la détente dans la compétition idéologique, thème qu'il avait développé plusieurs fois en France mais qu'il exposa à Moscou pour la première et dernière fois. Ce discours, les conversations du premier jour, les négociations antérieures sur le communiqué final avaient irrité les Soviétiques et ceux-ci voulaient le faire savoir.

La presse mondiale commenta ces manquements aux rites protocolaires, la grippe diplomatique de L. Brejnev. Le président s'obstina à répliquer que ces épisodes n'existaient que dans l'imagination ou l'esprit malin des journalistes. Rien ne s'était passé. Pour moi, j'avais déjà écrit un commentaire de cette « mauvaise rencontre » quand je fus appelé au téléphone, dans la soirée, par le président lui-même. La conversation dura environ une demi-heure. Je n'ai pris aucune note et je garde seulement le souvenir de l'ensemble. Les journalistes avaient créé un événement fictif ; l'indisposition de Brejnev était réelle ; les déplacements s'étaient déroulés conformément au plan. Il n'y avait pas lieu d'interpréter des incidents mineurs, à supposer même qu'ils ne fussent pas créés par les interprètes.

Le président ne me convainquit pas, mais il me mit dans l'embarras.

Si, au lendemain de cette conversation, je publiais un commentaire qui s'inscrivait en faux contre les propos du président, je risquais de rompre la communication entre lui et moi. Je ne nourrissais aucune illusion sur l'influence que mes articles pouvaient exercer sur lui. Je l'avais déjà si souvent critiqué que personne ne pouvait m'attribuer une quelconque servilité à l'égard du pouvoir. Je jetai à la poubelle le texte rédigé et j'en écrivis un autre dans lequel je biaisai avec la vérité ou plutôt je juxtaposai des affirmations presque contradictoires.

D'abord les signes de la crise : « la modification du programme, la réduction du temps que les deux numéros un passeraient ensemble, la suppression annoncée d'une rencontre prévue entre ministres des Affaires étrangères, tous ces incidents, qui ailleurs auraient à peine retenu l'attention, suscitèrent, et à juste titre, des interrogations. En Union soviétique, dit-on, rien n'arrive par hasard ». Je relevai aussi la publication, dans la *Pravda*, de déclarations du parti communiste français. Je fis déjà une concession en affirmant, contre toute vraisemblance, que la décision n'avait peut-être pas été prise au plus haut niveau. De même, j'acceptai la thèse de l'indisposition de L. Brejnev, « bénigne il est vrai, puisque deux jours après il reprenait le dialogue avec le président français ». En dépit de ces précautions, je soulignai quelques concessions, dans le communiqué final, au vocabulaire soviétique à propos du Proche-Orient, de la conférence de désarmement, suggérée à l'époque par Moscou. Au-delà de ces détails, perceptibles aux seuls professionnels, venait l'essentiel. Les Soviétiques n'accepteront jamais la détente en fait de compétition idéologique : dans leur conception du monde, la coexistence pacifique concerne les États, non les idéologies ou les régimes. De son côté, la France, celle de Giscard d'Estaing comme celle du général de Gaulle ou de Georges Pompidou, ne peut accentuer la singularité de sa position dans l'Alliance atlantique jusqu'au point où elle deviendrait incompatible avec l'autre volet de la diplomatie française, à savoir la Communauté européenne et l'effort français de rapprocher, sinon d'unir, les politiques extérieures des membres de la Communauté.

Quelques jours après, je repris la même question des relations franco-soviétiques avec une totale liberté. Que le président ait été mal reçu à Moscou, le fait m'apparaissait incontestable. En résulte-t-il que l'épisode constitue une défaite du président ? La formule des « relations privilégiées » appartient au vocabulaire français plutôt qu'au vocabulaire soviétique. Mais, en tout état de cause, quels avantages en tire la France ? Tout au plus que, marginalement, les responsables soviétiques du commerce extérieur donnent la préférence à une offre française. Si le général de Gaulle prit l'initiative de nouer des relations avec Moscou, son exemple a été suivi, dans un style différent, par l'équipe Nixon-Kissinger et l'équipe W. Brandt. Les Soviétiques n'ont plus besoin des bons offices des Français pour être reçus dans tous les salons de l'Occident. Il ne subsiste plus guère de liens spécifiques franco-soviétiques puisque tous les Occidentaux cherchent et nouent avec Moscou des relations comparables.

« La décrispation tous azimuts, typique du tempérament du président de la République, vient d'aboutir à un paradoxe fâcheux : alors que la politique de la France tend à une collaboration étroite avec la République fédérale allemande, la presse d'outre-Rhin se félicite sans retenue que la France perde sa position d'interlocuteur privilégié de Moscou, cependant que les vieux gaullistes craignent que la République fédérale s'empare de la position perdue par la France. »

Le reproche que j'adressai au président, dès le début du septennat, c'était sa méconnaissance, au moins apparente, de la nature des hommes avec lesquels il devait traiter. Pourquoi fleurir la tombe de Lénine, prophète d'une foi dont la propagation entraînerait la mort de tous les Giscard d'Estaing de la planète ? « Raisonnable, il prêche la conciliation à des hommes qui ne conçoivent la politique et l'Histoire qu'en termes de conflits inexpiables. »

Entre 1969 et 1974, je passai encore pour un opposant à un régime gaulliste ou post-gaulliste ; en revanche, je devins, en principe, un partisan de Giscard et du giscardisme. Quand je feuilletai la série des articles de cette période, je fus frappé à quel point j'approuvais ou critiquais de la même manière, dans le même style, Georges Pompidou et Valéry Giscard d'Estaing. Aussi bien la politique étrangère des deux hommes ne différait pas pour l'essentiel. Pompidou se méfiait plus des Soviétiques que son successeur. En paroles, en tout cas, il se montra plus ferme que Giscard d'Estaing. Quand il mourut, il n'avait pas encore accepté de signer les accords d'Helsinki.

La comparaison des articles d'après 1969 avec ceux de la période 1962-1969 présente plus de difficultés ; c'est entre la fin de la guerre d'Algérie et la démission du Général que s'établirent les principes de la diplomatie française, devenus sacro-saints : création de la force stratégique nucléaire, retrait de la France du commandement unifié de l'OTAN, relations privilégiées avec Moscou, anti-américanisme ou anti-atlantisme verbal. La discussion portait sur des initiatives non pas irréversibles au sens strict du mot, mais aux conséquences durables. Après 1969, la diplomatie gaulliste demeura celle de la France ; elle le demeure même aujourd'hui encore, provisoirement au moins, après la victoire du parti socialiste, celle de François Mitterrand, qui fut, de 1958 à 1969, l'adversaire le plus constant, le moins indulgent du général de Gaulle. Le post-gaullisme, celui de Georges Pompidou comme celui de Giscard d'Estaing, respecta l'héritage que F. Mitterrand, à son tour, jura de respecter le jour où il se rallia à la force stratégique nucléaire. Qu'il s'agisse des relations de la France avec Moscou et Washington, du Proche-Orient, de la Communauté européenne, la marge d'autonomie ou d'originalité du président demeure inévitablement étroite. Je me suis étendu sur le voyage de Giscard d'Estaing en Union soviétique en 1975, parce que la gerbe de fleurs au mausolée de Lénine révèle quelque chose de la psychologie du président. Aujourd'hui, qui s'intéresse au communiqué final du voyage, aux concessions verbales des uns ou des autres ? Ces quelques pages sur les démarches diplomatiques de Giscard d'Estaing ne gardent quelque intérêt — à supposer qu'elles en gardent — que dans la mesure où elles illustrent mon attitude à l'égard d'un pouvoir ami et où elles jettent quelque lumière sur la personnalité de Valéry Giscard d'Estaing.

La querelle entre le président de la République et son ancien Premier ministre à propos de la mairie de Paris mit au rouet ceux qui mesuraient les suites d'une rupture entre les deux partis et qui voulaient prévenir le « suicide de la majorité » (selon le titre d'un de mes articles du 21 février 1977).

J'avais d'abord pris parti, en apparence du moins, pour Jacques Chirac. Le RPR, sous le nom antérieur d'UDR, possédait à Paris la majorité du conseil municipal, la présidence du conseil. Par le fait de la réforme, imposée par le président de la République, le président du conseil municipal devenait le maire de Paris — titre prestigieux tombé en déshérence depuis 1871. Les deux partis de la majorité avaient été très proches d'un accord sur un candidat commun à la mairie. Pour des raisons que je n'ai jamais connues, le candidat commun, Pierre Taittinger, s'était retiré de la course. Le Président avait choisi le maire de Deauville, M. d'Ornano, sans obtenir l'assentiment de Jacques Chirac. Soudainement ce dernier jeta son gant dans l'arène, défia directement le président de la République en revendiquant pour lui-même la fonction restaurée de maire de la Ville Lumière.

A l'avance, le 2 janvier 1976, j'avais analysé les implications de la rivalité, devenue ouverte, entre le chef de l'État et son ancien Premier ministre. Je ne savais guère plus que l'homme de la rue sur les causes de la rupture entre les deux hommes. Je n'étais pas aveugle aux défauts de Valéry Giscard d'Estaing, mais mon irritation s'apaisait dès l'instant où je comparais le chef de l'État aux chefs de gouvernement, européens ou américains, avec lesquels il conversait ou négociait. Je connaissais peu Jacques Chirac et, de loin, je n'eus jamais l'impression qu'il appartînt au type fasciste (en dépit des propos courants) : quelque peu radical-socialiste par la manière dont il avait flatté les paysans, démagogue des grandes villes par son style battant et sa capacité presque infinie de serrer des mains, toujours en quête d'un slogan électoral qu'il abandonne quelques jours après l'avoir inventé, force de la nature et force politique dont nous pouvions attendre et craindre beaucoup. Des deux, Giscard d'Estaing possédait seul à mes yeux l'intelligence, l'expérience, l'autorité d'un chef de l'État, mais l'erreur à ne pas commettre, c'était de transformer Jacques Chirac en ennemi inexpiable. Peut-être, dès 1977, l'inimitié, issue d'un amour réciproque des deux côtés déçu, emportait-elle les deux adversaires-alliés vers une perte commune. Je plaidai vainement contre le « suicide de la majorité » et je m'adressai au président puisque je n'étais pas en rapport avec l'autre.

En conclusion de l'article intitulé : « Du bon usage des maladies », après avoir insisté sur l'absurdité d'un affrontement direct entre l'UDF et le RPR, je suggérai au président une conduite qu'il n'adopta évidemment pas : « Peut-être Jacques Chirac a-t-il les moyens de provoquer une crise ministérielle qui obligerait le président de la République à dissoudre l'Assemblée. Je n'imagine pas qu'il se laisse entraîner par son tempérament ou ses conseillers à un pari aussi aventureux. En cas d'élections anticipées, dont il prendrait la responsabilité, il jouerait son avenir, de même que le président de la République jouerait son mandat. De son côté, le chef de l'État doit s'adapter, au moins pour un temps, à une modification du rapport des forces entre l'Élysée et le Palais-Bourbon. Pourquoi le choix d'un candidat à la mairie de Paris ne reviendrait-il pas aux partis ? Le général de Gaulle lui-même aurait souhaité que la présidence de la première Assemblée de la Ve République fût offerte à Paul Reynaud, il ne fit pas une maladie de l'élection de Chaban-Delmas. Le président de la République se doit de réserver l'intransigeance aux sujets dits vitaux, ceux qui affectent le destin national et l'action économique. »

En 1977, je constatai que les velléités du président de nouer un dialogue avec l'opposition avaient échoué. « Il a désorienté une partie de ses électeurs sans guère séduire ses adversaires. Il peut modifier quelque peu sa manière afin de la rapprocher de celle que les Français attendent d'un président de la République. Il ne peut pas devenir un " battant ". Adversaires, Giscard d'Estaing et Jacques Chirac demeurent aussi, quoi qu'ils en aient, des alliés. Qui travaille pour l'autre ? " Tout peut arriver ", dit-on. Certes, y compris que le chef du Rassemblement travaille, en dernière analyse, pour le chef de l'État ou, inversement, celui-ci pour celui-là. » En 1978, en effet, le chef du Rassemblement travailla efficacement pour le chef de l'État ; en 1981, il contribua à une défaite commune.

Le mois suivant, je plaidai moins pour Chirac que contre la croisade déclenchée par le Président contre la candidature de Chirac à la mairie de Paris. Au fond, je lui déconseillai de livrer bataille à Paris contre son ancien Premier ministre parce qu'il risquait fort de la perdre ; je fis valoir ensuite les droits moraux, si l'on peut dire, du chef du Rassemblement. Les gaullistes avaient perdu d'abord l'Élysée, puis Matignon. La même Constitution qui avait favorisé l'État gaulliste favorisait l'État giscardien avec la circonstance aggravante que le parti du président demeurait minoritaire dans la majorité à l'Assemblée. L'effort du RPR de conserver sa position à Paris, pourquoi ne pas le comprendre ? Pourquoi le taxer de crime de lèse-majesté ? Si la candidature de J. Chirac s'en prend à l'autorité du président, pourquoi celui-ci ne réplique-t-il pas par une esquive ? Si l'adversaire a choisi ce terrain de bataille dans lequel il détient tous les atouts, le bon sens ordonne au président-stratège de rester en dehors de la bataille, à supposer qu'il ne puisse pas l'éviter [1].

Le président livra la bataille avec passion et il la perdit. Jamais la pression de l'Élysée sur la télévision ne s'exerça aussi fortement qu'à l'occasion des élections parisiennes. Les conseillers municipaux RPR occupaient des fortins, dans certains cas inexpugnables. Françoise Giroud fut lancée à l'assaut d'un de ces fortins, qu'elle fut bien incapable de prendre, en dépit de l'appui de *l'Express.* Elle y perdit tout, en raison d'une lamentable histoire de décoration. Mon cousin Aron-Brunetière — elle avait servi sous ses ordres dans la Résistance — témoigna en sa faveur. Le président lui avait demandé de figurer en tête de liste dans une circonscription et promis de lui laisser son portefeuille ministériel, quelle que fût la décision des électeurs. Le « scandale » de la décoration usurpée le libéra de son engagement.

Le président prit très mal mes conseils. Deux de mes articles servirent le député de la Corrèze du simple fait qu'ils reconnaissaient la légitimité de sa candidature. Grandement ? Je ne sais. Quelques chiraquiens, pour me flatter, me répétaient que, sans mes articles, ils n'auraient pas réussi (nourrissant du même coup ma « mégalomanie »). La colère de l'Élysée aurait flatté, elle aussi, ma vanité si j'avais aspiré à cette sorte d'influence. *Le Figaro,* à Paris, dans les beaux quartiers, tenait et tient encore une place. A mon sens, les articles influèrent plutôt sur la classe politique que sur les électeurs.

A l'Élysée, on se demanda pourquoi j'avais porté un « coup bas » au président. D'aucuns, dans son entourage, mirent mon attitude au compte de l'affaire Abou Daoud, un des organisateurs de l'attentat contre les athlètes israéliens de Munich. J'avais critiqué vivement, peut-être trop vivement [2], la rapidité avec laquelle le gouvernement, avec l'aide de la Justice, s'était débarrassé de ce Palestinien encombrant. Je fus non pas surpris mais frappé par le refus des professionnels de la politique d'imaginer une démarche que ne déterminerait pas un motif plus ou moins bas, ressentiment ou calcul d'intrigue. Au reste, j'avais écrit, *avant* l'affaire Abou Daoud, que le président ne devrait pas se mêler lui-même de la querelle de la mairie de Paris, où il risquerait son prestige.

Après ces articles contestés, je rencontrai une fois ou deux Jacques Chirac, Marie-France Garaud et Pierre Juillet. Je trouvai à Jacques Chirac du charme ou, plutôt, je le trouvai « sympa », comme disent les jeunes ; le contact avec lui me parut facile, plus facile qu'avec Giscard d'Estaing. Au bout du compte, je n'eus avec ce dernier aucune conversation qui ne fût strictement, totalement politique. L'homme me parut toujours insaisissable.

Quelques semaines après les élections municipales, je disparus de la

1. On m'a affirmé, depuis lors, que le Président lui-même, à l'instigation de Michel Poniatowski, avait choisi le champ de bataille.
2. A en juger par les lettres de nombre de lecteurs.

circulation. Avant ma crise cardiaque, j'avais écrit quelques articles sur « l'affrontement inévitable » du printemps de 1978, évoqué le délai d' « une année pour convaincre » ; le dernier article de politique intérieure fut publié le 28 mars. Les quatre articles qui marquèrent la fin d'une collaboration de trente années parurent entre le 23 et le 27 avril.

J'écrivis ces quatre articles pour dire adieu aux lecteurs du *Figaro*, pour me mettre à l'épreuve alors que ma main dessinait encore avec peine des lettres. Ces articles trouveront place dans la dernière partie du livre, consacrée aux années de sursis que la nature, aidée par les médecins, m'accorda et dont je goûte, par intermittence, la saveur douce-amère.

XXII

DE LA CRITIQUE IDÉOLOGIQUE

L'Opium des Intellectuels conclut une phase de mon existence, quinze années durant lesquelles, hors de l'Université, je vécus en journaliste et en militant. Paru au printemps de 1955, quelques mois avant ma candidature à la Sorbonne, le livre constituait une provocation à la gauche intellectuelle, non pas majoritaire mais influente aussi parmi les universitaires. Paru un an avant le discours de N. S. Khrouchtchev au XXe Congrès du parti communiste d'URSS, il fut servi par les circonstances en dépit de la colère qu'il souleva : l'intelligentsia parisienne commençait de s'interroger sur le marxisme-léninisme et l'Union soviétique.

La critique des idéologies, telle que je l'entends, ne s'arrêta pas avec *l'Opium.* D'abord, je discutai avec tels ou tels de mes adversaires et m'efforçai de préciser mes positions, de réfuter le reproche de scepticisme ou de nihilisme que tant de lecteurs m'adressaient. Ensuite, la conclusion *Fin de l'âge idéologique ?* déclencha une controverse plus ou moins passionnée, des deux côtés de l'Atlantique. La publication, au début des années 60, des trois petits volumes sur la société industrielle m'amena à mettre en rapport les phases du développement économico-social avec les idéologies.

Rétrospectivement, je me demande parfois pourquoi je consacrai tant de temps à la critique idéologique, terme par lequel je désigne de multiples articles, entre autres *Trois Essais sur l'âge industriel* et deux livres *(D'une sainte famille à l'autre, Histoire et Dialectique de la violence).*

Je trouve quelques circonstances atténuantes à ce que d'aucuns appelleront l'acharnement du polémiste. Non que j'aie nourri beaucoup d'illusions sur l'efficacité des débats. Les sentiments résistent longtemps à la réfutation des idéologies par lesquelles ils s'expriment et se rationalisent. Malgré tout, les hommes de pensée s'efforcent de prouver ou de justifier leur foi ; nombre d'entre eux ne parvinrent jamais à prendre à leur compte la version stalinienne du marxisme. Aussi bien n'ai-je jamais discuté avec les croyants du *Diamat.*

Les articles et les livres que je range dans la catégorie de la critique idéologique relèvent de la tâche que je m'étais assignée depuis ma jeunesse : confronter les idées aux réalités qu'elles traduisent, déforment ou transfigurent, suivre à la fois le cours des événements et le cours des idées. Les trois premiers chapitres de *l'Opium* traitent des « vaches sacrées » *gauche, prolétariat, révolution,* afin d'analyser ces notions équivoques et leurs sens divers en fonction du contexte historique.

Critique d'inspiration à la fois marxiste et kantienne. Critique marxiste puisque Marx cherchait toujours, au-delà du langage et des illusions, l'expérience authentiquement vécue. Comment aurait-il jugé un régime qui se réclame du prolétariat et qui ne lui laisse aucune des libertés que lui accorde la démocratie bourgeoise, ne serait-ce que la liberté de choisir ses représentants syndicaux ? Critique kantienne puisqu'elle condamne la philosophie de l'histoire dont l'ambition dépasse les limites de la connaissance et des prévisions légitimes.

Pendant trente années, les modes idéologiques parisiennes s'accompagnèrent à chaque fois d'une réinterprétation du marxisme. Les textes que j'inclus dans la catégorie de la critique idéologique appartiennent, au fond sinon en apparence, à des genres littéraires tout différents. *L'Opium des Intellectuels* me semble, aujourd'hui encore, un essai pour un public cultivé. *D'une sainte famille à l'autre* et surtout *Histoire et Dialectique de la violence* approchent de la philosophie ; je n'ai pas réussi à chasser le jargon des pages consacrées à la *Critique de la Raison dialectique.*

A. *Les structures et la foule*

Les débats de l'après-guerre, en France, me rappelaient les débats allemands des années 1923-1933. Je me trouvai, pour la deuxième fois, sur le terrain commun au marxisme et à l'existentialisme : la mise en question simultanée de la personne et du destin historique de l'humanité. Althusser, lui, appartenait à une autre génération, il abordait le marxisme par un autre biais. Ce qui me poussa à lui consacrer une longue étude, ce fut la curiosité. La nouvelle génération, en utilisant les concepts à la mode dans les sciences sociales, avait-elle extrait des vieux livres un Marx inconnu, le vrai Marx ou, à défaut, un Marx tel que les difficultés sur lesquelles avaient achoppé depuis un siècle tous les interprètes s'effaceraient miraculeusement ?

La brochure sur le marxisme d'Althusser, *D'une sainte famille à l'autre,* que je publiai en 1967, tomba dans le vide, dans le silence. Ni Althusser ni les siens ne jugèrent que mon texte méritât une discussion. Les *Annales* refusèrent un compte rendu, probablement trop favorable, d'Alain Besançon. En revanche, Lévi-Strauss me remercia de l'envoi du livre qui l'avait convaincu, m'écrivait-il, d'avoir eu raison de ne pas lire *Pour Marx* et *Lire le Capital* (les deux principaux livres d'Althusser).

L'entreprise althussérienne ressemble, à certains égards, à celle de Sartre, à d'autres égards elle en diffère radicalement. L'un et l'autre, philosophes ou professeurs de philosophie d'origine, s'efforcent de repenser la pensée de Marx ou, de manière plus précise, d'élaborer une philosophie ébauchée ou implicite dans le corpus marxiste, qui présenterait deux vertus : elle permettrait de conserver l'essentiel des thèses, historiques ou politiques, de Marx et de Lénine ; elle éviterait le simplisme du matérialisme dialectique. Sartre refusait le matérialisme au lendemain de la guerre ; plus tard, dans la *Critique de la Raison dialectique,* il ne nia pas catégoriquement la dialectique de la nature, mais le sens même qu'il donna à la dialectique s'accorde mal avec une dialectique de la nature dont il concède la possibilité aux orthodoxes du marxisme-léninisme. De plus, l'un et l'autre, étrangers à la connaissance économique [1], acceptent la vérité du *Capital,* Sartre en quelques lignes, Althusser en plusieurs dizaines ou centaines de pages, non sans en renouveler l'interprétation par l'emploi d'autres textes et par une autre théorie de la connaissance.

Par ailleurs, les deux entreprises se situaient aux deux extrêmes. Sartre s'inspirait des ouvrages de jeunesse, mettait au centre du marxisme la *praxis,* l'action, donc les classes et la lutte des classes ; par suite, la fin des aliénations (ou des contradictions) couronnait l'aventure de l'histoire humaine ; marxisme humaniste et historiciste. Althusser rejetait les textes de jeunesse, le Marx d'avant la « coupure épistémologique » ; il plaçait *le Capital* au centre du marxisme et concevait une science de l'Histoire, science pour ainsi dire de l'éternité historique, science spinoziste, purifiée de tout humanisme, de tout historicisme. Membre du parti, Althusser prit moins de liberté par rapport à l'orthodoxie marxiste-léniniste que Sartre ; il conserve souvent les mots sacrés, non sans leur donner une signification tout autre. Par exemple, il reprend l'expression « matérialisme dialectique », mais ce matérialisme n'a plus rien de commun avec la dialectique de la nature, il désigne « la théorie des théories » ou philosophie dont le matérialisme historique constitue un chapitre. Le matérialisme historique est la théorie de la science historique ; l'ensemble de ces théories régionales constitue le matérialisme dialectique, qui établit les principes valables pour toutes les connaissances régionales.

Althusser prend pour texte cardinal l'*Introduction* aux *Grundrisse* [2], texte connu depuis longtemps puisque Kautsky l'avait reproduit en préface à la *Contribution à la critique de l'économie politique.* Ce texte esquisse une épistémologie dont Althusser développe les implications. Pour analyser et comprendre une économie concrète, le savant ne doit pas commencer par des faits empiriquement observés, nombre des habitants, répartition des travailleurs, volume de la production ; il doit com-

1. L. Althusser demanda à Pierre Moussa, son camarade de khâgne, quels livres il pourrait lire pour se familiariser avec la réalité économique moderne. P. Moussa lui recommanda la lecture des *18 Leçons.*

2. En français, *Fondements de la critique de l'économie politique.*

mencer par des abstractions, la valeur, l'échange, la production, la distribution. Le concret ne se trouve pas au point de départ, mais au point d'arrivée. L'esprit s'approprie le concret à l'aide d'abstractions. L'origine hégélienne de cette manière de penser ne prête pas au doute. Elle se manifeste dans les *Grundrisse.*

Dans le même texte, Marx discute le rapport entre la série logique des concepts et la succession historique de ces derniers. Il affirme, de la manière la plus catégorique (comme il l'avait fait déjà dans *Misère de la philosophie*), que l'ordre logique ne coïncide pas avec l'ordre historique. Chaque concept se développe selon sa loi propre ; tel concept peut être déjà pleinement élaboré dans une économie encore peu développée. Mais ce n'est qu'à la lumière de l'économie capitaliste que les économies antérieures révèlent tout leur sens. C'est l'anatomie de l'homme qui explique celle du singe.

Enfin, dans ce même texte, figure le terme *totalité structurée* qui fournit à Althusser son concept fondamental. Les marxistes, depuis un siècle, se sont interrogés sur la modalité des rapports entre l'infrastructure et la superstructure, entre les forces et les rapports de production, entre ceux-ci et les édifices intellectuels. Ils cherchaient le secret dans la *Préface* à la *Contribution à la critique de l'économie politique*[1]. Althusser le cherche et le trouve dans l'*Introduction* des *Grundrisse.* Le concept du *tout structuré* permet de poser le problème autrement.

Tout d'abord, il n'est plus question de s'en tenir à des notions équivoques, *détermination, correspondance.* Puisque chaque mode de production se présente comme un tout structuré, la saisie scientifique en dégage d'abord les instances multiples, économie, politique, idéologie. Aucune de ces instances n'absorbe ou ne détermine univoquement les autres. C'est la relation des instances qui singularise la structure de chaque totalité. L'instance économique demeure, en dernière analyse, déterminante ; c'est elle qui, en chaque mode de production (ou en chaque formation sociale), détermine l'instance qui est dominante. Dans le mode de production du servage, l'instance dominante est la politique, parce que le prélèvement de la plus-value se fonde sur la domination militaire de l'homme armé qui protège et exploite. Dans le capitalisme, l'économie devient dominante en même temps que déterminante parce que l'exploitation se dissimule sous la liberté d'échange entre le travail et le capital. La politique ne garde d'autre fonction que de garantir la sécurité d'une économie abandonnée à elle-même.

La science de l'Histoire dont Althusser jette les fondements porte sur un objet construit par des concepts, les modes de production ou les formations sociales ; ni récit ni analyse diachronique, elle tend vers une étude essentiellement synchronique, étude des divers modes de production, qui deviendrait à la limite étude de l'histoire de l'humanité sans

1. Les analystes anglais qui s'intéressent au marxisme reviennent, comme les sociaux-démocrates de la IIe Internationale, à cette *Préface.*

récit, sans trace de l'évolutionnisme ou de l'humanisme. En chaque mode de production, une instance exerce une causalité structurale sur les autres. La science du passage d'un mode de production à un autre chercherait, elle aussi, les causes structurales internes à chaque mode de production, qui en détermineraient la désagrégation et, du même coup, entraîneraient l'avènement d'un autre.

Le projet d'une science de l'Histoire, en fait d'une analyse synchronique des divers modes de production, ne me paraît pas incompatible avec une tendance du marxisme de Marx. Nous en saisissons les germes dans la *Préface* de la *Contribution*, davantage encore dans les *Grundrisse*. Mais, pour recourir au langage allemand, il ne s'agit que d'une *Einleitung zur einer Grundlegung einer möglichen Geschichtswissenschaft*[1]. La diversité des phénomènes historiques se distribue-t-elle en un petit nombre de modes de production ? Quels aspects d'un mode de production s'expliquent à partir de l'instance en dernière analyse déterminante ou de l'instance dominante ? Peut-on reconstruire les modes de production et les formations sociales en jouant avec les cinq éléments (travailleurs (1), modifiant un objet (2), avec des moyens (3), le processus de production impliquant l'appropriation réelle des objets et des moyens (4) et enfin la propriété juridique (5) des éléments, objets et moyens) ? Comment fonctionne la causalité structurale ? Enfin, par quel tour de passe-passe cette science de l'Histoire s'accorde-t-elle avec le marxisme-léninisme ?

A cette dernière question, et à elle seule, la réponse est facile. Althusser frappa la gent parisienne de stupeur par un marxisme « objectiviste », sans praxis, sans historicisme (et, à la limite, sans histoire). Mais il reprit l'interprétation classique du *Capital*. Quand il situe la génialité de l'économiste Marx dans la théorie de la plus-value, il n'innove aucunement ; F. Engels, K. Kautsky, les économistes de la IIe Internationale ne pensaient pas autrement. Les théories de la valeur-travail, de l'échange entre le travail et le salaire (qui ne rétribue qu'une partie de la journée de travail) conduisent à la plus-value, caractéristique du capitalisme et source unique du profit, de l'intérêt et de la rente. Le livre *Lire le Capital*, en dernière analyse, n'écorche même pas l'interprétation classique du marxisme-léninisme, du moins sur ce point tenu par tous les marxistes pour central, constitutif de la critique de l'économie politique bourgeoise.

L'originalité althussérienne tient d'abord à l'idée de la *coupure épistémologique*. En 1845, Marx aurait rompu, une fois pour toutes, avec l'influence hégélienne, avec le schéma feuerbachien (l'homme-sujet crée des œuvres qui l'emprisonnent, l'aliènent). Devenu matérialiste (ou réaliste selon un vocabulaire plus courant), Marx aurait posé la réalité matérielle, inorganique ou organique, comme première ; du cerveau sortiraient les idées par lesquelles l'homme s'empare de la nature, ou réelle-

1. Introduction au fondement d'une possible science de l'Histoire.

ment par la technique, ou intellectuellement par la science. La vision humaniste de l'Histoire — la chute de l'homme-sujet dans l'aliénation, la lutte des classes pour atteindre à la libération — aurait disparu une fois pour toutes ; du même coup, les Pères jésuites, le P. Calvez ou le P. Fessard, fausseraient, sans le vouloir, le vrai marxisme de la maturité, celui du *Capital* et de la science de l'Histoire.

Dans le cadre de la marxologie, la thèse de Louis Althusser ne résiste pas un instant à la lecture des textes. Les *Grundrisse* de 1857-1858 sont imprégnés d'hégélianisme. Marx relut la *Logique* de Hegel avant d'écrire *le Capital.* Indéfendable en tant que thèse historique, la notion de rupture épistémologique attire l'attention sur l'équivoque de la philosophie de Marx lui-même, plus proche, selon les périodes et selon son humeur, de la version hégélienne ou de la version althussérienne. La force du marxisme vient, pour une part au moins, de cette équivoque. La théorie de la plus-value fonde celle de l'exploitation (injustice intrinsèque de l'économie d'échange) et celle de l'aliénation (les choses s'interposent entre les personnes). L'économie marxiste est simultanément critique morale et critique existentielle.

L. Althusser s'intéresse moins aux tomes 2 et 3 du *Capital,* à l'analyse diachronique du capitalisme, à la causalité intertotalité [1]. En effet, membre du parti en même temps que philosophe, s'il n'ignore pas que le cours de l'histoire ne se conforme pas aux prévisions que les disciples avaient tirées des œuvres de Marx, curieusement, il réussit à donner l'impression de cette conformité ou, tout au moins, à dissiper le sentiment d'une contradiction entre les prophéties et les événements.

L'autodestruction du capitalisme, selon l'analyse de Marx, tient à deux « effets pervers » de la conduite logique des capitalistes, la baisse tendancielle du taux du profit et la paupérisation des masses. L'accumulation du capital, impliquée par un système mû par la recherche du profit, réduirait progressivement la part du capital variable (valeur du travail) dans la composition organique du capital. Il en résulterait une baisse tendancielle du taux du profit puisque celui-ci sortirait du seul capital variable. Par une sorte de justice immanente, les capitalistes finiraient par se ruiner tous du fait que chacun d'eux, dans la quête du profit, faute de connaître l'origine de la plus-value, remplacerait le capital vivant par le capital mort, l'ouvrier par la machine. L. Althusser ne met pas la révolution de 1917 en rapport avec cette loi, pas davantage avec la paupérisation, absolue ou relative, des travailleurs. Il use d'un concept post-marxiste, la *surdétermination,* pour expliquer la révolution. Celle-ci n'éclate pas en des circonstances déterminées par une seule instance, elle est provoquée par la conjonction de diverses instances, par l'érosion de la légitimité politique autant que par une crise économique. C'est la conjoncture, créée par l'ensemble des instances, qui peut être dite révolutionnaire.

1. Les causes qui déterminent le passage d'une totalité à une autre.

J'avoue n'avoir rien trouvé, dans la pensée d'Althusser, de proprement original, rien qui lui méritât le qualificatif de « grand philosophe ». Des amis, qui passèrent par son enseignement, m'assurent qu'il faisait souffler à l'École, lorsque eux-mêmes adhéraient au parti, un vent de liberté. Il les aidait à secouer le joug de l'orthodoxie marxiste-léniniste, à lire ou à relire *le Capital*, à repenser le marxisme de Marx. J'y consens volontiers, mais il ne suffit pas de prendre ses distances par rapport au catéchisme de l'école de Bobigny pour retrouver la voie royale de la philosophie.

Certes, il rompit avec la mode parisienne de la veille, il conçut une sociologie (qu'il appela science de l'Histoire) des divers modes de production (ou formes sociales), chacun analysé en lui-même dans sa totalité structurée. Marx avait lui aussi conçu une telle sociologie, il n'en avait laissé que des fragments. L. Althusser ne dépasse pas l'*Einleitung zur einer Grundlegung*; il suggère une épistémologie anti-empirique, le concept précédant les faits et la quantification, épistémologie qui glisse vers le verbalisme et la théologie. Pour résoudre le vieux problème de l'unité de la théorie et de la pratique, il baptise pratique théorique la théorie. Dans l'*Introduction* aux *Grundrisse*, Marx recommandait, en effet, une démarche de l'abstrait au concret, des concepts aux faits. Il suggérait l'analyse de la « totalité organique » à l'aide de concepts économiques qui seuls permettent d'en saisir la structure. La saisie de la structure ne dépend pas de ces concepts eux-mêmes mais de la forme prise par chacun d'eux et de leurs relations en chaque ensemble. Mais, pour déterminer l'état des forces de production, ou la corrélation de la production et de la consommation, en un régime donné, en un moment donné, il ne suffit pas de jouer avec les mots, il faut venir à la réalité, fût-elle baptisée empirique. L'épistémologie althussérienne se développa en dehors et des sciences de la nature et des sciences humaines. En réaction au marxisme existentialiste, Althusser entraîna ses disciples vers *le Capital*, les modes de production, les instances ; en quoi il leur rendit service. Simultanément, il les exposa à une scolastique, en réalité marxiste-léniniste, maquillée en épistémologie pseudo-bachelardienne, pseudo-structuraliste.

Quand vinrent les tempêtes des années 60, les althussériens se dispersèrent, les uns maoïstes, les autres fidèles au parti, les autres convertis à la sociologie. Il semble bien d'ailleurs que la mode althussérienne passa, à Paris du moins, après 1968. Les émeutes estudiantines jouèrent à la perfection la foule en fusion de la *Critique de la Raison dialectique*. La *praxis* sartrienne connut un bref regain. Au cours des années 70, les deux marxismes, subjectiviste-existentialiste et objectiviste-structuraliste, déclinèrent en même temps. Quelques maoïstes ou autres gauchistes furent tentés par le terrorisme, d'autres cherchèrent refuge dans l'écologie et la défense de la nature, d'autres enfin se firent défenseurs des droits de l'homme. Analyse, il est vrai, parisienne plutôt que française. La « haute intelligentsia » se détacha du marxisme ; le PC avait refusé en 68 l'occasion d'une révolution et surtout les dissidents russes, A. Soljenitsyne au premier rang, bouleversèrent les intellectuels. Cependant, un marxisme, pas très éloigné de celui de la social-démocratie d'avant 1914, continue d'exercer une influence dominante sur le corps enseignant, celui des CES ou des maîtres-assistants des universités. La victoire du PS sur le PC et sur la majorité de droite fut commentée dans un langage qui ne doit presque rien aux professeurs de philosophie. Un marxisme primaire suffit aux militants de François Mitterrand.

Histoire et Dialectique de la violence parut presque en même temps que *République impériale*. Le Prix de la critique fut attribué aux deux livres conjointement. Une fois de plus des amis me demandèrent : pourquoi l'avez-vous écrit ? Je me posai moi aussi la question. Apparemment, il s'agit d'un livre auquel je fus amené peu à peu. Quand la *Critique de la Raison dialectique* parut, je le lus, non sans quelque détachement. J'en parlai une fois ou deux dans mon séminaire. Pierre Brisson se tourna vers moi au moment où « mon petit camarade » reçut et refusa le prix Nobel : faute de mieux, je rédigeai un article sur la *Critique*. Vous m'envoyez un cours de Sorbonne, me dit P. Brisson, désespéré. Je réduisis d'un tiers le texte qui peut-être déconcerta les lecteurs du *Figaro littéraire* (peut-être moins que ne le pensait le directeur) et me valut un coup de chapeau de Maurice Nadeau [1]. Ce dernier nota la pauvreté des commentaires consacrés à J.-P. Sartre à cette occasion ; une seule exception, ajoutait-il, *le Figaro littéraire*: « à qui se fier ! ». C'est aussi vers cette date que je me résolus à étudier sérieusement, plume à la main, cet ouvrage énorme, blindé pour ainsi dire. Je lui consacrai un cours d'une année à la Sorbonne, en 1966-1967. Des khâgneux suivirent nombreux mon explication-interprétation.

Le cours dactylographié circula dans le petit cercle de mes amis. Quant à moi, j'hésitai sur l'usage de ce manuscrit. Une publication, semblable à celle des *18 Leçons*, me parut hors de question : l'analyse rigoureuse ne s'accorde pas avec la parole improvisée. La correction de la dactylographie aurait exigé beaucoup de temps pour aboutir à un résultat douteux. Au cours des années suivantes, entre 1967 et 1973, je revins de temps à autre sur ce manuscrit et j'en rédigeai quelques fragments. Je songeai à un petit livre sur la violence, composé en diptyque : d'un côté Sartre ou le romantisme de la violence, de l'autre Clausewitz ou la rationalité de la violence. En 1972, j'abandonnai ce projet, trop artificiel. Chacun des deux volets du diptyque se transforma en un livre, un petit, *Histoire et Dialectique de la violence,* un gros, *Penser la guerre, Clausewitz.*

Le premier répond-il à l'intention, quelque peu médiocre, de ne rien laisser perdre ? J'appréciais la *Critique,* moins que Sartre lui-même qui,

1. Un des critiques les plus sévères de *l'Opium.*

je crois, la mettait au-dessus de *l'Être et le Néant,* mais beaucoup plus que la plupart des non-sartriens, rebutés par le jargon et la démesure de l'ouvrage ; je me situais — et j'y suis encore — dans une position moyenne. La *Critique* m'intéresse à deux points de vue : par rapport à *la pensée de Sartre,* à savoir la dialectique du Pour-soi (ou de la Praxis) et des ensembles ; par rapport au problème de *la violence.* Le dialogue que j'avais engagé avec lui, dès l'*Introduction,* s'élargit avec la critique de la *Critique.* C'est dans la *Critique,* en effet, que s'exprime le plus clairement le passage de la conscience libre à la servitude volontaire (l'engagement) et à l'asservissement aux ensembles et aux choses.

J'élimine de la *Critique* les déclarations de fidélité au marxisme. « Si la philosophie doit être à la fois totalisation du savoir, méthode, idée régulatrice, arme offensive et communauté de langage, si cette vision du monde est aussi un instrument qui travaille les sociétés vermoulues, si cette conception singulière d'un homme ou d'un groupe d'hommes devient la culture et, parfois, la nature de toute une classe, il est bien clair que les époques de création philosophique sont rares. Entre le XVIIe et le XXe siècle, j'en vois trois que je désignerai par des noms célèbres ; il y a le "moment" de Descartes et de Locke, celui de Kant et de Hegel, enfin de Marx. Les trois philosophies deviennent, chacune à son tour, l'humus de toute pensée particulière et l'horizon de toute culture, elles sont indépassables tant que le moment historique dont elles sont l'expression n'a pas été dépassé » (*Critique de la Raison dialectique,* p. 17).

Ce passage, si souvent cité et, à mes yeux, simplement sot (de la sottise énorme que goûtait Flaubert), reprend ou plutôt caricature une conception hégélienne ; une grande philosophie donne forme pour ainsi dire à l'esprit d'une époque ; mais elle n'est pas totalisation du savoir (Hegel ne comprit pas correctement les sciences mathématiques et physiques, pourtant un trait essentiel du « moment »), elle n'est pas nécessairement méthode et idée régulatrice, etc. Présenter le marxisme, décrété par ailleurs « stérile », comme « l'horizon indépassable » de notre culture, c'est, disons-le dans le langage de notre jeunesse, « déconner ». Le marxisme ne « totalise » certes pas le savoir de notre temps ; il est loin de condenser la philosophie de notre époque ; vue de Harvard ou d'Oxford, la philosophie d'aujourd'hui est analytique et nullement marxiste.

Je ne prends pas au sérieux l'idée d'une *Critique* de la Raison dialectique, moins encore à l'heure présente que je ne le faisais dans le livre. Il n'existe pas de *Raison dialectique,* différente en essence de la raison analytique : il existe, à l'intérieur de la pensée de Sartre, une dialectique qui, à la différence des dialectiques de la plupart des philosophes, ne se définit pas, directement ou indirectement, par le dialogue. La dialectique sartrienne se réduit à la saisie totalisante de la situation, à la projection de la conscience vers l'avenir. La conscience embrasse, en effet, la situation à laquelle elle est confrontée ; en ce sens, on peut dire qu'elle totalise les choses dispersées en face d'elle, mais cette totalisation-perspective sur le réel n'a rien de commun avec la « totalisation du savoir » qui serait la tâche de la philosophie. La « totalisation perceptive » n'est pas connaissance totale.

Ainsi entendue, la dialectique de la conscience (ou de la conduite humaine en tant que telle) appelle un mode d'appréhension différent de celui qui s'applique à la nature ; ce mode d'appréhension ne diffère pas du *Verstehen* des Allemands, de la « compréhension » que nombre d'auteurs continuent d'opposer à l' « explication » ou, tout au moins, de distinguer d'elle. Dans *Histoire et Dialectique de la violence,* je me suis contenté d'affirmer, sans démonstration convaincante, que la méthode régressive-progressive ne constituait qu'une modalité de la compréhension diltheyienne. Aussi bien Sartre lui-même fait-il allusion, sur ce ton quelque peu supérieur qu'il affectionne, au « vieux Dilthey »[1]. L'un et l'autre donnent pour objet à la connaissance de la réalité historique la reconstitution des démarches de la conscience, la saisie de l'intelligibilité de ces démarches. (Dilthey, mais non Sartre, ajouterait : la participation affective, la sympathie avec d'autres.)

Sartre veut démontrer — finalité explicite de la *Critique* — que l'Histoire tout entière est dialectique. Mais sa démonstration oscille entre deux idées radicalement différentes. Ou bien il veut, comme les théoriciens de l'individualisme méthodologique[2], fonder la thèse que toute interprétation, voire toute explication, doit remonter à la conduite individuelle, seule en tant que telle dialectique ou compréhensible ; ou bien il veut aller du Pour-soi à l'Histoire universelle en créant l'illusion que la totalisation par le Pour-soi du milieu perçu ne diffère pas en nature de la totalisation du savoir ou de la totalisation du devenir humain (totalisation qu'il avait prévu d'analyser dans le deuxième tome, dont existent des fragments).

Je ne vois aucun motif d'appeler Raison la dialectique de la conscience ; puisque la conscience est libre, comment affirmer *a priori* qu'elle choisira le rationnel ? Dieu, absolument libre selon Descartes, aurait pu choisir d'autres vérités ou une autre logique. La conscience individuelle selon Sartre, comme Dieu selon Descartes, recrée le monde à chaque instant. Pourquoi serait-elle en tant que telle rationnelle ? Pourquoi appeler Raison la compréhension de la conscience, de la praxis dialectique ? Pourquoi suggérer une parenté entre l'une ou l'autre des critiques kantiennes et l'entreprise sartrienne ? J'ai eu tort, comme me l'a fait remarquer mon collègue Jules Vuillemin, d'évoquer la déduction transcendantale de la *Critique de la Raison pure.* Sartre retrace pour ainsi dire l'épopée de la praxis, à partir de sa liberté originelle et inaliénable jusqu'à son demi-asservissement et, en un deuxième moment, sa

1. Il ne connaissait probablement rien d'autre de Dilthey que ce qu'il en apprit de ma thèse secondaire.
2. Théorie selon laquelle toute explication dans les sciences sociales exige la référence à la conduite des individus.

révolte libératrice qui retombera peu à peu vers la prison, voire vers le stalinisme et le culte de la personnalité. Finalement, ce qui m'intéressait et m'intéresse encore, c'est l'insertion de la praxis dans les ensembles et les diverses modalités de ces ensembles.

L'antithèse sartrienne de la *série* et du *groupe* n'épuise évidemment pas l'indéfinie diversité des ensembles humains ; la *série* des voyageurs qui font la queue à une station d'autobus et la *foule* qui s'empare de la Bastille symbolisent ou représentent *les* deux formes extrêmes. On pourrait même, si l'on avait l'esprit mal tourné, rappeler les premières images de la révolution russe, la foule en fusion qui s'empare du Palais d'Hiver, et les queues devant les magasins d'alimentation, mode socialiste de distribution des biens de consommation courante.

Au-delà de l'antithèse série-groupe, Sartre multiplie les analyses, fines et suggestives, des diverses manières dont les individus sont les uns avec les autres, tantôt unis par une volonté négatrice, tantôt solitaires en dépit de leur action commune. Il met au jour certains des mécanismes par lesquels ils créent un monde d'objets et d'institutions dans lesquels ils se sentent étrangers. La *praxis*, en dépit de la finalité de son action, se heurte à la contre-finalité de son œuvre. Cette vision de l'histoire ne s'oppose pas à celle qui se dégageait de l'*Introduction* ; mais, sur certains points fondamentaux, à la fois philosophiques et politiques, nous nous opposons.

Pour lui, puisque nous saisissons des fragments d'intelligibilité ici et là, dans l'histoire, il faut qu'en dernière analyse l'histoire tout entière soit intelligible [1] ; or des totalités partielles n'impliquent pas une totalité historique que nous embrasserions d'un coup. Bien plus, comment affirmer que cette totalité historique aboutit à la fin de l'exploitation de l'homme par l'homme, à la fin de la domination de l'homme sur l'homme ? Sartre, il est vrai, laisse percer un doute sur la disparition de toutes les aliénations en même temps que les aliénations capitalistes (p. 349, note) : « [...] dans quelle mesure une société socialiste bannira-t-elle l'atomisme *sous toutes ses formes*? Dans quelle mesure les objets collectifs, signes de notre aliénation, seront-ils dissous dans une véritable communauté intersubjective où les seules relations réelles seront celles des hommes entre eux ? [...] La disparition des formes capitalistes de l'aliénation doit-elle s'identifier avec la suppression de *toutes* les formes d'aliénation ? ».

Au niveau ontologique, Sartre veut combiner l'absolu du Pour-soi avec une totalisation de l'Histoire ; il reconnaît le caractère inévitable de l'objectivation de la conscience et l'élément d'aliénation qu'implique cette objectivation. « Chacun de nous passe sa vie à graver sur les choses son image maléfique qui le fascine et l'égare s'il veut se comprendre par

1. J'ai donné au collège de philosophie de Jean Wahl une conférence sur la totalité. On me raconte que Sartre, dans une conférence sur ce même sujet, avait fait allusion à ma conception des fragments intelligibles et l'avait critiquée : s'il existe de l'intelligibilité, celle-ci doit être totale. Ce dialogue doit dater de 1966 ou 1967.

elle, encore qu'il ne soit pas autre chose que le mouvement totalisateur qui aboutit à cette objectivation » (p. 285).

Sartre prend pour point de départ le Pour-Soi, ou la Praxis, ou la conscience instantanée, libre et transparente à elle-même. Elle se projette dans le monde extérieur par ses actes, par les objets qu'elle façonne ; elle rencontre les autres, non de personne à personne mais dans la servitude des contraintes communes ou des séries indéfinies. La conscience se remplit d'*êtres sociaux*, de caractères propres à tels ou tels ensembles ; elle devient pour ainsi dire étrangère à elle-même ; prolétaire, juif, bourgeois, ingénieur, banquier, l'individu porte en lui un ensemble auquel il appartient et duquel il conserve toujours la liberté de s'arracher ; la liberté s'objective dans le pratico-inerte, mais jamais au point de se perdre totalement. En d'autres termes, Sartre décrit la socialisation de la conscience comme une sorte de chute dans l'enfer, la banalité des êtres sociaux, l'inhumanité des relations anonymes.

Bien entendu, cette interprétation de la socialisation comme par essence aliénation s'entend au sens ontologique. L'enfant est socialisé avant de dépasser la conscience non thétique de soi, avant de s'interroger sur lui-même. Mais cette théorie, fût-elle ontologique, implique une vision maudite de toute coexistence humaine. Dans toutes les sociétés, les rapports quotidiens entre les hommes se situent à la surface des personnes, commandés par les coutumes, par la politesse. Chacun apparaît dans son être social, avec son origine, sa religion, son statut, un entre d'innombrables téléspectateurs, un entre des millions d'ouvriers ou de bourgeois, individualisé malgré tout tantôt par sa fonction singulière, tantôt par son être pré- ou extra-social.

Comme les sourires de convenance, sous le regard de Sartre, se déforment en grimaces, l'humanité commence avec la révolte ; la foule qui prend d'assaut la Bastille incarne la naissance du groupe, de la communauté. La description du groupe en fusion peut passer, aux yeux du lecteur superficiel, pour un morceau de bravoure ; en réalité, il représente la solution du problème que Sartre s'était créé à lui-même. Aussi fermée à l'extérieur que la monade de Leibniz, condamnée à la solitude par la nature même de la société, la conscience (ou la praxis) n'échappe à elle-même que dans l'action improvisée, encore sans organisation, qui permet à chacun de servir d'intermédiaire entre les autres. La foule en fusion devient non l'image de la bonne société (on ne peut pas prendre tous les jours la Bastille), mais le geste symbolique : la conscience, libre par essence, se découvre seule et serve ; elle se libère, liée à d'innombrables autres, par la négation de la réalité.

La définition de la liberté par la révolte, par la projection vers l'avenir, par la négation, ne présente pas d'originalité par rapport à la tradition hégélienne. Ce qui est nouveau et typiquement sartrien, c'est de prendre pour exemple et pour illustration de la révolte la foule. Paradoxe pour une philosophie qui repose sur la liberté individuelle ou, pour mieux dire, qui semble avoir pour origine et pour fin la liberté de la conscience ou la conscience libre. Paradoxe malgré tout intelligible puisque, dans la foule en fusion, aucun ne veut la mort de l'autre, aucun n'est objectivé par le regard de l'autre ; tous agissent en commun, chacun tour à tour commandant et commandé. Paradoxe malgré tout fatal : les consciences forment une sorte de communauté mais *contre un ennemi*, de telle sorte que la pacification entre les révoltés entraîne la guerre contre les autres, eux aussi unis par l'hostilité dont ils sont l'objet, contre un autre collectif, la Bastille, le pouvoir établi. D'où résulte une philosophie de la violence (ou de la révolution violente), suggérée sinon affirmée. Le symbole de la praxis, ce n'est plus, dans l'abstrait, la négation de la réalité mais, concrètement, la foule en fusion, sursaut collectif dans et par lequel les consciences dépassent l'altérité qui, en temps normal, enferme chacune en elle-même.

Une autre particularité de l'ontologie sartrienne accentue le goût, sinon le culte de la violence : la radicale séparation des instants. La conscience demeure libre par rapport à ce qu'elle fut tout autant que par rapport à ce qui est. De là le rôle du *serment*, moyen pour ainsi dire magique, pour interdire à sa propre liberté de trahir demain sa décision d'aujourd'hui. Ulysse se fit attacher au mât de son vaisseau pour ne pas céder au charme des sirènes. Le militant, qui jure de servir la cause et d'obéir, accepte ou pour mieux dire enjoint à ses compagnons de le châtier s'il manque à son serment. La fraternité des combattants de l'ombre ne se sépare pas de la terreur que tous exercent sur chacun et chacun sur tous.

Mise en théorie de la pratique des mouvements de résistance ? Oui, bien sûr, mais surtout interprétation sartrienne de la pratique des révolutionnaires (ou des clandestins) à la lumière de la liberté, à chaque instant neuve, à chaque instant responsable totalement d'elle-même. « Sartre refuse d'admettre qu'il a une identité quelconque avec son passé [1]. » Peut-être un passage de mon livre éclaire-t-il, mieux que je ne saurais le faire aujourd'hui, l'origine profonde de nos dissentiments philosophico-politiques : « La *Critique* s'acharne, selon la lecture que nous en avons faite, à maintenir la primauté ontologique, épistémologique de la praxis ou dialectique constituante, donc la dialectique de la conscience individuelle. L'homme social, soumis à des exigences, qui affirme des *valeurs* et qui s'attache à des *intérêts*, qui est dans une classe ou qui est pénétré par elle, atome d'une série ou acteur d'un groupe, dérive ontologiquement de la *praxis* et aucun des collectifs, séries ou groupes, ne supprime celle-ci en tant que telle. Cette apparente contradiction entre l'absolu de la liberté et le pratico-inerte, l'inscription inévitable de la *praxis* dans la matière, la compréhension dérobée par autrui du sens de notre action, cette dialectique de la matérialité et de la sérialité, comment la résoudre ? Ou bien cette dialectique est aussi permanente que la dialectique du Pour-soi et du Pour-autrui, du Pour-soi-sujet qui devient objet sous le

1. Mot de Simone de Beauvoir.

regard de l'autre, ou bien la praxis ne peut être que totalement libre ou totalement aliénée. Certains textes, une note que j'ai citée plus haut, s'accordent avec le premier terme de l'alternative. Finalement, de toute sa passion active, Sartre choisit le deuxième terme ; même si certaines structures d'aliénation, inséparables de la matérialité et de la sérialité, ne disparaissent pas avec les classes, le capitalisme, l'oppression, il s'en tient à l'alternative : totalement libre ou totalement aliéné. L'histoire telle que nous la vivons, dans un monde de rareté, a pour moteur et pour sens la lutte de classes, elle s'identifie à la dialectique de la violence. Sartre repousse donc le libéralisme (ce qu'il entend par ce terme) et les réformes, non par examen de la conjoncture singulière mais par principe ; son choix de la violence et de la révolution est philosophique en même temps que politique. Je lui ai longtemps reproché son goût verbal pour la révolution, son indulgence pour les crimes commis au nom des bonnes idées, bref, à mes yeux, il élevait à un statut philosophique des opinions politiques, il justifiait en raison l'attitude "deux poids, deux mesures ". J'avais à la fois tort et raison : je lui reprochai les implications de sa philosophie à partir de la mienne. Il reste à savoir si une philosophie qui comporte de telles implications, le choix *systématique* de la violence ou de la révolution, mérite d'être tenue pour une dialectique de l'homme, bien que, à la différence des philosophies de la violence, elle se donne à l'horizon l'humanité, non comme un tout, la somme des habitants de la planète, mais comme l'unité infinie de leurs réciprocités, universelle donc en ses aspirations et ses valeurs, à l'extrême opposé des fascismes. » (221-222)

L'*Introduction* se présentait aussi comme une philosophie de la liberté ; je ne niai pas que l'homme, l'homme occidental en particulier, fût par essence « l'être qui crée des dieux, l'être fini, insatisfait de sa finitude, incapable de vivre sans une fin ou un espoir absolus » (p. 313). Mais qui veut penser sa vie et son action doit d'abord choisir de travailler à l'intérieur du système ou refuser celui-ci. Le choix raisonnable exigerait une comparaison entre le régime existant et le régime annoncé ou prévisible qu'amèneraient avec eux les révolutionnaires. Cette comparaison qui fonde mes prises de position, Sartre l'a toujours récusée. Sa première démarche, c'est la négation de la réalité, en l'espèce les sociétés capitalistes-démocratiques. Même s'il avoue, de temps à autre, entre les lignes, que les libertés formelles donnent aux personnes plus de droits et de garanties que la « dictature du prolétariat », il ne remet pas en question le privilège ou le postulat révolutionnaire. Entre mon choix raisonné et son engagement inconditionnel, nulle rencontre, sinon par accident, n'était possible. N'oublions pas, malgré tout, une réserve : le choix d'une politique n'entraîne pas nécessairement l'adhésion à un parti (*Introduction,* p. 328). Sartre et moi, nous avons tous deux mis en pratique cette distinction.

Je ne me sens jamais libre de mon passé. Dès l'*Introduction,* je discutai de ce point avec lui. « La liberté n'est jamais entière, le passé de l'individu délimite la marge dans laquelle joue l'initiative personnelle. » De la continuité de notre existence, je pris deux expressions ou deux symboles : le remords, la fidélité ; le premier appelle la conversion, la deuxième est exigée par l'engagement. La liberté absolue, le renouvellement à chaque instant de cette liberté m'ont toujours paru impensables, contradictoires avec l'expérience des autres et de moi-même. Aussi j'ai toujours pensé la liberté comme une libération progressive : « La délivrance vient de la conscience qui rompt avec les illusions puériles, reconnaît le monde tel qu'il est, et non tel que le rêvent les enfants ou le décrivent les parents » (p. 348).

Qu'il s'agît des sociétés ou des individus, j'employai des mots de résonance religieuse : engagement, fidélité, conversion. « Historiquement, il n'y a pas de révolution qui, comme toute conversion, ne change à la fois le milieu et les êtres. Double libération : du réel qui est la suite du passé, et du passé lui-même, autre puisqu'il conduit à un autre avenir et qu'il apparaît à un regard neuf. De même, il y aurait lieu d'étudier la signification et la valeur de la fidélité historique que méconnaissent également les révolutionnaires jusqu'au jour où, assurés de la victoire, ils reprennent la tradition, et les conservateurs qui la confondent avec l'immobilité. Fidélité aussi difficile à préciser abstraitement pour les nations que pour les individus, plus indispensable encore pour celles-là, tant les peuples, en profondeur, restent semblables à eux-mêmes, marqués définitivement par leur histoire ou par la nature pour une destinée unique. »

Nous n'entendions de même manière ni la décision, ni la liberté, ni le sens du temps. Nos dissentiments philosophiques en tant que tels n'interdisaient pas notre dialogue : transposés à l'ordre de la politique, ils le rendirent en fait impossible. Là encore, le décalage caractérisait notre malentendu réciproque : je parvins difficilement à comprendre qu'un tel esprit pût s'abandonner à de tels dérèglements ; à ma censure intellectuelle répliquait une censure morale : bourgeois et acceptant de l'être, j'étais un ennemi de la classe ouvrière.

Histoire et Dialectique de la violence n'eut qu'une diffusion limitée. Il ne pouvait en être autrement : ce livre, aussi clair que possible (du moins je le crois), mais sans exclure le jargon, ne pouvait atteindre un large public. Traduit en anglais, il fut commenté sur un ton ambivalent. Les quelques philosophes dans le monde anglo-américain qui se rattachent à la secte sartrienne me critiquèrent, d'ailleurs sans acrimonie. Les non-sartriens, E. Gellner par exemple, s'étonnèrent de mon intérêt pour des spéculations gratuites, pleines de bruit et de fureur. D'autres, très justement, notèrent l'insuffisance de certaines analyses seulement esquissées : le rapport entre la dialectique sartrienne et la compréhension selon Dilthey, la part faite dans les sciences sociales au non-compréhensible, le rapport entre l'ontologie de Sartre et l'individualisme méthodologique.

Des amis (Lévi-Strauss par exemple) prirent intérêt à ce décorticage d'un ouvrage, à bien des égards monstrueux, mais riche en analyses brillantes ; ils m'écrivirent des lettres qui me touchèrent. Encore aujourd'hui, ce petit livre garde quelques fidèles, Jeanne Hersch par exemple.

Maurice Clavel écrivit quelques lignes qui, publiées par *le Nouvel Observateur,* prenaient d'autant plus de valeur. Un article d'Étienne Borne, intitulé « Les deux camarades », imagine — c'est peut-être la première fois — un dialogue qui, quinze années plus tôt, eût passé pour inconcevable. « Que l'homme du juste milieu, ou plus exactement du milieu juste, ait sur l'extrémiste l'avantage de se comprendre soi et l'extrémiste beaucoup mieux que l'extrémiste, guetté par la paranoïa absolutiste, ne le comprend et ne se comprend lui-même, Aron vient d'en administrer la preuve à la fois la plus élégante et la plus rigoureuse en écrivant un livre, *Histoire et Dialectique de la violence.* [...] Aron va jusqu'à la générosité de reconnaître dans le rude adversaire une puissance créatrice proprement géniale, daïmon qui ne préserve nullement qui en est habité de la sottise et de l'erreur. [...] A la page 755 et dernière de la *Critique de la Raison dialectique,* il est écrit sur le mode de l'attente et de la promesse que, " si la vérité doit être une ", la "signification profonde de l'Histoire " se révélera un jour au philosophe. Mais, et c'est la conclusion d'Aron, "l'ontologie radicalement individualiste de Sartre lui interdit d'accéder jamais à une vérité totalisante de l'Histoire " ; le lui défend peut-être plus encore cet héritage de Nietzsche, assumé par le jeune Sartre, qui institue une guerre à mort entre la liberté et la vérité, et décrète aliénante l'idée même de vérité. »

E. Borne exprimait, en conclusion, le souhait que Sartre, « éveillé de son dogmatisme révolutionnaire par la probité aronienne, puisse lui aussi passer du souvenir au dialogue ». Bien entendu, le dialogue n'eut pas lieu. Sartre lut le livre. Michel Contat me rapporta qu'il lui avait dit : « Aron, au moins, m'a lu. » En revanche, dans l'interview qu'il publia dans *le Nouvel observateur,* il m'accusa de travestir sa pensée à seule fin de la mieux réfuter. C'est là, probablement, un reproche que ne m'adressa aucun critique.

B. *Débats par procuration*

Les grands débats de l'après-guerre s'étaient apaisés ; puisque Paris a besoin de controverses, nous prîmes pour prétexte ou pour thèmes les événements qui se déroulaient à l'étranger. Les intellectuels menèrent des débats par procuration, Cuba, Chili, Portugal, dissidents soviétiques.

Je m'abstins de commenter la plupart des coups d'État, en Afrique ou ailleurs, banalisés par leur fréquence. Je fis une exception pour le coup des colonels et je ne regrette certes pas l'article du *Figaro* intitulé « Tragédie en Grèce ». Tout compte fait, je n'éprouve pas non plus de remords en relisant l'article du 4 octobre 1973 au lendemain du coup d'État des généraux chiliens.

Dans l'article contre les colonels, je laissai libre cours à mes émotions :

« Quand, vendredi dernier, j'appris le coup d'État grec, j'éprouvai le désir puéril de redevenir étudiant pour avoir le droit de crier mon indignation. [...] Quels que soient les bienfaits dont les nouveaux maîtres vont se vanter (" l'ordre règne à Athènes "), cette péripétie risque d'être tragique pour un pays auquel tous les hommes épris de liberté vouent une dilection particulière et qui évoque un des sommets de la culture, une patrie de la raison. » Je rappelai la longue querelle entre le roi Constantin et Georges Papandréou, chef de la majorité parlementaire auquel le souverain refusait sa confiance, l'incapacité de la droite et du centre de s'accorder sur un gouvernement provisoire qui organiserait de nouvelles élections. Le coup d'État avait été préparé en dehors du monarque et celui-ci fut, semble-t-il, acculé au choix entre la soumission et la déposition. « En disant oui, fût-ce sous la contrainte, le roi compromet la monarchie dans une aventure à la longue sans espoir. [...] En refusant de collaborer avec M. Papandréou, le roi Constantin a joué les apprentis sorciers. Il voulait ruser avec la Constitution, les colonels et généraux l'ont violée. Que ces derniers redoutent d'apparaître demain, à leur tour, comme des apprentis sorciers. » Les événements ne démentirent pas mes jugements, mes prévisions : la monarchie, les colonels ont disparu. Au *Figaro*, je reçus surtout des lettres hostiles, quelques-unes violentes : de quel droit m'instaurer juge de la politique d'un pays qui cherche la voie du salut tout seul, indifférent aux verdicts d'intellectuels prétentieux et irresponsables ?

Thierry Maulnier ramena de Grèce, en 1967, une série d'articles favorables au régime des colonels ; mes amis grecs, Kostas Papaioannou et la haute figure de C. Caramanlis, m'auraient protégé de toute faiblesse, si j'en avais eu besoin.

Je rencontrai plusieurs fois Constantin Caramanlis. A la demande du *Figaro*, je lui demandai une interview qu'il refusa : le temps n'était pas encore venu pour lui d'intervenir ouvertement ; il demeurait le recours — il le savait —, il parlerait le jour où les Grecs seraient disposés à l'entendre. Il me dit plusieurs fois : « Je signerais tous vos articles. » Quand, au moment de son retour en Grèce, *Newsweek* écrivit qu'il avait suivi mes cours à la Sorbonne, une légende naissait. J'aurais été fier de l'instruire : je ne l'ai pas fait [1]. Que lui aurais-je appris qu'il ne sût déjà ?

Mon attitude face au coup d'État qui, au Chili, coûta au président le pouvoir et la vie me valut des reproches venant, cette fois, de la gauche. A vrai dire, je me souviens surtout d'une lettre injurieuse d'un rédacteur en chef adjoint du *Nouvel Observateur*, J.-L. Bost, qui avait été mon élève en 1933-1934 au lycée du Havre.

L'article devait-il scandaliser un homme de gauche ? Je ne le pense pas, aujourd'hui encore. Il commençait par un hommage à S. Allende : « La vie et la mort du président Allende forcent également le respect.

1. Je n'oublierai jamais qu'en 1977 je reçus de lui, à l'hôpital, une merveilleuse gerbe de fleurs.

Jusqu'au bout fidèle à son serment constitutionnel, il n'a ni renoncé à son projet socialiste ni supprimé les libertés publiques. C'est l'armée finalement, et non la coalition de gauche, qui a proclamé l'état de siège et suspendu le fonctionnement d'une démocratie longtemps donnée en exemple aux pays d'Amérique latine. Si la qualité des âmes suppléait à la qualité des idées [1], si un chef d'État n'était comptable que de ses intentions, l'histoire du Chili s'écrirait en noir et blanc. Les démons en armes abattent la vertu au pouvoir. » Je ne suis pas sûr que l'hommage au libéralisme du président Allende n'excédât pas les mérites de cet homme qui avait lié son sort à celui des communistes et des gauchistes et qui ne respecta pas les libertés personnelles, au cours des dernières semaines de son gouvernement, aussi scrupuleusement que je lui en reconnus le mérite.

Après ce tribut au président, mort le fusil à la main dans son palais, j'avançai la thèse, vraie ou fausse, que je n'étais pas, et que je ne demeure pas aujourd'hui, le seul à soutenir : les deux camps s'attendaient à un dénouement de cette sorte, ils se préparaient à l'épreuve de force, que l'opinion prévoyait et redoutait à la fois. Inflation galopante, pénurie des produits de première nécessité, rationnement, marché noir, grèves multiples, renouvelées, tel apparaissait le bilan du socialisme à la chilienne. Jusque-là mon analyse ne différait pas, pour l'essentiel, de celle que les économistes de gauche ont depuis lors donnée de la faillite de l'expérience de la gauche chilienne.

Une augmentation forte des salaires, surtout des plus bas, provoqua d'abord une augmentation sensible de l'activité économique et de la consommation. Mais, dans la seconde phase, les prix s'envolent, et le déficit de la balance des paiements extérieurs se gonfle. Les classes atteintes par les réformes, les catégories sociales traumatisées par la menace des nationalisations se révoltent. Le désordre, les violences, les difficultés d'approvisionnement créent le contexte dans lequel l'un ou l'autre des extrêmes frappe un grand coup.

En revanche, mon interprétation de la conduite des militaires péchait par indulgence, comme le faisait mon interprétation de celle du gouvernement Allende. La réputation de l'armée chilienne, « respectueuse de la Constitution », était si solidement établie que je pensai à tort, sur le moment, que les militaires intervenaient moins pour arrêter le développement du socialisme que pour prévenir la guerre civile. Les généraux du coup d'État règnent encore à Santiago ; les principaux d'entre eux ne se proposaient pas seulement de chasser le gouvernement légal et d'éliminer les partis marxistes et gauchistes, ils voulaient édifier un autre régime, à leurs yeux durable. J'ignorais tout du général Pinochet ; la plupart des commentateurs, dans le monde entier, ne le connaissaient pas mieux que moi. Il ne s'agissait pas d'un coup d'État qui, au bout de quelques années, ramènerait le régime démocratique sur les rails ;

1. Cette expression vient de Léon Brunschvicg.

l'armée, ou plutôt une fraction du corps des officiers, voulait « guérir » leur nation du mal marxiste et la « rénover ».

Au cours de la première phase de l'expérience Allende, des socialistes français, François Mitterrand, Gaston Defferre, avaient fait le pèlerinage de Santiago et commenté avec enthousiasme le socialisme à la chilienne. Aussi je mis en garde les lecteurs contre une confusion inacceptable. « Le Chili n'est pas la France ; l'Unité populaire chilienne diffère en profondeur de la coalition socialiste-communiste ; l'armée française n'aurait pas délégué son chef au gouvernement de gauche afin de le renforcer[1]. Les soldats français, en 1961, avaient démontré qu'ils savaient tirer profit du transistor. »

Une fois la confusion dissipée, j'en vins aux leçons éventuelles à tirer du cas chilien : « Que François Mitterrand ait acclamé trop tôt une expérience qui se termine en tragédie importe peu ; qu'il s'allie au parti communiste ne me semble pas non plus décisif : les gauchistes du MIR ont gêné S. Allende bien plus que les communistes ne l'ont fait. L'essentiel, c'est le Programme commun ; oui ou non est-il applicable sans provoquer une crise économique qui acculerait le gouvernement de gauche à choisir entre démission et despotisme[2] ? » A la différence et de la gauche et de la droite, je me refusai à utiliser le drame chilien dans le débat français.

En vacances au moment de l'événement, je ne souhaitai pas formuler un jugement sur un coup d'État en un pays lointain, que je n'avais jamais ni étudié ni visité[3]. J'avais reçu une demande pressante d'un des membres de l'état-major de Louis Gabriel-Robinet. Les rédacteurs — au moins nombre d'entre eux — avaient ouvertement protesté contre un article du directeur, article primaire, qui semblait approuver les auteurs de la rébellion à force de dénoncer ceux qui les attaquaient. Mon « papier », autant que je m'en souvienne, ne fut pas mal reçu par la gauche du journal. Trois semaines plus tard, je le complétai et corrigeai par un papier bref, sur la colonne de gauche de la première page que nous appelions la « chandelle ». Je rappelai mes espoirs : une intervention militaire de brève durée, les soldats rentreraient dans les casernes et les électeurs retourneraient aux urnes. Or « la junte au pouvoir nourrit de plus vastes ambitions. Les informations dont nous disposons, si incomplètes et peut-être partiales soient-elles, ne laissent malheureusement guère de doute sur la violence de leurs méthodes et la pauvreté de leurs idées ». Pour terminer, je fis appel « à ceux qui ont suivi l'expérience du socialisme à la chilienne », à eux de « prendre position aujourd'hui afin de sauver ceux que menace la répression, afin de réserver la chance d'une troisième voie entre les terreurs ». Je m'adressai même à Henry Kissinger : « Qu'il fasse comprendre à la junte que le

1. Allende fit entrer le général Prat comme ministre de l'Intérieur.
2. J.C. Kolm consacra un petit livre, *la Transition socialiste*, aux cas comparés du Portugal et du Chili.
3. J'étudiai quelque peu le Chili après les événements.

rétablissement progressif d'un régime légal et non la répression garantit les faveurs de Washington. » Cette conclusion prête à sourire, j'en conviens.

Plus encore que le Chili, le Portugal devint un objet, presque un enjeu des débats français. En ce qui concerne *le Figaro* et mes prises de position, le dossier me semble simple et honorable. Je n'avais eu avec le Portugal que peu de relations ; quelques étudiants hostiles à Salazar, une semaine chez mon ami François de Rose, alors ambassadeur de France à Lisbonne, une intervention par lettre en faveur du neveu de Robert Calmann-Lévy, impliqué dans une affaire d'un groupe clandestin révolutionnaire. Les autorités françaises avaient multiplié les démarches en faveur du jeune Oulman, dont le père vivait au Portugal depuis des années et y dirigeait une entreprise. L'ambassadeur du Portugal à Paris me suggéra que peut-être une lettre de moi influerait sur la décision de Salazar ; lui seul pouvait interrompre l'action intentée contre Alain Oulman qui aboutirait inévitablement à quelques années de prison. Je reçus en retour de Salazar une lettre manuscrite que je reproduis telle quelle : « Monsieur Raymond Aron, notre ambassadeur à Paris m'a transmis votre lettre du 1er mars au sujet d'un ressortissant français, M. Alain Oulman, accusé de certains actes de coopération active avec une formation du parti communiste. Bien qu'il y ait possession de preuves, le gouvernement a décidé de l'expulser du pays, ce qui a eu lieu le 16 du courant. Nous connaissons et apprécions beaucoup la famille Oulman et sa situation au Portugal depuis longtemps. Je suis heureux de la décision prise et espère que vous la considérerez comme une preuve de générosité et en même temps de compréhension envers nos amis français. Je vous prie, Monsieur R. Aron, d'agréer l'expression de ma considération la plus dévouée. » Ma lettre fut-elle plus efficace que les démarches de l'ambassadeur de France, comme me l'assurèrent les Oulman et l'ambassadeur du Portugal ?

Je rapporte cet épisode, à coup sûr d'importance limitée, pour le livrer aux biographes de l'homme qui gouverna le Portugal pendant un demi-siècle. Salazar détestait la démocratie et son régime utilisait, lui aussi, une police secrète. Le baptiser *fasciste*, le rapprocher de Hitler, de Staline ou même de Franco, c'est sacrifier à la démagogie ou jouer sur les mots. Professeur d'économie politique que l'armée avait mis au pouvoir pour mettre fin au chaos, il n'appartenait pas à notre siècle. Hitler et Mussolini se voulaient et étaient effectivement révolutionnaires ; Franco, lui, se réclamait du passé plus que de l'avenir mais, pour arriver au pouvoir, il avait dû livrer une guerre civile impitoyable, avec l'aide de l'Allemagne hitlérienne et de l'Italie fasciste. Salazar avait reçu le pouvoir des militaires et il défendit jusqu'au bout un Portugal chrétien, un empire lusitanien, insensible aux mots d'ordre devenus ceux de la modernité, la croissance, l'industrialisation, les transferts sociaux. Quand il fut frappé par une attaque cérébrale dont il ne se remit jamais, l'empire lusitanien existait encore ; tous les jeunes Portugais servaient trois ans dans l'armée. J'avais été reçu par le Pr Gaetano pendant mon séjour à Lisbonne. Professeur de droit, moins asservi que Salazar à une idéologie anachronique, il n'eut ni le temps, ni le pouvoir de rompre avec le salazarisme. Il fut pris de vitesse par la révolution.

J'avais salué avec joie la « révolution des œillets », mais, comme le scénario révolutionnaire semblait se dérouler, je dénonçai les dangers du glissement « du noir au rouge », du retour « au sabre et au goupillon [1] ». J'ai surestimé le péril de la prise du pouvoir par les communistes, associés à la gauche du Mouvement des forces armées (MFA). A la différence de beaucoup d'intellectuels, je ne fis pas le pèlerinage de Lisbonne. J'avais rencontré Mario Soarès quand celui-ci résidait, exilé, en France. Alain Oulman me l'avait présenté et m'avait demandé de le soutenir pour un poste universitaire. Dans mes articles sur le Portugal, entre 1974 et 1976, je défendis le parti socialiste et multipliai les avertissements contre le dérapage.

Le 12 octobre 1974, je donnai la parole à un de mes collègues de la Sorbonne qui me reprochait d'avoir salué avec joie la chute du régime salazarien et qui évoquait des vieux souvenirs. « J'étais à Lisbonne le jour sinistre d'octobre 1921 où le président du Conseil, Antonio Granjo, et un de ses ministres furent assassinés dans l'arsenal par des marins révoltés, mais qui se rappelle et qui sait tout cela aujourd'hui ? Par suite de l'habituel mirage, les nouvelles générations, n'ayant pas connu cette époque, s'imaginent que le Portugal était alors un pays paisible et prospère dont le salazarisme est venu méchamment et gratuitement détruire le bonheur. » Mon collègue m'envoyait, en même temps, des extraits de lettres de professeurs portugais qui dénonçaient la chasse aux sorcières dans les universités. Les révolutions n'ont jamais corrigé des injustices sans en créer d'autres. Je ne cédai pas aux reproches de mon collègue. « Pour n'être pas fasciste, Salazar n'était pas moins condamné parce qu'il n'appartenait pas à son temps et qu'il étouffait, lui aussi, les libertés. En tant qu'économiste, il mettait au-dessus de tout la stabilité monétaire, quitte à sacrifier le développement économique. La pauvreté du pays était, à ses yeux, un fait de nature auquel il fallait se résigner et qui favorisait les vertus chrétiennes. Lui-même désintéressé, il maintenait le pouvoir et la richesse d'une étroite minorité ; celle-ci ne pouvait même pas se justifier par ses œuvres, puisque le Premier ministre préférait l'ordre aux risques du changement. De la décolonisation, Salazar ne voyait que les aspects négatifs (pour parler le langage marxiste). Il accusait de faiblesse ou de lâcheté les gouvernements d'Europe, d'aveuglement celui des États-Unis. Indifférent à " l'opinion mondiale ", sûr de sa foi et de sa vérité, il combattit jusqu'au bout afin de sauvegarder le mythe lusitanien d'une communauté multiraciale. Il mourut avant que la réalité ne précipitât la ruine de son régime et de ses rêves. »

1. Titres de deux articles. Le dernier faisait allusion à la coalition de l'armée (le sabre) et des idéologies révolutionnaires (le goupillon).

Les débats français sur le Portugal durèrent plus longtemps que les débats sur le Chili. Personne, en France, à gauche bien entendu, mais aussi parmi les porte-parole autorisés de la majorité, n'approuva le coup d'État chilien. Le président de la République lui-même, contre les habitudes diplomatiques, fit allusion au régime intérieur du Chili quand l'ambassadeur de ce pays lui présenta ses lettres de créance. En revanche, les Français, après avoir, une faible minorité mise à part, salué la « révolution des œillets », s'étaient immédiatement divisés. A gauche, le PCF soutenait Alvaro Cunhal et le PS Mario Soarès. Un incident de la période révolutionnaire déclencha un débat sur la liberté de la presse. Le journal *Republica*, hostile aux communistes et proche des socialistes, cessa de paraître, les ouvriers de l'entreprise s'instaurant les censeurs des journalistes. Comme, à ce moment, les communistes avaient déjà pris le contrôle des syndicats, partiellement au moins de la radio et de la télévision, que les journaux nationalisés risquaient eux aussi de perdre leur autonomie, l'affaire de *Republica* prit une valeur symbolique, bien que l'action des ouvriers n'eût peut-être pas été commandée par le PC. J'avais commenté le cas de *Republica* et un article du *Monde* — dans la colonne de gauche de la première page, le bulletin quotidien consacré aux affaires étrangères — en fit autant. Ce bulletin se terminait par la phrase suivante : « Il serait équitable que les socialistes portugais eussent la possibilité juridique d'avoir un quotidien, mais il est juste d'observer que les socialistes français n'ont pas la possibilité économique d'en avoir. »

Je jugeai ce rapprochement hypocrite et mensonger : le RPR, lui non plus, ne possède pas un quotidien de large circulation ; quant au PS, *le Monde* le sert plus que ne l'a jamais fait et ne le ferait jamais un nouveau *Populaire*.

« En tout état de cause, *la France n'est pas le Portugal,* pas plus que *le Chili n'est la France.* Les socialistes s'expriment sans entraves à la radio, à la télévision, dans la presse — et c'est très bien ainsi. Ils ne possèdent pas de grand journal parisien parce qu'aucun parti — pas plus l'UDR que les républicains indépendants — n'en possède. »

A mon article du 23 juin 1975, « Il n'y a pas de quoi rire », Jacques Fauvet répliqua le 1er juillet, en même temps qu'à Edgar Morin qui avait plaidé, passionnément, pour la liberté de la presse. Dans son livre sur *le Monde*, Michel Legris a longuement analysé la dialectique de J. Fauvet dans cette polémique. Je ne voudrais pas fatiguer le lecteur en reproduisant tout ou partie de ce long article, filandreux, faussement modeste, obscur à force de précautions, typique des défauts propres plutôt à Fauvet lui-même qu'aux rédacteurs du *Monde*. Je me suis souvent demandé pourquoi Hubert Beuve-Méry l'avait désigné comme successeur. Un fondateur ou un directeur s'assure parfois contre l'oubli par le choix de son successeur. Il est vrai que H. Beuve-Méry et J. Fauvet appartiennent tous deux à une même famille, celle des démocrates-chrétiens ayant glissé vers une gauche socialiste, affectivement plus anti-américains qu'antisoviétiques ; jusqu'au 10 mai 1981, *le Monde* cumula la double fonction d'un journal officiel (ou d'une tribune nationale) et d'un journal d'opposition.

En réplique à J. Fauvet, je m'étais contenté d'une remarque brève : « Si M. Fauvet et *le Monde* s'étaient contentés d'écrire qu'une révolution, dans sa première phase, ne peut se payer le luxe de certaines libertés, j'aurais admis qu'il en fut souvent ainsi dans le passé et qu'il valait la peine d'en discuter. Ce qui me semble scandaleux, c'est de chercher une justification à un épisode portugais dans une situation française totalement autre. Au lieu d'inventer après coup la légitimité révolutionnaire, pourquoi M. Fauvet n'a-t-il pas posé la seule vraie question : la révolution du MFA conduit-elle à une presse libre, c'est-à-dire à une presse qui reflète les divers courants de l'opinion, ou à une presse de type soviétique ? »

Le Mouvement des forces armées voulut jouer un double jeu : se réserver le pouvoir suprême et organiser des élections libres. Les députés élus, avec mission de rédiger la Constitution, revendiquèrent peu à peu la réalité du pouvoir que les militaires hésitaient à leur accorder. Une tentative, ou une simili-tentative de prise de pouvoir révolutionnaire, probablement manipulée par des services secrets, avorta lamentablement et marqua la fin de la phase révolutionnaire. L'illusion lyrique, depuis longtemps dissipée, n'avait pas résisté à la compétition entre les militaires et les civils, entre Alvaro Cunhal et Mario Soarès, à l'inflation et aux grèves, à la décolonisation et au retour au pays des centaines de milliers de Portugais de l'Angola et du Mozambique. Grâce à son empire, le Portugal gardait quelque reflet de sa grandeur passée ; réduit à son territoire, il ne garde ni projet, ni illusion. La Communauté européenne lui offre une voie de retrait plutôt qu'un nouveau commencement.

Le Portugal, d'abord socialiste selon Mario Soarès, puis modéré, cessa de figurer à la première page des journaux européens. Personne ne se soucierait de Cuba si Fidel Castro avait créé une démocratie représentative et pluraliste, pro-occidentale.

Le choc de Soljenitsyne sur l'intelligentsia parisienne se produisit vers la même époque. Je n'aurais pas participé aux querelles des intellectuels de gauche à propos de l'auteur de *l'Archipel du Goulag* si mon commentaire d'une émission, *Apostrophes*, dans *le Figaro*, n'avait soulevé l'ire de Jean Daniel. La personnalité du *zek* m'avait frappé au cœur : venu d'un autre monde, un homme hors du commun, tel qu'il en existe peu d'autres du même calibre parmi les quatre milliards qui peuplent notre planète, s'adressait à nous tous, à chacun de nous. Ni Pierre Daix ni Jean d'Ormesson ne s'étaient imposés dans le dialogue ; ils ne l'avaient pas tenté. Jean Daniel m'avait irrité mais, en même temps, je partageai de quelque manière l'humiliation qu'il s'était infligée à lui-même, s'efforçant de rapprocher ses combats contre l'impérialisme français ou américain du combat mené par Soljenitsyne contre le Kremlin. Je souffre, comme me l'expliqua un psychanalyste, du penchant à l'*entlehntes Schuldgefühl*, sentiment de culpabilité emprunté. Le comique juif, celui des Marx Brothers parfois, ne me fait pas rire ; au contraire, je me sens à la place de l'être ridiculisé.

L'éditorial que j'écrivis deux jours plus tard (18 avril 1975) s'efforçait d'exprimer mes sentiments ambigus ; encore aujourd'hui, je ne juge pas qu'il dépassât les limites de la controverse. Si Jean Daniel taxait mes remarques d'outrance, qu'aurait-il dû penser de l'article de J.-P. Sartre sur moi en mai 68 ? Je livre au lecteur les éléments du procès : « A Dostoïevski revenu de *la maison des morts*, qui aurait proposé comme interlocuteur un bureaucrate ou un féal de cette bureaucratie ? En regrettant l'absence d'un membre du parti communiste, l'autre jour, à la télévision, Jean Daniel se condamnait lui-même à un rôle ingrat. Soljenitsyne n'est pas un homme politique, même si ses propos, ses œuvres, sa vie constituent des réalités politiques qui pèsent de tout leur poids de souffrances et de génie. Ses convictions transcendent la politique parce qu'elles animent une personnalité hors du commun, parce qu'elles demeurent, en dernière analyse, d'essence spirituelle : foi dans la liberté et dévotion inconditionnelle à la vérité. En demandant à l'auteur du *Pavillon des Cancéreux* d'exprimer des opinions sur les événements du jour, le directeur du *Nouvel Observateur* abaissait le dialogue au niveau ordinaire des débats parisiens. Qui mène en Occident le même combat que Soljenitsyne ? La réponse est simple parce que la question est indécente : personne. Ni la droite, ni la gauche. Pour mener le même combat que lui, il faudrait affronter le même ennemi, risquer le long voyage à travers l'institution concentrationnaire, puiser dans les mêmes épreuves la force invincible de résister à la machine infernale. Des articles ou des livres pour l'indépendance de l'Algérie, nous en avons écrit et nous n'avons pas lieu de le regretter. Pas non plus le droit d'en être fiers quand nous rencontrons l'auteur d'*Une journée d'Ivan Denissovitch*. Les jugements que Soljenitsyne porte sur le Vietnam, sur le Portugal ou sur le Chili, bien sûr, ils appellent la discussion et l'exilé se trompe peut-être. Le régime de Salazar a laissé une population à plus de 50 % analphabète ; les généraux chiliens usent et abusent de la répression et de la torture ; capitaines et commandants au Portugal construiront plus d'usines que les maîtres d'hier et ouvriront plus d'écoles. Les communistes du Nord-Vietnam mettront du moins fin à la guerre. Si Soljenitsyne gêne, s'il indigne, c'est qu'il frappe au point sensible, au point du mensonge, les intellectuels occidentaux ; si vous acceptez le grand Goulag, leur dit-il, pourquoi votre vertueuse indignation à propos des petits ? Les camps restent les camps, qu'ils soient bruns ou rouges.

« Depuis plus de cinquante ans, les intellectuels d'Occident refusent d'entendre la question. Une fois pour toutes, ils ont posé qu'il y avait les

“ bons ” camps et les mauvais, les camps que transfigure la sainteté de la cause et d'autres qui ne sont que ce qu'ils sont. La plupart des intellectuels, en Occident, commettent à un degré ou à un autre cette faute, toujours enclins à découvrir des raisons pour excuser ou excommunier. Les intellectuels qui se disent de gauche les commettent avec plus d'éclat, à la mesure même du Goulag qu'ils ont nié le plus longtemps possible, le plus énorme de tous, dissimulé dans l'ombre du régime qui se déclare le plus humain de tous. Entre celui qu'obsèdent l'unité de la gauche, le souci de coopérer avec ses camarades communistes et le *zek*, la partie n'est pas égale. Mais je ne connais guère de Français que la grandeur de Soljenitsyne n'eût écrasé. Et je crois, en dépit de tout, que des millions de téléspectateurs ont recueilli son message, message de charité, de foi et d'espérance, qui illuminait le visage et le regard d'un seul. »

Dans son livre *l'Ère des ruptures*, plusieurs années plus tard, Jean Daniel ressentait encore mes propos comme une attaque personnelle, indigne de moi et injuste pour lui. « Je ne fus pas indifférent au fait que Raymond Aron devait abandonner tout sang-froid pour s'indigner, avec une violence peu dans sa manière, que je n'eusse pas eu la décence de m'effacer devant un homme d'exception. Il n'avait rien voulu retenir ni comprendre du contenu de mes questions. Il n'avait apparemment découvert aucun intérêt dans les réponses de son idole, puisqu'il me reprochait de les avoir suscitées. Mais en un sens, et à son insu, son observation n'était pas inexacte. La dévotion me fait horreur. J'aime, j'admire, je ne supporte pas de me courber. Je ne l'ai fait, je crois, devant aucun de ceux que j'ai le plus admirés dans ma vie. Personne. »

Je ne parviens pas à détecter dans mon texte le moindre symptôme d'avoir perdu mon sang-froid. Pas davantage je ne lui demandais de s'effacer. Je constatais qu'en regrettant l'absence d'un communiste à ce dialogue il se chargeait d'un « rôle ingrat ». Je ne suis pas plus que lui prêt à accepter tous les jugements de Soljenitsyne sur la conjoncture mondiale. Mais Jean Daniel, à cette date, n'avait pas encore viré sa cuti ; il parlait toujours de ses « camarades communistes ». Dans son livre encore, il attribue aux communistes qu'il a connus personnellement des vertus qui interdisent tout rapprochement entre le communisme et le fascisme.

Je ne lui reprochai pas d'évoquer les autres régimes autoritaires ou plus ou moins totalitaires qu'il avait combattus. Mais l'intellectuel français, soucieux de sauvegarder « l'unité de la gauche », face à Soljenitsyne, s'installait dans le faux : entre le Goulag de l'Union soviétique et le Portugal de Salazar subsiste une différence de nature. Je n'accablais nullement Jean Daniel puisque, disais-je, la grandeur de l'interlocuteur eût écrasé n'importe qui. Je lui reprochais de reculer devant l'aveu de la faute cardinale de la gauche intellectuelle. Au Vietnam, Jean Daniel n'avait connu qu'un seul ennemi : l'impérialisme américain — cet impérialisme qui se donnait pour objectif ultime de se retirer. Soljenitsyne voyait au Vietnam aussi un nouveau communisme et de nouveaux Goulags, et il avait raison. Jean Daniel a l'honnêteté de citer les paroles de Soljenitsyne sur le Vietnam : « J'étais en Union soviétique à l'époque des accords de Paris ; tous mes amis s'étonnaient, ne comprenaient pas que ces accords pussent être tenus pour sérieux. Regardez aujourd'hui. Supposez que le Vietnam du Sud ait attaqué le Nord. Il y aurait eu le tonnerre, la tempête et les hurlements. On aurait accusé les contre-révolutionnaires du Sud de violer les accords de Paris, et même si ces contre-révolutionnaires avaient été des résistants qui s'étaient battus contre les États-Unis ; le Vietnam du Nord envahit le Sud et tout le monde s'en félicite. Ou encore on préfère ne pas s'occuper du problème, on propose aux étrangers de partir le plus vite possible, de quitter Saigon et même Pnom Penh, car on ne peut plus garantir leur sécurité. Et vous savez ce que représente pour moi le départ des étrangers ? C'est le départ des témoins, de tous ceux qui auraient pu voir, pour s'en souvenir et pour le répéter ensuite, ce qui allait se passer après que les troupes victorieuses seront entrées dans les villes. Et par conséquent le départ des témoins consiste à retarder pour des années le récit de ce que j'ai vu ailleurs. »

Le Nouvel Observateur, même quand le mouvement « Un bateau pour le Vietnam » eut provoqué d'étranges rapprochements, ne se livra pas à un examen de conscience, tout au moins à ma connaissance. Pour le Nord, contre le Sud, l'attitude allait de soi, en fonction des idées de la gauche. Certes, le David vietnamien face au Goliath américain, les petits hommes face aux monstrueuses machines eussent éveillé la sympathie de l'opinion mondiale, même si l'appareil de propagande communiste n'avait pas joué à plein. Mais l'Occident en vint à oublier quel régime et quel Goulag les petits hommes amenaient avec eux.

Dois-je me juger moi-même innocent ? Je ne dissimulai jamais mes sympathies pour le Sud, mais sans conviction, parce que, dès son élection, Richard Nixon se résigna au dégagement. Analyste de la politique mondiale, je pris acte du décret prononcé par la force, et aussi par la révolte du peuple américain contre une guerre interminable et douteuse.

Quelques semaines plus tard, dans *le Figaro* du 12 juin 1975, je répondis à une « Tribune libre » du *Monde*, reproduction d'un article du même Soljenitsyne. Selon lui, l'Occident avait perdu la troisième guerre mondiale sans même la livrer. Il l'a perdue parce que les hommes sont toujours enclins à « pérenniser la prospérité au prix de certaines illusions ». Il ne s'agit donc plus de la troisième guerre mondiale mais de la quatrième qu'il faut arrêter. « L'arrêter, ou tomber à genoux. »

Je répliquai par trois arguments. L'expansion du communisme depuis 1945 tient à des faits majeurs : la soviétisation des pays d'Europe orientale, « libérés » par l'armée russe et ensuite soviétisés ; la victoire du parti et de l'armée communistes en Chine ; la liquidation des empires européens qui offre dans certains cas, au Vietnam en particulier, à un parti communiste local l'occasion de prendre le pouvoir et d'établir son régime.

L'Occident aurait peut-être pu, au lendemain de la dernière guerre, empêcher la soviétisation de l'Europe orientale. Les États-Unis, à l'époque, détenaient une puissance irrésistible. Pour de multiples raisons, politiques et morales, la diplomatie de Washington se révéla incapable de changer d'ennemi en quelques semaines, d'obliger sous la menace son allié soviétique, auréolé par sa victoire sur le IIIe Reich, à évacuer l'Europe orientale. Les États-Unis n'ont pas eu tort de ne pas intervenir dans la guerre civile en Chine, ils ont peut-être eu tort d'accélérer la décolonisation, mais ils avaient raison sur l'essentiel. Tous ces événements, pris ensemble, équivalent certes à la retraite, voire au déclin de l'Occident. Mais celui-ci ne s'est pas trahi en accordant l'indépendance à des peuples qu'il avait colonisés et exploités.

Soljenitsyne présentait la révolte des Américains contre la guerre au Vietnam comme un refus de « supporter les peines et les angoisses de la lointaine guerre du Vietnam ». J'objectai : « [...] il se mêlait dans ce refus une part d'" égoïsme sacré " mais une part aussi d'idéalisme, de mauvaise conscience, de doute. Un peuple, une démocratie ne consent à se battre qu'à la condition de se sentir moralement engagé, convaincu de défendre un intérêt vital ou des principes ou du moins la bonne cause. Les intellectuels d'Occident se refusaient à voir dans le régime du Nord, spartiate, impitoyable, le mal absolu [...] ».

A cette occasion, je rappelai une fois de plus l'amoralité partielle, inévitable, de la politique étrangère. Une démocratie ne peut pas et ne doit pas ignorer le régime intérieur des États avec lesquels elle traite ; mais elle ne peut pas et ne doit pas non plus mener une croisade pour répandre ses propres institutions : « Combattre partout et toujours un régime tenu pour mauvais, c'est risquer tour à tour la croisade, si l'on mène l'offensive, ou des batailles à l'avance perdues, si l'on se tient sur la défensive. » Et j'énumérai des questions précises, posées aux ministres de l'Occident, qui ne comportent pas de réponse catégorique et évidente : faire ou non du commerce avec l'Union soviétique ? Soutenir ou non la Chine contre l'Union soviétique ? Contre ceux qui, en 1975, de plus en plus nombreux, tendaient à renvoyer à l'arrière-plan la rivalité Est-Ouest pour faire passer sur le devant de la scène l'opposition Nord-Sud, je repris une thèse dont je ne démords pas : « Quoi qu'on en dise de tous côtés, la rivalité historique entre l'Union soviétique et l'Occident libéral demeure l'enjeu du siècle en dépit des oppositions d'intérêt entre l'Occident et le tiers monde. »

En 1977, je publiai, pour le volume en l'honneur de mon ami Edward Shils, un article intitulé « Du bon usage des idéologies » dans lequel je mêlais l'autojustification avec l'autocritique — celle-ci l'emportant sur celle-là.

Certes, je répétai une thèse que j'avais maintes fois soutenue : provisoirement au moins, le marxisme demeure le dernier système idéologique de l'Occident, le dernier système d'interprétation globale. Il enseigne l'origine du mal (l'appropriation privée des moyens de production), les hommes ou les groupes maudits (les capitalistes ou le capitalisme, sujet historique), les hommes ou les groupes destinés par l'Histoire à la fonction de rédemption ou de salut. Il aurait été préférable de diagnostiquer l'érosion du marxisme en Occident plutôt que la fin de l'âge idéologique. Je m'accusai d'une confusion, plutôt suggérée que commise, entre religion séculière et idéologie, entre religion séculière et fanatisme. L'érosion du marxisme-léninisme, comprise en tant que religion séculière, favorise une approche raisonnable des problèmes mais tout aussi bien le pullulement des sectes, la multiplication des thèmes d'indignation, en bref la contestation.

J'avais donné au mot idéologie un sens précis et restreint qui le rapprochait de la religion séculière — définition qui présente plus d'inconvénients que d'avantages. Fanatisme et millénarisme vont et viennent, avec ou sans un système d'interprétation totale du monde. L'observateur qui embrasse d'un seul regard les alternances de systole et de diastole, de la foi et du scepticisme, admire que les mêmes espoirs, tant de fois trompés, puissent toujours à nouveau lancer les hommes à l'assaut des mêmes Bastilles ou des vieilles Bastilles peintes à neuf. Karl Mannheim craignait, au début des années 30, que la volonté de transcendance laissât la place à une acceptation résignée de la réalité. Sir Karl Popper et tant d'autres avec lui ont souhaité que les hommes discutent raisonnablement, selon les méthodes de la science, les réformes possibles d'un ordre social toujours imparfait. Les craintes de K. Mannheim sont apaisées, les souhaits de l'ingénieur social déçus.

Les discussions politiques pouvaient être dites idéologiques, même dans les siècles où les hommes, du haut en bas de l'échelle, invoquaient des principes transcendants, des vérités d'ordre religieux, à condition d'inclure dans l'idéologie les arguments théologiques, les dogmes des Églises. A notre époque, dans les régimes qui ne se réclament plus d'une vérité, d'une volonté d'en haut, la politique devient spécifiquement idéologique ou, si l'on préfère, une autre expression, les controverses idéologiques constituent l'essence de la politique.

L'Ancien Régime ne se fondait pas sur les conclusions des débats entre intellectuels. La légitimité du souverain se séparait mal des enseignements de l'Église, celle de la noblesse sortait d'un long passé. Une fois l'Église et la tradition mises en question ou rejetées, la souveraineté du peuple proclamée, tous les partis, tous les groupes sociaux sont entraînés dans un débat incessant sur le régime le plus conforme aux idées dominantes (liberté et égalité), le plus favorable à la richesse des collectivités et au bien-être des individus. La structure de ces appareils de justification varie, selon les partis et les époques. A une extrémité, l'ensemble idéal se ramène à une combinaison, plus ou moins rigoureuse, de faits et de valeurs ; à une autre extrémité il s'organise en des systèmes qui se veulent englobants, qui jugent le présent et prophétisent l'avenir. J'avais réservé le terme d'idéologie aux ensembles du dernier type ; j'hésiterais à le faire aujourd'hui.

Certes, j'éprouve quelque gêne à mettre dans la même catégorie le catéchisme stalinien et l'analyse comparative des divers régimes économiques, en fonction de multiples paramètres (libertés individuelles, efficacité productive, répartition des revenus, qualité de la vie, etc.). D'un côté l'histoire entière de l'humanité, sinon du cosmos, aboutit au socialisme sans classes (ou avec classes non antagonistes) ; de l'autre, nous posons les problèmes communs à toutes les économies modernes, nous étudions les diverses solutions, en se référant tout à la fois aux théories et à l'expérience, pour préciser les conséquences probables de chacune d'elles. Unité du réel et des valeurs, prophétisme d'un côté, dualisme de l'être et du devoir être, recherche patiente du meilleur de l'autre : l'opposition m'avait paru si marquée que je n'osais pas désigner ces deux attitudes par le même mot.

Ce qui m'incite aujourd'hui, écrivis-je en 1977, à changer de vocabulaire, c'est d'abord la multiplicité des cas intermédiaires entre les deux types-idéaux, c'est ensuite l'existence d'orthodoxies, elles aussi grossières et impératives, tirées de doctrines hostiles au marxisme-léninisme, c'est enfin la similitude des thèmes utilisés par les sciences sociales et par les propagandes, l'incessante communication entre la conscience que les sociétés modernes prennent d'elles-mêmes dans la rivalité des partis et la conscience d'elles-mêmes qu'elles doivent aux disciplines dites scientifiques. Dans les régimes qui s'appellent socialistes, la communication aboutit à l'identification : le régime idéocratique érige en vérité d'État une certaine version du monde, tirée du marxisme ou fondée sur lui. En Occident, nos sociétés ne possèdent ni une synthèse de leur savoir sur elles-mêmes, ni une vision unique de leur avenir, ni une image de leur idéal.

Le marxiste-léniniste affirme ou, pour mieux dire, décrète une vérité universelle, refusant de distinguer entre ce qu'il sait et ce qu'il veut ; le libéral ou le penseur critique, conscient des pièges que lui tendent ses passions, conscient de l'équivoque de la réalité elle-même, remet perpétuellement ses hypothèses et ses jugements en question. Scepticisme ? Nullement. Le libéral cherche patiemment la vérité, il ne bougera jamais de ses convictions ultimes, à savoir de ses maximes morales autant qu'intellectuelles. Je n'avais pas tort d'opposer mon attitude à celle des vrais croyants, des fidèles des religions séculières. J'avais tort d'appeler l'une idéologique et l'autre non idéologique. Mieux vaut reprendre, en le modifiant, un titre de Pascal : *Du bon usage des idéologies.*

XXIII

HENRY KISSINGER ET LA FIN DE L'HÉGÉMONIE AMÉRICAINE

Entre 1947 et 1958, mes commentaires du *Figaro* portèrent pour la plupart sur les affaires économiques et le déroulement de la diplomatie mondiale. La rivalité entre les partis de la IVe République m'intéressait peu puisque les divers gouvernements, tous de coalition, ne menaient pas des politiques différentes sur l'essentiel. Le Front républicain, victorieux sur le papier après la dissolution de l'Assemblée en 1955, fit de Guy Mollet le président du Conseil des ministres ; c'est ce dernier qui prit la responsabilité de l'envoi en Algérie des hommes du contingent. A la demande de Pierre Brisson, j'écrivis quelques articles sur le thème « La IVe République doit se réformer pour survivre ». J'envisageai les seules réformes possibles dans le cadre du régime établi — ce qui leur enlevait toute portée. En vérité, il fallait un choc, une crise nationale, pour que la République des députés capitulât et qu'une Constitution comme celle de la Ve devînt concevable sans rupture de la légalité.

Sous le règne du général de Gaulle, je passai pour un « opposant ». Je n'éprouvai aucune nostalgie du « régime aboli ». Je désapprouvai, sur tel ou tel point, la diplomatie du Général mais, en mai 1968, je n'hésitai pas sur mon camp. Mes critiques, parfois excessives ou désobligeantes, résultaient pour une part de ma conception des devoirs propres de l'éditorialiste, pour une part de mon penchant à prendre mes distances par rapport aux Princes qui nous gouvernent et, avant tout, de mon désaccord avec la diplomatie du Général.

Durant ces douze années du post-gaullisme, les cours au Collège de France et mes livres mobilisèrent mon temps et mes intérêts bien plus que la participation au *Figaro*, puis à *l'Express*. Or, au cours des années 70, tous les systèmes établis au lendemain de la guerre, le système monétaire de Bretton Woods, le système interétatique garanti par la puissance et la volonté des États-Unis, par la connivence conflictuelle des deux Grands, par la supériorité nucléaire de la République américaine furent ébranlés par des coups qui parurent soudains mais qui mûrissaient depuis les années 60.

Pendant les années 1969-1975, un homme occupa en permanence le devant de la scène : Henry Kissinger. Je le connaissais mieux qu'aucun autre secrétaire d'État américain, mieux qu'aucun ministre français des Affaires étrangères, à l'exception peut-être de Maurice Schumann. Je dirais même, sans hésitation, qu'il était un ami, à condition de ne pas oublier que ce mot change de sens avec l'âge et le milieu. De mes amitiés de jeunesse, Lagache, Sartre, Guille, Nizan, Canguilhem, telles que je les ai vécues ou telles que je me les remémore, je garde la nostalgie ; nous nous donnions l'un à l'autre tout ce que nous possédions, incapables de compter, indifférents à l'apparente compétition. Pureté ou illusion des jeunes gens ? Je ne sais. Même si la politique ne les avait pas brisées, ces amitiés auraient vieilli, plus profondes peut-être et plus solides, mais autres, chacun absorbé par le métier, les obligations familiales, moins disponible pour d'interminables conversations.

Toute différente est l'amitié nouée entre adultes. Je rencontrai Manès Sperber en 1937 dans le petit appartement d'André Malraux, rue du Bac. Notre amitié se forgea dans les années terribles de l'avant-guerre. Elle se prolonge jusqu'à ce jour, sans intermittence, sans faiblesse. Nous avons mené le même combat, contre le même ennemi ; unis de cœur même quand nos jugements ne coïncidaient pas.

Henry Kissinger m'avait rendu visite vers la fin des années 40, à peine sorti de l'université de Harvard ; il s'occupait d'une revue, *Confluence*, et aussi du cours d'été pour les étudiants étrangers à Harvard. Je le rencontrai de temps à autre au cours des années 50, à Paris ou aux États-Unis. Je suivis de loin sa carrière, le succès de ses livres, en particulier de celui qui fit sa réputation, *Nuclear Weapons and Foreign Policy*. J'estimai ce livre mais, à mes yeux, il ne méritait pas le prix d'excellence. Il tranchait en quelque mesure sur les autres professeurs de relations internationales par son sens aigu de la prédominance du politique sur le technique.

Je le fréquentai à Cambridge, pendant mon séjour d'un semestre à l'université Harvard. Il m'invita à diriger un de ses séminaires [1]. Il m'estime sans aucun doute ou, si l'on préfère, il n'étend pas jusqu'à moi la conscience de sa supériorité intellectuelle dont il tend à accabler, dit-on, le commun des mortels. En raison de la différence d'âge, il affecta toujours à mon égard l'attitude d'un cadet, voire d'un étudiant. Il ne fut jamais mon étudiant mais il tira profit de *Paix et Guerre*. Plus proche, comme moi, de l'histoire que des modèles scientifiques, il loua, sincèrement je le crois, les qualités du livre [2].

Je n'ignorais pas qu'il nourrissait des ambitions de carrière — ce qui

1. Quarante-huit heures plus tard, je reçus d'une école militaire l'invitation d'y traiter le même sujet : le rapport de la force et de la diplomatie. Exemple de la rapidité des communications aux États-Unis.

2. Dans le compte rendu du *New York Times*.

signifiait, dans les États-Unis au début des années 1960, l'accession à un poste important à Washington. Il ne renonçait pas à la réussite strictement intellectuelle, il voulait aussi être le premier parmi les spécialistes des relations internationales et de la stratégie. Mais probablement aurait-il dit que la science politique, sous sa forme présente, ne se suffit pas à elle-même. L'action, en ce cas, vaut plus que la théorie. Einstein l'emporte de loin sur un ingénieur de l'énergie nucléaire, mais un grand secrétaire d'État l'emporte sur le meilleur professeur de relations internationales. Avec des nuances, je souscris à cette hiérarchie des valeurs.

Ai-je prévu l'exceptionnelle réussite du « docteur Kissinger » dans la jungle de Washington ? Certainement pas. Je n'ai pas non plus prévu l'échec. J'avais simplement des doutes. Parviendrait-il à s'imposer au président, à séduire les journalistes en les cajolant, à forcer le respect des sénateurs ? J'aurais peut-être parié *oui*, mais je n'aurais certainement pas parié ma tête.

Entre 1969 et 1975, je le rencontrai plusieurs fois, à Paris et à Washington. A la Maison Blanche, je le visitai, d'après mes souvenirs, une première fois en 1970, au moment de la crise cambodgienne, une deuxième fois au printemps de 1972, alors que l'offensive nord-vietnamienne mettait en péril l'armée du Vietnam du Sud. Il se rappelait ma précédente visite puisqu'il commença la conversation en me la rappelant : « Vous apportez la tempête. » Quand il passait par Paris, il me réservait le plus souvent un petit déjeuner. Une fois, l'AFP mentionna dans une dépêche que H. Kissinger, de passage à Paris, avait rencontré le président Giscard d'Estaing et Raymond Aron. J'ai rarement mentionné mes entretiens avec les Grands de ce monde ; parce qu'ils furent relativement rares et que je n'en tirais rien ou presque. Le Pandit Nehru me reçut une demi-heure en 1953, à New Delhi. Je conserve un vif souvenir de l'homme ; il ne me dit rien d'original ou de secret. Le président Park, de la Corée du Sud, m'accorda une bonne heure et m'intéressa davantage ; en particulier, il parla avec bon sens du partage de la Corée, il rappela que, pendant des siècles, la Corée avait été divisée en plusieurs royaumes.

H. Kissinger, dans nos conversations entre 1969 et 1975, ne me révéla rien que je ne pusse apprendre par la presse ou les indiscrétions rapportées ici ou là. Malgré tout, le contact avec l'homme qui négociait avec les Soviétiques, les Vietnamiens, les Israéliens, les Arabes, m'aidait à interpréter les événements. De quelque manière, je sympathisais avec le mode de penser de Kissinger, au sens propre de sympathiser, me mettre à sa place, éprouver le sentiment qu'il devait éprouver. Au reste, dans ces conversations, il m'expliquait volontiers les raisons pour lesquelles il adoptait telle ou telle attitude. Tout le monde, d'ailleurs, entendit le plaidoyer en faveur de la paix honorable, l'évocation du coût d'une capitulation. Même avec moi, il ne tint pas toujours le même langage sur un sujet donné, par exemple sur l'importance ou l'insignifiance du rapport des forces nucléaires stratégiques. En 1969, il observait sans bienveillance les débuts de l'*Ostpolitik* de Willy Brandt. Lisait-il mes articles régulièrement ? Je ne puis l'affirmer. Ses collaborateurs probablement les lui transmettaient de temps à autre, ceux qui le critiquaient ou le louaient de manière explicite, je suppose ; une seule fois il répondit par écrit à un de mes articles, à propos de Chypre. Je lui reprochai de ne pas avoir condamné immédiatement le coup d'État grec, d'avoir implicitement toléré cette initiative qui déclencha l'intervention de l'armée turque. Il s'ensuivit un échange de lettres. Quoi qu'il en soit, nos relations conservèrent le même caractère après son règne qu'avant ; j'acceptai de faire partie du groupe informel de réflexion qu'il créa, une fois revenu à la vie privée.

Ai-je été plus indulgent à l'égard de la diplomatie américaine en 1969-1975 à cause de mes relations personnelles avec l'un de ses artisans ?

A en juger par le nombre des articles que j'écrivis sur ce thème, le rapport de l'or et du dollar, entre tous les problèmes d'actualité, piqua ma curiosité. Je trouve deux explications plausibles à cette polarisation de mes intérêts. Une première personnelle et politique : le déficit de la balance des comptes des États-Unis déclencha des controverses franco-américaines auxquelles je fus enclin, par obligation professionnelle, à prendre part ; une deuxième, plus intellectuelle : système monétaire et système nucléaire ont, au moins en apparence, deux traits communs ; dans les deux cas, à l'arrière-plan, à la racine, un monstre ou un fétiche qui agit en son absence, par la terreur qu'il répand ou la révérence qu'il éveille, la bombe et l'or, la bombe qui apaise les passions tant qu'elle ne sort pas des silos, l'or dont le stock enfoui au Fort Knox constitue le fondement de la pyramide des crédits. Une fois le dollar non convertible en or, une étape ultime a été franchie vers l'abstraction ; une monnaie cesse d'être un bien réel ou de se référer à un bien réel, elle devient un bon d'achat, peu discernable du crédit.

Sans entrer dans des analyses techniques, je pense que le profane comprend sans peine le débat, sinon les subtilités des mécanismes. Le dollar fait fonction de monnaie transnationale, il a cours dans le monde entier, convertible en n'importe quelle autre monnaie ; il est émis par les autorités de l'économie la plus puissante. Même dans le marché mondial socialiste, le dollar est souvent utilisé comme monnaie de compte. Le dollar était aussi, depuis 1945, théoriquement convertible en or. Le secrétaire du Trésor fit savoir par lettre au Fonds monétaire international qu'il acceptait la convertibilité du dollar en or. A l'époque, les États-Unis possédaient quelque 80 % du stock d'or monétaire du monde, environ 27 milliards de dollars au cours de 35 dollars l'once. De ce fait, le dollar apparut l'équivalent de l'or, assurant aux États-Unis le privilège unique d'acheter les biens et les services, au-dehors aussi bien qu'au-dedans, avec leur monnaie nationale. Dès le début des années 50, la balance des paiements extérieurs des États-Unis apparut chaque année (à l'exception de 1957) déficitaire, mais d'un montant faible, autour d'un milliard, et la redistribution de l'or, que souhaitaient les responsables de Washington, commença.

C'est le président Kennedy qui, le premier, s'inquiéta de ce déficit et demanda un rapport à des experts, au Pr Samuelson par exemple. Celui-ci diagnostiqua une surévaluation du dollar par rapport aux monnaies des principaux pays industrialisés ; le taux de change remontait à la fin des années 40 et, après le relèvement des économies européennes, ne correspondait plus à la parité des pouvoirs d'achat. Le diagnostic ne fut pas diffusé dans le public ; aussi bien les économistes ne jugeaient-ils pas possible la dévaluation souhaitable. Les Européens n'avaient pas encore oublié leur faiblesse de l'après-guerre et n'envisageaient pas d'un cœur léger une dévaluation du dollar qui favoriserait les exportations américaines.

Au cours des années 1960, je commentai, de temps à autre, le débat — technique entre Jacques Rueff et les économistes d'outre-Atlantique, politique entre le général de Gaulle et les gouvernants des États-Unis. J. Rueff reprit la thèse qu'il avait défendue entre les deux guerres et insista sur les méfaits de l'étalon de change-or, autrement dit l'utilisation d'une monnaie nationale comme l'équivalent de l'or et comme monnaie de réserve. Le déficit de la balance des paiements extérieurs des États-Unis impliquait un surplus en dollars à la disposition d'autres pays et ces derniers plaçaient ce surplus aux États-Unis mêmes, en bons du Trésor par exemple. Le déficit n'exerçait aucune influence déflationniste sur le système de crédit des États-Unis puisque ceux-ci reprenaient pour ainsi dire leurs billes. Les mêmes fonds servaient deux fois, une fois pour acheter des biens et des services au-dehors, une deuxième fois, ramenés aux États-Unis, à l'accroissement de la masse monétaire et, du même coup, à l'entretien de l'inflation. Comme, à cette époque, les entreprises américaines achetaient volontiers des entreprises européennes ou créaient des filiales au-dehors, le réquisitoire s'offrait de lui-même à l'esprit du chef d'État français ; le système de Bretton Woods ou de l'étalon de change-or assurait un privilège inéquitable aux États-Unis : ils remboursaient leurs dettes avec leur propre monnaie, ou encore achetaient les entreprises étrangères avec leur propre monnaie. Le déficit des paiements extérieurs des États-Unis, disait-on encore, résultait d'une inflation interne et répandait ce mal à travers le monde.

J. Rueff ne pensait pas, au début des années 1960, que ce système, faussé à la base, pût durer. Je me souviens d'une conversation avec lui, au retour de mon séjour à Harvard, chez Paul Reynaud ; je pris le pari que rien ne se passerait avant la fin du mandat Kennedy. A la demande de René Roy, je donnai une communication sur ce sujet dans son séminaire d'économétrie et je risquai la prévision que, pendant des années encore, les États-Unis suivraient la même politique, à peine modifiée, et qu'ils en conserveraient les moyens. Ils mettraient fin à la convertibilité du dollar en or le jour où leur stock d'or tomberait au-dessous d'un certain montant que j'appréciai, au « pifomètre », à dix milliards de dollars (au prix officiel). Je ne me trompais pas de beaucoup. Un des auditeurs du séminaire, mathématicien de formation, m'écrivit en réponse une lettre charmante, évoquant des souvenirs de l'École et du Centre de documentation sociale. Il s'interrogeait sur la portée de ses recherches économétriques alors que les décisions des hommes d'État, au moins à court terme, pesaient plus lourd sur les monnaies que l'élasticité de la demande étrangère d'exportations américaines.

Personnellement, je m'abstins de toute prise de position catégorique et je gardai l'amitié de J. Rueff et de W. Baumgartner qui se vouaient l'un à l'autre, depuis toujours, une robuste antipathie. Je n'ai jamais connu les causes de cette querelle, qui remonte à leur jeunesse, et je ne reproduis pas les propos que chacun d'eux tenait sur l'autre. Ils me paraissaient aussi injustes l'un que l'autre quand ils visaient leur adversaire intime. La vivacité de leurs propos me surprit toujours, d'autant plus qu'ils étaient tous deux d'ordinaire indulgents à l'égard de leurs semblables. J. Rueff reprochait à W. Baumgartner de disserter à la surface des choses et de ne jamais saisir les causes et les mécanismes ; W. Baumgartner reprochait à J. Rueff de s'enfermer lui-même dans un réseau conceptuel ou dans un schéma abstrait au point de perdre le contact avec la réalité.

A coup sûr, J. Rueff, écarté après 1945 de postes à la mesure de ses capacités, élargit ses explorations, esquissa une philosophie naturelle des systèmes et de l'ordre, depuis l'amibe ou la cellule jusqu'aux économies nationales, voire à l'économie mondiale. Il ne renonça jamais ni à ses recherches ni à son action. Dans une large mesure, ses avertissements furent confirmés par le désordre des années 1970. Personnellement, je ne croyais pas possible le rétablissement de l'étalon-or, que recommanda aussi un économiste américain, Milton Gilbert, conseiller de la Banque des règlements internationaux, le seul allié de J. Rueff dans son combat solitaire. L'impossibilité était-elle imputable au refus politique des dirigeants américains ? Sur ce point les événements m'ont donné raison jusqu'à présent. L'impossibilité tenait-elle aussi à la nature de l'économie mondiale ? Le débat continue. Au reste, la distinction de l'impossibilité politique et de l'impossibilité technique résiste-t-elle à l'analyse ?

Je n'étais pas convaincu que l'étalon de change-or fût la cause unique ou principale de la tendance inflationniste de l'économie mondiale, des sociétés démocratico-capitalistes, mais je soulignais deux évidences : les États-Unis bénéficient d'un privilège — régler leurs dettes extérieures avec leur propre monnaie — peut-être à la longue dangereux pour eux-mêmes ; ils s'accoutument au déficit des paiements extérieurs et l'acceptent comme normal ; du même coup, ils se trouvent dispensés des mesures de restriction auxquelles les circonstances et le Fonds monétaire international contraignent les autres pays en déficit. Ces deux évidences laissaient les véritables questions en suspens.

La surévaluation du dollar favorisa les investissements américains au-dehors et, en même temps, les exportations européennes. Qui gagnait, qui perdait à ce jeu ? En fait, dans un pays tel que la France, les filiales des grandes firmes américaines contribuèrent à la croissance de notre économie ; lors même que la firme américaine achetait une entreprise en déconfiture, le pays ne profitait-il pas du rétablissement de la rentabilité du « canard boiteux » ? Les ventes au-dehors des filiales américaines s'inscrivaient au crédit des comptes extérieurs de la France. En d'autres termes, dans les années d'après-guerre, le privilège américain — accompagné de la surévaluation du dollar — ne portait pas atteinte aux intérêts nationaux de notre pays.

Par ailleurs, je me demandai quel système remplacerait celui de Bretton Woods. Les Américains ne laissaient guère de doute sur leurs intentions : ils ne reviendraient pas à l'étalon-or, ils démonétiseraient l'or. Certes, je fis valoir, plusieurs fois, que les Américains ne jetteraient pas massivement leur stock d'or sur le marché pour provoquer l'effondrement des cours du métal. Mais ils pourraient mettre fin à la définition des monnaies par une certaine quantité du métal jaune. Du même coup, une expérience, historiquement originale, commencerait.

A l'intérieur des pays, la valeur de la monnaie ne dépend plus de la quantité d'or enfouie dans les caves de la banque centrale, elle dépend du niveau des prix, de la quantité des biens et services, que la monnaie — bon d'achat — peut acquérir, des transactions avec l'extérieur. Dans les économies nationales, la monnaie a rompu les amarres avec les biens réels qui, à travers les millénaires, avaient servi de monnaie. L'or, par l'intermédiaire de la convertibilité du dollar, demeurait, sur le papier, le fondement du système monétaire international. Une fois le dollar inconvertible en or, la même abstraction gagnait le système monétaire international. Le dollar n'en demeurait pas moins le centre, le référent du système international ; découronné, il continuait de régner. C'est pourquoi je suggérai, à plusieurs reprises, que Français et Américains jouaient « à qui perd gagne ». En provoquant la chute apparente du dollar — la suspension de la convertibilité en or—, les Français risquaient d'aggraver les maux qu'ils dénonçaient. Moins de deux ans après la crise d'août 1971, les Américains allèrent jusqu'au bout de leur doctrine et s'assurèrent une totale liberté. Ils violèrent unilatéralement le principe de Bretton Woods, à savoir la fixation des taux de change des monnaies. Pour les monnaies comme pour l'or, les taux flottants remplacèrent les taux fixes.

Les dirigeants du post-gaullisme restèrent fidèles à la doctrine, sinon à la pratique du Général. Ils continuèrent de critiquer la gestion monétaire des États-Unis, eux-mêmes toujours favorables à des taux fixes et hostiles au droit, que s'arrogeaient les États-Unis, de payer leurs dettes au-dehors avec des dollars par définition inépuisables. En revanche, au lendemain de l'élection de Georges Pompidou et du retour de Valéry Giscard d'Estaing Rue de Rivoli, le franc fut dévalué. A l'époque, j'approuvai la décision qui déclencha une phase de croissance forte jusqu'en 1974. Après coup, je me demande si ceux qui dissuadèrent le général de Gaulle de dévaluer le franc en novembre 1968, J.-M. Jeanneney et Raymond Barre, n'avaient pas raison. La dévaluation de 1969 nourrit l'inflation et accoutuma les chefs d'entreprise à compter sur une sous-évaluation du franc par rapport au mark et aux monnaies liées à ce dernier. De plus, la dévaluation du franc entraîna la création des « montants compensatoires [1] » ; la politique agricole commune ne fonctionna jamais plus convenablement : elle supposait en fait une stabilité des taux de change.

La crise de 1974 résulta logiquement des événements des années 1960. Aucun des deux présidents démocrates, J. F. Kennedy et L. B. Johnson, n'avait adopté la théorie de certains économistes selon laquelle le déficit des paiements extérieurs des États-Unis répondait à la nature des choses et devait être accepté avec indifférence, voire encouragé. Les États-Unis, banquiers du monde, investissent à long terme et reçoivent des crédits à court terme. En fait, les deux présidents prirent des mesures partielles pour réduire leurs dépenses au-dehors (coût de l'entretien des troupes américaines au-dehors), freiner les sorties de fonds, restreindre l'accès au marché américain des emprunteurs étrangers, etc. Aucune de ces mesures ponctuelles n'exerça d'action sur la balance globale des paiements extérieurs des États-Unis ; de plus, à partir de 1965, le refus de L. B. Johnson de financer la guerre du Vietnam par des impôts aggrava l'inflation américaine. En 1971, au mois d'août, R. Nixon fut contraint de supprimer la convertibilité du dollar en or et il imposa une dévaluation du dollar par rapport aux monnaies des grands pays industriels. Rétrospectivement, les controverses de 1971 prêtent plutôt à sourire.

Les Européens critiquaient, avec plus ou moins d'âpreté, les déficits américains des paiements extérieurs et, en même temps, ils s'opposaient à la dévaluation du dollar, qui constituait le remède topique à ce déficit. L'insistance des Français pour que le dollar fût dévalué aussi par rapport à l'or, autrement dit pour que le prix de l'or fût relevé, se justifiait dans la mesure où le métal demeurerait le fondement du système international et toutes les monnaies seraient définies par un poids d'or. Bien que Nixon eût consenti aux Açores que le prix de l'once d'or fût élevé à 42 dollars au lieu de 35, le compromis de 1971 ne dura pas. Les conseillers du président, la majorité de la communauté des économistes et des hommes d'affaires, se révoltèrent contre les contraintes que le système monétaire leur imposait. La dévaluation du dollar, apparemment défaite

1. Les prix étant en principe les mêmes dans tous les pays de la Communauté, le pays qui a dévalué sa monnaie doit taxer ses exportations du pourcentage de la dévaluation de sa monnaie. Pour les autres pays, le mécanisme fonctionne dans le sens contraire : ils subventionnent leurs exportations.

de prestige, représentait bien plutôt une libération et, du même coup, une victoire.

Je m'étonne, après coup, d'avoir écrit autant d'articles sur les sujets joints de l'or, du dollar, des rapports transatlantiques, du système monétaire international. Je prenais, si je puis dire, un intérêt historico-philosophique à la disparition du fondement — le bien réel — du système monétaire international. Simultanément, les débats mi-techniques, mi-idéologiques offraient une pâture à mon goût de la démystification. De ce fait, je ne donnai pleinement raison ou tort à aucune des parties. Peut-être l'article intitulé « Chacun sa vérité », du 3 septembre 1971, est-il le plus typique de ma manière, quelque peu exaspérante pour certains lecteurs, distrayante ou instructive pour d'autres.

Dans cet article, j'interprétai les décisions de J. Connally et du président américain, la suppression de la convertibilité du dollar en or, la baisse de 10 % du dollar en moyenne par rapport aux monnaies des principaux concurrents et une taxe de 10 % sur les importations en attendant la modification des taux de change. L'événement suscita trois types de réaction que trois expressions expriment mieux que des longs discours : *I told you so* ou en français : *Je vous l'avais bien dit ; Cynisme et bonne conscience* et, pour finir, *Enfin* ou *une lumière à l'horizon.*

La première interprétation fut la plus populaire en France. Les États-Unis avaient transformé leur propre monnaie en monnaie transnationale. Ils se désintéressaient du déficit de leur balance des comptes et obligeaient les banques centrales des principaux pays à conserver des quantités croissantes de dollars, en fait inconvertibles. Un jour ou l'autre, ces banques centrales devaient refuser de continuer à jouer aux billes selon les règles absurdes de l'étalon de change-or, autrement dit de placer outre-Atlantique leurs créances en dollars résultant du déficit américain. Selon le mot de Jacques Rueff : « Ce qui doit arriver arrive » ou encore « Le roi est nu ».

La deuxième interprétation, *Cynisme et bonne conscience,* consiste à mettre l'accent sur la brutalité de la diplomatie américaine, qui rompt le lien entre le dollar et l'or, accepte la dépréciation du dollar sur les marchés des changes sans procéder à une dévaluation en bonne et due forme, autrement dit sans modifier la parité dollar-or. Le président Nixon voulait contraindre les Allemands et les Japonais à subir l'appréciation de leur monnaie par rapport au dollar. Là où la première école voit l'effondrement du dollar, la fin d'une hégémonie monétaire, la deuxième voit une autre forme de la domination des États-Unis. L'appréciation d'une monnaie par rapport au dollar fait figure tantôt de recul stratégique et tantôt de capitulation.

La dernière formule, *Enfin* ou *une lumière à l'horizon,* traduit imparfaitement l'enthousiasme de *The Economist* de Londres qui vit, à juste titre, dans les mesures américaines, la fin prochaine des taux fixes. L'expérience du gouvernement travailliste, paralysant la croissance de l'économie afin de sauvegarder, contre vents et marées, un taux de change irréaliste, explique, au moins pour une part, la passion de l'hebdomadaire anglais pour les taux de change flexibles, conformes à l'esprit d'une économie de marché. *The Economist* saisissait l'occasion de dénoncer les convictions absurdes, l'obstination aveugle du gouvernement français ; en même temps, il se réjouissait des difficultés qui en résulteraient pour la politique agricole commune, des désaccords inévitables entre Allemands et Français. L'accent portait sur le changement radical du système monétaire : au lieu de parités fixes, modifiées de temps à autre d'un pourcentage important, les monnaies trouveront les unes par rapport aux autres leur parité, non par le décret des bureaucrates mais par l'arbitrage du marché.

Je ne choisis pas entre ces trois interprétations. La première disait vrai : l'accumulation des dollars dans les banques centrales étrangères par suite du déficit des paiements extérieurs des États-Unis ne pouvait pas durer indéfiniment [1]. La fluctuation des taux de change ne me semblait ni un remède miraculeux, ni une catastrophe : l'expérience enseignerait si le commerce international parviendrait à s'adapter aux monnaies flottantes. La deuxième formule contenait aussi une part de vérité : les États-Unis ne voulaient pas renoncer au privilège attaché au cours mondial du dollar ; tout au contraire, ils voulaient, en supprimant les taux fixes, conserver ce privilège et éliminer les dernières entraves à leur liberté.

Les controverses de 1971-1973 perdirent leur portée après la guerre du Kippour et le quadruplement des prix des hydrocarbures. L'inégalité des pressions inflationnistes selon les pays aurait rendu de plus en plus fragile le système des taux fixes. Le choc pétrolier, après la grande inflation de 1972-1973, aurait probablement imposé, au moins à titre provisoire, les taux flottants. Les controverses de la période 1960-1973 se perdaient dans le passé.

Une question est parfois discutée encore aujourd'hui : pourquoi les banques centrales ont-elles accepté de maintenir le cours du dollar et d'accumuler des dollars en excédent de leurs besoins ? Dans un livre, M. Yves Laulan explique le comportement des Allemands et des Japonais par le fait que leur sécurité dépend des États-Unis et qu'ils ne financent pas eux-mêmes leur propre défense. En soutenant le dollar, en finançant les déficits des paiements extérieurs des États-Unis, ils paient leurs dettes, l'équivalent des sommes qu'ils auraient dû dépenser pour leur propre défense. A cette interprétation, j'en ajouterais une autre, plutôt complémentaire que contradictoire : la surévaluation du dollar favorisait les investissements américains au-dehors, mais elle favorisait aussi les exportations européennes. Le progrès des exportations européennes fut la condition permanente et nécessaire du « miracle européen » ; je n'avais donc pas tort de tourner en dérision le combat franco-américain,

1. Il suffisait aux banques étrangères de ne pas acheter de dollars, de ne pas les accumuler pour provoquer une baisse du taux de change du dollar qui équivalait à une réévaluation du mark ou du yen.

les polémiques entre les gouvernants de Paris et de Washington sur le système monétaire : les deux parties jouaient à qui perd gagne. Précipiter la chute du dollar, c'était assurer le règne du dollar détrôné. Mettre fin à l'étalon de change-or, ce n'était pas revenir à l'étalon-or, mais démonétiser l'or ou, du moins, réduire sa fonction dans le système international et introduire les taux flottants à la place des taux fixes. Les mêmes événements se seraient probablement produits en l'absence des discours du général de Gaulle et avec une autre diplomatie française. Il reste que, même si Jacques Rueff avait raison en théorie, l'étalon de change-or, jusque 1965, constitua pour les pays européens le contexte le plus propice à l'expansion de leurs économies. Étant donné la manière de penser des dirigeants américains, tout autre système devait être pire. Depuis 1973 jusqu'au mois d'août 1982, alors même que j'écris, dix ans après le coup de tonnerre de Nixon, le dollar oscille entre moins de quatre francs et plus de sept francs. Les taux flottants, qu'ils soient plus ou moins contrôlés par les autorités monétaires, n'assurent certes pas, au moins sur le court terme, des taux de change en accord avec la parité des pouvoirs d'achat. Les monnaies sont tour à tour surévaluées ou sous-évaluées en fonction des taux d'intérêt, des mouvements de capitaux et des anticipations des opérateurs.

Vers quel système glisse la pratique actuelle ? Je l'ignore. Regardant en arrière, je constate que je choisis une position inconfortable. J'acceptai une partie suffisante de la thèse de Jacques Rueff pour m'attirer le dédain de la plupart des économistes américains ; je critiquai assez les thèses officielles du gouvernement français pour éveiller les soupçons des gardiens de la foi gaulliste. A partir de 1974, d'autres me reprochèrent de m'être incliné devant la force des choses ou la volonté des États-Unis. Reproche pour le moins excessif puisque j'esquissai plusieurs fois une stratégie qui donnerait au gouvernement français une chance d'atteindre ses objectifs. En fait, les gouvernants n'ont jamais géré à l'intérieur l'économie en accord avec leurs doctrines relatives à l'ordre monétaire international. Georges Pompidou adopta le plan Werner d'unité économique et monétaire de la Communauté européenne — plan condamné à l'avance. De même, l'inflation permanente qu'il toléra ne conférait pas aux porte-parole des taux fixes l'autorité morale, à défaut de la puissance.

En feuilletant la collection des articles du *Figaro*, je constatai, avec surprise et avec un sentiment de culpabilité, que je n'avais pour ainsi dire pas commenté les premières étapes de l'intervention américaine au Vietnam (H. Kissinger, au début de ses *Mémoires*, avoue qu'il n'avait pas non plus attaché beaucoup d'attention aux débuts d'une guerre interminable). C'est à mon passage à Saigon, en 1953, que j'entendis parler pour la première fois de Ngo Dinh Diem, de la bouche du Secrétaire général de l'administration française. Ce haut fonctionnaire me présenta Diem comme l'homme des Américains, mandarin annamite converti au catholicisme, qui représentait, dit mon interlocuteur, le dernier recours, la dernière carte. La conversation date d'octobre 1953, avant Dien Bien Phu et la conférence de Genève.

Au cours des premières années qui suivirent les accords de Genève, les commentaires et les débats portaient sur les frictions franco-américaines ; nos alliés prenaient en charge le régime non communiste, en fait farouchement anticommuniste, de Diem, et, du même coup, éliminaient l'influence, voire la présence française. Une université américaine remplaça l'École nationale d'administration dans la tâche de former les fonctionnaires de l'État nouveau. Les troupes françaises partirent les premières ; les conseillers ou les enseignants à leur tour laissèrent la place aux nouveaux venus. Tout au moins les journaux racontaient-ils ainsi l'effacement des Français, humiliés par le Vietminh à Dien Bien Phu, évincés par les Américains.

Les élections « libres » prévues par les accords de Genève n'eurent pas lieu. Je n'en fus ni surpris, ni scandalisé : en Corée du Nord, en Allemagne de l'Est, les régimes communistes ne toléraient pas des élections libres. Ho Chi Minh aurait-il toléré que Diem organisât une réunion publique à Hanoi ? Le régime de Diem aurait-il supporté le choc de réunions publiques tenues par Ho Chi Minh et ses lieutenants à Saigon ou en d'autres villes ? Je ne songeai pas assez à un fait que, pendant la guerre d'Indochine, j'avais rappelé maintes fois dans nos controverses parisiennes : les révolutionnaires du Vietminh ne renonceront jamais à l'objectif qu'ils ont proclamé dès le premier jour de leur entreprise : l'unité des trois Ky. Pour eux, la Cochinchine, l'Annam et le Tonkin appartiennent à un seul et même ensemble.

En 1954, le Vietminh avait ramené au Nord une fraction de ses fidèles du Sud. Diem pourchassa immédiatement les communistes afin de les éliminer ou, du moins, de les rendre incapables de nuire. Vers la fin des années 1950, le parti communiste du Nord prit la décision de reprendre la guerre contre les « fantoches » ou les « complices » de l'impérialisme américain. Quand Eisenhower quitta la Maison Blanche, moins de mille militaires servaient au Sud-Vietnam ; J. F. Kennedy céda partiellement aux instances du conseil des chefs d'état-major des trois armes et le nombre des « conseillers » passa d'un coup à plus de 15 000. Pourquoi a-t-il engagé les États-Unis dans la défense d'un État non communiste au Sud-Vietnam ? Croyait-il à la thèse des dominos ? Pensait-il, comme le rapporte le général de Gaulle dans ses *Mémoires,* créer un môle de résistance anticommuniste en Asie du Sud-Est ? Je ne sais, encore aujourd'hui, à quels motifs obéit J. F. Kennedy. Personnellement, je penche vers une interprétation quelque peu primitive.

L'aide apportée par les États-Unis au gouvernement de Diem s'explique d'elle-même : simple application de la doctrine de l'endiguement. Puisque une moitié du Vietnam avait été laissée en dehors de la domination communiste, c'est à cette moitié encore « libre » que s'intéresseraient les Occidentaux.

Les Européens, partisans de l'Alliance atlantique, avaient approuvé l'action américaine en Corée. L'action au Vietnam appartenait-elle à la même catégorie ? La réponse dépendait de données multiples, mal connues. Nous savons, quiconque a visité la Corée du Sud le sait, qu'il existe, au sud du 38e parallèle, une entité politique, un État, un peuple, prêt à se défendre contre une agression du Nord. Il y existe un patriotisme, coréen et anticommuniste inséparablement, qui implique la condamnation de l'invasion du 25 juin 1950 et qui justifie pleinement Harry Truman et Dean Acheson. Existait-il, en 1954, en 1960, un patriotisme sud-vietnamien ? Est-il légitime ou non de rapprocher le cas des deux Vietnam de celui des deux Corée ou des deux Allemagne ? Personne ne doute que les Allemands de l'Est, s'ils s'exprimaient librement, choisiraient la condition de leurs frères, « exploités par le capitalisme ». Et pourtant, si les Allemands de l'Ouest tentaient d'unifier par la force militaire les deux morceaux de l'ancien Reich, ils seraient traités, en Occident, de fauteurs de guerre par tous, de droite et de gauche. Il ne me semblait donc pas correct de taxer d'impérialiste la participation américaine à la survie de la République du Sud-Vietnam.

Une autre considération devait influer sur nos attitudes. Le régime du Sud méritait-il d'être sauvegardé ? Était-il préférable à celui que les Nord-Vietnamiens amenaient avec eux ? La presse occidentale, en particulier américaine, dénonça impitoyablement les violations des règles démocratiques sous le régime du Sud. Elle rapporta les horreurs des camps — puisqu'il y en avait là aussi. D'où la question : en se battant pour le Sud-Vietnam, les États-Unis se battaient-ils pour une position stratégique, pour les idées de l'Occident ou pour préserver leur prestige ou, selon l'expression de H. Kissinger, leur crédibilité ?

Personnellement, si mes souvenirs ne m'abusent, je penchais vers la position suivante : il serait souhaitable, pour les Sud-Vietnamiens et pour les États-Unis, que la République du Sud survécût ; mais les États-Unis sont-ils capables de poursuivre jusqu'au bout cette entreprise ? Le coût de cette guerre se révélerait peut-être supérieur à la valeur de l'enjeu lui-même. En d'autres termes, ils risquaient de commettre plus qu'une faute, une erreur. Partagé entre ces sentiments et ces analyses, divergents, voire contradictoires, je cherchai refuge dans un de mes rôles, celui du spectateur des folies et des calamités humaines.

La guerre du Vietnam revêtait un visage original, comparée aux précédentes guerres dites de libération nationale, ou à la campagne de Corée. Les divisions du Nord-Vietnam ne traversaient pas la ligne de démarcation, comme l'avaient fait les divisions de la Corée du Nord. Les « partisans » qui menaient la « petite guerre » au Sud disposaient d'un appui logistique, mais aussi du renfort, en permanence renouvelé, de soldats recrutés et entraînés au Nord. En réplique à l'agression du Nord-Vietnam, l'équipe L. B. Johnson inaugura une stratégie inspirée par la doctrine de l'escalade et mise en œuvre par l'aviation. Les Américains ne cherchèrent pas au Nord les troupes ou les industries pour battre les unes ou s'emparer des autres, ils bombardèrent le territoire d'un État, avec lequel ils n'étaient pas en guerre mais qui renforçait et ravitaillait les combattants du Sud.

Quelle signification stratégique présentaient ces bombardements ? Les bombardements qui attaquaient la piste Ho Chi Minh visaient, sinon à empêcher les soldats du Nord-Vietnam de gagner le Sud, du moins à en réduire le nombre. Je me souviens d'un entretien avec R.S. McNamara au Pentagone, vers 1966. Selon sa coutume, il illustrait ses idées par des schémas. Il traça trois lignes superposées : la ligne supérieure représentait le nombre des passages du Nord vers le Sud en l'absence de bombardements ; la deuxième le nombre des passages en dépit des bombardements ; la troisième le nombre, encore plus bas, qui serait nécessaire pour modifier décisivement le cours des opérations. Les bombardements, non plus sur la piste Ho Chi Minh mais sur le Nord-Vietnam, avaient pour fonction de « punir l'ennemi », de dévaster le territoire adverse — retour à une pratique que l'histoire consigne à travers les siècles. Au siècle dernier, durant la conquête de l'Algérie, les Français ne reculèrent pas devant des méthodes de cette sorte, par exemple en empoisonnant les puits et en privant les caravanes de leurs points d'eau. Les dirigeants à Washington, L. B. Johnson et son équipe, firent savoir à Hanoi leur intention de bombarder le Nord, si les infiltrations vers le Sud, le ravitaillement du Vietcong ne cessaient pas. Ils appliquaient la doctrine, élaborée par les professeurs dans le cadre de la stratégie nucléaire, de l'emploi progressif de la violence, pour persuader les communistes de Hanoi d'abandonner leur entreprise.

J'analysai cette forme originale de la guerre, les bombardements peu à peu intensifiés contre la subversion, sceptique sur l'efficacité de cette stratégie. Les bombardements causèrent des dégâts et des pertes humaines ; ils ne dévastèrent pas les villes (quand les Américains, qui avaient plaidé la cause du Nord-Vietnam, visitèrent Hanoi, après les accords de Paris, ils constatèrent avec surprise que, pour l'essentiel, la ville était debout, bien éloignée de cet amas de ruines qu'ils avaient imaginé).

En ce qui concerne l'effet psychologique, les bombardements s'y révélèrent aussi inefficaces que pendant la dernière guerre contre l'Allemagne. Les populations « tinrent ». La menace d'escalade n'ébranla pas la résolution du gouvernement nord-vietnamien. Celui-ci ne prit pas au sérieux les avertissements que les Canadiens leur transmirent. Il ne douta pas de la limitation que les Américains s'imposeraient à eux-mêmes. « Pour faire croire à la démonétisation [1] de l'or, les Américains devraient y croire eux-mêmes. Pour intimider les Nord-Vietnamiens, les

1. Ils démonétisèrent l'or en un certain sens, mais les détenteurs du métal jaune n'eurent pas lieu de vitupérer les responsables de cette démonétisation.

Américains auraient dû prendre au sérieux leur propre menace d'ascension aux extrêmes. Dans les deux cas, le message se heurte à l'incrédulité du destinataire à cause du scepticisme de celui-même qui l'émet » (6 mars 1968).

Il y a quelques mois, mes amis Broyelle me demandèrent si j'avais « approuvé » les bombardements américains au napalm — ce qu'on leur avait dit, pour les guérir de l'amitié qu'ils me portent. Cette question ne diffère pas en nature de celle que me posèrent D. Wolton et J.-L. Missika : avez-vous condamné les tortures en Algérie ? J'ai répondu, quelque peu irrité par l'insistance de mes juges d'instruction : je ne suis pas une « belle âme » *(eine schöne Seele).* En 1945, je souhaitais que la France consentît à l'unité des trois Ky. En 1965 ou en 1968, il existait une République du Sud-Vietnam qui me paraissait préférable au totalitarisme du Nord ; l'effort américain pour sauvegarder cette République, en un « combat douteux », ne partait pas d'une volonté impérialiste, bien plutôt d'une illusion d'omnipotence. Quant au napalm, il fallait le détester au même titre que la torture. Les militaires auraient pu ou dû s'abstenir de ces moyens ? De loin, il est facile de répondre : bien entendu.

Combat d'autant plus douteux que les dirigeants de Washington savaient mal eux-mêmes pourquoi ils combattaient. Au début, l'appui accordé à Saigon, entre 1954 et 1960, relevait de l'automatisme de l'endiguement. En 1961-1962, J. F. Kennedy, humilié par le désastre de la baie des Cochons et par son entretien à Vienne avec Khrouchtchev, s'ingénia à se montrer *tough*, à dissiper les illusions que pouvait nourrir N.S. Khrouchtchev, abusé par le début désastreux du mandat. L. B. Johnson, quand il visita Saigon en tant que vice-président, multiplia les variations sur le thème de la chute des dominos. Au fur et à mesure que les États-Unis s'enfonçaient dans l'impasse, le président et ses conseillers savaient moins pourquoi ils prodiguaient tant d'hommes et de dollars, contre qui ou en vue de quoi ils sacrifiaient tant de vies et de richesses.

W. W. Rostow, qui occupa à la Maison Blanche le poste de conseiller du président pour les affaires internationales après McG. Bundy et avant H. Kissinger, me développa une de ces théories de portée *weltgeschichtlich* dont il a le goût : Hô Chi Minh et l'expansion vietnamienne constituaient la dernière expression du romantisme révolutionnaire. La victoire américaine sur ce conquérant idéologique consacrerait la fin d'une époque. D'autres conseillers, à Washington, apercevaient derrière Hô Chi Minh Lin Piao et l'encerclement des villes par les campagnes ou l'impérialisme chinois, d'autres encore l'impérialisme du Kremlin. Les événements depuis lors donnèrent raison à cette dernière interprétation.

L'offensive du Têt fut, en fait, un échec du Vietcong. La population ne se joignit nulle part aux « combattants de la liberté ». Ces derniers commirent des atrocités que rien n'excusait. Ils firent creuser, par les victimes elles-mêmes, les fosses dans lesquelles ils précipitèrent des centaines de fonctionnaires et de notables de la ville impériale, Hué. Mon ami, Pham Duy Khiem, l'ambassadeur de la République du Sud-Vietnam à Paris en 1954, normalien, qui raconta, en un roman émouvant, un amour de jeunesse, fit distribuer par l'AFP le 13 avril 1968 une dépêche indignée sur la conduite des Vietcong dans les régions que ceux-ci contrôlèrent pendant quelques jours. « Il a manqué à ces intellectuels de contempler ce qui reste de tant de simples fonctionnaires, d'innocents agents de l'administration et de leurs familles, de militaires en permission, de prêtres français, de professeurs allemands avec leurs femmes enterrés vivants et sans blessures (300 environ jusqu'à présent) ou tués après des mutilations et des tortures variées (700 environ), parfois enchaînés à plusieurs par des fils de fer barbelés [...]. » Cette dépêche sombra dans l'indifférence et l'oubli. La cause transfigurait les crimes du Nord, elle aggravait ceux du Sud.

A partir de 1969, année de l'arrivée au pouvoir de R. Nixon et de H. Kissinger, je me cantonnai encore plus dans l'analyse. Les Républicains ne portaient aucune responsabilité dans la part prise par les États-Unis dans la guerre du Vietnam. R. Nixon aurait pu se soumettre aux exigences du Nord et obtenir en peu de mois la paix que réclamait l'opinion ou, du moins, les plus écoutés des porte-parole de l'opinion. En quoi consistaient les exigences du Nord ? Elles se réduisaient à la formule : un « gouvernement de coalition », d'où seraient exclus, de toute évidence, « la bande des fantoches », Thieu et les siens, en d'autres termes ceux qui gouvernaient la République du Sud-Vietnam et symbolisaient la résistance. Les membres du « gouvernement provisoire du Sud » créé par les communistes, la « troisième force », dont quelques opposants à Thieu parlaient dans les cafés de la capitale, ne formaient pas un intermédiaire ou un médiateur entre les hommes de Saigon et ceux de Hanoi ; alliés ou complices, consciemment ou non, ils ne se distinguaient pas des Vietcong ou, si l'on préfère, ne pouvaient pas se distinguer des Vietcong et du parti communiste du Nord. Le « gouvernement de coalition » impliquait l'élimination du pouvoir sud-vietnamien, donc la capitulation des États-Unis. La République américaine aurait dû contraindre Thieu et ses compagnons à s'effacer, autrement dit elle les aurait reniés, elle aurait trahi leur cause, confessé qu'ils n'existaient que par la grâce ou la puissance d'une armée étrangère.

R. Nixon et H. Kissinger n'ignoraient pas que les électeurs attendaient d'eux la fin de la guerre du Vietnam, mais ni les électeurs, ni même les membres du Congrès n'avaient encore compris que le Nord-Vietnam exigeait la capitulation des États-Unis, à peine camouflée sous la formule du gouvernement de coalition. H. Kissinger raconte lui-même, dans ses *Mémoires,* qu'il comptait obtenir un accord avec le Vietnam en moins d'un an. R. Nixon, plus clairvoyant, en doutait fort. Avant d'être nommé conseiller spécial pour la diplomatie, H. Kissinger avait esquissé, dans un article de *Foreign Affairs,* les deux négociations qu'il envisageait, l'une des États-Unis avec le Nord-Vietnam, l'autre entre les deux gouvernements vietnamiens. La deuxième, le Nord la refusait puisqu'il ne « reconnaissait » pas le régime de Thieu, néantisé par la vision communiste du monde, réduit au rôle dérisoire de « fantoche » de l'impérialisme. Aussi, en 1969, une fois la stratégie de l'équipe républicaine connue, je pronostiquai correctement la prolongation de la guerre.

Par exemple, le 2 juillet 1969, j'insistai d'abord sur l'impossibilité d'un accord politique entre Hanoi et Washington : « [...] Si le président Nixon *veut* à la fois se dégager du Vietnam et ne pas concéder à l'ennemi la victoire politique (gouvernement vietcong à Saigon), il peut malaisément trouver un régime de remplacement au Sud. Or les Nord-Vietnamiens refusent toujours, avec la même fermeté, le dialogue avec " les fantoches de Saigon ". » Un peu plus loin : « Tout se passe comme si les Nord-Vietnamiens et le Vietcong comptaient sur la lassitude du peuple américain pour arracher finalement la victoire politique. Faute de décision sur le champ de bataille, la guerre se transforme en épreuve de volonté. Qui tient le dernier quart d'heure a gagné. Si la guerre n'est pas finie dans dix-huit mois, Nixon parviendra-t-il à résister aux opposants, de plus en plus nombreux et violents ? » Et en conclusion : « Les Américains, aujourd'hui comme hier, sous Nixon comme sous Johnson, ont-ils d'autre choix qu'entre la défaite politique et la poursuite des hostilités ? Il y aurait peut-être une troisième voie le jour où les Nord-Vietnamiens jugeraient leur ennemi aussi patient qu'eux-mêmes. Mais par quel miracle en jugeraient-ils ainsi ? » En d'autres termes, je formulai correctement l'alternative : *défaite ou guerre prolongée.*

En 1972, après l'échec de l'offensive des divisions nord-vietnamiennes à travers la zone démilitarisée, j'espérai une conversion de la diplomatie nord-vietnamienne, l'acceptation d'un accord américano-vietnamien sans liquidation du régime Thieu, autrement dit un cessez-le-feu sans solution politique, règlement que les Nord-Vietnamiens avaient refusé jusqu'alors. C'est en octobre 1972, en effet, que les Nord-Vietnamiens firent la concession majeure à partir de laquelle la négociation devait aboutir à un règlement, que seuls les membres du jury norvégien du prix Nobel confondirent avec la paix. Le gouvernement du Sud subsistait, mais les troupes du Nord établies au Sud, dont Le Duc Tho niait l'existence, restaient sur place. « Peau de léopard », selon la formule utilisée à l'époque pour décrire le paysage du Sud-Vietnam après les accords de Paris.

On sait ce qu'il advint de ces accords de 1973 : deux années plus tard, les divisions nord-vietnamiennes franchirent en masse la zone démilitarisée. Thieu donna un ordre de retraite afin de rétrécir et de renforcer le périmètre de défense. La retraite se transforma en débâcle et, en quelques semaines, le parti communiste atteignit l'objectif en vue duquel il avait déclenché la guerre contre les Français en décembre 1946, l'unité des trois Ky sous un régime de type soviétique.

H. Kissinger présenta les accords de Paris comme un succès presque inespéré. R. Nixon et ses conseillers refusèrent jusqu'au bout la capitulation, à savoir le renversement du gouvernement Thieu que les Américains avaient soutenu pendant des années et pour lequel ils s'étaient battus. Prendre eux-mêmes la responsabilité de le chasser eût été déshonorant. Traiter avec le Nord-Vietnam, en laissant à Thieu une chance de survivre, c'était une paix honorable. « Le président Nixon et ses conseillers ne refusent pas à tout prix de " perdre la guerre ", si l'arrivée au pouvoir du Vietcong définit la défaite ; ils veulent sauver une chance de ne pas la perdre et, par-dessus tout, ne pas trahir les engagements pris. Imposer à Saigon un gouvernement de coalition signifierait une trahison. Or la défaite deviendrait un désastre si les États-Unis trahissaient ou semblaient trahir leurs alliés. En toute hypothèse, ils perdraient bien plus qu'un conflit limité, le Vietnam ou la face, ils perdraient la confiance de leurs amis et le respect de leurs ennemis », écrivis-je dans *le Figaro* du 30 octobre 1969. Je ne prenais pas à mon compte, je reproduisais le plaidoyer de H. Kissinger que j'avais entendu, comme beaucoup d'autres, de sa bouche. Dans le même article, je citai ensuite quelques lignes d'une brochure de Robert Kennedy : lui aussi jugeait impossible, désastreux, le retrait immédiat et inconditionnel des États-Unis. « Au-delà de l'Asie, un retrait soudain et unilatéral susciterait des doutes sur " la crédibilité des États-Unis ". »

Pourquoi, me dira-t-on, n'avez-vous pas recommandé aux États-Unis la « solution radicale », alors que vous avez prôné l'indépendance algérienne ou, au moins, le droit des Algériens à l'indépendance dès 1957, à un moment où la « rébellion » ou la résistance commençait seulement à organiser ses troupes ?

En Algérie, les Français voulaient maintenir tout ou partie d'une situation coloniale ; je pensais que les solutions dites libérales, intermédiaires, aboutiraient, elles aussi, à l'indépendance. En recommandant la reconnaissance du droit des Algériens à l'indépendance, je me réclamais des principes mêmes que la France prétendait défendre et illustrer, le droit des peuples à disposer d'eux-mêmes. Rien de pareil dans le cas des États-Unis au Vietnam : les Américains ne voulaient pas y rester mais en partir, ils protégeaient un gouvernement indépendant, sur le papier au moins. Ce gouvernement était-il soutenu par le peuple ? La réponse n'allait pas de soi. Le peuple du Sud voulait-il être « libéré » par ses frères du Nord ? Il ne participa certes pas à sa propre libération ; c'est une offensive militaire qui rejeta dans les oubliettes de l'histoire le régime de Thieu. Le jugement politique sur cette guerre, il est vrai, dépendait aussi de la capacité de la République américaine de soutenir jusqu'au bout une telle épreuve : une erreur, une stratégie imprudente, peut passer pour une faute dans le cas d'un homme d'État.

Si j'avais joint ma voix à celles, innombrables, qui exaltaient la résistance du Nord-Vietnam et accablaient de leur colère « l'impérialisme » américain, je me serais trouvé en drôle de compagnie. Les États-Unis, à mes yeux, commettaient (ou avaient commis) une erreur en engageant leurs forces et leur prestige dans les rizières du Vietnam. Mais, en 1969, devaient-ils moralement, pouvaient-ils politiquement capituler, à savoir établir eux-mêmes un gouvernement soumis à Hanoi, un gouvernement communiste à peine camouflé ? Après coup, peut-être Kissinger reconnaîtrait-il qu'il eût été préférable, pour les États-Unis, de liquider cette fatale aventure en 1969 plutôt qu'en 1973. Les quatre années supplémentaires ont aggravé les désordres et les querelles à l'intérieur de la République. Le bilan eût été finalement moins négatif. Je n'en suis pas sûr. En tout cas, Kissinger répondrait que, sans le scandale de Watergate, le Nord-Vietnam n'aurait pas déclenché, deux années après les accords de 1973, une offensive générale. Les accords de Paris ne sauvaient pas définitivement la République du Sud, ils en impliquaient l'existence que le Nord-Vietnam, de ce fait, reconnaissait pour la première fois.

Bien entendu, personne n'a illuminé le 26 janvier 1973. Je donnai pour titre à un article « Le cessez-le-feu sera-t-il la paix ? » et j'écrivis : « Fin de cette guerre ou fin d'une guerre ? Nul ne peut le dire. L'avenir dépend des intentions, de la sagesse des uns et des autres. Aussi bien le président Thieu et le Gouvernement révolutionnaire provisoire trouveront-ils, s'ils le veulent, d'innombrables occasions de s'accuser réciproquement de violer un accord probablement inapplicable et certainement incontrôlable. Oublions pourtant, juste un instant, les rigueurs de l'analyse, sans pour autant jouer à l'interprète de la conscience universelle, ainsi qu'aiment à le faire certains de nos confrères, par eux-mêmes investis d'un magistère moral. Puisque nous éprouvons tous une sorte de soulagement physique, ne nous fermons pas à l'espoir. Peut-être les Vietnamiens, laissés à eux-mêmes, découvriront-ils ensemble, intuitivement, la voie secrète de la paix que la raison seule ne parvient pas à discerner. »

Hélas, c'était la raison, une fois de plus, qui nous apprenait la vérité.

Quelques mois plus tard, la gestion de la crise déclenchée par la guerre du Kippour ajouta encore au prestige d'Henry Kissinger, éminence grise qui attirait sur lui toute la lumière et qui rejetait dans l'ombre le numéro un. En France, la guerre du Kippour divisa les Français, sans soulever des passions comparables à celles qui les avaient agités avant ou après la guerre des Six Jours.

En 1967, je jugeai que Nasser portait la responsabilité majeure de la bataille bien qu'Israël eût frappé le premier. En 1973, à mes yeux, les rôles étaient inversés. Sadate avait voulu, préparé les opérations, fixé la date, pris par surprise les Israéliens, mais la diplomatie israélienne ne lui laissait pas d'autre issue. Divisée entre faucons et éperviers, partisans et adversaires du grand Israël, la classe politique d'Israël, incapable de proposer un règlement à ses ennemis, emprunta le chemin de la moindre résistance ; elle décida que l'armée israélienne resterait sur place et elle invita les pays arabes à négocier directement avec l'État hébreu. Négociations sans condition préalable qui porteraient sur tous les enjeux du conflit. Les Israéliens, bien entendu, n'ignoraient pas que les Arabes rejetteraient l'invitation : après le désastre de 1967, un dialogue aurait pris, aux yeux de ces derniers, l'apparence d'une capitulation.

Je me souviens d'une conversation, en 1971, à Jérusalem, avec un comité semi-officiel, chargé d'étudier les perspectives, militaires et politiques, des dix années à venir dans la région. Sadate, leur disais-je, ne peut pas différer indéfiniment l'heure de la revanche : ou bien l'Égypte explosera en quelque sorte à l'intérieur, ou bien elle explosera en attaquant vers l'extérieur, afin de remporter un succès faute duquel Sadate lui-même ne pourrait pas emprunter la voie de la paix. Ne pouvez-vous donc pas lui accorder une « petite victoire » ? En 1973, cette petite victoire aurait pu devenir grande.

Dans un chapitre précédent, j'ai fait allusion à mon diagnostic sur le moment même : les Égyptiens ont surpris les Israéliens, traversé le Canal sans rencontrer de résistance, résisté à la contre-offensive prématurée d'une brigade blindée israélienne, qui voulait réduire la tête de pont. Pendant les premiers jours de la bataille, je discutai à la télévision avec J.-F. Kahn, G. Suffert et E. Sablier, j'exprimai le doute que les Israéliens fussent capables de rejeter les Égyptiens de l'autre côté du Canal avant le cessez-le-feu.

Rétrospectivement, j'admire la stratégie de Sadate et la conduite de Kissinger pendant la crise. Le président égyptien se trouvait coincé, il ne pouvait pas traiter avec Israël sans perdre la face ; il ne croyait pas posséder les moyens nécessaires pour l'emporter décisivement sur son ennemi. Il prépara donc une bataille avec un objectif limité. En multipliant les manœuvres, il endormit pour ainsi dire la vigilance des Israéliens et réussit, comme l'avaient fait ces derniers en 1967, l'effet de surprise. L'armée israélienne n'était pas mobilisée ; l'ordre de la mobilisation ne fut donné que le matin du jour où les troupes syriennes et égyptiennes attaquèrent. Sur le front du Golan, Israël fut sauvé par l'héroïsme et la supériorité manœuvrière de quelques dizaines de chars d'assaut face à plusieurs centaines de chars syriens. Après le passage du Canal, les troupes égyptiennes auraient probablement pris les cols si Sadate, contre l'avis du commandement militaire, n'avait fait preuve d'une prudence excessive. Peut-être l'erreur militaire était-elle déterminée par le calcul politique. Sadate avait besoin d'un succès militaire qui effaçât l'humiliation de 1967, il ne comptait pas sur une revanche équivalente au désastre de 1967. La grande bataille de chars se déroula quand l'armée israélienne, totalement mobilisée, eut transféré le gros de ses blindés sur le front du Sinaï. La traversée audacieuse du général Sharon, au centre du front, offrit aux Israéliens l'occasion d'encercler la IIe armée égyptienne. H. Kissinger parvint à imposer le cessez-le-feu avant la destruction de l'armée encerclée. Il n'avait que faire d'une victoire retentissante d'Israël : il retarda le moment de l'aide à Israël, il n'en prit la décision que le jour où, faute de ravitaillement, Israël courut un danger réel et mortel.

Qui avait gagné ? Israël avait gagné en ce sens qu'il avait infligé plus de pertes qu'il n'en avait subies : avec quelques jours de plus, il aurait mis hors de combat une des armées égyptiennes qui avaient franchi le Canal. Néanmoins, les Égyptiens se vantèrent des succès initiaux ; l'aboutissement incertain suffisait à créer la condition nécessaire à un règlement pacifique israélo-égyptien, à défaut d'un règlement global avec tous les États arabes.

Mon article du 6 novembre 1973, intitulé « Défaite du vainqueur », me valut des lettres plus ou moins injurieuses de coreligionnaires. Je résumai la critique que j'avais faite, dès 1967, de la politique israélienne : « En établissant son armée sur le canal de Suez, le gouvernement de Jérusalem lançait un défi à l'Union soviétique et, pour une part, à l'Europe occidentale elle-même. Il privait l'Égypte du pétrole du Sinaï, des revenus du Canal. Il renforçait la solidarité entre l'Égypte et les pays riches du golfe Persique, il invitait l'Union soviétique à un engagement accru ; il ne permettait à aucun gouvernement égyptien d'accepter indéfiniment la situation. » Je repris, sur le plan militaire, les objections que j'avais formulées, dès 1967, dans mes conversations avec les généraux israéliens, contre l'établissement du front sur le Canal, ligne naturelle de défense en apparence mais non en réalité. En 1973, pour la première fois, les Israéliens eurent besoin d'une aide matérielle des États-Unis pendant les hostilités mêmes. Ils l'obtinrent au dernier instant, et leur dépendance par rapport aux États-Unis devint plus évidente encore.

Peut-être le fait qui a dû frapper le plus les Israéliens, pendant ces jours d'épreuves, fut le refus de tous les Européens de mettre leurs aérodromes à la disposition des Américains pour le pont aérien — de tous les Européens à l'exception du Portugal d'avant la révolution des œillets qui autorisa l'utilisation des bases des Açores par les appareils de l'American Air Force. Pour les Israéliens, le ravitaillement était une question de jours, sinon d'heures. Aucun des grands pays européens ne prit le risque d'irriter les Arabes, producteurs de pétrole, par une participation, si limitée fût-elle, à l'opération de salut. Henry Kissinger ne dissimula pas son « mépris », son « dégoût » de la lâcheté des Européens. Ceux-ci se sentaient humiliés : le dialogue des Grands passait par-dessus leur tête, que ce dialogue approchât de la collusion ou de la collision.

H. Kissinger apparut comme un manipulateur exceptionnel. Quand les Soviétiques firent planer la menace de l'intervention des divisions aéroportées sur le théâtre même des opérations, il convainquit en pleine nuit le président de mettre en état d'alerte l'ensemble des installations militaires des États-Unis à travers le monde. Simultanément, il prit l'avion pour Moscou et se mit d'accord avec L. Brejnev sur le cessez-le-feu, qui enleva à Israël une part de sa victoire — ce que le secrétaire d'État avait toujours souhaité sans jamais l'avoir dit. Ensuite, à force d'infatigables aller et retour entre Jérusalem et Le Caire, il jeta les premières bases d'un règlement israélo-égyptien. A l'époque, l'homme qui avait négocié tour à tour avec Chou En-lai, Mao Zedong, L. Brejnev, Le Duc Tho et qui avait toujours, après des heures, des jours, des mois ou des années, abouti à un accord faisait figure, avec l'aide des media, de l'homme-miracle. Des gouvernants de deux pays d'Afrique en conflit songèrent à recourir aux services du diplomate itinérant. La roche Tarpéienne n'est jamais loin du Capitole.

Le quadruplement du prix du pétrole, l'embargo temporaire décidé par les pays producteurs à l'égard des États-Unis mirent au premier plan la crise de l'énergie. Le Vietnam, après le retrait des troupes américaines, devint d'un coup un épisode secondaire de l'expansion historique du mouvement marxiste-léniniste. Les tentatives de Kissinger de ranimer l'Alliance atlantique n'aboutirent qu'à des textes anodins. La création de l'Agence de l'énergie fut l'occasion d'une bagarre gratuite entre Paris et Washington, entre Michel Jobert et Henry Kissinger. La presse rapportait les excès de langage auxquels s'abandonnèrent tour à tour les deux ministres des Affaires étrangères. La France refusa de faire partie de l'« Agence de l'énergie » : participation ou non-participation me semblaient également dénuées d'importance. Une autre querelle scolastique se développa sur les modalités de la diplomatie commune des Européens face aux États-Unis. Ceux-ci devaient-ils être consultés avant que les Neuf adoptassent une attitude commune ? Les États-Unis ne voulaient pas se trouver face à un bloc européen avant que leur voix fût entendue par leurs partenaires du pacte de l'Atlantique Nord. C'est en 1974, je crois, que je fus invité par des fonctionnaires du State Department à parler dans le Secretary of State Club. La secrétaire du club me demanda le titre de mon exposé. Après quelques instants de réflexion et de concertation avec la « responsable », je proposai la formule *Why has the Secretary of State forgotten the ideas of the professor Henry Kissinger?* En effet, H. Kissinger n'hésitait pas à écrire, dans le livre traduit en français sous le titre *Malentendu transatlantique*, que les États-Unis ne peuvent pas compter sur l'assentiment, la complaisance automatique d'une Europe unie. Le secrétaire d'État supportait mal les velléités d'indépendance que le professeur avaient prévues et, à l'avance, jugées inévitables et saines. Mieux vaut un allié loyal et difficile qu'un satellite au fond de lui-même révolté.

La responsable du club m'avait annoncé un auditoire de quelques dizaines de personnes ; entre cent et deux cents fonctionnaires, assis ou debout, m'attendaient. Peut-être quelques-uns d'entre eux tirèrent-ils quelque plaisir de la liberté et de l'ironie dont j'usai à l'encontre de leur chef. Peut-être aussi, semblables à tous les auditoires américains auxquels je me suis adressé, témoignaient-ils de leur bonne volonté, de leur tendance à donner raison, sur le moment, à l'orateur — quitte à accueillir avec la même sympathie un orateur d'opinion opposée. Je garde de cette séance — exposé et questions — un souvenir plaisant.

Ces tempêtes diplomatiques, en tant que telles, me troublèrent peu. Le refus des Européens d'offrir leurs bases à l'aviation américaine pour le ravitaillement d'Israël, je le présentai comme une réplique à la diplomatie, centrée sur le dialogue avec Moscou et Pékin, sans concertation avec les Européens. Le mépris du secrétaire d'État, fondé ou non, ne convient pas à un disciple de Metternich ou de Bismarck. De plus, il leur reprocha une déclaration commune — manière de se mêler d'une affaire, qui les concerne, mais dont ils étaient restés, bon gré mal gré, des spectateurs. Je juge avoir péché par excès d'indulgence à l'égard des Européens, sans approuver pour autant l'arrogance de Kissinger.

L'admiration pour le gestionnaire de la crise du Kippour se nuançait d'une inquiétude sur la portée de la détente. Certes, l'équipe Nixon n'avait ni entamé le dialogue avec Moscou, ni parlé la première de détente. Il n'en reste pas moins que, de 1969 à 1973, l'opinion lui en attribua la responsabilité. La diplomatie américaine avait repris les relations avec Pékin, amélioré les relations avec Moscou, signé le premier accord sur la limitation des armements stratégiques (SALT 1) et un texte qui, apparemment, fixait l'esprit dans lequel Moscou et Washington conduiraient leur action au-dehors. Deux formules résument l'essentiel de ce code de bonne conduite : *restraint*, ce qui se traduit par modération ou retenue ; *avantages unilatéraux* que chacun des deux Grands s'abstiendra de rechercher pour lui-même. Pris au pied de la lettre, ce texte signifiait que les États-Unis et l'Union soviétique allaient mettre fin à leur rivalité planétaire. Personne, du moins parmi les commentateurs professionnels, n'imagina en 1972, au lendemain du voyage de Nixon à Moscou, que l'Union soviétique cesserait de soutenir ou de manipuler les mouvements de « libération nationale ».

La guerre du Kippour a pour le moins révélé, à ceux qui se faisaient des illusions, l'équivoque de la détente. Nous ne savions pas, en novembre 1973, si L. Brejnev avait incité le président égyptien à lancer ses troupes au-delà du canal de Suez. « Ce que nous savons, c'est que L. Brejnev n'a pas marchandé le matériel, chars d'assaut, canons, Sam 3, Sam 6, armes individuelles contre les chars d'assaut. [...] Une fois la bataille engagée, L. Brejnev poussa les Arabes à l'action (si du moins la lettre au président Boumediene est authentique) et il établit un pont aérien pour le ravitaillement de ses alliés, peu de jours après le déclenchement des hostilités, alors que les États-Unis s'abstenaient encore de ravitailler Israël. Les Soviétiques ont-ils par là même manqué à l'esprit de la détente, violé le principe de modération, cherché à obtenir " un avantage unilatéral " aux dépens de leur rival ? A coup sûr, mais il fallait une grande naïveté pour prendre au pied de la lettre cette sorte d'engagement » (article du *Figaro*, le 5 novembre 1979). Mais alors, que restait-il du code de bonne conduite signé à Moscou l'année précédente ? Les Européens, Michel Jobert en particulier, dénonçaient tout à la fois la collusion et la collision. Selon la formule du ministre français des

Affaires étrangères, les deux Grands se tendaient la main par-dessus les ponts aériens.

En même temps, l'opinion, en Europe peut-être autant qu'aux États-Unis, prenait lentement une demi-conscience de la modification du rapport des forces en faveur de l'Union soviétique. Dans SALT 1, les États-Unis avaient accordé à l'Union soviétique une supériorité de quelque 40 % en nombre de lanceurs, compensée par la supériorité américaine en nombre de têtes nucléaires (grâce à la technique des MIRV — multiple independently targetable reentry vehicles — que les Soviétiques ne maîtrisaient pas encore). Quand, trois ans plus tard, les négociations de Vladivostok dessinèrent les grandes lignes d'un accord, les Soviétiques disposaient de missiles « MIRV », supérieurs par leur poids d'emport, par la puissance explosive des têtes nucléaires. Quand SALT 2, achevé sous la présidence de Carter, fut soumis au Congrès, les opposants s'interrogèrent sur l'équilibre. Nixon et Ford avaient l'un et l'autre accepté le principe de l'égalité en fait d'armements stratégiques. Or la supériorité américaine au plus haut niveau de l'échelle de la violence ne constituait-elle pas un élément indispensable de la dissuasion américaine, non pour la sécurité du territoire des États-Unis, mais pour l'Europe occidentale ?

Au cours des années où Kissinger passait pour un superman, l'Union soviétique devint, pour la première fois, un super-Grand, une puissance planétaire capable de projeter sa force militaire en n'importe quel lieu au monde. Quand Ford fut battu aux élections, H. Kissinger, revenu à la vie privée et écrivant ses *Mémoires*, gardait aux États-Unis, au Congrès en particulier, un extraordinaire prestige. Mais comment ne pas se demander s'il n'avait pas camouflé ou transfiguré par son talent la retraite de la diplomatie américaine, le déclin de la République impériale ?

Au début du mois de janvier 1977, j'écrivis dans *le Figaro* une analyse qui se voulait équitable du bilan et de l'héritage. Quelques remarques d'abord sur le triomphe par les media : « Nul secrétaire d'État ne donna jamais aux professionnels de l'information et de la sensation autant de pâture ; nul autre ne leur consacra autant de temps. Personnalité qui soignait son personnage. Il éblouissait par sa connaissance des dossiers, il impressionnait par ses performances athlétiques, il frappait de stupeur par ses improvisations calculées et par ses coups d'éclat. Tour à tour cajoleur et brutal, il l'emportait sur ses interlocuteurs à l'endurance. Israéliens et Égyptiens succombaient moins à son charme qu'à sa résistance physique, à sa présence d'esprit au terme d'une nuit sans sommeil. [...] Mais cet acteur, aux deux sens du mot, possédait deux cordes à son arc, deux fers au feu. Quand la fortune trompait ses espérances, il la mettait en accusation sous le nom de l'Histoire. Quand Saigon tombait et que les efforts de quatre années s'en allaient en poussière, il reprenait ses lectures de jeunesse, méditait sur la décadence de l'Occident et le fidèle J. Reston rapportait les réflexions moroses de cette

“ brute philosophique ”, déplacée dans le milieu de Richard Nixon et de Gerald Ford, improbable vedette qui avait conquis Washington. [...] »

Ensuite, je reconnus à H. Kissinger un mérite incontestable : la gestion des crises. « Quelque jugement que l'on porte sur sa vision d'ensemble, il a été un incomparable gestionnaire des crises. En tout cas, son chef-d'œuvre machiavélien (l'adjectif employé dans son ambivalence) restera la guerre du Kippour, qui avait pris les Israéliens par surprise et que les Égyptiens et les Syriens devaient gagner moralement, sans que leur ennemi la perdît effectivement. » La gestion de la crise du Kippour créa la position de base à partir de laquelle le président égyptien lança son offensive de paix et frappa de stupeur l'opinion mondiale par sa visite à Jérusalem.

J'en vins ensuite à l'essentiel : « Ce qui, en dernière analyse, lui importe le plus et déterminera le jugement historique, c'est la conception d'ensemble, qui passe pour l'avoir inspiré et qui se manifeste simultanément par la détente et par le refus d'une prise de contact avec les communistes italiens. Dans l'intérêt des relations directes entre Moscou et Washington, Henry Kissinger accepte la domination russe sur l'Europe de l'Est. Pour maintenir l'équilibre entre les zones respectives des deux super-Grands, il ne dédaigna pas d'aider les adversaires du président Allende au Chili ou de déclarer inacceptable le compromis historique en Italie. Un Polonais commentait cette politique par une remarque ironique : soutenir les communistes là où ils se sont rendus odieux, les combattre là où ils bénéficient de quelque popularité. A quoi il répondrait : comment les chasser du pouvoir là où ils sont odieux ? »

La politique de Kissinger, mis à part le rapprochement avec Pékin, se situe dans la continuité de la politique des États-Unis, depuis 1947 et surtout depuis 1953. La combinaison d'accords partiels avec Moscou et de résistance aux avances locales de l'Union soviétique définit moins la manière de Kissinger que la loi non écrite de la diplomatie américaine depuis trente ans. Je n'en soulignai pas moins les nouveautés de la « détente » ou plutôt de la modification du rapport des forces militaires entre les États-Unis et l'Union soviétique. Du coup, dans ce contexte, comment ne pas s'interroger sur l'inspiration ultime de ce jeu d'équilibre ?

« Entre les livres du professeur Kissinger et l'idéologie de la détente, je n'aperçois pas de lien logique, bien que l'amour-propre du secrétaire d'État m'aide à comprendre comment il a réussi à transfigurer à ses propres yeux une action pragmatique en une vision à long terme. Le professeur mettait en garde contre l'illusion de convertir grâce à la négociation une puissance révolutionnaire par ses idées en une puissance conservatrice. [...] A pousser trop loin le rapprochement avec l'Union soviétique, Henry Kissinger, en dépit de la manipulation des crises, en dépit ou à cause du veto à l'égard du PCI, risquait de désarmer moralement l'Occident. » Quand R. Reagan et avec lui l'aile la plus anticommuniste du parti républicain revinrent au pouvoir, H. Kissinger apparut à la nouvelle équipe comme l'homme de la détente et des accords SALT, bien plus une colombe qu'un épervier dans sa conduite effective des affaires quand il en assumait la responsabilité.

Reproches (ou louanges pour certains) bien fondés ? La réponse ne va pas de soi. Kissinger donna l'impression de différer essentiellement de l'entourage du président, de la classe politique américaine par ses qualités personnelles, sa capacité d'expression *articulated*, comme disent les Américains, son don de l'analyse, relevée de cet humour dont les journalistes américains (et tous les auditoires américains) sont extraordinairement friands. En simplifiant, on pourrait dire que sa supériorité intellectuelle s'imposait d'elle-même.

Le jugement de 1982 diffère-t-il, pour l'essentiel, de celui de 1977 ? Depuis un demi-siècle, je limite moi-même ma liberté de critique en posant la question : à sa place, qu'est-ce que je ferais ? R. Nixon pouvait-il accepter le « gouvernement de coalition » à Saigon ? S'il ne le pouvait pas, la prolongation de la guerre était inévitable. La chute du prince Sihanouk en résulta presque nécessairement et, de même, l'extension au Cambodge des opérations militaires. Quand je lis les *Mémoires* de Kissinger, je ne suis pas toujours convaincu par les arguments de l'acteur devenu mémorialiste, mais je me sens renforcé dans mes impressions de spectateur. Le Président et son conseiller s'efforçaient, coincés entre les ennemis de l'intérieur et ceux de l'extérieur, d'arracher une paix négociée. Pour apaiser l'opinion intérieure, ils rapatriaient progressivement le corps expéditionnaire ; pour sauver la République du Vietnam du Sud, ils en renforçaient l'armée ; pour amener les dirigeants du Nord-Vietnam au compromis, ils usaient de leur aviation. Les accords de Paris sauvaient les apparences ; la chute de Nixon abrégea en tout cas la durée des apparences.

Les démarches à Pékin et à Moscou ne se rattachaient pas exclusivement à la recherche d'une issue au Vietnam. De toute manière, un jour ou l'autre, les États-Unis auraient repris les relations diplomatiques avec Pékin, relations d'autant plus normales et utiles que la querelle entre les deux capitales du marxisme-léninisme, depuis 1963 publiée par les deux partis, offrait à la diplomatie des États-Unis des chances évidentes. Moscou et Pékin aidaient tous deux le Nord-Vietnam, sans pour autant se réconcilier. Le dialogue américain avec Pékin pouvait influer sur l'attitude de Moscou à l'égard et des États-Unis et du Vietnam.

Rétrospectivement, il ne semble pas que cette diplomatie, qui demeure pleinement intelligible, ait modifié le cours des événements au Vietnam. Le régime communiste du Nord ne manqua en 1972 ni d'artillerie ou de missiles contre les bombardiers ni de chars ou de munitions pour lancer l'offensive du printemps. Les accords SALT 1 consacraient la parité entre les États-Unis et l'URSS ; les exigences de bonne conduite inscrites sur le papier n'interdisaient pas à Moscou d'accorder une « aide fraternelle » aux mouvements de « libération nationale ». La détente modifia quelque peu le style, et non la substance de la rivalité entre les deux Grands. Si R. Nixon et H. Kissinger n'avaient pas conduit eux-mêmes la diplomatie des États-Unis, ils auraient dénoncé les illusions de la détente. Aussi bien le livre que R. Nixon publia en 1981, *la Troisième Guerre*, développe-t-il une philosophie des relations internationales peu conforme à ses enthousiasmes pour la détente à Pékin et à Moscou.

Kissinger croyait-il lui-même à la détente, au réseau d'accords par lequel il espérait entraver, puis apprivoiser le monstre révolutionnaire ? Peut-être, mais il ajoutait que cette politique exigeait une Amérique forte, vigilante, disposée à répliquer à toute tentative d'agression ou de subversion de Moscou. A partir du moment où cette politique apparaissait l'expression d'une Amérique divisée, lasse de son fardeau impérial, elle était condamnée. Or, de 1973 à 1976, pendant ou après le scandale de Watergate, le Sénat contrôla de près toute opération au-dehors. Il refusa d'accorder les fonds que Kissinger voulait dépenser afin d'empêcher la victoire en Angola du parti lié à Moscou et soutenu par les troupes cubaines.

Même après la démission de Nixon, tout en prêchant la fermeté, il maintint le cap de la détente. Il conseilla au président Ford de ne pas recevoir Soljenitsyne. Quand je lui reprochai son souci de ne pas heurter la sensibilité des oligarques du Kremlin, il me répondit d'abord : « Que penserions-nous si eux recevaient nos dissidents ? » Je lui répondis que nous n'avions pas l'équivalent de leurs dissidents, et il n'insista pas. Au fond, Kissinger au pouvoir oscilla entre deux attitudes qu'il jugeait ou qu'il voulait espérer compatibles : d'un côté, la poursuite de la politique du *containment* sous sa forme la plus résolue — prévenir l'accession des communistes au pouvoir au Chili, en Italie, en Angola —, de l'autre, les traités de limitation des armements stratégiques, les accords commerciaux, techniques, de coopération américano-soviétique. L'Union soviétique, puissance révolutionnaire, devait être contenue, l'Union soviétique, une des deux grandes puissances militaires, aspirait à occuper dans le monde une place à la mesure de sa force, et il convenait de lui accorder les satisfactions, que les États-Unis n'auraient d'ailleurs pas les moyens de lui refuser. Résister à un impérialisme idéologico-militaire d'un côté, intégrer l'*alter ego* des États-Unis dans le concert mondial de l'autre, aucune de ces idées directrices n'appelle la critique. Malheureusement, ces deux idées ne dictent pas le même langage — faiblesse peut-être rédhibitoire en une société démocratique ; et, par la faute des circonstances — Vietnam, Watergate, dissensions intérieures —, Kissinger ne réussit qu'imparfaitement dans l'une et l'autre de ces entreprises.

XXIV

DE LA CRITIQUE HISTORIQUE

Les deux livres *République impériale, les États-Unis dans le monde (1945-1972)* et *Penser la guerre, Clausewitz* ont peu de traits communs, bien que tous deux sortent d'un cours donné au Collège de France, le premier en 1970-1971, le second en 1971-1972. Encore les deux cas, même à cet égard, diffèrent-ils. Je donnai un cours sur l'action extérieure des États-Unis, parce que j'avais signé un contrat avec une maison d'édition américaine. En revanche, c'est le cours sur Clausewitz qui m'incita finalement à tenter l'expérience : une interprétation d'un livre fameux, *De la guerre*, d'un stratège et de sa postérité.

Récit historique d'un côté, reconstitution d'une pensée de l'autre ; ici les États-Unis dans le troisième quart du XXe siècle, là, la méditation sur un Prussien qui vécut intensément la catastrophe de sa patrie et son relèvement, fasciné par l'ennemi qu'il haïssait, Napoléon. Il semble artificiel, au premier abord, de réunir ces deux livres par un autre lien qu'accidentel et personnel. Je suggérerais un lien significatif.

J'étais tenté de donner pour titre à ce chapitre : regards en arrière. L'action extérieure des États-Unis, de la fin de la Deuxième Guerre mondiale au traité de paix avec le Vietnam du Nord en 1972, je l'avais commentée au fur et à mesure. De ce fait, dans le livre, je me critiquai moi-même ou, plus précisément, je confrontai mes jugements, contemporains des événements, avec la vue d'ensemble que j'en prenais maintenant, à la faveur de la distance et de l'ouverture partielle des archives.

Mon travail sur Clausewitz constitue une recherche des origines (ou de l'une des origines) de la stratégie moderne. Les guerres du XXe siècle, la bombe atomique bouleversent les idées classiques, au moins en apparence, remettent en question l'art de la diplomatie aussi bien que de la guerre. Depuis Napoléon, les chefs militaires, dans tous les camps, avaient été obsédés par l'idée de la victoire d'anéantissement, la destruction des forces ennemies en préface à une paix dictée souverainement par le vainqueur. La dialectique napoléonienne avait mené l'Europe et le monde de Sarajevo à Hiroshima, des bombes de terroristes qui visaient un homme à une bombe atomique dont le souffle et le feu tuaient, au hasard, des dizaines de milliers de civils. Dès 1951, j'avais écrit un article, à propos de la campagne de Corée, « De la paix sans victoire », et, un peu plus tard, dans le *Bulletin of atomic scientists*, « A half century of limited war ».

Il existe donc, en dépit de toutes les différences, une parenté, moins d'inspiration que de curiosité, entre les deux études qui portent l'une sur les diplomates de la République impériale, l'autre sur le théoricien de la guerre. Le stratège prussien avait compris, mieux que personne, l'ascension aux extrêmes ; il avait aussi reconnu, de plus en plus, à mesure qu'il avançait en âge, que la guerre se déroule rarement selon son concept pur. Pendant un quart de siècle, les États-Unis avaient évité l'ascension aux extrêmes en dépit du conflit mortel avec l'Union soviétique et de la grandeur de l'enjeu. La puissance démesurée des armes nucléaires n'allait-elle pas mettre fin à la phase des guerres totales ? Clausewitz aidait-il à penser la guerre, une en son concept, multiple, diverse en ses manifestations historiques ?

A. *« République impériale »*

République impériale constituait pour moi la première tentative d'un livre d'*histoire,* voire d'un *récit.* Mais comment raconter l'action extérieure des États-Unis au cours d'un quart de siècle ? Première difficulté : le découpage. Cette période pouvait-elle être séparée des deux siècles qui la précèdent ? Je surmontai ce premier obstacle par un prologue d'une quinzaine de pages intitulé « L'Ile-Continent », que le *Times Literary Supplement* loua dans un bref compte rendu de l'édition française.

La notion d'Ile-Continent vient d'un géopoliticien anglais célèbre qui influa sur l'École allemande de K. Haushofer ; H. J. MacKinder avait interprété, dans ses livres, en particulier dans *Democratic Ideas and Reality,* la lutte entre la terre et la mer, entre la puissance terrestre et la puissance maritime. La puissance maritime ne maintient son règne qu'à la condition de posséder une base économique qui lui assure des ressources suffisantes. Rome l'emporta sur Carthage parce qu'elle conquit la maîtrise des mers. L'Angleterre conquit la maîtrise des mers après être devenue réellement une île ; elle cessa d'avoir un voisin potentiellement hostile lorsque l'Écosse fut englobée dans le Royaume-Uni.

Les 13 colonies révoltées contre la Couronne anglaise se transformèrent en Ile-Continent par étapes successives. Mais j'englobai ces étapes en une seule période allant de 1783, le traité de Paris, jusqu'en 1898, la guerre contre l'Espagne. Durant ce siècle, les colons ont atteint leur fin : occuper, peupler, exploiter l'espace nord-américain afin de le soustraire aux rivalités permanentes, caractéristiques de la vieille Europe. Sans livrer de grande guerre, les colonies atteignirent leur objectif. Dès 1831,

Hegel constatait que les États-Unis jouissaient d'une situation insulaire : « Les États libres d'Amérique du Nord n'ont aucun État voisin vis-à-vis duquel ils soient dans la situation où se trouvent les États européens les uns à l'égard des autres, c'est-à-dire un État qu'ils doivent considérer avec méfiance et contre qui ils doivent entretenir une armée permanente. Le Canada et le Mexique ne leur inspirent pas de crainte. [...] »

Je retins la date de 1898 comme le terme de la période et le début d'une autre, qui s'achève en décembre 1941, Pearl Harbour et l'entrée des États-Unis dans la guerre. Période curieuse, diverse, contradictoire : la victoire sur l'Espagne exprima et entretint à la fois une velléité d'impérialisme dans le style européen ; l'intervention en 1917, le refus par le Sénat de la ratification du traité de Versailles, les lois de neutralité ne font pas système, ne révèlent aucun projet. Les États-Unis ont accompli leur « destinée manifeste », créé en Amérique un grand empire de langue anglaise : vers quelles entreprises vont-ils tourner leurs ambitions ? Ils entament une colonisation de style européen (Porto Rico, Philippines) et la refusent. En 1917-1918, ils mettent leur poids dans la balance, déterminent l'issue de la Grande Guerre et la victoire anglo-française, puis se retirent. Au cours des années 30, le Congrès vote des lois destinées à prévenir l'entrée de la République dans la guerre qu'ils prévoient. Les Américains aussi, en cette circonstance, entrèrent dans l'avenir à reculons.

Ces deux périodes, qui précèdent celle que je devais retracer, diffèrent sur l'essentiel. Alors que le mouvement des idées et des événements, de la fin du XVIIIe siècle à la fin du XIXe, conduit à un ordre pensé et voulu par les *founding fathers* — une République souveraine couvrant la plus grande partie de l'espace nord-américain et, de ce fait, géopolitiquement insulaire —, à la fin de la deuxième période, l'observateur ne discerne ni la logique de l'intrigue, ni les objectifs des acteurs. La période 1947-1972, celle de la prééminence planétaire, ressemble plus à la première qu'à la deuxième. Les États-Unis acceptent le fardeau impérial avec autant de résolution que la « destinée manifeste » au siècle précédent, mais la tâche est tout autre.

Les États-Unis ont été entraînés par les événements dans la politique mondiale, ils doivent traiter non avec des tribus indiennes, non avec un empire espagnol décadent, non avec un empire britannique complaisant ou résigné, mais avec des États, eux aussi résolus à défendre leurs droits ou leurs intérêts. Ils avaient dénoncé la perversité du système européen, ils participent à un système planétaire qui n'a rien à envier à celui du Vieux Continent. Les Américains ne percevaient pas de parenté entre leur expansionnisme territorial au XIXe siècle et l'impérialisme européen ; ils n'imaginaient pas que la diffusion du commerce et du libre-échange pût être assimilée à l'impérialisme. Ils pénétraient dans la politique mondiale, une terre pour eux presque inconnue, marqués par les pratiques et les préjugés de leur passé, le moralisme, le légalisme d'un côté, la domination, souvent brutale, sur les petits États des Caraïbes et de l'Amérique centrale de l'autre.

L'Angleterre avait été le garant de l'équilibre européen ou, en d'autres termes, l'ennemi de tout pays européen capable de s'étendre et d'accumuler des ressources au point de défier l'État insulaire, maître des mers. Les États-Unis s'élevèrent, comme l'avait fait la Grande-Bretagne, à mesure que les puissances terrestres s'épuisaient en des conflits armés. Mais quel équilibre l'Ile-Continent pouvait-elle établir ou maintenir ? En Europe, elle sauvegarda sa tête de pont dans l'Ile mondiale, selon le vocabulaire de McKinder, elle contint la poussée de la puissance continentale vers les zones marginales, les régions côtières. Mais l'Europe ne représente qu'un fragment de la scène mondiale dont la géopolitique n'éclaire pas tous les aspects.

Deuxième difficulté : quelle unité l'historien peut-il dégager de la masse des événements dispersés sur le globe ? Y a-t-il une intrigue et quelle en est l'unité ? Je choisis un découpage, commode mais peut-être contestable. Au cours des années d'après-guerre, la rivalité avec l'Union soviétique domina manifestement la conduite des dirigeants de Washington. En reprenant le système de concepts que j'avais utilisé dans mes livres, je considérai d'une part le système interétatique ou encore l'action diplomatico-stratégique des États-Unis, d'autre part les échanges commerciaux et les flux financiers dans le marché mondial, les États-Unis s'efforçant de garantir une zone de stabilité à l'intérieur de laquelle s'épanouirait un régime libéral. La première moitié du livre constituait un récit, résumé abstrait pour ainsi dire puisqu'il retraçait, en cent trente-cinq pages, vingt-cinq années tumultueuses, chargées de crises et même de guerres. Je voulais écrire un récit idéologiquement neutre, tout en dégageant les motifs probables des acteurs. Simultanément, je pris position sur les débats, qui se développèrent aux États-Unis vers la fin des années 50 au sujet de la politique de Truman, les débuts de ce que l'on appelle la guerre froide.

Dans le chapitre I, intitulé « A la recherche du coupable ou les origines de la guerre froide », je fus amené à m'exprimer en historien sur une période que j'avais vécue presque en acteur, du moins en commentateur. Vingt ans après, les événements m'apparaissent-ils sous un autre jour ? Les « révisionnistes » — nom donné aux historiens qui rejettent sur les États-Unis la responsabilité majeure de la guerre froide — appartiennent à une tradition américaine. Il y eut, aux États-Unis, une école révisionniste après la guerre contre le Mexique, après la guerre contre l'Espagne, après l'intervention dans la guerre mondiale en 1917. Les deux premières guerres n'avaient pas fait l'unanimité de l'opinion au moment même où elles avaient lieu ; même pas l'intervention de 1917. La critique, morale ou politique, reprend après coup les arguments employés sur le moment contre le président ou le parti au pouvoir, elle en trouve d'autres à mesure que les dessous du jeu se découvrent, que des vérités officielles sont mises en question. La conversion de la Grande

Alliance à la guerre froide n'avait soulevé qu'une opposition dispersée et faible. La résistance à l'expansionnisme soviétique s'était d'abord accompagnée d'une fureur anticommuniste, d'où sortit le maccarthysme, avec les formes détestables de « chasse aux sorcières », persécution non pas comparable aux purges soviétiques mais indigne d'une démocratie ; folie moins de persécution que de soupçon.

En gros, le récit ne rompait pas avec l'interprétation des événements consignée dans mes commentaires de l'époque. Je réfutai de mon mieux la thèse selon laquelle Truman assuma la responsabilité majeure de la guerre froide, mais, simultanément, je rejetai la question elle-même. Si l'on réduit la guerre froide aux six années entre 1947 — l'échec de la conférence de Moscou sur l'Allemagne et la création de la bizone — et mars 1953 — la mort de Staline —, ce dernier en fut le principal artisan. En revanche, si l'on étend la guerre froide à l'ensemble de l'après-guerre, au moins jusqu'à l'automne de 1962, la crise de Cuba, il n'y a pas lieu de chercher un « coupable ». Soviétiques et Anglo-Américains avaient mené ensemble la lutte contre le IIIe Reich ; ils se suspectaient mutuellement de trahison (paix séparée) et ne se fixaient pas les mêmes objectifs. Le choc entre les Américains et les Soviétiques ne fut pas provoqué par des décisions ponctuelles, comme les bombardements d'Hiroshima et de Nagasaki, ou la suspension soudaine de l'aide américaine *(lend lease)* aux Alliés, il résulta logiquement de l'instauration, progressive et inflexible, des pratiques, des hommes, des idéologies soviétiques dans les pays « libérés ».

La rupture de la Grande Alliance était inévitable, le détail des événements ne l'était pas. Sur deux points l'historien devait corriger le commentateur : la guerre de Corée, la participation chinoise. Nous savons aujourd'hui que l'initiative d'attaquer la Corée du Sud vint de Kim Il Sung plutôt que de Staline lui-même ; ce dernier donna le feu vert. Mao Zedong, consulté, répondit qu'il ne croyait pas à l'intervention américaine ; en novembre, par deux fois — je l'ai écrit dans un chapitre précédent —, il mit en garde les Américains contre l'avance de leurs troupes vers le Yalou. Le déchaînement passionnel des Américains, gouvernants et opinion publique, contre la Chine populaire se nourrit de malentendus et d'ignorance.

Une fois que le mot d'ordre de *containment* (endiguement) eut pour ainsi dire pris possession des esprits de ceux qui dirigeaient la République américaine, la diplomatie de Washington, au cours de ce quart de siècle, devient intelligible : l'unité de l'intrigue s'offre aux yeux. Après un baroud d'honneur entre 1945 et 1948, les États-Unis adoptent une stratégie défensive : en dehors des réunions publiques et des programmes des partis, l'historien guette vainement les signes d'une stratégie de « libération ».

Cette interprétation — qui ressemble à une non-interprétation — pose des problèmes d'historiographie [1]. Si l'on embrasse les longues

1. J'ai traité en détail ces problèmes dans un article paru dans les *Archives européennes de sociologie,* 1974, nº 2.

années durant lesquelles les GI combattirent et moururent (plus de 40 000) dans les rizières du Vietnam, on cherche une cause, un enjeu, une raison à la mesure de l'événement. Mais où les trouver ? Enjeu économique ? Dérisoire de toute évidence. Enjeu stratégique, la chute des dominos ? En effet, après sa victoire, Hanoi devait étendre sa domination au Laos et au Cambodge, rétablir l'unité indochinoise à son profit. Mais les États-Unis voulaient-ils endiguer le communisme en tant que tel ? Ou l'impérialisme de l'Union soviétique, ou celui de la Chine populaire, ou celui du Vietnam ? A mesure que le temps passait, l'ennemi devenait de moins en moins identifiable et le tout — l'engagement américain au Vietnam — de moins en moins intelligible pour l'opinion publique. L'intelligibilité suppose ou bien une *intention* des acteurs, ou bien le *déterminisme* des causes. Mon récit suggère l'intention d'endiguement d'abord, l'incapacité des gouvernants de trouver une issue honorable ensuite. Au début, Kennedy choisit librement (avec une marge assez large de liberté, en tout cas) ; ensuite, L. B. Johnson et ses conseillers cherchent des rationalisations à la guerre, ne sachant ni comment la terminer ni comment la gagner.

La deuxième partie du livre, « Les États-Unis dans le marché mondial », présentait des difficultés d'interprétation autres et, dans l'ensemble, plus grandes. Les États-Unis pèsent sur les autres économies dans le marché mondial par leur être autant que par leurs actes. Ils ne veulent pas toutes les conséquences de leurs actes. Pour une part, l'analyse se développe sur un terrain bien balisé. Par le plan Marshall, les États-Unis ont accéléré le relèvement des économies européennes, de même qu'ils ont aidé le Japon à reconstruire ses villes. Ensuite, les Japonais ont repris en main leurs affaires. Favorisés par la faiblesse de leur budget militaire, ils chaussèrent des bottes de sept lieues et battirent tous les records de croissance. Une quinzaine d'années après l'afflux de dollars vers l'Europe, le déficit de la balance des paiements des États-Unis remplaça le thème de la pénurie « structurelle » de dollars. L'action extérieure des États-Unis dans l'immédiat après-guerre, le plan Marshall, la création des institutions internationales, ne soulèvent plus après coup de polémiques ; elle fut à la fois généreuse et clairvoyante. « Égoïsme éclairé » si l'on préfère.

Moins évidentes sont les réponses aux questions sur l'influence exercée par l'économie dominante sur le reste du monde et sur la dépendance de la diplomatie américaine par rapport aux intérêts économiques de certains groupes ou de la collectivité tout entière. Il me paraît impossible, presque absurde, d'expliquer, dans le détail, terme à terme, les décisions diplomatiques par des raisons économiques. Bien entendu, de grands personnages, à Washington, surtout quand ils plaidaient devant les commissions sénatoriales, insistèrent sur les richesses que recélait le Vietnam et dont la défaite entraînerait la perte. L'argument est à ce point dépourvu de bon sens qu'il se réduit manifestement à une simple rationalisation. Mais il n'est pas absurde d'expliquer la politique de l'endiguement par la volonté de puissance, par la nature de la société américaine. De même, on peut se demander si l'expansion du capital américain répondait à une nécessité de l'économie interne, si les autres pays auraient toléré l'expansion du capital américain, soutenu si longtemps le dollar, en l'absence de la supériorité militaire des États-Unis.

Une école d'historiens, de spécialistes des relations internationales ne sépare pas le système interétatique du marché mondial et définit le concept d'impérialisme sans référence à la conquête de territoires ou à la colonisation. Les États-Unis deviennent impérialistes en tant que tels, parce qu'ils constituent l'économie centrale du marché mondial, économie dominante en un sens précis : elle détermine le marché mondial plus qu'elle n'est déterminée ou contrainte par lui ; elle exerce plus d'influence sur les autres économies qu'elle n'est influencée par elles. Elle fixe les règles du marché mondial, place au-dehors des capitaux, dont elle réinvestit sur place ou rapatrie les intérêts ou les profits, consomme en grande quantité les matières premières extraites des pays en voie de développement. Il suffit d'user du vocabulaire marxiste pour échafauder une théorie de l'impérialisme, inspirée de celle de Lénine mais foncièrement différente : l'impérialisme ne consiste plus ni dans la prise de souveraineté, ni dans la colonisation (au sens européen) ; c'est le système économico-monétaire en tant que tel qui mérite l'adjectif impérialiste, il pompe la plus-value tirée du travail et des matières premières des pays périphériques. Les riches accroissent leur richesse aux dépens des pauvres.

Mes analyses aboutissent à des conclusions nuancées : comment saisir les motivations, surtout les motivations d'un acteur collectif comme les États-Unis ? Un pays gagné au marxisme-léninisme de Moscou échappe, partiellement au moins, au marché mondial ; l'historien peut toujours traduire la formule de W. Wilson *a world free for democracy* par l'autre formule *a world free for free trade.* Le monde libre se confond, en une certaine mesure, avec le monde du *free trade.* Mais il faut une étrange perversité d'esprit ou un implausible dogmatisme pour affirmer que les Américains protégèrent l'Europe occidentale ou combattirent en Corée à seule fin d'élargir la zone ouverte aux échanges commerciaux. Les États-Unis ont mené une action impériale que je définirai dans les termes suivants : *action qui ne tend pas exclusivement à la défense des intérêts nationaux, étroitement conçus ; l'État dominant s'efforce de maintenir l'équilibre, l'ordre du système tout entier comme s'il en assumait consciemment la responsabilité.* C'est en tant que responsables du système économico-politique mondial que les États-Unis établirent des garnisons à Berlin et à Séoul, finalement amenés à intervenir militairement par deux fois sur le continent asiatique.

Quant à l'expansion du capital américain, elle émane naturellement des entreprises et des banques de l'économie dominante. Celle-ci seraitelle condamnée à la stagnation si ces débouchés lui manquaient ? Question dénuée de pertinence. En général, les capitaux investis au-dehors ont un rendement supérieur à celui des capitaux investis dans le pays de la maison mère. En régime capitaliste, les capitaux vont normalement vers le rendement le plus élevé. Le flux vers l'Europe tenait partiellement à la surévaluation du dollar ; le flux s'inversa durant les années 70 quand la monnaie américaine se trouva temporairement sous-évaluée.

L'explication de l'action extérieure des États-Unis par des causes ou des modèles économiques me parut, en dernière analyse, moins intéressante que la saisie englobante, simultanée, du système interétatique et du marché mondial, l'un et l'autre formant de concert « l'impérialisme américain » ou « l'ordre impérialiste » avec pour centre les États-Unis. J'ai résumé, un peu plus haut, le glissement de vocabulaire qui mène de Lénine aux auteurs d'aujourd'hui. Dans le livre, je me demande si et dans quelle mesure le système baptisé par ses adversaires « impérialiste » favorise ou contrarie le « décollage » des pays pauvres, dits en voie de développement. Le « système impérialiste » centré sur la Grande-Bretagne au siècle passé n'empêcha pas le décollage du Japon, pas plus que le même système, devenu américain, n'empêcha le Japon de s'élever au premier rang. Plusieurs pays, Corée du Sud, Taiwan, Singapour donnent l'exemple d'un développement accéléré dans le contexte de l'économie mondiale et par les moyens libéraux.

Les philippiques contre « l'impérialisme américain » se concentrent d'ordinaire sur l'Amérique latine, pour deux raisons : c'est dans cette zone que « l'impérialisme yankee », au sens militaire, se poursuivit le plus longtemps. Les *marines* n'évacuèrent le Nicaragua qu'en 1934, quand F. D. Roosevelt proclama la « politique de bon voisinage ». C'est dans les Caraïbes, dans la République Dominicaine, que L. B. Johnson envoya des *marines* pour bloquer une révolution dont il redoutait le glissement vers le castrisme. C'est au Guatemala que J. F. Dulles monta une expédition pour renverser un président gauchisant, Arbenz. Application à l'hémisphère occidental du *containment ?* J'y vois plutôt la prolongation de la politique des canonnières que la République américaine pratiqua sans vergogne au siècle dernier et même en celui-ci, aux dépens de quelques pays de langue espagnole. C'est à propos de cette région du monde que l'accusation d'impérialisme économico-politique se fonde sur les meilleurs arguments.

Les intellectuels latino-américains imputent volontiers aux États-Unis tous leurs malheurs. Or, avant 1945, la République du Nord ne s'intéressait guère à ses voisins du Sud. L'Argentine, au XIXe siècle, reçut des capitaux de Londres et non de New York. L'influence intellectuelle de la France l'emportait sur celle des États-Unis au Brésil. En revanche, Cuba (que Franklin voulait déjà annexer), les petites Républiques de l'Amérique centrale, bien que formellement souveraines et indépendantes, n'échappèrent pas à une pression, économique en permanence, politique, voire militaire en cas de besoin. Il me paraît faux d'affirmer que le sous-développement au Sud ait été la condition ou la contrepartie du surdéveloppement au Nord. Ni l'Argentine ni le Brésil n'apportèrent à l'économie américaine des matières premières ou un marché indispensables. L'instabilité politique des États de l'Amérique du Sud ne fut ni créée, ni entretenue par les Yankees ; l'oscillation entre les caudillos et les démocraties fragiles et oligarchiques s'enracine dans la structure sociale de ces pays. Les États-Unis, après 1945, entraînèrent les forces armées de la plupart de ces États, que les régimes fussent despotiques ou non. Ils contribuèrent par là même à perpétuer certains régimes qu'ils devaient juger eux-mêmes détestables. En nombre de pays d'Amérique centrale, en particulier, les événements conduisirent à un dilemme, peut-être inexorable : ou bien le maintien en place de petits tyrans ou la formation d'un castrisme.

Dans l'une comme dans l'autre de ces deux parties du livre, je ne formulai pas des jugements simples et je m'abstins autant que possible de jugements de valeur. En ce qui concerne la conduite diplomatico-stratégique, je la racontai telle qu'elle s'était déroulée, en m'efforçant de la rendre intelligible à partir des intentions des acteurs, de la logique des situations et, insuffisamment, à partir du régime politique et de l'opinion publique des États-Unis. Dans la deuxième partie, je m'efforçai de la même manière d'analyser ce qui s'était passé, les décisions que les dirigeants américains avaient prises dans le marché mondial et, bien plus, les effets causés au-dehors par l'économie américaine, en fonction même de ce qu'elle était. Je cherchai moins à juger qu'à comprendre ; attitude relativement rare dans les récits du temps passé, décevante ou même scandaleuse quand l'historien se remémore pour ainsi dire des événements si proches que les émotions, vécues par les acteurs et les spectateurs, ne sont pas encore éteintes.

L'accueil de la presse et du public, en France, fut presque neutre, en général plutôt favorable avec des réserves, la diatribe de Claude Julien (prévisible) mise à part. Le compte rendu de Michel Tatu m'irrita. Non parce qu'il mentionna, en note, quelques erreurs de dates (j'avais écrit le livre, non avec des fiches mais de mémoire). C'était de bonne guerre. Mais le titre donné au compte rendu — « Sont-ils méchants, sont-ils gentils ? » — me parut la marque d'une mauvaise foi dont *le Monde* a parfois le secret. Pourquoi prendre pour thème la question que précisément je refusais de poser ?

Dans mes archives, j'ai retrouvé deux comptes rendus (peut-être parce qu'ils sont favorables). Dans le *Times,* Louis Heren résume d'abord le livre ou, tout au moins, il en dessine les grandes lignes.

« En 1973, les Américains avaient retiré leurs troupes du Vietnam, mais le destin du Sud-Vietnam demeurait incertain. Aujourd'hui que leur échec est sanglant et clair, la force des conclusions d'Aron, plaidées avec rigueur, est irrésistible. [...] La politique d'endiguement réussit en Europe, parce que les Américains avaient répondu correctement aux désirs de la majorité des Européens. Ils y furent aussi prudents. Par exemple, Truman préféra le triomphe technique de ravitailler deux millions de Berlinois par air plutôt que de forcer le blocus par des convois militaires. [...] La Corée changea tout cela et encore bien d'autres choses. [...] La guerre froide prit une dimension globale, elle fut institutionnalisée à ce point que les États-Unis s'engagèrent dans une politique de réarmement massif, pour l'Europe occidentale aussi bien que pour eux-mêmes. [...] Aron, qui a manifestement fait son travail à la maison *(home work)*, avec une vigueur et une imagination qui doivent faire honte à ses contemporains américains, explore tous les documents publiés et tous les recoins avec une clarté qui a restauré ma confiance, héritée mais battue en brèche, dans l'érudition et la logique françaises. » Il va de soi que le critique du *Times*, que je ne connais pas, m'attribue beaucoup plus de mérites que je ne m'en reconnais moi-même.

Le compte rendu de David Watt, dans l'*Observer*, manifeste plus de réserve et de nuances : il pose aussi un problème central que suggère son titre, « A whiff of anaesthetic » (une bouffée d'anesthésiant). « Voici un très bon livre, mais étrangement insaisissable. Quand il parut il y a deux ans en français, un critique fit la remarque qu'il s'y trouvait un peu d'anesthésie ; la bouffée s'y retrouve dans la traduction anglaise. [...] D'une histoire de la politique extérieure des États-Unis depuis la guerre écrite par un des commentateurs français les plus distingués, on attend naturellement un tour de force de clarté et d'ironie brillantes. A la place, M. Aron a produit posément un livre compliqué, sur un ton de voix froid, détaché. Ces hommes ont été déraisonnables, bien sûr, mais après tout qui n'est pas quelque peu déraisonnable de temps en temps, et eux ils avaient à résister à tant de passé et à tant de pressions actuelles. Au reste, au bout du compte, les choses n'ont pas tourné si mal, n'est-ce pas ? On ne peut pas se défendre du sentiment qu'après trois cents pages qui incluent l'origine de la guerre froide, l'affaire coréenne, le Vietnam (beaucoup d'autres choses encore) [...] la conclusion est un peu débonnaire. Aron s'est défendu lui-même avec une *hauteur* exemplaire contre des reproches de cette sorte en se présentant comme le premier à avoir écrit une histoire au sens propre de cette période. »

Je n'ai jamais revendiqué le mérite d'être le premier à écrire une histoire au sens propre de cette période. Dans l'introduction, j'annonçai la couleur : « Autant que j'en puisse juger, je ne cherche ni à justifier les États-Unis, ni à les condamner. [...] Les relations interétatiques étant ce qu'elles sont, à l'intérieur d'un système hétérogène, la volonté stalinienne de répandre son régime aussi loin qu'avançaient ses armées s'accorde avec les pratiques coutumières. Nul besoin d'en rejeter la responsabilité sur les États-Unis sous prétexte d'innocenter Staline, qui n'a jamais aspiré à l'angélisme et qui se moquait d'une telle innocence. [...] Bien entendu, ceux qui ont pris l'habitude de penser le monde contemporain en termes manichéens — les peuples réduits en esclavage par les monstres capitalisme, impérialisme, révisionnisme — se déchaîneront contre un livre que ne soulève aucune indignation, sans traître et sans héros. Les occasions de s'indigner, à notre époque, ne manquent pas : que le lecteur me pardonne d'user avec parcimonie d'un bien dont la demande dépasse l'offre. »

David Watt m'accorde plus que je n'ai réclamé. « Le livre d'Aron est presque certainement la critique la plus équilibrée qui ait été écrite de la diplomatie américaine d'après-guerre. [...] Il est particulièrement bon sur le thème à la mode que c'est Truman qui commença la guerre froide et que les manœuvres postérieures des Soviétiques n'ont été que des réactions à l'agression américaine. [...] La Corée et le Vietnam sont les vrais problèmes et, bien que je pense qu'Aron a raison de dire qu'Acheson dans un cas, le président Kennedy dans l'autre firent ce qu'ils firent pour des motifs en gros défensifs, cela ne nous mène pas loin. [...] A ce point, le livre manque d'une dimension morale importante. Il est bon pour les historiens d'éviter un moralisme excessif mais, si Thucydide avait rendu compte de l'expédition de Sicile sur le ton adopté par Aron pour décrire l'expédition américaine de Saigon, nous ne pourrions guère tenir son livre d'histoire pour une " œuvre pour toujours ". »

Watt a bien raison de m'écraser sous l'ombre de Thucydide, mais il se trompe sur la différence entre le ton adopté par le Grec pour raconter l'expédition de Sicile et le mien pour raconter l'expédition américaine au Vietnam. Bien plus encore que moi, Thucydide méprise la « dimension morale » dont Watt déplore l'absence dans mon récit. Je n'ai pas prêté au président Kennedy les propos des ambassadeurs athéniens s'adressant aux magistrats et aux notables de Melos : il est conforme à la nature que la puissance règne et que le plus fort impose sa loi. Ce qui fait précisément l'insurpassable grandeur de l'Athénien, c'est son impitoyable regard qui pénètre au-delà des apparences et des subterfuges, atteint la réalité humaine dans sa nudité. J'aurais scandalisé Watt si j'avais rivalisé d'amoralisme avec Thucydide ; ce qui me manquait — en dehors du talent, bien entendu —, c'était la dimension, non pas morale mais tragique. La mort de Nicias, avec ce seul commentaire, « l'homme qui moins que tout autre méritait sa fin ignominieuse », prend à la gorge le lecteur. Quarante mille jeunes Américains tombèrent sur le champ de bataille du Vietnam — il n'en meurt guère moins chaque année sur les routes des États-Unis. Des centaines de milliers, peut-être des millions de Vietnamiens, périrent en ces combats fratricides mais, en 1975, quand Saigon tomba, les deux Vietnam finalement réunis comptaient plus d'âmes qu'au jour de décembre 1946, quand s'alluma l'incendie que la victoire de Giap ne suffit pas à éteindre.

Dans un déjeuner chez Mme Ponceau, j'entendis Henry de Montherlant dire qu'il ne parvenait pas à se passionner pour la partie planétaire qui se livre entre l'Union soviétique et les États-Unis, alors qu'il continue de se passionner pour la lutte entre Athènes et Sparte, entre Rome et Carthage. Les guerres entre des populations, qui se comptent par des dizaines ou centaines de millions, ne sont plus à l'échelle humaine. Les statistiques remplacent les personnes. Les masses s'affrontent — même l'assassinat de Kennedy à Dallas me paraît moins tragique que celui de

Nicias. Ce dernier fut mis à mort par les vainqueurs, au terme d'une expédition qu'il avait déconseillée, Kennedy tomba sous les balles d'un Oswald, anonyme, qui ne signifiait rien. Si mon récit avait pu s'attacher non aux acteurs abstraits, les États-Unis ou l'Union soviétique, ou à des acteurs à peine moins abstraits, R. Nixon ou H. Kissinger, mais aux peuples et aux combattants, peut-être le tragique aurait-il surgi. L'action extérieure des États-Unis témoigne de la folie plutôt que de la condition tragique des hommes.

La critique de « l'anesthésie », je l'accepte ; l'histoire pleine de bruit et de fureur, je l'épure, je la stylise, j'en retiens les grandes lignes ; j'en omets les tumultes, les scandales, les bagarres. Je négligeai les étudiants et leur fureur. Sans le vouloir, je finis par donner l'impression que les États-Unis ressemblent à un acteur qui se veut rationnel mais qui se trompe de temps à autre. Il aurait fallu au moins suggérer les coulisses de la Maison Blanche, telles que les décrivent les journalistes ou les hommes d'État dans leurs *Mémoires.*

Peut-être aussi ai-je abusé, au nom des devoirs de l'historien, du droit de l'observateur non engagé. Dans la deuxième partie du livre, « Les États-Unis dans le marché mondial », j'analyse plusieurs problèmes sans trancher entre les thèses aux prises. André Malraux disait : « Toute politique est manichéenne, mais il ne faut pas en remettre. » J'ai remis peut-être de l'antimanichéisme.

B. *Clausewitz*

Le cours de treize leçons me donna l'occasion de relire *De la guerre* et de me familiariser avec la littérature sur le stratège prussien. Quelques officiers, français et étrangers, vinrent m'écouter et souhaitèrent disposer du texte qui n'existait pas. Une fois de plus j'hésitai sur l'utilisation de mes notes et de la dactylographie de mes paroles. Je décidai de ne pas renouveler le précédent des *18 Leçons*, à savoir confier à un autre la tâche de corriger la dactylographie. Mon doute porta sur la sorte de livre : essai ou gros livre qui prétendrait à une interprétation globale de Clausewitz ? Je choisis le deuxième terme de l'alternative. Depuis *Paix et Guerre*, je n'avais publié que des essais. Le temps était venu de m'imposer de nouveau une véritable épreuve. Étonnante décision : j'approchais des soixante-dix ans et un « Marx », une autre étude sur la philosophie de l'histoire auraient répondu davantage à la logique de mon existence et de ma carrière.

Pour me justifier, cependant, je citai une phrase de B. Croce dans un article de la *Revue de Métaphysique et de Morale* : « Il a fallu l'étroitesse et la pauvreté de la culture moyenne des philosophes, leur spécialisme inintelligent, le provincialisme, disons les choses comme elles sont, de leurs habitudes d'esprit pour expliquer leur indifférence, leur éloignement à l'égard de livres tels que celui de Clausewitz. » Le traité de stratégie le plus célèbre et peut-être le moins étudié attire légitimement la curiosité d'un philosophe.

Je me proposai quatre objets principaux : tout d'abord faire connaître les données biographiques et historiques qui aident à comprendre l'homme, le contexte social et moral dans lequel il s'est formé ; en deuxième lieu, mettre en lumière la méthode philosophique de Clausewitz ; en troisième lieu attaquer le problème d'interprétation le plus difficile et le plus important : que voulait dire Clausewitz lorsque, dans l'avertissement de 1827, il annonçait la révision du texte à la lumière de deux thèmes ; d'abord la distinction des deux guerres, l'une qui a pour but d'abattre l'ennemi, l'autre qui s'efforce seulement d'arracher quelques conquêtes aux frontières, ensuite le point de vue selon lequel la guerre n'est que la continuation de la politique étatique par d'autres moyens. Enfin, l'analyse des rapports de l'offensive et de la défensive me conduisit vers l'armement du peuple et la guerre populaire. A la fin du cours, je commentai la postérité, fidèle ou infidèle, de l'ennemi-admirateur de Napoléon et j'indiquai quelques-unes des modifications que les armes nucléaires imposent sinon à la théorie analytique, du moins aux implications praxéologiques de Clausewitz. Les deux cours des années suivantes : *Théorie de l'action politique* et *Jeux et Enjeux de la politique* prolongeaient la même recherche. Le livre emprunta aussi à ces deux cours.

Dans le premier chapitre, je retraçai brièvement la vie du stratège auquel le destin refusa l'occasion d'une victoire éclatante ou d'une initiative historique. Mais, ami intime de Scharnhorst, puis de Gneisenau, il fut mêlé aux grands événements de la période révolutionnaire et impériale. Il fut frappé, de même que la plupart de ses contemporains, par le contraste entre les conflits limités et les campagnes de manœuvres, caractéristiques du XVIIIe siècle, et les guerres, presque illimitées, que déclenchèrent la chute de la monarchie et la levée en masse. Les péripéties de l'histoire lui offrirent le fait qui fut le point de départ et demeura au centre de sa réflexion : le lien entre la chose militaire et la politique. Lien qui présente une double signification : il y a d'abord une corrélation, d'ordre sociologique, entre la politique (le régime, le rapport entre gouvernés et gouvernants, le principe de légitimité, etc.) et le mode d'organisation des armées ou la méthode de combat ; il y a ensuite une norme presque évidente, la subordination de la conduite des opérations militaires à la finalité politique. La guerre a une grammaire propre, non une logique propre. La subordination de l'instrument militaire à la volonté politique prit, aux yeux de Clausewitz, une importance telle qu'il se proposait, dans la révision du manuscrit, de souligner encore davantage cette idée.

Dans le résumé du cours, je présentai de la manière suivante le premier chapitre de *De la guerre* afin d'en dégager la méthode : « Au point de départ, le modèle le plus simple, celui du duel, qui suggère une première définition de la guerre, épreuve de volonté avec l'emploi de la violence physique. L'analyse du modèle conduit à la théorie de l'ascension aux extrêmes *(Steigerung bis zum Äussersten)* et de la guerre absolue, conforme à son concept. En un deuxième moment, Clausewitz réintroduit les éléments principaux que le modèle a négligés : l'espace (un État n'est pas un lutteur, il dispose d'un territoire, d'une population) ; le temps (le sort d'une guerre, d'une bataille, d'un État ne se décide pas en un seul instant) ; l'asymétrie entre l'attaque et la défense, qui rend compte de la suspension des opérations ; enfin la politique, qui fixe la fin de la guerre elle-même et, en fonction de l'ensemble des circonstances, des intentions supposées de l'ennemi et des moyens disponibles, détermine le plan de guerre, la mesure des efforts. » Le premier chapitre, résumé de la philosophie du traité tout entier, aboutit à une deuxième définition ou plutôt à l'articulation de la structure interne du phénomène guerre « étrange triade de la passion (le peuple), de la libre activité de l'âme (le chef de guerre) et de l'entendement (la politique, l'intelligence personnifiée de l'État) ».

Je travaillai à ce livre entre 1972 et 1975 avec alacrité, presque avec enthousiasme. Je fréquentai la Bibliothèque nationale, lus les commentateurs, allemands et français, du *Traité;* je pris plaisir à retrouver la polémique qu'avait soulevée l'interprétation par H. Delbrück des deux stratégies ou des deux espèces de guerre. Je ne prétendis pas mettre un point final aux controverses, mais reconstruire la démarche intellectuelle de Clausewitz à travers les versions successives de son *maximum opus.* Je me plongeai dans la scolastique clausewitzienne avec la conviction, peut-être illusoire, d'avoir démontré que la révision du livre VIII avait été antérieure à la rédaction du chapitre I, l'expression la plus achevée de la pensée du stratège. Consciemment, je ne m'étais certes pas donné une mission politique, l'idée ne m'était pas venue de mobiliser Clausewitz parmi les idéologues du monde libre. Le livre devint un objet de polémique scientifico-partisane en République fédérale allemande (dans des milieux étroits).

La pensée de Clausewitz se prête à deux interprétations, non pas contradictoires mais divergentes. Ou bien on retient pour centre de sa pensée la bataille d'anéantissement, ses phrases méprisantes pour les généraux qui craignent de répandre le sang, la notion de la guerre absolue (ou idéale, ou conforme à son concept), l'ascension inévitable aux extrêmes, la formule selon laquelle une armée n'est jamais trop nombreuse, etc. Ou bien on fixe son attention sur l'autre versant de sa pensée : la guerre continuation de la politique par d'autres moyens ou avec l'addition d'autres moyens, donc la primauté de l'homme d'État sur le chef militaire, l'affirmation répétée que la guerre absolue ou idéale est la plus rare dans l'histoire, que la plupart des guerres, mesurées à la guerre absolue, ne sont que des demi-guerres.

La plupart des militaires allemands qui s'intéressèrent à Clausewitz penchèrent vers le premier terme de l'alternative. Les victoires de 1870-1871 illustrèrent la théorie de la bataille d'anéantissement. Certains des interprètes, des deux côtés du Rhin, contestèrent l'affirmation de Clausewitz selon laquelle la défensive est le mode le plus fort de combat. Un officier français qui eut son heure de gloire au début du siècle, F. Gilbert, jugea la supériorité de la défensive sur l'offensive contradictoire avec le reste de l'ouvrage [1]. Il me sembla facile de réfuter la prétendue contradiction entre la thèse des vertus de la défensive et l'éloge de l'attaque directe, brutale, de l'offensive de masse. Les textes permettent de suivre le cours de sa pensée : doctrinaire de l'offensive à tout prix dans sa jeunesse, il découvrit les ressources de la défensive au cours des campagnes napoléoniennes, en particulier lors de la campagne de Russie, et il insista de plus en plus sur l'historicité de la guerre, la diversité des guerres selon les époques et, du même coup, la diversité des stratégies. Les deux espèces de guerre, l'une tendant à dicter souverainement les conditions de la paix après le désarmement de l'ennemi, l'autre tendant à obtenir une paix favorable en fonction des résultats militaires, représentent deux types-idéaux pourrait-on dire, chacun de ces types étant commandé par la finalité politique et influant sur la conduite des opérations.

Si l'on suit ce deuxième versant de la pensée clausewitzienne, on s'écarte de Liddell Hart qui appelait Clausewitz « le mahdi des masses et des massacres mutuels » et évoquait la « *Marseillaise* prussienne » ; on s'éloigne aussi de la conception dominante du grand état-major prussien ou allemand, qui revendiqua la totale liberté pour le chef militaire pendant les hostilités entre la déclaration de guerre et la suspension des armes (le texte du *Traité* fut falsifié pour lui faire dire, sur ce point, le contraire de ce qu'il disait). Mais je n'ai pas l'impression d'avoir négligé l'admirateur de Napoléon, l'enthousiasme quasi esthétique que soulevait dans l'âme du général prussien l'image d'une bataille d'anéantissement ou l'idée d'une guerre conforme à son concept. Il admirait, en professionnel, la vraie guerre et il semblait parfois mépriser les demi-guerres, préférer la lourde épée au fleuret. Stratège, il ne se lasse pas de souligner les avantages que la défensive assure au parti le plus faible. Précepteur, il ne recommande ni la guerre absolue, ni la demi-guerre. Il recommande aux chefs d'État de ne pas se tromper sur la nature de la guerre, il formule expressément cette recommandation à l'usage de ceux qui méconnaissent la volonté d'ascension de l'ennemi. Mais il écrit aussi que la guerre absolue ne constitue nullement un idéal auquel l'homme d'État ou le stratège devrait aspirer ou se conformer. Pour une part, la nature, l'intensité de la guerre sont prédéterminées par le contexte politique du conflit ; mais, si cette détermination ne laissait aucune place à la décision du chef d'État, Clausewitz affirmerait, implicitement, un total déterminisme de la guerre, peu compatible avec son exaltation de la volonté humaine et du héros.

Dans le deuxième tome, j'esquissai une histoire des « lectures » de

1. Jean Jaurès, contre les doctrines du grand état-major français, utilisa la thèse de Clausewitz sur la défensive, mode le plus fort de stratégie.

Clausewitz, en même temps qu'une interprétation des guerres du XXe siècle à la lumière de ses concepts. Le premier chapitre, intitulé « De l'anéantissement à l'épuisement », montre comment la Première Guerre, que les états-majors espéraient des deux côtés terminer par une victoire d'anéantissement, fut remportée finalement par la coalition la plus riche en ressources, à la faveur de l'épuisement des empires centraux. Le deuxième chapitre analyse dans le même style la deuxième grande guerre, celle de 1939-1945. Lénine étudia le *Traité*, en Suisse, et en tira quelques leçons. Grâce à lui, Clausewitz devint et demeure dans le monde soviétique un auteur sacré, cité et discuté par tous les écrivains militaires. Le troisième chapitre prend pour point de départ l'armement du peuple (titre du chapitre 26, livre VI), et je retrace les étapes successives de la guerre menée par les combattants sans uniforme.

Dans la deuxième partie du deuxième tome, je m'efforçai d'analyser la conjoncture actuelle en utilisant quelques-uns des thèmes clausewitziens. « Les traites de la dissuasion » : Clausewitz enseignait que le combat dénoue finalement les opérations à crédit, celles de la diplomatie ou de la manœuvre. Avec les armes nucléaires, la dissuasion peut-elle rester efficace sans le dénouement du combat, de la mise à exécution des menaces ? « La guerre est un caméléon » : notre siècle, en effet, présente, contemporaines, les modalités les plus diverses du combat, depuis l'acte du terroriste jusqu'au bombardement de zone — jamais la guerre n'a été aussi polymorphe, jamais elle n'a été à ce point omniprésente. Comparée au XXe siècle, la période révolutionnaire et napoléonienne ne semble qu'une pâle répétition d'une pièce d'horreur à grand spectacle.

Mon ami Bertrand de Jouvenel, lecteur attentif de la littérature stratégique, avec des compliments les uns de rigueur, les autres authentiques (« j'ai beaucoup aimé la présentation de l'homme, nouveau renfort à ma conviction qu'il est dommage que vous laissiez si rarement percer la poussée de votre nature affective »), exprima ses réserves sur le deuxième tome avec beaucoup de tact : « Je vous avouerai que je ne " reçois " pas le second tome " loud and clear " aussi bien que le premier. Votre Clausewitz a reçu son éducation au XVIIIe siècle. Il a fait la guerre dans un monde culturellement homogène, car il s'est trouvé en fait que le " sans-culottisme", inventé par les bourgeois, n'a pas tenu. [...] La stupide guerre de 1914 ne sort des règles que par les torpillages et parce que la paix n'est pas négociée. Mais la seconde ! Les camps de la mort ! On voit là se manifester la haine qui me paraît tout à fait étrangère à la guerre clausewitzienne. Et le mépris de l'être humain, ce qui est tout autre chose que le propos prêté à Willesley (et que d'autres font remonter à Frédéric II) au jet d'une troupe qui refusait de remonter au choc : " Ces bâtards-là voudraient vivre toujours... " Clausewitz met l'accent, et combien à juste titre, sur la volonté, mais c'est une volonté qui s'impose des règles. [...] »

Le passage du premier tome au second, réussi selon certains lecteurs, artificiel ou pénible selon les autres, prête à contestation. Mais je crois excessif de dire que la haine était étrangère à la guerre napoléonienne. Clausewitz lui-même fait remarquer que le combat suscite la haine dans l'âme des combattants. Gneisenau, il est vrai, qui haïssait les Français, n'aurait pas imaginé d'exécuter les prisonniers, les femmes et les enfants, mais il souhaitait que Napoléon fût traduit devant un tribunal. L'occupation française de l'Europe ne peut être rapprochée de l'occupation hitlérienne pendant la Deuxième Guerre. Clausewitz n'en prêchait pas moins l'armement du peuple dont il prévoyait la cruauté, des deux côtés. J'ai rappelé à plusieurs reprises, dans le livre, à quel point les guerres napoléoniennes, comparées à celles du XXe siècle, nous apparaissent encore civilisées.

Le public auquel je m'adressais, au fond de moi-même, c'était le public allemand ; non pas le grand public — ce qui était hors de question pour un tel ouvrage —, mais les collègues, historiens, spécialistes des relations internationales, politologues, éventuellement même philosophes. Le succès d'estime, en France, les félicitations chaleureuses de mes amis, ne signifiaient pas grand-chose. Peu nombreux sont, de ce côté du Rhin, les hommes qui ont réellement étudié le sujet. P. Naville fait exception puisqu'il a préfacé *De la guerre*. Il n'aima pas mon livre, autant que je puisse le savoir, mais il ne l'attaqua pas. Les circonstances en Allemagne seraient moins favorables. En France, l'âge commençait à me servir de bouclier. La qualité de l'écriture que certains lecteurs découvraient, à tort ou à raison, dans ce gros ouvrage rébarbatif ne survivrait pas, en tout état de cause, dans la traduction.

Trois lettres m'inspirèrent confiance. D'abord une lettre de Carl Schmitt que j'avais rencontré une fois à Tübingen pendant mon séjour de *Gastprofessor* en 1953. Julien Freund qui, dans la préface de sa thèse, rend hommage à ses deux maîtres, Carl Schmitt et moi-même, devint un intermédiaire entre nous deux. Nous entretînmes une correspondance intermittente. Je lui envoyai certains de mes livres et il me répondit toujours. Je le félicitai à l'occasion de son soixante-quinzième anniversaire. Carl Schmitt fut, du temps de la République de Weimar, un juriste de talent exceptionnel, reconnu par tous. Il appartient encore à la grande école des savants allemands, qui dépassent leur spécialité, embrassent tous les problèmes de la société et de la politique et peuvent être dits philosophes — comme Max Weber le fut à sa manière.

Carl Schmitt n'appartint jamais au parti national-socialiste. Homme de haute culture, il ne pouvait pas être un hitlérien et il ne le fut jamais. Mais doctrinaire de droite, nationaliste, plein de mépris à l'égard de la République de Weimar dont il analysa impitoyablement les contradictions et l'agonie, il interpréta en juriste l'arrivée au pouvoir de Hitler, la formation de la tyrannie nazie. En particulier, il interpréta les événements du 30 juin 1934, la Nuit des longs couteaux, présentant le Führer en « juge suprême ». L'interprétation pouvait passer à l'époque pour approbation. Il cessa d'être *persona grata*, dans le régime, avant même le déclenchement de la guerre. Après 1945, il reconnut ses erreurs et se retira dans un village de Westphalie où il vit encore.

Voici le début de sa lettre de remerciements : « Durant la semaine précédente, le 13 février, l'envoi de Gallimard avec votre nouveau livre *Penser la guerre, Clausewitz* est arrivé ici. Depuis lors je n'ai pas cessé " d'y " lire, d'y " prendre " et de me laisser " prendre ". C'est un livre qui vous entraîne et qui, dans sa structure en deux parties, pleinement accomplie, constitue un succès total. C'est un accomplissement inouï, captivant du début jusqu'à la fin, et même dans les " Notes " encore passionnant. » Sans prendre ces éloges au pied de la lettre — il s'agissait d'un message personnel —, je me sentis rassuré sur ma droite : le livre était acceptable aux conservateurs ou aux réactionnaires.

Le Pr Werner Hahlweg, responsable des dernières éditions de *De la guerre,* que j'avais rencontré dans un colloque d'histoire militaire à Münster et qui m'avait communiqué certains renseignements, me remercia par une lettre aimable : « Je suis très impressionné par la profondeur et la nouveauté du développement de votre pensée et d'une interprétation de Clausewitz qui fait apparaître clairement des structures et des aspects de sa pensée qui n'avaient pas été vus auparavant. [...] » Ces formules n'allaient pas au-delà de la civilité entre professeurs attachés aux mêmes recherches.

Mon ami Golo Mann, avec lequel j'ai vécu à Berlin l'autodafé des livres en 1933, que j'ai retrouvé à Paris quand il enseigna à l'École de Saint-Cloud, m'aida à croire que je n'avais perdu ni mon pari, ni les années consacrées à un stratège prussien : « C'est sans aucun doute le plus beau livre que vous ayez écrit ; vos qualités que nous connaissions des livres antérieurs se répètent et s'accentuent. Il s'y ajoute quelque chose d'unique : la relation à un seul esprit, liée avec un élément biographique. La biographie est excellente ; la connaissance des choses de l'Allemagne du Nord parfaite, de même le tact, la compréhension (je n'aime pas le mot d'*einfühlen*[1]). [...] Le pont du premier tome au deuxième, de l'analyse clausewitzienne jusqu'au présent, entreprise audacieuse, me semble entièrement réussi. [...] »

Aussi fus-je stupéfié par la violence de l'attaque, en plus de quarante pages[2], lancée par un sociologue que je ne connaissais pas, Robert Hepp, contre mon livre et contre moi. La critique, souvent scolastique, se combinait avec des agressions rien moins que scientifiques : allusion à mon inexpérience du combat (fait vrai en tant que tel mais non pas pertinent pour la réflexion stratégique : le même reproche avait été adressé à Delbrück), allusion à ma judéité, qui m'interdisait d'analyser objectivement Hitler, etc. Je répondis aux critiques scientifiques et je me gardai de toute réplique *ad hominem.* La controverse scientifique ne peut trou-

1. Empathie.
2. L'article parut dans la revue *Zeitschrift für Politik.* Comme je fais partie du comité éditorial, les responsables me demandèrent si je m'opposais à la publication de l'article. Bien entendu, je ne soulevai aucune objection.

ver sa place dans ce livre-ci, mais il ne me paraît ni impossible, ni inopportun de dégager les enjeux principaux du débat qui aurait dû ne pas sortir du cadre académique.

La dialectique clausewitzienne s'inspire-t-elle de la dialectique hégélienne ? R. Hepp n'apportait aucun argument qui pût modifier mon jugement négatif. La définition du « concept à la limite », la définition de la guerre là où elle atteint à son point extrême, ne me paraît d'aucune manière hégélienne. Ma propre interprétation demeure, à mes yeux, la plus proche des textes, tout au moins du texte du premier chapitre que Clausewitz lui-même considère le seul achevé. La définition initiale de la guerre comme un duel — faire céder l'autre à sa volonté par la violence — contient la double épreuve de force, morale et matérielle. Le duel, réduit à son schème abstrait, monte logiquement aux extrêmes. Mais, dans un deuxième moment, Clausewitz passe de la représentation simple du duel à la confrontation des États et des nations, confrontation qui, en fonction des enjeux et des passions, monte ou non aux extrêmes. La guerre idéale, théorique, abstraite, n'est ni un type-idéal, au sens wébérien, ni le concept hégélien de la guerre, elle est l'essence de l'hostilité réduite à elle-même, abstraction faite des circonstances qui la conditionnent et de la finalité que les ennemis lui donnent.

J'usai, plus que la plupart des interprètes, de ce que j'appelai la définition trinitaire ou que j'aurais pu ou dû appeler la triade ; la guerre réelle ou concrète comporte la passion (le peuple), la libre activité de l'âme (le chef militaire), l'entendement (la politique, l'intelligence personnifiée de l'État). Je n'omis aucun des textes dans lesquels Clausewitz répétait que la guerre, délivrée de ses entraves coutumières, ne rentrerait pas aisément dans ses formes étriquées du siècle passé, que les guerres à venir deviendraient probablement des guerres nationales, autrement dit avec la participation des passions populaires et la tendance à l'extrême. Ce que l'on peut me reprocher, c'est d'avoir insisté exagérément sur le rôle de l'entendement, d'avoir tiré toutes les conséquences de la subordination du chef militaire au chef de l'État, en son temps le monarque. Mais quiconque lit avec attention les textes de Clausewitz ne doute guère qu'en fait il attacha de plus en plus de portée à ces deux idées, qui irritent les fidèles d'un Clausewitz simplifié, à savoir la primauté de la politique et la dualité des espèces de guerre.

Un autre critique, H. J. Arndt, en un style courtois, m'a reproché de ne pas tenir compte des guerres qui ne sont pas des moyens de la politique, des guerres qui, issues de l'hostilité pure, seraient des guerres à mort. La référence à quelques lignes de Clausewitz (livre VIII, chap. VI B) ne me paraît pas contredire mon interprétation. La phrase entière est la suivante : « Que le point de vue politique doive disparaître quand la guerre commence, cela ne serait probable que si les guerres, issues de l'hostilité, étaient des guerres à mort ; telles qu'elles sont, elles ne sont rien d'autre que l'expression de la politique en tant que telle. » Il n'est pas interdit de tirer de cette phrase isolée la thèse que des guerres à mort, nourries par l'hostilité pure, n'ont plus rien à voir avec la politique. Il en va autrement si l'on prend en compte le contexte : l'intention de Clausewitz est exactement opposée : il veut démontrer que la conduite de la guerre appartient au souverain, et non au chef militaire. Dans le chapitre I, il écrit explicitement que les guerres des peuples civilisés ne sont provoquées que par un motif politique. Dans le même chapitre (paragr. 25 et 26), il explique que la guerre semble d'autant plus guerrière et d'autant moins politique que les motifs du conflit s'élargissent davantage. La grandeur de l'enjeu entraîne la guerre vers les sommets de la violence ; le but de la guerre tend à se confondre avec la finalité politique. Mais la guerre à mort n'est pas moins politique que la guerre atténuée : dans les deux cas, ce sont les motifs, le contexte politique qui ont déterminé le mode de la guerre. Je ne crois pas avoir minimisé le risque de l'ascension aux extrêmes, la possibilité d'une guerre jusqu'au bout, entraînée par sa dynamique propre, soustraite à la volonté réfléchie, à savoir à l'entendement du souverain. Risque accru à l'âge nucléaire.

Que mon interprétation prête à contestation, j'en conviens volontiers, mais en quoi, pour quelle raison abaisse-t-elle Clausewitz ? En fait-elle un penseur inoffensif, innocent *(harmlos)*, comme l'écrit R. Hepp ? Tout au contraire, c'est un auteur dangereux, comme Thucydide et Machiavel, auxquels je l'ai comparé. Il est entendu que Clausewitz, théoricien de la guerre par excellence, écrivit sur la chose militaire, les combats, la tactique beaucoup plus que sur la politique. Il est entendu aussi qu'il marque la place de la politique dans la stratégie sans analyser la politique elle-même. Mais ce qui lui assure l'originalité, ce qui interdit de le confondre même avec un Jomini, c'est qu'il s'est colleté toute sa vie avec les relations complexes entre la grammaire militaire et la logique politique, qu'il n'a négligé ni la sombre horreur des combats, ni le calcul de l'entendement. Le présenter non en doctrinaire mais en théoricien, en homme qui étudie la guerre sans détenir le secret de la victoire, qui s'élève au niveau le plus élevé de l'abstraction et recommande la lecture des journaux ou les récits des combattants eux-mêmes, ce n'est certes pas l'abaisser. Peut-être certains, R. Hepp et d'autres, le veulent-ils plus brutal, se le représentent-ils moins déchiré entre les tendances diverses de sa pensée. L'expression du visage, c'est le regard du peintre qui la saisit. Le Pour-les-autres ne se cristallise jamais en un En-soi.

Le deuxième tome — ou la deuxième partie — du livre me paraît beaucoup plus fragile, vulnérable que le premier. Certaines remarques de R. Hepp (à propos de Ludendorff, du rapport entre Hitler et Clausewitz) sont pertinentes. Mais ses attaques les plus venimeuses portent sur quelques phrases relatives à la Deuxième Guerre. Par exemple, il relève les lignes suivantes : « Monstrueux Hitler et Staline, l'un trahissait ses idées par ses crimes, l'autre les appliquait. Les armes tranchèrent en faveur du monstre qui n'œuvrait pas en vue du triomphe d'une doctrine monstrueuse — et ce fut justice. » R. Hepp me reproche la faute courante : deux poids, deux mesures, les crimes de la gauche pèsent moins lourd que ceux de la droite, etc. Devais-je écrire « et ce fut justice » ? Je me suis interrogé plusieurs fois sans aboutir, en moi-même, à une certitude.

Que signifie le mot « justice » en ces luttes à mort ? La responsabilité des uns et des autres à l'origine ? En ce cas, Hitler porte une plus grande responsabilité que Staline, bien que celui-ci, par le pacte de 1939, en assume aussi une part. Les idées de Staline valent-elles mieux que celles de Hitler ? Les idées originelles de Marx, à coup sûr. Sont-elles moins dangereuses ? On peut en discuter. Les conséquences de la victoire de Hitler eussent-elles été pires que celles de la victoire de Staline ? Un Juif ne peut pas hésiter sur la réponse. Un Allemand, peut-être E. Jünger, répondrait qu'Hitler n'aurait pas duré, que le peuple allemand se serait réveillé de l'ivresse nazie et aurait, du même coup, libéré l'Europe. Chacun spécule librement sur ce qui aurait pu se passer. Tout compte fait, en dépit de l'équivoque du mot *justice* dans ce contexte, je ne me sens pas honteux de cette phrase.

J'avais consacré une note, à la fin du livre, à la critique par Hansen W. Baldwin de la conduite américaine de la guerre. Ce journaliste reproche aux gouvernants des États-Unis « leur doctrine de pragmatisme, de capitulation inconditionnelle, de victoire totale », les bombardements indiscriminés des villes. R. Hepp me fait grief de ne pas avoir dénoncé avec plus de force les « crimes » des Occidentaux. Il cite avec indignation la phrase suivante : « En août 1945, les deux bombes atomiques qui dévastèrent Hiroshima et Nagasaki semblaient étendre l'application du principe d'anéantissement aux populations tout entières et non plus seulement aux forces armées de l'ennemi. » Il va de soi qu'il s'agit non d'une apparence mais d'une réalité ; je ne défendrais pas la rédaction de la phrase mais le verbe *sembler* signifiait la manifestation même de la violence indiscriminée. Il y avait d'autant moins de doute que dans la phrase suivante on lisait : « Les bombes atomiques prolongeaient les bombardements de l'aviation anglo-américaine qui avaient dévasté les villes allemandes [1]. » Dans ce chapitre, j'analysai l'ascension aux extrêmes de la violence pure et je disculpai Clausewitz de toute responsabilité : le principe d'anéantissement vise les forces vives plutôt que les forces mortes, bien qu'il mentionne, au chapitre II, la destruction du pays en tant qu'un moyen pour contraindre l'ennemi. R. Hepp s'indigne de l'absence d'indignation morale dans ces passages d'analyse, après m'avoir reproché la *Verharmlosung* (l'affadissement) de Clausewitz.

Laissons ces détails et venons au bref article de Armin Mohler, le doctrinaire de la « Révolution conservatrice » dans les années 30. D'après lui, dans le monde occidental, dans la République fédérale également, le livre, de manière presque unanime, venait d'être accepté comme l'unique interprétation valable de Clausewitz. Deux professeurs d'université,

1. Ces bombardements constituaient à coup sûr des crimes de guerre, mais ils ne partaient pas, comme les chambres à gaz, de la volonté d'extermination.

poursuit-il, rompirent cette unanimité, H. J. Arndt et R. Hepp. Les deux critiques auraient voulu démontrer que j'affadissais Clausewitz pour l'adapter aux besoins du libéralisme occidental, pour faire pièce à l'utilisation de Clausewitz par le monde soviétique. A. Mohler s'abstient de prendre parti — ce qui eût exigé en effet un nombre de pages dont il ne disposait pas —, mais il semble satisfait de laisser face à face communistes et libéraux, frères ennemis à ses yeux.

Personnellement, je ne crois pas que R. Hepp me critique du point de vue des communistes ; tout au contraire, il s'inspire d'un nationalisme, dont je ne connais ni l'origine, ni la finalité. Encore jeune, il prend plaisir à pourfendre un vieil Ordinarius, qui, par-dessus le marché, se mêle de stratégie et touche avec quelque présomption à une gloire nationale, une gloire des armées prussiennes. Que je lui aie répondu longuement fut à coup sûr un succès pour lui. Un an plus tard, un journaliste, G. Maschke, reproduisit les arguments de Hepp dans le compte rendu de la *Frankfurter Allgemeine Zeitung.*

Mon interprétation de Clausewitz, dans la première partie, convient tout aussi bien aux Soviétiques qu'aux Occidentaux : les uns et les autres, aujourd'hui, sacralisent la primauté de la politique sur la chose militaire. Si je n'ai pas souscrit sans réserve à l'interprétation léniniste de Clausewitz, c'est pour une raison évidente : le Prussien suppose l'unité nationale, incarnée dans le roi, Lénine exclut cette unité que déchire, avant le socialisme, la lutte des classes. Rien n'interdit à Lénine de substituer la classe à la nation et d'exploiter le *Traité* à ses fins propres. Il ne devient pas du même coup le disciple par excellence de l'élève de Scharnhorst.

Je reconnais volontiers les défauts du deuxième tome que me suggérèrent Éric de Dampierre et Bertrand de Jouvenel, bien que Carl Schmitt et Golo Mann aient jugé que j'ai réussi le passage périlleux des guerres napoléoniennes à notre temps. Personnellement, je m'interroge surtout sur la dernière partie du deuxième tome, la tentative d'user des concepts du *Traité* pour éclairer la conjoncture actuelle. Je suis encore tenté de défendre le chapitre intitulé « Les traites de la dissuasion ». J'y aborde un des problèmes les plus difficiles que je rencontrai : que reste-t-il de l'idée tant de fois exprimée, dès l'article de critique de H. von Bülow, que la bataille est l'équivalent, par rapport aux manœuvres, du paiement en espèces par rapport aux opérations commerciales à terme ? Ce paiement en espèces, les Américains veulent et espèrent l'éviter, puisque, dans leur pensée, la dissuasion, sous la forme de la menace de recourir aux armes nucléaires, doit se prolonger indéfiniment, sans que la menace soit jamais mise à exécution. Les Soviétiques pensent-ils de même ? Les spécialistes en discutent. Les Soviétiques espèrent gagner la partie historique, sans recours aux armes nucléaires.

Je ne pense pas cependant que de simples ratés ou des erreurs de détail, commis dans l'analyse de la conjoncture présente à la lumière du *Traité,* aient irrité à ce point la bile de R. Hepp ou de G. Maschke. Il me semble, au moins en ce qui concerne le premier, que son animosité, dans la mesure où elle est due aux divergences théoriques, a pour origine les implications politiques de quelques idées apparemment scientifiques. Je m'efforce de maintenir, contre une opinion dominante, que la guerre froide n'est pas une guerre au sens de Clausewitz, que l'Union soviétique n'est pas en guerre avec les États-Unis ou avec le monde occidental. Je ne nie pas que les relations entre les grandes puissances depuis la fin de la dernière guerre demeurent violentes, que les États se permettent, les uns à l'égard des autres, des actes que l'on aurait jugés, en d'autres temps, belliqueux. Pas davantage je ne mets en doute le brouillage de la ligne de séparation entre la paix et la guerre à notre époque. Mais je suis d'accord avec les Soviétiques sur les concepts : ce qui caractérise la guerre par rapport à la lutte des classes, à la rivalité des nations — lutte et rivalité en elles-mêmes permanentes —, c'est l'emploi *prédominant* de la violence physique. Or, que l'on y consente ou non, le fait est que Clausewitz a défini la spécificité de la guerre par la violence *(Gewalt)*, prolongement ou moyen supplémentaire de la politique entre les États. Sur ce point, je donnai raison aux Soviétiques qui distinguent entre la lutte des classes et la guerre civile, entre la paix belliqueuse et la guerre entre les États. Les Soviétiques répètent, et je le maintiens : en fidèles disciples de Clausewitz [1], que « la lutte armée est le moyen principal, l'élément spécifique de la guerre ». Cette distinction conceptuelle n'implique pas l'absence, en temps de paix, d'actions menées par les États pour nuire à des ennemis potentiels, ou actuels, ou permanents.

Je m'efforçai de battre en brèche la thèse implicite dans ce que j'appelle l'inversion de la Formule : doit-on dire que la paix est la continuation de la guerre par d'autres moyens ? Là encore, je ne nie pas que les réseaux terroristes, rattachés au KGB, qui s'efforcent de déstabiliser les pays démocratiques en Europe, agissent en ennemis et dépassent de loin la pratique immémoriale des espions (que Hobbes ne manquait pas de mentionner dans sa description des rapports interétatiques pris pour modèle de l'état de nature). Clausewitz gardait le souvenir de la République européenne des États telle que Voltaire ou Montesquieu l'avaient décrite, bien qu'il pressentît les implications des guerres nationales ou de l'armement du peuple. Libre donc à un théoricien d'aujourd'hui de refuser que la spécificité de la guerre soit la violence ou l'emploi prédominant de la violence. Il reste que la distinction que maintiennent les Soviétiques entre la paix et la guerre par l'emploi (prédominant) de la violence se situe dans la ligne directe de Clausewitz lui-même.

Mon refus d'inverser la Formule irrite manifestement mes contradicteurs. Formellement, je rejette l'inversion pour une raison très simple : la Formule n'exclut pas que, dans le silence des canons, les États poursuivent leur rivalité en dehors des champs de bataille et par d'autres

1. Affirmation qui n'est pas contradictoire avec la critique de la lecture léniniste de Clausewitz (cf. ci-dessus).

moyens ; mais dire que la paix poursuit la guerre avec d'autres moyens n'a pas de sens, dans l'univers clausewitzien, puisque la guerre se caractérise par le recours aux armes. Si l'on veut dire que les États, à notre époque, s'opposent les uns aux autres avec une hostilité différente en nature de celle propre aux États européens du passé, j'en conviens volontiers. Ce qu'aurait pensé et écrit Clausewitz aujourd'hui, nul ne le sait. Mes propres jugements sur la conjoncture actuelle n'appartiennent qu'à moi, et je consens qu'à partir d'autres idées clausewitziennes on puisse aboutir à des conclusions différentes.

Prenons pour point de départ les deux idées : la grandeur de l'enjeu et la force des passions. A coup sûr, la rivalité entre le régime soviétique et les démocraties occidentales crée un contexte politique qui rend probable une guerre du premier type, une guerre destinée à l'ascension aux extrêmes. On constate ensuite que le conflit s'étend à la planète entière, que, en permanence, ici ou là, la violence est déchaînée et que, par suite, la guerre a déjà commencé ; ne faut-il pas conclure que les « petites » guerres, qui relèvent du deuxième type par rapport à l'URSS et aux États-Unis, mais parfois en elles-mêmes, localement, relèvent du premier (le Vietnam du Sud a disparu), entraîneront un jour ou l'autre les belligérants vers les extrêmes ? Au reste, ajoutera un clausewitzien obsédé par la décision, comment une hostilité aussi radicale pour la domination de l'Europe entière peut-elle ne pas produire une explosion à la mesure de l'enjeu et des passions ?

Un autre jugement me paraît possible, mais c'est moi qui l'exprime et non pas Clausewitz. Je m'appuie sur une interprétation du stratège, celle qui met l'accent sur l'entendement, sur la souveraineté de l'intelligence personnifiée, de la politique. Les Allemands de l'Est font de même, mais, comme ils marxisent Clausewitz, ils affirment inévitable la décision radicale entre les deux univers capitaliste et socialiste. Pourtant, l'espoir subsiste, peut-être l'illusion, que la rivalité Est-Ouest finira par s'user sans une grande guerre menée avec des armes nucléaires. Les théoriciens de l'Est n'excluent pas une décision sans emploi des armes nucléaires, mais j'ai eu tort de présenter ces armes comme destinées exclusivement à la dissuasion, étrangères à la décision. Telle fut leur fonction au cours des trente-cinq dernières années, telle n'est pas leur fonction en tant que telles. Contre un ennemi non pourvu de ces armes, celles-ci garantiraient la décision. Entre les Grands, ces armes peuvent provoquer un suicide commun. Mais on imagine des scénarios où les armes nucléaires, portées par des missiles précis, feraient la décision sans dégâts apocalyptiques pour le vainqueur ou pour le vaincu.

J'accorde donc qu'un clausewitzien, féru du principe d'anéantissement, convaincu que les affrontements à mort exigent une décision, résoudrait tout autrement que moi l'énigme du monde dans lequel je vis et dans lequel je me prépare à mourir. Ce que je rejette, c'est l'accusation d'avoir rabaissé Clausewitz, de l'avoir réduit à un penseur inoffensif, inconscient de la tragédie historique. La tragédie, je la perçois, je la sens, et je me suis efforcé, jusqu'à la dernière page, d'en faire sentir la présence. Israël est né par la violence, ne dure que par la violence et risque de périr demain par la violence. Que les Grands ne règlent pas leur querelle par une orgie de violence nucléaire, ce n'est qu'un espoir ou un pari sur la raison. Clausewitz ne nous apporte aucune assurance, il ne nous condamne pas non plus à la résignation, à la fatalité. Clausewitz ou la mollesse libérale ? Certainement non. Un Clausewitz conscient du tragique historique, qui laisse une part d'initiative au courage des peuples et des héros me paraît plus haut que le « mahdi des masses et des massacres », plus haut que le jeune officier qui méprisait Fabius Cunctator, plus haut même que le maître putatif de Moltke, de Schlieffen ou de Foch.

Deux articles, l'un honnêtement critique et l'autre trop enthousiaste, me serviront de conclusion. Bien que Wilfried Kunstmann pense à tort que j'avais avant tout l'intention de délivrer le théoricien de la guerre des griffes de l'interprétation marxiste, il établit une séparation nette entre le premier et le deuxième tome. « Si nous considérons le livre comme un tout, c'est avant tout en raison de la reconstruction systématique de la théorie de la guerre dans le premier tome, que le travail d'Aron est indispensable pour la recherche clausewitzienne. » En revanche, continue le critique, « le livre se décompose à mesure que Aron se rapproche du présent : digressions, détours, répétitions, notes souvent inutiles ».

L'article de Wilfried von Bredow contient un passage dont je rêvais à l'avance dans ma naïveté et que je reproduis, au risque de susciter le sourire. « L'éclat de l'expression reconnaissable même dans la traduction allemande (bien que l'écriture soit souvent aplatie par la traduction), l'enviable érudition de l'auteur et finalement sa maîtrise souveraine dans la liaison de la science et de l'expérience font du livre d'Aron un point culminant, que l'on ne saurait trop apprécier, dans l'histoire de la rencontre des cultures française et allemande. »

Le commentateur prend ensuite ses distances par rapport à l'auteur. Il me reprochait, dans les livres précédents, un penchant à accepter passivement les faits, si horribles fussent-ils, au lieu de vouloir les changer. « Dans ce livre je n'ai rien trouvé de cela ; mesuré à ses livres antérieurs, son livre sur Clausewitz, en tant que livre du grand âge, est sans reproche. »

J'omets ici ses commentaires des deux tomes du livre et je saute à sa conclusion qui fait allusion à la polémique suscitée par le livre. A propos du petit nombre de ceux qui ont discuté l'ouvrage, il écrit : « Quelques-uns que je ne nommerai pas ont écrit sur ce livre sans l'avoir lu. Quelques autres — et c'est pour moi un symptôme alarmant — ont rejeté la lucidité d'Aron par ressentiment néo-nationaliste. Il est déjà inquiétant que le conservatisme rationnel d'Aron, qui devrait prendre une bien plus grande place dans ce pays, ne soit plus accepté par les adeptes d'une politologie allemande ; évolution qui me fait redouter le pire. »

J'espère que ces inquiétudes sont excessives. Mon étonnement de me heurter à un néo-nationalisme allemand ne fut pas mince.

XXV

LA DÉCADENCE DE L'OCCIDENT

Je garde des années 70 — jusqu'au mois d'avril 1977 — un souvenir d'intense activité et de paix morale : aucune polémique comparable à celles que provoquèrent les événements de mai 1968 ou la guerre des Six Jours. Le Collège de France accaparait la meilleure part de mon travail et de mon temps. Le déclin du marxisme-léninisme dans les couches élevées de l'intelligentsia, entamé dès le discours de N. Khrouchtchev au XXe Congrès du parti communiste d'URSS, s'accentuait. On me pardonna mon attitude en mai 1968, à mesure que les événements se perdirent dans le passé et que les principaux acteurs de ces semaines héroïques retombèrent dans l'obscurité d'où la fortune les avait arrachés. Une nouvelle génération d'intellectuels arriva sur la scène et atteignit d'un coup à la notoriété ; ils furent favorisés à leur tour par la mode parisienne, elle-même sous le choc des dissidents soviétiques, en particulier de Soljenitsyne.

L'élection à la Sorbonne, en 1955, m'avait aidé à parler ou écrire mes livres sur la société industrielle, sur les relations internationales, sur les grandes doctrines de sociologie historique. L'élection au Collège me rajeunit, me communiqua une nouvelle ardeur ; sans le désir de mériter ma place dans cette illustre maison, peut-être n'aurais-je pas eu le courage de poursuivre mes recherches érudites sur Clausewitz.

Je conçus mes cours au Collège de France comme des essais (dans le vocabulaire du rugby) que je tenterais de transformer, en d'autres termes dont je tirerais des livres. Deux d'entre eux, *De l'historisme allemand à la philosophie analytique* (1972-1973) et *l'Édification du monde historique* (1973-1974), appartiennent au projet que j'esquissai dans la préface de *Histoire et Dialectique de la violence*. En 1970-1971 et 1971-1972, un de mes cours s'intitulait *Critique de la pensée sociologique*. J'espérais au moins esquisser ce qui serait le troisième tome de *Main Currents of Sociological Thought*. (En France, *les Étapes de la pensée sociologique* a été publié en un seul volume.) Je manquai totalement ce cours ; tout au plus m'a-t-il aidé à apercevoir ce que devrait être cette *Critique.*

Aucun de ces « essais » (en dehors des deux sur la *République impériale* et *Clausewitz*) ne méritait d'être transformé. Travaux préparatoires qui ne devaient jamais être achevés. J'aurais probablement rédigé *le Marxisme de Marx* (1976-1977) si je n'avais été frappé par une embolie, immédiatement après la fin du cours. Celui de 1977-1978 faisait suite à l'*Essai sur les libertés* et portait le titre *Liberté et Égalité,* thème qui ne trouve pas dans ce livre la place qu'il occupa dans mes interrogations.

En 1973-1974, je donnai à mon cours le titre *De la société post-industrielle.* Pourquoi ai-je retenu ce titre ? Peut-être parce que la notion de société post-industrielle jouissait d'une certaine popularité à l'époque et surtout parce que les autres titres, qui répondaient mieux à mon intention, m'étaient interdits pour une raison ou pour une autre. Celui qui me plaisait le plus, Alexandre Dumas l'avait marqué à jamais de son sceau : *Vingt ans après.* En fait, je me proposais de relire, à la lumière des événements, les trois petits livres consacrés à l'étude comparative des sociétés de l'Est et de l'Ouest.

En 1974-1975, dix-neuf ans après les *18 Leçons,* le premier choc pétrolier, combiné avec les prophéties pseudo-scientifiques du Club de Rome, troublait les esprits, à peine sortis du délire soixante-huitard. Il s'agissait moins d'une autocritique que de la reprise, à vingt ans de distance, des mêmes problèmes.

Le mot industrie remonte au XVIIe siècle ; il signifie alors ingéniosité, savoir-faire. Le petit Robert cite une expression de Fénelon : *la puissance et l'industrie de Minerve ;* Littré cite Molière : *doucement, le discours est de mon industrie* ; Racine, dans *Iphigénie : mais bientôt rappelant sa cruelle industrie, il me représenta l'honneur et la patrie.* C'est du savoir-faire que dérive le sens élargi qui se répand au XVIIIe siècle : l'ensemble des activités productives de richesses et transformatrices de matériaux. Littré cite une phrase de Voltaire, curieusement adaptée au *Zeitgeist* de la fin du XXe siècle : *l'industrie a réparé les torts que la nature et la négligence faisaient à nos climats.*

Les saint-simoniens semblent responsables du sens historique ou idéologique donné à l'industrie. Saint-Simon aurait créé lui-même le substantif « industriel », pour opposer celui-ci à l'ouvrier et au manœuvrier ; il le distingue aussi du propriétaire, qui, n'étant pas le gestionnaire, ne travaille pas. En revanche, les saint-simoniens n'opposent nullement l'industrie à l'agriculture, au commerce, aux banques. Dans *l'exposé de la Doctrine de Saint-Simon,* j'ai trouvé l'expression *industrie de la banque.* Les termes « industrialisme », « système de la banque », se chargent d'une philosophie de l'Histoire ; ils désignent une organisation sociale, antithèse d'une autre organisation, le « système militaire ». L'exploitation en commun de la nature par les hommes succède à l'exploitation des hommes les uns par les autres.

J'ai rappelé, dans *les Désillusions du progrès*[1], la comparaison, par Auguste Comte, de l'ordre militaire et de l'ordre industriel. Nous savons que, pour l'instant, les saint-simoniens et Auguste Comte se sont trompés : la maîtrise partielle acquise par les hommes sur la nature leur fournit plus d'armes pour se combattre que de raisons pour s'entendre. Mais, une fois écartée l'alternative séduisante — industriel ou militaire —, le système industriel, tel qu'Enfantin et Bazard l'exposent dans *la Doctrine de Saint-Simon,* anticipe, sur bien des points, la pensée marxiste. Les deux prophètes dénoncent l'exploitation de l'homme par l'homme que le système industriel éliminera ; ils chantent les vertus de l'organisation et non celles du marché. Socialisme organisateur, peut-on dire, puisqu'ils condamnent l'héritage et qu'ils mettent le travail au service du bien-être du plus grand nombre.

Les saint-simoniens, bien qu'ils constatent eux aussi les contradictions sociales, n'aboutissent jamais aux thèses majeures du marxisme, à savoir le rôle messianique du prolétariat et la rupture radicale entre le capitalisme et le socialisme. Ils demeurent en quelque manière élitistes — pour les masses plutôt que par elles — et surtout ils n'ont pas élaboré l'équivalent de la critique du capitalisme et de l'économie classique. Marx utilisa Ricardo pour forger une théorie scientifique de l'exploitation et pour fonder la théorie des deux régimes, radicalement opposés, dont l'un cédera inévitablement la place à l'autre.

En 1974, je ne m'adressais plus à un auditoire soupçonneux, voire hostile, mais à un auditoire acquis à l'avance. La conjoncture avait changé du tout au tout, au moins superficiellement, à en juger par la mode parisienne. En 1955, les Français n'étaient pas encore assurés de leur progrès économique, ils se débattaient au milieu des derniers sursauts de la décolonisation. Le troisième cours, 1957-1958, coïncide avec le retour du Général au pouvoir. Je professai la dernière leçon en mai 1958, alors que la IVe République vivait ses derniers jours. En 1974, les doutes de l'immédiat après-guerre appartenaient au passé ; l'optimisme excessif, nourri par les « miracles », successifs ou simultanés, des pays européens, avait lui aussi disparu. L'économie mondiale capitaliste souffrait d'un mal inédit, la « stagflation ». Elle souffrait simultanément des deux maux qui, selon la sagesse de convention *(conventional wisdom),* s'excluent : l'inflation et la stagnation. Une dose d'inflation supplémentaire ne remettrait pas en mouvement le mécanisme grippé de la croissance. La thérapeutique banale n'agissait plus. On cherchait un nouveau Keynes. La multiplication par quatre, cinq ou dix du prix des hydrocarbures révélait après coup aux Occidentaux les avantages indus, dont ils avaient bénéficié au cours de la phase précédente. La cherté du pétrole (non en soi mais par rapport au récent passé) donnait une sorte de plausibilité aux thèses du Club de Rome. D'où une problématique tout autre.

1. Dans un autre texte aussi : *Auguste Comte Memorial Lecture. War and Industrial Society.*

J'exposai brièvement pourquoi je n'utilise pas volontiers le terme de société post-industrielle. Certes, les branches industrielles en expansion dépendent désormais plus directement de la science que les branches anciennes, encore que la chimie, à la fin du siècle dernier, offrît déjà l'exemple, présenté comme caractéristique de l'ère post-industrielle, d'une industrie directement nourrie par la science. Dès lors, si « l'industrie » désigne non le secteur dit secondaire mais l'utilisation systématique du savoir afin d'accroître les forces de production, la société dite post-industrielle continue d'appartenir au type industriel, même si la phase actuelle présente quelque originalité par rapport aux phases précédentes.

En 1955, les Français prenaient à peine conscience de leur relèvement, du début de leur « miracle ». Je mis sans hésitation au centre de l'analyse économique la croissance. Bien entendu, les économistes classiques n'ignoraient pas la croissance ou, sous un autre nom, l'équivalent de celle-ci. Mais la modestie de la part qu'ils lui accordaient dans leurs travaux contraste, à nos yeux, avec l'importance du phénomène lui-même[1]. Un seul chapitre du *Traité* de Ricardo traite de l'augmentation de la richesse grâce à l'habileté des travailleurs, aux machines ou à l'organisation. C'est le livre de Colin Clark, *The Economic Progress,* qui fonda en Occident la théorie de la croissance économique ; livre fondamental même si toutes ses statistiques ont été depuis lors contestées, démenties ou corrigées.

Cette théorie supposait les statistiques du produit national, qui remontent aux années antérieures à la Première Guerre mondiale, mais qui n'étaient pas encore d'usage courant au lendemain de la Deuxième (en France du moins). La macro-économie, impliquée par la théorie générale de J. M. Keynes, conduit, elle aussi, à la théorie de la croissance, à la comparaison de toutes les économies nationales, abstraction faite de leurs régimes respectifs. Les plans quinquennaux de l'Union soviétique incitèrent les Occidentaux à rechercher les chiffres correspondants à ceux du Gosplan. En 1955, je mis l'accent sur la valeur scientifique que j'attribuais à la théorie de la croissance, sur les conséquences matérielles et politico-morales du fait même de la croissance, à savoir le grossissement régulier du gâteau à répartir.

En 1974-1975, ma tâche était devenue inverse : insister davantage sur la signification exacte des agrégats, par exemple le produit national brut, sur les limites d'exactitude des chiffres globaux. Nous connaissons tous les conventions qui commandent au calcul des produits nationaux, les biais et incertitudes des chiffres qui en résultent. Les statisticiens saisissent l'économie marchande ; le travail domestique, pour l'essentiel, n'appartient pas au secteur marchand. Il suffit que des activités non marchandes deviennent marchandes pour qu'apparaisse dans les chiffres une croissance du produit national qui ne reflète pas un enrichissement réel.

Plus encore que la pertinence des quantités que manie la théorie de la

1. Cette remarque n'est probablement pas vraie pour Adam Smith.

croissance, la valeur de la croissance elle-même fut remise en question après 1968. Avant mon cours de 1974, j'avais, dans *les Désillusions du progrès,* rédigé en 1965 et publié en 1969, précisé de mon mieux les fruits que l'on pouvait attendre d'un volume accru de biens et de services, et aussi ceux que l'on ne pouvait en attendre. Le *reappraisal* n'aboutissait pas à une « révision déchirante ». La croissance a été, au lendemain de la guerre, souhaitable, elle l'est encore aujourd'hui, bien que les circonstances obligent à la concevoir de manière moins simpliste et à ne pas compter sur elle, et sur elle seule, pour résoudre les conflits sociaux. Souhaitable, la croissance demeure possible, au-delà de la récession actuelle ; rien n'autorise l'hypothèse d'une mutation radicale qui paralyserait les économies en dépit du progrès scientifique et technique. Il est bon de rappeler que l'enrichissement de la collectivité ne suffit pas à éliminer les inégalités jugées excessives par l'opinion. Mais il serait fâcheux de substituer à la représentation idéal-typique de l'homme, en quête du maximum de satisfaction, la représentation encore plus déplaisante de l'homme envieux, dont la satisfaction diminue si les revenus des autres augmentent plus vite que les siens, alors même que les siens augmentent aussi.

Au-delà de la crise des années 70 — augmentation normale mais soudaine du prix du pétrole, inflation endémique, désagrégation du système monétaire international —, j'en vins aux thèses du Club de Rome. Le premier rapport du Club me parut un exemple éclatant de pseudoscience, de millénarisme catastrophique sous un habillement de chiffres. A la Grande Espérance des années 60 répliqua, en ces années 74-75, la Grande Peur de l'an 2000. Je m'efforçai de donner des réponses raisonnables, modérées, aux questions que se posaient soudainement les Occidentaux sur la pollution, l'épuisement des ressources naturelles, le nombre des hommes.

Les données relatives au volume de la population, à la répartition de celle-ci entre les continents et les pays ne prêtent qu'à des contestations secondaires. En revanche, les perspectives relatives au nombre des hommes et à la nourriture soulèvent des passions. Que l'on envisage l'espèce humaine comme une unité et, du même coup, les sociétés occidentales, développées, riches, deviennent des cannibales, tant est élevé le nombre des calories que consomme le citoyen de l'Europe ou des États-Unis et qui font défaut aux foules du Sud-Est asiatique. Au risque de passer pour cynique, je ne souscris pas à cet acte d'accusation.

Des millions d'enfants meurent encore de faim dans certaines régions du monde. Dans ces mêmes régions, le manque d'hygiène, les conditions de vie continuent à faucher par millions les enfants, les jeunes avant leur dixième ou leur vingtième année. Ce régime démographique, pour user du jargon, fut celui de l'Europe au cours des siècles. Deux des enfants de mon grand-père Ferdinand moururent avant leur cinquième année. Les fermiers des États-Unis, les paysans d'Europe ne vont pas modifier leurs exploitations à l'appel des chrétiens ou des moralistes, afin de produire une plus grande quantité de calories à destination du tiers monde.

Cette mutation de l'agriculture occidentale m'apparaîtrait d'autant plus déraisonnable qu'elle ne semble même pas nécessaire : il existe, jusqu'à présent, des céréales en quantité suffisante pour assurer le minimum aux plus démunis. Mais il faut les payer, les transporter ; les conditions de vie sur le terrain pèsent plus lourd que le manque absolu d'aliments, pour l'espèce humaine prise globalement. Au reste, si l'on veut désigner des coupables, pourquoi oublier les dirigeants des régimes soviétiques qui parviennent, à force d'incurie ou de dogmatisme, à stériliser le travail de leurs paysans ? Jouissant des mêmes libertés que ceux de l'Ouest, ceux-ci assureraient aux Russes, aux Polonais et aux Allemands de l'Est toute la nourriture nécessaire et au-delà.

Ce que je dénonçais, c'était la saisie globale des problèmes, qu'il s'agisse de la population ou des céréales. Les Occidentaux, nous disent les diététiciens, mangent trop et mal, alors que des enfants faméliques agonisent au Sahel ou au Bangladesh. Il y aura plus de sept milliards de bouches à nourrir vers l'an 2000 : donc il faut réduire la natalité. Tous les êtres humains sont égaux sous le regard de Dieu. Ils ne sont pas égaux en potentiel physique ou intellectuel. Réduire la natalité en Occident, ce n'est pas apporter une contribution à la lutte contre la surpopulation, c'est au contraire aggraver la crise. La baisse de la population en Europe et aux États-Unis ne libérerait pas de la nourriture pour ceux qui ont faim, en Afrique ou en Asie du Sud. Elle réduirait le nombre des producteurs efficaces, elle risquerait de stériliser les peuples riches qui sont aussi les innovateurs, les pionniers de la science et de la technique, l'élite qui pour le moment, peut-être par accident, entraîne l'humanité entière et peut atténuer les souffrances des masses déshéritées.

L'idée de méthode et de réflexion que je souhaitais dégager, était celle-ci : en quels cas faut-il englober l'espèce humaine tout entière ? En quels cas étudier séparément les pays ou les groupes de pays ? Quand il s'agit de la population, la réponse va de soi. Souhaiter la réduction du volume des populations qui mangent trop (et mal) sous prétexte de nourrir celles qui meurent de faim, c'est témoigner d'une totale ignorance que les bons sentiments n'excusent pas. En va-t-il de même quand l'étude se porte sur le sous-développement ou le tiers monde ? Peut-on parler raisonnablement du tiers monde en y incluant à la fois la plus vieille civilisation de l'histoire, l'empire chinois, et les populations tribales de l'Afrique ? Peut-on imaginer une doctrine de développement valable pour des pays aussi différents ? Quelle efficacité peut-on attribuer à l'aide extérieure ? L'idée conventionnelle que la planification s'impose au cours des premières phases du développement est-elle confirmée par l'expérience ? Dans quelle mesure les pays industrialisés peuvent-ils aider au développement du tiers monde ?

Les dernières leçons conduisaient à une vision historique. Le mode sociologique de pensée incline à distinguer les degrés de développement, les types de société. Pour comprendre la conjoncture actuelle, il faut la situer dans le temps, discerner l'aboutissement provisoire du double mouvement d'expansion européenne et de repli. C'est à la civilisation européenne que la Chine elle-même se réfère, au moins dans son idéologie. Aussi, à l'heure présente, l'enjeu historique majeur, c'est encore l'alternative des sociétés industrielles libérales et des sociétés industrielles despotiques. L'opposition Nord-Sud, comme on dit, ne succède pas à l'opposition Est-Ouest. En ce qui concerne l'essence de notre civilisation, c'est en Europe que se joue la partie décisive : laquelle des deux parties de l'Europe finira par convertir ou dominer l'autre ?

Interrogations qui aboutissent au *Plaidoyer pour l'Europe décadente.*

Trente ans séparent *le Grand Schisme* du *Plaidoyer pour l'Europe décadente.* Le premier répondait à un besoin que j'éprouvais : analyser la situation mondiale, dans ses grandes lignes, telle que je la voyais, afin de dessiner le cadre dans lequel s'inscriraient mes articles du *Figaro.* Le *Plaidoyer* naquit d'une faiblesse ou d'une inadvertance ; je conclus avec Robert Laffont un contrat pour un livre de vulgarisation, destiné à mettre en lumière des vérités quasi évidentes, la supériorité de l'économie libre sur l'économie planifiée par une bureaucratie centralisée, de l'Europe de l'Ouest sur celle de l'Est. Je m'abandonnai à l'illusion que j'écrirais le livre en collaboration avec mes amis. En fait, j'écrivis le livre presque seul ; Jean-Claude Casanova m'aida effectivement à mettre au point et illustrer par des statistiques les chapitres sur l'économie soviétique.

Un demi-siècle plus tôt, ma conversion à la sociologie avait commencé par l'étude du marxisme. J'avais même songé à une étude sur la postérité intellectuelle et politique de Marx, menée selon une méthode marxiste. J'aurais expliqué le marxisme de la IIe Internationale, la social-démocratie avant tout, par le contexte socio-économique et, simultanément, montré l'influence qu'avait exercée sur la conduite de la social-démocratie l'interprétation donnée par Fr. Engels et K. Kautsky de la pensée de Marx. J'avais abandonné rapidement ce projet tant la littérature marxiste, celle d'avant 1914 en particulier, m'avait découragé. Lezlek Kolakowski accomplit en quelque mesure ce projet, mais en adoptant une méthode non marxiste, celle de l'histoire des idées.

En 1977, ce qui me frappait et domina la première partie du *Plaidoyer,* c'était le dialogue entre les dissidents soviétiques et la gauche plus ou moins marxiste de l'Occident. Le marxisme demeure la philosophie indépassable de notre époque, répète Sartre lors même qu'il rompt avec le parti communiste. A celui qu'il appelle avec ironie le maître à penser de l'Occident, Alexandre Soljenitsyne répond : « Le marxisme est tombé si bas qu'il est devenu simplement un objet de mépris ; pas une personne sérieuse dans notre pays, pas même les élèves dans les écoles, ne peut parler du marxisme sans sourire. » D'où la question à laquelle la première partie du livre voulait donner réponse : à qui donner raison, aux exilés russes ou aux intellectuels occidentaux, français ou italiens ? Pourquoi les jugements contradictoires portés avec la même assurance d'un côté comme de l'autre ? En quoi consiste cette doctrine ou cet ensemble d'idées qu'invoquent, tour à tour ou simultanément, les bourreaux et les victimes, Boukharine devant le tribunal qui va l'envoyer à la mort aussi bien que Staline tapi dans sa ruse, Sartre philosophe de la liberté et Souslov gardien de l'orthodoxie marxiste-léniniste ? Les dissidents invoquent, à l'encontre des intellectuels de l'Occident, un argument *ad hominem*: nous, disent-ils, nous savons, parce que nous avons vécu le marxisme appliqué, mis à l'épreuve. Vous, en Occident, vous spéculez sur la pensée de Marx, sur ses mots et sur ses rêves. L'expérience nous a enseigné ce que vous refusez d'admettre.

A quoi les Occidentaux peuvent objecter : le marxisme joue un rôle contraire à l'Est et à l'Ouest. Là-bas, il sert à justifier le pouvoir, ici à le critiquer. Les uns s'attaquent à la doctrine au nom de laquelle ils sont opprimés, les autres reprennent à leur compte certains éléments de cette même doctrine, parce qu'elle leur semble la meilleure dénonciation du régime capitaliste en tant que tel. La même doctrine sert de fondement au totalitarisme achevé et d'arme contre les économies les plus efficaces, les sociétés les plus libérales. Le marxisme de Marx ne porte-t-il pas au moins une part de responsabilité dans son destin posthume ?

Les jeunes philosophes, à l'époque, remontaient de Staline à Lénine, de Lénine à Marx, du marxisme-léninisme au marxisme, tantôt pour acquitter, tantôt pour condamner le « maître-penseur » du socialisme. Sans discuter en profondeur le thème du détournement d'héritage, je donnai des éléments de réflexion. La responsabilité de Marx, dis-je, tient à la jonction d'une analyse-condamnation du capitalisme d'une part, d'un prophétisme-utopie du socialisme de l'autre. Les instruments de l'analyse — plus-value, exploitation — s'appliquent indifféremment à n'importe quel régime aujourd'hui connu, que la propriété soit privée ou collective, que la plus-value passe par les entreprises et par les revenus individuels ou par la classe bureaucratique.

Le prophétisme, démenti à la fois par l'évolution du capitalisme et par l'expérience des régimes soi-disant socialistes, demeure tout aussi vide qu'au premier jour : comment le prolétariat deviendrait-il classe dirigeante ? Pourquoi la propriété collective révélerait-elle soudain une efficacité sans précédent ? Par quel coup de baguette magique la planification autoritaire et centralisée s'accommoderait-elle des libertés personnelles et de la démocratie ? Quel substitut s'offre à la forme marchandise ou au marché en dehors de la planification bureaucratique ? La mystification commence avec Marx lui-même, quand il baptise science son prophétisme.

Traduisons ces mêmes idées en termes plus abstraits. La critique marxiste du capitalisme coïncide avec la critique de l'économie politique elle-même, comme le suggère le sous-titre du *Capital.* Elle condamne l'intérêt du fait même que celui-ci ne se définit pas comme une rémunération légitime de l'argent (ou de l'utilisation temporaire de l'argent), mais comme une fraction de la plus-value. Marx appelle forme marchandise ce que nous appelons marché, il suggère donc l'élimination du marché. Dans le socialisme, antérieur au communisme, lorsque chacun est rétribué selon sa prestation, est-ce le marché qui mesure la contribution de chacun à la production totale ? Si ce n'est pas le marché, qui remplira cette fonction sinon la communauté elle-même avec un arbitraire qui dépasse celui du marché ?

Faut-il conclure que le socialisme soviétique sort logiquement de la pensée de Marx ? Qu'il constitue la réalisation authentique de l'idée socialiste-marxiste ? L'homme Marx qui plaida toute sa vie pour la liberté de la presse, révolté par tempérament, nous l'imaginons mal apologiste d'un État despotique. Mais Lénine, dans l'opposition, revendiqua toutes les libertés, pour les détruire radicalement lorsqu'il détint le pouvoir. Marx, dans ses querelles à l'intérieur de la IIe Internationale, se révéla autoritaire et sectaire, impitoyable polémiste contre ses rivaux. La question décisive se situe ailleurs. L'idée socialiste, poussée jusqu'au bout, jusqu'à la négation de la forme marchandise, avec l'égalité pour objectif, n'aboutit-elle pas nécessairement ou, tout au moins, logiquement, à un régime de type soviétique ? A. Zinoviev plaide cette thèse et je la défendrais aujourd'hui.

La deuxième partie du livre compare les économies des deux parties de l'Europe, analyse le mode de croissance du système soviétique, l'inefficacité de celui-ci ; je discute l'idéologie du socialisme, flottant entre le modèle soviétique et les diverses formes de social-démocratie, j'analyse la théorie ou le vocabulaire qui présente l'Occident impérialiste en tant que tel, parce qu'il constitue le centre, le foyer de l'économie mondiale et achète au tiers monde une fraction des matières premières, qu'il transforme et sans lesquelles il serait d'un coup paralysé. « A l'intérieur du système international, politique ou économique, la dépendance réciproque des États comporte une asymétrie, en faveur des forts et des riches. Mais, si l'on appelle impérialisme le fait même de la dépendance des exportateurs de matières premières par rapport à la conjoncture des pays industrialisés, on finira par confondre sous le même vocable cette dépendance inévitable et l'envoi des chars soviétiques à Prague (ou, si l'on préfère, des *marines* à Saint-Domingue). La propagande use sciemment de cette confusion afin que l'empire soviétique cesse d'apparaître impérialiste et que les pays européens — Suisse incluse — continuent de l'être, en dépit de la décolonisation. Au milieu de ce tumulte, on finit par oublier que le sort du tiers monde reste lié à l'ensemble atlantique, et non au bloc soviétique. C'est en Europe, au Japon, en Amérique du Nord que les pays sous-développés vendent leurs biens primaires, achètent des biens de production ; des pays industrialisés capitalistes, ils reçoivent la quasi-totalité de l'aide qu'ils demandent à grands cris. Qu'empruntent-ils à l'Union soviétique, sinon l'idéologie de l'impérialisme, réquisitoire contre ceux auxquels ils demandent tout, apologie de ceux dont ils n'obtiennent rien ? »

Dans la troisième partie, un chapitre analyse avec quelque excès d'optimisme la « nouvelle donne » de l'économie mondiale, un deuxième passe en revue les crises spécifiques de trois pays d'Europe occidentale, Grande-Bretagne, Italie, France ; le troisième touche à l'essentiel, à la question qui domine, commande, éclaire l'ensemble du livre : l'Europe occidentale, riche, brillante, créatrice, est-elle en même temps entraînée par un mouvement irrésistible de décadence ? Risque-t-elle de périr par suite d'une désintégration intérieure ou sous les coups de l'empire militaire qui s'étend jusqu'au milieu de l'ancien territoire du Reich ?

Le titre du livre, *Plaidoyer pour l'Europe décadente*, qui surprit Robert Laffont sans le satisfaire, ne rend un son étrange que dans une époque imprégnée de marxisme ou, plus généralement, de progressisme. L'homme de gauche typique, depuis le XIXe siècle, n'a pas rompu avec les grands ancêtres, il refuse pour ainsi dire instinctivement l'hypothèse d'une contradiction entre le cours de l'Histoire et les aspirations des hommes de bonne volonté.

Dès le début du siècle, les sociologues et les économistes s'interrogèrent sur le genre de régime qu'impliqueraient la propriété publique des moyens de production et la planification. Max Weber n'a guère évoqué les problèmes d'une économie planifiée, mais J. Schumpeter les a maintes fois abordés, s'efforçant de concevoir une planification rationnelle qui se référerait aux prix, sur un marché libre, des biens de consommation. Aucun des modèles d'économie planifiée ne comportait, en tant que *conséquence nécessaire*, l'égalité des revenus ou la liberté des citoyens. En d'autres termes, le lien entre une économie non capitaliste et les valeurs du socialisme humaniste n'existe que dans l'idéologie.

Dans un essai [1] intitulé *De la décadence — L'autocritique française il y a un siècle et aujourd'hui*, je comparai l'état de la conscience française, avant et après la défaite de 1870, avec le débat national en 1957, dans les dernières années de la décolonisation. Le livre *la France nouvelle* de Prévost-Paradol, les études de Renan sur l'histoire contemporaine nous rappelaient la cécité partielle d'esprits qui se voulaient libres de préjugés.

Au lendemain de Sadowa, Prévost-Paradol pressentait la guerre et la défaite. Il observait l'écart entre la croissance de la population en France d'un côté, dans les pays rivaux, Allemagne, Russie, Grande-Bretagne, de l'autre. Or, entre des nations de même niveau intellectuel, c'est le nombre qui, en dernière analyse, décide de l'issue. Il ne croyait pas à la suprématie des Germains à long terme : même hégémoniques en Europe, les Germains se heurteraient à la coalition des Russes et des Anglo-Américains — coalition qui leur fermerait l'accès à la politique mondiale. Clairvoyant sur la future tragédie de l'Allemagne, arrivée trop

1. Publié dans *Espoir et Peur du siècle* (1957).

tard au premier rang en Europe, il s'abandonnait à un rêve, transformé un siècle plus tard en cauchemar: une Algérie colonisée assurerait à la France l'espace et le nombre faute desquels elle glisserait vers la médiocrité ou l'insignifiance. Les « indigènes », refoulés mais non exterminés, laisseraient la place aux colons.

Ernest Renan plaidait la cause de la colonisation avec une naïveté qui nous semble aujourd'hui cynique: « La colonisation en grand est une nécessité politique tout à fait de premier ordre. Une nation qui ne colonise pas est irrévocablement vouée au socialisme, à la guerre du riche et du pauvre. La conquête d'un pays de race inférieure par une race supérieure qui s'y établit pour le gouverner n'a rien de choquant. L'Angleterre pratique ce genre de colonisation dans l'Inde, au grand avantage de l'Inde, de l'humanité en général et à son propre avantage. [...] Autant les conquêtes entre races égales doivent être blâmées, autant la régénération des races inférieures ou abâtardies par les races supérieures est dans l'ordre providentiel de l'humanité. L'homme du peuple est presque toujours chez nous un noble déclassé ; sa lourde main est bien mieux faite pour manier l'épée que l'outil servile. Plutôt que de travailler, il choisit de se battre, c'est-à-dire qu'il revient à son premier état. *Regere imperio populos*, voilà notre vocation. [...] La nature a fait une race d'ouvriers, c'est la race chinoise, d'une dextérité de main merveilleuse, sans presque aucun sentiment d'honneur ; gouvernez-la avec justice, en prélevant d'elle pour le bienfait d'un tel gouvernement un ample douaire au profit de la race conquérante, elle sera satisfaite ; une race de travailleurs de la terre, c'est le nègre ; soyez pour lui bon et humain, et tout sera dans l'ordre ; une race de maîtres et de soldats, c'est la race européenne. Réduisez cette noble race à travailler dans l'ergastule comme les nègres et les Chinois, elle se révolte. [...] »

Près de vingt ans après *Espoir et Peur du siècle*, au Collège, dans l'année 1975-1976, je consacrai un cours entier à *la Décadence de l'Occident*. Il ne mériterait pas d'être publié, même après avoir été mis au point, mais je l'utilisai ici ou là dans le *Plaidoyer*. Dans le cours, je m'efforçai de préciser les conditions nécessaires à l'emploi objectif du terme *décadence*. Jacques Chardonne voyait dans *le Bonheur de Barbezieux* le chef-d'œuvre des siècles, l'excellence de la vie humaine. A ses yeux, notre temps marquait une chute peut-être définitive. Les milliers et les milliers de livres, publiés à la hâte, par des éditeurs sans culture, pour des lecteurs incapables de goûter les biens suprêmes et immatériels, précipitent nos sociétés vers la grossièreté, quels que soient les chiffres du PNB.

A partir d'autres valeurs, les historiens virent dans la Rome impériale une décadence par rapport à la Rome républicaine et ses rudes vertus. Spengler présente la « civilisation » elle-même — le gonflement des villes, le mercantilisme, la philosophie utilitariste, l'épuisement des croyances — comme la décadence, la phase ultime d'une culture, condamnée à mûrir et à vieillir semblable à tous les êtres vivants. Je ne discutai pas les thèses de Spengler ; elles ne se prêtent pas à la discussion, elles s'y refusent à l'avance. Je donnai des exemples d'intuitions qui illuminent, de rapprochements qui frappent, instruisent ou irritent. Quel que soit le jugement porté sur Spengler, il reste que son œuvre principale, rédigée pour l'essentiel avant 1914, annonçait déjà les grandes guerres et les vastes empires, en même temps que la diffusion d'une pensée critique, positiviste, matérialiste, avec des réactions mystiques, encore marginales.

Arnold Toynbee [1], qui ne possédait ni la génialité, ni l'arrogance, ni les fureurs de Spengler, fut pour ainsi dire inspiré par l'homologie entre la guerre du Péloponnèse et la guerre de 1914. De cette idée mère sortirent les onzes volumes de *Study on History*, qui prolongent l'énorme littérature consacrée à la chute de l'empire romain, avec cette originalité que la réflexion traditionnelle s'élargit en une méditation sur le destin de toutes les civilisations. A. Toynbee s'efforce, lui aussi, de discerner le schème du devenir, propre aux civilisations, tout en réservant à celles-ci une marge de liberté. Il créa ou répandit des concepts, maintenant banalisés : effondrement ou rupture (*breakdown*), temps de troubles, États batailleurs, prolétariat intérieur ou extérieur, empire universel, religion universelle, etc. Si l'on accepte l'homologie — 431 avant Jésus-Christ, début de la guerre du Péloponnèse, 1914 début de la désintégration de l'Europe —, le temps de troubles doit se poursuivre après les deux grandes guerres.

Sans oublier ces vastes perspectives, je me contentai dans le cours, et surtout dans le *Plaidoyer*, de m'interroger sur le lien entre l'abaissement et la décadence. L'abaissement, défini par la diminution de la puissance relative d'un État ou d'une nation, ou de la contribution d'une collectivité aux grandes œuvres de l'humanité, se prête à une mesure rigoureuse, à la limite quantitative. L'abaissement de la France, au XIXe siècle, résulta de la faiblesse relative du taux français de natalité comparé à celui des autres pays. De même, l'Angleterre de 1860, centre impérial, financier, industriel de l'univers, ne pouvait pas garder sa position unique, qui devait se dégrader d'elle-même, non par corruption de la métropole impériale, mais par diffusion des secrets de sa prééminence. De même encore, les États-Unis ne pouvaient pas conserver la supériorité économique, financière, militaire dont ils jouissaient en 1945, alors que leurs concurrents, sur le marché mondial, n'avaient pas encore relevé leurs ruines, alors que leur rival, dans le système interétatique, ne projetait pas encore sa force au-delà du Vieux Continent. Dans les trois cas : abaissement ou décadence ? Et que signifie la décadence ? Machiavel aurait répondu : la perte de la *virtù*, ou la perte de la vitalité historique ; notion à coup sûr mal définie mais que les analyses sociologiques permettent de préciser et d'enrichir.

1. Toynbee appelle « civilisation » ce que Spengler appelle « culture ». Ce dernier appelle « civilisation » l'avant-dernière phase du devenir de toutes les « cultures ».

Dans le cours, je tentai de critiquer la littérature relative à la décadence française, autour de la défaite de 1870. Je relevai des formules brillantes : « la France expie la Révolution » (Renan). Oui, depuis 1789, la France n'a pas trouvé de souverain ou de régime, assuré de son avenir, reconnu comme légitime par la masse de la population ; aucun d'eux ne s'est senti à l'abri d'un accident et moins encore d'une défaite militaire. Mais l'avance prise par les Français sur les autres Européens en fait de contraception n'avait rien à voir avec les aléas des discordes civiles. En 1914, mais non pas déjà en 1870, la France risquait d'être écrasée par le nombre des Allemands. L'armée impériale, en 1870, fut détruite en quelques semaines : moins nombreuse [1] que l'armée allemande, son artillerie inférieure, un haut commandement de mauvaise qualité. Pourquoi la dégradation de l'instrument militaire de la France ? Les historiens nous apportent aujourd'hui pour le moins des éléments de réponse : le recrutement des officiers, le mépris dont les « intellectuels » étaient l'objet dans l'armée ; le souvenir des victoires napoléoniennes qui nourrissait la suffisance ; la rupture avec la pratique, révolutionnaire ou impériale, de la conscription, de l'armée nationale. Une défaite sur le champ de bataille, en 1870 aussi bien qu'en 1940, s'explique d'abord par les erreurs ou les faiblesses militaires. Incriminer le déclin des vertus guerrières du peuple français, comme le faisait E. Renan, c'était sacrifier à une mauvaise littérature. Plus clairvoyant ailleurs, il touchait juste : la guerre est devenue à notre époque affaire de science. Les généraux de la conquête de l'Algérie, le maréchal MacMahon, ne s'en doutaient pas.

Les causes militaires d'une défaite ne constituent pas une explication à elle seule satisfaisante, elles renvoient l'observateur vers des considérations plus générales. Pourquoi le progrès de la pensée militaire dans le dernier tiers du XVIIIe siècle et son déclin au XIXe, jusqu'à sa renaissance après 1870 ? Pourquoi le déclin de la science française après le premier tiers du XIXe siècle ? Pourquoi l'absence de véritables universités tout au long du XIXe ? Les grandes écoles, les facultés de droit et de médecine distribuaient un enseignement de qualité, mais trop exclusivement orienté vers la pratique. A chacune de ces interrogations, l'analyse sociologique apporterait au moins des éléments de réponse ; tous ces éléments ensemble suggéreraient une expression à demi littéraire ou se résumeraient en elle : la collectivité se montrait incapable de relever les défis ou de réformer des institutions inadaptées aux nouveautés du siècle. L'abaissement par le fait du nombre n'impliquait pas le désastre de 1870 ; il ne me semble pas non plus responsable du déclin scientifique et militaire du pays.

Après 1918, en dépit de la victoire, l'angoisse de la décadence ne cessa de travailler la conscience des Français, au moins des plus clairvoyants d'entre eux. Pendant les années 30, la façade, encore imposante au len-

1. A cause des institutions et non pas à cause de l'écart entre les populations respectives de Prusse et de France.

demain de la guerre, s'écailla, se fissura, tomba peu à peu en poussière : l'économie ne sortait pas de la crise ; les Français se détestaient les uns les autres ; nombre de militants se référaient à des modèles étrangers, Moscou, Berlin ou Rome ; la SDN à Genève, dès 1933 ou 1934, ne signifiait plus rien. La décadence des années 30, nous la vivions, nous en percevions le trait distinctif : l'impuissance de la collectivité à répondre à une menace extérieure, faute d'unité intérieure. La crise mondiale, la classe dirigeante ne l'avait ni comprise, ni maîtrisée. Elle avait subi passivement l'ascension hitlérienne vers la conquête et la guerre. Les Français manquaient de la *virtù* machiavélienne, celle qui fonde la grandeur des empires et sans laquelle périssent les États.

Dans la première des trois émissions d'Antenne 2, en octobre 1981, j'évoquai la « décadence » des années 30. Je reçus d'A. Fermigier une belle lettre ; il évoquait lui aussi les années 30 dont il gardait un souvenir ébloui : « Sur un autre point, je vous ai écouté avec une certaine surprise. C'est lorsque vous parlez du sentiment obsessionnel de décadence que vous ont fait vivre les années d'avant-guerre. Était-ce le fait de l'inconscience de l'extrême jeunesse, j'en aurais plutôt gardé un souvenir ébloui et il m'arrive souvent de dire que si l'on n'a pas connu la France avant 1940, on ne sait pas ce qu'est la douceur de vivre ! La gentillesse des gens, la facilité de la vie (je ne suis pas un fils d'archevêque), l'extraordinaire beauté de tout et la présence partout de la civilisation. Certes, le drame était là, auquel on ne pouvait pas grand-chose, mais il y avait aussi une telle aspiration au bonheur, une telle réalité du bonheur : c'est pour cela sans doute que les Français n'ont pas voulu se battre (alors que les Allemands avaient si peu à perdre). Et je ne parle même pas du souvenir de fête culturelle permanente qu'a laissé le Paris d'avant-guerre : Renoir, Jouvet, la NRF, l'Opéra de Jacques Rouché, le cinéma français (heu ! *quantum mutatis ab illo !*), Leiris, Gide, Montherlant (oui !), voire des gens qui depuis m'ont passablement tapé sur les nerfs, qu'avons-nous aujourd'hui à proposer de semblable ? Même dans cette exposition de 1937, si décriée, il y avait plus de bonne architecture que dans tout ce que l'on a construit en France (et en Europe) depuis trente ans. Je pensais à cela en voyant l'exposition Martin du Gard à la Bibliothèque nationale : sur sa fin, ce sont vos années. Encore une fois, j'y vois le drame mais où la décadence ? »

A. Fermigier me rappelle à juste titre l'ambiguïté de la notion de décadence. Quand il évoque « la réalité du bonheur », il oublie la dureté de la condition ouvrière en 1933-1936 et, après l'exaltation joyeuse de 1936, la retombée dans l'amertume, les grèves, les tensions sociales qui ne laissaient guère de place au bonheur. Pour la culture, en va-t-il tout autrement ? La France « rajeunie » de l'après-guerre ne se mesure peut-être pas à son avantage avec la France « décadente » des années 30. Oui, nous le savons, le roman, la peinture, les œuvres de la pensée et de l'art ne fleurissent pas toujours au soleil des victoires militaires, pas plus qu'elles ne s'étiolent toujours à l'ombre des défaites. La peinture française, au XIXe siècle, traversa les régimes, peut-être influencée par les gloires ou les malheurs, mais toujours créatrice, éclatante. Les doctrinaires de la décadence, pour la plupart, tendent à prêter à la cité et à sa culture le même destin. Le seul peuple que l'on peut appeler impérial aujourd'hui, le peuple grand-russe, ne connaît certes pas son siècle de Périclès. Peut-être le Paris de Jouvet brillait-il d'une lumière plus éclatante que celui de Patrice Chéreau (et encore je n'en suis pas sûr). Il se peut que la peinture non figurative à son tour s'épuise, et personne ne défendra la cause de l'architecture d'aujourd'hui. Mais la France des années 30 ignorait le monde extérieur. Combien de livres lui enseignaient sa place dans le monde, la décrépitude de son économie, voire de ses universités, de sa science (exception faite de quelques grands noms) ? La presse, politique et économique, pendant les années 30, était étrangement pauvre.

Après 1945, en dépit des guerres coloniales, en dépit de la perte de l'empire, les Français déployèrent une tout autre vitalité que dans les années d'avant-guerre. Le malheur fut un meilleur maître d'école que l'enivrement, vite passé, d'une victoire trop chèrement payée. Certes, notre pays participa aux « miracles » de la prospérité européenne, sans tenir le premier rang au cours des « trente glorieuses ». Il reste que le livre d'un historien suisse, *A l'heure de son clocher*, déjà quelque peu caricatural quand il parut, il y a une trentaine d'années, se rapporte à une France disparue. Pour le pire ou pour le meilleur, nous avons épousé notre siècle : les industries, les villes tentaculaires, la fin des paysans, l'informatique. Les mathématiques refoulent les humanités. Les Français des années 80, les jeunes, les hauts fonctionnaires qui se sont frottés aux universités américaines, les journalistes n'ignorent plus le monde. *Frankreichs Uhren gehen nicht anders*[1].

Dans le cours de 1975-1976, j'esquissai une analyse de l'abaissement de la Grande-Bretagne et je m'efforçai de faire la part respective de trois maux, vagues mais évidents : orgueil du succès, lassitude des héritiers, handicap de l'avance. Il va sans dire que ces maux ne se prêtent pas à une discrimination rigoureuse, mais les effets de chacun d'eux se présentent d'eux-mêmes à l'esprit. Il est pénible de liquider une branche industrielle qui connut des heures de gloire (construction navale). Les entrepreneurs anoblis ont pris goût au style de vie des aristocrates et ne partent pas à la conquête des marchés avec autant d'âpreté que leurs pères. Une classe dirigeante qui a élevé son pays au pinacle ne remarque pas immédiatement les premiers signes du déclin.

Dans le *Plaidoyer*, je considérai seulement la dernière phase de l'abaissement de l'Angleterre. Au cours du dernier quart du XIXe siècle, c'est l'Allemagne qui prit la tête dans les branches industrielles en expansion rapide, la chimie, l'électricité. Entre les deux guerres, la gestion de l'éco-

1. Le livre de H. Lüthy, intitulé en français *La France à l'heure de son clocher*, avait pour titre en allemand *Frankreichs Uhren gehen anders*, les montres de la France tournent autrement.

nomie de 1919 à 1931, la diplomatie face au péril hitlérien de 1933 à 1939 témoignèrent d'aveuglement et de faiblesse. Après 1945, la décolonisation menée par les Anglais nous parut à nous, de l'autre côté de la Manche, exemplaire. Mais un taux de croissance inférieur de moitié à celui des principaux pays du continent entraîna un abaissement du Royaume-Uni par rapport à ses partenaires et rivaux traditionnels.

Abaissement *ou (et)* décadence ? Les taux de croissance ne mesurent pas les mérites d'une collectivité ; la qualité de la vie, des rapports entre les personnes ne souffre pas de la relative lenteur de l'expansion économique — au contraire. Tout cela dit, les nostalgiques de Barbezieux ou des villages à l'ombre du clocher peuvent bien maudire notre siècle d'acier ou d'ordinateurs, les performances économiques, à notre époque, sont devenues un des indicateurs les plus sûrs de la *virtù* d'un peuple, de sa capacité d'action commune. Si, demain, le produit par tête, au Royaume-Uni, tombait au-dessous de celui de l'Espagne, la civilisation britannique, dont nous ressentons le charme dès que nous posons le pied sur la terre de l'Ile, résisterait-elle aux querelles des classes, à l'émigration des meilleurs ?

Le paradoxe du titre — plaidoyer pour une décadence — s'explique par le contraste entre les deux Europe. Si aux libertés occidentales s'opposait l'efficacité du monde soviétique, la conjoncture se conformerait aux images d'Épinal de l'Histoire universelle : l'Europe libre figurerait Athènes et l'Europe marxiste Sparte (ou la première la Grèce et la seconde Rome). Mais la productivité du travail se situe du côté de la liberté ; l'autre côté, qui se réclame de l'idéologie de l'abondance, réduit les peuples à la portion congrue. L'Europe soviétique n'excelle que dans les armes ; et encore faudrait-il préciser : excellence dans l'accumulation des armes, dans le pourcentage élevé du produit national consacré au budget de la défense. Du coup, l'ambiguïté du titre et du livre se confond avec l'ambiguïté du destin européen, du destin occidental.

Bien que les différentes nations de l'Europe occidentale continuent de vivre chacune son existence propre, il me paraît légitime de les tenir pour un ensemble, pour un objet d'analyse. La parenté de culture, par laquelle Marcel Mauss définissait une civilisation, s'observe sans aucun doute entre les pays de la Communauté, des Six ou des Dix. Les différences ethniques, celles des formes familiales, subsistent, mais les institutions sociales (les syndicats), économiques (les entreprises et le rôle de l'État), politiques (les partis et la représentation) se retrouvent, d'un pays à un autre, semblables pour l'essentiel, non sans la marque, en chacun, d'une tradition propre.

L'ensemble européen, limité aujourd'hui par l'empire soviétique, fut le foyer de la culture occidentale, l'agent de son expansion à travers le monde. Les empires maritimes fondés tour à tour par les Espagnols, les Portugais, les Hollandais, les Anglais appartiennent au passé. Le reflux a été plus rapide encore que le flux. A l'Est, l'empire des Romanov, devenu l'Union soviétique, projette son ombre sur les conquérants d'hier, privés de leurs conquêtes ; à l'Ouest, les Européens ont laissé dans les deux Amériques des États comparables aux colonies que les cités grecques édifièrent à travers la Méditerranée. De ces colonies, les États-Unis, favorisés par un espace d'un seul tenant, sans voisin hostile au nord et au sud, demeurent le représentant par excellence. Entre un empire militaire, superficiellement occidentalisé, et une colonie devenue héritière de sa métropole et de l'Europe tout entière, l'ensemble composé par des nations naguère grandes, plus conscientes encore de leur vocation singulière que de leur sort commun, traverse une phase difficile après les « trente glorieuses », incapable de se défendre, dépendant de l'énergie et des matières premières transportées à travers des mers, dont la maîtrise ne lui appartient plus.

L'ensemble européen a retrouvé sa place dans le marché mondial, mais non dans le système interétatique. En dépit du traité de Rome, en dépit des progrès de la coopération économique, voire de la concertation diplomatique, les pays européens ne tentent pas d'agir en commun dans la tâche première d'un État, la défense. Peut-être l'Europe des nations, qui dut sa fortune à la pluralité étatique et qui doit certainement aux grandes guerres la brutalité de sa chute, est-elle hors d'état de retrouver le statut d'un sujet de plein exercice de l'histoire. Être intégrée à la zone impériale dominée par les États-Unis ou asservie, sinon absorbée, par l'empire militaire soviétique, telle m'apparut pour l'Europe l'alternative historique quand je réfléchis sur la décadence dans le cours ou quand j'écrivis le *Plaidoyer*.

L'abaissement des États-Unis, de 1945 à 1975, découlait de forces irrésistibles. La suprématie économique, le monopole nucléaire ne pouvaient pas durer. Le relèvement des économies européennes, les dirigeants de Washington l'avaient souhaité, aidé ; l'ascension du Japon, elle aussi, prenait place dans la vision du monde qui inspirait la diplomatie américaine. Comment celle-ci aurait-elle empêché les oligarques de Moscou d'entasser les armes et de manipuler leurs clientèles, voire leurs réseaux de terroristes ? Ce que j'observai, dès 1975, c'était la menace de désagrégation de la zone impériale américaine, que Arnold Toynbee assimilait peut-être à un empire universel.

Pour les États-Unis aussi bien que pour les États européens, la question de la décadence porte sur la *capacité d'action collective*, donc sur les institutions et les pratiques économiques et politiques. Sans formuler de jugement catégorique, je notai des symptômes du mal que l'on baptise maintenant anglais, mais qui affecte, peu ou prou, toutes les démocraties occidentales : puissance excessive des lobbies, des groupes de pression, des syndicats ; affaiblissement des idées ou préjugés qui cimentent les collectivités, de l'éthique du travail qui passait pour l'âme de la réussite américaine ; excès du légalisme qui se dégrade en démesure procédurière ; préférence des universités et des savants pour les recherches fondamentales, relatif désintérêt de la conversion des découvertes en atout commercial. En tout état de cause, les Pères fondateurs de la

République américaine ne se souciaient pas d'assurer à la République les instruments d'une diplomatie mondiale ; à mesure que la marge de supériorité militaire par rapport à l'Union soviétique, de supériorité économique par rapport aux partenaires-concurrents se rétrécit, les États-Unis ne parviennent plus à garantir la sécurité des membres de la zone impériale. La classe dirigeante de la côte est, qui dirigea la politique de l'après-guerre, se divisa et se suicida à propos de la guerre du Vietnam. Le centre des États-Unis se déplace vers l'ouest et s'éloigne du Vieux Continent.

Pour conclure le cours, j'opposai deux visions panoramiques de l'histoire humaine, conduisant à deux diagnostics de la conjoncture. Selon l'une, il y a deux siècles, en Angleterre, s'est produite la mutation la plus radicale des sociétés humaines depuis la révolution néolithique ; nous entrons dans le troisième siècle de l'ère industrielle ; plus ou moins vite, plus ou moins douloureusement, le reste de l'humanité y entrera ; les États-Unis demeurent encore les pionniers, ils risquent de perdre leur rôle d'avant-garde, de même que la Grande-Bretagne a perdu le sien il y a plus d'un siècle. Ce que les hommes ont fait depuis deux siècles, en dépit des guerres, ils continueront à le faire. D'ici à un siècle ou deux, ils s'arrêteront sur ce chemin et chercheront d'autres raisons de vivre.

Selon l'autre vision, l'Occident européen vit, à l'ombre d'un empire militaro-idéocratique, une existence précaire, sans volonté, sans stratégie. L'Occident américain s'éloigne de ses origines européennes, il perd les convictions qui unissaient une population d'ethnies diverses. L'avenir proche, ce n'est pas la civilisation atlantique, mais la réunification de l'Europe sous une autorité impériale qui en pervertirait la culture et l'inspiration.

A vrai dire, ces deux visions ne s'opposent pas directement, l'une embrasse les continents et les siècles dans une perspective de l'histoire de l'humanité, l'autre ne retient qu'un fragment de l'humanité et quelques dizaines d'années. L'optimisme à la Herman Kahn n'exclut pas la disparition de quelques peuples ou la diffusion du totalitarisme. Le pessimisme sur la survie de la civilisation occidentale n'exclut pas, de son côté, la poursuite de l'aventure scientifico-technique. La notion d'abaissement, telle que je l'utilisai, est toute relative ; celle même de décadence, appliquée à l'Angleterre d'aujourd'hui, désigne l'incapacité d'une nation de secouer son indolence ou de réformer ses institutions ou ses habitudes. Mais l'Anglais moyen vit mieux aujourd'hui qu'au temps de la splendeur impériale. La désagrégation de la zone impériale américaine ne ressemblerait que de loin à la chute de l'empire romain. Séparé de l'Europe, l'Occident américain n'entrerait pas dans l'ère des barbares. Séparée des États-Unis, l'Europe occidentale subirait le joug russo-marxiste-léniniste. Pour combien de temps ? Sous quelle forme ? Le soviétisme, aberration ou fatalité des sociétés industrielles ou scientifiques, dans lesquelles meurent les religions transcendantes et même les traditions de civilité ?

Livre de circonstance, imputable à la signature irréfléchie d'un contrat, le *Plaidoyer* ne renouvelait pas les thèmes que j'avais déjà traités. J'acceptai donc sans protester, même au fond de moi-même, les remarques qui signifiaient à peu près : « nous savons déjà tout cela » ou encore « il a déjà expliqué tout cela »[1].

Un jeune professeur norvégien, Richard Sinding[2], que je ne connais pas, lut avec attention le dossier de presse du livre et en tira les extraits suivants : « D'où vient que tant d'Européens s'aveuglent [...] ce recours au marxisme [...] ? Et s'il y avait aussi le besoin si fort d'une foi en l'avenir, en autre chose que le réel, la soif d'un prophétisme ? » (Max Gallo, *l'Express.*) « Cette plaidoirie oublie tout simplement de fournir au jury des lecteurs des raisons de croire en l'avenir de la civilisation européenne » (Alain Joannès, *le Républicain lorrain*). « La carence en fin de compte s'appelle manque de foi. [...] La liberté n'a pas sa fin en elle-même, et elle ne prend son sens que par rapport à un grand dessein que nous n'avons pas encore inventé ou dont nous avons perdu la mémoire » (Etienne Borne, *le Républicain savoyard*). « Quant à la troisième partie, il y manque tragiquement une dimension métaphysique, il faudrait dire même religieuse » (Marcel Clément, *l'Homme nouveau*). « La comparaison entre " les tares du socialisme soviétique " et nos " petites misères " apporte-t-elle vraiment une règle de vie ? Raymond Aron n'engage guère le débat sur ce point, comme si l'économiste avait rongé peu à peu en lui le philosophe » (Gilbert Comte, *le Monde*). « Ce qui reste troublant, alors, c'est que l'espérance ne se trouve guère à l'intérieur du système " supérieur ". L'homme ne vit-il que de croissance, de prospérité, d'argent, bref ne vit-il que du " niveau de vie " (d'ailleurs fort inégal) ? » (Yves Florenne, *le Monde diplomatique.*) « Ce livre reste le livre d'un *homo œconomicus* » (Jean-Marie Benoist, *les Nouvelles littéraires*).

Cette revue de presse, qui avait frappé le philosophe norvégien, me frappa moi aussi. Les critiques, les uns hostiles et les autres amicaux, en avaient-ils au livre, à l'auteur ou à la réalité que je voulais comprendre, dont j'essayais de pressentir l'avenir ?

La plupart reprochaient, à moi d'écrire en *homo œconomicus*, à la société capitaliste d'obéir aux exigences du mercantilisme. Une remarque ironique tout d'abord. Vingt-cinq ans plus tôt, les mêmes mettaient en accusation l'Occident, incapable de supporter la compétition économique avec le « socialisme soviétique » et la planification. Aujourd'hui, la compétition des taux de croissance tranchée en faveur des Occidentaux, ils la jugent dérisoire, ils l'écartent comme insignifiante. Avec quels accents le grand prêtre Jean-Paul Sartre, toujours impavide dans ses certitudes, dénonçait-il le malthusianisme des patrons français ! A *l'Opium*

1. J'ajoute que l'accueil fut dans l'ensemble favorable, en France et au-dehors. *Encounter* publia un résumé du livre qui impressionna Henry Kissinger.

2. Richard SINDING, *Qu'est-ce qu'une crise ?*, PUF, 1981. L'auteur ne prend pas à son compte cette mise en accusation de l'Occident. Tout au contraire, il interprète la philosophie occidentale en tant qu'essentiellement critique et créatrice.

des Intellectuels que Gilbert Comte dans *le Monde* qualifie en 1977 d'« inoubliable » et que Maurice Duverger, dans ce même journal, avait traîné dans la boue en 1955, Jean Pouillon, dans *les Temps modernes*, avait objecté que la « libération réelle » des ouvriers, grâce au progrès économique et au syndicalisme libre, était impossible en France : les possédants refuseraient l'expansion, par souci de leurs positions de force et de prestige. Mon optimisme de la veille, raillé à l'époque, passe désormais — à juste titre — pour une platitude, connue de tous, confirmée par les chiffres. Yves Florenne me demande : *et après ?* Soit, personne ne vit des taux de croissance ; pourtant les travailleurs dont les intellectuels se veulent les interprètes ne méprisent pas les miettes de la croissance qui retombent jusqu'à eux.

D'autres écrivains, sensibles à l'humeur du temps, vont plus loin, jusqu'à la condamnation de principe des sociétés modernes de l'Occident, le mercantilisme, le rationalisme abstrait. Tout se calcule, tout se paye. Ils mettent volontiers au débit des États-Unis ces traits caractéristiques de la société occidentale ; le refus de l'économique s'épanouit parfois en un « crétinisme littéraire ». J.-M. Benoist n'hésite pas à chanter la grandeur du *Concorde*, comparable aux « tours que l'aristocratie de San Giminiano avait édifiées, plus hautes les unes que les autres ». Il est loisible d'admirer les aristocrates qui dépensent sans compter (d'où vient leur argent ?), il l'est moins d'admirer les gestionnaires qui doivent calculer, calculent mal et confondent l'exploit technique avec la réussite commerciale. Le *Concorde* vole aux frais du contribuable ou ne vole pas. Il n'y a pas de quoi se vanter.

Si mes critiques m'accordent, du bout des lèvres, la supériorité économique de l'Europe occidentale sur l'Europe soviétique, ils dévaluent ce succès et ne se lassent pas d'en souligner les limites. Gilbert Comte doute que la comparaison des deux Europe apporte « une règle de vie ». Mais quel imbécile fieffé attend d'une analyse historique une règle de vie ? Tous ces lecteurs, dans un style ou un autre, accusent l'Occident d'avoir perdu confiance dans son avenir, l'auteur de ce livre de ne pas lui apporter une foi ou un grand dessein.

Le titre, *Plaidoyer pour l'Europe décadente*, suggérait précisément le fait que ces critiques découvrent triomphalement : l'Europe de l'efficacité industrielle, de l'opulence, des libertés, doute d'elle-même, à demi fascinée par les Soviétiques qu'elle déteste. Veulent-ils, ces interlocuteurs, que j'évoque, moi aussi, la mort de Dieu ? Qu'à la suite d'Arnold Toynbee je prêche le regain de la chrétienté ou du catholicisme ? Qu'ils se tournent vers mon ami André Frossard qui, lui, a rencontré Dieu. Peut-être, en effet, la civilisation occidentale souffre-t-elle en profondeur, en deçà des phénomènes socio-économiques, du déclin de ses (ou de sa) religions. A supposer qu'il en soit ainsi, quel analyste se vanterait d'apaiser la soif d'absolu de ses contemporains ou même, plus modestement, se croirait en droit de jouer au prophète ?

Etienne Borne, dans un article, au reste amical, affirme : « La liberté n'a pas sa fin en elle-même et elle ne prend son sens que par rapport à un grand dessein que nous n'avons pas encore inventé ou dont nous avons perdu la mémoire. » Tocqueville, lui, écrivait : « Qui cherche dans la liberté autre chose qu'elle-même est fait pour servir. » Les sociétés libérales accomplissent parfois de grands desseins ; elles ne les conçoivent pas à l'avance. En donnant aux hommes le droit de choisir leurs gouvernants, en leur laissant l'autonomie individuelle et, du même coup, en favorisant le pluralisme politique et spirituel, elles font un pari sur elles-mêmes ; je les aide de mon mieux à gagner leur pari. Je ne pense pas que la métaphysique les aiderait davantage que la réflexion politique.

Que le lecteur éprouve un sentiment d'insatisfaction à la fin de ce *Plaidoyer* trop long et trop court, je l'admets volontiers ; d'une certaine manière, j'ai voulu cette insatisfaction. Deux philosophies (ou visions) de l'histoire inspirent simultanément ma méditation, bien qu'elles passent pour contradictoires : d'un côté la foi démocratique et libérale, la conviction que les régimes démocratico-libéraux, avec une économie mixte, constituent, à notre époque, la solution la meilleure ou, si l'on préfère, la moins mauvaise ; de l'autre côté, la conscience que ces mêmes régimes peuvent susciter une sorte de guerre civile permanente, les citoyens y devenir de purs consommateurs, les groupes de pression s'y multiplier et paralyser l'État. Sans adopter l'interprétation spenglérienne selon laquelle la civilisation urbaine, utilitaire, démocratique marque en tant que telle une phase de la décadence des cultures, il est légitime de se demander, à la suite de Pareto et de beaucoup d'autres, si l'épanouissement des libertés, le pluralisme des convictions, l'hédonisme individualiste ne mettent pas en péril la cohérence des sociétés et leur capacité d'action.

Par suite de cette dualité d'inspiration, tantôt j'affirme, tantôt je doute. Sur les moyens qui accroîtraient nos chances de survie, je ne suis ni obscur ni silencieux, bien que l'analyste ne possède évidemment pas le secret de cimenter l'unité des sociétés qui se désagrègent. Sur l'avenir de l'Europe, je ne conclus pas, je ne prophétise pas, j'interroge.

CINQUIÈME PARTIE

LE SURSIS
(1977-1982)

1. L'EMBOLIE

C'est au mois de mai 1977 que je quittai *le Figaro*, mais je n'aurais pas retenu cette date pour le début du « sursis » si, le mois précédent, une embolie ne m'avait à jamais transformé. Au lendemain de mon cours au Collège, « le Marxisme de Marx », à la veille de quitter *le Figaro*, impatient d'un nouveau départ, insoucieux de mon âge, je me sentis en un instant un *Dasein zum Tode*. La mort me devint, d'un savoir abstrait, un horizon quotidien.

Je fus frappé soudainement et transporté promptement au centre polyvalent de réanimation de Cochin. J'avais perdu la parole et l'écriture ; conscient — je voudrais dire pleinement conscient, mais puis-je en être certain ? —, incapable de communiquer ; je demandai par geste un papier et un crayon : j'écrivis à grand-peine, avec la main gauche, trois mots : *mourir pas peur*. L'interne de service, le fils de J. Chapsal, ancien directeur de l'Institut d'études politiques, me répondit en souriant : il n'en est pas question. Je jouais la comédie ? Je ne le pense pas ; devenu en une seconde spectateur — spectateur de mon corps, de ma parole paralysée —, mon *je*, mon pour-soi, mon « âme », résistait à tout, apparemment intact (illusion, bien sûr). Le chef du centre, le Dr Monsallier, ami de Jean-Claude Casanova, revint le soir même de la campagne et m'assura que je retrouverais la parole, au moins pour l'essentiel. Le même soir, j'entendis les trois ou quatre médecins s'interroger : mon visage était-il ou non tordu ? Ils ne parvenaient pas à décider s'il était tordu vers la droite ou vers la gauche ; leur dialogue m'amusait et me rassurait. Dans la soirée, je dis quelques mots. Le Dr Monsallier me raconta plus tard que j'avais prononcé, en un demi-sommeil, des mots allemands. Au matin, pendant quelques instants, je parlai de nouveau comme si rien ne s'était passé. Ce moment de grâce ne dura pas. La reconquête de la parole et de l'écriture exigea plusieurs semaines — une reconquête imparfaite.

D'après les médecins, un caillot de sang s'était formé dans une oreillette du cœur à la faveur d'un pouls très lent (50 à 55) et d'une arythmie cardiaque. L'attaque ne résultait pas de la rupture d'artérioles dans le cerveau ; les artères n'étaient pas plus atteintes ou vieillies que ne l'impliquait mon âge. A condition de corriger l'arythmie cardiaque dont j'avais déjà souffert et de prendre des précautions contre la coagulation du sang, je devrais mener une existence normale. Quant à la parole, elle reviendrait d'elle-même, peu à peu, avec des séquelles bénignes.

Quelques souvenirs me restent de ces premiers jours à l'hôpital. Le neurologue de Cochin vint me voir. Il me montra deux objets : une *capsule* qui fermait une bouteille d'Évian, puis le *goulot* de la bouteille. Je ne trouvai aucun des deux mots que je n'oublierai jamais. Il m'invita à prononcer *extraterritorialité*, un des mots, je suppose, les plus difficiles de la langue française. En dépit de ces trois ratés, il se déclara optimiste. Je pourrais faire mon cours au Collège l'année prochaine.

Chaque fois que je me remémore cette courte journée d'aphasie et les longs jours d'une parole déficiente, je me demande pourquoi j'en ai moins souffert que je ne l'aurais imaginé à l'avance. Quand je racontais mon expérience à des amis, tous répliquaient : « cela devait être horrible ». Or, en toute sincérité, je disais *non*. Par coquetterie ? Par insensibilité, par orgueil, par volonté ? Je ne crois à aucune de ces raisons. Mon *je* s'était soudainement installé en dehors de mon corps et il se demandait, plus avec curiosité qu'avec sérénité, de quels instruments il disposerait. Ajoutons que, dès le lendemain, la parole, à demi revenue, permettait un minimum de communication.

En un sens, j'ai eu plus de peine à m'adapter à une déficience partielle et définitive qu'au premier choc lui-même. Dès la rentrée de 1977, je m'obligeai à l'épreuve de l'improvisation à la télévision. Je n'avais pas accepté, avant l'accident, de participer à l'émission *l'Homme en question*. Une heure en tout, si je ne me trompe, éventuellement quelques minutes de plus : d'abord un autoportrait d'une vingtaine de minutes, ensuite un débat; d'ordinaire avec deux procureurs et deux avocats. Parfois les procureurs se transforment en avocats, parfois les avocats en procureurs. Anne Sinclair, me jugeant capable de me défendre tout seul, rassembla en face de moi Maurice Duverger, Nikos Poulantzas, Philippe de Saint-Robert et Alain de Benoist. L'autoportrait, enregistré dans la salle des professeurs du Collège de France, se réduisit à un monologue. Le travail fut achevé en un après-midi. Bernard Bonilauri et Anne Sinclair, assis à côté de moi, posaient ou devaient poser des questions. Ils n'en eurent pas l'occasion. A cette date, je m'interrogeais plus sur la forme que sur le contenu. Je ne butai sur un mot que trois ou quatre fois au cours de ce monologue de trente à trente-cinq minutes.

La discussion avec les quatre interlocuteurs ne me laissa pas un souvenir plaisant. Poulantzas ne manqua pas l'occasion d'un couplet anti-Aron, indispensable en pareille conjoncture pour un homme de gauche, ne serait-ce que pour se faire pardonner, par ses camarades, de participer à cette émission. Philippe de Saint-Robert avait écrit sur moi, quelques années plus tôt, un article d'injures, dans le style de Léon Daudet, la truculence et le talent de ce dernier exclus. Sa personne m'inspira encore plus d'antipathie que ses écrits. J'y retrouvai le type de l'Action française qui me fait horreur et qui me fit sentir une fois de plus que ces nationalistes ou réactionnaires appartiennent à un univers dans lequel je je ne pourrais jamais respirer. Alain de Benoist joua sa partie sans excès d'agressivité. Je me souviens peu des remarques de Maurice Duverger, critiques mais courtoises.

Au cours de la discussion improvisée, je ne fus arrêté que deux fois par des « ratés ». Le mot « caricatural » refusa de sortir de mes lèvres, je n'insistai pas et je me contentai de « c'est une caricature ». Mes familiers, des docteurs qui s'intéressaient à moi, guettèrent au vol les séquelles typiques, l'interversion de syllabes, un mot pour un autre, un mot difficile mal prononcé. L'épreuve m'apporta quelque soulagement : la parole publique ne m'était pas interdite. Certes, le temps était bien passé où, après l'agrégation, le président du jury me mit en garde contre ma vitesse d'élocution, le risque de n'être pas compris par des élèves. Cette rapidité s'était ralentie d'elle-même. La facilité d'élocution avait partiellement résisté aux années. Après tout, les *18 Leçons, les Étapes de la pensée sociologique,* même *la Révolution introuvable* avaient été parlés. Que reste-t-il désormais de cette chance qui m'avait permis, au milieu de mes autres obligations, de multiplier les conférences en français, anglais, allemand, sans texte rédigé, avec seulement quelques notes ou un plan succinct devant moi ?

Dans l'année scolaire 1977-1978, je terminai, sans le couronner, mon enseignement au Collège. Pour la première fois, au lieu de 26 leçons, je consacrai la moitié des heures réglementaires à un séminaire sur la « justice sociale », cependant que les autres treize heures de cours avaient pour titre *Liberté et Égalité.* Je tins mon programme jusqu'au bout, non sans constater qu'au cours d'une heure j'achoppais régulièrement sur quelques mots, pas toujours sur des mots difficiles que je redoutais à l'avance — crainte qui provoquait bien souvent l'accident redouté —, parfois sur un mot quelconque qui, soudain, me prenait de court.

J'avais accepté de donner à la London School of Economics, plus précisément à des étudiants qui publiaient une revue de relations internationales, une conférence qui reprenait le thème de l'*Auguste Comte Memorial Lecture,* prononcée vingt ans auparavant, dans le même théâtre du sous-sol, sur le thème *War and Industrial Society.* Je ne pris pas le risque d'improviser la conférence. Ralf Dahrendorf présidait l'auditoire, aussi nombreux, peut-être plus nombreux encore que vingt ans auparavant. L'orateur avait changé ; la conférence sur le même thème, avec l'adjonction *a reappraisal,* ne valait pas le texte ancien ; au lieu d'improviser et de multiplier les *jokes* qui me venaient d'eux-mêmes, surtout face à un auditoire anglais ou américain, je lus mon texte écrit directement en anglais, incapable de me libérer de mon manuscrit. Comble de malheur, j'étais enroué et au bout de quelques minutes, je donnai l'impression de me battre désespérément contre une extinction de voix. Avant l'embolie, j'avais souffert d'enrouement au Collège de France ; les rhumes tombaient sur ma voix, désagrément nouveau pour moi. La même année, à l'automne de 1978, je donnai la *Alastair Buchan Lecture*, la conférence créée en souvenir de Alastair Buchan, fondateur de l'Institute for Strategic Studies qui occupait à Oxford la chaire de relations internationales. Là encore, à l'IISS, je lus, avec une voix enrouée, un texte que j'avais rédigé d'abord en français. L'épreuve fut dure, encore plus dure, je crois, pour moi que pour les auditeurs. La préparation de ces deux conférences m'avait coûté un nombre de semaines sans commune mesure avec le résultat.

Que me reste-t-il aujourd'hui, après cinq années, de cette temporaire aphasie ? Je suis, pour des raisons évidentes, un mauvais juge, selon les moments prêt à dramatiser les ratés de parole ou les lapsus, ou, tout au contraire, à me convaincre moi-même que la facilité d'élocution qui, dans ma jeunesse, frappait les amis de la famille survivait aux atteintes de l'âge et au caillot de sang vagabond. J'établirais le bilan suivant.

J'ai besoin d'être mobilisé par le public. Je commets plus d'erreurs en famille qu'au-dehors ; le monologue m'est plus facile que le dialogue. Plusieurs mois après 1977, comme les séquelles de l'attaque persistaient, j'allai consulter une orthophoniste, une jeune femme, jolie, charmante ; elle me fit lire un texte difficile, peuplé de mots peu usités (de Bosco ou de Giono, je crois). A ma propre surprise, je lus plusieurs pages sans « raté ». L'entretien dura une demi-heure ; deux « accidents » minimes en tout. L'orthophoniste me dissuada d'entreprendre une rééducation. Ceux qui se soumettent aux exercices de la rééducation n'aspirent même pas au niveau auquel vous êtes déjà parvenu, me dit-elle. Peut-être était-elle abusée par ma réussite, l'examen lui-même m'avait mobilisé.

J'ai retrouvé peu à peu l'ancienne maîtrise — limitée de toute évidence — de l'anglais. En l'année 1981, je donnai à Oxford une conférence qui portait le nom de MacCallum ; je l'improvisai sans regarder mes notes. L'année précédente, j'avais, de la même manière, improvisé une conférence à l'Académie royale irlandaise sur la diplomatie soviétique sans qu'aucune erreur me rappelât à la modestie. En revanche, je me souviens avec confusion de n'avoir pas trouvé « quatre sixièmes » ou « deux sixièmes » pour préciser ma place dans la hiérarchie du tennis : je dis « quatre pour cent », ce qu'Anne Sinclair ne releva pas [1] ; elle ne savait pas le mode de classement.

La perte la plus dure demeure celle de l'allemand : j'ai peu d'occasions de parler allemand et, faute d'entraînement, je n'étais peut-être plus capable, avant 1977, d'improviser une conférence dans cette langue. Je me souviens encore, avec un certain plaisir, de la conférence que je lus en 1965, à Tübingen, à l'occasion du centenaire de la naissance de Max Weber. La Société allemande de sociologie, pour éviter de possibles que-

1. Dans l'émission *On n'a pas toujours vingt ans.*

relles entre ses membres, confia les trois grandes conférences à trois étrangers : Talcott Parsons, Herbert Marcuse et moi-même. T. Parsons avait été étudiant à Tübingen et connaissait la langue allemande ; il prononçait correctement chaque mot séparément, mais la musique de la phrase, la distribution des accents toniques lui échappaient à tel point que sa lecture de la conférence devint strictement inintelligible, aussi bien pour les étrangers que pour les Allemands. Dans un compte rendu, *Der Monat* opposa la qualité de mon allemand à l'échec de T. Parsons, qui avait voulu honorer ses hôtes en parlant leur langue ; pour saluer ce geste, l'auditoire avait écouté en silence, sans broncher et sans comprendre, pendant près d'une heure et demie.

Je puis me passer de l'allemand ; cependant les occasions de ressentir cette perte ne manquèrent pas. J'avais été élu en 1974 à l'*Orden pour le Mérite für Wissenschaften und Künste* et je pus improviser une réponse en allemand au discours de bienvenue du chancelier. En 1977, je devais prononcer le discours réservé à un des membres de l'*Orden* lors de la réunion annuelle. Je dus m'excuser au dernier moment ; l'invitation me fut renouvelée ; en 1979, je l'acceptai et je lus mon texte, non sans quelque peine, sans malgré tout me ridiculiser. Je butai sur des mots difficiles, sur les mots longs. Quand je reçus à Francfort, en 1979, le prix Goethe, mon discours m'humilia ; réflexion faite, mon texte me parut médiocre et je le lus plus mal encore que je le craignais à l'avance. Pourquoi n'ai-je pas reconquis l'allemand que j'avais appris avant l'anglais et que je connaissais mieux en profondeur ? Faute d'exercice puisque la rééducation consiste à parler ? Y a-t-il une relation entre la partie atteinte du cerveau et le stockage de l'allemand ? Je ne sais, je ne sais même pas si la deuxième hypothèse peut être prise au sérieux.

Suis-je exagérément humilié par ces « troubles de la parole », pour employer le vocabulaire que j'avais appris comme étudiant ? Ai-je tort de ne pas dételer ? Combien de mes « chers confrères » se disent-ils de bouche à oreille : si les articles n'étaient pas signés Raymond Aron, les lecteurs les apprécieraient-ils comme ils se croient obligés de le faire ? Oui, j'ai été tenté par l'exemple de Romain Gary mais, pour un journaliste, une pareille tentative — trouver un prête-nom pour savoir si mes écrits seraient appréciés, signés par un auteur inconnu — n'aurait, me semble-t-il, aucune signification. Un éditorialiste ou un *columnist* ne s'impose pas en un ou deux articles à la manière d'un écrivain qui, par un seul roman, obtient le respect des critiques ou la faveur du public. Bien qu'à *Combat* j'aie eu la chance de réussir une série d'articles sur les partis qui me valut immédiatement le statut d'éditorialiste, c'est à la longue que le journaliste gagne ses galons, les lecteurs et l'attention des classes dirigeantes. En ce qui concerne ma collaboration à *l'Express*, je dirais que quelques articles — sur la « nouvelle droite », sur *le Monde*, sur l'attentat de la rue Copernic — me rassurent plus que les éditoriaux de chaque semaine.

Mon écriture est, elle aussi, perturbée, de temps à autre, par des

« ratés », en l'espèce des lapsus, un mot pour un autre, voire des fautes d'orthographe. Heureusement l'écriture permet de corriger les fautes sans que le lecteur s'en doute. Les lapsus de la plume piquent ma curiosité. Sont-ils accidentels ou relèvent-ils de l'interprétation freudienne ? Dans les lettres, les erreurs qui reviennent le plus souvent concernent les articles possessifs, notre pour votre, mien pour tien. Je parviens rarement à discerner un désir refoulé, une intention non avouée, la mauvaise foi. J'imagine que, dans ce cas, le psychanalyste lui-même accorderait quelque vraisemblance à l'explication physiologique.

En revenant de l'hôpital, ai-je eu l'angoisse d'une dégradation irrémédiable ? Inquiétude, certes ; angoisse, je ne pense pas. Dois-je m'attribuer une certaine force de volonté, un penchant à l'égocentrisme ou une vanité naïve ? Ce qui, à mes yeux, expliqua ma conduite, quelques semaines après le choc, ce fut la totale continuité de ma conscience, de mon « je » ; mon cerveau avait été blessé, pas moi ; le centre de la parole atteint, non le centre de la pensée ; ma main droite était devenue maladroite, l'infirmité de l'instrument n'affectait pas l'artisan. Sur un point précis, j'avais lieu de me faire des soucis. Mon écriture est relativement abstraite, au-dessus de la moyenne, même dans les genres que je pratique. Le style abstrait tend à la pauvreté du vocabulaire. Il y avait bien lieu de craindre que cette pauvreté ne s'aggravât.

Je n'ai pas retrouvé, encore aujourd'hui, les vers que je savais par cœur. Je n'ai pas entretenu ma mémoire brute, celle des mots ou des épisodes vécus. En revanche, le système intellectuel, dans lequel s'insèrent les idées et les événements, élaboré au cours des quarante dernières années, solide avant 1977, survécut, je crois, pour l'essentiel, à la malignité du caillot de sang. Je m'efforçai un jour de retrouver quelques vers de *la Jeune Parque : Tout-puissants étrangers, inévitables astres / qui daignez faire luire...* je dus me reporter au texte (en fait à la copie de la main de Simone Weil, donnée par elle à ma femme). Des expressions toutes faites m'échappent encore.

Tout cela dit, je m'obligeai en quelque sorte à vivre comme avant. En profondeur, j'avais changé.

Je garde le souvenir des années 1976-1977. Au Collège, le cours « Le marxisme de Marx », en dépit de ses évidentes imperfections, promettait un essai substantiel sur ce que je finissais après tant d'années par tenir pour le noyau, le cœur d'une pensée aussi équivoque que riche. Le matin de ce jour d'avril, je conversai avec Joseph Fontanet comme si, à soixante-douze ans, je pouvais encore planter un arbre, prendre part à une entreprise risquée. Je suis convaincu que, d'aucune manière, je ne me serais lancé dans cette tentative déraisonnable, mais le fait même que je l'envisageai sérieusement me rappelle mon état d'esprit. A cette date, je n'excluais pas la possibilité d'écrire les deux tomes qui devaient venir après *Histoire et Dialectique de la violence* et aussi un volume final sur Marx lui-même. Je croyais que je disposais encore du temps et des forces nécessaires. Après avril 1977, je m'interrogeai sur le temps qui me restait et sur les forces que le maudit caillot m'avait laissées.

Un changement subtil s'était opéré en moi. Bien que, dans la *Leçon inaugurale au Collège de France*, j'eusse écrit que, pour moi, les jeux sont faits, je doute que je l'aie pensé sans réserve. Je ne l'avais pas dit par hypocrisie ou par coquetterie. A soixante-cinq ans, bien sûr, les jeux sont faits ou *presque*. La raison ne s'attardait pas sur le *presque*, ma conscience affective, si je puis dire, ne sentait que le *presque*. Bien sûr, je n'allais pas renouveler la spéculation sur la théorie de l'histoire, mais ces deux tomes boucleraient la boucle. De l'*Introduction à la philosophie de l'Histoire* à *la Condition historique de l'homme*. Au lieu des exposés sommaires de la pensée marxiste, au lieu des polémiques contre les marxismes parisiens, une analyse synthétique non de *la* pensée marxiste mais des *diverses tendances* de cette pensée, origine des mouvements historiques qui se réclament d'elle.

Pendant l'année 1978-1979, ma première année sans obligation universitaire, en dehors de divers articles que j'avais promis ou auxquels je m'obligeai, je commençai de réfléchir de nouveau à la suite de *Histoire et Dialectique de la violence*. Je n'étais pas encore fixé sur mes projets. C'est pendant l'été de 1979 que j'écrivis le premier chapitre des trois livres auxquels je songeais : marxisme, philosophie de l'histoire, souvenirs. Les trois essais me démontrèrent qu'à moins d'un extraordinaire effort sur moi-même, ou plutôt contre moi-même, c'est le troisième que je devais choisir. Non par volonté consciente mais spontanément, abandonné à lui-même, *je* aspirais à évoquer mon passé.

De tous les projets, c'était celui-là aussi qui exigeait le moins de force intellectuelle. Je ne me demandai pas si ma répugnance à parler de moi s'était authentiquement transmuée en besoin de confession. Mes familiers se demandaient si je saurais écrire sur un registre pour moi tout nouveau. Je commençai donc d'évoquer le passé lointain sans le ferme propos d'aller jusqu'au bout. Je fis lire la première partie à Bernard de Fallois qui m'assura que cette évocation jointe des événements et des opinions intéresserait un public, peut-être même des jeunes, qui ne connaissent le dernier demi-siècle que par des livres d'histoire biaisés ou par les légendes répandues par les vainqueurs. C'est grâce à lui que je parvins jusqu'au bout [1].

1. Je ne songeai pas, à l'époque, au livre d'entretiens, *le Spectateur engagé*.

2. « L'EXPRESS »

Le bruit de mon départ du *Figaro* courait déjà dans Paris, quand je fus temporairement mis hors du jeu. L'entretien que je devais avoir avec Sir James Goldsmith ce jour-là d'avril eut lieu trois semaines plus tard, après mon séjour à l'hôpital. Je parlais de nouveau assez aisément pour faire illusion. Il me reste de notre conversation le souvenir du mot *mégalomanie* ou *mégalomane* qui s'obstina à ne pas sortir de mes lèvres. Sir James, Jimmy comme tout le monde l'appelle à *l'Express*, frappe d'abord par son intelligence. Je ne souscris pas à l'idée qu'Alain aimait à commenter : en dernière analyse, chacun a vécu la vie qu'il a voulue ; mais je soutiens volontiers une thèse atténuée, évidente, même si elle peut être exprimée en un vocabulaire paradoxal : *les réussites sont toujours méritées.* Ou encore les réussites ne s'expliquent exclusivement par la bonne fortune [1]. Si Sir James est devenu un grand capitaliste, c'est qu'il s'était donné pour objet de gagner beaucoup d'argent et qu'il disposait d'un instrument de première qualité, son intelligence. Au cours des premiers mois de ma présence à *l'Express*, il tenait presque chaque semaine une réunion durant laquelle il discutait le numéro précédent. Il se trompait aussi souvent que les autres, ne fût-ce qu'en raison de son inexpérience de la presse, mais ses critiques, ses suggestions, souvent pertinentes, étaient rarement indifférentes.

Après mes expériences au *Figaro*, je redoutais avant tout la répétition des réunions, conciliabules, clans, féodalités ou querelles. J'aurais pu, après *le Figaro* et l'ébranlement physique du mois d'avril, tirer un trait sur trente et quelques années de journalisme et me consacrer aux livres. Comme nous n'avions jamais modifié notre mode de vie — celui d'un fonctionnaire moyen —, les articles publiés dans des journaux de province, par l'intermédiaire d'Opera Mundi, suffisaient à compléter mes revenus. Ce retrait hors de la vie publique me rendrait-il le temps, le

1. J'ai écrit la même chose à propos de R. Hersant.

courage d'écrire l'un ou l'autre des livres que j'avais annoncés ? Je n'en étais pas sûr. Bien plutôt ce retrait accentuerait le désintérêt auquel m'inclinait la proximité de la mort. Je sais que ce désintérêt pourrait aussi être qualifié de sérénité ou de sagesse. Je pensais, et pense encore, que ce désintérêt, dans mon cas, aurait pris figure d'abdication.

Je me suis félicité de mon choix de *l'Express.* Mon existence aurait-elle été plus agréable, plus riche au *Point* ? Je ne sais. Je dirai seulement qu'une fois mon rôle dans le journal bien défini et strictement limité, tout se passa pour le mieux. Sir James lui-même me fit comprendre que je ne devais pas fréquenter les conférences de rédaction qui marquent les étapes successives de la fabrication du journal ; il fut peu à peu entendu que les entretiens du comité éditorial du lundi porteraient rarement sur le contenu ou l'orientation du numéro précédent ou prochain. Éditorialiste, j'assumais une part de responsabilité en tant que président du comité éditorial ; mais cette responsabilité, à l'exception de quelques incidents, ne me créa pas de questions de conscience.

A la veille des élections de 1978, Sir James m'avait confié une fonction ingrate : relire les textes et les discuter au cas où ils sembleraient incompatibles avec la ligne officiellement définie. Il avait oublié de me faire savoir qu'Olivier Todd avait exigé et obtenu par écrit le droit d'écrire ses éditoriaux de tendance socialiste. Il s'ensuivit une bagarre verbale dans la nuit, entrecoupée d'échanges téléphoniques avec Jimmy, qui, des Caraïbes, menaçait d'interdire la sortie du numéro. *Le Canard* commenta dans son style ordinaire l'épisode ; je n'y figurais pas à mon avantage.

Quelques mois après mon entrée à *l'Express*, Françoise Giroud exprima le désir de revenir au journal. La demande provoqua de longues délibérations ; je pris une part de responsabilité dans le refus.

Françoise Giroud séduit, convainc par son charme, son intelligence et, peut-être plus encore, par sa voix. Nous nous étions rencontrés plusieurs fois, elle m'avait même invité à une réception presque intime pour célébrer je ne sais quel anniversaire de *l'Express.* François Mitterrand et Gaston Defferre se trouvaient là et aussi un des directeurs de la Banque de Paris et des Pays-Bas qui, en passant, fit de l'ironie sur le parti socialiste « qui — chacun le sait — n'existe plus ». Gaston Defferre le couvrit d'injures en réplique. Les articles désobligeants qui, de temps en temps, visaient tel de mes écrits ou de mes jugements politiques, je les attribuai plutôt à J.-J. S.-S. qu'à elle. Dans l'affaire de l'élection parisienne, ma sympathie penchait vers elle — mais je me répétais : pourquoi donc est-elle montée dans cette galère ? Depuis lors, elle ne me pardonne pas d'avoir empêché son retour à *l'Express* (ou plutôt d'en avoir endossé la responsabilité).

La question nous fut posée au comité éditorial au début de 1978. Philippe Grumbach dirigeait encore la maison. J. Goldsmith ne souhaitait pas le retour de Françoise Giroud. Jean-François Revel appartenait à la vieille équipe, il avait travaillé à ses côtés pendant des années ; lié à elle par une authentique amitié, il ne pouvait pas se déclarer hostile à son ancienne directrice. Nous étions tous embarrassés pour des motifs évidents, d'ordre politique et moral tout à la fois. *L'Express* doit son existence à F. Giroud autant ou presque qu'à J.-J. S.-S. ; lui refuser cette tribune nous paraissait à tous injuste, cruel pour ainsi dire.

D'un autre côté, nous mesurions les difficultés ou, pour mieux dire, la quasi-impossibilité de ce retour. Une fraction de l'ancienne équipe avait quitté *l'Express*, usant des indemnités généreuses que la loi assure aux journalistes en pareil cas. Certains d'entre eux, approchant de l'âge de la retraite, saisissent l'occasion du départ, parfois avec d'autant plus d'allégresse qu'ils peuvent obtenir un emploi dans une autre publication. En faisant entrer tout à la fois Olivier Todd, qui venait du *Nouvel Observateur*, et moi-même, qui venais du *Figaro*, J. Goldsmith s'était proposé de marquer la rupture entre *l'Express* de J.-J. Servan-Schreiber et le nouveau. Je lui avais demandé plusieurs fois, avec insistance, si les départs de J.-J. Servan-Schreiber et de Françoise Giroud étaient acquis, définitifs. Sa réponse ne me laissa aucune ombre de doute. Je n'en avais à la personnalité d'aucun des deux, je souhaitais, selon les projets du nouveau propriétaire, une rupture avec la dernière phase de *l'Express*, la couverture avec *Histoire d'O* et, plus encore, la distribution de milliers d'exemplaires dans la circonscription parisienne où F. Giroud faisait campagne. *L'Express* ne devait plus servir d'instrument à des ambitions, légitimes mais personnelles.

Dans les délibérations du comité éditorial, je n'étais pas le seul à m'opposer au retour de F. Giroud en tant qu'éditorialiste. Elle-même, à ma connaissance, ne voulait pas reprendre la direction. Les autres membres du comité envisagèrent une solution intermédiaire. Elle écrirait des éditoriaux sur des problèmes de société, et non sur la politique. Je fis valoir l'absurdité de cette suggestion : accueillir un ex-ministre en lui posant pour condition de ne pas traiter de politique. Je suppose que J. Goldsmith lui transmit la réponse négative, et peut-être l'attribua-t-il à moi seul... J'accepte cette responsabilité. Il était entendu que *l'Express* prendrait position, aux élections de 1978, en faveur de ce qui est aujourd'hui l'opposition ; l'animosité de l'ancienne ministre à l'égard du président aurait ajouté encore aux contradictions internes de la rédaction. J. Goldsmith me sut gré de lui avoir facilité la décision. En contrepartie, elle demanda et obtint des indemnités, puisqu'elle n'avait jamais, selon elle, quitté *l'Express*.

Par bonne chance, quelques semaines après le départ de Ph. Grumbach, Sir James se laissa convaincre de nommer directeur J.-F. Revel. Le départ de Ph. Grumbach me parut inévitable. Il appartenait à l'héritage de l'ancien *Express* et il exerçait une autorité lointaine et cassante que les journalistes supportaient de plus en plus mal. J.-F. Revel jouissait de la confiance et de l'amitié de tous (ou presque tous) les journalistes ; ancien de la maison, il n'était pas cependant compromis par les erreurs de Servan-Schreiber, celles de la dernière période, quand la carrière politique du directeur ou de Françoise Giroud pesa lourdement sur l'hebdomadaire. Je ne sais si, ni dans quelle mesure, mes conseils insistants déterminèrent Jimmy. En tout cas, je n'eus qu'à me féliciter de cette nomination. La crise de juin 1981 ne modifie pas mon jugement.

Je connaissais à peine J.-F. Revel quand j'entrai à *l'Express.* J'avais lu et apprécié ses best-sellers, *Ni Marx ni Jésus*, ou *la Tentation totalitaire.* J'avais parcouru ses pamphlets contre les philosophes (il m'y accrochait en passant), sans éprouver de sentiments vifs pour ou contre *la Cabale des dévots.* Ce qui me frappait, dans cet écrivain, c'était à la fois une authentique culture et l'art d'une polémique saisissable à tous les lecteurs. Simplification sans vulgarisation des grands débats, ses livres, animés par un anticommunisme qu'il appelait lui-même viscéral, trouvaient un large public des deux côtés de l'Atlantique, preuve de sa réussite dans un genre difficile. En même temps, je m'étonnai — je le dis à Jean-François quand nos relations devinrent familières — de son obstination à se dire socialiste, du saut qu'il fait dans l'utopie quand il se dresse contre les souverainetés nationales, à ses yeux le mal par excellence ou l'origine de tous les maux.

Pour autant que j'en puisse juger, à aucun moment une rivalité d'amour-propre ne nous opposa l'un à l'autre. Nous nous mettions d'accord le lundi matin sur le sujet de nos éditoriaux respectifs. Peut-être jugea-t-il quelquefois que je prenais le meilleur sujet ; je ne le pense pas ; au moins une fois sur deux, c'était lui qui me le suggérait. De fait, je me mis au service de la communauté et ne me dérobai pas aux obligations du journal tout entier. Je regrettai, surtout au début, la liberté du *Figaro* : le libre choix du jour, du sujet, de la dimension. Après quelques semaines d'entraînement, je m'adaptai honorablement aux six feuillets, aux trois colonnes. Comme, en dépit de tout, je m'en tins à mon style coutumier, je fus contraint, plus encore que d'ordinaire, d'affirmer des thèses ou des interprétations sans preuves suffisantes. Les deux éditoriaux, de Jean-François et de moi, ne se contrariaient pas, ils se faisaient valoir l'un l'autre, l'un, polémique illustrée et confirmée par des faits, l'autre, analyse aboutissant à une prise de position ou à une critique.

J'ajouterai que Jean-François fit preuve, à mon égard, d'une gentillesse et d'un tact auxquels je fus d'autant plus sensible qu'ils ne caractérisent pas le monde des journalistes (pas plus d'ailleurs que celui des professeurs). Je m'étais habitué à la condition du « vieux » — de « papy », comme, paraît-il, on m'appelle. Non sans quelque irritation ; vieux, je le suis et le sais depuis avril 1977, mais je préférerais que les autres ne me le fissent pas sentir, fût-ce par les signes extérieurs du respect. De même, Olivier Todd et moi, nous nous étions rapprochés. Il me fit lire les épreuves de son livre sur Sartre et je lui suggérai quelques corrections. Nous eûmes un déjeuner à quatre, avec Anne-Marie et Suzanne. La crise éclata le 11 ou le 12 mai.

Le soir du 10 mai, je vins au journal avec Laure, Alain et Pauline, mes petits-enfants ; je voulais y dicter l'éditorial que j'avais écrit à l'avance, commentant la victoire de François Mitterrand. Jimmy discutait avec Jean-

François et d'autres journalistes. Je ne sentis pas la venue de l'orage. Le communiqué de Giscard d'Estaing sur la « trahison préméditée », le rassemblement de l'ancienne majorité sous la houlette de Chirac ne me permirent pas de publier le papier que j'avais préparé. Je devais entrer à l'hôpital Cochin le mardi 12 pour y subir une opération sans gravité (l'ablation d'un diverticule dont je souffrais depuis des mois, peut-être des années, mais qui m'incommodait de plus en plus). Le 11, dans l'après-midi, je rencontrai Olivier, agité, hors de lui, qui me dit en trombe que Jimmy l'avait mis à la porte. Je connaissais mal les causes profondes et accidentelles du choc entre le propriétaire et la direction par lui choisie. Une fois à l'hôpital, je téléphonai à *l'Express* pour m'assurer que mon éditorial ne fût pas publié — ce qui n'avait rien à voir avec la crise du journal. Je convainquis mon ami Monsallier que ma présence à l'hôpital, le mardi, n'était pas indispensable, puisque toutes les analyses seraient faites le jour suivant, le mercredi. Je revins à *l'Express* et j'eus avec Jean-François et Jimmy une conversation de deux heures et demie. Je fis de mon mieux pour apaiser les passions.

Jimmy admit sans trop de peine que *l'Express* ne pouvait et ne devait pas devenir l'équivalent d'un *Nouvel Observateur* de droite. Pour deux raisons aussi décisives l'une que l'autre : on entre en gauche comme on entre en religion ; or, à l'heure présente, il n'existe pas de droite comparable à la gauche, exception faite de la « nouvelle droite », excommuniée par la classe politique. D'autre part, nombre des rédacteurs viennent de la gauche et ne feraient pas un hebdomadaire de combat contre le pouvoir socialiste. Jimmy envisagea, dans cet entretien, qu'Olivier restât à *l'Express,* mais non plus comme rédacteur en chef numéro un, le plus proche du directeur, avec lequel il travaillait intimement et sur lequel il exerçait à coup sûr une influence.

En ce qui me concerne, je n'avais pas été satisfait des derniers numéros du journal, pendant la période de la campagne électorale. Jean-François avait écrit dans son style ordinaire contre les communistes, mais peu contre Mitterrand. J'avais été particulièrement irrité par les quatre articles à la veille du premier tour, chacun de deux colonnes, mis sur le même plan, deux pour Mitterrand, deux pour Giscard, en fait celui de Jean-François contre Marchais plutôt que pour Giscard. J'eus une discussion, proche de la querelle, avec Jean-François quand il me demanda de réduire à deux colonnes l'article intitulé « Explication de vote » et rédigé en trois colonnes. Déjà, dans une réunion du comité éditorial, j'avais été surpris d'entendre de sa bouche qu'il regrettait mon engagement et celui de Max Gallo, ce dernier dans le comité de soutien pour F. Mitterrand, moi dans le comité pour Giscard. Il n'y a pas lieu d'intervenir dans la bataille présidentielle, disait-il ; ce que nous écrivons depuis des années devrait influer sur le choix de nos lecteurs plus que ne le feraient des textes de dernière heure.

Le numéro dans lequel parurent les quatre articles m'avait troublé beaucoup plus que Jean-François ne le comprit sur le moment. Une publication qui se veut objective, mais non pas neutre ou non engagée, s'abaisse elle-même, elle se discrédite, si elle se déclare incapable de prendre position. J'avais l'intention d'abandonner la présidence du comité éditorial après les élections. Aucun arbitrage n'est prévu entre le directeur et le président du comité éditorial. Quand Jean-François et moi nous fûmes en désaccord sur un livre de Bernard-Henri Lévy, nous trouvâmes un compromis : deux articles superposés. Yves Cuau me rappela plus tard qu'il avait critiqué, du simple point de vue professionnel, la juxtaposition des deux éditoriaux pour Mitterrand et de deux pour Giscard. Au téléphone, j'avais cédé, et je ne pus avancer, en présence de Max Gallo, mes objections contre la promotion soudaine du commentateur de livres au statut d'éditorialiste politique. Nous ne savions pas — il ne nous l'avait pas dit — qu'il visait un siège au Palais-Bourbon (peut-être ne le savait-il pas lui-même).

En dépit de mes doutes sur l'orientation de *l'Express* au cours des derniers mois, je faisais confiance à Jean-François, avec cependant l'intention d'abandonner une présidence fictive. Le 12 mai, je n'avais d'autre intention que de prévenir la rupture entre Jimmy d'un côté, Jean-François et Olivier de l'autre.

Le mardi soir, nous nous étions séparés sur la formule : nous allons réfléchir pendant la nuit. Il me semblait improbable qu'Olivier Todd acceptât la *diminutio capitis*, qu'il demeurât à *l'Express* en tant qu'éditorialiste et responsable des *cover story*[1]. Or je ne doutais pas que Jean-François suivît Olivier. Que se passa-t-il le mercredi matin ? De l'hôpital, je donnai un coup de téléphone à *l'Express*. J'eus au bout du fil Jean-François qui, manifestement tourneboulé, me dit : « Je suis démissionnaire » et raccrocha.

Des événements du mercredi matin 13 mai, j'eus deux versions. « J'arrivai au journal à dix heures et demie, me raconta Jimmy, j'avais un rendez-vous au-dehors à neuf heures. A mon arrivée, je trouvai la maison sens dessus dessous, Jean-François démissionnaire, Todd mis à la porte et les journalistes tenant des réunions, tous en état d'excitation extrême. Il ne me restait rien d'autre à faire que d'envoyer les deux lettres, de licenciement à l'un, d'acceptation de la démission à l'autre. » Selon les autres, les deux lettres furent reçues le matin et déclenchèrent le tumulte. Bien que notre conversation à trois se fût terminée sans conclusion, il se peut que la nouvelle du licenciement de l'un, de la démission de l'autre ait déjà circulé et que Jimmy en arrivant ait constaté le fait accompli et tiré les conséquences inévitables.

Pendant trois jours, 13, 14 et 15 mai, Jean-François Revel et Olivier Todd multiplièrent des déclarations, que je n'ai pas connues et qui déclenchèrent des répliques de Yves Cuau et de Yann de l'Écotais. Écrivains contre journalistes ; ceux qui partent contre ceux qui restent. Pen-

1. On désigne, par cette expression, l'article qui, chaque semaine, traite un sujet en profondeur et constitue l'attraction du numéro.

dant ces jours, le choc de l'opération ne me permit pas de prendre parti ou de m'informer. Jimmy me tint au courant par l'intermédiaire de ma femme. Ni Jean-François, ni Olivier ne se manifestèrent ; ils ne demandèrent pas de mes nouvelles, ils n'exprimèrent aucun désir de me voir. Conduite qui me parut étrange. Ou bien ils jugeaient que, moralement, je devais me solidariser avec eux ; en ce cas, pourquoi ne pas prendre contact avec moi ? Ou bien ils me jugeaient étranger à la querelle et libre de choisir ; en ce cas, pourquoi la philippique d'Olivier Todd, publiée dans *le Matin* après l'éditorial que j'écrivis dès mon retour à la maison ?

A l'occasion d'une couverture déplaisante, Jimmy pique une crise, liquide le rédacteur en chef et, du même coup, provoque le départ du directeur. De toute évidence, si l'on s'en tient à ces faits bruts, Jimmy a tort. Entre l'erreur — si erreur il y a — et la sanction, la disparité apparaît éclatante. Cela dit, une fois les faits accomplis, que veulent les deux victimes ? Faire capituler Jimmy ? Ils le connaissent, ils ne le briseront pas : lui, il liquidera le journal plutôt que de s'incliner. S'ils ne peuvent pas l'emporter, ils peuvent en tout cas le mettre en difficulté en provoquant le départ du plus grand nombre possible de rédacteurs et, en particulier, des plus prestigieux. Ma décision, à cet égard, devient cardinale : si quatre sur quatre des éditorialistes s'en vont, ceux qui doivent prendre la succession oseront-ils se lancer dans l'aventure ? Pendant quelques jours, les journaux, écrits ou parlés, attendaient la décision de « Raymond Aron hospitalisé ». Je la fis connaître par Yves Cuau que j'invitai à venir me voir à l'hôpital Cochin.

La fameuse couverture à la veille du deuxième tour de l'élection présidentielle — Giscard vieilli, Mitterrand rajeuni et en surplomb — prêtait pour le moins à un malentendu. La meilleure preuve en fut l'entrefilet du *Canard enchaîné* : le propriétaire de *l'Express* songe déjà à se rapprocher des nouveaux maîtres. Peut-être cette remarque du *Canard* fut-elle pour quelque chose dans la colère de Sir James. Les responsables de cette couverture écrivirent à Jimmy, qui me montra leur lettre, qu'ils avaient obéi aux consignes reçues.

Je ne crois pas que Jimmy ait nourri une vieille animosité à l'égard d'Olivier, bien que le conservatisme radical du premier détestât ou plutôt méprisât la social-démocratie molle du second. La cause en profondeur me semble rien moins que mystérieuse. Jimmy, comme d'autres hommes d'affaires, s'était lancé avec conviction, avec une sorte de naïf enthousiasme, dans la presse, non pour gagner de l'argent mais pour y défendre et illustrer ses idées.

L'Express avait été un hebdomadaire de gauche. Il avait combattu contre la guerre d'Indochine, contre la guerre d'Algérie, contre le gaullisme et l'État UDR. A la dernière minute, en 1974, J.-J. S.-S. se déclara en faveur de Giscard et Françoise Giroud dut expliquer son vote pour François Mitterrand dans *le Provençal*. La rédaction, qui avait résisté aux tours et détours de la ligne de la direction, demeurait plutôt « de gauche ». En dépit des années, il subsistait une tension sourde entre un propriétaire, qui aurait souhaité un hebdomadaire résolument « libéral » (au sens européen), et des journalistes qui, certains éditorialistes mis à part, oscillaient entre les deux camps.

La victoire de Mitterrand ne surprit pas Jimmy à proprement parler, mais le fit sortir de ses gonds. Avant l'élection, il négociait avec les hommes au pouvoir sur l'avenir du groupe Hersant, dont la situation financière, d'après lui, exigeait un remède de cheval. Il espérait prendre le contrôle du *Figaro* et, du même coup, résoudre certains des problèmes humains et économiques de *l'Express.*

Après le 10 mai, le projet de déverser sur *le Figaro* le trop-plein de la rédaction de *l'Express* tomba. De plus, Jimmy se laissa emporter par un pessimisme excessif et prévit une diminution de 25 % des recettes de publicité. Logiquement, il n'y avait aucune liaison entre le rôle d'Olivier Todd et les difficultés financières à craindre. Mais il existait une liaison, dans l'esprit de Jimmy, entre les pertes probables de l'entreprise et le contenu politique de la publication : quant à perdre de l'argent pour que survive le journal, que du moins il défende mes idées, non pas celles que je déteste. La couverture compromettait Jimmy, le présentait comme un *turn-coat*, prêt à la collaboration avec les socialistes alors que lui ne songeait qu'à en découdre. Tous ces sentiments, les uns provoqués par le choc du 10 mai, les autres refoulés pendant des années, explosèrent d'un coup, et Olivier Todd, avec la couverture, en fut le détonateur et la victime. Ajoutons enfin que, depuis longtemps, Jimmy songeait à la promotion d'Yves Cuau et de Yann de l'Écotais (ce dernier avait quitté *le Figaro* en même temps que moi).

Il me reste un aveu qui ne contribuera pas à ma popularité parmi les journalistes. Personnellement, je n'éprouve aucune sympathie pour l'autogestion dans une publication. J'ai vu la décadence irréversible du *Figaro* quand le « patron » disparut, remplacé par un fantôme, sous lequel se formaient les clans et les baronnies, cependant que quelques rédacteurs, qui, sur le plan professionnel, n'appartenaient pas au nombre des meilleurs, s'agitaient dans la politique intérieure de la maison. Hubert Beuve-Méry parlait avec des soupirs (quand il était de bonne humeur) de la Société des rédacteurs et de Jean Schwoebel, son président à l'époque. *Le Monde* passa de Hubert Beuve-Méry à Jacques Fauvet et faillit tomber à Claude Julien. Robert Hersant n'a pas relevé *le Figaro*, du moins il savait quelles signatures importaient. Jimmy aussi. Dans l'autogestion, qui arriverait au pouvoir ou aurait le dernier mot ? Je préfère un directeur type Brisson ou, à défaut, type Jimmy.

Homme de droite, murmure le lecteur. Mon sens de l'égalité ne va pas jusqu'à refuser toute distinction entre les quelques-uns, qui tranchent sur le grand nombre, et les autres, parfaitement honorables, qui acceptent, avec plus ou moins de ressentiment, une condition à leurs yeux inférieure à leur mérite. Pourquoi jouer la comédie d'une égalité à laquelle personne ne croit ? Droite contre gauche ? Je renvoie les lecteurs au livre de Jean Daniel, *le Temps des ruptures.* Le directeur du *Nouvel*

Observateur sympathisa avec la révolte des étudiants contre les professeurs, avec celle des ouvriers contre le patronat. Lui-même eut à tenir tête à une révolte de même inspiration qui le visait moins lui-même que la structure hiérarchique de la publication. Le directeur défendit rageusement, avec bec et ongles, son autorité qui lui paraissait pleinement légitime. Que l'on me permette de citer quelques passages dans lesquels Jean Daniel rapporte ses débats avec sa rédaction et avec Jean-Paul Sartre : « Je fais observer au directeur des *Temps modernes* que, sans vouloir me référer à son propre comportement, je suis d'accord avec lui sur la façon dont il applique le principe de la cooptation dans sa revue. En art et en politique, on ne peut guère faire confiance qu'à ceux que l'on a choisis en vertu d'affinités précises. Sartre ne dit rien. Je continue : peut-on soumettre des articles politiques ou littéraires aux collaborateurs de l'administration, des ventes et des abonnements ? Doit-on consulter ceux dont on sait d'avance qu'ils sont en désaccord avec la ligne du journal ? Accepterait-il, lui, Sartre, de soumettre à sa secrétaire et surtout à son éditeur et à ses imprimeurs la ligne adoptée, tel ou tel mois, dans *les Temps modernes* ? Bref, peut-on partager ce qui relève de l'opinion ou de la création comme on partage des services et des biens ? » Jean Daniel avoue honnêtement, dans un autre passage, la contradiction entre sa sympathie chaleureuse pour le mouvement de mai 1968 et la défense de son autorité de directeur, son plaidoyer en faveur de l'unité de décision. Lisant ces pages, je me demandai pourquoi il ne marqua aucune sympathie pour les professeurs qui, comme lui, défendaient une autorité qu'ils jugeaient nécessaire à l'exercice de leur métier ? Pourquoi n'a-t-il pas jugé quelque peu absurde la participation du personnel administratif à l'élection du Conseil de l'université ?

L'université n'appartient pas à la même catégorie qu'une revue ou un journal ? A coup sûr. Mais l'activité des professeurs se compare à celle des journalistes ; en tout cas, c'est une activité intellectuelle qui ne peut être appréciée que par des juges compétents. L'appréciation portée par les étudiants sur les professeurs importe grandement, de même que l'appréciation des lecteurs sur les journalistes et les écrivains, mais celle des usagers, si l'on peut dire, ne rend pas, elle non plus, un verdict indiscutable. Le professeur, l'écrivain sont rejetés pour de bonnes ou de mauvaises raisons. En 1968 ou 1969, les étudiants, entraînés par des minorités, refusèrent moins des maîtres médiocres que des maîtres rebelles aux idées à la mode. Jean Daniel écrit : « Un ami me fait observer le paradoxe qui consiste à célébrer l'héritage de mai 1968 en ces pages où je fais le récit du refus que j'ai opposé à l'intérieur du journal aux militants de Mai. J'accepte cette contradiction. A moins qu'il ne faille chercher une autre cohérence. [...] J'ai passé mon temps à parler de " cris ", de messages à décrypter, d'outrances fécondes, d'excès édifiants. » Réconciliation avec le peuple français, conclut Jean Daniel, qui l'aima enfin le jour où il arracha les pavés. « En mai 1968, la fécondité jaillissante de sa jeunesse m'a fait aimer ce peuple de manière moins livresque et sans me forcer. Tandis que je m'imposais d'infléchir les positions des contestataires du journal, je ne pouvais m'empêcher de nourrir, au moins à l'endroit de certains d'entre eux, la plus fervente estime. Comment ai-je pu leur résister en les comprenant à ce point ? » En quoi cette « résistance aux contestataires » serait-elle mystérieuse ? Au risque de tomber dans une facilité quelque peu vulgaire, je dirai que chacun, en ces journées d'exaltation, participa aux révoltes contre les pouvoirs en général, plus rarement quand son propre pouvoir, à ses yeux bien fondé, se trouva mis en question. Pour moi, je n'avais aucun pouvoir à préserver.

3. LA FIN D'UNE GÉNÉRATION

Dès 1977, les débats des années 50 (le communisme, la nature de la société soviétique), les débats des années 60 (la mise en question de la société industrielle) appartiennent au passé ; ils se sont apaisés, faute de combattants. Non que les intellectuels acquis au marxisme-léninisme aient disparu ; ils demeurent nombreux dans les collèges et même dans les universités. A Paris, dans la « haute intelligentsia », ils n'existent plus guère. Le succès, au cours de ces dernières années, est allé à de jeunes essayistes qui redécouvrent l'anticommunisme de la veille ou de l'avant-veille. La mise en accusation de la technique, de la pollution, de la ville en béton et des centrales nucléaires n'a pas été abandonnée ou réfutée. De toute évidence, elle ne désarme pas. Les contempteurs de la civilisation moderne dénoncent en effet des maux ou des périls réels. Mais les « grands intellectuels », plus ou moins proches de ces révoltés, n'élèvent pas l' « écologisme » au niveau de la philosophie. Le gauchisme des années 60 survit, mais les gauchistes ont emprunté diverses voies ; les uns ont été récupérés par le communisme, d'autres par le socialisme, d'autres encore transfèrent leur intransigeance à la défense des droits de l'homme, un très petit nombre sont peut-être encore tentés par l'action directe.

L'intelligentsia parisienne ne fut pas pour autant en peine de controverses, limitées aux milieux étroits des hebdomadaires et des revues, malgré tout directement ou indirectement significatives. Je songe d'abord à la « nouvelle droite » dont le chef de file, l'inspirateur, le meilleur représentant est à coup sûr Alain de Benoist (signataire, sous divers pseudonymes, d'innombrables articles). Un Grand Prix, qui fut accordé par l'Académie française à un de ses livres, *le Monde vu de droite,* attira l'attention sur les deux revues qu'il inspire, *la Nouvelle École* et *Éléments.*

L'équipe d'Alain de Benoist ne dissimule pas son objectif : reconquérir le pouvoir idéologique qui appartient à la gauche, même quand des hommes dits de droite gouvernent le pays. Or, sur ce point, je suis d'accord avec elle. A l'exception des survivants de l'Action française et des fascistes ou nationaux-socialistes à peu près invisibles, tous les partis se réclament, en gros, des idées dites de gauche, à savoir libérales et démocratiques. Les socialistes reprochent aux gouvernements de droite de ne pas réduire les inégalités (essentiellement les inégalités de revenus), mais les porte-parole de la droite ne répliquent pas, ou le font avec gêne, qu'une hiérarchie, économique et politique, est à la fois inévitable et nécessaire au bien commun. La « nouvelle droite » condamne sans appel le conformisme démocratico-libéral dont j'avoue, sans mauvaise conscience, avoir été un des doctrinaires. Bien entendu, je ne récuse pas certains des auteurs qu'Alain de Benoist aime à commenter, Machiavel ou Pareto. Je ne présente pas les sociétés occidentales dans le style qu'adoptent volontiers les vrais croyants de la démocratie. J'ai « dépoétisé », « désenchanté » aussi bien la rivalité des partis que la lutte des États. Alain de Benoist se réfère volontiers à certains philosophes, comme Sir Karl Popper, dont je me sens à certains égards très proche. Mais sur l'essentiel, sur les idées inspiratrices de la politique, Alain de Benoist rappelle irrésistiblement les fascistes ou les nationaux-socialistes (je ne l'accuse pas d'être l'un d'entre eux, je dis qu'il pense souvent de la même manière qu'eux).

Je prends par exemple le dernier article d'Alain de Benoist sur les États-Unis et l'Union soviétique. Son texte aboutit à une profession de foi qui ne laisse aucun doute : plutôt le commissaire soviétique que le hamburger de Brooklyn. Qu'implique une pareille préférence, sinon que l'américanisme constitue le mal absolu ? Pour donner un sens à cette profession de foi, il faut admettre que l'américanisme dissout, élimine, aplatit, efface les particularités des mœurs et des croyances, alors que la domination soviétique se contenterait de priver les États de leur indépendance. Le premier arracherait aux peuples leur culture, la seconde leur laisserait une chance de la conserver.

Dans une étude, signée d'un autre nom, Alain de Benoist dénonce dans les États-Unis l'incarnation de la révolte contre l'autorité. De cette révolte dérivent les traits typiques de la non-culture américaine : l'égalitarisme de principe qui favorise le règne de l'argent, la méconnaissance des valeurs supérieures, la perte de la forme et du style. La « nouvelle droite » déteste le « mercantilisme », concept qui n'a plus grand-chose à voir avec les écoles de pensée des XVIe et XVIIe siècles que l'on baptisait du même nom. Dans toutes les sociétés modernes, la production et, du même coup, la consommation apparaissent un des soucis majeurs des princes et des citoyens (ou sujets). Les Princes du passé consommaient, pour leur plaisir et pour leur gloire, une fraction du surplus national supérieure à celle que les « élites » des sociétés démocratiques consomment aujourd'hui. Mais le Prince, qui parfois étalait ses richesses au risque d'humilier son Frère, fondait sa légitimité sur des principes non prosaïques, la tradition, la naissance, le glaive, Dieu. Certes, la société aristocratique méprisait en parole le commerce et les valeurs liées à la production ou à l'échange ; elle ne méprisait pas en acte les biens matériels, le luxe. Elle jouissait de la richesse sans la créer ou la partager. Que serait, en notre siècle, une société non mercantile dans laquelle le culte des vertus martiales refoulerait les calculs du boutiquier et de la science sordide ?

Les régimes à prétention totalitaire nous offrent une image instructive d'une société où règne une élite « héroïque », au service d'un « grand dessein ». Indifférence aux biens de ce monde ? La corruption fleurit dans l'Italie fasciste, dans l'Allemagne hitlérienne, dans l'Union soviétique de Staline ou de Brejnev bien plus encore que dans les « ploutocraties ». Les militants de ces partis, qui aspiraient au monopole idéologique, firent parfois preuve des vertus dont ils se réclamaient, mais les militants de l'opposition ou de la résistance ne leur cédaient pas en courage. L'ordre aristocratique n'avait de sens qu'aux époques où le combat appartenait en propre aux hommes de qualité ; dès lors que le peuple tout entier y participe et que les combattants, éloignés les uns des autres parfois de dizaines, de centaines, de milliers de kilomètres, projettent dans l'atmosphère des machines attirées par leur cible, il subsiste des couards et des vaillants, il ne subsiste pas d'élite héroïque, digne du pouvoir. En revanche, la menace persiste, en notre siècle, de minorités violentes, peuplées de truands ou de ruffians, la grandeur à la bouche, auxquelles des idéologies ouvrent la voie en vitupérant la démocratie et le commerce.

Antimercantilistes, les penseurs de la « nouvelle droite » dénoncent aussi l'égalitarisme. A cette fin, ils reprennent les thèses darwiniennes ou, plus généralement, biologiques qui, à la fin du siècle dernier, jouissaient d'un immense crédit. Personne, en l'état actuel des études scientifiques, ne peut déterminer rigoureusement la part de l'hérédité et celle du milieu dans la personnalité et l'œuvre d'un individu. Ceux qui, par passion égalitaire, veulent éliminer la part de l'hérédité, présenter l'homme comme un produit pur et simple de la société, déraisonnent. Les talents exceptionnels, qu'ils soient physiques, artistiques, intellectuels, sont programmés dans le patrimoine génétique, bien qu'ils ne puissent se développer, s'épanouir que dans un milieu favorable. Que les individus, dans une population donnée, diffèrent les uns des autres par leur patrimoine génétique respectif, le fait ne me paraît pas douteux. Et ces différences entraînent des inégalités. L'inégalité de l'intelligence, mesurée par des tests, est-elle une d'entre elles ? Pour éviter des querelles verbales, disons que les tests révèlent des inégalités de capacité, partiellement au moins déterminées par le patrimoine héréditaire.

L'incertitude s'accroît si l'on passe des inégalités individuelles à l'intérieur d'une population à l'inégalité supposée des classes sociales et des ethnies. Les comparaisons d'ensemble prêtent à deux objections, comportent deux catégories d'ambiguïté. Quand ils mesurent le quotient intellectuel moyen (ou tracent la courbe du quotient intellectuel) d'une classe, les tests ne peuvent saisir l'intelligence à l'état pur, dépouillée de toute influence du milieu ; de plus, ces tests révèlent des aptitudes qui ne définissent pas les personnalités entières ; ils tendent à méconnaître la diversité des styles d'esprit.

La « nouvelle droite » utilise volontiers les données de la biologie, avec des intentions idéologiques mal camouflées. Les démocrates ont tendance à confondre l'égalité de droit avec l'égalité des dons des individus à la naissance ; du coup, ils prêtent le flanc à une réfutation scientifique. Il suffit de constater des faits : l'inégalité sociale entre les individus ne coïncide pas avec celle des capacités intellectuelles mesurées par les tests ; les détenteurs des quotients intellectuels les plus élevés n'occupent pas toujours les postes les plus prestigieux ou les mieux rémunérés ; enfin la distinction sociologique de l'élite (ou minorité occupant des situations stratégiques) ne reproduit pas une hiérarchie génétiquement fondée.

Un troisième thème, celui de la diversité des ethnies et des cultures, se combine avec les deux premiers. Il ne semble cependant pas qu'Alain de Benoist fonde la diversité des ethnies et de leur folklore sur les patrimoines génétiques — diversité essentiellement historique, quelle qu'en soit l'origine, qui nous conduit vers le paganisme.

Est-ce l'horreur de l'égalitarisme qui lui inspire l'horreur du monothéisme des Juifs et des chrétiens, coupables d'affirmer l'égalité des âmes devant Dieu (bien que les chrétiens aient longtemps toléré l'esclavage et qu'aujourd'hui encore les chrétiens d'Afrique du Sud s'accommodent de l'apartheid qui suppose l'inégalité des races) ? La nostalgie du paganisme, détruit par le christianisme, a resurgi de temps en temps au cours des deux derniers siècles. Les uns regrettent les dieux parce qu'ils ont perdu leur Dieu ; d'autres rêvent de la Rome impériale qui accueillait les idoles des peuples subjugués. Cela dit, peut-on se vouloir païen, en notre siècle, deux millénaires après la naissance du Christ ? Les historiens s'interrogent sur les sentiments que les Romains portaient à leurs dieux, sur la nature de leurs croyances. Par quelle magie, les dieux, ensevelis dans leur linceul de pourpre, reviendraient-ils à la vie ?

Armé de paganisme, Alain de Benoist vitupère les religions de salut qui tout à la fois effacent l'originalité des cultures et inspirent la fureur des croisés. Au nom de leur Dieu unique, ces croyants condamnent les hérétiques par mépris ou par haine, avec l'assurance meurtrière de détenir une vérité exclusive. Les Juifs furent victimes, pendant des siècles, de l'accusation de déicide. Ils avaient été victimes auparavant des Romains et par leur faute ; eux-mêmes, entêtés, prisonniers de leur Dieu unique, ils avaient refusé l'œcuménisme impérial. Par ce biais, Alain de Benoist retrouve une tolérance dont d'autres aspects de sa pensée semblaient l'écarter.

La « nouvelle droite » s'interdit jusqu'à présent de professer des opinions proprement politiques, de porter un jugement sur le régime démocratique. Par définition, l'anti-égalitarisme l'oriente vers la droite, mais une droite qui ne ressemble nullement à celle de Georges Pompidou et moins encore à celle de Giscard d'Estaing. De son point de vue, la droite démocratico-libérale ne représente qu'une version édulcorée du socialisme égalitaire et une version atténuée du mercantilisme américain. En ce sens, à la manière des fascistes et des nationaux-socialistes, elle déteste autant la démocratie libérale que le socialisme niveleur. Je le répète : la « nouvelle droite » préfère finalement Moscou à Washington.

Faut-il conclure que, logiquement, leur idéologie, devenue dominante, conduirait à un régime plus ou moins autoritaire, en tout cas non démocratique ? Je suis tenté de répondre affirmativement, non sans hésitation. Je me refuse à tirer moi-même les implications d'une doctrine métaphysique. Le passage de la métaphysique à la politique obéit rarement à une logique contraignante. Alain de Benoist répondra que sa tolérance païenne exclut le monopole idéologique auquel aspirent les partis totalitaires. Cela dit, le goût des folklores, la haine de l'égalitarisme, la mise en accusation des États-Unis, le culte de l'héroïsme en une civilisation démocratique, cet ensemble de thèmes biologiques, de nostalgies fictives, d'images historiques ne mène à rien, sinon à une secte, selon les circonstances innocente ou redoutable.

Certains Juifs, les organisations officielles de la communauté juive dénoncent volontiers la « nouvelle droite » d'Alain de Benoist en lui imputant un penchant au national-socialisme. Du même coup, ils suggèrent parfois aux autorités de la réduire au silence, sous prétexte qu'elle tombe sous le coup de la loi qui condamne les propos ou écrits incitant à la haine raciale. Les Juifs qui réclament une censure se trompent. Alain de Benoist est-il, au fond de lui-même, antisémite ? Je n'en sais rien et peu m'importe ; je n'en ai pas trouvé de preuves dans les textes parus au cours de ces dernières années. Il s'en défend ; au nom de la diversité enrichissante des cultures, il encourage la survie des cultures régionales ; pourquoi pas la sauvegarde des spécificités juives ? En tout cas, Alain de Benoist est trop avisé pour ne pas comprendre que les nazis se sont discrédités à jamais par les chambres à gaz. Plus il cultive certaines idées proches de celles des révolutionnaires de droite ou des nationaux-socialistes dans l'Allemagne des années 20 et 30, plus il écarte l'antisémitisme [1].

Le lendemain de l'attentat de la rue Copernic, un journaliste d'Antenne 2 m'interrogea sur les causes et les responsabilités de l'événement ; il s'efforça de m'entraîner vers le cas des intellectuels de la nouvelle droite. Je répondis avec brutalité que je ne me prêterais pas à cette sorte d'amalgame. Ceux qui détestent les idées d'Alain de Benoist doivent les combattre par des idées, non par des bâtons ou du vitriol. Les idées tuent, ai-je dit, mais la beauté et la fragilité du libéralisme, c'est en effet qu'il n'étouffe pas les voix, même dangereuses.

1. Je fus amené à écrire un article de deux pages sur la « nouvelle droite » dans *l'Express* du 21-27 juillet 1979.

Ma prise de position à l'égard de la nouvelle droite me rapproche d'un autre cas de conscience : où en suis-je, à la veille de la mort, par rapport non à ma judéité que je reconnais sans hésiter, mais aux organisations juives, à la jeune génération, au mouvement dit du Renouveau juif? Dans un chapitre précédent, celui qui traite de la guerre des Six Jours et de la conférence de presse du général de Gaulle, je me suis expliqué aussi sincèrement que possible. Mais, après 1967, l'histoire ne s'est pas arrêtée. La communauté juive, depuis la guerre d'Algérie, a été gonflée et transformée par les sépharades d'Afrique du Nord. Les enfants ou les petits-enfants des « Israélites français » méprisent la discrétion de leurs parents ou de leurs grands-parents — discrétion qu'ils baptisent prudence, sinon lâcheté. Dominique Schnapper, en une enquête qualitative, établit une typologie des Juifs français d'aujourd'hui, selon leur attitude à l'égard d'Israël, à l'égard du pays d'accueil (comme disent les Juifs d'Israël), à l'égard des mouvements politiques.

Une seule occasion me fut donnée de m'exprimer sur un cas particulier, celui du livre de Bernard-Henri Lévy, *Idéologie française.* Les « nouveaux philosophes » ne me touchent pas personnellement. Ils ne représentent pas une manière originale de philosopher ; ils ne sont comparables ni aux phénoménologues, ni aux existentialistes, ni aux analystes. Ils écrivent des essais en dehors des normes universitaires. Leur succès fut favorisé par les media et l'absence, dans le Paris d'aujourd'hui, d'une instance critique juste et reconnue. Agrégés de philosophie, ils ne se rattachent pas au courant de Sartre ou de Merleau-Ponty, certains ont passé par Althusser, ils l'ont abandonné sans toujours le renier. Ils firent sensation avant tout par la condamnation radicale du soviétisme, voire du marxisme.

Je n'avais aucun motif d'entamer une polémique avec eux. Qui achève son existence se rend quelque peu ridicule s'il attaque des jeunes gens ou des hommes jeunes, qui croient ou font croire qu'ils apportent du nouveau ; ils n'ont d'ailleurs pas tort : ils expriment une sensibilité, une réaction originales aux malheurs du temps, ceux du passé qu'un homme de mon âge a vécus, ceux d'aujourd'hui qu'ils vivent en même temps que moi. Cela dit, l'irruption de J.-M. Benoist, d'A. Glucksmann ou de B.-H. Lévy dans le débat politique, centré sur le soviétisme, me laissa « stupide ». Ni *Marx est mort*, ni *la Cuisinière et le Mangeur d'hommes*, ni *la Barbarie à visage humain* ne m'apprirent quoi que ce soit sur Marx, le marxisme-léninisme ou l'Union soviétique. En dépit de ma sympathie et de mon estime pour A. Glucksmann, je ne goûtai guère *les Maîtres-penseurs,* pamphlet contre la philosophie allemande dont l'auteur lui-même s'était nourri.

Je ne discutai pas davantage *la Barbarie à visage humain* (à l'exception d'une citation, avec un commentaire ironique, dans un article de

Commentaire). Vint ensuite *le Testament de Dieu* : la prétention démesurée du titre, du livre tout entier, les jugements catégoriques sur Jérusalem et Athènes, fondés sur une érudition de pacotille, m'empêchèrent d'apprécier les charmes d'une rhétorique qui emprunte à celle de Malraux quelques-unes de ses qualités et quelques-uns aussi de ses défauts.

Les circonstances m'amenèrent à critiquer *Idéologie française*. J'avais dit au téléphone à Jean-François Revel que ce livre me paraissait le meilleur des trois. En même temps, je lui conseillai de ne pas le choisir en tant que livre du mois de *l'Express*. Est-il le meilleur des trois ? Peut-être avais-je tort. Peut-être *le Testament de Dieu*, en dépit de tout, vaut-il mieux. Ce que j'aurais dû dire, c'est que le livre touche un point sensible de la conscience française et que, à la différence des deux livres précédents, il traite un problème historique, actuel et durable : les ascendants et les descendants de Vichy.

Le régime de Vichy singularisa la France pendant la dernière guerre ; seul de tous les gouvernements des pays occupés, il revendiqua sa légalité jusqu'au bout, se battit bec et ongles contre les empiétements des autorités d'occupation au point de revendiquer la responsabilité de faire lui-même ce qui le déshonorait (par exemple la déportation des Juifs). Indépendamment des choix diplomatiques de 1940 et de 1942, les dirigeants de Vichy proclamèrent une doctrine proprement française, non dictée par l'occupant. D'où venait l'idéologie de Vichy ? Quels milieux exprimait-elle ? Comment la situer par rapport au fascisme italien, au national-socialisme, au franquisme, au salazarisme ?

Ce n'est pas le moment de répondre à ces interrogations. Je consacrai un article à *Idéologie française*, cédant à l'insistance d'amis, juifs pour la plupart, qui détestaient ce livre à cause même de ses excès et qui craignaient un malentendu. Ils ne voulaient pas que B.-H. Lévy, dénonciateur d'une idéologie française commune à Maurice Thorez et au maréchal Pétain, passât pour l'interprète de la communauté juive. Combien de Français échappent à la vindicte de ce Fouquier-Tinville de café littéraire ?

La réplique de B.-H. Lévy à mon article soulève une question sérieuse. Les Juifs se conduisent-ils en lâches s'ils obéissent à ce que l'on appelle, à propos de certains fonctionnaires, l'obligation de réserve ? J'ai raconté comment un ami, nullement antisémite, en 1937 ou 1938, m'invitait à la « retenue », dans les controverses françaises sur la conduite à tenir à l'égard de l'Allemagne hitlérienne. L'existence de l'État d'Israël, elle aussi, encore qu'autrement que l'Allemagne préhitlérienne, pose le problème de la double allégeance.

Les Juifs qui n'ont pas vécu les années 1933-1945 regardent souvent de haut, avec une sorte de condescendance, leurs parents ou leurs grands-parents, qui gardent le souci de ne pas « provoquer l'antisémitisme » ; le souci lui-même leur paraît vain, voire méprisable. L'antisémitisme, comme l'écrivait Julien Benda, naît du besoin de haïr, d'un désir agressif, non de la conduite des Juifs eux-mêmes. Se croire tenu à la réserve, quelle qu'en soit l'occasion, c'est avouer une discrimination entre soi-même et les autres. Si l'on se veut français, si l'on *est* français comme tous ses compatriotes, pourquoi hésiterait-on à s'exprimer sur une affaire, quelle qu'elle soit ?

Le raisonnement emporterait la conviction si les Juifs d'aujourd'hui aspiraient à l'intégration, si leur judéité demeurait toute spirituelle. A partir du moment où leur conscience les lie à Israël, État entre d'autres même s'il présente des particularités, les Français non juifs sont en droit de leur demander à quelle collectivité politique ils appartiennent. Tant que l'humanité demeurera divisée en « États de puissance », les Juifs de la diaspora, libres de déterminer leur destin, doivent choisir entre Israël et leur « pays d'accueil », devenu leur patrie. Citoyens de la République française, ils maintiennent légitimement leurs liens spirituels ou moraux avec les Israéliens, mais, si ces liens avec Israël deviennent *politiques* et l'emportent sur la citoyenneté française, ils devraient logiquement choisir la citoyenneté israélienne.

B.-H. Lévy dénonce, avec plus de véhémence que de pertinence, tous les penseurs ou écrivains qui, d'une manière ou d'une autre, ont développé des idées proches de celles de Vichy, contre-révolutionnaires, antisémites, doctrinaires de la communauté, du corporatisme, etc. Il s'en prend à tous ceux qui exaltèrent une France charnelle, historique, définie par sa terre et ses morts. Il n'accepte qu'une France, celle de 1789, celle que symbolise la Fête de la Fédération, le serment, commun et libre, de toutes les provinces à la République une et indivisible. Tous égaux en droits et en devoirs : telle est la France qui naît de l'adhésion de ses enfants, la seule que B.-H. Lévy aime, tout aussi abstraite que l'amour qu'il lui porte. Oui, la patrie des droits de l'homme, celle de la Révolution, fut contestée à travers tout le XIXe siècle par nombre de Français, peut-être par une majorité d'entre eux ; l'antisémitisme a fleuri dans notre pays autant qu'en Allemagne. C'est l'affaire Dreyfus qui réveilla Théodore Herzl de son sommeil d'assimilé et inspira son sionisme. Oui encore, les institutions, voire les fondements moraux des démocraties libérales ont été impitoyablement critiqués, rejetés, taillés en pièces par les essayistes à la mode au cours des années 30. Robert Aron, Arnaud Dandieu, Emmanuel Mounier détestaient les démocraties ploutocratiques à leur manière, quelque peu parente de celle des fascistes. Le vichysme de la première période emprunta son inspiration à l'Action française, et aussi à ces groupuscules, à ces « sociétés de pensée » dont l'influence sur la vie intellectuelle n'était pas négligeable mais qui, avant la guerre, ne sortaient pas de la marginalité, ne débouchaient pas sur l'action proprement politique.

Ce qui caractérise le cas de la France, ce n'est pas seulement que nombre d'idées parentes de celles du fascisme italien et du national-socialisme y aient prospéré, c'est aussi qu'elles n'aient jamais suscité un authentique fascisme ou national-socialisme, même pas un risque sérieux d'autoritarisme de droite, en dehors des circonstances exceptionnelles de l'Occupation. A l'Académie française, l'antisémitisme prenait la forme d'un quota discrètement respecté ; *l'Action française* et Maurras servaient de maîtres à penser aux officiers de marine, aux hobereaux de province et à une bonne société bourgeoise de Paris : ni le parti du colonel de La Rocque[1] issu des Croix de Feu, ni le parti de Jacques Doriot n'approchèrent la masse critique. L'affaire Dreyfus porte témoignage tout aussi bien de la résistance du corps français à l'antisémitisme et au « faux patriotique » qu'à la virulence du mal. Quant aux années 30, elles témoignent aussi, à mes yeux, de l'allergie de notre nation aux révolutions de droite : nos instituteurs, depuis ceux de Jules Ferry jusqu'à ceux de la Deuxième Guerre, tinrent bon. Leur patriotisme, au début du siècle, s'enracinait dans la Révolution, la doctrine des droits de l'homme et le rationalisme. Il ne manquait pas d'idéologies fascistes ou parafascistes en France, il manquait à celles-ci les foules prêtes à les adopter et à se battre pour elles.

Ni Emmanuel Mounier ni Hubert Beuve-Méry n'eurent en 1940 la réaction gaulliste, à savoir la conviction simple : la guerre continue, la défaite de la bataille de France ne décide pas de l'issue de la lutte ; il faut combattre et le moment de réformer la France n'est pas venu ; la réforme, sous l'œil des occupants, serait discréditée à l'avance. Comme la plupart des Français, ces « nouveaux philosophes » des années 30 n'en vinrent pas immédiatement à l'attitude qui, rétrospectivement, nous paraît la meilleure. Un inquisiteur, fort de sa jeunesse et de son verbe, qui traduit en justice tous les suspects — ceux qui n'ont pas vomi le Maréchal immédiatement ou qui n'ont rejoint le maquis qu'en 1943 — devrait pour le moins comprendre la révolte contre la IIIe République décadente, la volonté d'une autre République, peuplée de moins de radicaux à barbiche et à bedon.

Le livre de B.-H. Lévy ne mérite pas toutes les polémiques qu'il a soulevées, mais l'écho qu'il a trouvé dans certains milieux appelle la réflexion. Peu importe l'usage erratique des citations. Ce qui me frappe, ce sont les sentiments à l'égard de leur « pays d'accueil » dont témoignent les Juifs admirateurs de ce pamphlet, réquisitoire contre une large partie de la France et de sa culture. Des Juifs, ici et là, de la jeune génération, en viennent-ils à détester la patrie qu'ils choisissent ?

Laissons ce livre qui m'a retenu trop longtemps. Je songe aux jeunes Juifs organisés en commandos qui bâtonnèrent Frederiksen, le chef d'une secte néo-nazie, et qui agressèrent au vitriol un tranquille citoyen : une homonymie causa la perte de cet homme qui n'avait rien à voir avec l'antisémitisme. La confusion de personnes fit éclater l'indignité des troupes d'assaut et de leurs méthodes : les activistes n'auraient pas été moins inexcusables s'ils avaient défiguré le coupable. On me reprochera

1. En dépit des apparences, celui-ci ne fut jamais fasciste. Le colonel de La Rocque fut injustement accusé d'avoir collaboré, mis en prison au retour de sa déportation en Allemagne. Le général de Gaulle écrivit à sa famille une lettre dans laquelle il rendait hommage au citoyen, au patriote.

un amalgame : d'un côté le rejet de tout un pan de la culture française, de l'autre l'emploi de la violence contre des antisémites. Il n'est pas question de confondre ces deux conduites, l'une intellectuelle, l'autre physique, mais elles émanent peut-être de la même source : la France avait été pour les Juifs, en dépit de l'affaire Dreyfus, le pays qui, le premier, les avait libérés ; elle devint, en 1940, le seul des pays démocratiques, en Europe occidentale, qui instaura de lui-même, et non sous la pression des autorités occupantes, un statut des Juifs calqué sur celui que les nationaux-socialistes avaient promulgué.

Les Juifs du monde entier, traumatisés par le génocide, ont retrouvé, pour la plupart, une conscience de judéité que les assimilés avaient perdue. Les Juifs de France ont été traumatisés aussi par Vichy, même si la communauté française, physiquement, a été relativement épargnée, pour une part [1] grâce à la zone non occupée. Plus traumatisante encore que le statut lui-même fut la réaction ou plutôt la non-réaction des instances juridiques et morales de la société. Le Conseil d'État commenta et appliqua le statut des Juifs, comme s'il s'agissait d'une loi comparable aux autres, comme si la violation des principes de la République pouvait être acceptée par les juristes à l'instar d'une décision quelconque du pouvoir.

Je rencontre des Juifs, vieux et jeunes, qui, pour ainsi dire, n'ont pas pardonné à la France ou aux Français le statut des Juifs et la rafle du vélodrome d'Hiver par la police française (sous les ordres de Vichy ou des autorités d'occupation). S'ils n'ont pas pardonné à la France, elle est non plus leur patrie, mais le pays où ils résident agréablement. Attitude normale pour les vieux, qui ne peuvent pas commencer une autre existence. Mais les jeunes qui sont devenus indifférents au sort de leur « pays d'accueil », leur patrie, pourquoi ne choisissent-ils pas Israël ? J'entends bien la réplique : qui aime bien châtie bien. Les plus sévères à l'égard de la France ne gardent-ils pas pour elle une dilection autrement profonde que celle des Français qui ne se posent pas de question ? Il se peut, mais ces sentiments, à force d'être refoulés, finiraient par s'éteindre.

Les « grands intellectuels », ou les intellocrates qui contrôlent les media, vers la deuxième moitié des années 70, ont abjuré le demi-soviétisme ; ils continuent parfois de soutenir l'unité de la gauche, mais ils ne pratiquent plus le culte de la révolution, ils misent souvent sur le parti

1. Je ne veux pas entrer dans la polémique sur l'explication du fait que le pourcentage des victimes du génocide a été plus faible en France que dans les autres pays occidentaux, Pays-Bas et Belgique. Grâce à l'existence d'une zone non occupée ? Grâce à Vichy ou en dépit de Vichy ? Il ne me paraît pas impossible de distinguer deux éléments du problème : d'une part la zone non occupée comporta en tant que telle des avantages pour les Juifs ; d'autre part ces avantages ne résultaient pas toujours des actes du gouvernement de Vichy.

socialiste, seul capable de remplacer par une majorité de gauche la majorité de droite. C'est dans ce climat que je rencontrai, pour la dernière fois, Jean-Paul Sartre.

Les deux Broyelle lancèrent le mot d'ordre « Un bateau pour le Vietnam ». Je voudrais dire quelques mots sur le couple ex-maoïste que j'estime profondément et que je regarde comme des amis. Leur livre *le Deuxième Retour de Chine* m'avait touché par l'authenticité du ton. Je le leur avais écrit. Le livre suivant, *la Foi des pierres,* me frappa encore davantage : contribution personnelle à l'éclaircissement du mystère de ce que l'on appelle la croyance. Que signifie « y croire » ? A quoi croit le stalinien, le maoïste ? Que sait-il des faits qu'il invoquera demain quand il reniera sa foi ? Les Broyelle, rétrospectivement, éclairent la conscience captive, les ruses du silence, l'automutilation du militant. Nous nous rencontrâmes à quatre ; Suzanne sympathisa avec Claudine. Olivier Todd, André Glucksmann apportèrent immédiatement leur concours, leur caution à une entreprise humanitaire : sauver quelques-uns des Vietnamiens qui fuient le régime, imposé au Sud par le Nord. J'adhérai au mouvement, sans aucune hésitation. Dans l'océan des détresses, que représentent un bateau et quelques-uns de ces admirables « médecins sans frontières » ? Ce raisonnement nous inciterait tous à ne rien faire. L' « opération » revêtait-elle aussi une signification politique ? Oui, bien sûr. C'était un régime soi-disant socialiste qui poussait des milliers et des milliers d'hommes, de femmes et d'enfants à risquer leur vie, dans une mer peuplée de pirates, sur des barques ou des chaloupes, en quête de la liberté.

Il s'agissait avant tout d'une action humanitaire, qui relevait pour ainsi dire de la Croix-Rouge. Glucksmann, me dit-on, convainquit Jean-Paul Sartre. Une conférence de presse fut organisée, j'y vins. Quelques minutes plus tard, Sartre arriva, soutenu par André Glucksmann ; j'étais assis, je me tournai vers lui, Glucksmann lui dit mon nom, nous nous serrâmes la main, alors je prononçai nos mots de reconnaissance : « Bonjour, mon petit camarade. » Il ne dit rien, sinon peut-être bonjour. C'est la photographie de cette poignée de main qui a été achetée dans plus de cent pays.

Claude Mauriac raconte cette rencontre dans les termes suivants : « Glucksmann dit à Sartre quelques mots à l'oreille, tandis que Raymond Aron lui tend la main qu'il prend, le visage inexpressif, sans hostilité ni chaleur, tandis que celui d'Aron est tendu, gêné, à la fois inquiet et heureux. Je l'entends, j'entends Raymond Aron qui dit trois ou quatre mots de bienvenue, dont seul me parvient distinctement et me frappe *camarade,* peut-être *vieux camarade.* Et l'expression, après une si longue séparation, paraît conventionnelle, insuffisante, maladroite, touchante parfois. » J'avais lu ce récit avant qu'il parût dans *le Rire des pères dans les yeux des enfants.* Je lui adressai la lettre suivante qu'il reproduisit sans remarque dans le livre. « Cher Claude Mauriac, j'ai lu le passage de votre journal qui relate ma rencontre avec Jean-Paul Sartre à l'occasion de la conférence de presse sur " Un bateau pour le Vietnam".

« Permettez-moi quelques remarques. Quand j'ai serré la main de Jean-Paul Sartre, je lui ai dit " bonjour, mon petit camarade " et non pas " vieux camarade ". C'était une manière d'effacer trente années et de revenir un demi-siècle en arrière. Car, dans notre groupe à l'École, nous nous appelions " petit camarade ". Si donc Sartre a entendu ces mots — ce qui n'est pas certain —, il a considéré que j'avais dit ce que je pouvais et ce que je devais lui dire, ni insuffisant, ni touchant.

« Pour mes sentiments, je pense qu'ils étaient bien plus simples que vous n'en avez eu l'impression. Si nous nous étions assis l'un à côté de l'autre, ni lui ni moi nous n'aurions été gênés ou fâchés ; en vérité, lorsque je l'ai vu, aveugle, presque paralysé, j'ai été tout simplement submergé par une immense sympathie et une immense pitié. Je ne l'avais pas vu depuis des années et j'ai eu le sentiment qu'il était mourant. Amicalement vôtre. »

Avais-je raison de le juger « mourant » ? Il mourut moins d'un an plus tard, en avril 1980, mais gardait-il, un an plus tôt, la force d'intelligence et de volonté faute de laquelle il cessait d'être lui-même ? La question se pose à propos des entretiens avec Benny Lévy, publiés dans *le Nouvel Observateur* à la veille de sa mort.

Quelques semaines plus tard, une délégation du groupe « Un bateau pour le Vietnam » fut reçue à l'Élysée par Valéry Giscard d'Estaing. Deux membres de la délégation, André Glucksmann et Claudine Broyelle, parlèrent le plus ; ils demandèrent une augmentation du nombre de Vietnamiens admis en France ; ils demandèrent aussi des mesures d'urgence. Jean-Paul Sartre prononça quelques mots en réponse à une question directe du président introduite par « mon cher maître... » ; il confirma son plein accord avec Glucksmann. Je ne me souviens pas d'avoir rien dit qui mérite d'être cité. Un mot du président, rapporté par les membres de la délégation, donna prétexte à des commentaires ironiques. Il avait demandé : mais pourquoi s'en vont-ils ? Ou : pourquoi veulent-ils s'en aller ? La question même ne trahissait-elle pas une totale méconnaissance du régime soviétique ? Je ne suis pas sûr que cette interrogation dévoilât une telle naïveté : les réfugiés n'obéissaient pas tous au même mobile. A la conférence de presse improvisée au Collège de France, après la visite à l'Élysée, Jean-Paul Sartre parla quelques instants : sa voix n'avait pas changé, sa diction non plus ; voix claire, nette et presque jeune ; aucune emphase, aucune transition d'une phrase à l'autre ; ni orateur, ni professeur : je le retrouvai.

De toute évidence, la poignée de main ne mettait pas fin à trente années de séparation, pas plus à ses yeux qu'aux miens. Quelle signification donner à cette rencontre tout à la fois silencieuse et ostentatoire ? Après tout, des amis « brouillés » ne disparaissent pas l'un pour l'autre. Sartre écrivit sans hypocrisie des éloges de Camus et de Merleau-Ponty, éloges nécrologiques, mais étrangers aux conventions du genre. Quelques lignes sur Camus touchent à l'essentiel : « Il représentait en ce siècle, et contre l'histoire, l'héritier actuel de cette longue lignée de moralistes dont les œuvres constituent peut-être ce qu'il y a de plus original dans les lettres françaises. Son humanisme têtu, étroit et pur, austère et sensuel, livrait un combat douteux contre les événements massifs et informes de ce temps. Mais, inversement, par l'opiniâtreté de ses refus, il réaffirmait, au cours de notre époque, contre les machiavéliens, contre le veau d'or du réalisme, l'existence du fait moral. »

Avec Camus, disait-il, la brouille restait une manière de vivre ensemble. De même, je pense, avec Merleau-Ponty. La brouille fit suite aux *Aventures de la dialectique.* La controverse, à la fois politique et philosophique, ne revêtit pas, au même degré que dans le cas de Camus, un ton personnel. Merleau-Ponty reprochait à Sartre ce qu'il appelait un ultrabolchevisme, autrement dit la substitution de la volonté du parti à celle du prolétariat. Politiquement, le rapport entre la classe et le parti constituait l'enjeu du débat. Philosophiquement, selon Merleau-Ponty, il manquait les médiations entre la classe et le parti, entre les circonstances et la décision. La liberté absolue et inconditionnelle, la liberté du Dieu cartésien, transférée au Pour-soi, passait au parti, du même coup investi de la mission historique que Marx avait confiée à la classe ouvrière. Simone de Beauvoir répliqua que le critique négligeait la distinction entre l'ontologique et l'ontique : la thèse ontologique de la liberté absolue n'exclut pas l'engluement des pour-soi ou du parti dans les circonstances historiques, hors desquelles la volonté se dégage non par un *fiat* pur, comparable à la décision du Dieu cartésien, mais par le long effort du Pour-soi ou de la classe pour se libérer de ses aliénations.

Camus « humaniste têtu, étroit et pur », Merleau-Ponty acommuniste, soucieux de rétablir des médiations entre les circonstances et l'action, trouvèrent une place honorable dans le musée Grévin du philosophe. Il n'avait épargné ni l'humaniste, ni l'acommuniste vivants, il les loua morts, sincèrement, disons plutôt sans dépasser la mesure de mauvaise foi tolérée pour les oraisons funèbres. Je ne pense pas qu'il m'aurait réservé une place, même posthume, dans sa galerie des contemporains. Olivier Todd raconte que Sartre, dans sa dernière conversation avec lui, après les spectaculaires et fictives retrouvailles, lui avait répété que j'étais un bourgeois, ennemi de la classe ouvrière. Bourgeois, par mes origines et ma manière de vivre, à n'en pas douter. Ennemi de la classe ouvrière, la formule me semble dénuée de sens. Cette remarque de Sartre, plutôt bête, ne laisse guère de doute sur ses sentiments à mon égard, au moins pour ce qui touche à la politique. En sens contraire, je pourrais mentionner une autre anecdote. André Malraux avait obligé Gaston Gallimard à se débarrasser des *Temps modernes* à la suite d'un article de Merleau-Ponty qui l'avait blessé. « Il me traite de lâche, lui qui n'a jamais combattu que dans son bureau », me dit Malraux. Je fis savoir à Sartre que je n'étais pour rien dans cet incident. Il me fit répondre qu'il ne m'en avait jamais soupçonné.

La poignée de main, en dépit de tout, a-t-elle pour les historiens une valeur de symbole ? Je n'en suis pas sûr ; Simone de Beauvoir, elle, sans hésiter, répond : non[1]. Sartre, essentiellement moraliste, en vint à consentir aux formes extrêmes de la violence au service de la bonne cause. Il avait longtemps identifié la révolution avec le parti communiste, donc avec l'Union soviétique. A partir de 1968, les jeunes suivirent l'autre pente de la pensée sartrienne, la foule en fusion, la spontanéité de la praxis individuelle ou collective ; lui-même s'écarta de la révolution cristallisée en bureaucratie et en culte de la personnalité. Il retrouva son véritable lieu, l'anarchie, non celle des partis qui se nomment anarchistes, mais celle de l'individu qui arrache tous les fers et se révolte. Du même coup, il n'accepta plus les horreurs commises au nom de la fin sublime. Il ne tourna plus en dérision les « âmes tendres » des libéraux et accepta de sympathiser avec les victimes d'un despotisme, même marxiste-léniniste. A ce point, nous pouvions nous retrouver, sans nous renier ni l'un ni l'autre, tous deux à l'appel des Broyelle et des médecins sans frontières.

Je réduisis au minimum mes paroles et mes écrits au moment de la mort de Sartre. Un article dans *l'Express,* la participation à l'émission *Apostrophes.* Il me coûta de réagir immédiatement en une pareille circonstance. J'avais tant à dire que j'eusse préféré me taire.

« Quand Jean-Paul Sartre reçut le prix Nobel, Pierre Brisson me pressa d'écrire, pour *le Figaro littéraire,* quelques pages sur mes souvenirs de jeunesse, sur nos années et nos entretiens de l'École Normale. Je m'y refusai : Sartre détestait les éloges académiques, la politique nous avait séparés, l'événement ne se prêtait ni à un règlement de comptes ni à une mise entre parenthèses de nos différends. J'offris à Pierre Brisson un long article sur la *Critique de la Raison dialectique* : " Cours de Sorbonne ", me répondit, déçu et presque désespéré, le directeur du *Figaro littéraire.* Et pourtant, lire et discuter le livre d'un philosophe, n'est-ce pas une manière convenable d'honorer un penseur dont on admire la force d'esprit, sans en approuver ni les thèses, ni les prises de position ?

« Il y a une cinquantaine d'années, en plaisantant, nous avions pris un engagement l'un à l'égard de l'autre. Celui de nous deux qui survivrait à l'autre rédigerait la notice nécrologique que consacrerait le bulletin des anciens élèves de l'École Normale au premier de nous deux à disparaître. L'engagement ne tient plus — trop de temps s'est écoulé entre l'intimité des étudiants et la poignée de main à l'occasion de la conférence de presse du " Bateau pour le Vietnam " —, mais il en reste quelque chose. Je laisse à d'autres la charge, ingrate mais nécessaire, de célébrer une œuvre dont la richesse, la diversité, l'ampleur confondent les contemporains, de payer un juste tribut à un homme, dont nul ne suspecta jamais la générosité et le désintéressement, même s'il s'engagea plus d'une fois dans des combats douteux.

1. Dans *la Cérémonie des adieux.*

« Une conversation sur le boulevard Saint-Germain, entre la rue du Bac et le ministère de la Guerre, me revient à la mémoire. Sartre, à cette époque, ne doutait pas de son génie. Je lui faisais part de mes doutes, de mon incertitude sur l'avenir. Il me dit à peu près — les mots exacts m'échappent — qu'il ne lui semblait pas tellement difficile de s'élever au niveau de Hegel. Dans la même conversation, nous abordâmes l'autre thème, la révolution. Je lui présentai des objections banales, prosaïques. Les opprimés, ou plutôt ceux qui les représentent, empruntent volontiers le rôle de ceux qu'ils ont chassés du pouvoir. Et, pour citer le Marx de *l'Idéologie allemande,* la vieille gadoue recommencera. Probablement, me répondit-il, la même injustice, ou une injustice comparable, s'établira après la révolution, mais, si elle-ci devait survenir, j'aimerais la servir comme un instituteur dans une école d'enfants.

« Cette conversation se situe après la fin de nos études, donc vers notre vingt-cinquième année. Je me la suis remémorée plus d'une fois. Sartre, jusqu'à Munich, ne s'intéressait guère à la politique. Simone de Beauvoir raconte qu'ils n'attendaient rien, ni l'un ni l'autre, des réformes, des améliorations progressives ; seule une révolution, brutale ou totale, pourrait changer le train des choses, changer la vie. Car Sartre était, et il est resté toute sa vie, en profondeur un moraliste, bien qu'il ait été amené, par la logique de l'absolu révolutionnaire, à rédiger des textes sur la violence, par exemple la préface du livre de Fanon, qui pourraient figurer dans des anthologies de la littérature fascisante.

« Philosophe, il doit l'essentiel de sa pensée à lui-même. Certes, il étudia Husserl et Heidegger à Berlin en 1933-1934 ; je lui avais fait connaître la phénoménologie à une terrasse de café, et nous savons, par le récit de Simone de Beauvoir, à quel point il avait été bouleversé par la révélation d'une méthode qui répondait à ses besoins, à son inspiration. Pourtant, ni la phénoménologie, ni *Sein und Zeit* ne lui apportèrent beaucoup plus qu'un vocabulaire, à la rigueur une approche. Il s'était élaboré une *Weltanschauung,* une vision du monde, structurée par l'En-soi et le Pour-soi ; d'un côté, la chose dans sa matérialité inerte, dans sa non-signification, de l'autre, la conscience, toujours en quête d'elle-même, jamais coïncidant avec elle-même et pourtant principe et créatrice de sens. Sans elle, rien n'a de sens et elle n'est pour ainsi dire elle-même que néant.

« Le Pour-soi, conscience translucide, volonté libre à l'image de Dieu, Sartre ne l'a pas trouvé dans les livres, mais en lui-même. Comme Descartes, au moins dans sa jeunesse, il ne pensait pas qu'une psychanalyse lui apprendrait rien sur lui-même. Ce Pour-soi orgueilleux, Sartre le veut en même temps responsable sans réserve de lui-même et de tous les autres. Enfermé dans sa solitude, lassé par la recherche vaine de l'être, le Pour-soi aspire à rejoindre les autres, par-delà la comédie sociale, dans un rapport authentique, sans qu'aucun des deux objective l'autre et donc aliène la liberté de l'autre.

« *L'Être et le Néant* me semble, aujourd'hui encore, de loin le meilleur de ses livres philosophiques, le reflet le plus fidèle de sa vision du monde, chargé des antinomies de la condition humaine, riche de thèmes existentiels propices aux variations littéraires. La *Critique de la Raison dialectique* ne renie qu'en apparence *l'Être et le Néant,* mais il remet le Pour-soi dans la réalité sociale, il le " marxise " en le baptisant *praxis,* il remplit la liberté vide de Pour-soi des manières d'être et d'agir issues de la socialisation, tout en s'efforçant, avec une dialectique plus subtile que convaincante, de sauvegarder le Pour-soi translucide, condamné à la liberté, de *l'Être et le Néant.*

« Pourquoi Sartre éprouve-t-il le besoin de décréter que le marxisme (qu'il n'a probablement pas étudié beaucoup) est une vérité indépassable, un moment historique de la pensée ? Laissons de côté les innombrables interprétations psychologiques et sociales qui viennent à l'esprit. Que mon lecteur veuille bien se reporter au Sartre prêt, sans illusion, à se vouer à l'éducation du peuple, si une révolution donnait à l'humanité l'occasion d'un nouveau départ. Arrivé à la gloire, par *la Nausée, le Mur, les Mouches, Huis clos,* il se trouve, au lendemain de la guerre, en une France, en un monde déchirés, non pas seulement par les rivalités des grandes puissances, mais aussi, comme l'avait prophétisé Nietzsche, par les conflits philosophiques. Sartre, qui détestait viscéralement la bourgeoisie, ne pouvait pas choisir le camp occidental, américain, capitaliste. Tantôt il misa sur l'autre camp, tantôt il rêva d'un troisième. Cette quête du parti ou des pays voués à la révolution et à la liberté le conduisit vers Moscou et vers La Havane, vers d'étranges pèlerinages, bien qu'il n'ait jamais franchi le seuil. Il se conduisit en compagnon de route durant quelques années, les pires années du stalinisme. Dans la *Critique de la Raison dialectique* encore, c'est-à-dire au début des années 60, il hésitait entre le marxisme-léninisme soviétique et le gauchisme.

« Les textes publiés récemment par *le Nouvel Observateur* n'appartiennent pas à l'œuvre de Jean-Paul Sartre lui-même. Mais quelques aveux personnels rejoignent mes souvenirs. Il ne s'est jamais résigné à la vie sociale telle qu'il l'observait, telle qu'il la jugeait, indigne de l'idée qu'il se faisait de la destination humaine. Utopie ? Millénarisme ? Plutôt l'espoir ou l'exigence d'une autre relation des hommes entre eux. Nous avions lu tous deux *la Religion dans les limites de la simple raison,* de Kant, médité sur le choix que chacun fait de soi-même, une fois pour toutes, mais aussi avec la permanente liberté de se convertir. Il n'a jamais renoncé à l'espérance d'une sorte de conversion des hommes tous ensemble. Mais l'entre-deux, les institutions, entre l'individu et l'humanité, il ne l'a jamais pensé, intégré à son système. Drame d'un moraliste perdu dans la jungle de la politique.

« Pourquoi est-ce que tu t'intéresses à la politique, me disait-il, dans cette même conversation que j'ai évoquée, si tu ne crois pas à la révolution, si tu consens à cette société dont tu ne méconnais pas les turpitudes ? J'ai peut-être remplacé ce dernier mot par un terme plus modéré, mais le mot importe peu. J'étais probablement marqué par une formule qu'Alain aimait à citer : la civilisation est une mince pellicule qu'un choc suffit à déchirer ; et la barbarie surgit à travers la déchirure. La révolution, comme la guerre, risque de déchirer la pellicule de civilisation, lentement formée au long des siècles [1]. »

Quant à l'émission *Apostrophes,* qui eut quelque retentissement, elle ne me parut pas une réussite. Comment parler de Sartre, à quatre, en soixante-dix minutes ? J'en garde quelques souvenirs ; je ne relevai pas les « pointes » que me porta B. Poirot-Delpech de temps à autre, probablement pour se démarquer d'un homme de droite. Il témoigna, en l'espèce, d'un zèle inutile. Les hommes de gauche, pour la plupart, me surent gré d'avoir contré Benny Lévy et décrété catégoriquement que les derniers textes, les conversations publiées dans *le Nouvel Observateur,* n'appartenaient pas à l'œuvre de mon petit camarade. Je discutai avec Glucksmann qui s'obstinait à rapprocher Sartre de Soljenitsyne. L'amitié l'entraînait vers une thèse absurde. Le *zek* détestait le rôle joué par le « maître à penser » du monde occidental, son indulgence systématique à l'égard des partis ou des mouvements qui se vantent de forger un homme nouveau. Je parlai sans apprêt, emporté par mes émotions. Deux des intimes de Sartre me remercièrent, Claude Lanzmann au téléphone, Jean Pouillon par une carte ; Anne Philipe, Romain Gary par une dédicace d'un de leurs livres.

Gary m'envoya *les Cerfs-volants* avec une dédicace flatteuse. Quelques jours plus tard, je le remerciai et, comme je relisais à l'époque mes dossiers, je lui offris de lui envoyer une lettre datant de 1945, dans laquelle il m'avouait sa surprise émerveillée devant les lettres, les articles d'admiration qui affluaient vers lui. Le succès que je lui avais annoncé, dès ma lecture du manuscrit « Éducation européenne » à Londres, était déjà là. Il me répondit qu'il souhaitait cette lettre, si lointaine. Peu après, ayant reçu cette lettre dont je n'ai pas conservé le double, il m'écrivit une carte que je reproduis « en dépit de tout » : « Merci, cher Raymond Aron, pour cette lettre qui me rappelle les jours où j' " y " croyais encore : gloire littéraire, célébrité, etc., etc. Tout, maintenant, est devenu " etc., etc. ". Je suis avec admiration votre superbe cours intellectuel : votre esprit souligne si bien ces temps obscurs que l'on en vient parfois, en vous lisant, à croire à la possibilité d'en sortir et à l'existence d'un chemin. Rares sont les cas où la force de la pensée rejoint celle d'un caractère. Je vous dis donc — j'adore cette expression populaire — " bonne continuation ". A vous fidèlement. »

La carte est datée du 29 novembre 1980. Il se donna la mort le 2 décembre 1980.

1. *L'Express,* 25 avril 1980.

J'ai relu récemment les entretiens de Sartre avec Benny Lévy que, dans l'émission *Apostrophes,* j'exclus de son œuvre. Ce n'est pas du Sartre, affirmai-je sur un ton catégorique. Peut-être l'antipathie que m'inspira Benny Lévy m'a-t-elle dicté ces propos brutaux. Réflexion faite et ces entretiens relus, faut-il récuser, une fois pour toutes, ces *ultima verba*? Le ton, dans ces textes, ne me rappelle pas celui de mon petit camarade. Il parlait encore tout autrement cinq années plus tôt, en réponse à Michel Contat. D'un autre côté, Simone de Beauvoir, ses intimes nient que son affaiblissement ait atteint un point tel que nous devions le tenir pour irresponsable. En 1975, dans l'entretien avec Contat, il affirmait que son intelligence n'était pas atteinte, qu'elle demeurait aussi vigoureuse que par le passé. Un seul symptôme de vieillissement : parfois, un mot lui échappait.

D'après le récit de Simone de Beauvoir, son état de santé s'est beaucoup aggravé au cours des dernières années 1975-1980. Les jambes, mal irriguées de sang, se paralysaient peu à peu. Il me paraît probable que le cerveau souffrait, lui aussi, de la dégradation du système cardio-vasculaire. Ces maux lui auraient probablement interdit, même en l'absence de la cécité, de poursuivre son œuvre, de terminer sa *Critique de la Raison dialectique* et son *Flaubert.* Il n'en résulte pas, avec évidence, que ses propos lui furent imposés par son interlocuteur et trahissent entièrement sa pensée.

Sur certains points, la contradiction entre les propos de 1975 et ceux de 1980 est telle qu'il faudrait supposer une sorte de conversion. A Contat, il déclare que la pensée est par nature solitaire. Pour penser, il faut être seul. Il n'y a de pensée que par un homme seul. A propos de la musique, il n'hésite pas à reconnaître qu'il n'aime pas les concerts et qu'il ne jouit de la musique que seul. Voici ce qu'il dit cinq ans plus tard : « J'étais obligé de dialoguer parce que je ne pouvais plus écrire. Et je t'ai proposé d'être cela, mais je me suis rendu compte tout de suite que tu ne pourrais pas être un secrétaire. Qu'il fallait que je t'accepte dans la méditation même, autrement dit que nous méditions ensemble. Et ça, ça a changé complètement mon mode de recherche parce que jusqu'ici je n'ai jamais travaillé que seul, seul assis à une table, avec un stylo et du papier devant moi. Tandis que là, nous, nous formons des pensées ensemble. Parfois, nous restons en désaccord. Mais il y a là un échange que je ne pouvais sans doute songer à faire qu'au moment de la vieillesse. »

Je suis tenté, après avoir lu ces lignes, de réagir immédiatement : ce n'est pas du Sartre. Pour la première fois, il accepte une pensée « plurielle », expression de plusieurs personnes, au lieu de la pensée d'un seul, s'adressant à tous, universelle au moins dans sa vocation. Pour la première fois, il justifie la méditation en commun à laquelle le contraint la vieillesse ; il se persuade lui-même, et s'efforce de persuader ses lecteurs, que la contrainte devient une bénédiction, puisqu'avec l'aide d'un autre il critiquera son passé et dessinera les lignes de la morale qu'il n'a réussi à élaborer, ni après *l'Être et le Néant,* ni après la *Critique de la Raison dialectique.* De même, ses propos sur le progrès, l'approche de la fin ultime de l'humanité à force d'échecs partiels. Simone et Jean-Paul, jeunes, ne croyaient qu'à un bouleversement total ; à 70 ans, il avouait des erreurs par manque et non par excès de radicalité ; à 75 ans : « Je suppose que l'évolution par l'action serait une série d'échecs d'où sortirait, imprévu, quelque chose de positif qui était déjà contenu dans l'échec mais ignoré de ceux qui auraient voulu réussir. Et que ce sont ces réussites partielles, locales, difficilement déchiffrables par les gens qui ont fait le travail, qui, d'échec en échec, réaliseraient un progrès. C'est comme ça que j'ai toujours compris l'Histoire. » Il l'a peut-être « comprise » ainsi, il ne l'a certes pas toujours « expliquée » ainsi.

D'un autre côté, il ne me semble pas indécent de rattacher certains des derniers propos à sa personnalité et à des tendances de sa pensée. Quand il dit qu'il n'a jamais été « désespéré », il dit vrai, d'après des témoignages antérieurs aux dernières années. Homme naturellement heureux, il réalisa la plupart de ses ambitions. En 1975, il se sent satisfait de son existence et il l'avoue. Et pourquoi ne l'aurait-il pas été ? Le philosophe réplique à Sartre : l'homme est une passion inutile. Le premier Sartre n'était pas personnellement désespéré, mais le métaphysicien en lui était sans espérance. Il me confia, il y a un demi-siècle ou plus, qu'il ne voulait pas d'enfant, parce que la condition de l'homme lui paraissait sans issue.

Le désespoir existentiel, l'ironie méprisante à l'égard du grand nombre, le Sartre « numéro deux » les dépasse après la guerre, et il cherche moins dans la morale individuelle que dans l'action collective une sortie hors du huis clos. Dans la *Critique de la Raison dialectique,* il combina la désespérance avec l'espoir nécessaire aux révolutionnaires. Il conserve la liberté comme fin ultime, mais la retombée de la révolte, « commencement de l'humanité », y semble fatale (le deuxième tome aurait-il montré que cette retombée n'était pas fatale ?).

Je crois discerner des thèmes sartriens dans ces entretiens, mais plus ou moins aplatis, banalisés. Pour tout dire, ce que l'on y cherche vainement, c'est la fermeté du ton, l'originalité de la pensée ou de l'expression, lors même qu'il se répétait ou se trompait. Il y a une trentaine d'années, il disait volontiers en évoquant sa dureté de jeunesse : « Je suis devenu " douceâtre ", " bénin ". » C'est dans ces derniers propos qu'il l'est devenu — il ne l'avait jamais été auparavant.

Quand le vieil homme rejette le désespoir, nie une quelconque expérience de l'angoisse, il confesse peut-être une part de lui-même. Mais cette vérité, si vérité il y a, à quel point elle s'exprime pauvrement, devient vulgaire, déconcertante ! « Remarque bien qu'on ne remarque plus guère de désespoir dans mon œuvre à partir de là. Ça a été un moment. Je vois ça chez beaucoup de philosophes à propos du désespoir et à propos de n'importe quelle idée philosophique ; ils en parlent par ouï-dire dans les premiers temps de leur philosophie, ils lui donnent une valeur importante et puis, petit à petit, ils n'en parlent plus, parce qu'ils se rendent compte que le contenu n'existe pas pour eux, qu'ils le tiennent des autres. Je n'ai jamais eu d'angoisse. Ça, c'est des notions clés de la philosophie de 1930 à 1940. Ça venait aussi de Heidegger, c'est des notions dont on se servait tout le temps, mais qui pour moi ne correspondaient à rien. [...] »

Ce qui rend pénible et parfois insupportable la lecture de ces entretiens, c'est la pression qu'exerce Benny Lévy, consciemment ou inconsciemment, sur un vieillard dont la force de résistance a décliné plus encore que la force intellectuelle. Sartre se vantait d'ignorer le sens de la culpabilité. Le jeune disciple lui rappelle les années de 1952 à 1956 durant lesquelles « le maître à penser de l'Occident », selon le mot de Soljenitsyne, se conduisit en compagnon de route du stalinisme. Impitoyable, Benny Lévy dit à Sartre : « Donc, il rend l'âme, ton compagnon de route. J'aimerais que l'on fasse un constat de décès. Qui est mort ? Une sinistre canaille, un nigaud, un gogo ou un être foncièrement bon ? » Et Sartre de répondre : « Je dirais plutôt un être pas mauvais. [...] » Et il s'excuse. « Il ne fut pas longtemps compagnon de route, c'était secondaire pour lui, le parti lui rendait sa situation impossible ; quand il résistait au parti, il n'était pas si mal. »

Et le voici qui présente son œuvre comme un échec, qui, à l'instar d'un humaniste vulgaire, déclare qu'il faut croire au progrès, qui cherche le principe de la gauche et de la morale dans la fraternité sans terreur. « Ce qu'il faut pour une morale, c'est étendre l'idée de fraternité jusqu'à ce qu'elle devienne rapport unique et évident entre tous les hommes. [...] » Il renie sa préface au livre de Fanon, son culte de la violence ; il récrit son essai sur les Juifs. « C'est qu'il manquait précisément la réalité du Juif. Remarque que ce type de réalité, qui est en somme métaphysique, comme celle du chrétien d'ailleurs, prenait très peu de place dans ma philosophie. Il y avait la conscience de soi, que je châtrais de tous traits particuliers qui seraient venus de l'intérieur et que je lui faisais retrouver ensuite du dehors. Ainsi, privé de caractères métaphysiques et subjectifs, le Juif ne pouvait exister dans ma philosophie en tant que tel. A présent, je vois les hommes autrement. »

Dans *la Question juive*, c'est vrai, il ignorait les Juifs, que leur destin fût métaphysique ou non. Ce qui m'empêche de reconnaître un Sartre inconnu dans ces dialogues, c'est qu'il me semble victime de son interlocuteur plus jeune, plus résolu que lui et qui le fait céder là où il s'était trompé, mais là aussi où il avait dévoilé son génie, fût-ce dans le baroque.

La fin de ces entretiens, sur lesquels les historiens spéculeront, ne va pas sans quelque grandeur, même si elle ne ressemble ni au premier ni au deuxième Sartre. « Les révolutionnaires veulent réaliser une société qui serait humaine et satisfaisante pour les hommes, mais ils oublient qu'une société de ce genre n'est pas une société de fait, c'est une société, pourrait-on dire, de droit, c'est-à-dire une société dans laquelle les rapports entre les hommes sont moraux. Eh bien, cette idée de l'éthique comme fin dernière de la révolution, c'est par une sorte de messianisme qu'on peut la penser vraiment. » Anarchiste à l'égard des institutions, moraliste à l'égard des hommes, Sartre l'a été toute sa vie en dépit des zigzags de son itinéraire politique. A la veille de sa mort, torturé par Benny Lévy, il confesse malgré tout une de ses vérités, l'espérance messianique dans l'Histoire.

En 1975, *le Nouvel Observateur* avait publié des entretiens avec Jean-Paul Sartre « Autoportrait à 70 ans ». Un an après, Jean Daniel (ou Bernard-Henry Lévy) me demanda un entretien auquel je consentis volontiers. Je causai librement, en toute confiance, avec B.-H. Lévy, pendant quelques heures. Il fut évidemment question des deux petits camarades. Dans le texte, publié dans le numéro du 15 mars 1976, la question m'est posée : « Qui, de Sartre et Aron, aura, au bout du compte, marqué davantage l'histoire de son temps ? » Je répondis : « La question ne se pose pas. Il l'a d'ores et déjà beaucoup plus marqué que moi. D'abord parce qu'il a derrière lui une œuvre beaucoup plus riche que la mienne ; son clavier comporte des romans, du théâtre, de la philosophie, de la politique. Ensuite parce que, de ce que j'ai pu faire, une partie est tout de même condamnée à disparaître très vite. Comme disait un jour Maurois à propos d'un de mes livres : " Il serait notre Montesquieu s'il consentait à décoller de la réalité ". » De cette formule, une moitié est vraie : je n'ai pas décollé assez de la réalité.

Puis, je me présente comme un analyste ou un critique. Or les écrivains de ce type peuvent exercer une influence non négligeable sur leurs contemporains, mais leur œuvre, liée à une situation éphémère, s'efface plus vite que celle des créateurs qui, au risque de se tromper, construisent des cathédrales de concepts avec le courage de l'imagination. A ce moment, B.-H. Lévy m'interrompt : « Même quand ils se trompent ? » A quoi je réponds : « Ce qui me condamne aux yeux de l'intelligentsia, c'est d'avoir eu raison avant le moment où la vérité éclate aux yeux des autres. Ce qui me condamne aussi, c'est qu'elle n'est pas près de me pardonner de ne pas ouvrir la voie de la société bonne et de ne pas tenter d'enseigner la méthode pour y accéder. » Réplique de mon interlocuteur : « Et vous, qu'en pensez-vous. Vaut-il mieux, dans ce cas, être Sartre ou Aron ? Sartre vainqueur mais dans l'erreur ou Aron vaincu dans le vrai ? » Je refuse d'abord de répondre : « C'est une question qui n'a pas grand sens. » B.-H. Lévy insiste : « Posez-la autrement : à quoi sert Sartre ayant tort ? A quoi sert Aron ayant raison ? » Cette fois je m'explique, non sans répugnance : « Ce que je crois catastrophique, ce qui lui sera reproché un jour, c'est d'avoir utilisé sa virtuosité dialectique et des sentiments généreux pour justifier l'injustifiable. D'avoir, si vous voulez, déployé des trésors d'ingéniosité pour essayer de démontrer qu'on ne pouvait pas être contre Staline [1] et qu'il fallait au moins être proche de lui. Alors qu'en revanche on dira peut-être un jour, si l'on s'intéresse encore à lui ou à moi, que je n'ai jamais justifié l'injustifiable pour raison dialectique. Je n'ai jamais justifié Pinochet. Je n'ai jamais justifié Staline et Hitler. »

De ce dialogue, les hommes de gauche, bien souvent, n'ont retenu qu'une curieuse proposition : il valait mieux se tromper avec Sartre plutôt que d'avoir raison avec Aron. Je ne l'ai jamais ni pensé, ni affirmé. A la rigueur, j'ai expliqué pourquoi d'aucuns ne renient pas cette déraisonnable préférence. Je ne vois aucun mérite, même après coup, à ceux qui suivirent Sartre dans ses aberrations, même si l'admiration pour l'homme excuse en quelque mesure une fidélité poussée jusqu'à l'aveuglement. Je n'avais rien à faire dans ces divagations du philosophe de la liberté. Qui refusait le rôle de compagnon de route ne devenait pas pour autant aronien, pas même ne devait-il me donner raison. Il suffisait de se rencontrer avec moi, de temps à autre, ici ou là, quand par bonne chance je disais vrai. La formule — mieux vaut se tromper avec Sartre... — improvisée par dérision, risque de prendre un caractère plus odieux encore qu'absurde, comme s'il était déshonorant de se trouver dans le même camp qu'Aron. Puis-je ajouter que mon mérite est mince ? Bien d'autres ont dit, avant moi, la vérité sur l'Union soviétique. Bertrand Russell l'a saisie dès le début des années 20, après un voyage en URSS ; Souvarine écrivit l'essentiel sur le stalinisme dès les années 30. Ce qui fait problème, c'est la persistance dans l'illusion ou dans l'erreur de tant d'esprits supérieurs et d'âmes généreuses. Il n'y a pas lieu d'encenser ceux qui se trompaient avec Sartre ; s'ils ne voulaient pas me rencontrer, ils n'avaient que l'embarras du choix pour trouver d'autres compagnons.

Deux ans après la mort de Sartre, un pastiche, *le Testament de Sartre*, aurait pu relancer le débat. L'auteur, Michel-Antoine Burnier, eut les honneurs de l'émission *Apostrophes*, mais il y parla peu ; les autres invités s'abstinrent de commenter un petit livre brillant, qui embarrasse presque autant les adversaires que les amis du maître à penser. Étrange maître à penser, à coup sûr, quand on relit les citations qui illustrent ses prises de position successives : d'abord l'article des *Temps modernes* en janvier 1950 : « [...] Si les concentrationnaires sont dix millions [...] alors la quantité se change en qualité, c'est tout le système qui vire et change de sens. [...] Il ne faut pas montrer d'indulgence au communisme, mais on ne peut en aucun cas pactiser avec ses adversaires [...] », puis défilent *les Communistes et la paix* : « Si l'URSS perdait un jour tout espoir d'éviter la guerre, elle déchaînerait le conflit elle-même et qui pourrait

1. J'aurais dû dire contre le communisme.

l'en blâmer ? » ; la réponse à la lettre d'Albert Camus « au directeur des *Temps modernes* » : « L'existence de ces camps peut nous indigner, nous faire horreur ; il se peut que nous en soyons obsédés, mais pourquoi nous embarrasserait-elle ? » ; l'affaire Rosenberg : « [...] Attention, l'Amérique a la rage. Tranchons tous les liens qui nous rattachent à elle, sinon nous serons à notre tour mordus et enragés » ; retour d'Union soviétique en 1954 : « J'ai rencontré là-bas des hommes d'un type nouveau qui parfois nous étonnent, nous autres Occidentaux, mais on ne peut concevoir avec eux d'autres rapports que ceux de l'amitié. Et quel que soit le chemin que doit suivre la France, ce chemin ne peut être contraire au chemin de l'Union soviétique. [...] La liberté de critique est totale en Union soviétique » ; la révolte hongroise et la répression soviétique : « La faute la plus énorme a probablement été le rapport Khrouchtchev car, à mon avis, la dénonciation politique et solennelle, l'exposition détaillée de tous les crimes d'un personnage sacré [Staline] qui a représenté si longtemps le régime est une folie quand une telle franchise n'est pas rendue possible par une élévation préalable et considérable du niveau de vie de la population » ; l'amitié pour Fidel Castro : « Castro est tout à la fois l'île, les hommes, le bétail, les plantes et la terre. [...] Il faut le comprendre, ce n'est point qu'il *possède* Cuba, comme les grands propriétaires fonciers de Battista, non, mais il *est* l'île entière parce qu'il ne daigne ni la prendre ni s'en réserver un lopin. [...] Il faut que les Cubains gagnent, ou que nous perdions tout, même l'espoir » (une dizaine d'années plus tard, la rupture avec Castro à cause de l'emprisonnement d'un poète) ; la préface aux *Damnés de la terre,* de Fanon : « En un premier temps de la révolte, il faut tirer : abattre un Européen, c'est faire d'une pierre deux coups, supprimer en même temps un oppresseur et un opprimé ; restent un homme mort et un homme libre [...] » ; nouveau voyage à Moscou en 1962, pour un congrès mondial du Mouvement de la paix : « Entre l'écrivain soviétique et son public, il y a une communication constante et la valeur de l'œuvre se mesure à l'écho qu'elle suscite » ; et ainsi de suite : 1968, le « socialisme à visage humain », les semaines de Mai, la condamnation du communisme soviétique, le gauchisme.

Le Nouvel Observateur fit le silence, *l'Express* aussi, sur le livre de Burnier. Ni l'un ni l'autre de ces hebdomadaires n'ont lieu de s'en flatter mais ils peuvent défendre la thèse du silence. Le règlement de compte d'un ex-sartrien avec son héros mort, sous forme d'une autocritique de Sartre, revenu de tout et conscient de ses vagabondages idéologiques, me fit grincer des dents. Le sottisier ne m'apporte rien, je connaissais ces textes de Sartre, les tours et détours de son itinéraire politique, de sa dialectique idéologique, ses oscillations entre l'humanisme et le goût (ou le culte) de la violence. J'utilisai rarement, même dans mes articles de polémique, ses jugements de circonstance, toujours excessifs, parfois insensés, souvent contradictoires. Je ne pris aucun plaisir à un pastiche qui tourne à une exécution du maître par lui-même, alors que Sartre, vivant, se refusait à l'autocritique et aux gloses sur son passé. Mais — dois-je l'ajouter ? — ni les sartriens d'aujourd'hui, ni les historiens de demain ne pourront se dérober à une interrogation. Pourquoi cet esprit supérieur se laissa-t-il aller à ces divagations ? Pourquoi s'érigea-t-il en juge, politique et moral, des hommes et des événements ? Pourquoi entraîna-t-il tant de jeunes vers Moscou ou La Havane sans en éprouver après coup le moindre remords ?

Le dialogue des deux petits camarades, prolongé pendant trente ans, fut à l'origine en quelque mesure des trois émissions de télévision (octobre 1981) et de la publication en volume du *script* intégral de ces émissions, *le Spectateur engagé.* Les auteurs de ces émissions se demandèrent pourquoi j'avais suivi un itinéraire différent de celui qu'avaient emprunté les plus célèbres de mes compagnons d'âge. Pour en avoir le cœur net, ils décidèrent de me mettre à la question.

Ainsi, en 1980, je me liai d'amitié avec deux jeunes universitaires, appartenant à la génération de 1968, l'un inscrit au parti trotskyste à l'époque, l'autre moins engagé dans le militantisme mais de cœur aussi avec cette révolte en fête. Je rencontrai l'un des deux, Dominique Wolton, dans mon bureau de la Maison des sciences de l'homme, à l'occasion d'une interview que je donnai au *Monde* (supplément du dimanche). Il m'interrogea, avec Bruno Frappat, et me demanda, à la fin, si je me soumettrais aux servitudes de trois émissions de télévision, consacrées à ma vie et à ma pensée. J'acceptai l'offre sans réfléchir. « La télévision m'amuse, répondis-je, pourquoi pas ? »

Dominique vint me voir avec son ami Jean-Louis Missika, en principe pour que nous nous mettions d'accord sur le plan des émissions et les sujets discutés. Ils m'exposèrent une ou deux fois la structure de l'ensemble, les thèmes retenus pour chacune des émissions. J'écoutai distraitement et je répondis à chaque occasion : d'accord, c'est votre affaire. Je mis à leur disposition mes dossiers — pour l'essentiel des lettres reçues à l'occasion de mes livres. Et nous parlâmes de tout et fort peu des émissions. Je ne m'en inquiétai pas, je n'aime pas préparer un entretien, surtout un entretien à la radio ou à la télévision. Je leur accordai l'autorisation de me poser toutes les questions auxquelles ils souhaitaient obtenir de moi une réponse ; mais je ne voulus pas préparer mes réponses. Je ne suis pas un acteur : quand on m'oblige à répéter une séquence, la deuxième version est le plus souvent pire que la première.

Pourquoi Dominique et Jean-Louis nous ont-ils conquis, Suzanne et moi ? Question peut-être naïve ou dénuée de sens. Qui peut dire pourquoi le courant passe ou ne passe pas ? Tâchons malgré tout de comprendre, sans toucher à l'immatériel qui ne supporte ni le contact, ni la lumière. Ils vinrent vers moi par curiosité intellectuelle, me dit Jean-Louis. Depuis plus de trente ans, depuis la fin de la guerre, je n'avais cédé à aucune des modes intellectuelles de Paris. Quelle était la logique de mes prises de position ? Quelle philosophie politique inspirait mes refus et mes adhésions ?

Ai-je été sensible à leur curiosité ? J'ai été sensible surtout à leur ton, à leur manière. A *l'Express*, même avant le départ de Jean-François Revel, je me sentais isolé par mon âge, par la considération ou le respect que la plupart des journalistes me témoignent, au moins en apparence. Dominique et Jean-Louis bavardèrent avec moi comme avec un camarade ou un ami de leur âge, tout en évitant la familiarité qui nous aurait embarrassés tous trois. Différents mais proches, ils adorent la conversation entre eux et avec les autres. Dominique parle plus que Jean-Louis, mais il ne lui enlève pas la parole ; il donne la fausse impression d'un homme toujours adapté aux êtres et aux situations ; Jean-Louis n'échappe pas à l'inquiétude juive, avec laquelle je sympathise en profondeur. Nous prîmes l'habitude de prolonger devant la porte ou sur le perron le dialogue jamais épuisé. Nous devînmes amis — et dans un style oublié depuis un demi-siècle. La camaraderie affectueuse, nourrie et renouvelée par les conversations, tour à tour bavardages et aveux, Dominique et Jean-Louis me l'ont rendue, contre toute probabilité.

Ils m'avaient demandé de leur réserver deux semaines, dix jours d'enregistrement. Je ne pus refuser à Alain Peyrefitte le déplacement à Valognes, le vendredi de la première semaine, pour prononcer l'éloge de David Riesman, auquel le jury avait accordé le prix Tocqueville. Je revins en hélicoptère pour ne pas manquer entièrement une demi-journée de travail. Un moindre scrupule aurait mieux valu. J'attrapai un rhume et ma voix fut voilée pendant la deuxième semaine. Parfois, l'enrouement rendit mes propos mal intelligibles. C'est pour cette raison que des passages importants sur ma judéité ne furent pas retenus pour la télévision.

Dominique et Jean-Louis prirent la responsabilité du montage ; ce travail dura de longues semaines. Là encore, je leur fis une complète confiance. L'enregistrement avait duré plus de vingt heures ; une heure et demie tout au plus de mes paroles fut conservée dans les trois émissions, chacune de quarante-cinq minutes environ (les illustrations représentaient au moins un quart d'heure). Quand le script fut tapé, Dominique et Jean-Louis me proposèrent d'en faire un livre. Je refusai tout d'abord ; pourquoi publier ces entretiens alors que j'écris mes Mémoires ? Pourquoi perpétuer ces entretiens improvisés que Jean-Louis et Dominique avaient préparés mais pas moi ? En sens contraire, j'eus scrupule de les priver d'un livre qui serait un peu le leur et ferait apparaître plus clairement encore leurs mérites. (Ils avaient lu non seulement mes principaux livres mais aussi bon nombre de mes articles.) Bernard de Fallois nous servit d'arbitre et donna raison à mes amis. Albert Palle se trouvait dans la classe de philosophie au lycée du Havre en 1933-1934 quand j'y enseignai ; j'étais resté lié avec lui. Il se chargea de mettre au point mes propos sans leur enlever le style parlé. Il s'acquitta admirablement de sa tâche. Le livre *le Spectateur engagé* fut accueilli favorablement par les critiques, par mes amis, par le grand public. Il est traduit en allemand, en espagnol, en italien, en portugais, en anglais, bien que les Anglo-Américains soient réticents à l'égard des livres d'entretien.

Pour la première fois, toute la presse me fut favorable (non sans réserves bien entendu), à l'exception de celle du parti communiste. Lisons l'article paru dans *le Monde*, signé par Michel Contat, familier de Sartre et chargé de la publication de ses romans dans la Pléiade. Cet article — sympathique dans l'ensemble, agressif à la fin — conclut, pour ainsi dire, trente années de dialogue : « [...] l'intelligentsia de gauche dont il fut si longtemps le repoussoir, l'adversaire honni, se découvre à présent aronienne ou presque. [...] Il faut lire ce livre qui rend sa dignité à un genre trop souvent mal servi, par servilité : l'entretien avec une personnalité d'exception. [...] le dialogue [entre Sartre et Aron] n'a jamais cessé. Non pas qu'ils aient écrit leurs livres pour se répondre. [...] Mais ces deux pensées antagonistes malgré leur communauté de culture (la phénoménologie, le marxisme) sont les deux pôles entre lesquels se tend jusqu'au déchirement le débat intellectuel du siècle [...] c'est dans nos têtes que [...] s'affrontent les deux voix fraternellement ennemies, nos deux voix : celle qui, énonçant le souhaitable, le désirable pose un projet indéfini et celle qui, lui opposant raisonnablement le possible, la réalité têtue, met en garde. [...] la gauche reste sa famille et, d'une certaine manière, elle l'est toujours restée, même quand il campa chez l'adversaire puisque c'est contre elle qu'il argumente comme pour lui dessiller les yeux. [...] Il est un analyste froid qui prend position, un partisan dépassionné. [...] » Vient enfin l'agressivité : « Cette vision géopolitique du préférable et du détestable peut-elle justifier l'apparente cécité d'Aron — malgré ses prises de position anticolonialistes sur l'Indochine et l'Algérie — pour les rapports Nord-Sud, pour leur caractère d'holocauste par la faim [...] ? » Les médecins sans frontières valent mieux que moi — mieux que Contat et que Sartre lui-même. Aurais-je aidé ceux qui ont faim, au Bangladesh et au Sahel, si, à la manière du maître de Contat, j'en avais rejeté la faute sur l'opulence américaine ?

Je passe sur « le pessimisme libéral » qui, « bien dans la tradition de ses maîtres Benjamin Constant et Tocqueville, a quelque chose de décourageant, de mortifère ». Vient enfin la phrase qui serait offensante si elle n'était stupide : « [...] on ne peut que lui donner raison [au principe de réalité] comme on donne raison à Raymond Aron sur tout sauf sur l'essentiel : lorsque les opprimés se révoltent, ils le font du seul droit que nul ne saurait leur dénier sans s'admettre lui-même oppresseur, le droit à la justice, quels qu'en soient les risques pour tous ». Contat change ici de registre et revient à ce réquisitoire que les belles âmes ne se lassaient pas de dresser contre moi. Je n'ai pas eu raison sur tout (je me suis maintes fois trompé), mais en quoi « la révolte des opprimés » serait-elle l'essentiel qui m'aurait échappé ? Existe-t-il *une* révolte *des* opprimés ? La même sous toutes les latitudes, la même dans tous les pays ? Et qui définira la justice à laquelle ces opprimés ont droit ? « S'admettre soi-même comme oppresseur », je veux bien, comme nous tous, les privilégiés, Contat inclus. En juin 1982, je le rencontrai, le remerciai de son article et j'ajoutai : « Pourquoi avez-vous éprouvé le besoin d'écrire la dernière phrase, stupide, qui me charge d'une culpabilité fictive ? » « Cioran aussi m'a reproché cette phrase », répondit-il, puis il se défendit contre mes reproches (j'avais mêlé deux phrases, l'une sur la faim, l'autre sur la révolte) et avoua avec gentillesse : « On ne se sépare pas aisément de sa famille. » J'aurais pu répondre : « J'en sais quelque chose. »

Un article paru dans *le Quotidien,* rédigé par un journaliste royaliste d'origine ou de formation, Gérard Leclerc, me reprocha, non mon « pessimisme libéral » ou « mortifère », mais tout au contraire mon *absolue confiance* dans le pragmatisme d'une société de production. « Le climat est reposant pour les nerfs, d'autant plus qu'il n'y a pas beaucoup d'oasis de ce genre dans l'intelligentsia. » Ma faute ne serait donc pas de décourager, mais de rassurer à tort mes lecteurs. « Le malheur, c'est que ce parfait honnête homme, ce juste soit aussi le défenseur inconditionnel d'une civilisation qui porte en elle-même sa contradiction. »

Le choix que je présentai dans l'*Introduction* comme initial, originel, le choix de la société ou du régime qui me paraît le meilleur pour tous ressemble à une hypothèse scientifique au sens que Sir Karl Popper donne à cette notion — hypothèse qui justifie l'attitude de *l'ingénieur social,* le réformisme, de préférence à la révolution, au moins dans notre contexte historique. Sur ce point, Sartre et moi avons-nous pris des chemins opposés ? Il m'avait donné, à mon retour de Londres, *l'Être et le Néant,* avec cette dédicace : « A mon petit camarade, cette introduction ontologique à l'introduction à la philosophie de l'histoire. » L'engagement, au niveau ontologique, se définit comme une projection vers l'avenir, une réponse au défi de la situation. Il ne succède pas à une délibération raisonnable sur le pour et le contre. Il nie le présent, mais il ignore l'avenir qu'il crée.

En un sens, au niveau ontologique si l'on veut, l'engagement, tel que l'analyse Sartre, reflète la condition de l'homme, la servitude de l'action. L'homme ignore toujours les effets de ses actes. Mais, si l'on descend de l'analyse de la condition humaine à la réflexion sur la politique, il n'est pas vrai que l'on s'engage sans délibération ; et la première étape de la délibération exige ou suppose une connaissance de notre monde et des autres mondes possibles. L'historicité de l'homme moderne implique au moins la conscience de la pluralité des régimes économiques ou politiques, possibles en notre siècle, la connaissance des univers dans lesquels les peuples ont trouvé leur résidence et le sens de leur vie.

Michel Contat m'attribuait quelque cécité à « l'holocauste par la faim ». Gérard Leclerc pense que « dans un monde nihiliste la liberté sur fond d'abandon n'a plus rien de raisonnable ». Il est dommage, écrit-il, « qu'un homme aussi avisé ne se soit pas rendu compte des limites du monde libéral ». A l'en croire, il faudrait « invoquer Nietzsche et Heidegger par-delà Tocqueville et Max Weber » et admettre que cette société est fille plus encore du désir que de la raison — ce que je serais trop raisonnable pour admettre. Les critiques du *Plaidoyer* me reprochaient eux aussi de parler en *homo œconomicus* là où le métaphysicien devrait prendre la parole.

J'avoue recevoir peu de secours des philosophes ou métaphysiciens, en particulier de ceux qui passent pour tels en France. Quelle lumière jettent-ils sur le destin de notre « civilisation libérale », « limitée » comme toutes les civilisations ? Le mot de nihilisme vient sous la plume de ce jeune journaliste et avec lui le nom de Nietzsche. Nous vivons en un temps de nihilisme, paraît-il. Dieu est mort ; nos conceptions du monde, nos convictions dissimulent des volontés de puissance. Chacun choisit sa foi au gré de ses illusions ou de ses ambitions. Il n'y a plus de vérité : comment la discerner ?

Les sociétés occidentales, européennes en particulier, souffrent, en effet, de ce que l'on appelle nihilisme ; les hommes de pensée se sentent incapables de fonder en rigueur leurs croyances et leurs pratiques ; nombre d'entre eux s'avouent incapables de choisir entre elles autrement que par émotion, humeur ou habitude. Ces sortes de spéculation, qui témoignent du discrédit de la raison, dominaient la scène intellectuelle au cours des dernières années de la République weimarienne. Une sorte de scepticisme ronge la conscience des Européens depuis le déclin des religions transcendantes, puis des religions séculières. Ceux qui se croient et se veulent catholiques, pour la plupart, interprètent à leur manière les dogmes les plus fondamentaux de l'Église. Les Européens, dans leur immense majorité, sont déchristianisés.

Le progrès économique et social crée une multitude de petits-bourgeois, soucieux de leur statut, repliés sur eux-mêmes ou sur un cercle étroit, la famille, quelques amis. Nietzsche détestait à l'avance ce que Tocqueville annonçait : « le despotisme tutélaire ». Peut-être ce dernier remplacerait-il le mot despotisme par État-Providence, ne serait-ce que pour distinguer les despotismes doux, sociaux-démocrates, des despotismes violents et cruels des régimes à parti unique.

Cette analyse, quelque peu banale, souffre d'un européo-centrisme inconscient de lui-même. Le nihilisme ne trouble pas l'humanité tout entière. Les peuples du tiers monde, délivrés du joug européen, déchirés par les révoltes de la misère ou de la foi, ne s'interrogent pas, fût-ce par la voix de leurs intellectuels, sur le nihilisme. Ils s'interrogent souvent sur leur identité, sur la résistance à la culture occidentale ou sur la part de cette culture qu'ils doivent assimiler pour survivre. Le nihilisme européen émane pour une part de la mort de Dieu, autant ou davantage de leur conscience historique, de la place de l'Europe dans le monde d'aujourd'hui.

La limitation de la civilisation libérale, elle saute aux yeux. Aux

Nations unies, les États démocratiques au sens européen ne représentent plus qu'une faible minorité. Cependant l'Inde, après la Chine le pays le plus peuplé du monde, sauvegarde une partie de l'héritage politique que lui laissa l'ancien maître. Le libéralisme n'a pas conquis la terre comme le font les machines et les idéologies. Marx a prévu la « technicisation » de la planète, selon la formule d'aujourd'hui, il a surtout prévu que le capitalisme accomplirait le tour du monde, écrasant sur son passage les coutumes séculaires, les biens sacrés, les raffinements les plus précieux des rapports entre les hommes. Marx n'en acceptait pas moins, que dis-je, il exaltait ce tour du monde, cruel et nécessaire. Le capitalisme, incarné par les Britanniques, allait détruire le mode asiatique de production, les villages se suffisant plus ou moins à eux-mêmes, exploités par l'administration impériale. Heidegger met l'accent sur la technicisation dans le projet de Marx. La « technicisation » y était incluse, mais que l'on reprenne le corpus des textes marxistes : pour 90 % ou 95 % ces textes traitent des modes de production, des mécanismes et des contradictions économiques. Les Européens ont, pour une part, achevé la mission que le philosophe de l'Histoire peut leur attribuer. Ils ont trouvé l'art d'appliquer la science à la technique. Peut-être faudrait-il dire qu'ils ont élaboré une métaphysique portant en elle une science, qui devait transformer la nature par la technique. Encore aujourd'hui les Occidentaux, en y incluant les États-Unis, prolongent l'essor du savoir et du pouvoir. Précisément parce que leur mission historique semble s'achever, les Européens doutent de leur destin et se demandent à quoi s'en prendre.

Plus la vérité scientifique, par l'emploi qu'en font les ingénieurs, se confirme, plus les épistémologues et les savants eux-mêmes s'interrogent sur le caractère propre des vérités, toutes provisoires, qui triomphent dans et par l'asservissement de la nature. Plus les moyens de produire et de détruire se multiplient, plus les appareils de communication, de calcul, d'intelligence mis à la disposition de l'humanité dépassent toutes les fictions, et plus les créateurs craignent d'avoir joué les apprentis sorciers. De tous côtés, les prophètes nous assaillent ; les tenants du Club de Rome, ceux qu'obsède l'arme nucléaire, ceux que terrifie la pollution ou ceux que les milliards d'êtres humains à la fin du siècle empêchent de dormir, tous nous prophétisent l'apocalypse. Il ne manque pas d'annonciateurs de la mauvaise nouvelle. Je n'ai besoin ni de Nietzsche, ni de Heidegger pour savoir que le devenir de l'humanité n'obéit pas à la raison.

Aucune de ces angoisses n'est dénuée de fondement. Les Européens passent d'une peur à une autre ; hier partisans de la croissance zéro, aujourd'hui révoltés contre le ralentissement de la croissance, ils ont perdu le sens d'un projet commun. La masse des Européens de l'Ouest vivent, dans la satisfaction et les querelles revendicatives, la relative opulence qu'ils exigent de l'État tutélaire. Ce Vieux Continent, qui vieillit faute de renouveler ses générations, qui laisse à des immigrés les emplois les plus sales et les plus mal rétribués, se soumet-il déjà à l'empire idéocratique ou offre-t-il l'image de sociétés à demi réconciliées avec elles-mêmes ?

Européens sages qui détestent la guerre et disent adieu aux armes ? Européens revenus de toutes les aventures, les croisades, les conquêtes coloniales, la quête indéfinie de la science, attachés à leurs libertés par habitude, hors d'état de s'unir pour se défendre ou pour créer ? Traverseront-ils les années de récession ou de stagnation qui les attendent peut-être, d'ici à la fin du siècle, sans se déchirer ou sans s'abandonner ? Selon le jour ou l'humeur, j'incline dans un sens ou dans l'autre.

Nietzsche, le dernier métaphysicien de l'Occident selon Heidegger, et celui-ci qui cherche le sens de notre époque par référence à l'histoire de la philosophie, ajoutent une dimension supplémentaire à nos diagnostics historiques. Nous en enseignent-ils davantage sur notre avenir ? Le destin de l'Europe occidentale dépend-il davantage de l'effacement des dieux ou de la dénatalité ? Je garde assez le goût des spéculations philosophiques pour ne pas donner une réponse catégorique à ces questions.

En revanche, s'il s'agit des apocalypses possibles, des menaces qui pèsent sur l'humanité, je sais où chercher la foi et l'espérance. Contre les maux de la civilisation industrielle, les armes nucléaires, la pollution, la faim ou la surpopulation, je ne détiens pas le secret de remèdes miraculeux. Mais je sais que les croyances millénaristes ou les ratiocinations conceptuelles ne serviront à rien ; je préfère l'expérience, le savoir et la modestie.

Si les civilisations, toutes ambitieuses et toutes précaires, doivent réaliser en un futur lointain les rêves des prophètes, quelle vocation universelle pourrait les unir en dehors de la Raison ?

ÉPILOGUE

J'ai eu la chance d'avoir pour amis, dans ma jeunesse, trois hommes dont je ne pouvais me dissimuler à moi-même la supériorité : Jean-Paul Sartre, Eric Weil, Alexandre Kojève. Pour le premier, je doutai pendant quelques années ; la réaction de Malraux à *la Légende de la vérité*[1] me fit craindre que la fertilité d'esprit, la puissance de création, évidentes dès le début des années 30, au lieu de s'exprimer dans une œuvre géniale, se perdissent dans l'entre-deux de la philosophie et de la littérature. Notre dialogue n'en demeura pas moins facile. Certes, J.-P. Sartre avait raison de me reprocher d'avoir trop peur de « déconner ». Même dans les sciences, dites exactes, la recherche ne va pas sans erreur et l'erreur sans profit. Lui, en revanche, surtout en politique, a généreusement usé du droit à l'erreur.

Eric Weil, dont le nom n'est connu que de quelques milliers de personnes, possédait une culture exceptionnelle, presque sans faille. Je me querellai plusieurs fois avec lui sur les événements plutôt que sur la philosophie. Mais, quand nos entretiens en venaient à la philosophie, je sentais presque physiquement une force intellectuelle supérieure à la mienne, la capacité d'aller plus loin, en profondeur, de mettre en place un système. Il connaissait, déjà en ce temps, mieux que moi les grands philosophes.

Alexandre Kojève me donnait toujours le sentiment que, si je risquais une idée, il l'avait déjà conçue. S'il ne l'avait pensée, il aurait pu le faire. Lui aussi m'impressionnait par l'ampleur et la solidité de sa culture philosophique dont ses livres posthumes portent témoignage. En 1938, lui aussi se trompa sur l'Histoire-se-faisant ; il ne crut pas à la guerre quelques mois avant l'invasion de la Pologne. Et j'ai posé la question en un

1. Manuscrit refusé par Gallimard qui sera bientôt publié parmi les textes inédits de Sartre.

autre chapitre : en quel sens se déclarait-il, en 1939, stalinien de stricte observance ?

Ma familiarité avec ces trois êtres d'exception, dont l'un devint un monstre sacré et les deux autres vécurent dans la quasi-obscurité, me protégea des illusions. Je ne rêvai jamais de me mesurer avec les Grands du passé, je me plus tout au contraire à les citer, à les interpréter, les prolonger. J'enviai Sartre qui, à vingt-cinq ans, pensait, sans ombre de vanité, que la hauteur de Hegel ne lui était pas inaccessible ; un autre du même groupe, convaincu de dépasser Max Weber s'il se consacrait à la recherche économico-sociale, me laissait sceptique ; j'enviai, non sans un sourire, Eric Weil qui me dit un jour, sérieusement, qu'il allait mettre le point final à la philosophie. Quant aux textes de Kojève lui-même avec lesquels se terminerait, selon lui, le cycle de la pensée et de l'Histoire elles-mêmes, je les lis aujourd'hui avec les mêmes sentiments qu'il y a un demi-siècle, peut-être plus ambigus encore.

Bien entendu, j'étais partagé entre l'admiration pour ces esprits hors du commun et le doute. Mais l'admiration m'empêcha de viser trop haut et, du même coup, de souffrir du décalage entre mes ambitions et l'œuvre. Quelques semaines ou quelques mois après chacun de mes livres, je prends à leur égard de la distance. Peut-être la satisfaction de l'auteur a-t-elle persisté plus longtemps à propos de l'*Introduction*, de *l'Opium des Intellectuels*, de *Paix et Guerre* et du *Clausewitz*.

D'aucun de mes livres je ne suis pleinement satisfait. L'imperfection de tous mes livres, même par rapport au niveau auquel j'aspire, ne me pèse pas trop, maintenant que les jeux sont définitivement faits. L'*Introduction* avait besoin d'une année de plus et d'une écriture moins tendue, moins elliptique, moins contrainte. De même, *Paix et Guerre*, bien que j'aie projeté ce livre pendant une dizaine d'années, a été rédigé trop vite ; les différentes parties étaient inégalement mûres. Quant aux jugements formulés en Angleterre et aux États-Unis, à l'occasion d'un recueil d'articles [1], ni les plus indulgents, ni les plus sévères ne me troublent dans l'idée que je me fais de moi-même. Je ne crois pas sur parole le Pr Bernard Crick qui me présente non comme un disciple mais comme un égal de Tocqueville ; je ne me sens pas non plus accablé par un jugement quelque peu sévère d'un historien que je respecte, Félix Gilbert.

Les jugements que les autres portent sur moi et sur mon œuvre, je mentirais si je disais qu'ils me sont désormais indifférents ; ce maudit caillot de sang n'a pas durci ma peau au point que les flèches ricochent sur elle comme sur une cuirasse. Mais ma susceptibilité, excessive au temps de mes vingt ans, est tombée au-dessous de la normale. Je souffrirais si je perdais l'amitié ou l'estime des quelques-uns, vieux ou jeunes, qui forment aujourd'hui mon univers. Pour les autres, ils ont bien le droit de m'enterrer. Un des rares de ma génération qui survit avec moi, Georges Canguilhem, mérite la paix dont il jouit ; son retrait, sa modes-

1. *History and Politics*, New York, 1978, Free Press.

tie, la qualité rare de ses livres réservés au petit nombre, le mettent en dehors de la bataille pour le prestige ou l'autorité parisienne. Par accident ou par perversité, je m'obstine à ne pas m'enfoncer dans le silence. J'ai droit aux coups puisque, de temps à autre, j'en donne — le moins souvent possible parce que, pour moi, le temps des polémiques est fini. Mais, qui sait pourquoi ? parfois, j'éprouve le besoin de dévoiler les mystifications et de continuer une bataille qui me dépasse. Je transmettrai volontiers le flambeau à d'autres.

Qu'est-ce qui fait courir Raymond Aron ? écrivit Viansson-Ponté dans une page du *Monde* consacrée aux *Étapes de la pensée sociologique.* Ce qui m'a fait courir, ce fut jadis la mission que le malheur de mon père me laissait en héritage. Non que cette mission m'imposât la quête des honneurs. C'est vrai, mon père aurait souhaité la Légion d'honneur ; celle-ci aurait de quelque manière compensé le reste, le véritable objet de son ambition et qu'il avait manqué. Je n'ai cherché ni les « honneurs », ni la réussite sociale. Pierre Bourdan me pressa de signer un formulaire de demande ; je demeurai chevalier de la Légion d'honneur pendant vingt-huit années — espèce de record ; pour les autres ordres, ils me vinrent d'eux-mêmes. La formule que l'on attribue à Winston Churchill me convient parfaitement : ne jamais les demander, ne jamais les refuser, ne jamais les porter. Quant à la douzaine de doctorats *honoris causa,* je n'avais aucune raison de les refuser ; le refus eût témoigné d'un orgueil déplacé. Le motif révolutionnaire de Sartre refusant le prix Nobel n'a aucun sens pour moi. Je fus sensible au prix Goethe décerné par la ville de Francfort,décerné trois ans avant à G. Lukacs et trois ans plus tard à E. Jünger.

Peut-être le journalisme, qui ne m'a pas servi auprès de mes collègues de l'Université, m'a-t-il désigné plus que de raison à l'attention des jurys étrangers. Sans mes articles, probablement les professeurs apprécieraient-ils davantage mes livres et les universités étrangères songeraient-elles moins souvent à moi. Peu importe. A mes parents, j'ai rendu tout ce qu'ils espéraient de moi ; j'attends mes dernières années avec sérénité, sans plus évoquer avec déchirement leurs dernières années.

Ai-je tiré de mes moyens le meilleur parti possible ? Ayant approché des philosophes de haut niveau, je savais que je ne serais jamais l'un d'entre eux. A coup sûr, si j'avais regagné l'Université en 1945, si j'avais été élu en 1947 à la Sorbonne, si j'avais renoncé au journalisme, j'aurais écrit d'autres livres. Pour citer l'exemple le moins douteux, j'aurais écrit, au lieu des trois livres de la collection « Idées », un gros volume, qui aurait trouvé moins de lecteurs, mais répondu davantage à mes aspirations de rigueur. Ce volume, comparable à l'*Introduction* ou à *Penser la guerre,* je le regrette. Mon œuvre d'analyste et de militant, au service de la liberté, compense ces pertes.

Quels sont les livres que je regrette de ne pas avoir écrits ? Probablement quelques lecteurs répondront-ils : un livre sur Marx. Je ne souscrirais à cette affirmation courante qu'avec hésitation. Le marxisme devenu marxisme-léninisme n'intéresse aucun homme sérieux, disons aucun *scholar*. Pour reprendre une expression de mon ami Jon Elster : à quelles conditions peut-on être à la fois marxiste-léniniste, intelligent et honnête ? On peut être marxiste-léniniste et intelligent mais, en ce cas, on n'est pas honnête (intellectuellement). Il ne manque pas de marxistes-léninistes sincères, mais l'intelligence leur fait défaut. J. Elster est en train d'écrire un livre qui tend à *make sens of Marx*[1] ; non une biographie intellectuelle mais une interprétation du marxisme, tirée des textes, qui, pour ainsi dire, résume le marxisme valable ou, en tout cas, utilisable aujourd'hui.

Mon projet est, ou était, il y a quelques années, tout autre : dégager l'essentiel des spéculations philosophiques du jeune Marx, saisir les grandes lignes de l'économie telle qu'il la présente dans la *Critique*, les *Grundrisse* et *le Capital*, tirer de ces deux parties les divers Marx possibles et les caractéristiques du révolutionnaire-prophète. Je doute que j'aie encore le temps d'écrire cet essai dont le cours de 1976-1977 au Collège représente l'esquisse. Il occuperait une place vide dans l'ensemble de mes écrits. Mais, tout compte fait, la perte ne me paraît pas grave, même pas pour moi.

Au moment où j'écris, une nouvelle controverse marxologique se développe. Elle est déclenchée par l'intérêt soudainement pris par les analystes anglais à la philosophie marxiste de l'Histoire. Ils reprennent le texte fameux de la *Préface* de la *Contribution à la critique de l'économie politique*, ce texte qui contenait, selon Marx lui-même, l'essentiel de sa conception de l'histoire, que les marxistes de la IIe Internationale avaient commenté inépuisablement et que Lukacs, et à sa suite les existentialistes, avaient méprisé. D'autre part, des textes économiques, écrits entre les *Grundrisse* et *le Capital*, ne sont pas encore publiés. La compréhension de l'ensemble de la pensée économique de Marx exigerait de nouvelles années de marxologie. Les spécialistes connaissent un économiste, nommé Marx, autrement riche, subtil, intéressant que l'auteur du seul *Capital*. Mais le Marx utile, si je puis dire, celui qui a changé peut-être l'histoire du monde, est celui qui a répandu les idées fausses ; le taux de plus-value qu'il suggère donne à penser que la nationalisation des moyens de production permet de récupérer pour les travailleurs des quantités énormes de valeur, accaparées par les détenteurs des moyens de production ; le socialisme ou, tout au moins, le communisme élimine la catégorie de « l'économique » et la « science sordide » elle-même. En tant qu'économiste, Marx reste peut-être le plus riche, le plus passionnant de son temps. En tant qu'économiste-prophète, en tant qu'ancêtre putatif du marxisme-léninisme, il est un sophiste maudit qui porte sa part de responsabilité dans les horreurs du XXe siècle.

Je devrais regretter aussi le développement qu'annonçaient l'*Introduc-*

1. Difficile à traduire : trouver ce que Marx a dit de sensé, extraire des textes le sens que nous pouvons leur prêter.

tion et *Histoire et Dialectique de la violence.* La discussion des livres des analystes ne m'excite plus beaucoup. Les deux controverses qui font couler le plus d'encre, l'une que l'on baptise Hempel-Dray et l'autre qui concerne la nature (ou réalité) du « fait de société », me paraissent de quelque manière épuisées. J'ai fait allusion plusieurs fois à la première. Elle se rattache à la querelle : *explication* ou *compréhension.* D'un côté, l'explication historique, conforme au type-idéal de l'explication scientifique, exige une ou plusieurs propositions générales d'où l'on puisse déduire la consécution singulière. Ce schème se retrouve bien souvent, à demi implicite, dans les écrits des historiens-sociologues. Mais, quand il s'agit d'une décision, d'un homme dans une conjoncture unique, l'historien éclaire la décision par la logique de la situation, complétée par le caractère de l'acteur. Comprendre la décision prise par Hitler d'attaquer l'Union soviétique en juin 1941 à partir de ses ambitions et de sa personnalité me paraît à la fois facile et incertain ; l'expliquer comme on explique une embolie, un orage ou un tremblement de terre me paraît logiquement et existentiellement erroné.

La deuxième controverse m'intéresse davantage. Elle porte sur les *societal facts,* sur la nature des « faits de société », qu'il ne faut pas confondre avec les faits sociaux. Un système postal, un système ferroviaire, une Église peuvent-ils être assimilés à une entité ou, tout simplement, à un sujet susceptible de prendre des décisions, d'être qualifié par des adjectifs à la manière d'une personne ? Controverse subtile, complexe, peut-être inépuisable. Un système postal ou, dans une société archaïque, le système des dons et contre-dons n'est pas Pierre ou Paul, individu humain, être de chair et de passions. Un « fait de société » comprend des individus, des relations stabilisées, ritualisées ou organisées, des conduites qui assurent la permanence du système. Celui-ci agit-il, ordonne-t-il de la même manière qu'un individu ? Je suis tenté de répondre, comme l'a fait un des plus pénétrants des analystes, oui et non, ou encore oui ou non, comme vous préférez. Les divers ensembles qui composent une société, étroite et archaïque, ou large et moderne, existent ; le sociologue ne les crée pas en les observant, mais il n'existent pas de la même existance qu'un individu biologiquement délimité et singularisé. Dans ces « faits de société », bon nombre d'individus sont évidemment interchangeables : le facteur remplaçant remplit la même fonction que le titulaire pendant les vacances de ce dernier.

Ces analyses me fascinent bien qu'elles me paraissent aussi frustrantes. Elles se rattachent au débat de l'individualisme méthodologique[1], au débat du holisme[2] aussi. J'aurais aimé mettre au clair mes

1. L'individualisme méthodologique consiste à affirmer qu'en dernière analyse tous les faits sociaux résultent des conduites des individus et que toutes les explications, dans les sciences sociales, doivent remonter aux conduites des individus.

2. On appelle de ce terme la théorie des totalités ou des ensembles qui ne peuvent être réduits aux éléments qu'ils contiennent.

remarques dispersées sur les ensembles sociaux, les *Zusammenhänge*, selon l'expression de Dilthey, dans lesquels nous sommes tous intégrés.

Le débat, qui n'est certes pas neuf, se trouve déjà, en un vocabulaire différent, au centre du dialogue entre Durkheim et Tarde, entre ceux que Sir Karl Popper appelle les *holistes* et les tenants de l'individualisme méthodologique (Fr. Hayek par exemple). Il prend une autre forme quand les sociologues présentent la société fonctionnant par elle-même, les individus n'étant que des rouages, prisonniers d'un déterminisme inflexible. Les cours que j'ai professés au Collège tendaient à une mise au clair tout à la fois de la nature des ensembles sociaux et des modalités de l'explication, individualiste ou holiste.

Simultanément, j'aurais prolongé l'*Introduction* et *Histoire et Dialectique de la violence*. Quand le sociologue étudie le *fonctionnement* d'une société (ou d'un secteur d'une société), il arrête pour ainsi dire son objet, il ne le soustrait pas au devenir, mais il le saisit à un moment donné. Plus son regard se fixe sur l'ensemble immobilisé pour des raisons de méthode, moins il se soucie des changements qui l'affectent insensiblement ou, parfois, le bouleversent soudainement. J'aurais aimé rattacher l'un à l'autre le système et l'histoire. Dans *République impériale*, j'ai dégagé l'indépendance relative du jeu interétatique par rapport au marché mondial plutôt que la relation entre l'un et l'autre. Peut-être la carrière scolaire et universitaire de chacun est-elle plus qu'aux trois quarts déterminée par les circonstances sociales, contraignantes pour les individus. Mais qui vit au siècle de Hitler et de Staline doit être à jamais aveugle à l'histoire s'il nie le rôle des « héros » et ne voit que le déroulement d'un déterminisme global, inflexible, prévisible, là où le contemporain entend le bruit, voit la fureur et cherche le sens.

A notre époque d'économie et de guerre, j'aurais dû — et peut-être le ferai-je encore — esquisser l'équivalent des *Jahre der Entscheidung*[1] (Oswald Spengler), ou plutôt esquisser une philosophie interrogative de l'Histoire, à la fin du XXe siècle. Les deux grandes guerres du siècle, la Première préparant la Deuxième, conduisaient à une troisième. Cette suite, apparemment logique, a été interrompue par la novation technique, les armes nucléaires. Peut-être celles-ci ne seront-elles jamais employées par les grandes puissances les unes contre les autres, tant les destructions probables dépassent les profits possibles d'une victoire.

Laissons là ces regrets. A supposer que quelqu'un se donne la peine de me lire demain, il y découvrira les analyses, les aspirations et les doutes qui remplissaient la conscience d'un homme imprégné par l'histoire : citoyen français, mais juif qu'un gouvernement français à demi libre a exclu de sa patrie par un statut fondé sur des critères raciaux ; citoyen d'une France membre de la Communauté européenne, un des quatre foyers de la science et de l'économie mondiales, incapable de se défendre elle-même, hésitant entre la protection américaine et la paix

1. Les années décisives.

soviétique que Moscou lui offre au prix de la liberté ; une Europe plus libérale, plus libertaire qu'en aucun temps, et travaillée par la révolte contre les contraintes de la société industrielle ; une Europe peut-être décadente, parce que les civilisations s'épanouissent dans la liberté et s'étiolent dans l'incroyance ; une Europe dans une humanité qui, en dépit du ralentissement de la croissance économique d'ici à la fin du siècle, est condamnée à l'expansion de la science et de la production.

Plus que ces incomplétudes, je regrette souvent de ne pas avoir approfondi l'interrogation que l'*Introduction* formulait sans lui donner réponse : qu'en est-il de l'historisme ? Sommes-nous prisonniers d'un système de croyances que nous intériorisons dès notre premier âge et qui commande notre distinction du bien et du mal ? La civilisation que l'Occident répand à travers le monde entier, vaut-elle mieux que les cultures qu'elle étouffe, aplatit, voue plus d'une fois à la mort ? D'une certaine manière, je suis resté un homme des Lumières. Bien sûr, je n'élimine pas d'un mot — superstition — les dogmes des Églises. Je sympathise souvent avec les catholiques, fidèles à leur foi, qui témoignent d'une liberté totale de pensée en toute matière profane. L'horreur des religions séculières me rend quelque sympathie pour les religions transcendantes.

Les religions séculières diffèrent-elles en nature des croyances sociales en général ? Toujours notre société nous enseigne à juger les hommes, les actes, les œuvres ; les religions séculières prétendent au monopole des valeurs ultimes. Elles marquent, à mes yeux, une régression par rapport à la différenciation des ordres, des idées, des systèmes. L'Occident doit, partiellement au moins, à la dualité des pouvoirs, spirituel et temporel, sa grandeur et sa fécondité ; en Union soviétique, des pseudo-croyants maintiennent une pseudo-religion, une prétendue vérité sociale, qui rassemblerait ou coifferait les vérités secondaires. Pour nous, Européens, Occidentaux, l'instauration du marxisme-léninisme en vérité d'État signifierait plus qu'une régression : une abdication. L'Occident ne vit et ne survit que par le pluralisme.

Le marxisme-léninisme mérite d'être qualifié superstition au sens plein du mot. Les dogmes des religions de salut échappent à la réfutation, parce qu'ils affirment des réalités ou des vérités qui, par essence, sont inaccessibles aux enquêtes menées selon les règles de la connaissance rationnelle. En revanche, le dogmatisme, qui prétend à une vérité ultime en une matière qui ressortit à la recherche scientifique, tombe sous le coup de la critique.

L'anticommunisme systématique que d'aucuns m'attribuent, je le professe sans mauvaise conscience. Le communisme ne m'est pas moins odieux que me l'était le nazisme. L'argument que j'employai plus d'une fois pour différencier le messianisme de la classe de celui de la race ne m'impressionne plus guère. L'apparent universalisme du premier est devenu, en dernière analyse, un trompe-l'œil. Une fois arrivé au pouvoir, il se mêle à un messianisme national ou impérial. Il sacralise les conflits ou les guerres, bien loin de sauvegarder, par-dessus les frontières, les liens fragiles d'une foi commune.

Le pluralisme intellectuel ou spirituel ne prétend pas à une vérité comparable à celle des mathématiques ou de la physique ; il ne retombe pas non plus au niveau d'une opinion quelconque. Il s'enracine dans la tradition de notre culture, il se justifie, et d'une certaine manière se vérifie, par la fausseté des croyances qui s'efforcent de le nier. Les chiites iraniens ou les marxistes-léninistes appartiennent à la même famille, dès lors que le clergé chiite veut régenter la société civile comme le fait le parti communiste soviétique. L'Occidental l'emporte sur le fidèle de Lénine ou de l'iman Khomeiny, parce qu'il sait la différence entre les vérités scientifiques, si provisoires soient-elles, et les croyances religieuses, parce qu'il se conteste lui-même, conscient que notre culture est, à certains égards, une entre d'autres. Le refus du doute renforce peut-être l'ardeur des combattants mais il exclut la pacification. L'iman Khomeiny de même que les marxistes-léninistes nous rappellent que « la foi qui agit » débouche encore à notre époque sur des croisades. Les Occidentaux d'aujourd'hui, conscients de la pluralité légitime des autorités morales, conscients de la particularité de notre culture, ouvrent seuls la voie à une Histoire qui prendrait un sens.

La sécularisation de la politique entraîne logiquement, elle aussi, un pluralisme. Non que la concurrence des partis puisse être mise sur le même plan que le pluralisme spirituel. Ce qui, me semble-t-il, est impliqué désormais par l'épuisement des certitudes héritées, c'est la mise en question de l'ordre social ou du régime politique. Il serait déraisonnable d'affirmer que mieux vaut une société en permanence contestée qu'une société soudée par des convictions unanimement partagées (mieux vaut pour qui ?). Je dis que la contestation politique suit nécessairement la contestation religieuse. Or la contestation politique est ou bien réprimée, refoulée, étouffée par plus ou moins de violence ou de ruse ; ou bien tolérée ou organisée en vue d'un mode de gouvernement.

Il n'en résulte pas que les régimes que j'ai appelés constitutionnels-pluralistes puissent être dits toujours les meilleurs ou les seuls bons, destinés à une diffusion universelle. Ils répondent à l'état mental de ce qu'Auguste Comte aurait appelé l'avant-garde de l'humanité. Le droit de tous de participer au dialogue politique sur le destin commun découle de l'abandon des vérités absolues, mais, ce droit, certaines sociétés ne peuvent l'accorder sans se dissoudre.

La démocratie, dans la philosophie classique, exigeait des citoyens, et des citoyens vertueux, à savoir respectueux des Lois. La démocratie, dans les sociétés industrielles, met aux prises des producteurs et des consommateurs, des groupes d'intérêts et des partis. Le pouvoir issu de ces rivalités inévitables, limité par elles, risque toujours de se dégrader, de méconnaître les exigences de la sécurité collective.

Il est loisible de plaider que les hommes préféraient, et préféreraient encore, un souverain séparé de ses semblables par le passé qu'il incarne, par le sentiment que les sujets ont appris, au cours des siècles, à lui témoigner. Si l'on compare froidement les inconvénients et les avantages de tel ou tel régime, en tenant compte de tous les régimes théoriquement possibles, je ne sais si j'accorderais le premier rang aux démocraties d'Europe ou d'Amérique. Mais quel autre régime en Occident jouirait de la légitimité ? Les régimes de parti unique ne dureraient que par une violence à peine camouflée, par la résignation morne de la population. Les pays d'Europe orientale nous en apportent la démonstration.

Même en politique, la querelle de l'historisme garde un caractère abstrait, presque artificiel. Si l'on pose la question : faut-il déplorer que l'humanité ne se soit pas arrêtée aux sociétés néolithiques ou aux cités grecques, la réponse me paraît impossible et la question dénuée de sens. L'animal-homme était programmé par son patrimoine génétique pour une évolution culturelle. Aux diverses étapes de cette évolution, l'organisation de la vie en commun se présente sous diverses formes. Cette diversité, en tant que telle, ne fait pas problème. Ce qui fait problème, aux yeux des « historistes », c'est que le mal ici devienne le bien là. Vérité en deçà des Pyrénées, erreur au-delà.

Le sociologue chante la diversité des langues et des mœurs, la richesse des expressions de l'humanité elle-même. Au nom de quelle valeur, de quel critère pouvons-nous choisir entre ces « sociétés », donner à chacune d'elles une place à un certain niveau de la hiérarchie, retenir une d'entre elles comme la meilleure ou l'exemplaire ? Dans la même veine, Max Weber disait : laquelle l'emporte de la culture allemande et de la culture française ? Je réponds : pourquoi poser la question ? Pour choisir entre elles ? Ou placer l'une au-dessus de l'autre ?

La diversité risque, il est vrai, de nous entraîner vers le scepticisme si le bien et le mal s'intervertissent d'une société à une autre. Je ne juge nullement qu'il en soit ainsi. L'honnêteté, la franchise, la générosité, la douceur, l'amitié ne changent pas de signe d'un siècle à un autre, d'un continent à un autre ou en franchissant les frontières. Bien entendu, la même conduite peut être jugée agressive dans un groupe, sainement sportive dans un autre. Ni les activités ni les réussites ne sont appréciées partout selon le même critère. A l'intérieur de la même société, il n'existe pas un seul type d'homme exemplaire. Le chevalier, le clerc, le savant n'aspirent pas à la même excellence. Tout ce qui relève de la culture, telle que la définissent les ethnologues, échappe à un jugement universel. Qui formulerait un tel jugement appartiendrait inévitablement à l'une de ces cultures. Il n'existe pas d'observateur au-dessus de la mêlée.

Pour une part, la multiplicité des cultures ressemble à celle des arts : il faut en admirer la diversité, non en déplorer l'anarchie. Nous autres Occidentaux, nous sommes au rouet. Plus que tous les autres, nous avons pris conscience de cette diversité et nous aspirons aux vérités ou aux valeurs universelles. Contradiction qui travaille, déchire notre conscience historique, mais que nous ne sommes pas incapables de surmonter, ou, tout au moins, de supporter.

Faut-il maudire la conquête romaine de la Gaule ou la célébrer parce que la France en sortit ? Chacun répondra à cette interrogation, au hasard de son humeur et de son savoir. Un jugement historique de cette sorte, laissons-le aux érudits s'ils en ont le goût, aux polémistes, ou même à un philosophe, tel Fichte, saisi par le démon de la propagande. Ces jugements historiques nous troublent seulement lorsqu'ils deviennent jugements politiques.

A notre époque, des millions d'hommes vivent et souffrent le déchirement, au fond d'eux-mêmes, entre une culture qui se meurt et une culture qu'ils détestent et désirent tout à la fois parce qu'elle offre la voie de la puissance et de l'opulence. Il y a près d'un demi-siècle, j'écrivis que l'Occident ne sait plus s'il préfère ce qu'il apporte à ce qu'il détruit. Privés de leurs empires, les Européens n'assument plus la même responsabilité ; peut-être commettent-ils encore des ethnocides, mais ils les commettent moins par leurs actes que par leur être. L'histoire de l'humanité est jonchée de cultures mortes, parfois même évanouies de la mémoire des vivants.

L'histoire fut tragique pour les Indiens, pour les Incas, pour les Aztèques ? Qui en doute ? Elle piétine les cadavres des cultures aussi bien que ceux des hommes. Vers quoi va-t-elle ? Ce qui viendra demain justifiera-t-il jamais les souffrances de ceux qui tombèrent sur le chemin ? Là encore, personne ne peut répondre. Aujourd'hui, en ce siècle, nous sommes libérés du provincialisme propre à toutes les cultures passées, libérés du progressisme naïf, libérés aussi du relativisme facile. La vérité des sciences, la reconnaissance de la dignité de tous, nobles ou manants, fondent nos convictions. Les événements du siècle ont dissipé nos illusions : le progrès de la science ne garantit ni le progrès des hommes, ni celui des sociétés. Les horreurs des régimes hitlérien et stalinien, au rebours d'opinions courantes, nous arrachent à une forme grossière du progressisme. Nous savons que tout, y compris le pire, est possible, mais que le pire n'est pas moralement indiscernable du convenable.

Par ce biais, je serais parvenu à une théorie mieux élaborée de la « conscience historique dans la pensée et dans l'action [1] ». Comment concilier en sa pensée le droit à l'existence de toutes les cultures et l'adhésion résolue à la sienne ? Comment concilier en pratique mon appartenance à la nation dont je suis un citoyen, et ma fidélité à mes ascendants juifs ? Comment accepter l'éventualité de l'emploi des armes nucléaires contre des villes, autrement dit la mise à mort de millions d'innocents ? Est-ce que je reprendrais à mon compte la dernière phrase de l'*Introduction* : « L'existence humaine est dialectique, c'est-à-dire dramatique puisqu'elle agit dans un monde incohérent, s'engage en dépit

1. Titre que j'ai donné aux deux séries de conférences à Aberdeen, les *Gifford Lectures.*

de la durée, recherche une vérité qui fuit, sans autre assurance qu'une science fragmentaire et une réflexion formelle » ?

Je séparerais mieux valeurs sociales et vertus morales, je renforcerais les bases de la vérité scientifique et de l'universalisme humain. Quant à l'action, je décrirais plus concrètement notre condition historique, mais non en termes foncièrement différents. Dans les périodes tranquilles, à l'intérieur des sociétés démocratiques modernes, le citoyen n'a guère d'occasions de vivre les affres de la décision aventureuse. Quand le salut de la collectivité est en péril, quand nous spéculons sur la dissuasion et les armes nucléaires, quand nous hésitons entre la protection américaine et le protectorat soviétique, nous nous engageons dans un monde incohérent, nous choisissons un ensemble social contre un autre, tous deux imparfaits, nous nous résignons à une horreur éventuelle que nous devrions peut-être rejeter absolument.

J'écrivis, il y a près d'un demi-siècle, que notre condition historique est dramatique. Faut-il dire dramatique ou tragique ? A certains égards, oui, tragique vaut mieux que dramatique. Tragique, la nécessité de fonder la sécurité sur la menace de bombardements nucléaires ; tragique, le choix entre l'accumulation d'armes classiques et la menace nucléaire ; tragique la destruction de vieilles cultures par la civilisation industrielle, mais la tragédie ne serait le dernier mot que si un aboutissement heureux, par-delà les tragédies, n'était même pas concevable. Je continue de juger concevable la fin heureuse, très au-delà de l'horizon politique, Idée de la Raison [1].

Ai-je regretté de n'avoir pas été le Kissinger d'un Prince, comme s'amusent à l'écrire les uns ou les autres, Jean d'Ormesson par exemple ? Je leur répondrai amicalement qu'ils se trompent. Roger Martin du Gard, dans ses Mémoires, encore inédits, esquisse un portrait trop flatteur de moi et explique à sa manière pourquoi je ne « gouvernerai pas [2] ».

Quant à moi, je crois plus simplement que je n'ai jamais possédé les qualités nécessaires à l'exercice du pouvoir, même au niveau de conseiller. Prudent dans mes écrits, je contrôle mal mes propos. Je me laisse aller à des formules extrêmes, de circonstance ou d'humeur, qui n'expriment pas ma pensée profonde et qui risquent de la discréditer. L'homme politique doit tenir sa langue autant que sa plume. Je ne suis

1. Au sens de Kant.

2. « En lisant les écrits de Raymond Aron, le premier mouvement d'adhésion est tel qu'on souhaiterait pouvoir l'investir d'une puissance absolue, et s'en remettre à lui de la conduite de l'État. C'est le "bon dictateur ", secrètement attendu des hommes depuis la mort de Solon. Mais je l'imagine en place. Il est bien trop intelligent pour gouverner ! Non seulement son intelligence le désarmerait devant ses adversaires et l'obligerait à trop bien comprendre les oppositions pour les écarter, pour les combattre [...]. » Le texte est daté « été 1957 ». Roger songeait probablement surtout à mes prises de position sur l'Algérie.

pas incapable d'adapter mes paroles à mon interlocuteur, mais le langage diplomatique m'est pénible. J'aime à parler sans peser mes propos et le mensonge, même le plus trivial, me coûte un effort : pour refuser un dîner ou une conférence, je manque d'imagination.

Il y a bien plus. Je n'ai jamais prétendu à une compétence d'économiste professionnel. Certes, la plupart des ministres des Finances ne possèdent pas non plus la compétence de ceux qui enseignent ou administrent l'économie. Pourquoi un ministre, tant qu'à chercher un conseiller en dehors de l'administration, aurait-il choisi un homme de mon genre, en marge de toutes les disciplines, d'esprit indépendant, porté à des passions peu compatibles avec les devoirs d'un conseiller ?

Le cas de Henry Kissinger obsède les commentateurs, en raison des relations que j'entretiens avec lui, des sentiments qu'il me porte et dont il ne fait pas mystère, même en mon absence. Mes petits-enfants garderont avec fierté l'exemplaire de ses *Mémoires* avec la dédicace *To my teacher* (à moins qu'entre-temps les historiens aient déboulonné Kissinger de son socle et que je partage avec lui l'inconstance de la fortune). Présider le Conseil national de sécurité à Washington, instruire chaque matin le président des États-Unis de l'état du monde, négocier pour lui à Pékin ou à Moscou, une telle fonction m'aurait fasciné si j'avais été un citoyen américain. D'autant plus que McGeorge Bundy, W. W. Rostow, H. Kissinger, Z. Brzezinski, professeurs de stature comparable à la mienne à Harvard, accédèrent à cette fonction sans mener une campagne électorale, sans faire le siège du Prince. Bien entendu, citoyen américain, j'aurais souhaité l'expérience du pouvoir, mais j'aurais — je l'espère — compris à temps que je ne possédais pas l'étoffe d'un Kissinger.

Il ne suffit pas d'intelligence, d'information, de jugement. Il faut des performances dont j'aurais été, selon toute probabilité, incapable : s'imposer dans la jungle des querelles washingtoniennes, querelles des personnes et des administrations, séduire la presse ou, tout au moins, en éviter l'hostilité, prendre ou inspirer les décisions, souvent nécessaires, qui envoient à la bataille et à la mort des jeunes hommes. Non que je refuse l'emploi de la force, en théorie ou en pratique. Mais c'est une chose d'admettre dans l'abstrait le recours aux armes, une autre de convaincre le président *hic et nunc* d'y recourir. Le penchant aux scrupules, la détestation de la violence m'auraient desservi dans le poste qu'occupa un intellectuel d'exception tel Kissinger.

Laissons ces aveux sur l'irréel. Imaginons un poste comparable, en France, à celui de conseiller pour la diplomatie et la défense. Aucun des présidents de la Vᵉ République n'a eu besoin d'un tel conseiller et ne l'aurait accepté. Et le poste n'eût pas été très excitant. Une bonne partie de la diplomatie du général de Gaulle n'allait pas au-delà de la mise en scène. Que reste-t-il d'autre, de ses voyages en Amérique latine, en Roumanie, en Pologne, que des souvenirs d'acclamations ? Quelques décisions, prises par lui, demeurent : sortir du commandement intégré de l'OTAN, tenter et rater une alliance franco-allemande destinée à soustraire les deux pays à « l'hégémonie américaine », renouer des relations avec Moscou (ni l'entente ni la coopération ne suivirent la détente). Depuis lors, la diplomatie française comporte deux volets : les négociations permanentes avec les partenaires de la Communauté européenne, l'action dans le reste du monde.

En Afrique, la France s'efforce de conserver sa zone d'influence, de maintenir ses liens avec les pays francophones. De temps à autre, des crises surgissent, au Tchad, en Afrique centrale, au Kinshasa. Les décisions, heureuses ou non, n'exigent ni clairvoyance, ni courage hors du commun. Au Proche-Orient, la diplomatie française ne va guère au-delà des déclarations, faute de moyens nécessaires pour peser directement sur les événements. La France n'est absente d'aucune partie du monde, mais, bien que les présidents de la Ve République, à l'instar des présidents américains, veuillent être leur propre ministre des Affaires extérieures, ils se font des illusions. Depuis la mort du Général, à l'exception de l'entrée de la Grande-Bretagne dans la Communauté européenne, la diplomatie française se maintient dans le même sillon. Ce n'est pas elle qui donne à la France sa place dans le monde ; ce sont les Français eux-mêmes, la qualité de leur travail et de leur culture.

Je n'ai rêvé ni d'un ministère, ni d'une ambassade, ni moins encore d'un fauteuil dans un conseil prestigieux. (Il ne dépendait que de moi d'occuper un des fauteuils des neuf « Sages ».) Ce qui me fit courir et ce qui, de temps à autre encore, réveille en moi des angoisses et des espoirs, c'est la question que je ne cessai de me poser : mon enseignement eut-il quelque vertu pour les jeunes qui m'écoutèrent ? L'enseignement que contenaient mes articles a-t-il servi mon pays, la formation de mes lecteurs, la réputation du journalisme français au-dehors ? Ai-je servi à quelque chose pendant une trentaine d'années durant lesquelles, vaille que vaille, j'ai écrit au moins un article par semaine ?

Pendant la douzaine d'années à la Sorbonne, je n'éprouvai guère d'inquiétude sur l'influence que je pouvais exercer. J'apportais à mes étudiants, marxistes ou non, la théorie de la société industrielle, la philosophie politique de Spinoza, l'interprétation sociologique de Montesquieu, l'étude des relations internationales. Cet enseignement n'avait peut-être pas la même valeur, à certains égards, que celui qu'un spécialiste des questionnaires aurait donné, à l'usage des quelques-uns qui se destinaient à la carrière de sociologue. Mais, tel qu'était le public d'étudiants en ces années de transition entre la Sorbonne de ma jeunesse et la Sorbonne qui explosa en 1968, un professeur plus classique, qui aurait prosaïquement, rigoureusement, jalonné le chemin de l'analyse à l'explication sociologique n'aurait pas fait mieux que moi. Mieux pour quelques-uns, moins bien pour la plupart. La formation technique du sociologue, les professionnels en accentuent d'autant plus l'importance qu'ils en connaissent les limites et, en dernière analyse, la facilité.

La question que je me posai plus d'une fois concerne le contenu moral ou politique de mon enseignement, interprété au sens le plus large. J'ai fait allusion à mes contacts avec les élèves de l'École Normale Supérieure de Saint-Cloud. Il y a quelques mois, en 1982, alors que ce livre était presque terminé, je reçus d'un des anciens de cette école quelques pages d'un petit livre, qu'il ne se proposait pas de publier et dans lequel je figure, livre des souvenirs d'une vie. « Toujours sur le conseil d'Auriac — c'est pour nous une injonction — nous voilà dans le clair-obscur d'une salle tout en lambris de la Sorbonne où se tient une réunion de la Société française de philosophie sous la présidence d'un Léon Brunschvicg olympien, avec son front immense et son regard dont la pénétration semble faire fi des apparences. Raymond Aron — sur un corps comme désarticulé, un visage caricatural comme un masque : oreilles décollées, nez busqué, bouche à la fois ironique et amère — vient d'exposer, avec la froideur du détachement, sur la relativité en histoire, la fragilité de la démocratie, l'incertitude de l'avenir de l'humanité, des vues qui indignent le massif Victor Basch. Celui-ci, dont tout le corps tremble, clame, d'une voix de tribun, son inébranlable conviction : la liberté est née en Grèce, elle n'a cessé d'éclairer l'homme dans sa marche, elle est une lumière qui ne s'éteindra jamais ; elle l'emportera. Son interlocuteur lui répond avec une courtoisie glacée [1] que rien n'est décidé à l'avance, que rien n'est acquis, que tout au plus peut-on considérer, mais c'est concédé du bout des lèvres, comme par lassitude, qu'à très, très long terme, peut-être, la raison et la morale pourraient surmonter par leur cohérence, plus efficaces et plus solides que les passions et la violence. [...] C'est évidemment Raymond Aron qui a raison [2]. »

La séance de la Société française de philosophie narrée ici par un de mes auditeurs de Saint-Cloud eut lieu au mois de juin 1939. Je l'ai évoquée moi-même, dans un chapitre précédent, avec des sentiments mêlés. Bien sûr, j'avais raison : l'incertitude de l'avenir, la menace de la guerre, la fragilité de la démocratie. Victor Basch vivait de sa foi, serein en dépit de la tempête qui montait à l'horizon. Et il fut assassiné — parce qu'il était juif, parce qu'il croyait à toutes les valeurs que les nazis et leurs disciples français voulaient détruire.

1. Déjà (!).

2. J'ai soumis à un autre des auditeurs de l'École de Saint-Cloud le portrait que je viens de reproduire. Cet autre « Cloutard », devenu depuis lors professeur d'université, n'avait assisté ni à la soutenance de thèse, ni à la séance de la Société française de philosophie, mais il se souvient du professeur. Il m'écrit : « A Saint-Cloud, avant, pendant et après les cours, vos traits et votre allure étaient ce qu'ils étaient, mais avec quelque chose de plus qui manque dans ce portrait, le sourire, la gentillesse, la bonne humeur. Il est vrai que vous n'alliez pas à la Société de philosophie pour être gentil, mais pour défendre vos convictions. Reste que si j'accepte la bouche "ironique ", je récuse et avec force la bouche amère. Je ne sais trop par quoi il faudrait remplacer ce mot, mais d'amertume chez vous, même le soir où la Sorbonne venait de vous préférer Gurvitch et que par hasard je passais chez vous, sur cette bouche ironique (mais pas toujours) je n'en ai jamais connu ; j'y ai perçu, c'est vrai, et vous me le pardonnez, une fois ou l'autre quelque tristesse, mais, excusez-moi, il y avait de quoi. » Ce deuxième auditeur devint, pour moi, en ces années d'avant-guerre, un ami ; je n'étais pas le même aux yeux de ceux qui m'écoutaient de loin et aux yeux d'un ami qui nous visita au cap Brun, dans la petite maison où je terminais la rédaction de ma thèse et avec lequel je discutai d'*Esprit*.

Le « Cloutard » rapporte ses souvenirs de ses professeurs de philosophie : « Nous suivions les cours des deux professeurs chargés conjointement de l'enseignement de la philosophie à l'École, tous deux juifs, mais aussi dissemblables que possible. Le consciencieux Dreyfus-Lefoyer était toujours là, son cours fort complet et même exhaustif, sans interrogation et sans surprise, nous laissait indifférents. Celui du délié Raymond Aron où, hors de toute considération de programme, il nous livrait ses réflexions sur les philosophes de l'Histoire, de Machiavel à Sorel et Pareto en passant par Hobbes, était provocant et impressionnant. A l'optimisme idéaliste, il opposait la pratique des politiques cachée ou non par les discours, c'était la Realpolitik, celle qu'avait menée Bismarck, celle qui inspirait Hitler. Il venait de faire en Allemagne un séjour de plusieurs années au cours duquel il avait pu observer la montée du nazisme que visiblement il exécrait, mais qui le fascinait. Il avait été socialiste et s'était donné une connaissance approfondie de Marx. Il appréciait en lui le critique rigoureux de l'économie, mais il rejetait son prophétisme manichéen, porteur de condamnations sans appel. Au nom de la lucidité et du réalisme, il pourfendait les illusions. Je ne voulais pas renoncer à ma foi, mais je reconnaissais la portée de ses vues. Alors que nous désirions tant continuer à vivre dans le XIXe, de même que la lumière dissipe les nuages, sa rigueur en écartait les mythes et tous nous nous découvrions désarmés et nus au bord de l'abîme. Pour un peu nous lui en aurions voulu, comme si c'était lui qui nous y avait conduits. Et en vérité, dénonçant le danger nazi qui portait avec lui la menace de la guerre, il était effrayant alors même que, vidant de toute espérance le credo révolutionnaire, il était démobilisateur. [...] »

Effrayant, ce n'était pas moi qui l'étais mais le monde tel qu'il m'apparaissait entre 1935 et 1939 et tel qu'il était — nous le savons aujourd'hui. Glacé, je ne le fus jamais, mais je donnai souvent l'impression de l'être. Pourquoi ? Par pudeur ? Par refus de mêler les genres ? Par obéissance à Spinoza : « ne pas tourner en dérision les actions humaines, de ne pas les déplorer ni les maudire, mais les comprendre » ? Un peu de tout cela et probablement quelque chose de plus mystérieux. Mes propos de jeunesse, au cours des années 30, trahissaient peut-être une sorte de joie intellectuelle, la conscience d'avoir dissipé les nuages et approché le vrai. Si la nostalgie des croyances que je pourfendais avait percé à travers mes négations, peut-être ma voix aurait-elle été non glacée par l'analyse mais réchauffée par la révolte, fût-elle vaine, de la conscience contre la réalité.

Quand j'écrivis *la Tragédie algérienne,* François Mauriac retrouva immédiatement l'adjectif de mon auditeur de Saint-Cloud. Pourquoi ? Il fallait choisir entre la guerre et la paix, entre le maintien de la souveraineté française et le droit des Algériens à l'indépendance ; poser ce dilemme *impitoyablement.* L'analyse n'était ni chaude ni froide, mais vraie ou fausse. Soyons juste. Une autre fois, François Mauriac me remercia par une lettre chaleureuse d'une conférence donnée devant quelques centaines d'étudiants catholiques. Il me vit aussi à la télévision tout autrement : il m'opposa à V. Nabokov pour écraser ce dernier.

Il reste un reproche autrement grave : démobilisateur. Ai-je été toute ma vie « démobilisateur » ? Je n'aurais pas dû l'être puisque je ne me suis pas voué à la tâche exclusive et austère de la science. Démobilisateur, face à mes auditeurs de Saint-Cloud, entre 1935 et 1939, peut-être l'ai-je été [1]. Mais quelle chance de faire mieux ? Fauconnet me laissait le choix : « désespéré ou satanique » ; le « Cloutard » avec ses camarades me jugeait terrifiant. J'ébranlais leurs certitudes, je leur découvrais le péril mortel, tout proche de nous. Je plaidais pour une démocratie qui, même dans sa décrépitude, valait mieux que les régimes totalitaires. « Nous combattons pour *Paris-Soir* contre le *Völkischer Beobachter* », dit un jour Jean Cavaillès, chez Léon Brunschvicg, non par désespoir mais par dérision, lui un des plus purs héros de la Résistance. Je n'ouvrais pas à mes auditeurs la voie du salut révolutionnaire. Ai-je eu tort quand ce salut s'appelait Staline ?

Depuis la guerre, ai-je été « démobilisateur » ? Il fallut bien démobiliser les croyants, militants, compagnons de route de Staline, Khrouchtchev et Brejnev. A cette opération de salubrité mentale, j'ai donné beaucoup de temps. Les faits et les modes, non mes arguments, tendent aujourd'hui à discréditer l'espérance révolutionnaire que prétend incarner le communisme. Mais ce que le « Cloutard » pouvait dire, dans les années 30 : « à quoi se prendre ? », Michel Contat n'a pas le droit de l'écrire en 1982. Les démocraties occidentales ont accompli, depuis la dernière guerre, les progrès dont leurs contempteurs les jugeaient incapables : la croissance économique, les libertés personnelles, l'amélioration des rapports sociaux. Qui a répandu un enseignement « mortifère », ceux qui cherchèrent La Mecque tour à tour à Moscou, Belgrade, Pékin ou La Havane, ou ceux qui, libérés des croyances sotériologiques, travaillèrent de leur mieux à la prospérité et aux réformes des régimes libéraux, les moins mauvais de notre civilisation, peut-être les moins mauvais de l'histoire ?

La critique des religions séculières contenait en elle-même des affirmations, une prise de position globale que d'aucuns accuseraient de conformisme. J'accepte les traits caractéristiques des régimes établis, démocratiques et libéraux. Dans l'*Essai sur les libertés,* pour lequel je garde un faible, je me suis efforcé de mettre en lumière la synthèse nécessaire de deux formes de liberté : le domaine d'autonomie laissé aux individus, les moyens que l'État donne aux plus démunis afin qu'ils puissent exercer les droits qui leur sont reconnus. Les démocraties modernes n'ignorent ni la liberté de choix, ni la liberté-capacité, l'une assurée par la limitation de l'État, l'autre par les lois sociales. En leurs meilleurs moments, les sociétés occidentales me paraissent accomplir un compromis exemplaire.

1. Pas pour tous, en particulier pas pour les catholiques.

Aujourd'hui, les maîtres à penser ne songeraient pas à me qualifier de « satanique ou désespéré ». Bien plutôt ils me dénonceraient en tant que conservateur, indifférent aux inégalités entre les personnes et les nations, résigné à des régimes dont personne, à moins d'aveuglement, n'ignore les imperfections, voire les tares. Il y a toujours des riches et des pauvres, des puissants et des humiliés. Nos régimes, aucune sociodicée ne les justifierait de manière plus convaincante que les théodicées ne justifièrent jamais le Créateur. Ceux qui mettent l'égalité au-dessus de tout, au-dessus de la liberté, me reprochent la part congrue que j'accorde dans mes commentaires ou mes livres aux « scandales » de l'inégalité.

Dans mes cours de Sorbonne, j'ai souvent traité de l'inégalité. Une année, je consacrai à ce thème deux heures par semaine. Je n'en ai rien extrait pour la publication, tant mes essais me laissèrent insatisfait.

Égalitaire au sens moral du terme, je le suis de tout cœur ; je déteste les relations sociales, trop nombreuses, dans lesquelles la hiérarchie des statuts étouffe le sens de la fraternité. Héritage des religions de salut, de l'égalité de tous devant Dieu ? L'arrogance ou l'autoritarisme de nombre de mes collègues, souvent de gauche, à l'égard de leurs étudiants me choque. Mais, au-delà de ces sentiments, j'avoue ne pas savoir ce qu'implique la justice sociale et quelle répartition des revenus, ou des richesses, ou du prestige, ou du pouvoir répondrait aux exigences de l'équité. Les philosophes du droit aux États-Unis discutent depuis quelques années sur ce thème. Ils inclinent à recommander la plus grande égalité compatible avec la sauvegarde des libertés. Ces spéculations, si brillantes soient-elles, ne suppriment ni l'évidence de certains jugements sur des cas particuliers, ni l'incertitude sur l'ensemble.

En dehors d'une société égalitaire à tous les points de vue, ce qui est impossible, à moins d'un despotisme total, la répartition des biens sociaux n'obéit à aucun principe simple. Les jugements négatifs s'imposent plus aisément que les jugements positifs. Les avantages, monétaires et non monétaires, dont jouissent certains groupes, certaines professions ou certaines personnes ne se justifient ni en eux-mêmes, ni par comparaison avec ceux d'autres groupes, professions ou personnes. Il est plus facile de condamner une situation injuste que de définir ce que serait la justice de la société globale. Pour tout métier, dans l'abstrait, on devrait tenir compte du coût de la formation, de la pénibilité du travail, de la contribution au bien commun, de l'efficacité ou du rendement, sans compter le mérite moral de chacun (et j'en passe). A partir de ces considérations, personne, pas même l'ordinateur le plus sophistiqué, ne donnerait une réponse catégorique. La distribution des individus entre les emplois est largement aléatoire : celui qui n'a pas réussi peut accuser le sort et éluder ses propres responsabilités.

Tous ceux qui écrivirent sur la politique par souci de la vérité furent de quelque manière des démystificateurs. A une époque dominée par les idéaux de liberté et d'égalité, les sociologues appartiennent plus que jamais à l'école du soupçon. Ils ne croient pas sur parole les discours que les acteurs sociaux tiennent sur eux-mêmes. Les plus audacieux ou les plus pessimistes, ne disposant plus de l'image ou de l'espoir de la bonne société, jugent la leur avec une sévérité impitoyable. La même société qui proclame l'égalité des chances transmet de génération en génération sa structure, ses classes, ses dominants et ses dominés ; les membres de ces classes changent à travers le temps mais la continuité familiale l'emporte. Par l'intermédiaire des diplômes, les héritiers s'ajoutent un titre supplémentaire de légitimité.

De nos sociétés libérales, les sociologues se font des images dissemblables à partir des mêmes faits. Il n'est pas surprenant que les enfants des familles favorisées aient plus de chances de réussir que le fils d'ouvrier ou de salarié agricole. Plus le système éducatif réunit tous les enfants dans les mêmes écoles, donc dans des conditions apparentes d'égalité, plus l'égalité des chances apparaît hors de portée. Les illusions de l'école unique se sont évanouies ; mais faut-il s'indigner que les chances soient inégales ou se féliciter qu'il y ait une chance pour beaucoup, sinon pour tous ?

La société libérale, comme toute société, « socialise » les jeunes, leur inculque certaines valeurs, un sens du bien et du mal. En ce sens, ceux qui ont pouvoir, qui tiennent le haut du pavé, imposent aussi leurs symboles. Est-il scandaleux que l'autorité morale des lois ou de l'État renforce, en la légitimant, la domination de la classe dirigeante ? Ou bien faut-il admirer la marge de choix que l'Occident, incroyant et peut-être décadent, laisse à chaque personne ? La culture scientifique, universaliste par nature, tient aujourd'hui la première place dans la formation des jeunes. Et les valeurs propagées par le système éducatif incitent plutôt à la critique qu'au respect de l'ordre établi.

Le marxisme ne sert plus désormais à écraser les régimes démocratico-libéraux sous l'utopie de la société sans classes ou l'exemple de la réalité soviétique. Il peut servir à nourrir une sorte de nihilisme. A force d'insister sur l'arbitraire des valeurs et l'inégalité des relations interpersonnelles dans les collectivités relativement les moins tyranniques, on finit par ne pas reconnaître les faits les plus évidents : si la société moderne se reproduit — elle ne pourrait pas être une société si elle ne se reproduisait pas —, elle se transforme plus vite que toutes celles du passé. Et l'ordre libéral continue de différer en nature de l'ordre tyrannique que nous offre l'Union soviétique. Qui ne reconnaît qu'une différence de degré entre l'idéologie d'État à Moscou et la « violence symbolique » à Paris finit, aveuglé par le sociologisme, par occulter les enjeux de notre siècle.

Les philosophes de l'Histoire qui suivent A. Toynbee affirment que l'Europe ne retrouvera son élan que par la foi, le christianisme ou même, spécifiquement, le catholicisme. Je me déclare incompétent. Si j'étais croyant, juif ou chrétien, je m'efforcerais de diffuser ma foi ou ma vérité. Puisque je ne suis croyant d'aucune Église, je laisse vide la place pour la foi transcendante, et je m'en tiens personnellement à la foi du philosophe, doute plutôt que négation. Les tentatives multiples d'un accord entre les dogmes chrétiens et la science actuelle m'intéressent sans me convaincre. La cosmologie de l'Ancien Testament et les cosmologies d'aujourd'hui peuvent, à défaut de se rencontrer, coexister sans se contredire. La science n'apportera jamais rien de comparable à l'Alliance du peuple juif ou à la Révélation du Christ.

La sociologie des religions fait abstraction, par méthode, de la dimension surnaturelle. Peut-elle répondre à la question : le XXIe siècle sera-t-il religieux ? Le regain de l'Église catholique est-il probable et quelle forme prendra-t-il ? Ira-t-il dans le sens des intégristes ou dans celui des théologiens de la Libération ? Je ne me sens pas en droit de rien affirmer. Je crois davantage à un catholicisme qui prêche le salut de chaque âme qu'à une Église, auxiliaire spirituelle des mouvements révolutionnaires (bien qu'en Amérique latine ce deuxième terme de l'alternative me semble, ici ou là, presque inévitable).

En laissant de côté les Églises traditionnelles et en concentrant mon attention sur les religions séculières, ai-je manqué l'essentiel ? Ai-je eu tort ou erré par mauvaise chance en prenant l'économie et la guerre pour thèmes de ma réflexion, pour données majeures de notre temps ? J'ai laissé le choix entre tort et mauvaise chance. En effet, comment aurais-je pu choisir autrement ? Quand j'accédai à la conscience historique, la Grande Dépression exacerbait le nationalisme allemand et poussait Hitler vers le pouvoir et l'Europe vers la catastrophe. Le marxisme au pouvoir à Moscou, une révolution antiprolétarienne à Berlin, voilà les événements qui dictèrent l'orientation de mes recherches. Je voulus devenir l'historien contemporain de ces révolutions et de ces guerres.

Mauvaise chance ? L'inspiration que j'ai trouvée dans l'historisme allemand, chez Karl Marx et Max Weber, me détourna-t-elle de la bonne voie, celle de Durkheim et de Tarde ? Ma génération, « polluée » par les idées germaniques, que Jean-Paul Sartre transfigura avec un éclat incomparable, appartient-elle déjà au passé ? Il se peut et je n'en éprouve aucune amertume. Les meilleurs des sociologues, cependant, utilisent simultanément Marx et Weber, l'un et l'autre épurés des passions politiques, qui dissimulent leur complémentarité scientifique.

Pour moi, je ne pense pas que le passage par la culture allemande, puis par le souci analytique des Anglo-Américains, m'ait détourné de la France. Avant 1939, l'Allemagne, c'était notre destin. Jusqu'à la défaite du IIIe Reich, en 1945, les idées venues d'Allemagne pénétraient l'histoire mondiale. Le racisme n'appartenait pas plus à l'Allemagne qu'aux autres pays européens, mais Hegel-Marx et leurs épigones, Nietzsche et sa critique des idéologies informaient, illustraient, éclairaient les grands conflits pour la domination du monde.

Après le crépuscule des dieux germaniques, la démocratie de style américain, pragmatique, sans métaphysique, en quête de rigueur sémantique, ne trouva plus en face d'elle qu'une version abâtardie de la tradition hégéliano-marxiste. La technicisation de la planète prit un nouvel élan. Les mythes marxistes se dissipèrent finalement presque d'eux-mêmes, à la lumière des faits. Même le changement de climat économique, depuis 1973 (ou peut-être quelques années plus tôt), ne renouvelle pas la perspective sur l'avenir de l'humanité.

Je ne découvre guère de raisons d'optimisme quand je regarde devant moi. Les Européens sont en train de se suicider par dénatalité. Les peuples dont les générations ne se reproduisent pas sont condamnés au vieillissement et, du même coup, guettés par un état d'esprit d'abdication, de « fin de siècle ». Ils peuvent combler les vides par des étrangers, ainsi qu'ils l'ont fait pendant les « trente glorieuses », mais, par là même, ils risquent d'aggraver la tension entre les immigrés et les travailleurs menacés par le chômage. La synthèse démocratico-libérale, l'économie mixte sont menacées, probablement d'ici à la fin du siècle, par le ralentissement de la croissance, l'inflation, le désordre monétaire, le pourcentage des transferts sociaux dans le produit national. La France, après un redressement presque inespéré, perd sa place dans le monde, faute de s'adapter aux rigueurs de la compétition, à demi paralysée par les querelles intestines et par la persistance d'idéologies anachroniques.

Les États-Unis ont perdu la supériorité militaire. L'Union soviétique accumule les armes, d'abord pour intimider, pour intervenir aussi dès qu'une occasion se présente. La classe politique de la République américaine, celle de la côte Est, qui inspira et dirigea la diplomatie au cours d'un quart de siècle, s'est suicidée ; responsable de la guerre du Vietnam, elle en rejeta la faute sur Richard Nixon qui ne l'avait pas liquidée assez vite. Les présidents J. Carter et R. Reagan oscillent d'un extrême à l'autre. Le consensus sur la politique étrangère a disparu. Le pays n'est plus assez riche pour financer tout à la fois la législation sociale et le réarmement. Il garde encore la prééminence scientifique, un appareil de production sans égal, mais il est devenu imprévisible pour ses ennemis et pour ses alliés.

En Europe, la République fédérale allemande, plus que jamais la clé de voûte de l'Alliance atlantique, semble ébranlée. En première ligne, contiguë à l'Empire soviétique, elle s'efforce de conserver sur son territoire une armée américaine, sans irriter les hommes du Kremlin. Le pacifisme de millions d'Allemands réduit la capacité de décision du gouvernement : traduit-il la crainte légitime d'armes horribles ou le refus d'un partage auquel le peuple allemand se résigne de plus en plus mal ?

La réconciliation des Français et des Allemands demeure solide, authentique. Mais le jour, évoqué dans les controverses des années 50, est-il venu ? Socialiste ou conservateur, le chancelier de Bonn regarde et vers l'Est, menaçant, et vers l'Ouest, protecteur. Dans quelle direction ira-t-il finalement ?

Si je m'abandonnais à mes humeurs noires, je dirais que toutes les idées, toutes les causes pour lesquelles j'ai lutté apparaissent mises en péril au moment même où l'on m'accorde, rétrospectivement, que je n'avais pas tort dans la plupart de mes combats. Mais je ne veux pas céder au découragement. Les régimes pour lesquels j'ai plaidé et dans lesquels certains ne voient plus qu'un camouflage de pouvoir, par essence arbitraire et violent, sont fragiles et turbulents ; mais, tant qu'ils resteront libres, ils garderont des ressources insoupçonnées. Nous continuerons de vivre longtemps, à l'ombre de l'apocalypse nucléaire, partagés entre la peur qu'inspirent les armes monstrueuses et l'espoir qu'éveillent les miracles de la science.

Je ne voudrais pas terminer cette trop longue rétrospective par des réflexions sur l'histoire-se-faisant. Par définition, elle continue ; le point où elle s'arrête pour moi ne signifie rien en soi ni pour les autres. Mon activité professionnelle n'a pas rempli ma vie, ni les articles, ni les livres, ni l'enseignement. A ma femme, à mes enfants, à mes petits-enfants, à mes amis je dois de vivre mon « sursis » depuis 1977, non dans l'angoisse mais dans la sérénité. Grâce à eux, j'accepte la mort — c'est facile —, mais avant elle les séquelles de l'embolie et les atteintes de l'âge — ce qui est plus dur. Je me souviens d'une expression que j'employais parfois quand j'avais vingt ans, dans des conversations avec des camarades et avec moi-même : « faire son salut laïc ». Avec ou sans Dieu, nul ne sait, à la fin de sa vie, s'il s'est sauvé ou perdu. Grâce à eux, dont j'ai si peu parlé et qui m'ont tant donné, je me remémore cette formule sans peur ni tremblement.

Bibliographie

Cette bibliographie n'est ni complète ni scientifique. Elle permettra au lecteur intéressé par les Mémoires de se reporter aux écrits des cinq périodes que j'ai distinguées.

I. *1928-1940*

La Sociologie allemande contemporaine. Paris, Alcan, 1935, 176 p. Rééditions : 1950, 1957, 1981.

Introduction à la Philosophie de l'Histoire. Essai sur les limites de l'objectivité historique. Paris, Gallimard, 1938, 335 p. Réédition 1981, collection Tel, avec en annexe, plusieurs articles sur les mêmes problèmes, en particulier « Comment l'historien écrit l'épistémologie » (*Annales,* nov.-déc. 1974) et « Récit, analyse, interprétation, explication : critique de quelques problèmes de la connaissance historique » (*Archives européennes de sociologie,* 1974).

Essai sur une théorie de l'histoire dans l'Allemagne contemporaine ; la philosophie critique de l'histoire. Paris, Vrin, 1938, 351 p. Rééd. en 1950, puis en 1970 dans la collection Points aux éditions du Seuil, sous le titre, *la Philosophie critique de l'Histoire.*

Collaboration avec les *Libres Propos* et avec *Europe,* entre 1928 et 1933. Les articles traitent presque tous des relations franco-allemandes, de la montée du national-socialisme et de la révolution hitlérienne.

Entre 1934 et 1939, collaboration avec les *Annales sociologiques,* la *Zeitschrift für sozial Forschung* et les *Recherches philosophiques.* Les textes sont pour la plupart des comptes rendus de livres avec quelques exceptions. « La sociologie de Pareto » in

Zeitschrift für sozial Forschung, 1937 ; « L'idéologie » in *Recherches philosophiques,* VI. Dans la *Revue de Métaphysique et de Morale,* XLIV, 1937, « Réflexions sur les problèmes économiques français » et en 1939 « L'ère des tyrannies de Élie Halévy ».

En 1936, dans le volume *Inventaires* I. Paris, Alcan, *la Crise sociale et les idéologies nationales,* parut le chapitre « Une révolution antiprolétarienne : idéologie et réalité du national-socialisme ».

Communication à la *Société française de philosophie,* le 17 juin 1939, « États démocratiques et États totalitaires » publiée en 1946 dans le bulletin de la *Société.*

II. *1940-1955*

1940-1945

Pendant la guerre je n'ai écrit qu'un petit livre, en collaboration avec Stanislas Szymonzyk, *l'Année cruciale : juin 1940-juin 1941.* Londres, Hamish Hamilton, 1944.

La plupart de mes articles publiés dans *la France libre* (jusqu'en 1944) furent réunis dans trois livres.

L'Homme contre les tyrans, New York, édition de la Maison française, 1944, 400 p. ; rééd. en 1945 par Gallimard.

De l'armistice à l'insurrection nationale, Paris, Gallimard, 1945, 373 p.

L'Âge des empires et l'avenir de la France, Paris, tribune de la France, 1945, 373 p.

1945-1955

Le Grand Schisme, Paris, Gallimard, 1948, 338 p.

Les Guerres en chaîne, Paris, 1951, 497 p.

L'Opium des Intellectuels, Paris, Calmann-Lévy, 1955, 334 p.

En dehors de ma collaboration à *Point de Vue* (1945), à *Combat* (1946-1947), au *Figaro* à partir du printemps de 1947, j'ai collaboré à des revues.

Liberté de l'Esprit où je publiai : « Le pacte de l'Atlantique » (avril 1949), « Imposture de la neutralité » (septembre 1950), « Réflexion sur la guerre possible » (décembre 1951, janvier 1952), « En quête d'une stratégie I. Le partage du monde, II. Les fausses alternatives » (mars-avril 1953). J'y publiai aussi certains articles de critique idéologique que je reproduisis dans le recueil : *Polémiques* (Paris, Gallimard, 1955), à savoir « Messianisme et sagesse » (L. E. décembre 1950) et « Séduction du totalitarisme » (mai-juin 1952).

A partir de 1952 j'ai collaboré fréquemment à la revue

Preuves dans laquelle j'ai publié un « Discours aux étudiants allemands » fait à l'université de Francfort le 30 juin 1952 (nos 18-19), « La Russie après Staline » (no 32), des articles au retour de mon voyage en Asie et surtout deux articles qui faisaient suite aux controverses sur *l'Opium des Intellectuels* « Aventures et mésaventures de la dialectique » (no 59) et « Le fanatisme, la prudence et la foi » (no 63).

III. *1955-1969*

Dix-huit leçons sur la société industrielle. Paris, Gallimard, 1962, Collection Idées, 378 p.

La Lutte de classes, Paris, Gallimard, Coll. Idées, 1964, 378 p.

Démocratie et totalitarisme, Paris, Gallimard, Coll. Idées, 1966, 384 p.

Ces trois livres reproduisaient, corrigés, les cours professés à la Sorbonne en 1955-1956, 1956-1957, 1957-1958. Ils avaient été mis en vente, polycopiés, par le Centre de documentation sociale, sous des titres différents *(Le Développement de la société industrielle et la stratification sociale* et *Sociologie des sociétés industrielles : esquisse d'une théorie des régimes politiques).*

Espoir et Peur du siècle. Essais non partisans. Paris, Calmann-Lévy, 1957, 343 p. Le livre contient trois essais, l'un sur la droite, un autre sur la décadence, le troisième sur la guerre.

La Tragédie algérienne, Paris, Plon, Tribune libre, 1957, 76 p.

L'Algérie et la République, Paris, Plon, Tribune libre, 1958, 146 p.

La Société industrielle et la guerre, suivi d'un *Tableau de la diplomatie mondiale en 1958.* Paris, Plon, 1958, 182 p.

Immuable et changeante, de la IVe à la Ve République. Paris, Calmann-Lévy, 1959, 265 p.

Dimensions de la conscience historique. Paris, Plon, 1960, 335 p. Les études réunies dans ce livre, à l'exception de la première, « Le sens de l'histoire », écrite en 1946 pour la *Chambers Encyclopaedia,* datent de cette période, « Évidence et Inférence » (version française d'une conférence faite en anglais, à Harvard), « De l'objet de l'histoire » 1959, pour l'*Encyclopédie française,* t. XX, « Thucydide et le récit historique » publié dans *Theory and History* en 1960, « Nation et Empire » *Encyclopédie française,* t. XI, 1957, « L'aube de l'histoire universelle », 1960, version française de la troisième *Lord Samuel Lecture,* « La responsabilité sociale du philosophe », communication au Congrès de l'Institut international de philosophie, Varsovie, 1957.

Paix et Guerre entre les nations. Paris, Calmann-Lévy, 1962, 793 p.

Le Grand Débat, initiation à la stratégie atomique. Paris, Calmann-Lévy, 1963, 274 p.

Essai sur les libertés. Paris, Calmann-Lévy, 1965, 285 p. Rééd. dans la Coll. Pluriel, 1977.

Les Étapes de la pensée sociologique. Paris, Gallimard, 1967, 659 p. Le livre est issu de cours professés à la Sorbonne et polycopiés par le Centre de documentation sociale sous le titre : *les Grandes Doctrines de sociologie historique*; en 1960 le tome I. Montesquieu, Auguste Comte, Karl Marx, Alexis de Tocqueville ; en 1962 le tome II. E. Durkheim, V. Pareto, Max Weber. Le livre avait paru d'abord en anglais, sous le titre : *Main Currents of sociological thought, Basic Books.*

Trois Essais sur l'âge industriel. Paris, Plon, 1966, 242 p.

La Révolution introuvable. Paris, Fayard, 1968, 187 p.

De Gaulle, Israël et les Juifs. Paris, Plon, Tribune libre 1968, 186 p.

Les Désillusions du progrès. Paris, Calmann-Lévy, 1969, 375 p.

Pendant cette période j'ai publié dans *Preuves*, de 1958 à 1962, des commentaires sur les débuts de la Ve République et la politique algérienne du général de Gaulle.

Je publiai la plupart de mes études sociologiques dans les *Archives européennes de sociologie.* La plupart de ces études, du moins celles que je jugeais dignes de réédition, se trouvent dans *Études politiques* (Gallimard).

IV. *1969-1977*

D'une Sainte Famille à l'autre. Essais sur les marxismes imaginaires. Paris, Gallimard, Coll. Essais, 1969, 308 p.

De la condition historique du sociologue. Leçon inaugurale au Collège de France, Paris, Gallimard, 1970.

Études politiques. Paris, Gallimard, 1972, 562 p. Recueil qui comprend en particulier les études : « Machiavel et Marx », « Alain et la politique », « Max Weber et Michael Polanyi » et des analyses de relations internationales.

République impériale, les États-Unis dans le monde, 1945-1972, Paris, Calmann-Lévy, 1972, 338 p.

Histoire et dialectique de la violence. Paris, Gallimard, Collection Essais, 1972, 271 p.

Penser la guerre, Clausewitz. t. I. L'âge européen, t. II. L'âge planétaire, Paris, Gallimard, 1976, 472 p. et 365 p.

Plaidoyer pour l'Europe décadente, Paris, Laffont, 1977, 511 p.

V. *LE SURSIS*

Les Élections de mars et la Ve République. Paris, Julliard, 1978, 511 p.

Le Spectateur engagé. Entretiens avec Jean-Louis Missika et Dominique Wolton, Paris, Julliard, 1981, 339 p.

A partir d'avril 1977, je cessai de collaborer au *Figaro.*

A partir de septembre de la même année, je donnai chaque semaine un éditorial à l'*Express.*

C'est dans *Commentaire* que je publiai les articles de revue « Mr. X règle ses comptes avec son passé : l'isolationnisme de Georges Kennan ». *Commentaire*, 1978 (I. 2).

« Pour le progrès : après la chute des idoles » *Commentaire*, 1978 (I. 3).

« De l'impérialisme américain à l'hégémonisme soviétique » *Commentaire*, 1979 (II. 5).

« Existe-t-il un mystère nazi ? » *Commentaire*, 1979 (II. 7).

« L'hégémonisme soviétique An I. » *Commentaire*, 1980 (III. 11).

Un professeur anglais Robert-Francis Colquhoun qui a écrit une thèse, *Raymond Aron : an intellectual portrait*, a mis au point la seule bibliographie scientifique qui existe. Celle-ci n'est pas publiée, mais accessible.

Index

E

F

H

I

J

K

M

Q

R

S

TABLE

Première partie

L'ÉDUCATION POLITIQUE
(1905-1939)

Deuxième partie

LA TENTATION DE LA POLITIQUE
(1939-1955)

Troisième partie

UN PROFESSEUR DANS LA TOURMENTE
(1955-1969)

Quatrième partie

LES ANNÉES DU MANDARIN
(1969-1977)

Cinquième partie

LE SURSIS
(1977-1982)

L'impression de ce livre
a été réalisée le 18 juillet 1983 sur les presses
des Imprimeries Aubin
à Poitiers/Ligugé